第 五 版

水道法逐条解説

水道法制研究会

日本水道協会

序

昭和三二年に水道法が制定されて以来、半世紀以上が経過しました。この間の水道の普及は目覚ましいものがあり、経済・社会情勢の変化、新たな課題等へと対応するため、数次にわたる制度改正がなされてきました。

水道法の解説としては、法制定当時に厚生省の法令担当官であった為藤隆弘氏による執筆で、昭和三三年、三四年に日本水道協会から発行した「水道法の解説」と「水道行政法提要」がありました。為藤氏の解説本は、その後の水道行政の発展に多大な貢献をすることとなりました。その後、昭和五八年に厚生省水道法制研究会によって加筆を行い、「水道法逐条解説」として刊行する運びとなり、水道関係者の必読の書となりました。

本書は、平成二七年に改訂された「第四版水道法逐条解説」を基本としながら、令和元年一〇月に施行された「水道法の一部を改正する法律（平成三〇年法律第九二号）」の内容、及びその後の水道法施行令・水道法施行規則・省令の改正や、各種通知の内容を織り込み、一層充実させたものです。

本書が、水道関係者に広く活用され、水道行政の更なる進展に大きく寄与することを期待しています。

令和三年九月

水道法制研究会

凡　例

一、法令の略称は次のとおりである。

法（又は本法）……水道法

令……水道法施行令

規則……水道法施行規則

二、職名の略称は次のとおりである。

〔厚生省（平成一三年以前）〕

環境衛生局長……厚生省環境衛生局長

水道環境部長……厚生省環境衛生局水道環境部長

水道課長……厚生省環境衛生局水道課長

計画課長……厚生省環境衛生局水道環境部計画課長

水道整備課長……厚生省環境衛生局水道環境部水道整備課長

（注　水道環境部の設置（昭和四九年四月）に伴い水道課が廃止され、その所掌事務が計画課及び水道整備課に引継がれた。また、昭和五九年七月に環境衛生局から生活衛生局に名称が変更された。）

〔厚生労働省（平成一三年以降）〕

健康局長……厚生労働省健康局長

水道課長……厚生労働省健康局水道課長

〔現在、厚生労働省医薬・生活衛生局水道課長〕

（注　水道課は、平成二三年に健康局から医薬食品局食品安全部に移管され、その後、食品安全部の廃止（平成二九年）に伴って、医薬・生活衛生局に名称が変更された。）

三、逐条解説する水道法令の条文には枠を付した。

四、逐条解説の項目の記載順序は、〔要旨〕・〔解説〕・〔参考〕・〔判例〕の順とした。

（注　〔参考〕及び〔判例〕の索引を目次の後に掲載した。）

五、総論、逐条解説で提示した関係法令及び通知等は原則として〔参考〕欄又は付録に掲載している。

六、通知の宛先は、特に記入のないものにあっては各都道府県知事・各政令指定市長宛又は各都道府県担当主管部（局）長宛である。

目　次

第一編　総　論

第二編　逐条解説

付録

二、通　知

二、通　知……1013
㈠ 水道法と都道府県条例について（通知）（昭和三三年衛水第一二号）……1013
㈡ 水道および飲料水供給施設の巡回指導要領について（通達）（昭和三六年環発第一三四号）……1013
㈢ 赤痢等の集団発生に対する対策の強化促進について（通達）（昭和四一年衛発第二一七号・環書第五〇五五号）……1015
㈣ 水道法施行令の一部改正について（通知）（昭和六〇年衛水第一九一号）……1016
㈤ 水道法施行令の一部改正について（通知）（昭和六〇年衛水第一九二号）……1016
㈥ 簡易専用水道に係る都道府県知事の権限の保健所設置市の市長への委譲について（通知）（昭和六一年衛水第二四四号）……1017
㈦ 水道法施行令の一部改正について（通知）（平成二年衛水第二九六号）……1017
㈧ 水道法施行令の一部改正について（通知）（平成一〇年生衛発第一一六号）……1018
㈨ 水道法施行規則の一部改正について（通知）（平成一〇年生衛発第七七五号）……1019
㈩ 水道法施行規則の一部改正について（通知）（平成一〇年衛水発第三二号）……1020
⑾ 水道法施行規則等の一部改正について（通知）（平成一〇年生衛発第一六一八号）……1025
⑿ 水道法第二〇条第三項に規定する厚生大臣の指定について（通知）（平成一〇年生衛発第一六八三号）……1025
⒀ 地方分権の推進を図るための関係法律の整備等に関する法律等の施行について（通知）（平成一二年生衛発第六一九号）……1026
⒁ 地方分権の推進を図るための関係法律の整備等に関する法律等の留意事項について（通知）

（平成一二年衛水発第一九号）……1029
(五)水道法の施行について（通知）（平成一四年健水発第〇三二七〇〇一号）……1030
(六)改正水道法の施行に伴う経過措置等について（通知）（平成一四年健水発第〇三二七〇〇二号）……1033
(七)改正水道法の施行について（通知）（平成一四年健水発〇三二七〇〇四号）……1034
(八)給水装置の構造及び材質の基準に関する省令の一部を改正する省令の施行について（通知）
（平成一四年健水発第一二〇三〇〇三号）……1055
(九)水道施設の技術的基準を定める省令の一部を改正する省令の施行について（通知）
（平成一四年健水発第一二〇三〇〇五号）……1056
(一〇)給水装置工事における工業用水道管等との誤接合の防止について（通知）
（平成一四年健水発第一二〇六〇〇一号）……1057
(一一)「水道法の一部を改正する法律」の公布について（通知）
（平成三〇年一二月一二日生食発一二一二第七号生活衛生・食品安全審議官）……1058
(一二)「水道法の一部を改正する法律」の公布について（通知）
（平成三一年四月一七日生食発〇四一七第八号生活衛生・食品安全審議官）……1060
(一三)水道施設の技術的基準を定める省令の一部を改正する省令について
（令和元年五月二九日生食発〇五二九第二号生活衛生・食品安全審議官）……1061
(一四)民法の一部を改正する法律の施行について（情報提供）
（令和元年八月一九日事務連絡水道課）……1062

㈤ 成年被後見人等の権利の制限に係る措置の適正化等を図るための関係法律の整備に関する法律の施行について（事務連絡）（令和元年九月一三日薬生水発〇九一三第一号水道課長）……1065
㈥ 改正水道法等の施行について（通知）（令和元年九月三〇日薬生水発〇九三〇第一号水道課長）……1066
㈦ 水道法の一部改正に伴う水道施設台帳の整備について（通知）（令和元年九月三〇日薬生水発〇九三〇第二号水道課長）……1078
㈧ 水道法施行規則の一部改正について（簡易専用水道関係）（通知）（令和元年九月三〇日薬生水発〇九三〇第六号水道課長）……1079
㈨ 水質基準に関する省令の一部改正等について（施行通知）（令和二年三月三〇日生食発〇三三〇第二号生活衛生・食品安全審議官）……1080
三、資　料……1083
㈠ 飲料水注意法（明治一一年内達乙第一八号）……1083
㈡ 水道条例（明治二三年法律第九号）……1083
1 第一次改正（明治四四年法律第四三号）……1084
2 第二次改正（大正二年法律第一五号）……1084
3 第三次改正（大正一〇年法律第五六号）……1085
4 第四次改正（昭和二二年法律第二三九号）……1085
5 第五次改正（昭和二八年法律第二一三号）……1085

6　水道条例第二十一条ノ二の規定に依る職権委任に関する件（大正一〇年勅令第三三一号）……1085
7　水道条例第三条及第十一条但書の規定に依る命令に関する件（大正一〇年内務省令第二二号）……1085
㈢　水道法改正経緯……1087
1　日本国とアメリカ合衆国との間の相互協力及び安全保障条約等の締結に伴う関係法令の整理に関する法律（抄）（昭和三五年法律第一〇二号）……1087
2　行政不服審査法の施行に伴う関係法律の整理等に関する法律（抄）（昭和三七年法律第一六一号）……1087
3　水道法の一部を改正する法律（昭和五二年法律第七三号）……1087
4　水道の整備促進に関する件（昭和五二年衆議院社会労働委員会の決議）……1089
5　地方公共団体の執行機関が国の機関として行う事務の整理及び合理化に関する法律（抄）（昭和六一年法律第一〇九号）……1089
6　日本電信電話株式会社の株式の売払収入の活用による社会資本の整備の促進に関する特別措置法の実施のための関係法律の整備に関する法律（抄）（昭和六二年法律第八七号）……1090
7　行政事務に関する国と地方の関係等の整理及び合理化に関する法律（抄）（平成三年法律第七九号）……1090
8　行政手続法の施行に伴う関係法律の整備に関する法律（抄）（平成五年法律第八九号）……1091
9　地域保健対策強化のための関係法律の整備に関する法律（抄）（平成六年法律第八四号）……1091
10　民間活動に係る規制の改善及び行政事務の合理化のための厚生省関係法律の一部を改正する法律（抄）（平成八年法律第一〇七号）……1091
11　地方分権の推進を図るための関係法律の整備等に関する法律（抄）（平成一一年法律第八七号）……1097

12　民法の一部を改正する法律の施行に伴う関係法律の整備等に関する法律（抄）（平成一一年法律第一五一号）……1101
13　中央省庁等改革関係法施行法（抄）（平成一一年法律第一六〇号）……1101
14　水道法の一部を改正する法律（平成一三年法律第一〇〇号）……1101
15　日本電信電話株式会社の株式の売払収入の活用による社会資本の整備の促進に関する特別措置法等の一部を改正する法律（抄）（平成一四年法律第一号）……1104
16　公益法人に係る改革を推進するための厚生労働省関係法律の整備に関する法律（抄）（平成一五年法律第一〇二号）……1104
17　行政事件訴訟法の一部を改正する法律（抄）（平成一六年法律第八四号）……1109
18　民間事業者等が行う書面の保存等における情報通信の技術の利用に関する法律の施行に伴う関係法律の整備等に関する法律（抄）（平成一六年法律第一五〇号）……1109
19　臨床検査技師、衛生検査技師等に関する法律の一部を改正する法律（抄）（平成一七年法律第三九号）……1109
20　会社法の施行に伴う関係法律の整備等に関する法律（抄）（平成一七年法律第八七号）……1110
21　一般社団法人及び一般財団法人に関する法律及び公益社団法人及び公益財団法人の認定等に関する法律の施行に伴う関係法律の整備等に関する法律（抄）（平成一八年法律第五〇号）……1110
22　情報処理の高度化等に対処するための刑法等の一部を改正する法律（抄）（平成二三年法律第七四号）……1110
23　地域の自主性及び自立性を高めるための改革の推進を図るための関係法律の整備に関する法律（抄）（平成二三年法律第一〇五号）……1110

索　引

一、関係法令、通知等

第二条関係
一、「新水道ビジョン」について（通知）（平成二五年健発〇三一九第二一号）……93
二、水道事業ビジョンの作成について（通知）（平成二六年健水発〇三一九第四号）……94
第四条関係
一、水質基準に関する省令の制定及び水道法施行規則の一部改正等について（通知）（平成一五年健発第一〇一〇〇〇四号）……132
二、「水質基準に関する省令の一部改正等について」の留意事項について（通知）（令和二年薬生水発〇三三〇第一号）……139
三、水質基準に関する省令の制定及び水道法施行規則の一部改正等並びに水道水質管理における留意事項について（通知）（平成一五年健水発第一〇一〇〇〇一号）……144
四、水道法施行規則の一部改正について（通知）（平成二三年健水発一〇〇三第一号）……153
五、水質異常時における摂取制限を伴う給水継続の考え方について（通知）（平成二八年生食水発〇三三一第二号）……164

第五条関係
一、水道施設の技術的基準を定める省令等の施行について（通知）（平成一二年生衛発第六二〇号）……192
二、水道施設の技術的基準を定める省令等の留意事項について（通知）（平成一二年衛水第二〇号）……193
三、水道施設の技術的基準を定める省令の一部を改正する省令及び資機材等の材質に関する試験の一部改正について（通知）（平成一六年健水発第〇二〇九〇〇一号）……195
四、水道施設の技術的基準を定める省令の一部改正について（クリプトスポリジウム等対策関係）（通知）（平成一九年健水発第〇三三〇〇〇四号）……200
五、水道施設の技術的基準を定める省令の一部を改正する省令について（クリプトスポリジウム等対策関係）（通知）（令和元年薬生水発第〇五二九第一号）……202
六、水道施設の技術的基準を定める省令の一部改正について（耐震化関係）（通知）（平成二〇年健水発第〇四〇八〇〇一号）……203
七、水道施設の耐震化の計画的実施について（通知）（平成二〇年健水発第〇四〇八〇〇二号）……205
八、水道施設の技術的基準を定める省令の一部改正について（通知）（令和元年薬生水発〇九三〇第七号）……207
九、水道用資材の使用について（通知）（平成一〇年生衛発第九六六号）……209
第五条の二関係
水道の基盤を強化するための基本的な方針（令和元年九月三〇日告示第一三五号）……212
第五条の三関係
一、水道基盤強化計画の策定について（通知）（令和元年薬生水発〇九三〇第三号）……226

五、令和三年度の地方公営企業繰出金について（通知）（令和三年総財公第二七号）……515
第二十四条の二関係
経営情報公開のガイドライン及び水道事業者間の適正な比較評価をなしえる経営効率化指標（日本水道協会）…519
第二十四条の三関係
「水道施設運営権の設定に係る許可に関するガイドライン」の策定及び「水道事業における官民連携に関する手引き」の改訂について（通知）（令和元年薬生水発〇九三〇第五号）……530
第二十四条の四関係
「水道施設運営権の設定に係る許可に関するガイドライン」の策定及び「水道事業における官民連携に関する手引き」の改訂について（通知）（令和元年薬生水発〇九三〇第五号）……535
第二十五条関係
消防組織法（抄）（昭和二二年法律第二二六号）……558
第二十五条の二関係
一、水道法の一部改正による給水装置工事事業者の指定制度等について（通知）（平成九年衛水第二一六号）…561
二、水道法の一部改正による給水装置工事事業者の指定制度等について（通知）（平成九年衛水第二一七号）…566
三、出入国管理及び難民認定法及び日本国との平和条約に基づき日本の国籍を離脱した者等の出入国管理に関する特例法の一部を改正する等の法律の施行に伴う厚生労働省関係省令の整備に関する省令の公布について〔水道法〕（通知）（平成二四年健発〇六二九第四号）……574
第二十五条の三関係

成年被後見人等の権利の制限に係る措置の適正化を図るための関係法律の整備に関する法律の施行について（令和元年薬生水発〇九一三第一号）……577
第二十五条の三の二関係
水道法の一部改正に伴う指定給水装置工事事業者制度への指定の更新制の導入について（通知）（令和元年薬生水発〇六二六第一号）……580
第二十五条の七関係
一、給水装置工事事業者の指定制度等の適正な運用について（通知）（平成二〇年健水発第〇三二一〇〇一号）……598
二、給水装置工事の適切な施工とトラブルの防止について（平成二一年）……602
三、指定給水装置工事事業者の違反行為に係る事務処理要綱例等（日本水道協会　平成一九年一一月策定）……603
四、出入国管理及び難民認定法及び日本国との平和条約に基づき日本の国籍を離脱した者等の出入国管理に関する特例法の一部を改正する等の法律の施行に伴う厚生労働省関係省令の整備に関する省令の公布について〔水道法〕（通知）（平成二四年健発〇六二九第四号）……611
第二十五条の十一関係
指定給水装置工事事業者の違反行為に係る事務処理要綱例等（日本水道協会　平成一九年一一月策定）……621
第二十五条の十二関係
指定試験機関の指定について（通知）（平成九年衛水第一七四号）……624
第二十五条の十七関係

刑法（抄）（明治四〇年法律第四五号）……633
第三十条関係
水道法施行規則の一部改正について（通知）（平成二三年健水発一〇〇三第一号）……666
第三十二条関係
分譲住宅等の水道の取り扱いについて（通知）（昭和四一年環水第五〇五四号）……679
第三十四条の二関係
一、共同住宅における水道について（通知）（昭和三八年衛水第三六号）……695
二、水道法施行規則の一部改正について（簡易専用水道関係）（通知）（令和元年薬生水発〇九三〇第六号）……696
三、ビル管理法が適用される簡易専用水道……698
第三十五条関係
瑕疵等による行政行為の取消し……712
第四十四条関係
一、独立行政法人水資源機構法……741
㈠ 独立行政法人水資源機構法（抄）（平成一四年法律第一八二号）……741
㈡ 独立行政法人水資源機構法施行令（抄）（平成一五年政令第三二九号）……741
二、離島振興法……742
㈠ 離島振興法（抄）（昭和二八年法律第七二号）……742
㈡ 離島振興法施行令（抄）（昭和四三年政令第二七号）……742

三、奄美群島振興開発特別措置法……743
㈠奄美群島振興開発特別措置法（抄）（昭和二九年法律第一八九号）……743
㈡奄美群島振興開発特別措置法施行令（抄）（昭和二九年政令第二三九号）……743
四、小笠原諸島振興開発特別措置法……744
㈠小笠原諸島振興開発特別措置法（抄）（昭和四四年法律第七九号）……744
㈡小笠原諸島振興開発特別措置法施行令（抄）（昭和四五年政令第一三号）……744
五、沖縄振興特別措置法……745
㈠沖縄振興特別措置法（抄）（平成一四年法律第一四号）……745
㈡沖縄振興特別措置法施行令（抄）（平成一四年政令第一〇二号）……746
六、水源地域対策特別措置法……747
㈠水源地域対策特別措置法（抄）（昭和四八年法律第一一八号）……747
㈡水源地域対策特別措置法施行令（抄）（昭和四九年政令第二七号）……748
七、北方領土問題等の解決の促進のための特別措置に関する法律（抄）（昭和五七年法律第八五号）……748
第四十五条関係
一、他の法令に基づく国の特別な助成……750
㈠離島振興法（抄）（昭和二八年法律第七二号）……750
㈡沖縄振興特別措置法（抄）（平成一四年法律第一四号）……750
㈢水源地域対策特別措置法（抄）（昭和四八年法律第一一八号）……750

(四)　過疎地域の持続的発展の支援に関する特別措置法　751
(1)　過疎地域の持続的発展の支援に関する特別措置法（抄）（令和三年法律第一九号）　751
(2)　過疎地域の持続的発展の支援に関する特別措置法施行令（抄）（令和三年政令第一三七号）　751
(五)　辺地に係る公共的施設の総合整備のための財政上の特別措置等に関する法律（抄）（昭和三七年法律第八八号）　752
(六)　財政融資資金法（抄）（昭和二六年法律第一〇〇号）　752
(七)　北方領土問題等の解決の促進のための特別措置に関する法律（抄）（昭和五七年法律第八五号）　753
二、災害復旧費に対する助成　753
上水道施設災害復旧費及び簡易水道施設災害復旧費の国庫補助について（昭和四九年環第一二一号）　753
第四十六条関係
一、地域の自主性及び自立性を高めるための改革の推進を図るための関係法律の整備に関する法律の留意事項等について（通知）（平成二三年健水発一一一八第一号）　771
二、水道事業及び水道用水供給事業の事務・権限の移譲に係る都道府県の指定に関する取扱いについて（補足事項）（平成二三年三月三一日）　772
第四十八条の二関係
地域の自主性及び自立性を高めるための改革の推進を図るための関係法律の整備に関する法律の留意事項等について（通知）（平成二三年健水発一一一八第一号）　780
第五十一条関係

刑　法（抄）（明治四〇年法律第四五号）……788
法律附則第十条関係
日本国とアメリカ合衆国との間の相互協力及び安全保障条約第六条に基づく施設及び区域並びに日本国における合衆国軍隊の地位に関する協定（抄）（昭和三五年条約第七号）……811

二、判　例

第三条関係
一、水道事業者が分譲宅地内の私道に無断で配水管を布設したとして、土地所有者（控訴人）が水道事業者（被控訴人）に対し賃料相当損害金及び遅延損害金支払を求めた訴訟において、土地所有者の請求は全部理由がないとされた事例（名古屋高裁平成一七年五月三〇日判決）（最高裁平成一七年一〇月一一日上告棄却・不受理決定）……116
二、公道下の給水管漏水によるガス供給停止に伴うガス事業者からの損害賠償請求に対し、水道事業者の国家賠償法第二条に基づく営造物責任は否定したが、民法第七一七条第一項に基づく土地工作物の占有者責任を認容した事例（東京高裁平成一六年一二月二二日判決）……118
第四条関係
フッ素を含む水道水の飲用により斑状歯に罹患したとしてされた損害賠償請求について、水道事業者の損害

賠償責任が否定された事例（最高裁平成五年一二月一七日判決）……168
第十二条関係
配水管布設工事に係るガス漏出事故について市の損害賠償責任を認めた事例（大阪地裁昭和五一年五月二五日判決）……295
第十四条関係
一、地方公共団体が経営する水道事業の料金債権の消滅時効について、公営水道事業者と水道使用者との間の水道供給契約は私法上の契約であり、公営水道料金債権は私法上の金銭債権であるとして、民法第一七三条第一号所定の二年の消滅時効の適用があるとされた事例（東京高裁平成一三年五月二二日判決）（最高裁平成一五年一〇月一〇日上告不受理決定）……348
二、公営水道事業に関する法律関係について（横浜地裁昭和五四年四月二三日判決）……349
三、用途別料金格差は差別的取扱禁止、平等原則に違反しないとされた事例（大阪地裁昭和四五年三月二〇日判決）……349
四、別荘給水契約者の基本料金を他の給水契約者よりも高額に設定すること自体は水道事業者の裁量として許されるが、本件基本料金の改定は個別原価に基づかず大きな格差を正当化する合理性を有しないため、給水条例の改正は地方自治法第二四四条第三項に違反し無効であるとされた事例（最高裁平成一八年七月一四日判決）……350
五、条例で定めた加入金の納付義務は水道法第一四条第一項の供給条件であるとされた事例（東京高裁平成九年一〇月二三日判決）……351

第十五条関係

一、土地所有者の同意、承諾がないことを理由に土地の不法占拠者に対する給水を拒むことは許されないとされた事例……361
㈠　大阪地裁昭和四二年二月二八日判決……362
㈡　大阪高裁昭和四三年七月三一日判決……362
二、水道事業者は借地人に対する水の供給について賃貸人の承諾がないことを理由にその給水の申込みを拒むことは許されないとされた事例　（長岡簡裁昭和四二年五月一七日判決）……363
三、給水装置工事の申込みの際に利害関係人の同意書を求めることができるとする給水条例の規定は訓示規定にすぎないとされた事例　（奈良地裁昭和五五年一二月二四日判決）……363
四、「違反建築に対する給水制限実施要綱」に基づき建築基準法違反の建築物に対する給水契約の申込みを係員が事実上拒否したことについて市の損害賠償責任がないとされた事例……364
㈠　大阪高裁昭和五三年九月二六日判決……364
㈡　最高裁昭和五六年七月一六日判決……365
五、マンション建設指導要綱中の条件に従わないことは水道法第一五条第一項にいう「正当の理由」に当たらず当該市が右指導要綱の規定に従って給水契約を拒むことはできないとされた事例
（東京地裁八王子支部昭和五〇年一二月八日決定）……366
六、マンション建設指導要綱に従わない事業主に対する給水契約の締結の拒否が水道法違反の罪に当たるとされた事例（前掲五、に係る市長に対する水道法違反被告事件）

（最高裁第二小法廷平成元年一一月八日決定）……366
七、建築基準法違反の建築物に対する上水供給契約の申込みに対し水道事業者が応じないことに水道法第一五条第一項の「正当の理由」があるとされた事例（大阪地裁平成二年八月二九日決定）……367
八、水道加入金の支払拒否を明示してなされた給水申込みを受諾しなかったことが水道法第一五条第一項に違反しないとされた事例（東京高裁平成九年一〇月二三日判決）……368
九、水道事業者である町が水道水の需要の増加を抑制するためマンション分譲業者との給水契約の締結を拒否したことに水道法第一五条第一項にいう「正当の理由」があるとされた事例
（最高裁平成一一年一月二一日判決）……369
一〇、阪神・淡路大震災後に賃貸マンションで発生した漏水事故は早期通水が責務である水道事業者に損害賠償責任がないとされた事例（大阪高裁平成一二年三月一六日判決）……370
第十六条の二関係
給水装置工事業者の指定について（横浜地裁昭和五四年四月二三日判決）……435
第二五条の三の二関係
自動失効が不利益処分に当たらないとされた事例（最高裁昭和三九年一〇月二九日判決）……586
第五十一条関係
一、水道の制水弁を操作して閉鎖することにより送水を遮断する行為は水道法第五一条第二項の給水妨害罪に当たるとされた事例（大阪高裁昭和四一年六月一八日判決）……789
二、故意に送水管を破壊し、その修理工事に藉口して制水弁を閉鎖し、破壊送水管の撤去取替工事を行い、長

時間断水したことが、全体として、水道損壊罪に当たるとされた事例（前掲事件の差戻後控訴審判決）（大阪高裁昭和四九年六月一二日判決）……789

第一編　総論

第一編　総　論

第一章　水道と水道行政

一、水道の発達

㈠　我が国の水道

我が国における井戸の歴史は古く、弥生期（紀元前三〇〇年頃）の遺跡にもみることができる。我が国ではその頃から農耕が始まったとされており、灌漑用水を求めるために、河川、湖沼から導水したり、土堰堤を築いて貯水する等の技術が発達していったが、同時にこうした水路は、生活用水を供給する役目も果たしていた。

公共給水のためにつくられた水道の起源は明らかではないが、安土桃山時代から江戸時代にかけてであろうと推測される。築城に当たり城内で必要な用水を導いたほか、藩内の水田の開発に力を入れ、また、城下の繁栄と防火上の見地から、灌漑用水等を市内に流して庶民に供給したのである。

この時代の水道で、歴史の古さと規模の雄大さにおいて江戸の神田・玉川上水の右に出るものはない。すなわち、神田上水は一五九〇年に、玉川上水は一六五四年にそれぞれ竣工しているが、神田上水は井の頭池から江戸まで延長二〇キロメートル余を導水し、さらに木樋等で市内各所に給水し、この伏樋の延長は約六五キロメートルに達した。また、玉川上水は羽村から四谷大木戸に至る延長約四三キロメートルの水路で、これは現在でもなお一部は東京都水道の導水路として使用されている。

江戸のほか各藩でも江戸にならって水道がつくられた。江戸時代末期までに、一般の飲用を主とした水道として上述の江戸の神田上水、玉川上水のほか近江八幡（一六〇七年）、赤穂（一六一六年）等二四か所、灌漑と兼用した水道として小田原早川上水（一五四五年）、甲府用水（一五九四年）等一一か所、官専用のものとして鳥取水道（一六一六年）、指宿水道（一六二八年）等九か所が設けられるなど、城下町を中心として全国的に発達した。

当時の水道のうち、灌漑兼用のものの多くは素掘りや粗石積の開渠であったので、飲用に供するものについては汚染を防ぐための取締りが厳重であったという。また、一般飲料用又は官専用のものは、水道の清浄と水量の節約を考えて、木樋、木管、石管、竹管等が使用され、多少の水圧に耐え得るよう暗渠とされた。途中の要所には木製あるいは石造りの高枡、掃除枡、分水枡等が配置された。また、給水の方法は、各戸の井戸に竹管や木樋で導くか、あるいは高枡から汲み取らせていたという。取水口に取水堰、樋門を設け、送水路にはトンネルや伏越、伏樋等をたくみに取り入れたり、銅樋による水管橋や耐圧石管等も用いられたりした。また、降雨時のために沈殿池を設けるなど水の浄化の工夫がされている。神奈川宿御善水（一八六七年）は輸入した鉄管を用いた最初の水道とされている。

江戸中期の江戸の人口は約二〇〇万人（一七八七年）とされており、江戸の水道がその約六〇パーセントを受益者とすれば約一二〇万人に給水していたことになる。当時ヨーロッパ第一の都市ロンドンの人口は八六万余（一八〇一年）、第二の都市パリは六七万余（一八〇二年）であったから、これらと比較しても江戸の水道の規模が世界的であったことが推察できよう。

㈡　我が国近代水道の開始

江戸末期から明治初期にかけて、外国との交易が活発化して欧米諸国の文化、技術が導入されたが、その反面、コレラ、チフス等の感染症が全国的に大流行することとなった。

この頃の衛生行政の重大な関心事は、全国的に蔓延したコレラの対策であった。内務省衛生局年報によれば、明治一〇年には患者数一三、七一〇名、うち死者は七、九六七名を数え、翌一一年にはやや落ち着いたものの、一二年になると再び大流行となり、患者数一六二、六三七名、うち死者は一〇五、七八六名の多きを数えたのである。現在に至るまでコレラによる死者が一〇万人を超えたのは、他に明治一九年に一度（患者数一五五、九二三名、死者一〇八、四〇五名）あるだけである。この時代の我が国の人口が約三六〇〇万人（明治一二年）であったことを考えれば、その発生規模の大きさに驚かざるを得ない。

こうしたコレラの流行は、主として不衛生な飲料水に起因するものであったため、政府は、明治一一年五月「飲料水注意法」を通達し、井戸水の汚染防止のために、①井側の修理、②汚水排水溝の設置、③井戸付近での便所築造の禁止、④井戸近くでの汚物洗浄の禁止等について注意を発した。しかし、政府が種々の防御策を講じたにもかかわらず、コレラは依然としてしばしば全国的に大流行をみた。そして、これを防ぐためには対症療法的な対策だけではなく、水道、下水道の建設による予防的対策を講じることが必要であるとの考え方が次第に浸透し、衛生施設としての近代式水道の布設が政府関係者の間で強く叫ばれるに至ったのである。そして、明治二〇年になると、国の諮問機関である中央衛生会が「東京ニ衛生工事ヲ興ス建議書」と題する水道布設促進に関する建議を総理大臣、内務大臣に提出し、コレラの予防には上水道、下水道の布設が必要であり、財政上、同時に上下水道の布設ができないのであれば、まず、上水道を布設することが必要であることを建議したのである。

こうした事情を背景として、政府は、水道の布設を促進するための所要の法制度等の整備に着手した。そして、まず明治二〇年に、閣議において「水道布設ノ目的ヲ一定スルノ件」を附議し、水道布設の目的は衛生上の目的就中悪疫の流行の予防にあるので、水道の経営には営利主義を排し、公益優先主義をとることとし、地方公共団体の布設経営を原則とする旨の決定を行ったのである。

一方、このような動きに先立ち、我が国初の近代水道の建設が横浜において着手されていた。すなわち、明治一六年神奈川県は、英国の技師パーマーに横浜の水道調査を依頼した。そして、明治一八年四月に着工されたこの水道は明治二〇年一〇月に通水を開始し、我が国における初の水道水が供給されたのである。その後、横浜市に次いで港湾都市を中心に水道の布設が行われ、明治二二年に函館市において、また、明治二四年に長崎市で近代水道の完成をみた。さらに、明治二八年の大阪市以後、東京市、広島市、神戸市、岡山市、下関市等で相次いで水道が布設された。この間の水道の整備は、布設技術の未熟、資材の材質の問題等の苦労があり、また、資金が不足していたため、相当な困難を克服しながら建設が進められたのである。

二、水道行政の沿革

㈠　水道条例の制定

我が国最初の水道法制は、明治二三年二月一二日に制定された「水道条例」である。水道条例は、当初一六条の規定からなり、①水道は市町村だけが布設できること、②水道を布設するときは、地方長官を経由して内務大臣の認可を受けなければならないこと、③水道用地については、国税、地方税を免除すること、④水道用地として官有地を払い下げ又は貸し付けること、⑤地方長官は、官吏に水道工事、水量、水質を検査させ、必要な場合には改良を命ずること等が規定されていた。

水道条例は、制定当時、その経営主体は市町村公営のみとし、私企業の経営を全く認めていなかった。飲料水を供給する水道は感染症、特にコレラの流行を防ぐための公共的使命を帯びており、その経営を私企業に委ねることは当時の事情としては衛生行政上重大な支障があると認められたのである。また、水道条例は、布設中心に規定され、水道の経営ないし維持管理に関する規定、特に衛生的管理に関する規定を欠くものであった。そのため、水道条例は、その後、第一次（明治四四年三月二八日）、第二次（大正二年四月八日）、第三次（大正一〇年四月八日）、第四次（昭和二二年一二月二六日）及び第五次（昭和二八年八月一五日）の五回にわたって所要の改正が行われることになった。

第一次改正は、土地開発のために水道を布設する場合であって、市町村に資力がなく、また、原資を償却するだけである場合に、市町村以外の者にも水道を布設経営することを認めたものである。第二次改正は、土地開発のためでなくても市町村に資力がない場合には、市町村以外の者にも水道を布設経営することを認めるものとし、また、第三次改正は、内務大臣の権限の一部を地方長官に委任することができることとしたのである。第四次改正は、昭和二二年内務省が廃止されたため内務大臣の認可を主務大臣の認可に改めたものであり、第五次改正は、昭和二八年地方自治法の一部改正に伴って、主務大臣が必要と認めるとき水道の布設を市町村に命ずることができるとされていたのを、政令の定めるところによることとされたのである。

しかし、その間における水道の普及につれ、水道条例は次第に実態に即さないものとなってきた。例えば、水系感染症の集団発生事故の多い自家用水道は水道条例の規制の対象となっておらず、また、市町村の集落単位の小規模水道もその態様によっては水道条例の適用がないものとされている等、種々の不合理な点がみられた。このため、水道条例を改正し、新たな時代に応える新しい水道法を制定する必要が叫ばれ、その努力が続けられた。昭和二七年には第一次の水道法案が第一三回国会に議員提案の形で提出されようとし、昭和二九年には第二次の水道法案が厚生、建設、通産三省の共同提案の形で第一九回国会に提出されたが、成立するには至らなかった。

(二)　水道法の成立

水道条例を新時代に適合させるための努力は、関係官庁及び水道協会等においてすすめられていたが、所管等の問題もからみ、日の目をみない状態が続いていた。そのため、まず行政権限の整理が行われることとなり、昭和三二年一月一八日の閣議で水道行政の所管の三分割が決定され、上水道は厚生省、下水道（終末処理場を除く。）は建設省、下水道終末処理場は厚生省、工業用水道は通商産業省のそれぞれの専管ということに定められた。

閣議決定の全文は次のとおりである。

水道行政の取扱に関する件

（昭和三二年一月一八日閣議、内閣総理大臣、厚生大臣、通商産業大臣、建設大臣共同請議）

水道行政の所管を明確にし、その運営の合理化、能率化をはかり、かつ水道の画期的拡充を期するため、左の措置を講ずるものとする。

(1)　上水道に関する行政は、厚生省の所管とすること。
(2)　下水道に関する行政は、建設省の所管とすること。ただし、終末処理場については、厚生省の所管とすること。
(3)　工業用水道に関する行政は、通商産業省の所管とすること。
(4)　なお、水道事業の整備拡充をはかるため、所要の措置を講ずるものとすること。

（以　上）

この閣議決定を直接の契機として、厚生省では、水道法案を昭和三二年三月第二六回国会に提出して多年の懸案を解決することとなった。この水道法案は、衆議院において延べ五回の委員会審議を経て、五月一五日社会労働委員会及び本会議のいずれも全会一致で原案どおり可決された。参議院においても前後二回の委員会審議が行われて、五月一九日の社会労働委員会及び本会議のいずれも全会一致をもって可決成立されたのである。ここに、明治二三年制定以来、六七年余の長期にわたり日本の水道行政を規律してきた水道条例は、新しい水道法へと発展的解消を遂げた。

水道法は、同年六月一五日法律第一七七号をもって公布されたが、一二月一二日政令第三三五号をもって施行期日が定められて、一二月一四日から施行されることとなった。また、同年一二月一二日には政令第三三六号をもって水道法施行令が、一二月一四日厚生省令第四五号をもって水道法施行規則がそれぞれ公布され、同日施行された。こうして生まれた水道法は、水道事業についての事業経営や衛生確保に関する義務、国庫補助等の諸規定を設けるとともに、水道用水供給事業及び専用水道についての新たな規定を盛り込むことによって、時代の要請に応じた水道の基本法としての内容を備えたものとなった。

㈢　水道行政の展開

水道に関する諸制度の整備及び水道の布設に対する住民の要望と市町村の熱意とがあいまって、特に昭和三〇年頃からの水道の普及発達には目覚しいものがあった。反面、水道の普及整備が進むにつれてそれに付随する各種の問題も次第にクローズアップされてきた。その一つが水資源問題であり、特に大都市域では、急激な人口増加や産業活動の増大に伴って水需給が逼迫するようになった。また、人口の都市集中や工業化に伴う水道水源の水質悪化も大きな問題となってきた。

戦後二〇年間を通じて水道は急速に発展し、昭和二五年には三〇パーセントに満たなかった普及率が三〇年には三六パーセント、三五年には五三パーセント、四〇年には六九パーセントと急上昇したのである。しかし、その発展過程で、諸制度の整備にもかかわらず、水道は前述のような幾多の問題を内包するようになったため、昭和四〇年代に入って、各種の新たな行政施策が講じられることになった。

まず、昭和四一年八月には、厚生大臣の諮問機関である公害審議会から「水道の広域化方策と水道の経営特に経営方式に関する答申」が出された。これは、当時問題となっていた大都市及びその近郊における水需給の逼迫、水道建設費の増大と料金の上昇、水道水源の汚濁の進行、小規模水道における不十分な維持管理等への行政的対応について、基本的な方向を示すものであった。ここにおいて、先行的投資となる水道水源開発等に対する国庫補助の導入及び能率的な事業経営や合理的な施設整備を目的とする水道広域化の推進の必要性が明確にされたのである。

二以上の市町村にまたがるいわゆる広域水道事業は、大正八年に設置された江戸川上水町村組合（大正一五年竣工）を最初として昭和一〇年以前に二五か所の事業が創設された。こうした中で、都道府県営の水道事業も、昭和一一年に神奈川県が事業を竣工している。また、広域水道のもう一つの形態である水道用水供給事業も、昭和一七年に阪神上水道市町村組合（現阪神水道企業団）が供給を開始したのに始まり、昭和二六年には大阪府が供給を開始する等着実に整備が進み、昭和四〇年以前に七か所が布設されている。答申において提言された広域水道の推進は、これら広域水道をより政策的かつ計画的に進めることによって、水道が直面している諸問題の解決を図ることを意図したものである。

また、この答申に基づく具体的な施策として、昭和四二年度予算で水道水源開発等施設整備費に対する国庫補助制度が創設された。これは、水道水源開発施設については三分の一、水道広域化施設については四分の一の整備費補助を行うものであり、上水道への補助が水道法の制定後初めて行われることとなった。

㈣　水道の未来像とそのアプローチ方策

水道の整備は、このように着々と進められてきたが、一方で、水道は、供給する水の量及び質の両面で重大な問題に直面することとなった。まず、水需要の増大と水源開発の遅れから水需給の不均衡が生じ、特に、東京オリンピックが開催された昭和三九年には、オリンピックの直前まで、東京において渇水に伴う長期間の給水制限が実施された。また、昭和四〇年代に入ると、特に大都市域において水道水源である河川の汚濁が進み、多摩川、淀川等を水源とする東京、大阪等の水道において水質汚染事故による取水制限事例が相次ぎ、四五年には多摩川からの水道用水取水が停止されるに至っている。このように、水道事業を取り巻く諸環境の変化の著しいことに鑑み、可及的速やかに今後の水道の進むべき方向を定めることが求められるようになり、そのため、昭和四六年生活環境審議会に対して「水道の未来像とそのアプローチ方策について」の諮問がなされた。生活環境審議会では、①広域水道圏設定の具体的基準等、②水道料金のあり方を中心として審議されたが、これらの問題は極めて複雑かつ重要な問題であるので、学識経験者等による専門的審議が必要であるとして水道広域化専門委員会、料金問題専門委員会を設置して諸問題の検討が行われた。生活環境審議会水道部会では、これら両専門委員会の報告をもとに、基本的方向にさらに肉付けを行い、昭和四八年一〇月に開催された生活環境審議会総会に諮り、答申の運びとなった。

答申は、

(1)　水道の理念と未来像
(2)　新しい理念に即応した広域水道圏の設定
(3)　水道財政のあり方
(4)　水道制度の整備

の四項目についてまとめられている。

この答申では、水道はもはや、国民生活にとって必要不可欠な施設であるとの基本的認識に立ち、「全ての国民が等しく均衡のとれた負担で同質のサービス」を受けられる状態を目標に、その生活に必要な水道水を確保供給することをナショナル・ミニマムとして確立することが必要であるとしている。そして、この理念に基づき、当時問題となっている需給の不均衡、水源の水質汚濁に対する水道水の安全性確保、建設費の高騰による経営圧迫や料金格差の拡大及び当時約二万を数える水道の大半が小規模であることに起因する技術上、財政上の弱体性等の課題を抜本的に解決し、来るべきより豊かな社会を支えるべき水道の整備の方向を示したのである。

そのため、具体的には、新しい理念に即応した広域水道圏の設定を提言しており、当面の目標として事業の経営規模、地形、水系、社会的経済的一体性等を考慮して定めた「広域水道圏」を設定し、一定計画に従って現在の各事業の計画を調整・誘導しながら漸進的に広域化を進め、究極的には広域水道圏自体が一つの事業者となり水道事業の建設、管理が合理的に行えるような広域化方策を樹立すべきことを述べている。

また、経営形態については、水源から給水栓に至るまでの一貫管理を理想としつつも、当面移行段階における水道用水供給事業の効用についても認め、併せて、従来市町村を中心として進められてきた水道事業の分野に、今後広域化を全国的規模で計画的に推進する過程において都道府県が積極的に調整等の役割を果たすよう期待している。また、水道財政のあり方については、水道が国民生活にとって必要不可欠な施設であるとの理念に基づき、水源の確保、広域水道の計画、建設工事に対して、また、既存水道の統合の際の料金格差の解消、布設条件が採算面から極めて悪い未普及地域に対する水道布設等に対しては特段の配慮が必要であり、適切な財政面の助成をなすべきことが提言されている。

また、水道料金については、国民福祉の観点から可能な範囲でできる限り低廉で、かつ、格差のないものであるよう意を用いるべきであるとし、同時に水道料金は給水サービスの対価として、水道事業の建設、管理を適正に行うことが可能なように、必要な時期に適正な水準に定められるべきであるとしている。なお、近時の水資源開発と需要のアンバランスの実情に鑑み、地域によっては奢侈的なあるいは極めて大口な需要に対しては、必要に応じて需要抑制型の料金体系の指向を考慮してもよいと付言している。

さらに、水道制度については、昭和三二年制定の水道法では、法制定以来大きく変貌し、かつ、今後さらに大きく移り変わるであろう社会環境に十分対応し得ない面も多くなっているので、新しい水道理念を達成するためにも、法制上においても新しい水道制度を確立すべきであるとしている。

㈤　**水道法の改正（昭和五二年）**

昭和四八年暮に我が国を襲ったいわゆる石油危機は、我が国経済の基調を大きく転換させることとなり、このことは直ちに水道にも多大の影響をもたらし、特に水道事業の経営に与えた影響は大きかった。しかし、水道の直面する課題として既に述べた審議会の指摘事項は基本的には変わらず、むしろ、その後の状況変化によって明確さを増した形で以後の解決に委ねられることとなった。例えば、水需給の不均衡は依然として改善されず、東京オリンピック渇水以後も昭和四八年に西日本一帯を襲った大渇水等、水道の給水制限の事例が相次ぎ、また、水質汚濁も全国的な広がりをみせるとともに、湖沼の富栄養化に伴う異臭味水の供給問題等の新たな問題を抱えるようになった。このように、社会経済諸条件の変動を受けて、その直面する課題も複雑、困難を増すこととなった。今後の水道の整備、発展を図るためには、事態に即応した制度的な基礎を確立することが何よりも重要となった。このため、既に、以前から法律の改正が関係者の間で強く要望されていたところであったが、このような状況にあって、厚生省においては、昭和五一年の通常国会に水道法の改正案を提出すべく検討が行われた。しかし、この時は、諸般の事情により国会提出までには至らなかった。

その後、昭和五一年秋の臨時国会から翌年の通常国会にかけて各党の間において水道法の改正について調整が進められてきた結果、五二年五月二四日衆議院社会労働委員会において「水道法の一部を改正する法律案」の起草案が委員長より提出され、審議の結果、全員一致で同案を同委員会提出の法律案として採決した。同案の提案理由は、「水道用水の需給見通し、水道の布設状況、水源等の清潔保持の状況に鑑み、水道に関する国、地方公共団体等の責務を明らかにするとともに、新たに水道の整備を計画的に推進し、簡易専用水道の管理を規制する措置を講ずる等の必要がある。」となっている。本法案は、同日、直ちに衆議院本会議、続いて参議院社会労働委員会の審議を経て五月二五日参議院本会議を通過、成立し、六月二三日法律第七三号として公布、その一部を除いて即日施行された。法改正の要点は次のとおりである。

第一は、水道水の需給の逼迫、水源の汚濁その他の水道を取り巻く諸条件の変化に対応しつつ水道の整備充実を一層推進するために、計画的な視点から施策を進めるべきことを明らかにするとともに、国、地方公共団体及び国民それぞれが果たすべき役割と責務を明らかにしたことである。

第二は、清浄な水を供給するという水道本来の使命を達成するために必要な事項を規定したことである。すなわち、水道水のための原水についての清潔保持及び水質汚濁防止のための要請の規定が設けられるとともに、水道の水質の安全性確保については水道事業者に対して水質検査施設の設置を義務付け、さらに、簡易専用水道の規制について規定することによって末端における水質の安全性を確保することとしたことである。

第三は、水道の建設コストの増大その他の諸課題に対する水道の対応のあり方について、広域的水道整備計画に関する規定を設け、水道の広域化を基本的な方向の一つとして示したことである。

なお、本法律案については、六月七日衆議院社会労働委員会において「水道の整備促進に関する件」が決議されており、その内容は次のとおりである。

(1) 広域的水道整備計画の策定に当たっては、市町村の自主性を尊重するとともに、計画の内容は、水源の共同開発、用水供給事業を原則とし、市町村の行う水道事業の円滑な運営に資するよう慎重に配慮すること。

(2) 広域的水道整備計画の策定に当たっては、都道府県の議会の同意のみならず、関係市町村の議会の同意を得るよう指導すること。

(3) 国は、ダム建設等水道水源の確保に当たっては、自治体の財政負担を緩和するため必要な財政上の措置を講ずること。

(4) 国は、今回の水道法改正の趣旨に鑑み、水道の整備に関する財政援助の充実に努めるとともに、補助金の交付に当たっては、自治体の自主性を尊重し、住民の福祉向上に寄与するよう配慮すること。

また、これに伴い、国庫補助規定の整備を図るため、同年七月に「水道法の一部を改正する法律の施行に伴う関係政令の整備に関する政令」が公布・施行された。

(六) 高普及時代を迎えた水道行政の今後の方策について

水道の普及は、昭和三〇年代から昭和四〇年代にかけて急速に進み、昭和五三年以降、その普及率は九〇パーセントを超える高い水準に達し、水道は、国民生活及び経済活動の基盤施設としての地位を確立するに至った。

しかし、昭和五三年の宮城県沖地震、昭和五七年の豪雨等による水道施設の被災から市民生活へ広範な影響を与えたことは、生活用水が水道に依存する度合いを改めて認識させるものであり、また、家庭用浄水器の普及に代表される「おいしい水」の供給への要求の高まりなど水道に対する国民の期待と要求は一層高度かつ多様なものとなった。

一方、水道の水源及び水質をめぐる問題は多様化・複雑化するとともに、水道施設の老朽化、財政事情の悪化等水道を取り巻く自然的、社会経済的環境はますます厳しさを増しつつあった。

このような状況から、水道行政においても新たな施策の展開が求められるようになり、昭和五七年一〇月生活環境審議会に対して「高普及時代を迎えた水道行政の今後の方策について」の諮問がなされた。諮問を受けた生活環境審議会は、これを水道部会に付託し、部会において審議が開始されたが、諮問の内容は広範かつ多岐にわたることから、部会の中に従来より設けられていた水質専門委員会のほか、新たに施設専門委員会及び経営・管理専門委員会を設けて調査・審議を行い、それぞれの報告書を取りまとめて、水道部会長あて提出した。この間、水道部会では専門委員会の調査状況等を踏まえて意見の交換を行うとともに、各専門委員会からの報告を受けて、起草委員会を開いて答申（案）を作成し、昭和五九年三月の水道部会において答申の運びとなった。

この答申は、おおむね一〇年間の水道行政の指針となるものであり、基本的には四八年の答申の方向を踏襲しつつ、その後の状況の変化を踏まえて、水道の高普及時代に対応した水道行政の方向を明らかにしている。

答申では、まず、水道の現状と課題について認識の整理を行い、水道の高普及時代に即応した水道の整備及び運営を行っていく必要があるとし、今後の水道の目標として、

(1)　ライフラインの確保

(2)　安心して飲める水の供給

(3)　おいしい水の供給

(4)　料金格差の是正

の四つの具体的な目標を掲げている。

まず、ライフラインの確保については、今日、水道が生活用水確保のための唯一の手段となり、水道の給水制限、停止が国民生活や都市経済に与える影響は極めて大きいことに鑑み、これまでの需要に見合う供給の確保という意味での安定供給の概念に加えて、渇水時、地震等災害時においても生活用水の供給ルートを確保する必要があるとしている。

また、水道により供給される水の安全性の確保は、水道にとって最も根幹的な課題の一つであることから、水道水源となる河川及び地下水等の水質汚染の防止を図るとともに、水道においても施設整備面及び維持管理面から適切な対策を講じ、国民が安心して飲用できる水の供給を確保する必要があるとしている。

さらに、快適に飲用できるおいしい水の供給については、需要者からの要望の高まりとともに、水道水の異臭味等いわゆる〝まずい〟水道水の供給は利用者の水道に対する信頼感を損なうおそれがあるとの観点から、おいしい水の供給に努めることを求めている。

水道料金については、ほぼ全ての国民が水道の給水を受ける状況に鑑み、同じ給水サービスの対価である水道料金は、少なくとも家庭料金について、その居住する区域によらずほぼ同一の水準であるべきであるとして、そのためにはそれぞれの水道事業における高料金化を抑制しつつ、事業間格差の是正を図り、需要者の不公平感の解消に努める必要があるとしている。

さらに、答申では、これら目標の達成のための基本方策を示している。その考え方としては、課題の解決は基本的には、水道事業者が需要者の理解と協力を得て、それぞれの問題にふさわしい対応をするとしながら、国、都道府県及び水道使用者の国民がそれぞれの役割を的確に果たすことを求めている。

具体的には、水道事業者等に対しては、適切な施設整備、合理的な事業経営及び適切な維持管理を行う必要があるとしており、都道府県においては、地域の実情に即した調整機能の発揮と合理的な施設整備を指導するよう求めている。国に対しては、特に、これからの水道の達成目標とする事項の推進に当たって、積極的に関与し、又は、対応するべきとし、今後とも施設整備に対する財政的援助に努めるとともに、水道施設の整備の誘導及び水質管理等に関する施策の推進を求めている。さらに、水道使用者の国民に対しても、水源の清潔保持及び節水等水の適切かつ合理的使用に努めることを求めている。

また、水道行政が独自に対応できない分野である水質汚染防止、水資源の開発等に関しては、他省庁関係行政機関との調整が必要であるとしている。

㈦　今後の水道の質的向上のための方策について

我が国の近代水道は、一〇〇年の歴史を経て整備が進み、平成元年度の水道普及率は九四パーセントを超え、ほとんどの国民が水道を利用できるようになっていたが、水道施設の老朽化による事故、地震や台風による施設の被害、首都圏等にみられる大規模な渇水、水源水質の悪化等多くの問題が発生しており、水道施設の脆弱性が目立ちつつあった。また、欧米都市の水道に比べ、施設の規模や能力に十分な余裕がなく、三階以上の建物には直結給水がなされていないなど質的に立ち遅れている部分があった。一方、国民の生活の質の向上に伴い、給水サービスに対する要求水準は一層高まりつつあり、二一世紀の到来を間近に控え、国民が豊さを実感できる社会づくりが強く求められていた。したがって、水道においても現状よりもう一段高い水準を目指して、質的な面でも向上を図り、これに応えていくことが必要となっていたほか、産業活動の活発化等に伴い、各種微量化学物質に対して水道水の安全性を確保するうえで水質基準の見直し、充実が求められていた。

そこで、平成二年九月に生活環境審議会に対して「今後の水道の質的向上のための方策について」の諮問がなされた。

生活環境審議会では、まず、水道の施設の質的向上について検討することとし、今後の水道整備の基本的な考え方として、いつでもどこでも安全でおいしい水を供給できるよう、①すべての国民が利用可能な水道、②安定性の高い水道、③安全な水道、という三つの面からの施策の具体化について検討を行い、平成二年一一月に答申を行った。なお、水質基準に係る部分については平成四年一二月に別途答申された。

平成二年の答申は、今後の水道施設の整備は長期的視点から十分な計画性をもって取り組むことが必要であり、このため、国がその方向を明確にし、地方公共団体や水道事業者はこの方向に沿ってさらに地域の実情を加味して具体化することが必要であるとしている。そして、国としての今後の水道整備の長期的な目標を明らかにすべきであるとしたうえで、その内容となる具体的方策について以下の項目ごとに提言している。
(1) すべての国民が利用可能な水道
(2) 安定性の高い水道
(3) 安全な水道
(4) 併せて講ずべき事項
まず、すべての国民が利用可能な水道の実現のため、さらに水道の普及を進めるべきであり、農山漁村を中心に、従前に引き続き簡易水道施設の整備を図るとともに水道未普及地域解消事業を推進していく必要があるとしている。なお、井戸使用に伴う病原菌や化学物質による汚染問題に対処するため、水道への切り替えを強く指導する必要があるとしている。

安定性の高い水道については、今後なお増加する水需要への対応や不安定取水を解消するため引き続きダム建設を行うとともに、余剰が生じている農業用水や工業用水の水道用への転用や、相当規模の海水淡水化の検討を進め、水源の有効活用の観点から広域的な水道整備の促進、原水調整池や相互融通施設の整備を必要に応じて進めるべきであるとしている。さらに、次の施策を特に積極的に推進する必要があるとしている。

①　災害に強い水道の構築

震災等に備え、耐震化の一層の促進、主要施設の多系統化、配水管路のブロック化等により水道システム全体としての安定化を図る。さらに、配水池の容量を増加させ、地震、停電等の緊急時における給水拠点としての機能を付加することが必要であり、また、配水池と震災対策用貯留槽の適正配置等が必要である。

②　施設の更新と機能向上

品質の向上も含めた老朽管の更新は、地震に対する安定性向上、漏水防止の促進とともに赤水発生の防止の効果も高く極めて有効な施策であり、積極的かつ緊急に推進していくべきである。また、施設の更新と機能向上を図っていくためには、現状の施設の機能を的確に把握することが前提となるので、そのための手法を開発していくことが必要である。

次に、安全な水道水の確保のため、水道水源の水質保全のため下水道や合併処理浄化槽等による生活排水対策等の推進、水源上流に立地する汚染源への対策が必要であるとし、さらに、浄水処理及び給配水過程における汚染防止のため、①浄水処理技術の高度化、②直結給水システムの導入推進をあげ、前者については、活性炭処理施設、オゾン処理施設、生物処理施設等の高度浄水施設の整備や膜法等の新しい浄水処理技術の開発に努め、後者については、都市部を中心として五階までを目標とし、地域によっては段階的な導入も含め検討すべきとしている。

さらに、これらと併せて構ずべき事項として、①水道使用者とのコミュニケーションの充実、②人材の確保、③

調査研究体制の充実、④井戸水等の供給施設における衛生確保、⑤国際的な交流の推進を実施することが重要であるとしている。

厚生省では、この答申を踏まえ、平成三年六月に「二一世紀に向けた水道整備の長期目標」（ふれっしゅ水道計画）を策定した。また、水質基準については、答申を踏まえて平成四年一二月に、基準項目をそれまでの二六項目から四六項目へと拡大するなどの全面的な見直しが行われた。

(八)　水道法の改正（平成八年）

平成八年の水道法改正により、それまで各水道事業者において、条例等に基づき、給水装置の工事を行う事業者を指定する指定工事店制度が行われてきたものを、給水装置工事の技術者の全国統一的な資格制度を設け、資格者を有する工事業者であれば全国どこでも水道事業者の指定を受けて給水装置工事を行うことができることとされた。また、水道事業者が実施してきた給水装置の使用規制を見直し、給水装置の構造及び材質の基準に関する省令により、国の基準の明確化、性能基準化による合理化が行われている。

この改正は、指定工事店制度をめぐる問題として、①市町村ごとに指定要件がまちまちであり、工事店の広域的な事業活動を阻害していたこと、②市町村ごとに独自の資格制度等が設けられており、全国的な基準がなかったこと等の理由から、また、給水装置の使用規制については、①日本水道協会の型式承認の位置付けが不明確なこと、②型式承認の審査の方法・審査の過程がわかりにくく、審査に時間がかかり、過剰な規制となるとの意見があったことから、行政改革委員会等より規制の見直しが強く求められたことが背景にあった。

改正の概要は、次のとおりである。

(1)　給水装置工事事業者指定制度の創設

水道事業者は、当該水道事業者の給水区域において給水工事を適正に施行することができると認められる者を指定することができること。また、水道事業者は、当該水道によって水の供給を受ける者の給水装置が当該水道事業者又はその指定を受けた者（指定給水装置工事事業者）の施行した工事に係るものであることを供給条件とすることができること。

(2)　給水装置工事事業者の指定

水道事業者は、給水装置工事の事業を行う者から指定の申請があったときは、一定の条件に適合しているときは指定をしなければならないこと。

(3)　給水装置工事主任技術者

指定給水装置工事事業者は、事業所ごとに、給水装置工事主任技術者免状の交付を受けている者のうちから給水装置工事主任技術者を選任しなければならないこと。また、給水装置工事主任技術者試験に関すること等を規定した。

(4)　指定給水装置工事事業者の責務等

指定給水装置工事事業者は、厚生省令で定める給水装置工事の事業の運営に関する基準に従うことや、水道事業者は指定給水装置工事事業者に対し、給水装置の検査を行う場合の給水装置工事主任技術者の立会いや、必要な報告等を求めることができること。

(5)　指定の取消し

水道事業者は、指定給水装置工事事業者が指定要件に適合しない等の一定の事由に該当するときは、指定を取り消すことができること。

(6)　給水装置における国の基準の明確化・性能基準化

給水装置の構造及び材質の基準に関する省令により、明確化、性能基準化を図り、給水装置の製造者、販売者、輸入者等の誰もが基準適合を一律に判断可能となった。

(7)　第三者認証の義務付けの廃止

基準適合性の証明は、製造、販売、輸入業者の自己認証を原則とし、第三者認証を義務付けないこととし、日本水道協会の型式承認制度を廃止したこと。

以上の改正を通じて、給水装置工事事業者及び給水装置製造業者に関する過剰規制、参入制限的規制を撤廃したことにより、工事事業者の広域的な活動及び給水装置の認証が容易になり、必要最小限のルールの下自由な競争が行われる基盤が整備された。

㈨　二一世紀における水道及び水道行政のあり方

我が国の水道は、社会に不可欠な施設として定着し、成熟段階に入っていたが、その一方で、水質問題の多様化・複雑化、安定した水源確保の一層の困難化、地震に対する脆弱性等様々な課題を抱えていた。また、近年の規制緩和、情報公開の進展など、水道を取り巻く社会的情勢も大きく変化しつつあった。

これらを踏まえて、厚生省では、今後の水道に関する制度のあり方を構想するとともに、その実現方法について議論し、論点を整理するため、水道関係の有識者を招いて「水道基本問題検討会」（座長：住友恒　京都大学大学院教授）での論議を経て、平成一一年に報告を取りまとめた。

この中では、基本的視点として、①需要者の視点：需要者である国民の立場に立った多様なサービスの提供、②自己責任原則：規制緩和・地方分権を踏まえ、自由で公正な経済社会における関係者の責任ある役割分担、③健全な水循環：水循環に係る多くの制度、関係者との協調と連携を掲げ、今後の水道のあり方等が取りまとめられている。

方向性としては、全国的に全ての水道が達成すべき「ナショナル・ミニマム」に加えて、それぞれの地域ごとに需要者のニーズに応じた多様な水準の「シビル・ミニマム（ローカル・スタンダード）」を設定し、その達成へ行政が主導し牽引していく時代から、需要者である国民との対話を通じ、水道事業者が自らの意志と努力で方向を決めていく時代にふさわしい関係者の役割分担等が示されている。

具体的には、①安全に飲用できる水の供給を全ての水道で維持しつつ、需要者の選択に応じたおいしく飲用できる水の供給、②節水型社会の実現を前提として、平常時に必要量の水を安定して使用でき、渇水や災害にも強い水道、③受益者負担を原則とし、政策的な財政支援により大幅な料金格差や高料金を抑制すると同時に、国民のコスト意識を高め、節水を誘導するような費用負担等について提言された。

㈢　**水道法の改正（平成一三年）**

水道基本問題検討会報告で提言された内容には、様々なレベルのものが含まれており、厚生省では、実行できるものから逐次行政に反映させるとともに、水道法の改正を含めた制度的な検討が必要な提言については、生活環境審議会において具体的な検討を行うこととした。

生活環境審議会（会長：藤田賢二　東京大学名誉教授）における検討は、水道部会において行うこととなり、平成一一年一一月に開始された。水道部会では、検討会報告の提言を踏まえて、水道法上の未規制水道・簡易専用水道に関する課題や、水道事業の運営に関する課題を中心に審議を行い、平成一二年七月に「水道に関して当面講ずるべき施策について」の中間的な取りまとめを行った。

これを受けて、厚生省では、法制的な詰めを行うために、平成一二年一二月一日、厚生大臣から生活環境審議会に諮問し、審議会の意見を求めた。

生活環境審議会では、この諮問を水道部会に付議することとし、同年一二月四日にこれを審議するための水道部会が開催され、同日、生活環境審議会の答申が、厚生大臣宛になされた。

この間、平成一三年一月六日の省庁再編に伴い、厚生省水道環境部水道整備課から、厚生労働省健康局水道課に引き継がれた。

答申の内容については、関係者及び政府部内の調整を経て、その後、平成一三年三月二一日、政府提案の「水道法の一部を改正する法律案」として閣議決定され、第一五一回通常国会に提出された。法律案は、六月二六日の衆議院本会議で可決され、七月四日に法律として正式に公布された。

本改正は、「水道の管理体制の強化」が主要なテーマであり、維持管理の時代を迎えた水道が、いかに安定した管理体制を維持し、安全な水道水の安定的な供給を継続できるかが焦点となっている。

その背景を整理すると、次の三点が挙げられる。

(1)　我が国の水道の普及率は九六％を超え、ほとんどの国民が利用できるまでに普及しているが、水道水の安全性や水質を巡り、近年新たな問題が生じてきており、水道水質基準の強化等に向けた対応が求められている。

(2)　水道事業については、大半が中小規模の事業者であり、水質等の管理体制が極めて脆弱であるため、施設の老朽化が進む中、これらの課題に適切に対処することが困難な状況にある。

(3)　他方、利用者は多いが居住者がいないために水道法の適用を受けていない自家用水道（井戸水の利用等）や、ビル等の貯水槽水道において、不適正な管理から、感染症の集団発生等の衛生上の問題が生じている。

このような背景から、水道事業については、地域の実情に応じて、事業の統合や管理の広域化等の様々な手段により管理体制の強化を図ることが求められており、本改正では、管理業務の第三者への委託を制度化し、事業統合の手続を簡素化することにより、管理体制強化のための水道事業者の選択肢を充実させる内容とされた。
また、本改正では、利用者の多い未規制水道や、ビル等の貯水槽水道に関しても、管理体制の強化について、必要な措置を講じている。主な改正事項は次の五点である。

(1)　水道事業者による第三者への業務委託の制度化
浄水場の運転管理や水質管理等、高い技術力を要する業務についての第三者（他の市町村等）への委託を制度化すること。

(2)　水道事業の広域化による管理体制の強化
水道事業を統合する場合の事業認可等の手続を簡素化すること。

(3)　利用者の多い自家用の水道に対する水道法の適用
給水能力の高い未規制水道を専用水道と位置付け、管理を適正化すること。

(4)　ビル等の貯水槽水道における管理の充実
貯水槽水道について、供給規程に水道事業者及び設置者の責任を明確化すること。

(5)　利用者に対する情報提供の推進
水質やコストに関する情報の提供を水道事業者の責務と位置付けること。

㈡　**地方分権の推進（平成一〇年以降）**
平成一〇年五月、地方分権推進法（平成七年法律第九六号）に定める基本方針及び地方分権推進委員会による数次の勧告を踏まえ、地方分権推進計画が閣議決定され、平成一一年に地方分権の推進を図るための関係法律の整備等に関する法律（平成一一年法律第八七号）及び関連する政省令が公布された。これにより、地方自治法（昭和二二年法律第六七号）に自治事務と法定受託事務が新たに規定され、従前より機関委任事務として国から特別の関与があった事務については、その性質に応じて法定受託事務又は自治事務に振り分けられた。

これに伴い、水道法が改正され、従前、都道府県知事に委任されてきた規模の水道事業及び水道用水供給事業に対する認可に係る手続、改善の指示、給水停止命令等について、都道府県知事が自治事務として行う事務の範囲とされた。また、水道の利用者の利益を保護するため緊急の必要がある場合に限り、都道府県知事が認可を行う水道事業者等に対して厚生労働大臣が改善の指示、給水停止命令等を行えることとなった。

また、平成二一年一二月、国と地方自治体の関係を、国が地方に優越する上下の関係から、対等の立場で対話のできる新たなパートナーシップの関係へと根本的に転換し、地域のことは地域に住む住民が責任を持って決めることのできる活気に満ちた地域社会を作っていくことを目指し、水道法に係る事業認可に係る申請事務の簡素化等の内容を含む地方分権改革推進計画が閣議決定された（平成二三年一〇月に水道法施行規則が改正された。）。

平成二二年六月、地域主権改革を総合的かつ計画的に推進するため、当面講ずべき必要な法制上の措置その他の措置等を定めるものとして、地域主権戦略大綱が閣議決定された。地域主権戦略大綱を踏まえた、地域の自主性及び自立性を高めるための改革の推進を図るための関係法律の整備に関する法律（平成二三年法律第一〇五号）により、布設工事監督者の配置・資格に関する基準（法一二条）及び水道技術管理者の資格に関する基準（法一九条三項）を条例（制定主体は水道事業等を営む地方公共団体）に委任することなどを含めて水道法が改正された。

平成二七年一月三〇日に閣議決定された「平成二六年の地方からの提案等に関する対応方針」を踏まえて、水道法施行令の一部を改正する政令（平成二八年政令第一〇二号）により、水道事業等に係る国の認可等の事務・権限の一部が厚生労働大臣の指定を受けた都道府県へ移譲されることとなった。

㈢　公益法人に係る改革を踏まえた改正（平成一五年）

平成一二年一二月一日に閣議決定された「行政改革大綱」において、「公益法人に対する行政の関与の在り方の改革」が重要課題の一つとされ、これを受けて、平成一四年三月二九日に「公益法人に対する行政の関与の在り方の改革実施計画」が閣議決定された。

当該実施計画において、基本的考え方として「公益法人が国の代行機関として行う検査・検定等の事務・事業については、官民の役割分担及び規制改革の観点から見直し、（中略）国の関与を最小限とし、事業者の自己確認・自主保安を基本とする制度に移行することを基本原則とする。この場合、直ちに事業者の自己確認・自主保安のみに委ねることが国際ルールや消費者保護等の観点から必ずしも適当でないときは、法令等に明示された一定の要件を備え、かつ、行政の裁量の余地のない形で国により登録された公正・中立な第三者機関による検査・検定等の実施とする。」とされ、具体的措置内容として水道法第二〇条第三項の規定に基づく水質検査及び第三四条の二第二項に基づく簡易専用水道の管理に係る検査を受託できる者について、厚生労働大臣による指定制から登録制に改正することとされた。

これを受け、政府部内等における調整を経て、平成一五年三月七日に水道法の一部改正を含む「公益法人に係る改革を推進するための厚生労働省関係法律の整備に関する法律案」が閣議決定され、第一五六回通常国会に提出された。

国会の審議は、参議院先議で行うこととなり、まず、参議院の厚生労働委員会に付託され、五月一三日に審議が行われ、賛成多数で可決された。その後、翌日の参議院本会議で可決され、衆議院に送付された。

衆議院においても同様に、厚生労働委員会に付託され、六月一三日に審議が行われ、賛成多数で可決された。その後、六月二四日の衆議院本会議で可決され、七月二日に法律として正式に公布された。

水道法に係る改正内容は、次のとおりである。

①第二〇条第三項の規定に基づく水質検査及び第三四条の二第二項に基づく簡易専用水道の管理に係る検査を受託できる者について「厚生労働大臣の指定する者」を「厚生労働大臣の登録を受けた者」に改め、②登録基準を定めるとともに、厚生労働大臣は登録申請者が登録基準に適合しているときは、登録をしなければならないこととし、③厚生労働大臣の登録を受けた者について、検査の実施義務、業務規定の届出、財務諸表等の備付け、登録基準への適合命令、検査の実施義務違反等に係る改善命令、登録の取消し等の規定が整備された。

㈢　**水質基準の見直し（平成一五年）**

臭素酸やハロゲン化酢酸など新たな消毒副生成物の問題が提起されていること、クリプトスポリジウムなど耐塩素性の微生物による感染症の問題が提起されていることなど、さらに水道水質管理の充実・強化が求められている状況にあること等を踏まえ、平成一四年七月、厚生労働大臣より厚生科学審議会長に対して、水質基準の見直し等について諮問がなされた。

厚生科学審議会生活環境水道部会及び同部会水質管理専門委員会における審議の結果、平成一五年四月、厚生労働大臣に対して、水質基準見直し等に係る答申がなされた。これにより「水質基準に関する省令」の全面改正が行われ、基準項目が五〇項目に拡大されたほか、水質基準の見直しのための常設の専門家会議を設置し、最新の科学的知見に従い水質基準を常に見直す逐次改正方式が導入された。また、水質基準とするに至らないが、水道水中での検出の可能性があるなど、水質管理上留意すべき物質（項目）として関係者の注意を喚起すべきものについて、水質管理目標設定項目として位置付けることとした。

(四)　東日本大震災に伴う東京電力株式会社福島第一原子力発電所の事故に起因する水道水中の放射性物質への対応について

平成二三年三月一一日に東日本大震災が発生し、同日、東京電力株式会社福島第一原子力発電所（以下「東電福島第一原発」という。）について、原子力災害対策特別措置法第一五条に基づき、内閣総理大臣による原子力緊急事態宣言が発令された。東電福島第一原発においては、震災以降、津波による被害のほか、複数回の事故の発生に伴う放射性物質の漏出により、周辺環境に影響を与えるに至った。水道に関しては、水道水中の放射性物質による汚染が懸念されたため、早い段階で放射性物質測定機器を有する様々な機関において水道水中の放射性物質の測定が行われた。

厚生労働省では、同年三月一七日、原子力安全委員会が定めた飲食物摂取制限に関する指標（以下「指標」という。）を食品衛生法に基づく暫定規制値とし、これを上回る食品について、食品衛生法第六条第二号に当たるものとして食用に供されることがないよう、地方公共団体に通知した。これを受け、水道水については、都道府県における水道水の放射性物質測定結果が指標を超えた場合の水道の対応について、また、食品衛生法に基づく暫定規制値を踏まえた放射性ヨウ素が一〇〇Bq／kgを超過する場合の乳児による水道水の摂取に係る対応について、それぞれ三月一九日、二一日に都道府県及び水道事業者等に対し通知した。

水道水の放射性物質測定結果が指標を超過した場合の対応について、①指標を超えるものは飲用を控えること、②生活用水としての利用には問題がないこと、③代替となる飲用水がない場合には、飲用しても差し支えないこととする見解を通知において示した。また、指標等を超過した水を供給する水道事業者等に対し、当該水道水の飲用を控えるよう広報することも通知において示し、放射性ヨウ素が指標を超過した水道事業者等に対して水道水の飲用を控えるよう広報の要請を行った。

さらに、同年四月四日、当面の水道水中の放射性物質に関する指標等の取扱い及び水道水中の放射性物質に関するモニタリング方針について取りまとめ、これに基づく検査の実施を地方公共団体及び水道事業者等に対して要請するに至った。その後、各地点におけるモニタリング結果から、水道水中の放射性物質の濃度は低減し、四月以降は不検出又は微量が検出される状況となった。

同年四月二五日、厚生労働省健康局内に、有識者で構成される「水道水における放射性物質対策検討会」を設置し、同検討会では、東電福島第一原発事故以降に集積されたモニタリング結果や同検討会構成員により提供された知見等を踏まえ、水道水への放射性物質の影響メカニズムの検証、水道水中の放射性物質の低減方策、モニタリング結果を踏まえた中長期的な取組等の水道水中の放射性物質対策に係る今後の課題について検討を行い、その時点の知見の集約として同年六月に中間取りまとめを行っている。その後、厚生労働省では、同中間取りまとめに基づいて、モニタリング方針を見直すとともに、平成二三年一〇月に「水道水等の放射能測定マニュアル」を取りまとめるなど、モニタリング結果の公表と合わせて水道水の安全性確保に万全を期してきた。

一方、食品衛生法において、飲料水を含む食品の経口摂取による内部被ばくを許容できる線量以下に管理するための新たな基準値を定めることとしたことを受け、水道水についても、食品衛生法に基づく飲料水の新しい基準値との整合を図るとともに、水道水中の放射性物質のモニタリング実績を踏まえ、平成二四年三月五日、水道施設における管理の可能性を考慮して放射性セシウム（セシウム一三四及び一三七の合計）一〇Bq／kgを水道水中の新たな目標値として設定した。

放射性物質の大規模放出から一年程度経過したその時点において、放射性セシウムは、そのほとんどが濁質成分として水道原水中に流入しているものであり、濁質中の放射性セシウムについては、水道施設における凝集沈殿及び砂濾《ろ》過等の浄水処理工程で濁質とともに除去することが可能なものであることから、当該目標値は、衛生上必要な措置に関する水道施設の管理目標として位置付けている。

㈤　新水道ビジョンの策定（平成二五年）

二一世紀に入り、前世紀に整備された水道施設の多くが老朽化しつつあるなど、我が国の水道が転換期を迎えていたことを踏まえ、厚生労働省は、水道分野の専門家で構成する「水道ビジョン検討会」を平成一五年六月から開催し、平成一六年六月、今後の水道に関する重点的な政策課題とその課題に対処するための具体的な施策及びその方策、工程等を包括的に明示する「水道ビジョン」を公表した。

水道ビジョンにおいては、関係者にとってわかりやすい共通の目標として、「世界のトップランナーを目指してチャレンジし続ける水道」を基本理念に掲げ、国民の安心、安定的な供給、運営基盤、文化・技術の継承、給水サービスの充実、環境保全への貢献、国際貢献・調和といったあらゆる分野で世界のトップレベルの水道となるよう、「安心」、「安定」、「持続」、「環境」及び「国際」を5つの主要政策課題と位置付け、水道界全体で取り組んでいくこととされた。また、施策目標の達成状況及び各施策・方策の進捗状況について、適宜レビューし、施策・方策の追加・見直しを行うこととされており、厚生労働省は、平成一九年四月に「水道ビジョンフォローアップ検討会」を開催し、平成二〇年七月に水道ビジョンを改訂した。

その後、日本の総人口は平成二二年頃から減少傾向に転じ、現在の年齢別の人口構成や出生率の状況を踏まえると今後も人口の減少傾向は続くことは確定的であり、水道の給水量も減少し続けることが予測されるようになった。また、東日本大震災による大規模な水道施設の被災等によって、水道における危機管理の様々な課題が浮き彫りになった。こうした状況にあって、水道を取り巻く環境は大きく変化し、さらなる時代の転換点を迎えていると考えられた。

このような水道を取り巻く状況の大きな変化を踏まえ、厚生労働省は水道ビジョンの再改訂ではなく、来るべき時代に求められる課題に挑戦するため、新しいビジョンを策定することとし、平成二四年二月より「新水道ビジョン策定検討会」を開催し、平成二五年三月に「新水道ビジョン」を策定した。

新水道ビジョンでは、「地域とともに、信頼を未来につなぐ日本の水道」を基本理念に、これからの時代に求められる五〇年、一〇〇年後の水道の理想像、当面の間に取り組むべき事項、方策、関係者の役割分担等が提示された。

また、水道の理想像を、「時代や環境の変化に的確に対応しつつ、水質基準に適合した水が、必要な量、いつでも、どこでも、誰でも、合理的な対価をもって、持続的に受け取ることが可能な水道」とし、「安全」「強靱」「持続」の三つの観点から、取組の方向性や目標が定められたほか、新たな事業環境に対して、関係者が「挑戦」する意識・姿勢、さらに、近隣の水道事業者、関係行政機関、民間事業者等、立場を超えた「連携」による取組の推進が重要とされた。

新水道ビジョンに示された施策を実現するため、厚生労働省において、関係団体及び学識者で構成される「新水道ビジョン推進協議会」を設置し、平成二六年五月に新水道ビジョン推進のためのロードマップを取りまとめた。

ロードマップでは、全ての水道関係者において、水道の理想像に向けての目標を実現するため、関係者間の共通認識を堅固にするとともに、重点的な実現方策として、施設更新時の再構築やアセットマネジメント、水道施設の耐震化、広域化・官民連携の推進等の主要項目に関して関係者が取り組むべき施策と工程を示している。

㈥　水道法の改正（平成三〇年）

日本の水道は、国民の生活の基盤として必要不可欠なものとなっている一方で、水道施設の老朽化の進行、耐震化の遅れ、多くの水道事業者が小規模で経営基盤が脆弱、計画的な更新のための備えが不足といった課題に直面し、将来にわたり安全な水の安定供給を維持していくためには、水道の基盤強化を図ることが重要であった。また、指定給水装置工事事業者制度において、所在確認の取れない指定給水装置工事事業者の排除、無届工事や不良工事の解消も課題となっていた。

これらの課題への制度的対応について検討するため、平成二七年九月より「水道事業基盤強化方策検討会」が開催され、同検討会の中間とりまとめを踏まえ、平成二八年三月二日に「水道事業の基盤強化に向けた取組について」（平成二八年生食水発第三〇二〇〇二号）及び「水道事業の広域連携の推進について」（平成二八年生食水発第三〇二〇〇一号）が発出された。さらに、平成二八年三月からは、厚生科学審議会 生活環境水道部会 水道事業の維持・向上に関する専門委員会が開催され、同専門委員会において、適切な資産管理や広域連携の推進など水道事業の基盤強化を図るための具体策について議論を重ね、平成二八年一一月二二日に報告書「国民生活を支える水道事業の基盤強化等に向けて講ずべき施策について」がとりまとめられた。同報告書を踏まえ、平成二九年三月七日に、水道の基盤の強化を図るための施策の拡充を内容とする「水道法の一部を改正する法律案」が閣議決定され、第一九三回通常国会に提出されたが、衆議院の解散を受け審議未了により廃案とされた。その後、平成三〇年三月九日に第一九六回通常国会に再提出され、継続審議の取扱いとなったが、第一九七回臨時国会において同年一二月六日に成立、同年一二月一二日に平成三〇年法律第九二号として公布され、令和元年一〇月一日に施行された。

法改正の概要は以下のとおりである。

(1)　関係者の責務の明確化

国、都道府県及び市町村は水道の基盤の強化に関する施策を策定し、推進又は実施するよう努めなければならないこと。都道府県は水道事業者等の間の広域的な連携を推進するよう努めなければならないこと。水道事業者等はその事業の基盤の強化に努めなければならないこと。

(2)　広域連携の推進

国は広域連携の推進を含む水道の基盤を強化するための基本方針を定めること。都道府県は基本方針に基づき、関係市町村及び水道事業者等の同意を得て、水道基盤強化計画を定めることができること。都道府県は、広域連携を推進するため、関係市町村及び水道事業者等を構成員とする協議会を設けることができること。

(3)　適切な資産管理の推進

水道事業者等は、水道施設を良好な状態に保つように、維持及び修繕をしなければならないこと。水道事業者等は、水道施設を適切に管理するための水道施設台帳を作成し、保管しなければならないこと。水道事業者等は、長期的な観点から、水道施設の計画的な更新に努めなければならないこと。水道事業者等は、水道施設の更新に関する費用を含むその事業に係る収支の見通しを作成し、公表するよう努めなければならないこと。

(4)　官民連携の推進

多様な官民連携の選択肢をさらに広げる観点から、Private Finance Initiative（ＰＦＩ）の一手法である、公共施設の所有権を地方公共団体が所有したまま施設に関する公共施設等運営権を民間事業者に設定する方式（いわゆるコンセッション方式）について、厚生労働大臣の許可を受けることで、地方公共団体が水道事業者等としての位置付けを維持しつつ、水道施設に関する公共施設等運営権を民間事業者に設定できる仕組みを導入すること。

(5)　指定給水装置工事事業者制度の改善

資質の保持や実体との乖離の防止を図るため、指定給水装置工事事業者の指定に更新制（五年）を導入すること。

なお、本改正内容の一つである「官民連携の推進」については、コンセッション方式が水道事業の「民営化」につながるのではないかとの懸念や、海外における問題事例を踏まえると水道料金の高騰や安全性の問題が生じるのではないか等の懸念が寄せられ、国会審議においても主要な論点となった。本改正は、制度上は以前から導入可能であったコンセッション方式について、地方公共団体からの要望も踏まえ、水道事業の確実かつ安定的な運用のために公の関与を強めたものであり、本改正に基づく方式では、地方公共団体が水道事業者等としての位置づけを維持し、引き続き給水責任を負うことから、水道事業を「民営化」するものではないとされた。また、コンセッション方式はあくまで官民連携の選択肢の一つであり、住民サービスの向上や業務効率化を図る上でメリットがある場合に、地方公共団体の判断において導入するものであり、地方公共団体においては、官民連携の目的を明確化した上で、地域の実情に応じた適切な形態の官民連携を実施することが重要であるとされた。

（参考）**水道行政機構の変遷**

水道条例が制定された当初は、水道行政一般については内務省の衛生局が所管し、土木技術関係の事務は同省の土木局が所管した。その後、昭和一三年一月内務省の社会局、衛生局等が内務省から独立して、厚生省が設置され、水道行政一般については厚生省の衛生局が、土木技術関係の事務は内務省の土木局が行うこととなった。これに伴い、昭和一三年八月一九日付の「上下水道事務処理に関する内務厚生両省覚書」によって明確に所管業務が定められ、水道布設認可、下水道築造認可、上下水道国庫補助等の主体的事項は厚生省が、基本計画に変更のない実施設計、工事完了認定の事務は内務省が行うこととされた。また、昭和二二年に建設省が設置されたことに伴い、内務省土木局で行っていた上下水道の土木技術関係業務は、以後、建設省の都市局で行われることとなった。

昭和三二年一月には「水道行政の取扱に関する件」が閣議で決定され、水道行政全般を厚生省が行うことになり、同年六月に水道法が制定、公布され、その他関係法令の整理とともに、水道行政全般にかかる厚生省の所管業務が法律上明確となった。

水道行政は、当初、厚生省の公衆衛生局が所管することとされ、昭和二三年には水道課が設けられたが、昭和三七年以降は同局環境衛生部の局昇格に伴い、以後は環境衛生局の所管となった。また、昭和四九年四月には環境衛生局に水道環境部が設けられ、水道行政の所管課も、水道課の一課から計画課と水道整備課の二課となった。

その後、昭和五九年七月に衛生三局の再編があり、環境衛生局水道環境部は生活衛生局水道環境部となった。さらに、昭和六二年六月には、水道の水質に関する指導を強化する目的で、水道整備課の中に水質管理室が設置された。

また、平成一三年一月六日の中央省庁再編に伴い、厚生労働省健康局の中に水道課が設けられるとともに、新たに水道計画指導室が設置された。このため、水道水質管理室と併せて一課二室体制となった。その後、平成二三年一〇月一日に水道課が健康局から医薬食品局食品安全部に移管され、医薬食品局は「医薬・生活衛生局」に、食品安全部は「生活衛生・食品安全部」に名称が変更された。さらに平成二九年七月一一日に生活衛生・食品安全部が廃止され、同部が分掌していた生活衛生・食品安全部門は医薬・生活衛生局に一元化されることとなったため、医薬・生活衛生局水道課となった。

三、国庫補助制度の沿革

(一) 戦前の補助制度

我が国初の近代水道である横浜の水道の場合には、全額国庫支弁によって神奈川県が布設し、後に横浜市に移管したものであるが、明治二一年度からは当時の主要都市であった三府（東京、大阪、京都）五港（函館、横浜、神戸、新潟、長崎）における水道布設費に対し、その三分の一を標準として国庫補助金を交付した。明治二一年度から函館区水道に対する補助が行われたのを最初に、翌二二年度には長崎市水道、明治二四年度には東京市水道及び大阪市水道にそれぞれ補助金が交付された。その後、明治三三年度からは、さらに、水道の布設を促進するため、これら三府五港以外でもこれに準ずる大市区、産業の発達に重大な関係のある地区及び師団・旅団所在地の水道布設についても四分の一の国庫補助を行った。普通市で最初の国庫補助を受けたのは岡山市（明治三八年竣工）であった。

その後、補助申請件数の増加に伴い明治四〇年度からは補助率も一律四分の一となった。また、大正七年からは大都市に接続してこれと密接な関係を有する町村に布設する水道についても国庫補助が行われることとなり、さらに、大正一〇年には、補助対象の範囲を拡大し、市（区）に準じて必要と認めた町及び特に飲料水の不良な町に対しても、政府財政の許す範囲において補助金が交付された。

昭和に入り、戦時体制の進行による国家財政の膨張と窮迫に伴い、昭和六年度からは、国庫補助は水道の新設工事のみを対象とし、拡張工事は対象としないこととされ、また、昭和九年度には水道布設に対する国庫補助が打ち切られた。しかし、翌年度からは過年度事業に対する年度割額の交付が復活し、戦後の昭和三一年度まで続けられた。

(二)　戦後の補助制度

1　簡易水道事業に対する補助

簡易水道事業に対する国庫補助制度は、昭和二七年度に創設されたが、その発端は、昭和二一年に四国一円と和歌山県、三重県を襲った南海大地震による井戸枯れに対処するため、昭和二五年度において設けられた「地盤沈下対策簡易水道補助金（補助率二分の一）」の制度であった。この補助制度は大きな反響を呼び、二〜三年間に数百か所の施設が補助金の交付を受けた。そのため、厚生省は、感染症予防の見地からこの補助制度を一般農山漁村まで拡大する方針を決め、昭和二七年度予算において、補助率を五分の一とし、残りは全て起債によることとした予算要求を行った。この補助は、結局、一億二千五百万円で予算化されたが、予算調整の間に政党関係の強い意向により、補助率は四分の一ということになった。この補助制度については、昭和三二年度の水道法制定に当たり、「国は、簡易水道事業を経営しようとする市町村に対し、予算の範囲内において政令で定めるところにより、その水道の新設に要する費用の一部を補助することができる」（法四四条）との規定が設けられ、補助根拠が法定されることとなった。

また、昭和二八年度からは離島振興法（昭和二八年法律第七二号）に基づいて、離島簡易水道に対する国庫補助（補助率一〇〇分の三五）が開始された。さらに、昭和三一年度から三七年度までの間存続した農林省所管の「新農山漁村建設総合対策」において、原則として計画給水人口一〇〇人以下の小規模な水道に対して二分の一の補助が行われたが、この制度は昭和三七年度から厚生省所管に移され、「飲料水供給施設」への補助として、補助率一〇分の四として改めて措置されることとなった。

簡易水道施設整備費に対する国庫補助は、その後、昭和三七年度から一部の拡張事業についても補助対象とし、また、閉山炭鉱水道に三分の一を補助することとなったほか、昭和四一年度からは財政力指数〇・三〇以下の市町村に対して三分の一の補助を行うこととなり、昭和四六年度からは一部の増補改良事業についても補助対象とする等の改善がなされた。また、昭和四八年度からは、計画給水人口一人当たりの管布設延長が一〇メートル以上であって、市町村の財政力指数が〇・三〇以下である事業に対する補助率を一〇分の四としたほか、離島簡易水道に対する補助率も二分の一に引き上げられた。

また、この間、昭和三三年度からは広域簡易水道（簡易水道が統合された形態を有する水道）に対する補助が開始され、さらに、昭和五三年度からは、簡易水道の布設要件を備えた地域に対し、水源が得られないため水道事業の拡張により施設整備を行う場合には、これを無水源地域簡易水道として補助を行う制度が設けられた。

さらに、昭和六一年度において、統合簡易水道事業が創設され、平成元年度からは水道未普及地域解消事業が創設され、地方公共団体が策定する「水道未普及地域解消計画」に基づき、計画的に未普及地域の解消を図ることとされた。

なお、昭和六二年度において地下水等汚染地域に対する広域簡易水道及び無水源地域簡易水道の採択条件の一つである「連絡管五〇〇m以上」を撤廃するとともに拡張事業の要件も撤廃したほか、飲料水供給施設の拡張事業及び増補改良事業に対する補助制度の導入が図られている。

また、昭和六三年度においては、基準水量について実勢の伸びを考慮して引き上げるとともに、財政力指数〇・三〇以下の市町村に対する特例措置が設けられ、広域簡易水道及び無水源地域簡易水道の採択要件の一つである連絡管「五〇〇m以上」が撤廃された。

平成元年度には地方公共団体が策定する水道未普及地域解消計画に基づく水道未普及地域解消事業を創設するとともに、増補改良事業の年平均断水時間率四パーセント以上を撤廃し、平成四年度には飲料水供給施設の採択基準緩和が図られている。

平成五年度には、水道未普及地域解消事業において簡易水道拡張及び飲料水供給施設の新設の場合の採択条件である計画給水人口三〇人以上が一〇人以上に緩和された。また、簡易水道等施設を緊急に整備することが必要な地域に対して国庫補助事業と連携を図りつつ地方単独事業を積極的に活用することにより、水道未普及地域の解消を促進するため、新たに「水道未普及地域解消特別対策」事業を平成五年度から平成九年度までの五年間に実施することとなった。

平成六年度には、農山漁村部においても、水洗トイレやシャワー、ガス温水器が使える現代型の生活に対応できる地方生活基盤の整備として、水量、水圧が十分な新しい基準に適合するレベルの高い簡易水道の整備を補助の対象とする地方生活基盤整備水道事業が創設された。

平成七年度には、小規模な簡易水道では、適正に維持管理を行うために必要な技術者の確保や事業効率の悪さによる経営基盤の脆弱性に伴う問題が生ずることが懸念されているため、簡易水道の統合整備を図り、事業の効率化、経営基盤の強化等を図る必要があることから簡易水道統合整備事業として、簡易水道と上水道の統合が円滑に行えるように措置されることとなった。

また、渇水により、長期間に亘る厳しい断水を余儀なくされたことがある水道事業者が、渇水対策のために海水淡水化施設を早急に整備しようとする場合には、補助採択基準が緩和された。

さらに、地震対策として、管路の耐震化等による災害に強い簡易水道づくりを進めるため、基幹的施設について行う改良事業（石綿セメント管更新事業）にあっては、補助採択基準の経過年数及び管延長割合の要件が緩和された。また、災害時の給水拠点の確保を図るために、配水池容量の増量として計画一日最大給水量の二四時間分に増量する採択基準が緩和された。

平成八年度においては、簡易水道事業の採択条件となっている連絡管の距離を五〇〇m以上から二〇〇〇m以上に緩和することにより、水道の一体的な整備により未普及地域の解消を図るとともに、簡易水道事業の統合等を促進するなど安定した給水ができる簡易水道の整備が推進されることとなった。

平成九年六月の「簡易水道等施設整備費補助金の申請について重複申請等を要するケースが多く事務手続が煩雑である。」との大蔵省調査結果報告を受け、平成一〇年度より申請区分を見直し、国庫補助申請手続等の簡素化を図る観点から、簡易水道等施設整備費の補助区分の見直しが行われるとともに、「財政構造改革の推進に関する特別措置法（平成九年法律第一〇九号）」第三八条の規定に基づき、採択下限（一千万円未満）の設定が行われた。

平成一〇年度第三次補正においては、簡易水道統合整備事業について維持管理面、経営面等で脆弱性を有している小規模水道の広域化を推進するため、補助の対象となる上水道の規模を「人口一万人未満」から「人口五万人未満」に緩和し、事業の推進が図られることとされた。

平成一一年度第二次補正予算においては、生活基盤近代化事業費について、上水道の高度浄水施設整備費と同様にクリプトスポリジウム等の病原性原虫による汚染に対処するため、膜濾《ろ》過施設以外の浄水施設の整備が補助対象に追加された。

平成一三年度においては、島内人口の状況から簡易水道の整備が見込めない離島について、離島振興事業として整備される飲料水供給施設を生活基盤近代化事業の基幹改良として補助の対象とされた。また、厚生省（現厚生労働省）と自治省（現総務省）が協力して平成一〇年度から平成一二年度までの三か年間実施してきた簡易水道未普及緊急対策事業については、期間の延長は行わず、従来どおり国庫補助金において措置することとされた。

平成一四年度においては、政府が推進する市町村合併支援策として、市町村合併に伴い財政力指数が変動し、補助対象外又は補助率が低くなる場合については、合併が行われた年度及びこれに続く三年度は従来の補助率を適用する激変緩和措置が実施されている。

2　水道事業等に対する補助

簡易水道事業を除く水道事業及び水道用水供給事業（以下ここでは単に「水道事業」という。）に対する国庫補助は、昭和二〇年度には戦後復旧事業、翌年度から三〇年度まで戦災復興事業としての補助が行われたほか、戦前の事業が昭和二二年度から三一年度まで（予算計上は昭和二九年度まで）名称を変えながらも続いていたが、昭和三二年度からはこれが全て廃止された。

しかし、水需要の著しい増大と水質汚濁の進行等により原水の確保を遠隔地のダム等に依存せざるを得ない状況が一般化する一方、新規水源の確保には巨額の資金を要するものであり、公共性が強く要請され、しかも独立採算制を原則として経営される水道事業においては、こうした巨額の費用負担を個々の水道事業者の責任のみにおいて対応させることは不合理であるとの意見が強くなってきた。そのため、水源の確保と併せて水道事業の健全な育成を図るため、昭和四二年度からダム等の水道水源開発施設の整備に要する費用に三分の一の補助を行うこととなった。

また、将来の開発に備えて水源の確保を図りつつ施設の拡張整備を行うに当たり、水道原水の相互運用や重複投資を排除した水道施設の整備を図り、また、経営の能率化を図る等の観点から、広域水道事業や水道用水供給事業の整備は時代の要請となっていた。しかし、このような事業は大規模な先行投資を要するものであるため、必ずしもそうした方向での水道整備が進まない状況にあったので、同じく昭和四二年度からは水道の広域化のための施設整備費に対する補助（補助率四分の一）を行い、水道広域化の円滑な推進を図ることとなった。

水道水源開発施設整備費の補助は、昭和五一年度からは、原水単価及び資本単価が著しく高くなるものについて二分の一の補助を行うこととされた。また、同年、水道広域化施設整備費の補助についても、昭和五二年の法改正による広域的水道整備計画の規定を先取りし、広域的水道整備計画に基づく事業のうち用水料金等が著しく高くなるものに対しては三分の一の補助を行う制度が導入された。その後、昭和六〇年度において、水道事業者等に対する国庫補助の対象とする費用等について、水道料金の実態をより反映した指標である用水単価及び資本単価を基準として定めるため水道法施行令の改正が行われた。

また、それ以前の昭和四七年度からは、水質汚濁防止法が昭和四六年度に施行されたことに伴い、浄水場から排出される排水の処理施設の整備費に対して四分の一の補助を行うこととなった。

そして、昭和五二年の法改正により、法第二条の二第二項に技術的、財政的援助を国の責務として明定するとともに、法第四四条（国庫補助）を改正し、従来の簡易水道事業に加えて、水道事業及び水道用水供給事業に対しても予算の範囲内で補助することができることとされたのである。

昭和五二年の法改正に当たっては、従来から予算補助を行っているものについては全て法律に補助根拠を明定する方針であったが、飲料水供給施設が水道法に規定する施設でないこと、災害復旧事業に対する補助は公共土木施設以外に法律補助としている例が少ないこと等からみて、これらは、その事業の性格上、法律補助として規定することは適当でないため、これらについては従来どおり予算補助として制度が存続することとなった。

昭和五三年度からは、水質検査施設の整備費についても四分の一の補助を行うこととなったが、これは、中小規模水道の水質検査体制の充実を図るため、二以上の水道事業者によって効率的に使用できる水質検査に必要な分析機器及び初度設備に対して補助することとしたものである。また、昭和五七年度からは、水道広域化施設整備費の中で、広域的水道整備計画の区域内の水道事業に係る新設拡張事業であって資本単価の著しく高いものに対して、広域化促進地域上水道施設整備費補助（補助率三分の一）の制度が導入された。さらに、昭和六三年度からは、水道水源の汚染に対処し、安全でおいしい水道水の供給を確保するため、高度浄水施設整備に対する補助制度（補助率三分の一、四分の一）が設けられ、また、平成二年度からは老朽管更新推進事業に対する補助制度（補助率三分の一、四分の一）が設けられた。

平成三年六月には「ふれっしゅ水道計画」が発表され、水道施設整備の長期目標が示された。平成三年度予算ではこの「ふれっしゅ水道計画」を先取りする形で緊急時における給水拠点確保等のための配水池容量増加に係る施設整備費補助が創設され、さらに、平成四年度には緊急時に近隣の水道事業者間で水道水の相互融通を図ることができる緊急時用連絡管整備事業に対する補助が創設されたほか、新たな水源開発施設として海水淡水化施設が国庫補助対象に追加された。

平成五年度には、「ふれっしゅ水道計画」を踏まえた施策の展開と併せて、平成五年一二月一日の改正水質基準の施行等を踏まえ、高度浄水施設整備補助に新たに定額補助方式が導入されたほか、老朽管更新推進事業の補助対象として新たに鉛管更新事業を追加し、水道の水質への配慮が予算に反映された。さらに、水質検査体制の強化を図るため、水質検査施設整備費の補助対象事業者の拡大と分析機器等の充実が図られた。

平成六年度は、水道原水の水質汚濁事故等を迅速かつ的確に把握するための「水道水源自動監視施設整備事業」が創設されたほか、それまでの老朽管更新事業は、水道管路の近代化を効果的、効率的かつ計画的に行い、直結給水の導入を促進するための管路近代化事業が加えられ、水道管路近代化推進事業に変更された。

平成七年度においては、平成六年度の史上まれに見る全国的な大渇水を受けて、渇水等の緊急時に対応するための海水淡水化施設整備に対する補助率二分の一の用水単価及び資本単価の採択基準を大幅に緩和するともに、高度浄水施設整備費において、ヒ素、マンガンを除去する酸化処理施設やトリハロメタンの生成を防止するために原水中の臭素イオンを除去する電気透析処理施設の整備や、老朽化した浄水場の更新にあたり水質の安全・安定のために整備する原水調整池や従来の浄水処理のレベルアップのための濾《ろ》過施設の整備を補助対象に追加され、また、用水単価及び資本単価が全国の水道事業者の経営の状況に照らして一〇年ぶりに改正された。

平成七年度は阪神・淡路大震災の復興関係経費及び防災対策経費を中心とした一・二次の補正予算が編成され、予算の大幅な増額が図られた。この一次補正予算において石綿セメント管更新事業の補助採択要件が、大規模地震対策特別措置法に基づく地震防災強化地域に指定されている地域等に限り用水単価以外の要件が除外された。それに加え布設後二〇年以上経過し、老朽化した鋳鉄管及びコンクリート管の更新事業を前記地震地域に限り新規に水道管路近代化推進事業費の中に老朽管更新事業として補助対象とされた。また、緊急時給水拠点確保等事業のうち、配水池容量の増量を行う事業について、現在給水人口二〇万人未満であるとの採択要件が廃止された。

平成八年度予算には、地震・渇水に強い水道施設の整備を推進するため、災害復旧に関連した基幹管路の耐震化や大容量送水管のモデル整備を行うライフライン機能強化費が新設されるとともに、緊急時給水拠点確保等事業費に管路を利用した貯留施設や緊急遮断弁の整備が追加され、また、水道水源開発施設整備費の補助対象に、渇水による緊急時に対応するための小規模水源として、井戸等の整備が追加された。さらに、一二月には緊急防災対策、震災復興対策として補正予算が編成され、基幹管路の耐震化、水道広域化等の事業に対して大幅な増額が図られた。

平成九年度予算においては、限りある水資源の有効活用を図る観点から、貯水機能の低下したダムについて堆積土砂の除去を行い、水源施設の貯水機能の回復を図る「水道水源開発施設改築事業」をモデル事業として補助対象とするとともに、クリプトスポリジウム等の病原性原虫による汚染に対処するための膜濾《ろ》過施設を高度浄水施設整備費の補助対象に追加された。

平成一〇年度予算においては、「財政構造改革の推進に関する特別措置法」（平成九年法律第一〇九号）を踏まえ、緊縮型予算となったが、金融機関の経営に対する信頼の低下、雇用不安が重なっての景気の低迷により、四月に総合経済対策を、一一月には、緊急対策を取りまとめ、一次補正、三次補正予算と近来例のない規模の事業が予算化され、特に三次補正予算においては、水質検査対象機器の拡充が図られたほか、石綿セメント管更新事業の緩和及び水道施設災害等対策緊急支援事業が実施された。

平成一一年度予算においては、水道施設の効率的整備の観点から水道広域化施設整備の制度の見直しを行ったほか、申請事務等の簡素化を図るため、採択基準が「資本単価」のみとされた。さらに、一二月には、経済新生対策として、二次補正予算において、クリプトスポリジウム対策として高度浄水施設整備事業の拡充、浄水汚泥の減量化等のための浄水場排水処理施設整備事業の拡充及び放射能汚染事故に対応するための水質検査等施設整備の拡充が行われたほか、石綿セメント管更新事業の補助要件の緩和及び水道施設緊急支援事業が実施された。

平成一二年度予算には、一一年度二次補正予算において行われたクリプトスポリジウム対策、浄水汚泥の減量化等対策等が引き続き実施されるとともに、一二月には「日本新生のための新発展政策」として、一次補正予算において、石綿セメント管更新事業の採択要件の緩和が実施された。

平成一三年度予算においては、水道施設の性能基準化により合理的な施設の整備・改良を支援するため、高度浄水施設整備事業の補助対象が拡充されるとともに、第二次補正予算で石綿セメント管更新事業の補助要件の緩和が実施されたほか、緊急水道安全対策施設整備として、濾《ろ》過池・配水池等の覆蓋化事業が実施された。

平成一四年度予算においては、政府が推進する市町村合併支援策として、市町村合併に伴い統合した水道事業者の資本単価等が変動し、補助対象外又は補助率が低くなる場合については、合併が行われた年度及びこれに続く三年度（水質検査施設は単年度）は従来の補助率を適用する激変緩和措置が実施された。

平成一五年度予算においては、緊急時給水拠点確保等事業費において、以下のような国庫補助制度の見直しが行われている。

⑴　平成三年度から補助対象となっている配水池整備事業について、「計画一日最大給水量の八時間分を超える容量の配水池を整備する事業」の八時間分を九時間分とすることとした。実施から既に一〇数年が経過し、各事業者における整備水準が高くなってきたこと等を考慮し、より高い水準に誘導するための制度の見直しを行ったもの。

⑵　平成四年度から補助対象となっている緊急時用連絡管整備事業について、同一事業者内における水系間の水道水の融通を図るための連絡管についても補助対象とした。

⑶　平成八年度から平成一四年度までの期間で神戸市においてモデル事業として実施してきた緊急時に貯留施設として利用できる大容量送水管の整備については、本モデル事業の評価も踏まえた上で、一般事業として補助対象とした。

平成一六年度予算においては、緊急時給水拠点確保等事業費について、配水池整備事業の「計画一日最大給水量の九時間分を超える容量の配水池を整備する事業」の九時間分を一〇時間分とするとともに、緊急時用連絡管整備事業について、非常時においても広域圏域や都道府県圏域を超えた水道水の相互融通を図るための連絡管が補助対象に追加された。

平成一七年度予算においては、高度浄水施設等整備費及び緊急時給水拠点確保等事業費において、以下のような国庫補助制度の見直しが行われた。

(1) 高度浄水施設等整備費の水道原水水質改善事業について、バイパス管、伏流水取水などの施設の整備を補助対象とした。

(2) 緊急時給水拠点確保等事業費について、基幹病院など災害時において給水優先度の特に高い施設への配水を確保するための耐震機能を有する配水管の整備を補助対象とした。

(3) 平成一八年度までの期間に限り、水道施設等のアスベスト対策のため、アスベストの除去、封じ込め、囲い込み等に対して国庫補助が実施された。

平成一九年度予算においては、高度浄水施設等整備費、緊急時給水拠点確保等事業費及び水道管路耐震化等推進事業費について、以下のような補助制度の見直しが行われた。

(1) 高度浄水施設等整備費について、クリプトスポリジウム等の耐塩素性病原生物対策として紫外線処理施設を補助対象とした。また、クリプトスポリジウム等による水道原水の汚染等に対応するため、現在取水を行っている対策が必要な水源を廃止し、別の自己水源から給水する場合並びに水道事業が水道用水供給事業から受水する場合に必要な施設の整備を補助対象とした。

(2) 緊急時給水拠点確保等事業費について、管路につながる基幹水道構造物の耐震化の促進を図るため、地震防災対策強化地域等における配水池及び浄水場等の基幹水道構造物のうち特に耐震化が必要であると認められるものの補強事業又は改築・更新事業を補助対象とした。

(3) 水道管路耐震化等推進事業の石綿セメント管更新事業について、補助要件の見直しが行われた。

平成二〇年度予算においては、水質検査等施設整備費について、簡易水道事業統合計画に基づき上水道と簡易水道等が統合する場合、水道施設の一体的な運転や集中監視を行うことが必要となるため、遠隔監視システムの整備を補助対象とした。また、緊急時給水拠点確保等事業費について、緊急時用連絡管整備事業及び重要給水施設配水管整備事業の補助要件の見直しが行われた。

平成二一年度予算においては、事業統合を行う場合の老朽管更新事業、重要給水施設配水管整備事業及び石綿セメント管更新事業について、一定の条件を満たす水道事業者が行う事業の補助要件の見直しが行われた。また、老朽管更新事業について、基幹管路に布設されている耐震性の低い継手の塩化ビニル管が補助対象に追加された。

平成二二年度予算においては、行政刷新会議による事業仕分け（平成二一年度）の評価結果や公共事業全体の見直しの情勢を踏まえつつ水道施設の耐震化等を効率的に進めるため、資本単価設定や補助率の見直しが行われた。一方、耐震化を促進するため老朽管更新事業について、ダクタイル鋳鉄管を補助対象に追加するとともに、運営基盤の強化に向けた事業統合を一層促進するため、水道広域化促進事業費が創設された。

平成二五年度予算においては、離島等の特殊性からカルシウム、マグネシウム（硬度）が高く日常生活に支障が生じるおそれがある場合にその硬度低減のために必要な施設が補助対象に追加された。

平成二六年度補正予算において、水道施設及び保健衛生施設等の耐震化や水道事業の広域化を一層推進するため、生活基盤施設耐震化等交付金が創設された。

平成二八年度予算においては、耐震性が低く、法定耐用年数を超過している水道管を緊急的に耐震適合性のある管路への更新を行う水道管路緊急改善事業が創設された。また、簡易水道事業統合の期限について、一定の条件を満たした場合平成三一年度まで延長された。

平成二九年度予算においては、水道事業体の広域化推進に資する施設台帳整備事業が三年間を限度として交付対象とした。

平成三〇年度予算においては、改正水道法に規定されている水道基盤強化計画の策定等に要する経費を交付対象としたほか、広域化に伴う事務関係システムの統合に要する経費や広域化と合わせて実施する基幹管路の整備に要する経費を広域化事業の交付対象に追加された。また、水道施設台帳整備事業の交付要件を緩和するとともに、水道施設台帳の電子化促進事業が創設された。さらに、IoT の活用により事業の効率化や付加価値の高い水道サービスの実現を図るなど、先端技術を活用して科学技術イノベーションを指向するモデル事業が創設された。

平成三〇年度二次補正予算においては、重要度の高い水道施設の災害対応状況についての緊急点検を実施し、防災・減災・国土強靱化のための三か年緊急対策として水道施設機能維持事業が創設された。

平成三一年度予算においては、水道管路緊急改善事業について、耐震性の低い継手を有する鋼管が交付対象に追加されたほか、改正水道法に基づく水道事業の広域化を更に推進するため、水道事業運営基盤強化推進事業について、以下のような補助制度の拡充等が行われた。

(1)　広域化事業について、交付対象事業者として、水道事業者のほか、水道用水供給事業者及び特定簡易水道事業者以外の簡易水道事業者も対象とされた。また、小規模水道事業者（給水人口一万人以下）を含めた広域化において水道料金回収率が百パーセント以上となる場合、小規模水道事業者は資本単価要件を免除することとした。

(2)　広域化事業及び基盤強化等事業について、広域化事業開始後十年間を交付対象期間とする見直しが行われた。

(3)　都道府県が策定する水道基盤強化計画等の区域として将来的に広域化を実施する旨が明示される場合、水道事業者の共同施設の整備事業が交付対象事業として創設された。

令和元年度補正予算においては、防災・減災・国土強靱化のための三か年緊急対策として補助対象となる施設（配水場・ポンプ場、配水支管）が令和元年度に限り拡充された。

令和二年度予算においては、改正水道法及び水道の基盤を強化するための基本的な方針を踏まえ、人材育成等の事業が交付対象として拡充されるとともに、事業の縮小に伴う施設の統合整備事業が創設された。また、簡易水道事業については、特定簡易水道事業に対し一定の条件を満たす場合、令和二年度以降も引き続き国庫補助の対象とされた。

令和二年度三次補正予算においては、令和二年一二月に閣議決定された防災・減災・国土強靱化のための五か年加速化対策に基づき、停電・浸水災害・土砂災害対策としてこれまでの対象施設（浄水場・配水場・ポンプ場）への補助を継続するとともに、取水場単独の対策も対象に追加された。また、耐震化対策としては、令和元年度補正予算限りの措置としていた配水支管への拡充措置を継続することとされた。

令和三年度予算においては、管路耐震化事業の交付対象となる管種（ポリエチレン管）の拡大などの緩和措置や海底送水管やソフト事業に係るメニューが創設された。

このように、水道事業への補助は、制度の創設以来種々の改善が行われてきたが、その補助の性格は、当初の通常の施設整備の誘導という奨励的なものから、今日では、施設整備に伴う高料金対策的なもの及び水道施設の質的向上のための誘導的なものへと次第に変わってきているということがいえる。

簡易水道等水道施設整備の推移

年　度	事　　　　　　　　　　項
昭和27年	「伝染病の予防」の見地から簡易水道整備事業の創設
昭和33年	広域簡易水道事業の創設
昭和35年	区域拡張事業の創設
昭和37年	飲料水供給施設整備事業が農林省から厚生省に移管
昭和39年	閉山炭鉱水道施設の創設
昭和41年	補助要件の緩和 ※財政力指数が相当程度低く厚生大臣が必要と認めた場合　補助率1/4　→ 1/3
昭和46年	増補改良事業の創設
昭和48年	補助要件の緩和 ※財政力指数が0.30以下の場合　補助率1/4　→ 1/3、4/10
昭和53年	無水源地域簡易水道の創設
昭和54年	拡張事業、増補改良事業の補助基準の緩和 ※拡張事業　計画給水人口の20% 以上かつ200人以上 → 20% 以上又は200人以上 ※増補改良　増補率の廃止、平均断水時間率8% → 4%
昭和55年	基幹的施設改良事業の補助対象に老朽化施設の更新事業を追加
昭和61年	統合簡易水道事業の創設
平成元年	水道未普及地域解消事業の創設
平成６年	地方生活基盤整備水道事業の創設
平成７年	簡易水道統合整備事業の創設
平成８年	無水源地域簡易水道等の補助要件の緩和 ※連絡管距離　500m以上 → 200m以上
平成10年	簡易水道統合整備事業の補助要件の緩和 ※事業の対象となる上水道の給水人口　１万人未満 → ５万人未満
平成11年	生活基盤近代化事業の補助対象の追加 ※クリプトスポリジウム等病原性原虫対策としての急速濾《ろ》過施設・緩速濾《ろ》過施設 ※放射能漏れ事故発生の際に水道水の安全性を確認するためのシンチレーションサーベイメータ
平成13年	生活基盤近代化事業の補助対象の追加 ※島内人口の状況から簡易水道の整備が見込めない離島において、離島振興事業として整備される飲料水供給施設を基幹改良の対象に追加
平成14年	市町村合併時の補助要件の特例
平成17年	簡易水道再編推進事業の補助対象に遠隔監視システムを追加 生活基盤近代化事業の補助対象にクリプトスポリジウム対策として濾《ろ》過施設の整備に代替して開発する水源施設を追加 アスベスト除去等事業の創設（平成18年度までの時限事業）
平成18年	簡易水道再編推進事業の補助要件の緩和 ※簡易水道統合整備事業において、簡易水道と統合する上水道の対象範囲を拡大（給水人口５万人未満を対象としている要件を撤廃） 生活基盤近代化事業の補助対象の見直し
平成19年	簡易水道等施設整備費の補助制度の見直し ※経営基盤が脆弱な簡易水道に対する支援制度を維持しつつ簡易水道の統合を促進するため、平成18年度財務省予算執行調査の結果を踏まえつつ、簡易水道の統合の推進及び高料金対策への重点化等に資するよう補助制度の見直し

	生活基盤近代化事業の補助対象にクリプトスポリジウム等耐塩素性病原生物対策として行う紫外線処理施設を追加
平成21年	簡易水道再編推進事業の補助要件の緩和 ※「同一行政区域内に存在する」、「しゅん工後10年以上経過した」（平成28年度までに統合しなければならない簡易水道事業に限る）との補助要件を撤廃 生活基盤近代化事業の補助対象の緩和 ※基幹改良事業の補助対象に、平成28年度までに統合しなければならない飲料水供給施設で、かつ、過疎地域自立促進法、山村振興法、半島振興法に定める地域にあるものを追加 ※基幹改良事業のうち「管路を廃止して新設する事業」について、 ・財政力指数0.30以下の市町村が行う事業については、管路延長距離要件を20％以上から10％以上に引き下げ ・鋳鉄管及びコンクリート管更新については、距離要件を適用しない 特鉱水道施設の廃止
平成22年	簡易水道事業統合計画の策定期限延長 ※一定の要件を満たす市町村については、平成21年度末までとなっている「簡易水道事業統合計画」の策定期限を平成23年度まで延長 生活基盤近代化事業の増補改良の補助対象の追加 ※原水水質の変化により水質基準を超過する恐れが生じた場合に実施する改良事業 ※地震対策として「基幹的水道構造物の耐震化」のための補強事業を追加するとともに、新たに設置する緊急遮断弁及び非常用電源設備
平成24年	一括交付金（地域自主戦略交付金）化（平成24年度限り） ※地域主権戦略大綱の方針により政令指定都市相当分を一括交付金化（耐震化関連事業を除く） 地震防災対策強化地域等における耐震化事業（全国防災）の計上（東日本大震災復興特別会計　平成24年度限り） ※東日本大震災を教訓として、東海地震や東南海・南海地震など、大地震の切迫性が高いと想定される地域での水道の耐震化を推進するための経費を別枠で確保
平成26年	生活基盤施設耐震化等交付金の創設
平成28年	簡易水道統合事業について、一定の条件を満たした場合、期限を平成31年度まで延長
令和２年	特定簡易水道事業に対して、一定の要件を満たす場合、引き続き国庫補助の対象
令和３年	IoT 活用推進モデル事業に簡易水道事業を交付対象に追加

水道水源開発等施設整備の推移
〔「生活基盤施設耐震化等交付金」（平成26年度創設）を含む〕

年　度	事　項
昭和41年	公害審議会答申「水道の広域化と水道の経営、特に経営方式に関する答申」
昭和42年	水道水源開発等施設整備費に対する国庫補助制度創設（昭和52年度より法律補助） 水道広域化施設一般広域化施設補助創設（昭和52年度より法律補助）
昭和47年	浄水場排水処理施設整備費に対する補助
昭和51年	水道広域化施設のうち、広域水道整備計画に基づく事業について補助率の一部嵩上げ
昭和53年	遠距離導水管に対する補助の創設 共同水質検査施設整備事業の創設
昭和57年	水道広域化施設広域化促進地域上水道施設への補助の創設
昭和63年	高度浄水施設整備事業の創設
平成２年	高度浄水施設の補助対象に貯水池水質改善装置を追加 石綿セメント管更新事業の創設
平成３年	緊急時給水拠点確保等事業の創設
平成４年	緊急時給水拠点確保等事業緊急時用連絡管に対する補助の創設 水道水源開発施設整備費の補助対象に海水淡水化施設の整備を追加
平成５年	水質検査施設整備費の補助対象の追加（新水質基準に対応するため、水質検査機器を拡充） 鉛管更新事業の創設 補助採択基準の下限額を設定（都道府県事業５千万円、市町村事業５百万円）
平成６年	管路近代化事業の創設 水道水源自動監視施設に対する補助の創設
平成７年	老朽管更新事業の創設 被害の大きい地域において整備する海水淡水化施設の整備について補助率を１／２に嵩上げ 高度浄水施設整備事業の補助対象にヒ素、マンガン等の処理施設、原水調整池等を追加
平成８年	緊急時用井戸に対する補助の創設 緊急時給水拠点確保等事業（貯留施設、緊急遮断弁に対する補助）の創設 ライフライン機能強化事業の創設
平成９年	水道水源開発施設改築事業の創設 高度浄水施設整備事業の補助対象に膜処理施設を追加 補助採択基準の下限額を改訂 （都道府県事業５千万円→１億円、市町村事業５百万円→１千万円）
平成11年	水道広域化施設整備費の国庫補助制度見直し ※水道の広域的な整備の観点から、一般広域化施設整備費の新規採択については、広域的水道整備計画に基づく事業に限定し、広域化促進地域上水道施設整備費の新規採択については、将来的に用水供給と統合することを条件とする。 高度浄水施設等整備費の補助対象に急速濾《ろ》過施設・緩速濾《ろ》過施設を追加 浄水場排水処理施設整備費を補助対象に追加 水質検査施設等整備費の補助対象にシンチレーションサーベイメータを追加
平成13年	高度浄水施設等整備費の補助対象に既定の高度浄水処理に加え、これらの施設と同等の浄水性能を得るために必要な施設を整備する事業を追加
平成14年	市町村合併時の補助要件の特例
平成15年	緊急時給水拠点確保等事業費の補助対象の見直し

平成16年	緊急時給水拠点確保等事業費の補助対象の見直し 水質検査施設等整備費の補助対象の見直し 水道水源放射能汚染検査施設整備費（水質検査施設等整備費）の廃止 浄水汚泥再利用等促進事業費（浄水場排水処理施設整備費）の廃止 鉛管更新事業費（水道管路近代化推進事業費）の廃止
平成17年	高度浄水施設整備費の補助対象にバイパス管、伏流水取水などの施設を整備する事業を追加 緊急時給水拠点確保等事業費の補助対象に給水優先度の特に高い施設への配水を確保するための耐震機能を有する配水管を追加 アスベスト除去等事業費の創設（平成18年度までの時限事業）
平成19年	高度浄水施設等整備費の補助対象に紫外線処理施設及び代替水源施設を追加 緊急時給水拠点確保等事業費の補助対象に地震防災対策強化地域等における配水池や浄水場等の耐震補強事業を追加 石綿セメント管更新事業の採択基準の見直し 水道水源開発施設改築事業の廃止
平成20年	水質検査等施設整備費の補助対象に施設の共同利用や管理の一元化を図るために必要な遠隔監視システムを追加 緊急時給水拠点確保等事業費の補助対象の見直し
平成21年	事業統合を行う場合の補助要件の緩和 緊急時給水拠点確保等事業費の補助対象の見直し 浄水場排水処理施設整備費の廃止 水質検査施設等整備費（水質検査施設）の廃止
平成22年	資本単価の見直し ※水道事業70円/㎥以上→90円/㎥以上、 水道用水供給事業50円/㎥以上→70円/㎥以上 緊急時給水拠点確保等事業費（老朽管更新事業）の補助対象の見直し 水道広域化施設整備費のメニュー追加（水道広域化促進事業費） 一般広域化施設整備費（水道広域化施設整備費）の廃止 高度浄水施設等整備費 ※水道事業90円/㎥未満、水道用水供給事業70円/㎥未満の資本単価の事業者が行う事業（クリプトスポリジウム等の病原性原虫による汚染対策を除く）の廃止
平成23年	一括交付金（地域自主戦略交付金）化 ※地域主権戦略大綱の方針により都道府県相当分を一括交付金化 北方領土隣接地域振興事業等補助率差額の計上 石綿セメント管更新事業の廃止
平成24年	一括交付金（地域自主戦略交付金）化 ※地域主権戦略大綱の方針により政令指定都市相当分を一括交付金化（耐震化関連事業を除く）（平成24年度限り） 地震防災対策強化地域等における耐震化事業（全国防災）の計上（東日本大震災復興特別会計）（平成24年度限り）
平成25年	高度浄水施設等整備費の補助対象に硬度低減のために必要な施設を追加
平成26年	生活基盤施設耐震化等交付金の創設
平成28年	水道管路緊急改善事業の創設
平成29年	水道施設台帳整備事業の創設（平成32年度までの時限事業）
平成30年	水道基盤強化計画の策定等に要する経費を指導監督交付金の対象に追加 広域化に伴う事務関係システムの統合に要する経費及び広域化と合わせて実施する基幹管路の整備に要する経費を広域化事業に追加 水道施設台帳電子化促進事業の創設 水道事業における IoT 活用推進モデル事業の創設 重要インフラの緊急点検対策として水道施設機能維持事業の創設

平成31年	水道管路緊急改善事業の交付対象管種（耐震性の低い継手を有する鋼管）の追加 広域化事業の交付対象事業者の拡充 広域化事業及び運営基盤強化等事業の交付期間の見直し（広域化事業開始後10年間） 共同施設の整備事業を交付対象事業として創設 緊急対策の水道事業機能維持事業における補助対象の拡充・追加（令和元年度限り）
令和２年	指導監督交付金の交付対象の拡大 事業の縮小に伴う施設の統合整備事業の創設
令和３年	５か年加速化対策に基づき、停電・浸水災害・土砂災害対策及び耐震化対策としての補助を継続（令和元年度補正予算限りの措置を含む） 基幹水道構造物の災害対策事業として支援メニューの創設 水道管路緊急改善事業の交付対象管種（ポリエチレン管）の追加 海底送水管の更新事業を創設 広域化事業について地理的条件が厳しい地域における要件緩和 水道事業におけるソフト事業への支援として、生活基盤施設耐震化等効果促進事業の創設

第二章　水道行政をめぐる諸制度

前章において、水道法令を中心として我が国の水道行政の発展の経過をたどり、その現状のあらましを明らかにした。いうまでもなく、水道行政は、水道法のみならず極めて多岐にわたる多くの法制度と関係を有しており、複雑膨大な水道関係法規群を形成している。

これらの法規群は、水道事業の立場から幾つかの範疇に分類することができよう。まず、水道事業を起こし、その中核をなす水道施設を建設し運営していくための第一段階として各種の計画が必要とされるが、水道を社会資本の基本的な構成要素として位置付けつつ全国的、地域的な各種の開発計画の根拠を定める法体系がある。例えば、国土形成計画法、都市計画法等がこの分野に含まれよう。第二に、このような計画に従って水道事業が実施される上で必要な水資源が確保されなければならないが、水利用の基本的なルールを定め、さらに、積極的な水源開発を進めるための一連の法体系がある。河川法や水資源開発促進法等はそのようなものとして位置付けられる。一方、水資源の量的確保と並んでその質的水準の確保を行うことも近年極めて重要なこととなっている。環境基本法、水質汚濁防止法を始めとする各種の水質保全のための法体系が第三の分野として現れてくることになる。さらに、水源からの水を消費者のもとへ届けるまでに多くの施設が必要とされる。したがって、第四に、水道施設の建設に関する諸法規も忘れてはならない。この分野では、建築基準法や道路法等が代表的なものである。そして最後に、こうしてできあがった水道を管理し、経営していくための枠組みを設定する制度が必要とされるのである。地方自治法や地方公営企業法等がこの分野を形成していることはいうまでもない。

もとより、これらの法規の全てについて詳細な説明を行うことは不可能であるから、ここでは、それぞれの法目的の立場から水道事業に関連する限りにおいてその内容を概説することとする。

一、社会資本としての水道

㈠ 開発計画における水道

水道計画における基本的要素としては、給水区域、給水人口、給水量等需要面の要素と、水道用水として利用できる水源の水量、水質等供給面の要素とがあるが、これらの要素は、その地域や都市の性格、規模、機能によって支配されることが多い。いいかえれば、地域や都市のマスタープランに従い、それとの有機的連関のもとに水道計画を考えるのが原則となるのである。地域や都市のマスタープランに関する制度は、全国レベルのものから地域レベル、都道府県レベルのものまで様々な段階があるが、まず最も基本的なものとして国土形成計画（全国計画）が存在する。

各種開発計画の基本となるものは、いうまでもなく国土形成計画法（昭和二五年法律第二〇五号）である。この法律に基づく国土形成計画、国土の自然的条件を考慮して、日本の経済、社会、文化等に関する施策の総合的見地から国土の利用、整備及び保全を推進するために定められる総合的かつ基本的な計画である。国土形成計画は、日本全国の区域について定める「全国計画」と、ブロック単位の地方ごとに定める「広域地方計画」から構成される。全国計画については、国土交通大臣が、国民の意見を反映させるために必要な措置を講ずるとともに、関係行政機関の長に協議し、都道府県・政令指定都市の意見を聴き、国土審議会の調査審議を経て、計画の案を作成し、閣議の決定を求める。広域地方計画については、国土交通大臣が、国民の意見を反映させるために必要な措置を講ずるとともに、広域地方計画協議会における協議を経て、関係行政機関の長に協議して計画を作成する。

次に、地域ブロックごとの計画に関する法律として次の四つがある。

(1) 首都圏整備法（昭和三一年法律第八三号）
(2) 中部圏開発整備法（昭和四一年法律第一〇二号）
(3) 近畿圏整備法（昭和三八年法律第一二九号）
(4) 北海道開発法（昭和二五年法律第一二六号）

これらの法律は、それぞれの地域における総合的な開発、整備の基本計画を定めるもので、基本計画の中には水道計画が含まれている。

さらに、このほか、それぞれ特定の目的に係る特定地区の開発、振興等のためのもので、整備基本計画には水道の整備についても定めるものとされている法律がある。なお、離島振興法及び奄美群島振興開発特別措置法等には、簡易水道に対する高率の国庫補助の交付等財政援助に関する規定が設けられている。以下には代表的なもののみを示す。

(1) 低開発地域工業開発促進法（昭和三六年法律第二一六号）
(2) 離島振興法（昭和二八年法律第七二号）
(3) 山村振興法（昭和四〇年法律第六四号）
(4) 豪雪地帯対策特別措置法（昭和三七年法律第七三号）
(5) 特殊土壌地帯災害防除及び振興特別臨時措置法（昭和二七年法律第九六号）
(6) 奄美群島振興開発特別措置法（昭和二九年法律第一八九号）
(7) 沖縄振興特別措置法（平成一四年法律第一四号）

(二) 都市計画における水道

我々の日常生活により身近な都市施設の整備や市街地開発に関する計画を定めるのは、都市計画法（昭和四三年法律第一〇〇号）である。この法律に基づき、都道府県は都市計画区域を指定することができる。都道府県は、都市計画区域についておおむね五年ごとに人口規模、市街地面積、土地利用、交通量等に関する現況及び将来の見通しについて調査するものとされ、また、優先的かつ計画的に市街化を図るべき区域として市街化区域を、市街化を抑制すべき区域として市街化調整区域を定めるものとされている。そして、都市計画区域又は準都市計画区域内において開発行為（主として建築物をつくるために土地の区画形質を変えること）を行う場合には、都道府県知事等の許可を受けなければならないとされているのである。

一方、この法律において、水道は都市施設として規定され、必要に応じて都市計画中に定めることとされている。また、水道事業又は水道用水供給事業に係る水道施設については、開発行為の許可は要しない。この開発行為の許可制度は、都市計画を実効あるものとする手段として都市の秩序ある開発、整備の成否の鍵をなすものであるから、市街化調整区域において許可条件に違背して開発された土地、建築物に対しては、水道、ガス、電気の供給の申込みの承諾を保留することができる。すなわち、水道事業者が給水契約を保留できるのは、その土地に建築物があって、かつ、その建築物に人が居住していない場合であって、開発許可権者が都市計画法第八一条の規定による違反者に対する工事停止命令、除却命令その他の命令を行う等一定の措置を講じた後、水道事業者に対し給水申込みの承諾の保留を公文書によって要請した場合である。この取扱いは、水道法第一五条（給水義務）の従来の解釈を変更することなく、現行法の許す範囲内で都市計画制度の目指す目標の達成に協力しようとするものである。これはまた、水道事業の運営という観点からみても妥当な措置といえるだろう。土地、建築物の開発工事の停止命令、除却命令等がなされ、かつ、代執行等の処分も予想されるような場合であって、しかも居住者のいないようなときにあえて給水を行う必要性はないからである。

その他、都市計画に関する代表的な法律として土地区画整理法（昭和二九年法律第一一九号）及び新住宅市街地開発法（昭和三八年法律第一三四号）をあげることができる。

土地区画整理法は、都市計画区域内の土地について公共施設の整備改善及び宅地利用の増進を図るために土地の区画形質の変更及び公共施設の新設・変更を行う事業（土地区画整理事業）に関して必要な規制を行うものである。水道については、換地計画をたてる際に水道用地の位置、地積等に特別の考慮を払うこと等が規定されている。

新住宅市街地開発法は、人口集中の著しい市街地の周辺地域における住宅市街地の開発に関して水道を含む関連公共施設の整備等について規定し、居住環境の良好な住宅市街地をつくり出そうとするものである。この法律及び都市計画法に基づく宅地の造成、造成された宅地の処分、宅地と併せて整備すべき公共施設等の事業（新住宅市街地開発事業）を行うに当たっては、施行者は、施行計画及び処分計画を定め、国土交通大臣若しくは都道府県知事の認可を受けなければならない。水道については、施行者が施行計画及び処分計画を定め、又は変更しようとするとき、施行者から協議を受けることとなる。

二、水道水源の確保

(一) 利水の基本的ルール

水道水源には、地表水として河川表流水（自流水・ダム水）、湖沼水があり、地下水として伏流水、井戸水がある。その利用については、水が人間生活の必需品であり、産業面でも不可欠の資源であることから、その公共性に着目して一定の法的規律の下におかれている。このようないわゆる水法の体系には、河川法（昭和三九年法律第一六七号）を中心として、特にダムに関し特定多目的ダム法（昭和三二年法律第三五号）があり、また、水源開発については、水資源開発促進法（昭和三六年法律第二一七号）及び独立行政法人水資源機構法（平成一四年法律第一八二号）等が含まれる。地下水の規制については、工業用水法（昭和三一年法律第一四六号）及び建築物用地下水の採取の規制に関する法律（昭和三七年法律第一〇〇号）により地盤沈下対策として特定地区に限って工業用及び建築物用の地下水の汲み上げ規制が行われているが、水道用の井戸等は規制対象外とされている。

河川法は、河川を災害防止、適正利用、流水機能の保持の立場から総合的に管理する法律で、この法律によって水利使用が許可され、河川工作物の新築等に関し必要な制限が行われている。すなわち、水道等が河川の流水（表流水のほか通常、堤防の法尻から二〇メートル以内の伏流水が含まれている）を利用する場合には、河川管理者の許可を受けなければならず、また、河川区域内の土地において取水施設、ダム等の施設を新築、改築、除却する場合には、河川管理者の許可を受けなければならない。ここでいう水利権とは、河川の流水等の公水を水道、発電、灌漑等一定の目的のために継続的かつ排他的に使用する一種の財産権である。したがって、その侵害に対しては、妨害排除請求あるいは損害賠償請求が認められる。水利権は、かつては慣行によって成立していたが、今日では、河川法上の河川については河川管理者の許可によってのみ生ずることとなった。ちなみに、この許可の法的性格は、行政法学上の特許に近いものとされている。

河川は、一級河川、二級河川、その他に区分され、一級河川は国土保全、国民経済上特に重要な水系として政令で指定されたものであり、二級河川は一級河川以外の水系について公共の利害に重要な関係があるものとして都道府県知事が指定したものである。一級河川の管理は国土交通大臣（指定区間内の一級河川に係る管理の一部については都道府県知事）が、二級河川のそれは都道府県知事が行う。ただし、指定区間に係る一級河川の管理のうち、一日最大取水量が二千五百立方メートル未満又は給水人口が一万人未満の水道に係る水利使用についてはその許可の権限が都道府県知事に委任されている。なお、都道府県知事の管理に係る二級河川については、取水量一日二千五百立方メートル以上又は給水人口一万人以上の水道に係る水利使用に当たっては、国土交通大臣の認可が必要とされている。これらに関する手続は、国土交通大臣、地方整備局長又は北海道開発局長に対してなすべきものについては国土交通省河川事務所を経由して行われ、都道府県知事に対してなすべきものについては都道府県土木事務所等を経由して行われる。

水利の取得に関しては、他の既得水利との調整が重要な問題である。例えば、農業水利に関係するものの場合、関係土地改良区や水利組合、さらに公費の投入されたダム、水路等の利用等にあっては農林水産省地方農政局、都道府県農政部局に予め水道取水の可否につき了解を求めることも必要である。また、発電水利に関係するものの場合、当該地域の電力会社等に対し同様の話合いが必要とされる。

河川利水の権利が全て河川法上の水利権として設定されているわけではなく、例えば、数百年の歴史をもつ農業水利のように、河川法施行前の慣行水利としての実績が尊重されてその使用が認められているものがある。しかし、最近は、都市化、工業化の進展に伴う都市用水（水道用水及び工業用水）の需要増大に対処するため、例えば、都市周辺で田畑が宅地化して不用になった灌漑用水を転用したり、農業用水路の改修等水利施設を整備したりして水利用の合理化を図る等従来からの慣行水利権の整理が徐々に進められている。

平成九年の河川法改正では、近年の国民の環境に対する関心の高まりや地域の実状に応じた河川整備の必要性、頻発する渇水状況等を踏まえ、環境の整備と保全を河川法の目的に位置付け、計画制度の抜本的な見直しを行うとともに、異常渇水時における水利使用の円滑化のための措置等が講じられている。

水道に関連する具体的な項目として、河川管理の目的としての「治水」、「利水」に加え、「河川環境」（水質、景観、生態系等）の整備と保全が位置付けられた。また、河川整備に関する新しい計画制度として、計画高水流量、正常流量等の基本的な事項について、河川管理者が河川審議会の意見を聴いて定める河川整備基本方針、ダム、堤防等の具体的な整備の計画について、河川管理者が地方公共団体の長、地域住民等の意見を反映させて定める河川整備計画が位置付けられた。

一方、渇水調整については、従来の河川管理者が中心となった調整に加え、異常渇水時の円滑な水利使用の調整のための措置として、水利使用者は、河川管理者の承認を受けて、異常な渇水により許可に係る水利使用が困難となった他の水利使用者に対して、当該異常な渇水が解消するまでの間に限り、自己が受けた流水及び土地の占用の許可に基づく水利使用の全部又は一部を行わせることができることとなった。

さらに、水質事故処理等の原因者施行・原因者負担として、油の流出など水質事故等について、原因者に処理させ、又は費用を負担させることができることとなった。

(二)　水資源の開発

都市人口の増加に伴い用水を必要とする地域に対する水の供給を確保するため、河川の水系における水資源の総合的開発と利用合理化の促進を図ることを目的に、昭和三六年に水資源開発促進法が制定されている。この法律に基づいて、国土交通大臣は、関係行政機関の長に協議し、かつ、関係都道府県知事及び国土審議会の意見を聴いて、閣議の決定を経たうえで、河川の水系を水資源開発水系として指定する。現在、この制度によって指定されている水系は、利根川水系（昭和三七年指定）、淀川水系（同）、筑後川水系（昭和三九年指定）、木曽川水系（昭和四〇年指定）、吉野川水系（昭和四一年指定）、荒川水系（昭和四九年指定）及び豊川水系（平成二年指定）の七水系である。政府は、この水系指定及び水資源開発基本計画の決定のために必要な基礎調査を行うものとされ、国土交通大臣は、各省の行う基礎調査を調整することとされている。国土交通大臣は、水系を指定したときは、関係行政機関の長に協議し、かつ、関係都道府県知事及び国土審議会の意見を聴いて、その水系における水資源の総合的な開発、利用の合理化の基本となるべき水資源開発基本計画を閣議決定を経て決定する。基本計画に記載すべき事項は、①水の用途別の需要の見通し及び供給の目標、②供給の目標を達成するために必要な施設の建設に関する基本的な事項、③その他水資源の総合的な開発及び利用の合理化に関する重要事項である。また、基本計画のあり方は近年顕在化している地震災害や水インフラの老朽化、気候変動を踏まえ、リスク管理型の水の安定供給を実現するハード対策とソフト対策を一体的に推進するものとしている。基本計画に基づく事業の実施は、国、地方公共団体、独立行政法人水資源機構等が行う。

水資源開発促進法の規定による基本計画に基づく事業を主として行う法人として昭和三七年に創設された水資源開発公団は、平成一三年に取りまとめられた特殊法人等整理合理化計画により独立行政法人通則法に基づく独立行政法人水資源機構として平成一五年一〇月に発足した。機構は、基本計画に基づいて①ダム、河口堰、湖沼水位調整施設、多目的用水路、専用用水路その他の水資源の開発又は利用のための施設及びこれらの施設と密接な関連を有する施設の新築（水の供給量を増大させないものに限る。）又は改築を行うこと、②水資源開発施設等の操作、維持、修繕その他の管理を行うこと、③水資源開発施設等の災害復旧を行うこと、④これらの業務に附帯する業務を行うこと、とされている。機構の主務大臣は業務毎に分かれており、機構の役員、職員、財務、会計その他管理業務については国土交通大臣、特定施設（洪水（高潮を含む。）防御の機能又は流水の正常な機能の維持と増進をその目的に含む多目的ダム、河口堰、湖沼水位調整施設その他の水資源の開発又は利用のための施設であって政令で定めるもの）の新築、改築、管理その他の業務については国土交通大臣、特定施設以外のダム、堰、水路その他の水資源の開発又は利用のための施設の新築、改築、管理その他の業務については、それぞれ厚生労働大臣、農林水産大臣、経済産業大臣又は国土交通大臣となっている。機構が業務を行おうとするときは、基本計画に基づいて「事業実施計画」を作成し、関係都道府県知事に協議するとともに、主務大臣の認可を受けなければならない。また、機構は事業実施計画に係る水資源開発施設の利用者に意見を聴くとともに、費用の負担について同意を得なければならない。水資源開発施設の管理については、機構は「施設管理規程」を作成し、関係都道府県に協議するとともに、主務大臣の認可を受けなければならない。

一方、水道、工業用水又は発電の用等特定用途に供されるダムで、国土交通大臣が河川法第九条第一項（一級河川における国土交通大臣の管理）の規定によって自ら新築するダムについて規定するのが特定多目的ダム法である。この法律に基づいて建設される特定多目的ダムによって一定量の流水の貯留を一定の地域において確保する権利を「ダム使用権」といい、物権としての性質を持つ。ダム使用権は、水道事業者等流水を特定用途に供しようとする者の申請によって国土交通大臣が設定するものであり、設定の目的、ダムの最高及び最低の水位並びに貯留量で示される。設定に当たっては、申請者が特定用途に供すること及び流水を特定用途に供することによって営もうとする事業が、行政庁の所要の許認可等を受けているか、又は受ける見込みが十分あることが要件とされている。

国や都道府県の河川管理者、下水道管理者といった管理者主体で行う従来の治水対策に加え、上流から下流、本川・支川などの流域全体を俯瞰し、国・都道府県・市町村、さらに企業や住民等のあらゆる関係者が協働して取り組む「流域治水」の実効性を高め、強力に推進するための制度として、いわゆる流域治水関連法（特定都市河川浸水被害対策法等の一部を改正する法律）が令和三年四月二八日に成立した。本改正のうち、河川法改正により、河川法第四四条第一項に規定するダム又は河川管理施設であるダム（以下「利水ダム等」という。）の関係者が参画するダム洪水調節機能協議会制度が創設され（同法第五一条の二および第五一条の三）、洪水調節機能の向上の取組の継続・推進を図ることとされた。

利水ダム等に係る水利使用に関し河川法第二三条（流水占用）の許可を受けた者である水道事業者等は、一級河川に設置された利水ダム等を対象とする「ダム洪水調節機能協議会」および二級河川に設置された利水ダム等を対象とする「都道府県ダム洪水調節機能協議会」（以下「協議会」という。）の構成員として、河川管理者からの協議実施に係る通知に対し、協議に応じなければならず、協議会において協議が調った事項について、構成員はその協議の結果を尊重しなければならないこととされている。なお、ここでいう「協議が調う」とは、協議会の構成員が取組の実施に合意することを、「尊重しなければならない」とは、協議が調った事項について、取組を実施する責務を負うことと解釈される。

協議会では、令和元年一二月に既存ダムの洪水調節機能強化に向けた検討会議で取りまとめられた「既存ダムの洪水調節機能の強化に向けた基本方針」に定められた取組を着実に進め、利水ダム等の洪水調節機能の向上を図るための協議等を行うことが想定されている。具体的には、①事前放流を実施するための河川管理者と関係利水者との間で締結される治水協定の締結や見直し、②河川管理者とダム管理者との間の情報網の整備、③事前放流の実施に必要となるダムの操作の操作規程等への反映、④利水容量を洪水調節に最大限活用するための工程表の作成や見直し及び工程表に基づく施設改良等の取組、⑤更に効果的に事前放流を実施するために必要となる降雨の予測精度の向上等に向けた技術・システム開発に必要な協議等が想定されている。

三、水道水源水質の保全

(一) 水質保全に関する法体系

水質保全のための制度として、環境基本法（平成五年法律第九一号）に基づく水質汚濁に係る環境基準の設定、水質汚濁防止法（昭和四五年法律第一三八号）に基づく排水基準の設定、総量規制の実施等が行われており、さらに、これらの制度を中心として水の管理に関する多くの法律が、水質保全のための規定を設けている。

水質汚濁に係る環境基準の達成状況に関して、健康項目については全国的に環境基準を達成し、また、生活環境項目については河川で環境基準をおおむね達成しているものの、湖沼においては依然として環境基準の達成状況ははかばかしくないことから、水質汚濁の改善に向けた努力が必要な状況である。また、事業場排水等に起因する水質事故や湖沼の富栄養化に起因するプランクトン藻類の異常発生による異臭味問題等、水道における通常の浄水技術では対処することが困難な問題が発生している。このような原水水質の悪化については、まず、公共用水域の水質保全対策を強化することによってその改善を図ることが必要である。

・環境基本法

環境の保全について、基本理念を定め、並びに国、地方公共団体、事業者及び国民の責務を明らかにするとともに、環境の保全に関する施策の基本となる事項を定めることにより、環境の保全に関する施策を総合的かつ計画的に推進し、もって現在及び将来の国民の健康で文化的な生活に寄与するとともに、人類の福祉に貢献することを目的としている。本法によって、政府は、大気の汚染、水質の汚濁、土壌の汚染及び騒音に係る環境上の条件について、それぞれ人の健康を保護し、生活環境を保全する上で維持されることが望ましい基準（環境基準）を定めることとなっている。水質汚濁に係る環境基準は、環境庁告示として昭和四六年に設定されている。また、同法において、国は環境保全上の支障を防止するため水質汚濁等の行為に関し、事業者等の遵守すべき基準を定めること等により行う公害を防止するために必要な規制の措置を講じなければならないことになっており、これを受けて水質汚濁防止法が制定されているのである。

・水質汚濁防止法

工場及び事業場から公共用水域に排出される水の排出及び地下に浸透する水の浸透を規制すること等によって公共用水域の水質の汚濁の防止を図り、もって国民の健康を保護するとともに、生活環境を保全すること等を目的としている。排水基準は、全ての公共用水域を対象として環境省令で定めることとされ、この排水基準では人の健康を保護し、又は生活環境を保全することが十分でないと認められる水域があるときには、都道府県がその水域につき条例でより厳しい基準（上乗せ基準）を定めることができるとされている。なお、水道施設のうち一日当たりの浄水能力が一万立方メートル以上の事業場に係る沈澱施設及び濾《ろ》過施設が特定施設に指定されている。排水基準に適合しない汚水等の排出は禁止され、違反者は直ちに処罰される。また、排水基準に適合しない排水を排出するおそれのある場合には、都道府県知事は汚水等の処理方法の改善又は排出の一時停止を命ずることができる。その他、都道府県知事は、公共用水域及び地下水の水質の汚濁状況を常時監視することとされ、このため国の行政機関と協力して公共用水域及び当該区域にある地下水の水質の測定計画を作成することとされている。

また、生活排水対策を推進するため、国、地方公共団体、国民の責務、生活排水対策重点地域の指定、生活排水対策推進計画等についての規定を内容とする水質汚濁防止法の改正が平成二年六月になされた。

さらに、水質事故に対する迅速な対応を促進するとともに、適正に事故原因を究明し再発防止を図るため、事業場における事故について、事故時の措置の対象物質・施設を拡大する改正が平成二二年四月になされた。

地下水については、昭和五〇年代後半からトリクロロエチレン、テトラクロロエチレン等の有機溶剤による汚染の判明事例が多くなってきた。このような問題を背景として、その代表的な化学物質であるトリクロロエチレン及びテトラクロロエチレンは昭和六二年五月に化審法（化学物質の審査及び製造等の規制に関する法律）の指定化学物質に、平成元年四月には第二種特定化学物質に指定された。水質保全の観点からは、平成元年六月に水質汚濁防止法が改正され、法の目的に地下水の水質汚濁の防止を図ることが追加され、有害物質を含む水の地下への浸透の禁止が規定されるとともに、都道府県の常時監視及び測定計画の対象として地下水が追加された。平成八年六月には、汚染された地下水については自然浄化が難しく水質の改善が図られないこと、油の流出事故による浄水場の取水停止等の障害が生じていること等を踏まえ、都道府県知事による地下水の汚染原因者に対する浄化のための措置命令、事故時の措置の対象物質への油の追加等を内容とする改正が行われた。さらに、平成二三年六月には、有害物質による地下水の汚染を未然に防止するため、有害物質を使用・貯蔵等する施設の設置者に対し、地下浸透防止のための構造、設備及び使用の方法に関する基準の遵守、定期点検及びその結果の記録・保存を義務付ける改正が行われた。

湖沼の富栄養化問題については、昭和五六年に中央公害審議会から「湖沼環境保全のための制度のあり方について」の答申が出され、以後湖沼等の保全に係る各般の施策が進められた。翌年に生活環境に関する環境基準が改正され、湖沼について全窒素及び全リンの基準値が設定され、昭和六〇年には水質汚濁防止法施行令が改正され、窒素またはリンにより湖沼植物プランクトンの著しい増殖をもたらすおそれがある湖沼及びこれに流入する河川への排出水について、その窒素含有量及びリン含有量の規制値が定められた。

・湖沼水質保全特別措置法

湖沼の水質の保全を図るため、湖沼水質保全基本方針を定めるとともに、水質の汚濁に係る環境基準の確保が緊要な湖沼について水質の保全に関し実施すべき施策に関する計画の策定及び汚水、廃液その他の水質の汚濁の原因となる物を排出する施設に係る必要な規制を行うこと等を目的として昭和五九年七月に制定された。本法に基づき、特に水質の保全に関する施策を総合的に講ずる必要があると認められるものを、都道府県知事の申出に基づき環境大臣が指定湖沼として指定し、水質保全対策、排水規制の強化が行われることとなった。指定湖沼としては現在までに、釜房ダム貯水池、八郎湖、霞ケ浦、印旛沼、手賀沼、諏訪湖、野尻湖、琵琶湖、中海、宍道湖及び児島湖の一一湖沼が指定されている。

・水源二法

平成四年の水道水質基準の改正時における水道水質保全の課題のうち、主として消毒副生成物質及び異臭味に対応する法律として、水道原水水質保全事業の実施の促進に関する法律（平成六年三月四日法律第八号）（以下この章において「事業促進法」という。）及び特定水道利水障害の防止のための水道水源水域の水質の保全に関する特別措置法（平成六年三月四日法律第九号）（以下この章において「特別措置法」という。）が成立した。消毒副生成物及び異臭味等については、その原因は生活排水及び家畜のふん尿が主な汚濁の原因であり、下水道事業、合併浄化槽事業、家畜ふん尿を堆肥とするための施設の整備の事業の実施等により問題の解決が図られる場合は、事業促進法のみが適用される。消毒副生成物については、これらの生活排水対策に加え、工場排水の規制も必要な場合には、事業促進法と特別措置法の両者が適用される。この二つの法律については、国が策定する基本方針の調和規定、計画の一体的作成に関する規定等によって調整が図られることとされている。

事業促進法については、水道事業者が都道府県に対して、水道原水水質保全事業の実施を促進することを要請することが起点となり、この法律に基づく対策が検討される。要請を受けた都道府県は、当該要請に係る水道原水の取水地点に係る河川を管理する河川管理者に対してその旨を通知する。要請を受けた都道府県又は通知を受けた河川管理者は、必要があると認められるときは、都道府県計画又は河川管理者事業者計画を策定する。これらの計画に基づき、事業が実施される場合、水道事業者は、下水道高度処理施設の整備費等について計画に定められた負担額を負担すること、国は合併処理浄化槽の設置に要する費用の一部を当該市町村に対して補助できること、国及び地方公共団体は事業の実施に必要な資金の確保等の支援措置を講ずるよう努めること等が規定されている。

特別措置法については、環境大臣が都道府県知事の申出に基づき、一定の要件を満たした地域を指定地域として指定する。指定を受けた都道府県知事は、指定水域の水質の保全に関する方針、水道事業者の措置、水質保全計画を定め、指定水域の水質の保全のための規制等を定めた水質保全計画を策定することとなる。国及び地方公共団体は水質保全計画の達成に必要な措置を講ずるよう努めるものとされ、都道府県知事は、水質保全計画に基づき、水道水源特定事業場からの排出水について、特定排水基準を定める等の措置を行うことができることとなっている。

(二)　その他の水質保全に関する法制度

以上の基本的法制度により水源の水質保全が図られているが、さらに関連する法律について一部を取り上げて簡単な解説を付しておくこととする。

下水道終末処理場からの放流水については、下水道法（昭和三三年法律第七九号）が規制を行う。この法律は、流域別下水道整備総合計画の策定、流域下水道、公共下水道等の管理、特定事業場から下水道に排出される下水の水質規制その他必要な事項を定め、下水道の整備の円滑化とその維持管理の適正化を図るものである。水質保全に関しては、特に次の点が注目される。第一に、法の目的として公共用水域の水質の保全があげられていること、第二に、都道府県は環境基本法に基づき水質汚濁に係る環境基準が設定されている公共用水域で、一定の要件に該当するものにつき国土交通大臣の承認を受けて流域別下水道整備総合計画を定めなければならないこと、第三に、公共下水道及び流域下水道から河川その他の公共用水域に放流される水の水質は、所定の技術上の基準に適合するものでなければならないこと等である。

また、汚物の投棄禁止等については、廃棄物の処理及び清掃に関する法律（昭和四五年法律第一三七号）が規制している。この法律は、廃棄物を適正に処理し及び生活環境を清潔にすることにより生活環境の保全と公衆衛生の向上を図ることを目的としている。この法律では、清潔保持の観点から、何人も公園、道路、河川その他公共の場所を汚さないようにしなければならないとされているほか、ごみ、汚でい、ふん尿、廃油等を下水道、河川、運河、湖沼その他公共の水域に捨てることが禁止されている。その他、し尿処理施設は、環境省令で定める基準に従って維持管理されること等が規定されている。

浄化槽法（昭和五八年法律第四三号）では、浄化槽の設置、保守点検、清掃及び製造についての規制等がなされているほか、浄化槽設備士及び浄化槽管理士の資格、浄化槽の定期検査等について定められている。同法では、まず、終末処理場を有する公共下水道及びし尿処理施設で処理する場合を除いて、浄化槽で処理した後でなければし尿を公共用水域等に放流してはならないとしている。

前節で解説した河川法の中にも、河川管理上支障を及ぼすおそれのある行為の禁止、制限、許可に関する規定がある。また、一日五〇立方メートル以上の汚水を河川に排出する者に対しては、河川管理者にその旨を届け出ることを義務付けている。汚水とは、生活又は事業に起因し又は付随する廃水をいい、耕作又は養魚の事業に起因する廃水は除外されている。

鉱山保安法では、鉱業権者はガス、粉塵、捨石、鉱滓、坑水、廃水及び鉱煙の処理に伴う危害又は鉱害の防止のために必要な措置を講じなければならないこととされている。

採石法では、経済産業局長が採石権を設定し、又は権利者の権利を変更し、又は消滅させるべきことを定める決定をしてはならない場合として、その土地が河川、湖及び水道その他の公共用施設の用地であるとき、その土地における岩石若しくは砂利の採石が保健衛生上有害であり、公共用施設を損傷し、又は農業、林業若しくはその他の産業の利益を損じ、公共の福祉に反するとき等をあげている。

砂利採取法では、砂利採取業者は、砂利の採取を行おうとするときは、採取計画を定め、都道府県知事（当該砂利採取場の区域が河川区域等であるときは河川管理者）の認可を受けなければないとされ、砂利の採取が他人に危害を及ぼし、公共施設を損傷し、又は他の産業の利益を損じ、公共の福祉に反するときは認可してはならないとされている。また、都道府県知事等は、認可採取計画に基づいて行われる砂利の採取がこの要件に該当するときは、認可採取計画を変更すべきことを命ずることができる。

自然公園法（昭和三二年法律第一六一号）により、国立公園及び国定公園内に指定された特別地域における排出が規制されている。具体的には、特別区域内の環境大臣が指定する湖沼等及びこれらの周辺の区域内において、その湖沼等に流水が流入する水域又は水路に汚水を排出しようとする行為は、国立公園にあっては環境大臣の、国定公園にあっては都道府県知事の許可を受けなければならないとされているのである。

環境影響評価法は、環境影響の程度が著しいものとなるおそれがある事業について、環境影響評価が適切かつ円滑に行われるための手続等を定めることにより、その事業に係る環境の保全について適正な配慮がなされること等を目的としている。道路、空港、ダム、廃棄物最終処分場の設置等及び土地区画整理事業等について、その規模により第一種事業に該当する事業については、この法律の規定により手続を行う必要がある。また、第一種事業に準ずる規模である第二種事業については、事業毎に定める主務省令の判定基準に基づき、環境影響評価の手続が必要かどうかを判定し、必要となった場合には、所要の手続をとることとなる。環境大臣が定める、各主務省令の判定基準に定めるべき基本的事項において、環境影響の程度が著しいものとなるおそれのあるものとして、学校、病院、住居専用地域と並んで、水道原水取水地点が含まれている。また、環境影響評価項目については、多くの場合、地下水を含む環境中の水質についても、選定されることとなる。

この他、水質保全に関する規定を有する法律としては、水洗炭業からの廃水の処理に関して、水洗炭業に関する法律（昭和三三年法律第一三四号）、化製場等の設置の制限に関して、化製場等に関する法律（昭和二三年法律第一四〇号）、と畜場の設置の制限に関して、と畜場法（昭和二八年法律第一一四号）、毒物及び劇物の使用制限に関して、毒物及び劇物取締法（昭和二五年法律第三〇三号）、農薬の指定と登録の保留に関して、農薬取締法（昭和二三年法律第八二号）、化学物質の製造、輸入、使用等の規制に関して、化学物質の審査及び製造等の規制に関する法律（昭和四八年法律第一一七号）、化学物質の環境への排出量等の把握、事業者による取扱いに関する情報の提供に関する措置等に関して、特定化学物質の環境への排出量の把握等及び管理の改善の促進に関する法律（平成一一年法律第八六号）、畜産業を営む者による家畜排せつ物の管理に関し必要な事項に関して、家畜排せつ物の管理の適正化及び利用の促進に関する法律（平成一一年法律第一一二号）、公害犯罪の処罰に関して、人の健康に係る公害犯罪の処罰に関する法律（昭和四五年法律第一四二号）、飲料水に関する罪の処罰に関して、刑法（明治四

○年法律第四五号）等多くのものがある。

四、水道施設の建設

(一) 設備・建築の準則

水道が実際に布設されるに当たっては、建築に関する一般準則を定める建築基準法（昭和二五年法律第二〇一号）の適用を受ける。建築基準法は、国民の生命、健康及び財産の保護を図り、もって公共の福祉の増進に資することを目的として建築物の敷地、構造、設備及び用途に関する最低の基準を定めた法律である。

建築物に設ける給水設備については、水道事業者の管理に属する水道施設に直結した部分（給水装置）を除き、建築基準法の規制を受ける。ただし、百人を超える居住人口に対して給水する自家用水道又は、一日最大給水量が二〇立方メートルを超える自家用水道を有する場合には、取水、浄水等の給水のための施設は専用水道としての適用を受ける。給水設備は「建築設備」に含まれるから、建築物を新築又はある規模以上に増築する場合に必要な建築確認の際、給水設備を含む建築設備についても確認を受けることとなっている。

また、「給水、排水その他の配管設備の設置及び構造」に関する技術的基準が政令で定められている。すなわち、①圧力タンク及び給湯設備には有効な安全装置を設けること、②水質、温度その他の特性に応じて安全上、防火上及び衛生上支障のない構造とすることのほか、③飲料水の配管設備とその他の配管設備とは直接連結させないこと、④水槽、流しその他水を入れ、又は受ける設備に給水する飲料水の配管設備の水栓の開口部にあっては、これらの設備のあふれ面と水栓の開口部との垂直距離を適当に保つ等有効な水の逆流防止のための措置を講ずること、⑤当該配管設備から漏水しないものであること。また、当該配管設備から溶出する物質によって汚染されないものであること、⑥給水管の凍結による破壊のおそれのある部分には有効な防凍のための措置を講ずること、⑦給水タンク及び貯水タンクは、ほこりその他衛生上有害なものが入らない構造とし、金属性のものにあっては衛生上支障のないように有効な錆止めのための措置を講ずること、⑧その他安全上及び衛生上支障のないものとして国土交通大臣が定めた構造方法を用いるものであること。

なお、建築基準法の規定に適合しないいわゆる違反建築物が増加したことから同法を改正して（昭和四五年法律第一〇九号）取締りを強化する一方、水道、ガス、電気の供給施設に関し、その使用を承諾する前に違反建築であることがわかった場合には、これら供給施設の使用の承諾を保留することにより建築行政に協力するよう指導がなされている（昭和四六年環水第一二号環境衛生局長）。

さらに平成九年には、特定行政庁から建築物の実態把握のための要請に協力することや、給水装置工事申込者に対し建築確認通知書等の掲示を求める取扱いとするなどの指導が追加でなされている（平成九年衛水第二一七号水道整備課長）。

(二) 道路占用の準則

水道の配水管、送水管等は道路の地下に布設されることが多いが、このように道路に一定の工作物、物件等を設けて継続して道路を使用する（これを「道路の占用」という。）には、道路法（昭和二七年法律第一八〇号）によって道路管理者の許可が必要とされている。道路法では、この許可を中心にそのほかにも道路の占用に関していくつかの規制が加えられている。

道路とは、一般交通の用に供する道で、高速自動車国道、一般国道、都道府県道及び市町村道であるものをいい、トンネル、橋、渡船施設、道路用エレベータ等道路と一体となってその効用を全うする施設又は工作物及び道路の附属物で、当該道路に附属して設けられているものを含むものとされている。このうち、高速自動車国道及び一般国道は、政令でその路線が指定され、都道府県道及び市町村道は、それぞれ都道府県知事及び市町村長が路線を認定して公示するものとされている。道路の管理は、都道府県道は都道府県（ただし、地方自治法上の指定市の区域内は当該指定市）が、市町村道は市町村が、高速自動車国道は国土交通大臣が行う。一般国道の場合には、一般的な管理は、政令で指定する区間内については国土交通大臣が、その他の区間は都道府県知事（指定市の区域内では指定市の長）が行うが、上記の政令で指定された区間内についても、道路の占用の許可その他道路の占用に関する管理については国土交通大臣ではなく都道府県知事又は指定市の長が行うものとされている。

次に、道路の占用に関する規制についてであるが、道路法は、道路に水管、下水道管、ガス管その他これらに類する物件等を設け、継続して道路を使用しようとする場合においては、道路管理者の許可を受けなければならないとしている。道路の占用の許可を受けようとする場合には、道路管理者に占用の目的、期間、場所、工作物、物件又は施設の構造、工事実施の方法、工事の時期、道路の復旧方法を記載した申請書を提出しなければならないが、水管（水道事業、水道用水供給事業又は工業用水道事業の用に供する水管をいう。）を道路に設けようとする場合には、災害による復旧工事その他緊急を要する工事又は政令で定める軽易な工事を行う必要が生じた場合を除いては、工事実施日の一月前までに工事の計画書を提出しなければならない。

道路の占用の許可基準は政令で定められているが、そのうち水道事業用又は水道用水供給事業用の水管に関係する基準としては次のようなものがある。すなわち、①占用期間は一〇年以内であること、②占用の場所については、占用物件を地下に設ける場合は路面をしばしば掘削することのないように計画され、かつ、他の占用物件と錯綜するおそれのないこと等、③道路の敷地外に当該場所に代わる適当な場所がなく、公益上やむを得ないと認められる場所であること等、④構造については、地下に設けるものは、堅固で耐久力を有するとともに道路及び地下にある他の占用物件の構造に支障を及ぼさないものであること。車道に埋設する場合には、道路の強度に影響を与えないものであること等、⑤工事実施の方法については、占用物件の保持に支障を及ぼさないために必要な措置を講ずること等、⑥電線若しくは水管、下水道管若しくはガス管又は石油管が埋設されていると認められる場所又はその付近の掘削の実施は、試掘等により占用物件を確認した後に工事をすること等、⑦工事の時期については、他の占用に関する工事又は道路に関する工事の時期を勘案して適当な時期とすること等、⑧道路の復旧の方法については、掘さく土砂を埋めもどす場合においては層ごとに行うとともに確実に締め固めること等である。上記の許可基準に合致すれば道路管理者は占用の許可を与えなければならないが、交通が著しく輻輳する道路又は幅員が著しく狭い道路について車両の能率的な運行を図るために特に必要があると認める場合においては、区域を指定して道路の占用について占用を禁止又は制限することができるとされている。

道路管理者は、道路管理者たる地方公共団体の条例で定めるところにより道路の占用について占用料を徴収することができるが、地方公共団体の行う水道事業又は水道用水供給事業の用のための道路の占用については、占用料の徴収が行われない。

道路占用者は、占用の期間が終了し、又は占用を廃止した場合においては、占用物件を除却し、道路を原状に回復しなければならず、この場合において道路管理者は必要な指示を与えることができる。

法令の規定又は占用の許可等に付された条件等に違反した者に対しては、道路管理者は、その許可を取り消し、工事の中止、道路に存する工作物その他の物件の改築、移転、除却、道路の原状回復を命ずる等の処分ができる。

また、道路管理者は道路占用者が占用物件の維持管理をしていないと認めるときは、当該道路占用者に対し、その是正のため必要な措置を講ずべきことを命ずることができること、道路法の施行に必要な限度において、道路占用者に対し、道路管理上必要な報告をさせ、又は、その職員に、道路の占用の状況若しくは工作物、帳簿、書類その他の物件を検査させることができるほか、道路に関する工事のためやむを得ない必要が生じた場合、道路の構造又は交通に著しい支障が生じた場合その他公益上やむを得ない場合には、占用の許可の取消しその他の処分を行うことができるとされている。

なお、道路の占用に関しては、道路法による規制のほかに工事の際には道路交通法（昭和三五年法律第一〇五号）による道路の使用の許可を受けることが必要である。道路法による道路の占用の許可と道路交通法による道路の使用の許可とは、同一行為について重複して必要であることが多く、この場合には、それぞれの許可申請書は道路管理者又は所轄警察署長のいずれかを経由して提出することができるとされ、手続の簡素化が図られている。

五、水道事業の経営

(一) 地方自治の枠組み

水道法上、水道事業は原則として市町村が経営するものとされていることから（水道法第六条第二項）、地方自治制度は水道事業にとってその枠組みを形づくるものとして重要である。地方自治法（昭和二二年法律第六七号）は憲法の地方自治の規定（第八章）に基づく地方自治の基本法である。同法は、地方自治の本旨に基づいて地方公共団体の組織及び運営に関する事項の大綱を定め、併せて国と地方公共団体との間の基本的関係を確立することにより、地方公共団体における民主的にして能率的な行政の確保を図るとともに、地方公共団体の健全な発達を保障することを目的とする。その主な内容としては、長・議会の議員の直接公選、直接請求等の住民の権利の拡充、地方公共団体の自主性、自律性を強化するための地方への大幅な事務の移譲と国の権力的関与の排除、首長制の採用と議会の強化、行政委員制採用による執行機関の多元化、その他、地方公共団体の行政運営の能率化、公正を図るための財務、事務共同処理に関する規定等がおかれている。

地方分権一括法による改正後の地方自治法において、普通地方公共団体の業務は、「自治事務」と「法定受託事務」に区分することとなった。このうち、「法定受託事務」とは、地方公共団体が処理する事務のうち、国や都道府県が本来果たすべき役割に係るものであって、国や都道府県においてその適正な処理を特に確保する必要があるものとして法律又はこれに基づく政令に特に定められたものとされており、一方、「自治事務」とは、地方公共団体が処理する事務のうち、「法定受託事務」以外のものとされている。水道事業は、この地域における住民に身近な行政として地方公共団体が自主的かつ総合的にその役割を担う事務としての「自治事務」に分類されている。

地方公共団体の組織・運営に関する基本法たる地方自治法に対し、その財政に関する基本法となるのが地方財政法（昭和二三年法律第一〇九号）である。この法律は、地方公共団体の財政の運営、国の財政と地方財政との関係等に関する基本原則を定めて地方財政の健全性を確保し、地方自治の発達に資することを目的としており、予算の編成・執行、財政運営の基本、地方債、国が負担する経費、地方公共団体の負担金、国の支出金、都道府県の財政と市町村の財政との関係、内閣の国会に対する地方財政の状況報告義務等を内容としている。

水道事業等の公営企業に関しては、いわゆる独立採算の原則が同法によって示されていることが注目される。すなわち、水道事業等については、その経理は特別会計を設けてこれを行い、その経費は原則として当該企業の経営に伴う収入をもってこれに充てなければならないとされている。なお、この「収入」には地方債による収入を含む。地方公共団体の歳出は、原則として地方債以外の歳入をもってその財源としなければならないが、水道事業等の公営企業に要する経費については、地方債をもってその財源とすることができるのである。

(二)　地方公営企業としての経営

以上のとおり、地方公営企業も地方公共団体の事務である以上、前記各種の基本法が適用されるのであるが、一般行政事務と異なり、企業の経営については特に経済性を発揮した事業経営が要請されることから、地方自治法等の特例法として企業の組織、財務、経営の方針について規定した地方公営企業法（昭和二七年法律第二九二号）が制定されている。この法律の適用範囲は、①水道事業（簡易水道事業を除く）、②工業用水道事業、③軌道事業、④自動車運送事業、⑤鉄道事業、⑥電気事業、⑦ガス事業の七業種である。水道用水供給事業は水道事業に包含され適用されるが、簡易水道事業については適用されない。ただし、地方公共団体の意思により、条例で地方公営企業法の規定の全部又は財務規定等についてのみ任意適用することができることとされている。

次に、経営の基本原則として、地方公営企業は、常に企業の経済性を発揮するとともに、その本来の目的である公共の福祉を増進するように運営されなければならないとしている。企業の経済性とは、合理的、能率的な企業の経営をいうもので、民間企業同様に経済合理性に従った運営を行って最小の経費で最大のサービス提供を実現することである。また、地方公共団体が企業を経営することは、一般行政事務と異なり任意事務であり、その経営は独立採算を原則とするものであるから、企業経営に当たっては団体の意思を明確に定めておく必要がある。このため、地方公共団体は、公営企業の設置及び経営の基本に関する事項を条例で定めなければならないとされている。水道事業の場合には、経営の基本方針、給水区域、給水人口、給水量等事業の規模、目標を設定してこれに即した事業執行がなされることとなる。

このような原則のもとに財務に関する諸規定がおかれているが、その主なものは次のとおりである。

第一に、地方公営企業は、経営成績及び財政状態を明らかにするため、その経理は事業ごとに特別会計を設けて行わなければならないこととされている。

第二に、経費の負担区分に関する原則である。地方公営企業は、企業の性質上一般行政事務の一部を行う場合あるいは公共的な性格から採算の困難な事業を行う場合があるが、それらに要する経費は一般会計等からの出資、長期の貸付け、負担金の支出等の形で負担することとし、それ以外の経費については、その企業経営に伴う収入をもって充てなければならないとする独立採算の原則が定められており、一般会計等において負担すべき経費を明確にしている。水道事業においては、公共消火栓の設置及び管理に要する経費、公園等の公共施設において水道を無償で公共の用に供するために要する経費が一般会計等の負担区分とされている。

第三に、地方公共団体は、災害の復旧その他特別の理由のある場合に限り地方公営企業の特別会計に補助を行うことができ、また、負担区分によるもののほか、地方公共団体は出資及び長期の貸付けを行うことができることとされている。

第四に、地方公営企業の経理は、官公庁会計における現金主義と異なる発生主義に基づく企業会計方式を採用している。企業会計方式は、企業の経営管理に役立てるほか、住民に対する企業活動の状況報告をするため経営成績、財産状態を把握する目的がある。経営成績を明らかにするため、全ての費用及び収益をその発生の事実に基づき計上し、その発生した年度に正しく割り当て明確な損益計算を行わなければならない。費用とは、収益を得るために消費した支出対価を意味するもので、例えば、固定資産の使用に伴って物質的、価値的に減耗の発生した減価分を費用としてとらえるものである。また、財政状態を明らかにするため、全ての資産、資本及び負債の増減及び異動はその発生の事実に基づき記帳整理され、これらは決算の際、損益計算書、貸借対照表等財務諸表に表示されることとなる。

なお、地方公営企業の会計制度については、昭和四一年以来のほぼ半世紀ぶりとなる全面的な見直しが行われ、見直し後の地方公営企業会計基準が平成二六年度予算及び決算から適用されている。その内容は、「地方公営企業会計制度等研究会」の報告書（平成二一年一二月）を踏まえたものであり、大きく三段階に分かれる。

第一段階は、資本制度の見直しであり、利益処分や資本の取扱い等に関する制約を廃止し、議会の議決又は条例のもとで、経営判断に基づく処分等が可能となった。「地域の自主性及び自立性を高めるための改革の推進を図るための関係法律の整備に関する法律」（平成二三年法律第三七号）によって「地方公営企業法」が改正され、平成二四年四月から施行されている。この改正により、これまでは公営企業の経営に法による様々な制約があったが、経営の自由度を高めるとともに、住民等への情報開示や議会の関与を強め、地方公共団体が自らの責任において経営を行っていくことができるような仕組みが整備された。

第二段階は、会計基準の見直しである。主な見直し内容は、借入資本金を負債に計上すること、みなし償却制度を廃止すること、退職給付引当金等の引当てを義務化することなどであり、地方公営企業の特性等を適切に勘案しながら、現行の企業会計原則の考え方を最大限取り入れたものとなっている。関係政省令の一部改正については、平成二四年二月から施行され、新しい会計基準は平成二六年度の予算及び決算から適用（早期適用も可能）されている。

新会計基準の適用によって、地方公営企業の経営実態をより的確に把握できるようになるとともに、損益計算書及び貸借対照表が他の地方公営企業や他のセクターと比較しやすく、住民等にも分かりやすいものになった。各地方公営企業においては、経営成績や財政状態などを検証するとともに、経費縮減や適切な料金水準の検討などの経営改革に活用していくことが重要である。

第三段階は、財務規定等の適用範囲の拡大である。会計基準の見直しにより、地方公営企業の会計基準は企業会計原則の考え方をできる限り取り入れたものとなったが、新会計基準が適用される地方公営企業は、「地方公営企業法」で当然適用とされた八事業（上水道、工業用水道、バス、軌道、地下鉄、電気、ガス、病院）及び財務規定等を任意適用することとした事業に限られることから、各種研究会が開催され、財務規定等の適用範囲の拡大について検討が進められてきた。

その結果、平成二七年一月には、総務大臣通知が発出され、平成二七年度から令和元年度までの五年間を集中取組期間とし、特に、下水道事業、簡易水道事業を重点事業と位置付け、公営企業会計の適用が推進されることとなった。具体的には、人口三万人以上の市町村等が実施する簡易水道事業については、集中取組期間内での公営企業会計への移行が、人口三万人未満の市町村等においてもできる限りの移行が必要とされた。その結果、人口三万人以上の簡易水道事業については、取組に大幅な進捗が見られたが、一方で、人口三万人未満の簡易水道事業においては、取組に差異が見られたため、平成三一年一月に総務大臣通知が発出され、、新たに令和元年度から令和五年度までを拡大集中取組期間として、重点的に取り組むことが必要とされているところである。

料金については、公正妥当なものであること、原価主義に基づくものであること、企業の健全な運営を確保するに足りるものであることを基本原則として定められる。水道法においては、水道料金は、供給規程として水道事業者が定めなければならないものであって、能率的な経営の下における適正な原価に照らし、健全な経営を確保することができる公正妥当なものであること、料金が定率又は定額をもって明確に定められるべきことが求められている。なお、水道料金は、地方自治法上の公の施設の使用料に該当すると解され、条例で定めることが必要である。

水道事業をはじめとする地方公営企業は、これまで住民生活に身近な社会資本を整備し、必要なサービスを提供する役割を果たしてきたが、今後も地方公営企業が企業の経済性を発揮するとともにその本来の目的である公共の福祉を増進していくためには、地方公営企業のあり方を絶えず見直していくことが不可欠であり、ＰＰＰ／ＰＦＩ等の新しい経営手法の活用や広域化等の経営効率化等を図りながら、自立性の強化と経営の活性化に取り組んでいくことが必要である。

いずれにしても、今後、各地域の水道事業の経営のあり方については、将来にわたってどのような組織、体制、手法等によりサービスを供給し続けることが望ましいか、需要者である当該地域住民のニーズを十分踏まえつつ、検討していく必要がある。

六、その他の関連制度

以上の項目のいずれにも該当しないが、水道と係わりを有する法律又は前節までの説明で触れることができなかった関係法律として次のようなものがある。

消防水利に関しては、消防法（昭和二三年法律第一八六号）及び消防組織法（昭和二二年法律第二二六号）。

水道補助金の適正化に関しては、補助金等に係る予算の執行の適正化に関する法律（昭和三〇年法律第一七九号）。

また、補助金以外の水道事業資金の融通に関しては、財政融資資金法（昭和二六年法律第一〇〇号）、地方公共団体金融機構法（平成一九年法律第六四号）及び日本電信電話株式会社の株式の売払収入の活用による社会資本の整備の促進に関する特別措置法（昭和六二年法律第八六号）。

水道事業における労働関係に関しては、地方公務員法（昭和二五年法律第二六一号）、地方公営企業等の労働関係に関する法律（昭和二七年法律第二八九号）、労働組合法（昭和二四年法律第一七四号）、及び労働関係調整法（昭和二一年法律第二五号）。さらに、労働条件の基準については、労働基準法（昭和二二年法律第四九号）及び労働安全衛生法（昭和四七年法律第五七号）。

水道の布設工事に関しては、建築基準法や道路法等の基本的な法律以外に、共同溝の整備等に関する特別措置法（昭和三八年法律第八一号）、水道用地の収用について土地収用法（昭和二六年法律第二一九号）及び公共用地の取得に関する特別措置法（昭和三六年法律第一五〇号）、建設業を規制するものとしては、建設業法（昭和二四年法律第一〇〇号）、その他、公共工事の前払金保証事業に関する法律（昭和二七年法律第一八四号）、建築物等の給水設備については、建築物における衛生的環境の確保に関する法律（昭和四五年法律第二〇号）。

水源開発に関しては、水源地域対策特別措置法（昭和四八年法律第一一八号）。

災害時における水の確保は、最も緊急性の高い課題であるが、災害対策に関しては、災害対策基本法（昭和三六年法律第二二三号）、公共土木施設災害復旧事業費国庫負担法（昭和二六年法律第九七号）、災害救助法（昭和二二年法律第一一八号）及び大規模地震対策特別措置法（昭和五三年法律第七三号）。

計量に関しては、計量法（平成四年法律第五一号）。

水道行政の組織に関しては、厚生労働省設置法（平成一一年法律第九七号）、総務省設置法（平成一一年法律第九一号）。

なお、下水道については下水道法（昭和三三年法律第七九号）、工業用水道については、工業用水道事業法（昭和三三年法律第八四号）が規制を行っている。

このように、水道行政は、極めて多くの法律が極めて複雑に関連しあいながら進められているのである。

第二編　逐条解説

第二編　逐条解説

第一章　総　則

本章は、水道法制定の目的、水源及び水道施設並びにこれらの周辺の清潔保持、水の適正かつ合理的な使用に関する国、地方公共団体及び国民の責務とあわせて、水道の基盤の強化に関する国、都道府県、市町村及び水道事業者等の責務を規定するとともに、本法において使用される用語の定義、水道によって供給される水の水質基準及び水道の施設基準について規定したものである。

〔法　律〕

（この法律の目的）

第一条　この法律は、水道の布設及び管理を適正かつ合理的ならしめるとともに、水道の基盤を強化することによつて、清浄にして豊富低廉な水の供給を図り、もつて公衆衛生の向上と生活環境の改善とに寄与することを目的とする。

〔要　旨〕

本条は、本法の目的を明らかにしたもので、本法は、水道により「清浄にして豊富低廉な水の供給を図る」ことを直接の目的とし、そのことによって、「公衆衛生の向上と生活環境の改善とに寄与する」ことを究極の目的としたものである。この目的達成のための具体的手段として、水道の布設及び管理を適正かつ合理的ならしめること、水道の基盤を強化することを意図している。

〔解　説〕

一、公衆衛生の向上と生活環境の改善

本法は、その目的として、「清浄にして豊富低廉な水の供給を図り、もって公衆衛生の向上と生活環境の改善とに寄与する」ことを掲げている。憲法第二五条は、生存権を保障し、その実現のための国の役割を定めており、本法は、健康保険法、地域保健法等と同じく「すべての生活部面について、社会福祉、社会保障及び公衆衛生の向上及び増進」を実現するための法律体系の一環として位置付けられる。

本条は、水道が、国民の健康で文化的な最低限度の生活水準を維持し、さらにこれを向上させるために不可欠であることを端的に表明したものである。国民が日常生活を営む上で、水道はナショナルミニマムであるとされ、安定給水が水道の最大の使命とされる所以である。本法に定める国及び地方公共団体の責務は、本条に由来し、その実現を図るための具体的な規定である。

二、清浄、豊富、低廉な水の供給

本法は、清浄にして豊富低廉な水の供給を図ることを直接の目的としていることから、「清浄」「豊富」「低廉」は水道の三原則といわれている。水の供給という給付行政の内容を規定する要素には、供給の量、質及び対価があるが、ここでは、質については「清浄」であること、量については「豊富」であること、対価については「低廉」であることを目標とすることを明らかにしたものである。水道がこれらを達成することによって、本法の究極の目的である「公衆衛生の向上と生活環境の改善に寄与する」ものとしているのであるが、清浄、豊富、低廉の内容は、それぞれの時代における公衆衛生、生活環境についての社会的要請を達成するため、水道に対し一般的に要求されるところによるものであって、個別具体的な数値、数量を内容としたものではない。したがって、例えば、水道水の水質については法第四条に水質基準を定めているが、これのみが本条の清浄の内容を意味するものではない。

水道により、「清浄にして豊富低廉」な水の供給を図ることとは、豊富低廉に優先して清浄であることが求められていることを意味し、本法は、その清浄な水を「豊富低廉」に供給することを目的としたものである。近年、水道水源の新たな開発が困難となり、また、水源の水質が汚濁される等により、清浄、豊富、低廉な水の供給が困難となりつつある状況にあるが、本法は、①水道の布設及び管理の適正・合理化、②水道の基盤の強化の施策を講じることにより、清浄にして豊富低廉な水の供給を確保するとしているのである。

ただし、清浄・豊富・低廉な水の供給は、あくまでも行政上の目的であり義務ではない。

三、**水道の布設及び管理の適正・合理化**

水道の布設の適正・合理化の確保に関する定めとして、施設基準（法五条）、技術者による布設工事の監督（法一二条）、給水開始前の届出及び検査（法一三条）、給水装置の構造及び材質（法一六条）等の規定があり、また、水道の管理の適正・合理化の確保に関する定めとして、水質基準（法四条）、水道技術管理者（法一九条）、水質検査（法二〇条）、衛生上の措置（法二二条）等の規定があり、両者あいまって水道の布設及び管理の適正・合理化を期している。

四、**水道の基盤の強化**

「水道の基盤の強化」は、我が国の水道が、平成二九年度において九八％の普及率を達成し、給水需要の増加に合わせた水道の拡張整備を前提とした時代から、人口減少に伴う水の需要の減少、高度経済成長期に整備された水道施設の老朽化の進行、水道事業等を担う人材の減少や高齢化等の状況を踏まえ、既存の水道の基盤を確固たるものとしていくことが求められる時代に変化したことに対応するため、平成三〇年の水道法の一部改正により新たに加えられたものである。水道の基盤の強化に関する国、都道府県、市町村、水道事業者等の役割分担は、法第二条の二に定められている。

「水道の基盤の強化」とは、水道施設の維持管理及び計画的な更新、水道事業等の健全な経営の確保、水道事業等の運営に必要な人材の確保及び育成等を図ることにより、水道事業等に係る人的・物的・財政的基盤を強化し、平成二五年三月に策定された新水道ビジョンの理念である「安全な水の供給」、「強靱な水道の実現」及び「水道の持続性の確保」を目指すものである。

なお、「水道の基盤」には「水道の布設及び管理」が含まれるものの、この「水道の布設及び管理」は水道事業を実施するための前提条件ともなるべき必要最低限の要素として特に重要なものであることから、これを「適正かつ合理的ならしめること」は、水道法の目的として入念的に規定されている。他方、「計画的に整備」、「水道事業を保護育成」は、概念上、「基盤の強化」に含まれることから、「基盤の強化」の追加に伴い削除された。

〔法　律〕

（責　務）

第二条　国及び地方公共団体は、水道が国民の日常生活に直結し、その健康を守るために欠くことのできないものであり、かつ、水が貴重な資源であることにかんがみ、水源及び水道施設並びにこれらの周辺の清潔保持並びに水の適正かつ合理的な使用に関し必要な施策を講じなければならない。

2　国民は、前項の国及び地方公共団体の施策に協力するとともに、自らも、水源及び水道施設並びにこれらの周辺の清潔保持並びに水の適正かつ合理的な使用に努めなければならない。

〔要　旨〕

本条は、水源及び水道施設並びにこれらの周辺（水源等）の清潔保持と水の適正かつ合理的な使用に関する国及び地方公共団体の責務を明らかにするとともに、国民についても、国及び地方公共団体の施策への協力、水源等の清潔保持及び水の適正かつ合理的な使用に努める責務を定めたものである。

〔解　説〕

一、国及び地方公共団体の責務

㈠　責務の内容

第一項は、水道が国民の日常生活に直結し、その健康を守るために不可欠な施設であり、かつ、水が貴重な資源であることにかんがみ、水源等の清潔保持並びに水の適正かつ合理的な使用に関する国及び地方公共団体の責務を定めたものである。これは、前条に定める本法の目的から必然的に生ずる責務であり、それを具体化したものである。これらについては、従来から様々な施策が講じられてきたところであるが、水源の汚濁、水需給の逼迫が著しくなり、水道水の質及び量の確保が大きな社会問題となったことを背景として、昭和五二年の法改正の際に本項が追加されたものである。

国及び地方公共団体に要請される必要な施策は、「水源等の清潔保持」並びに「水の適正かつ合理的な使用」に関することに限定されるものではないが、本項は、他の法令によって総合的な施策が定められており、その運用により実効を期すべきものを除き、水道の事業運営に直接関係する事項について定めているものである。本項に基づいて行われる施策は、公衆衛生、環境保全、水源開発その他水道の運営を支える諸施策の一環として行われることによって初めてその実効が期待できるものであるから、国及び地方公共団体は、本項で規定された責務を遂行することはもとより、このような諸施策を総合的に調整し、その推進に努めなければならない。

㈡　水源等の清潔保持

水道水は、常に人の飲用に適する水としての安全性等が確保されることはもとより、生活用水としての使用に支障を及ぼすものであってはならない。そのため、本法は、水道の衛生確保に関して多くの規定をおいているが、水道は、水源から給水栓に至るまで膨大な設備を有するものであるので、それらの全て及びその周辺の環境について、単に汚染防止に努めるばかりでなく、積極的にその清潔保持に必要な施策を講じることを国及び地方公共団体の責務として規定したものである。

なお、水道事業者又は水道用水供給事業者は、水源の水質を保全するために必要があると認めるときは、関係行政機関の長又は関係地方公共団体の長に対して、水源の汚濁防止のための要請等ができることとされているが（法四三条）、これも本条の趣旨を具体化した規定である。

㈢　水の適正かつ合理的な使用

当時、水需給が逼迫するとともに、水資源の有限性が顕在化し、水が貴重な資源であることが認識されるようになってきたことを背景として、水道水の使用についてもそのあり方が問われるようになってきた。そのため、本条においては、国及び地方公共団体が、水の適正かつ合理的な使用に関し必要な施策を講じなければならないことを規定したのである。「水の適正かつ合理的な使用」とは、水の浪費的な使用を抑制するとともに、水の循環利用その他の水の有効利用を推進すること等である。また、本法は、このことについて国に調査、研究に努めるよう規定している（法四五条の二）。

二、国民の責務

第二項は、国民の責務として、前項に規定する国及び地方公共団体の施策に協力するとともに、自らも進んで水源等の清潔保持並びに水の適正かつ合理的な使用に努めなければならないことを明らかにしたものである。本項の規定のうち「前項の国及び地方公共団体の施策に協力するとともに、自らも」の文言は、昭和五二年の法改正において追加されたものである。これは、第一項において国及び地方公共団体の責務が規定されたことに伴い、国民もまた、水道が国民の日常生活に必要不可欠な施設であり、かつ、水が貴重な資源であることの認識に基づいて、自ら健康で文化的な生活を維持し、その向上を図るため、清浄、豊富、低廉な水の供給の確保について一翼を担うべきことを表明したものといえよう。

〔参　考〕

一、「新水道ビジョン」について（通知）

（平成二五年三月一九日　健発〇三一九第一一号各都道府県知事あて厚生労働省健康局長通知）

日頃より、水道行政の推進について格別の御高配をいただき感謝申し上げる。

厚生労働省においては、平成一六年六月に「水道ビジョン」を策定（平成二〇年三月改訂）し、これに基づいて施策の推進を図ってきたところである。

今般、水道を取り巻く環境の大きな変化に対応するため、これまでの「水道ビジョン」を全面的に見直し、五〇年後、一〇〇年後の将来を見据え、水道の理想像を明示するとともに、取り組みの目指すべき方向性やその実現方策、関係者の役割分担を提示した「新水道ビジョン」を別添のとおり策定したところである。

貴職におかれても、貴管下水道事業者等への「新水道ビジョン」の周知や「新水道ビジョン」に基づいた各種施策のより一層の推進、関係行政機関との調整等を図られたい。（別添（略））

二、水道事業ビジョンの作成について（通知）

（平成二六年三月一九日　健水発〇三一九第四号
各厚生労働大臣認可水道事業者・水道用水供給事業者あて厚生労働省健康局水道課長通知）

厚生労働省では、「水道ビジョン」を平成一六年に策定（平成二〇年改訂）し、「地域水道ビジョンの作成について」（平成一七年一〇月一七日付け健水発第一〇一七〇〇一号厚生労働省健康局水道課長通知）により、水道事業者及び水道用水供給事業者（以下「水道事業者等」という。）による「地域水道ビジョン」の作成を奨励してきたところです。

また、平成二五年三月には、人口減少社会の到来や東日本大震災の経験など、水道を取り巻く環境の大きな変化に対応するため、これまでの「水道ビジョン」を全面的に見直し、五〇年、一〇〇年後の将来を見据え、水道の理想像を明示するとともに、取り組みの目指すべき方向性やその実現方策、関係者の役割分担を提示した「新水道ビジョン」を策定しました。「新水道ビジョン」では、水道事業者等が自らの水道事業ビジョンを作成し、その内容の実現に向けた取り組みを積極的に推進することが必要であるとしています。

ついては、「新水道ビジョン」を踏まえ、これまで水道事業者等による作成を推奨してきた「地域水道ビジョン」を「水道事業ビジョン」に改めます。未だ自らのビジョンを作成していない水道事業者等においては、早急に「水道事業ビジョン」を作成することにより、また、既に作成済みの水道事業者等においては、現状との乖離がある場合や「新水道ビジョン」を踏まえて見直しが必要な場合等必要に応じて自らのビジョンを改定することにより、「新水道ビジョン」に基づいた各種施策のより一層の推進を図るようお願いします。

さらに、上述のような水道事業者等の取り組みを推進するため、「新水道ビジョン」に対応した「「水道事業ビジョン」作成の手引き」（別添）をとりまとめましたので、策定又は改定する際には、活用いただくようお願いします。

なお、「地域水道ビジョンの作成について」（平成一七年一〇月一七日付け健水発第一〇一七〇〇一号厚生労働省健康局水道課長通知）は廃止します。（別添（略））

〔法　律〕

第二条の二　国は、水道の基盤の強化に関する基本的かつ総合的な施策を策定し、及びこれを推進するとともに、都道府県及び市町村並びに水道事業者及び水道用水供給事業者（以下「水道事業者等」という。）に対し、必要な技術的及び財政的な援助を行うよう努めなければならない。

2　都道府県は、その区域の自然的社会的諸条件に応じて、その区域内における市町村の区域を超えた広域的な水道事業者等の間の連携等（水道事業者等の間の連携及び二以上の水道事業又は水道用水供給事業の一体的な経営をいう。以下同じ。）の推進その他の水道の基盤の強化に関する施策を策定し、及びこれを実施するよう努めなければならない。

3　市町村は、その区域の自然的社会的諸条件に応じて、その区域内における水道事業者等の間の連携等の推進その他の水道の基盤の強化に関する施策を策定し、及びこれを実施するよう努めなければならない。

4　水道事業者等は、その経営する事業を適正かつ能率的に運営するとともに、その事業の基盤の強化に努めなければならない。

〔要　旨〕

本条は、水道の基盤の強化に関する国、都道府県、市町村及び水道事業者等の責務について明らかにしたものである。

〔解　説〕

一、本条の趣旨

本条は、昭和五二年の法改正によって追加され、平成三〇年の法改正により水道の基盤の強化に関する規定に改正されたものである。法第二条が、「公衆衛生の向上と生活環境の改善」という法の目的を達成するために、水源等の清潔保持並びに水の適正かつ合理的な使用に関して、国、地方公共団体及び国民の果たすべき責務を定めたものであるのに対して、本条は、「水道の基盤を強化する」という目的の達成に向けて、国、都道府県、市町村、水道事業者等のそれぞれの責務を定めたものである。

二、**国の責務**（一項）

国は、水道の基盤の強化に関する基本的かつ総合的な施策を策定し、及びこれを推進するとともに、都道府県及び市町村並びに水道事業者及び水道用水供給事業者に対し、必要な技術的及び財政的援助を行うよう努めることとされている。

㈠　水道の基盤の強化に関する基本的かつ総合的な施策の策定と推進

「水道の基盤の強化に関する基本的かつ総合的な施策」とは、法第五条の二に定める水道の基盤の強化のための基本的な方針の策定のほか、水道施設台帳の整備、維持修繕、収支の見通しの作成及び公表等についての情報提供及び技術的助言等をいう。

㈡　技術的及び財政的援助

法第一条は、水道の基盤の強化を本法の目的達成の一つの手段として掲げているが、本条は、これを受けて、必要な援助を国の責務として規定している。財政的援助については、国庫補助（法四四条）及び国の特別な助成（法四五条）についての定めがあり、技術的援助については、国の研究等の推進（法四五条の二）に関して具体的な定めがある。これらは、いずれも国民の健康で文化的な生活を確保するため、水道の基盤の強化を図る上で国が行うことが適当であると考えられるものである。

三、**都道府県の責務**（二項）

都道府県は、その区域の自然的社会的諸条件に応じて、その区域内における市町村の区域を超えた広域的な水道事業者等の間の連携等の推進その他の水道の基盤の強化に関する施策を策定し、及びこれを実施するよう努めることとされている。

㈠　自然的社会的諸条件の考慮

水は地域属性が強く、水道水の供給は地形その他の自然的条件に影響を受けざるを得ない。そのため水道の基盤の強化に当たっては、このような自然的条件を考慮するとともに、当該地域の歴史的、文化的、社会的、経済的諸条件に即して合理的な施策を策定し、これを実施しなければならないとされているのである。

㈡　市町村の区域を超えた広域的な水道事業者等の間の連携等

「水道事業者等の間の連携等」とは、水道事業者等の間の連携及び二以上の水道事業又は水道用水供給事業の一体的な経営をいう。具体的な「水道事業者等の間の連携等」の形態としては、事業統合、経営の一体化（同一の経営主体が複数の水道事業等を経営）、管理の一体化（水質管理、施設の維持管理又は事務の共同実施や共同委託、会計システムの共同化等）、施設の共同化（浄水場、配水池、水質検査施設の共有又は共同設置）、地方自治法第二五二条の一六の二に定める事務の代替執行、技術的支援、人事交流等が考えられる。市町村の区域を超えた広域的な水道事業者等の間の連携等については都道府県に係る責務とされ、市町村の区域内における水道事業者等の間の連携等については市町村に係る責務とされている。

四、市町村の責務（三項）

市町村は、その区域の自然的社会的諸条件に応じて、その区域内における水道事業者等の間の連携等の推進その他の水道の基盤の強化に関する施策を策定し、及びこれを実施するよう努めることとされている。

㈠　水道の基盤の強化に関する施策

市町村が定める水道の基盤の強化に関する施策とは次のようなものが考えられる。

・その区域内に併存する水道事業等において、特に市町村が複数の水道事業等を経営している場合等による事務の共同実施、事業統合等の推進
・住民等に対する水道等の基盤強化の必要性に関する普及啓発等
・連携等推進協議会（法五条の四）への参加

五、水道事業者等の責務（四項）

水道事業者等は、その経営する事業を適正かつ能率的に運営するとともに、その事業の基盤の強化に努めることとされている。本条に対応して、能率的経営及び健全な経営の確保が水道事業経営の認可の要件とされている（法八条一項五号・一四条二項一号）。また、地方公共団体は、その事務を処理するに当たっては、住民の福祉の増進に努めるとともに、最少の経費で最大の効果をあげるようにしなければならない（地方自治法二条一四項）とされており、地方公共団体が地方公営企業を経営する場合には、経済性の発揮と公共の福祉の増進とが経営の基本原則とされている（地方公営企業法三条）。

〔**法　律**〕

（用語の定義）

第三条　この法律において「水道」とは、導管及びその他の工作物により、水を人の飲用に適する水として供給する施設の総体をいう。ただし、臨時に施設されたものを除く。

2　この法律において「水道事業」とは、一般の需要に応じて、水道により水を供給する事業をいう。ただし、給水人口が百人以下である水道によるものを除く。

3　この法律において「簡易水道事業」とは、給水人口が五千人以下である水道により、水を供給する水道事業をいう。

４　この法律において「水道用水供給事業」とは、水道により、水道事業者に対してその用水を供給する事業をいう。ただし、水道事業者又は専用水道の設置者が他の水道事業者に分水する場合を除く。

５　この法律において「水道事業者」とは、第六条第一項の規定による認可を受けて水道事業を経営する者をいい、「水道用水供給事業者」とは、第二十六条の規定による認可を受けて水道用水供給事業を経営する者をいう。

６　この法律において「専用水道」とは、寄宿舎、社宅、療養所等における自家用の水道その他水道事業の用に供する水道以外の水道であつて、次の各号のいずれかに該当するものをいう。ただし、他の水道から供給を受ける水のみを水源とし、かつ、その水道施設のうち地中又は地表に施設されている部分の規模が政令で定める基準以下である水道を除く。

一　百人を超える者にその居住に必要な水を供給するもの

二　その水道施設の一日最大給水量（一日に給水することができる最大の水量をいう。以下同じ。）が政令で定める基準を超えるもの

７　この法律において「簡易専用水道」とは、水道事業の用に供する水道及び専用水道以外の水道であつて、水道事業の用に供する水道から供給を受ける水のみを水源とするものをいう。ただし、その用に供する施設の規模が政令で定める基準以下のものを除く。

８　この法律において「水道施設」とは、水道のための取水施設、貯水施設、導水施設、浄水施設、送水施設及び配水施設（専用水道にあつては、給水の施設を含むものとし、建築物に設けられたものを除く。以下同じ。）であつて、当該水道事業者、水道用水供給事業者又は専用水道の設置者の管理に属するものをいう。

９　この法律において「給水装置」とは、需要者に水を供給するために水道事業者の施設した配水管から分岐して設けられた給水管及びこれに直結する給水用具をいう。

10　この法律において「水道の布設工事」とは、水道施設の新設又は政令で定めるその増設若しくは改造の工事をいう。

11　この法律において「給水装置工事」とは、給水装置の設置又は変更の工事をいう。

12　この法律において「給水区域」、「給水人口」及び「給水量」とは、それぞれ事業計画において定める給水区域、給水人口及び給水量をいう。

〔施行令〕

（専用水道の基準）

第一条　水道法（以下「法」という。）第三条第六項ただし書に規定する政令で定める基準は、次のとおりとする。

一　口径二十五ミリメートル以上の導管の全長　千五百メートル

二　水槽の有効容量の合計　百立方メートル

2　法第三条第六項第二号に規定する政令で定める基準は、人の飲用その他の厚生労働省令で定める目的のために使用する水量が二十立方メートルであることとする。

（簡易専用水道の適用除外の基準）

第二条　法第三条第七項ただし書に規定する政令で定める基準は、水道事業の用に供する水道から水の供給を受けるために設けられる水槽の有効容量の合計が十立方メートルであることとする。

（水道施設の増設及び改造の工事）

第三条　法第三条第十項に規定する政令で定める水道施設の増設又は改造の工事は、次の各号に掲げるものとする。

一　一日最大給水量、水源の種別、取水地点又は浄水方法の変更に係る工事

二　沈でん池、濾《ろ》過池、浄水池、消毒設備又は配水池の新設、増設又は大規模の改造に係る工事

〔施行規則〕

（令第一条第二項の厚生労働省令で定める目的）

第一条　水道法施行令（昭和三十二年政令第三百三十六号。以下「令」という。）第一条第二項に規定する厚生労働省令で定める目的は、人の飲用、炊事用、浴用その他人の生活の用に供することとする。

〔要　旨〕

本条は、本法で使用される用語を定義したものである。

〔解　説〕

一、**水道（一項）**

㈠　導管及びその他の工作物

「導管」とは、水を導くための管状（断面が閉じている状態をいう。）のものをいい、樋状（断面の一部が開いている状態をいう。）のものを含まない。水道は、水を人の飲用に適するものとして供給するものであり、外部からの汚染を防止し、その供給を安定的に行うためには、導管を用いて水を供給することが最も望ましいからである。そのため、本項において、水道は導管を用いて水を供給するものとされているのである。水道にとって導管は絶対的要件であり、これを欠くときは本法にいう水道ではない。また、途中一部に導管があっても、水を供給する末端部分が開渠、溝、樋等となっているものも本法でいう水道ではない。ただし、水を人の飲用に適するものとして導管で供給するものであれば、それ以前の施設として、配水池、開渠導水路等導管以外のものがあっても水道である。

「その他の工作物」とは、取水、貯水、導水、浄水、送水及び配水のための導管以外の施設をいうものであるが、場合によっては、これらのうちの一部を設けないこともある。例えば、地下水を直接汲み上げ、消毒して供給する場合等においては、これらの工作物の一部を有しないこともあるが、この場合であっても水道である。

㈡　水を人の飲用に適する水として供給する

「人の飲用に適する水」とは、広く一般の人が飲んでも健康に悪影響を及ぼしたり、不快にさせたりすることのない水をいい、「水を人の飲用に適する水として供給する」とは、その供給する水が人の飲用に適する水であるとして供給し、又は飲用水として使用される状態において水を供給することをいう。飲用水として供給されるか否かは、設置者の主観のみではなく、施設そのものがもつ客観的形態によっても判断されるべきものである。また、水道は、その供給される水が全て人の飲用に供されるものに限定されるものではなく、飲用以外の生活用、工業用等の他の用に供されるものであっても差し支えない。

㈢　施設の総体

「施設の総体」とは、有機的一体となって水の供給機能を発揮する取水から配水までの各施設をいうものである。有機的一体とは、単に、施設が相互に連絡されているものをいうのではなく、水の供給という機能を一体として果たすものを意味する概念である。管路等により施設が相互に連絡されていない場合であっても、水道水の供給上、同一の施設として機能するものを含む概念である。例えば、ダムから放流した水を当該河川の下流において取水して水を供給する場合には、当該ダムを含めて一つの水道である。また、施設的には直結されている場合であっても、給水区域が複数の市町村にわたる場合に、市町村の区域ごとに区切ってそれぞれの市町村の水道とすることもある。

㈣　臨時に施設されたもの

「臨時に施設されたもの」とは、工事現場等の仮設給水施設、災害対策用の応急給水施設等をいうものである。これは、水道そのものが臨時であることをいうのであって、恒久的水道の部分的施設が臨時である場合を含まない。臨時かどうかについては、その施設の性格、利用期間等から判断する必要があり、例えば、大規模な工事現場等で相当長期にわたって使用する給水施設は、臨時に施設されたものとはいえない場合もある。

二、水道事業（二項）

㈠　一般の需要に応じて

「一般の需要に応じて」とは、不特定多数の需要者に対してその申込みに応じて水を供給する関係をいうものであり、雇用、縁故関係等の特別な関係から供給するものは含まれない。例えば、寄宿舎、社宅の入居者等相手が明確に特定されていれば水道事業ではなく、本条第六項にいう専用水道である。

なお、分譲住宅、分譲地等において、分譲者が分譲後もその地区の住民に対して給水する水道、農業協同組合、生活協同組合等が組合員に給水する水道等、給水する者と給水を受ける者との間に特別な関係がない水道その他当該給水について原価を充足する程度の金額を料金として徴収するような水道については、水道事業として取り扱うこととされている（「水道法の施行について」昭和三二年発衛五二〇号厚生事務次官通知）。

㈡　水道によって水を供給する事業

「水道によって水を供給する」とは、本条第一項に定める「水道」によって水を供給することをいう。したがって、水道以外の手段、例えば、車両や船舶、タンク等によって水を直接需要者に供給したり、びん詰の水を供給したりするのは水道事業ではない。「事業」とは、ある特定の目的及び計画に基づき、反復継続して行われる組織的な活動をいい、ここでは「水の供給」を対象とするものを指す。営利を目的とするか否かは要件ではない。

㈢　給水人口が一〇〇人以下である水道

給水人口が一〇〇人以下である水道によって水を供給する事業は、水道法の対象となる「水道事業」からは除かれている。この場合の給水人口とは、計画給水人口（水道事業の計画に当たって、給水すべき対象として計画された居住人口）をいい、ある時点における実際の給水人口が一〇〇人以下であっても、計画給水人口が一〇一人以上であれば、水道事業に該当する。

なお、給水人口一〇〇人以下のものを除外した趣旨は、これらの水道は小規模であって、水道法に規定するような画一的な規制措置を加えることが不適当であるからであって、地方公共団体が法に規定する規模以下のものにつき、その地域の実情と必要に応じて、条例で規制することを禁止したものと解すべきではない。したがって、都道府県において、これらの水道に適応する適当な規制措置を条例で定めることは、水道法の制定の趣旨からは差し支えないものである（「水道法と都道府県条例について」昭和三三年衛水一一号水道課長通知）。

三、簡易水道事業（三項）

「簡易水道事業」とは、「給水人口が五千人以下である水道により、水を供給する事業」、すなわち、水道事業のうち特に計画給水人口が五千人以下である小規模なものをいうものである。簡易水道事業は、施設が簡易であるという意味ではなく、規模の小さな水道事業であるということから、法第二五条において特例を設けているのであって、その他水道事業に係る本法の規定は、当然水道事業である簡易水道事業についても適用されるものである。

四、水道用水供給事業（四項）

水道用水供給事業は、水道により、水道事業者に対して水道用水の卸売りを行う事業ということができるが、供給する水は「水道」によるもの、すなわち、人の飲用に適する水（浄水）として供給されるものに限定され、原水を供給するものは該当しない。また、供給する相手方は、水道事業者に限定される。

なお、水道事業者又は専用水道の設置者が他の水道事業者に分水する場合を除くこととされているが、この適用除外となるべき分水とは、水道事業者又は専用水道の設置者が当該水の分与を主たる目的としない場合をいうものであり、水道用水の供給が一時的なものでなく継続する事業として実施される場合については、併せて水道用水供給事業としての認可が必要であるとされている（「水道法の施行について」平成一四年三月二七日健水発第〇三二七〇〇一号厚生労働省健康局水道課長通知）。

水道用水供給事業として行う水の供給と水道事業者等による分水とは、他の水道事業者に水を供給するという意味では同一のものであるが、分水とは、水道事業者等が本来の業務外として行う行為であって、分水者と被分水者との任意の契約によって供給関係が定まるものである。用水供給であるか分水であるかについては、その供給する水の量及び供給期間等から判断されるのであって、一律に定めることはできない。なお、分水に関しては法第一五条第二項（常時給水義務）の規定が適用されない。

また、水道用水供給事業者が、一〇〇人を超える一般の需要者からの求めに応じて水道用水を供給する場合の需要者への供給に係る事業は、水道事業であって、この事業者は、水道用水供給事業と水道事業との二つを経営することとなるから、それぞれの事業について認可を受けなければならない。この場合、水道用水供給事業に係る部分と水道事業に係る部分とが明確に区分されなければならない。

五、水道事業者及び水道用水供給事業者（**五項**）

「水道事業者」及び「水道用水供給事業者」とは、それぞれ法第六条（水道事業の認可及び経営主体）又は第二六条（水道用水供給事業の認可）の規定に基づいて認可を受け、水道事業又は水道用水供給事業を経営する者をいう。なお、同一の経営主体が、複数の水道事業又は水道用水供給事業を経営し、若しくは水道事業及び水道用水供給事業を併せて経営しても差し支えないが、この場合には、それぞれの事業について認可を受けなければならない。

六、専用水道（**六項・令一条**）

「専用水道」とは、寄宿舎、社宅、療養所等における自家用の水道その他水道事業の用に供する水道以外の水道であって、一〇〇人を超える者にその居住に必要な水を供給するもの又はその水道施設の一日最大給水量が二〇立方メートルを超える施設（人の飲用その他の厚生労働省令で定める目的のために使用するものに限る。）をいう。

㈠　自家用の水道その他水道事業の用に供する水道以外の水道

「自家用の水道」とは、水道の設置者が自らの用に供する水道をいう。

「水道事業の用に供する水道以外の水道」とは、一般の需要に応じて水を供給する水道事業の概念にあてはまらない水道の全てを包含するものである。例えば、家主が借家人に給水する水道、炭鉱の鉱害地において井戸枯渇の補償として炭鉱経営者が被害者に給水する水道等、給水する者と給水を受ける者との間に当該給水についての特別の関係が存在するものは、一般の需要に応じて水を供給するとはいえないから専用水道として取り扱われる（「水道法の施行について」昭和三二年発衛五二〇号厚生事務次官通知）。また、一つの水道で一部が社宅等の自家用給水であり、一部が一般の需要に応ずる給水である場合、一般給水が一〇〇人以下の給水人口であるときは、その部分は水道事業に該当しないが、自家用給水の居住者と合わせて一〇〇人を超えるときは、その全部が専用水道となる。また、一般給水が一〇〇人を超える需要者を対象とするものであれば、その全部が水道事業となることは勿論である。

㈡　一〇〇人を超える者にその居住に必要な水を供給するもの

1　居住に必要な水の供給

「居住に必要な水」とは、飲用、炊事、洗濯その他継続的な日常生活を営むために必要な水をいう。居住とは、滞在と異なり継続的であることを要する。通常、療養所入所者は居住者であるが、普通の病院の入院患者は居住者ではない。旅館の宿泊客は、滞在者であって居住者ではない。もっとも、旅館の従業者で旅館に住込みのものは居住者である。

2　一〇〇人を超える者

「百人を超える者」とは、常時一〇〇人を超える居住者に給水することが必要であるとの意味である。したがって、専用水道の居住者が何らかの事情によって常時一〇〇人以下となり、かつ政令で定める基準を満たしていないときは、その時からその水道は専用水道ではなくなり、水道法の適用を受けなくなる。なお、ここでいう居住人口とは、実居住人口をいうものであり、計画給水人口ではない。法第三二条の確認を受けるときは、実際に居住を開始していないことが普通であるが、この場合には、定員、戸数等から客観的に算出した員数をもって判断することとなる。

㈢　その水道施設の一日最大給水量（一日に給水することができる最大の水量をいう。以下同じ。）が政令で定める基準を超えるもの

平成一三年の法改正により、一〇〇人を超える居住者に対して水を供給するものを専用水道として法規制していたものを居住者がいない又は少ないため、法の規制の対象となっていない学校や病院、宿泊施設やレジャー施設等に供給する水道も居住者に対するものと同様、十分な安全性が確保される必要性から、専用水道として法の規制の対象に追加したものである。

これらの施設等の水道については、施設の給水能力に着目して、一日最大給水量が政令で定める基準を超える施設として定義している。

政令で定める基準の施設は、その水道施設の一日最大給水量が人の飲用その他の厚生労働省令で定める目的のために使用する水量が二〇立方メートルを超えるものをいう（令一条二項）。

１　人の飲用

基準となる水量を「人の飲用」に限定したのは、用途を限定せずに全水量をもって専用水道とするか否かの判断を行うと、水道法の規制趣旨・対象を逸脱し、過剰なものとなりかねないためである。このように人の生活の

用に供する水量に限定したことから、施設設計・布設のあり方により、事業用、営業用等の人の生活の用に供しないその他の用途（公衆浴場やプール、製造工程での使用等）に供する施設容量が区分できる場合においては、その分を除外して法律を適用しても支障がない。

2　その他の厚生労働省令で定める目的

法施行令第一条第二項で規定しているその他の厚生労働省令で定める目的は、「人の飲用、炊事用、浴用その他人の生活の用に供すること」を定めている（規則一条）。

㈣　専用水道の適用除外

ただし書以下の規定は、専用水道の適用除外規定であり、他の水道から供給を受ける水のみを水源とする水道であって、水道施設のうち地中又は地表に施設されている部分のうち、口径二五ミリ以上の導管の全長が千五百メートル以下であり、かつ、水槽の有効容量の合計が一〇〇立方メートル以下である水道については、令第一条によって専用水道から除外されている。ここで「他の水道から供給を受ける水のみを水源とする」とは、他の水道から供給を受ける水のみを、水の供給を受けるために設けられる水槽（いわゆる「受水槽」）に受け、その水を受水槽以降に直結して設けられた水道の水源として供給する水道をいい、自己水源の浄水を補充的に供給する場合は該当しない。なお当該条文中の「水槽の有効容量の合計」とは、受水槽の有効容量の合計を指しており、その他の水槽の容量は考慮しない。

また、導管の延長及び水槽の容量の算定に当たっては、通常地表からの浸水等による汚染のおそれのない程度に支柱等によって高く設けられた導管や水槽は含まない。この除外規定は、他の水道から給水を受けた水は、既に消毒済みの水であるので、当該専用水道に受け入れた後、汚染を受けるおそれが少ないとみなし得る施設については、専用水道として水道法の強い規制を及ぼすことが不適当だと判断されて設けられたものである。

なお、専用水道が水道事業の配水管から直結して給水を受けるようになれば、当該施設は給水装置であり、専用水道ではなくなる。

七、簡易専用水道（七項・令二条）

㈠　簡易専用水道の規定の趣旨

簡易専用水道に関する本法の規定は、昭和五二年の法改正によって追加されたものであり、ビル等に設けられた水道のうち、従来、法規制の対象外とされてきた設備について、一定規模以上のものを簡易専用水道として新たにその管理等を法規制の対象としたものである。

ビル等の需要者が、水道事業者から水の供給を受ける場合には、ビルの上層階部分における給水を確保する等の必要から、一旦貯水槽に水を受けた後、ポンプによって加圧して屋上等に設けた高置水槽に水を送り、そこで貯水した水を各階に給水する方式がとられている。この場合、ビル等の貯水槽に水を供給するまでの過程については水道事業として本法の規制を受けるが、貯水槽以下の水道については、従来、それが専用水道に該当するものでない限り、本法が適用されていなかったのである。これは、貯水槽以下の水道は、ビル等の設置者自身が設置するものであり、その給水の設備や使用の実態等についての把握が困難であるので、基本的には、設置者の自主的管理に委ねることが適当と判断されたためである。

しかし、産業の発展と人口の都市集中に伴い建築物が大型化、高層化の一途をたどるとともに、その数も急速に増加してきた結果、都市の生活において一般市民が使用する水の相当部分が、法の適用を受けない水道によって供給されるという事態が生じてきたのである。例えば、マンション等に設けられている水道については、居住者が常時一〇〇人を超えているにもかかわらず、一般に水道事業者から供給を受けた水のみを水源とし、その水道施設のうち地中又は地表に施設された水槽の容量及び導管の延長が政令の基準以下であるため、専用水道には該当しないことが多く、また、事務所ビル、商業ビル等に設けられた水道についても、その利用者が多数であるにもかかわらず、居住者が一〇〇人を超えない限り専用水道には該当しないため、本法の規制が及ばなかったのである。しかも、ビル等の水道は、貯水槽以下の水道の管理が適切に行われないこと等により、給水する水の水質に異常が生じる等の事例が多くみられるようになったため、これらビル等の水道の利用者の保護を図る必要が生じたことによるものである。

なお、簡易水道事業が水道事業のうち一定規模以下の事業をいうものであるのに対し、簡易専用水道は水道事業又は専用水道に該当しない水道のうち一定規模以上のものをいうものであるから、専用水道の概念とは重複しない。

㈡　水道事業の用に供する水道及び専用水道以外の水道

「水道事業の用に供する水道及び専用水道以外の水道」とは、一般の需要に応じて、一〇一人以上の者を給水人口として水を供給する水道及び前項に規定される「専用水道」を除いたその他の水道を意味するものであり、計画給水人口が一〇〇人以下である小規模な水道、一〇〇人以下の居住者に水を供給し、その施設の給水能力が専用水道として政令で定める基準を超えていない自家用等の水道及び専用水道の適用除外の規定を受ける水道がこれに当たる。

㈢　水道事業の用に供する水道から供給を受ける水のみを水源とするもの

「水道事業の用に供する水道から供給を受ける水のみを水源とするもの」とは、前項ただし書の「他の水道から供給を受ける水のみを水源とし」と同義であるが、この場合、供給を受けるのが「他の水道」のうち「水道事業の用に供する水道」に限定される。したがって、井戸等の自家用水源を有し、供給する水の全部又は一部をこれによって賄う場合又は専用水道から供給を受ける水のみを水源とする場合には、当該水道は簡易専用水道に該当しない。ただし、自家用水源を有していても、常時は使用せず非常時にのみ使用することとしている場合は除かれる。また、事業所等に設置されるもの及び専ら消防法（昭和二三年法律第一八六号）第一七条に規定する消防用設備等として設置されるものであって、全く飲用に供されることのないもの並びに船舶、航空機等に設置されるものは除外される（「水道法の一部改正に伴う簡易専用水道の規制等について」昭和五三年環水四九号水道環境部長通知）。

㈣　簡易専用水道の適用除外

ただし書で除外される施設の規模については、令第二条において、「水道事業の用に供する水道から水の供給を受けるために設けられる水槽の有効容量の合計が十立方メートル」と規定され、水槽の有効容量の合計が一〇立方メートル以下のものは簡易専用水道から除外されている。なお、簡易専用水道への該当性は、水道事業の用に供する水道から水の供給を受けるために設けられる水槽（いわゆる「受水槽」）の有効容量の合計により判断するものであり、その他の水槽の容量は考慮しない。

八、水道施設（八項）

㈠　水道のための施設

1　「水道のための施設」とは、当該施設の設置及び使用が、「水道」の目的のために行われることを意味する。水道のための施設は、その機能から取水施設、貯水施設、導水施設、浄水施設、送水施設及び配水施設に区分され、それぞれの意義は次のように解されるが、それぞれが備えるべき要件は法第五条第一項に定められている。

⑴　「取水施設」とは、水道の水源である河川、湖沼、地下水等から水道原水を取り入れるための取水堰、取

水塔、取水枠、浅井戸、深井戸、取水管、取水ポンプ等の設備及びそれらの付属設備をいう。

(2)「貯水施設」とは、水道の原水を貯留するためのダム等の貯水池、原水調整池等の設備及びそれらの付属設備をいう。

(3)「導水施設」とは、取水施設を経た水を浄水場へ導くための導水管、導水路、導水ポンプ等の設備及びそれらの付属設備をいう。

(4)「浄水施設」とは、原水を人の飲用に適する水として供給し得るように浄化処理するための設備であって、凝集、沈澱、濾《ろ》過等のための設備、浄水池、浄水場内におけるこれら設備間の連絡管等の設備、消毒設備及びそれらの付属設備をいう。

(5)「送水施設」とは、浄水を配水施設に送るための送水管及び送水ポンプ等の設備及びそれらの付属設備をいう。

(6)「配水施設」とは、一般の需要に応じ、又は居住に必要な水を供給するための配水池、配水管等の設備及びそれらの付属設備をいう。

なお、各施設のうちには、必ずしも明確に区分し得ないもの（例えば、取水ポンプ兼導水ポンプ、送水管兼配水管等）もある。

2　専用水道において、配水施設に給水の施設を含むものとしたのは、専用水道は水道事業と異なって、専用水道の設置の際に給水の施設も含めて設置することが多く、また、当該給水の施設が専用水道の設置者の所有であるのが普通であるので、給水の施設と配水施設とをあえて区分する必要がないからである。また、建築物に設けられる給水の施設を除いたのは、建築基準法施行令第一二九条の二の四によって別途規制が行われているからである。ここで「建築物に設けられたものを除く」とは、給水の施設のうち実際の建物内にある部分が除外されている（この意味で給水装置とは異なる。）のであって、敷地内に存在する給水の施設の全てが除外されているのではない。

㈡　管理に属するもの

水道施設とは、水道のための施設であって、水道事業者、水道用水供給事業者又は専用水道の設置者の管理に属するものをいう。例えば、多目的ダム等であって、水道事業者が当該ダムの管理権を有しない貯水池から取水している場合には、その貯水池は、水道施設ではない。ただし、水道用の貯水池が他の用途との共用のものであっても、その管理権を水道事業者（共同の管理権であっても差し支えない。）が有する場合には、水道施設である。また、例えば、水道事業と工業用水道事業との共用導水路は、水道施設であり、かつ、工業用水道施設である。また、「管理に属するもの」とは、必ずしも所有権の取得を必要とせず、借用物であっても管理権を有するものであれば、水道施設である。

なお、水道施設は、水道事業者、水道用水供給事業者又は専用水道の設置者の管理に属するものであるから、簡易専用水道のための施設は、水道施設ではない。

九、給水装置（九項）

㈠　給水管

給水装置は、水道事業についての特有の概念である。給水装置は、給水管とこれに直結する給水用具とに区分される。このうち「給水管」とは、水道事業者の配水管から個別の需要者に水を供給するために分岐して設けられた管をいう。

(二)　直結する給水用具

「直結する給水用具」とは、給水管に容易に取外しのできない構造として接続し、有圧のまま給水できる給水栓等の用具をいい、ホース等容易に取外しの可能な状態で接続される用具は含まれない。ビル等で一旦水道水を貯水槽に受けて給水する場合には、配水管から貯水槽への注水口までが給水装置であり、貯水槽以下はこれに当たらない。水道メーターは、法第一六条（給水装置の構造及び材質）が供給水の汚染、漏洩を防止するとの観点から規定されている趣旨に照らして、給水装置に該当するものと解せられる。

一〇、**水道の布設工事（一〇項・令三条）**

(一)　水道施設の新設

「水道施設の新設」とは、本条第八項に定める水道施設すなわち取水施設、貯水施設、導水施設、浄水施設、送水施設及び配水施設であって、水道事業者等の管理に属するものの全て又はいずれかの区分の施設を全く新しく設置することをいう。既にあるこれら水道施設のうちのいずれかについて、さらに種類又は数量を増加することを増設といい、現にある水道施設の機能の低下を防止し、修復し、又は改善、向上させることを改造という。

(二)　政令で定めるその増設又は改造の工事

「政令で定めるその増設又は改造の工事」とは、大規模又は重要部分の工事であって、具体的には令第三条において、

(1)　一日最大給水量、水源の種別、取水地点又は浄水方法の変更に係る工事

(2)　沈澱池、濾《ろ》過池、浄水池、消毒設備又は配水池の新設、増設又は大規模の改造に係る工事

をいうものとされている。「係る工事」というのは、当該変更又は改造等の対象となる工事そのものだけでなく、

当該工事に伴って当然必要となる付帯工事、関連工事等を含むものである。また、「大規模の改造に係る工事」とは、当該施設の相当部分に係る改造工事をいう。

水道施設の新設の場合は、その全ての工事が「水道の布設工事」に該当するものであるが、増設又は改造の場合には、令第三条に該当する工事を除き、取水施設、貯水施設、導水施設、送水施設、配水施設（配水池を除く。）に係るものは、「水道の布設工事」には該当しない。これらの工事は、土木工作物及び管路に係るものが中心であり、通常の土木工事として適正に施行されれば、水道施設の正常な機能の保持上特に問題がないと考えられるからである。逆に、政令で定める工事については、工事の内容が特殊であり、施工によっては給水する水質に異常をきたす等のおそれがあるために「水道の布設工事」としているのである。

なお、「水道の布設工事」に該当する工事については、法第一二条（法三一条において準用される場合を含む。）の規定による技術者による布設工事の監督及び法第三二条の規定による専用水道の工事設計の確認が行われなければならない。

一一、**給水装置工事**（一一項）

本条第一一項は、平成八年の法改正により、本法で「給水装置工事」という用語が使用されることとなったのに伴い追加されたものである。

「給水装置工事」とは、現実に給水がなされる、又はなされていた場所における給水装置の新設、改造、修繕及び撤去の工事をいうものである。また、「工事」とは、工事に先立って行う調査から、計画の立案、工事の施行、竣工検査までの一連の工事の過程の全部又は一部をいう。したがって、製造工場内における給水管及び給水用具の製造や組立ては、ここでいう「給水装置工事」には、含まれない。

一二、給水区域、給水人口及び給水量（一二項）

㈠　給水区域

「給水区域」とは、事業計画の目標年次までに当該水道事業が一般の需要に応じて給水を行うこととした区域である。

㈡　給水人口

「給水人口」とは、事業計画の目標年次において計画給水区域内に居住する人口のうち、当該水道による給水を見込んだ人口である。計画給水区域外に居住する人々が、当該給水区域内の施設に勤務する等当該水道の需要者となることが見込まれる場合であっても、これらの者は計画給水人口として算入されない。観光客等についても同様である。また、計画給水区域内に居住する人口であっても、水道による給水を受けないことが見込まれる者については、計画給水人口に算入されない。

㈢　給水量

「給水量」とは、事業計画の目標年次において、当該水道の計画給水区域内の居住者等一般の需要に応じて給水することとした水道水の量をいう。したがって、給水区域外の居住者や観光客等の当該水道の見込み使用水量に応じて給水することとした水道水の量も含まれる。

〔判　例〕

一、水道事業者が分譲宅地内の私道に無断で配水管を布設したとして、土地所有者（控訴人）が水道事業者（被控訴人）に対し賃料相当損害金及び遅延損害金支払を求めた訴訟において、土地所有者の請求は全部理由がないとされた事例

（名古屋高裁平成一七年五月三〇日判決（理由要旨））
（最高裁平成一七年一〇月一一日上告棄却・不受理決定）

左に掲げる三つの理由から、土地所有者（控訴人）の請求を棄却した。

①　本件配水管の無償埋設利用に関する土地所有者の黙示の承諾

控訴人（土地所有者）は被控訴人（水道事業者）に対し、昭和四〇年、本件配水管について無償による埋設利用を黙示的に認めたというべきである。

②　水道事業者による本件土地地上権の時効取得

水道事業者が昭和三七年頃本件土地に工作物である本件配水管を布設し、多数の住民がこれを接続する形で給水設備を設置したうえ、その後今日まで水道事業者は本件配水管を管理し、分譲地住民は日々これを経由して水道水を使用しているのであるから、昭和三七年頃以降、地下地上権行使としての土地の継続的使用の外形的事実が存在するというべきである。

また、水道事業者が土地所有者の使用料の請求を明確に拒否したことは、土地所有者に対し、期限の定めのない無償による地上権を行使する意思を表示したものとみることができる。

以上から、遅くとも昭和四〇年の一〇年後又は二〇年後には、本件配水管の設置及び使用につき本件土地の地下を無償で期限の定めなく使用することを目的とする地上権の取得時効が完成したものと解するのが相当である。

③　土地所有者の権利の濫用

土地所有者が四〇年近くにわたり水道事業者に使用料等の請求をしていないこと等の事情を考慮すると、土地所有者の本件配水管の設置、利用を根拠とする本件損害賠償請求は権利の濫用として許されないと言うべきである。

二、公道下の給水管漏水によるガス供給停止に伴うガス事業者からの損害賠償請求に対し、水道事業者の国家賠償法第二条に基づく営造物責任は否定したが、民法第七一七条第一項に基づく土地工作物の占有者責任を認容した事例（東京高裁平成一六年一二月二二日判決（理由要旨））

公の営造物とは、国又は地方公共団体その他これに準ずる行政主体により直接公の目的に供せられる有体物ないし物的施設をいうところ、法律上の管理権を持たない場合であっても、事実上管理しているものであれば足りるが、直接公の目的に供せられることが必要である。

配水管はそこから給水管を分岐させて市民一般に水を供給するという公の目的を有する公の営造物ということができるが、給水管は配水管から分岐して、個々の水需要者のみに水を供給するための設備であって、直接市民一般に水を供給するという公の目的に供せられているものとはいいがたいものである。よって、被控訴人（ガス事業者）の国家賠償法第二条第一項に基づく損害賠償請求は理由がない。

控訴人（水道事業者）が本件給水管についてこれを占有していたか否かについて検討すると、民法第七一七条第一項にいう「工作物の占有者」とは、工作物を事実上支配し、その瑕疵を修補することができ、損害の発生を防止し得る関係にある者をいうと解されるところ、①本件給水管は水道事業の経営主体である市が管理する市道下に埋設されているものであること、②水道事業者は配管台帳図を管理していて、給水管の大まかな場所と埋設時期について把握することができるほか、漏水管理所を設けて定期的に市内の地下漏水について調査していること、③広報活動で水道の故障の主な連絡先として、道路内の漏水については水道局のみとし、昭和五二年度からは公道下の給水装置が漏水した場合について原則として無料で修理を行っていること、④公道内私設管取扱要綱では、公設管から直接分岐し、公道内を横断する私設管について、その維持管理は所有者から異議申立てがない限り、A市水道事業管理者が行うものとするほか、工事施工に必要な道路占用許可申請等の手続についても、異議申立てがない限り上記管理者が行うものと定めていること、などに鑑みると、水道事業者は本件給水管を事実上支配し、その瑕疵を修補することができ、損害の発生を防止し得る関係にあった者ということができ、したがって、水道事業者は本件給水管を占有していたものと認めることができる。

本件事故は本件給水管の老朽化による破裂が原因であり、工作物の保存に瑕疵があったものというべきである。以上によれば、ガス事業者の民法第七一七条第一項に基づく損害賠償請求は理由がある。

〔法　律〕

（水質基準）

第四条　水道により供給される水は、次の各号に掲げる要件を備えるものでなければならない。

一　病原生物に汚染され、又は病原生物に汚染されたことを疑わせるような生物若しくは物質を含むものでないこと。

二　シアン、水銀その他の有毒物質を含まないこと。

三　銅、鉄、弗《ふっ》素、フェノールその他の物質をその許容量をこえて含まないこと。

四　異常な酸性又はアルカリ性を呈しないこと。

五　異常な臭味がないこと。ただし、消毒による臭味を除く。

六　外観は、ほとんど無色透明であること。

2　前項各号の基準に関して必要な事項は、厚生労働省令で定める。

〔水質基準に関する省令〕

（平成一五年五月三〇日厚生労働省令第一〇一号）

（最近改正　令和二年三月二五日厚生労働省令第三八号）

水道法（昭和三十二年法律第百七十七号）第四条第二項の規定に基づき、水質基準に関する省令を次のように定める。

水道により供給される水は、次の表の上欄に掲げる事項につき厚生労働大臣が定める方法によって行う検査において、同表の下欄に掲げる基準に適合するものでなければならない。

一	一般細菌	一mℓの検水で形成される集落数が一〇〇以下であること。
二	大腸菌	検出されないこと。
三	カドミウム及びその化合物	カドミウムの量に関して、〇・〇〇三mg／ℓ以下であること。
四	水銀及びその化合物	水銀の量に関して、〇・〇〇〇五mg／ℓ以下であること。
五	セレン及びその化合物	セレンの量に関して、〇・〇一mg／ℓ以下であること。
六	鉛及びその化合物	鉛の量に関して、〇・〇一mg／ℓ以下であること。
七	ヒ素及びその化合物	ヒ素の量に関して、〇・〇一mg／ℓ以下であること。
八	六価クロム化合物	六価クロムの量に関して、〇・〇二mg／ℓ以下であること。
九	亜硝酸態窒素	〇・〇四mg／ℓ以下であること。
十	シアン化物イオン及び塩化シアン	シアンの量に関して、〇・〇一mg／ℓ以下であること。
十一	硝酸態窒素及び亜硝酸態窒素	一〇mg／ℓ以下であること。
十二	フッ素及びその化合物	フッ素の量に関して、〇・八mg／ℓ以下であること。
十三	ホウ素及びその化合物	ホウ素の量に関して、一・〇mg／ℓ以下であること。
十四	四塩化炭素	〇・〇〇二mg／ℓ以下であること。
十五	一・四―ジオキサン	〇・〇五mg／ℓ以下であること。
十六	シス―一・二―ジクロロエチレン及びトランス―一・二―ジクロロエチレン	〇・〇四mg／ℓ以下であること。
十七	ジクロロメタン	〇・〇二mg／ℓ以下であること。
十八	テトラクロロエチレン	〇・〇一mg／ℓ以下であること。
十九	トリクロロエチレン	〇・〇一mg／ℓ以下であること。
二十	ベンゼン	〇・〇一mg／ℓ以下であること。
二十一	塩素酸	〇・六mg／ℓ以下であること。

二十二	クロロ酢酸	〇・〇二mg／ℓ以下であること。
二十三	クロロホルム	〇・〇六mg／ℓ以下であること。
二十四	ジクロロ酢酸	〇・〇三mg／ℓ以下であること。
二十五	ジブロモクロロメタン	〇・一mg／ℓ以下であること。
二十六	臭素酸	〇・〇一mg／ℓ以下であること。
二十七	総トリハロメタン（クロロホルム、ジブロモクロロメタン、ブロモジクロロメタン及びブロモホルムのそれぞれの濃度の総和）	〇・一mg／ℓ以下であること。
二十八	トリクロロ酢酸	〇・〇三mg／ℓ以下であること。
二十九	ブロモジクロロメタン	〇・〇三mg／ℓ以下であること。
三十	ブロモホルム	〇・〇九mg／ℓ以下であること。
三十一	ホルムアルデヒド	〇・〇八mg／ℓ以下であること。
三十二	亜鉛及びその化合物	亜鉛の量に関して、一・〇mg／ℓ以下であること。
三十三	アルミニウム及びその化合物	アルミニウムの量に関して、〇・二mg／ℓ以下であること。
三十四	鉄及びその化合物	鉄の量に関して、〇・三mg／ℓ以下であること。
三十五	銅及びその化合物	銅の量に関して、一・〇mg／ℓ以下であること。
三十六	ナトリウム及びその化合物	ナトリウムの量に関して、二〇〇mg／ℓ以下であること。
三十七	マンガン及びその化合物	マンガンの量に関して、〇・〇五mg／ℓ以下であること。
三十八	塩化物イオン	二〇〇mg／ℓ以下であること。
三十九	カルシウム、マグネシウム等（硬度）	三〇〇mg／ℓ以下であること。
四十	蒸発残留物	五〇〇mg／ℓ以下であること。
四十一	陰イオン界面活性剤	〇・二mg／ℓ以下であること。
四十二	（四S・四aS・八aR）—オクタヒドロ—四・八a—ジメチルナフタレン—四a（二H）—オール（別名ジェオスミン）	〇・〇〇〇〇一mg／ℓ以下であること。
四十三	一・二・七・七—テトラメチルビシクロ［二・二・一］ヘプタン—二—オール（別名二—メチルイソボルネオール）	〇・〇〇〇〇一mg／ℓ以下であること。

四十四	非イオン界面活性剤	○・○二mg／ℓ以下であること。
四十五	フェノール類	フェノールの量に換算して、○・○○五mg／ℓ以下であること。
四十六	有機物（全有機炭素（TOC）の量）	三mg／ℓ以下であること。
四十七	pH値	五・八以上八・六以下であること。
四十八	味	異常でないこと。
四十九	臭気	異常でないこと。
五十	色度	五度以下であること。
五十一	濁度	二度以下であること。

附　則　略

〔**要　旨**〕

本条は、水道によって供給される水が備えなければならない水質上の要件を規定するとともに、その要件に係る基準の具体的事項については厚生労働省令で定めることとしたものである。

〔**解　説**〕

一、**水道により供給される水**

水道水は、同時に多数の者に供給されるものであるから、その飲用により人の健康を害したり、又はその飲用に際して支障を生ずるものであってはならない。水道水は、実用上飲用以外にも使用されているが、その水質上の要件は、人の飲用に適する水を確保するとの観点から定められている。ここで「水道により供給される水」とは、前条に規定する「水道」に直結された給水栓等（水道事業、専用水道、簡易専用水道にあっては、給水栓その他の直結給水用具の出口又は貯水槽への注水口、水道用水供給事業にあっては送水管出口）を出るときの水の意味である。

二、**水質上の要件**（一項）

水道水の備えるべき水質上の要件については、本条において六項目の要件を規定している。

㈠　病原生物に係る要件（一号）

病原生物とは、赤痢菌、腸チフス菌、コレラ菌等の水系感染症の病原菌等であり、水道水は、これらの病原生物に汚染されたものであってはならない。しかし、これらの病原生物を直接検査することは技術的に困難が多いことから、これらの病原生物に汚染されたことを疑わせるような生物又は物質を指標とし、病原生物に汚染されたことを疑わせるような水準でそれらが含まれるものであってはならないとしている。

㈡　有毒物質に係る要件（二号）

シアン、水銀等の物質は、その急性毒性又は慢性毒性によって、これらを含む水を飲用する人の健康に影響を及ぼすおそれのある有毒物質であり、このような物質が水道水中に含まれていてはならないことを規定したものである。

㈢　銅、鉄、弗素、フェノール等に係る要件（三号）

前号に掲げる物質以外にも、それを一定濃度以上に含む水を飲用することに伴い、人の健康に悪影響を及ぼすおそれのある物質（弗素等）又は一定濃度以上含む場合には色が付いたり（銅、鉄等）、不快な臭味が生ずる（フェノール等）等飲用に支障を生じさせる物質がある。これらの物質については、その及ぼす障害を防止するとの観点から、許容量を超えて含まないこととの要件が規定されているものであり、省令においてそれぞれの許容値が定められている。

㈣　酸性、アルカリ性に係る要件（四号）

本号は、水道水が異常な酸性又はアルカリ性を呈さず、ほぼ中性でなければならないことを規定したものである。自然の水は、一般に中性又は中性に近い状態にあり、異常な酸性又はアルカリ性を呈する水は、その原因となる物質の含有により味に影響を及ぼすほか、異常な酸性を呈する水は、水道施設の腐食等を生じさせ、また、結果として、水道水を着色させる等飲用に支障を生じさせるからである。

㈤　臭味に関する要件（五号）

本号は、水道水に異常な臭味があってはならないことを規定したものである。一般に、自然水は、その置かれた環境条件を反映して種々の物質を溶存しており、それらの物質は、それぞれ一定の濃度になると、それを含む水に固有の臭気や味を生じさせるものが多い。異常な臭味を有する水道水は、飲用に際して支障を生ずるばかりでなく、汚染を受けたことを疑わせる場合もあるので、異常な臭味のあることは好ましくないのである。なお、本号ただし書の規定は、水道水の消毒に用いた塩素の臭味は、異常な臭味としないことを述べたものである。

㈥　外観に係る要件（六号）

本号は、水道水の外観が、ほとんど無色透明でなければならないことを規定したものである。水道水が着色し、又は濁りがあることは、その色や濁りの原因となる物質を一定濃度以上に含有していることを示すものであり、飲用上支障を生じさせるとともに、浄水処理が不完全であるか、又は汚染を受けたことを疑わせる場合もあるからである。水道水は、厳密な意味で無色透明ということはないが、本号は外観について、実態上無色透明と考えて差し支えない程度を要件として定めているものである。

三、**厚生労働省令による基準**（二項）

第一項で規定する要件を具体的に判断するためには、検査項目、当該検査を行うための検査方法及び検査結果が、第一項で規定する要件に適合するか否かの判断基準が必要である。本項は、水質基準に関して必要な事項は、厚生労働省令で定めることとしたものであり、「水質基準に関する省令」（平成一五年五月三〇日厚生労働省令第一〇一号）をもって定められている。なお、当該省令は、平成一九年、同二〇年、同二二年、同二三年、同二六年、同二七年及び令和二年にそれぞれ一部改正されている。

四、水質基準に関する省令

㈠　基準項目

基準項目は、本条第一項に規定する水質上の要件を判断するためのものとして、省令の表の上欄に全部で五一項目が定められている。これらの項目の水質検査を実施することによって、本条に規定する水道水の水質上の要件に適合するか否かの判断をすることとしている。

表の一の項から三一の項までの項の基準値は人の健康の保護の観点から設定したものであり、三二の項から五一の項までの項の基準値は水道水としての生活利用上障害が生ずるおそれの有無の観点から設定したものである。

㈡　検査方法

検査方法は、省令においては、厚生労働大臣が定める方法により行うこととされ、その詳細は、「水質基準に関する省令の規定に基づき厚生労働大臣が定める方法」（平成一五年厚生労働省告示第二六一号）において具体的に規定されている。

㈢　平成一五年改正省令の概要

イ　経緯

平成一六年四月一日より施行された水質基準に関する省令は、旧省令の公布から概ね一〇年が経過し、この間に新たな水道水質にかかる問題が提起され、水道水質管理の充実強化が求められていること、世界保健機関（ＷＨＯ）において飲料水水質ガイドラインの改訂に係る検討が進められたこと、さらに、規制緩和等の流れの中で水道水質管理の分野においても水質検査の合理的・効率的な実施が求められていること等を踏まえ、平成一五年四月に厚生科学審議会によりとりまとめられた答申（「水質基準の見直し等について」（平成一五年四月二八日付厚生科学審議会答申））に基づき、所要の改正等を行ったものである。

ロ　基本的考え方

平成一五年以前の水質基準の設定にあっては、全国的に問題となる項目について水道法第四条に基づく水質基準項目として対応し、地域的に問題となる項目については通知による行政指導として対応してきた。しかし、平成一五年の改正では、従来のこのような考え方を廃し、全国的にみれば検出率が低い項目であっても、地域、原水の種類、浄水方法により、人の健康の保護又は生活上の支障を生じるおそれのあるものについては、すべて水道法第四条に基づく水質基準項目とした。一方、このような考え方により水質基準項目が定められたことに伴い、水質検査においては、各水道事業者が、原水や浄水の水質に関する状況に応じて、合理的な範囲で検査の回数を減じる又は省略を行うことができるよう、水道法施行規則において、検査の回数及び省略に関する規定の整備を行った。

ハ　基準項目及び基準値

①　平成一五年改正により新たに加えられた項目

大腸菌、ホウ素及びその化合物、一・四―ジオキサン、クロロ酢酸、ジクロロ酢酸、臭素酸、トリクロロ酢酸、ホルムアルデヒド、アルミニウム及びその化合物、ジェオスミン、二―メチルイソボルネオール、非イオン界面活性剤、有機物（全有機炭素（ＴＯＣ）の量）

②　削除された項目

大腸菌群、一・二―ジクロロエタン、一・三―ジクロロプロペン、シマジン、チウラム、チオベンカルブ、一・一・二―トリクロロエタン、一・一・一―トリクロロエタン、有機物等（過マンガン酸カリウム消費量）

③　大腸菌について

新水質基準では、培養技術に関する技術的問題は解決されていることを踏まえ、大腸菌群に代えて、糞便汚染の指標としてより精度の高い大腸菌（*Escherichia coli*）を採用することとなった。なお、国際的に検査結果の比較や情報の共有が容易となるよう水質検査の方法として検水量を五〇㎖から一〇〇㎖に変更した。

④　有機物について

新水質基準では、過マンガン酸カリウム消費量に代えて、有機化合物を構成する炭素の量を示すものとしてその表すところが明確であると共に、精度の高い測定が可能である全有機炭素（ＴＯＣ）を採用することとなった。

⑤　項目名について

新基準省令における項目名については、原則として、ＩＵＰＡＣ（国際純正及び応用化学連合）命名規則に基づく日本化学会「化合物命名法」及び文部科学省「学術用語集」によるものを用いたため、旧省令の名称と異なる場合がある。

㈣　平成一五年改正後の改正の概要

①　平成一九年一一月一四日厚生労働省令第一三五号（平成二〇年四月一日施行）
新たに加えられた項目：塩素酸「〇・六㎎／ℓ以下であること」

②　平成二〇年一二月二二日厚生労働省令第一七四号（平成二一年四月一日施行）
新たに追加された項目：シス―一・二―ジクロロエチレン及びトランス―一・二―ジクロロエチレン「〇・〇四㎎／ℓ以下であること」※シス、トランスの合算での基準値に変更

基準が強化された項目：有機物（全有機炭素（TOC）の量）「五mg／ℓ以下であること」から
「三mg／ℓ以下であること」に強化

③
平成二二年二月一七日厚生労働省令第一八号（平成二二年四月一日施行）
削除された項目　　：一・一―ジクロロエチレン
基準が強化された項目：カドミウム及びその化合物「〇・〇一mg／ℓ以下であること」から
「〇・〇〇三mg／ℓ以下であること」に強化

④
平成二三年一月二八日厚生労働省令第一一号（平成二三年四月一日施行）
基準が強化された項目：トリクロロエチレン「〇・〇三mg／ℓ以下であること」から
「〇・〇一mg／ℓ以下であること」に強化

⑤
平成二六年二月二八日厚生労働省令第一五号（平成二六年四月一日施行）
新たに追加された項目：亜硝酸態窒素「〇・〇四mg／ℓ以下であること」

⑥
平成二七年三月二日厚生労働省令第二九号（平成二七年四月一日施行）
基準が強化された項目：ジクロロ酢酸「〇・〇四mg／ℓ以下であること」から
「〇・〇三mg／ℓ以下であること」に強化
トリクロロ酢酸「〇・二mg／ℓ以下であること」から
「〇・〇三mg／ℓ以下であること」に強化

⑦
令和二年三月二五日厚生労働省令第三八号（令和二年四月一日施行）
基準が強化された項目：六価クロム化合物「〇・〇五mg／ℓ以下であること」から

「〇・〇二mg／ℓ以下であること」に強化

五、水質管理目標設定項目について

平成一五年以前は、省令に基づく水質基準の他に、将来的な安全性の確保及び水道水に対するニーズの高度化に対応するように、より質の高い水道水を目指して、水質基準を補完する項目である「快適水質項目」及び「監視項目」が通知（平成四年衛水第二六四号水道環境部長通知）によって設定されていたが、平成一五年四月の水質基準の見直し等についての答申を踏まえ、「快適水質項目」及び「監視項目」は廃止され、「水質管理目標設定項目」が導入された。

水質管理目標設定項目とは、浄水中で一定の検出の実績があるが毒性の評価が暫定的であるため水質基準とされなかったもの、又は、現在まで浄水中では水質基準とする必要があるような濃度で検出されてはいないが、今後、当該濃度を超えて浄水中で検出される可能性があるもの等水質管理上留意すべき項目である。将来にわたり水道水の安全性の確保等に万全を期する見地から、水道事業者等において水質基準に係る検査に準じた検査等の実施に努め、水質管理に活用すべきものとの位置付けである。

（参考）

㈠　快適水質項目

快適水質項目とは、より質の高い水道水を供給するために管理を行うことが必要とされる項目で、一三項目が目標値とともに設定されており、目標値の積極的な活用に努めることが求められる。

㈡　監視項目

監視項目は、健康に関連するもののうち、全国的に見て水道水中での検出レベルがきわめて低いことから、水質基準とする必要はないが、将来的には検出レベルが上がる懸念もあるため、安全性を期するため全国的な監視を行うこととした項目である。

監視項目は、三五項目あり、指針値の設定は、水質基準の健康に関連する項目に準じて、生涯にわたる連続的な摂取をしても健康に影響が生じない水準を基に、安全性を考慮して決められていた。

六、農薬類について

農薬については、散布地域や散布時期が限定的であり、個別の農薬について見た場合には水質基準項目等に分類されることは希である。しかしながら、農薬については国民の関心が高く、特別の取扱いが必要であることから、次のとおり取り扱い、国民、需要者の安心を確保していくこととされた。

・水質基準の分類要件に該当する農薬については、個別に水質基準を設定

・右記に該当しない農薬については、左記の式による検出指標値DIが一を超えないこととする「総農薬方式」により水質管理目標設定項目に位置付ける。なお、DIは検出指標値、DViは農薬iの検出値、GViは農薬iの目標値である。

$$DI=\sum_i \frac{DVi}{GVi}$$

測定を行う農薬については、各水道事業者等がその地域の状況を勘案して適切に選定することを基本としており、当該選定作業に資するために、検出状況、使用量などを勘案し、水道水中で検出される可能性の高い農薬をリストアップしている。

なお、検出指標値DIは浄水処理のための管理指標であり、一を超えた場合には活性炭処理の追加等により浄水処理に万全を期すべきであるが、直ちに人の健康への悪影響が危惧されるものではない。

七、要検討項目

以上のほか、毒性評価が定まらない、浄水中の存在量が不明等の理由から水質基準項目等への分類ができない項目

については、要検討項目として、主として国において必要な情報・知見の収集に努めていくべきとされている。

八、**水道水中の放射性物質に係る管理目標値について**

水道水中の放射性物質に係る管理目標値については、健水発〇三〇五第一～三号（平成二四年三月五日）厚生労働省健康局水道課長通知において、セシウム一三四及び一三七の合計が一〇Bq／kgと設定した。この目標値は、ＷＨＯ飲料水水質ガイドラインにおけるガイダンスレベル及び食品衛生法における飲料水に係る基準値をもとに定められたものであり、この値が一年間続いた場合、年間〇・一mSvに相当するものである。管理目標値を超過すること自体は、水道水が飲用不適であることを意味するものではないが、管理目標値を超過した場合には、直ちに浄水及び水道原水中の放射能濃度及び濁度の検査結果並びに濾《ろ》過設備の運転状況に基づいて超過原因の究明を行い、水道水の安全・安心を確保する観点から、水道使用者に周知し、必要に応じて給水車や飲料水の手配の準備をすべきである。

この管理目標値については、水道水の備えるべき水質上の要件として、水道法第四条に、放射性物質に関しては明確な定めがないこと、原子力発電所の事故という極めて特異な事故の状況下で設定したものであり、水道事業者等に水質検査を義務付けることとなる全国一律の水道水質基準に馴染むものではないことから、地方自治法に基づく技術的助言として示したものである。

なお、同通知において、浄水中の放射能濃度が管理目標値を上回った場合には、水道法第二二条に規定する衛生上の措置として、速やかに濾《ろ》過機能を復旧させ、必要に応じて摂取制限の措置をとること及びこの措置をとってもなお改善が見込めない場合、原因が不明な場合等においては、直ちに取水を停止して、水質検査及び水道施設の点検等を行うとともに、濁度成分等によって人の健康を害するおそれがある場合の給水停止の措置には水道法第二三条第一項を根拠とする旨を明記している。

九、水道水質基準等の逐次改正について

水質基準については、最新の科学的知見に従い常に見直しが行われるべきであり、世界保健機関（ＷＨＯ）では飲料水水質ガイドライン（第三版）で、今後はRolling Revision（逐次改正）によることとして、従来行われてきたような、一定期間を経た上で改正作業に着手するという方式を改めるとしている。

我が国の水質基準においてもこれを実効あらしめるため、平成一五年四月の厚生科学審議会答申「水質基準の見直し等について（答申）」において、専門家からなる水質基準の見直しのための常設の専門家会議の設置の提言がなされたことを受け、厚生労働省に水質基準逐次改正検討会を設置し、毎年見直し作業が行われている。

人の健康の保護の観点からの基準値等の設定については、ＷＨＯ等が飲料水の水質基準設定に当たって広く採用している方法を基本とし、一日に飲用する水の量としては二ℓ、人の平均体重として五〇kg（ＷＨＯでは六〇kg）を用い、食物、空気等他の暴露源からの寄与を考慮しつつ、生涯にわたる連続的な摂取をしても人の健康に影響が生じない水準として基準値等を設定したものである。なお、基準項目等は、我が国における当該項目の水道浄水や原水等からの検出状況を総合的に勘案して選定したものである。

〔参　考〕

一、水質基準に関する省令の制定及び水道法施行規則の一部改正等について（通知）

（平成一五年一〇月一〇日　健発第一〇一〇〇〇四号
各都道府県知事・保健所設置市長・特別区長あて厚生労働省健康局長通知
最近改正　令和三年三月二六日　生食発〇三二六第八号各都道府県知事・市長・特別区長あて厚生労働省大臣官房生活衛生・食品安全審議官通知）

今般、水道法（昭和三二年法律第一七七号）第四条に基づく水質基準に関する省令（平成四年厚生省令第六九号。以下「旧基準省令」という。）が廃止され、新たに水質基準に関する省令（平成一五年厚生労働省令第一〇一号。以下「新基準省令」という。）が平成一五年五月三〇日に公布されたほか、「水質基準に関する省令の規定に基づき厚生労働大臣が定める方法」（平成一五年厚生労働省告示第二六一号。以下「検査方法告示」という。）が七月二二日に、「水道法施行規則の一部を改正する省令」（平成一五年厚生労働省令第一四二号）及び「水道法施行規則第一七条第二項の規定に基づき厚生労働大臣が定める遊離残留塩素及び結合残留塩素の検査方法」（平成一五年厚生労働省告示第三一八号。以下「残留塩素検査方法告示」という。）が九月二九日にそれぞれ公布され、これらが平成一六年四月一日（改正後の水道法施行規則（昭和三二年厚生省令第四五号）第七条の二に係る規定については、公布の日。）から施行されることとなったほか、水質基準を補完する項目として水質管理目標設定項目を新たに定めることとしたので、下記について御了知の上、貴管下水道事業者等に対する周知指導につき、特段の御配意をお願いしたい。

なお、平成一六年四月一日付けをもって、厚生省生活衛生局水道環境部長通知「水道水質に関する基準の制定について」（平成四年一二月二一日付衛水第二六四号）、「「水道水質に関する基準の制定について」の一部改正について」（平成一一年六月二九日付生衛発第九五九号、平成一一年一二月二七日付生衛発第一八一八号、平成一二年九月一一日付生衛発第一三七九号、平成一二年一二月二六日付生衛発第一八七六号）及び本職通知「「水道水質に関する基準の制定について」の一部改正について」（平成一三年三月三〇日付健発第三七五号）を廃止するとともに、厚生省環境衛生局水道環境部長通知「水道法の施行について」（昭和四九年七月二六日付環水第八一号）中第六を削除する。

記

第一　改正の趣旨等

一　改正の経緯等

今回の改正は、旧基準省令の公布から概ね一〇年が経過し、この間に新たな水道水質に係る問題が提起され、水道水質管理の充実強化が求められていること、世界保健機関（ＷＨＯ）において飲料水水質ガイドラインの改訂に係る検討が進められたこと、さらに、規制緩和等の流れの中で水道水質管理の分野においても水質検査の合理的・効率的な実施が求められていること等を踏まえ、平成一五年四月に厚生科学審議会によりとりまとめられた答申を踏まえ、所要の改正等を行ったものであること。

二　基本的考え方

これまでの水質基準の設定にあっては、全国的に問題となる項目について水道法第四条に基づく水質基準項目として、地域的に問題となる項目については通知による行政指導として対応してきたところであるが、今回改正では、従来のこのような考え方を廃し、全国的にみれば検出率が低い項目であっても、地域、水源の種別、浄水方法により、人の健康の保護又は生活上の支障を生じるおそれのあるものについては、すべて水道法第四条に基づく水質基準項目としたこと。

また、このような考え方により水質基準項目が定められたことに伴い、水質検査においては、各水道事業者が、原水や浄水の水質に関する状況に応じて、合理的な範囲で検査の回数を減じる又は省略を行うことができるよう、水道法施行規則において、検査の回数及び省略に関する規定の整備を行ったこと。

第二　新基準省令の制定について

一　一般的事項

㈠　新基準省令においては、表の上欄に掲げる事項に一から五一までの番号を付し、下欄に基準値を掲げることとしたこと。なお、旧基準省令では表の下欄に検査方法名を掲げていたが、新基準省令では検査方法は厚生労働大臣が定めることとし、具体的には検査方法告示に規定したこと。

㈡　新基準省令における項目名については、原則として、ＩＵＰＡＣ（国際純正及び応用化学連合）命名規則に基づく日本化学会「化合物命名法」及び文部科学省「学術用語集」によるものを用いたこと。

㈢　新基準省令の施行日は平成一六年四月一日であるが、有機物（全有機炭素（ＴＯＣ）の量）（以下「ＴＯＣ」という。）、（四Ｓ・四ａＳ・八ａＳ）―オクタヒドロ―四・八ａ―ジメチルナフタレン―四ａ（二Ｈ）―オ―ル（別名ジェオスミン。以下「ジェオスミン」という。）及び一・二・七・七―テトラメチルビシクロ［二・二・一］ヘプタン―二―オ―ル（別名二―メチルイソボルネオ―ル。以下「二―メチルイソボルネオ―ル」という。）については、所要の経過措置を規定したこと。

二　基準項目及び基準値

㈠　新基準省令において新たに加えられた項目は、大腸菌、ホウ素及びその化合物、一・四―ジオキサン、クロロ酢酸、ジクロロ酢酸、臭素酸、トリクロロ酢酸、ホルムアルデヒド、アルミニウム及びその化合物、ジェオスミン、二―メチルイソボルネオール、非イオン界面活性剤、有機物（全有機炭素（ＴＯＣ）の量）であること。

㈡　旧基準省令から削除された項目は、大腸菌群、一・二―ジクロロエタン、一・三―ジクロロプロペン、シマジン、チウラム、チオベンカルブ、一・一・二―トリクロロエタン、一・一・一―トリクロロエタン、有機物等（過マンガン酸カリウム消費量）であること。

㈢　新基準省令における「大腸菌」は旧基準省令における「大腸菌群」にかわる糞便汚染の指標として採用されたものであり、「有機物（全有機炭素（ＴＯＣ）の量）」は、「有機物等（過マンガン酸カリウム消費量）」にかわる水中の有機物量の指標として採用されたものであること。

㈣　項目名について、日本化学会「化合物命名法」及び文部科学省「学術用語集」によるものを用いたことに伴い、旧基準省令の「シアン」、「硝酸性窒素及び亜硝酸性窒素」及び「塩素イオン」は、それぞれ「シアン化物イオン及び塩化シアン」、「硝酸態窒素及び亜硝酸態窒素」及び「塩化物イオン」に名称を改めたこと。また、元素に係る項目名及び基準については、例えばカドミウムについて、項目名を「カドミウム及びその化合物」、基準を「カドミウムの量に関して、〇・〇一㎎／ℓ以下であること。」のように、より的確な表現となるよう改めたこと。

㈤　新基準省令の施行に当たっての経過措置として、ＴＯＣについては、平成一七年四月一日からの施行とし、平成一七年三月三一日までの間は、従前の有機物等（過マンガン酸カリウム消費量）を基準項目とし、従前の基準値を適用すること。また、ジェオスミン及び二―メチルイソボルネオールについては、平成一九年三月三一日までは、暫定基準値としてともに〇・〇〇〇〇二㎎／ℓを適用すること。

㈥　ＴＯＣに係る経過措置は、水道事業体等の水質検査実施機関におけるＴＯＣの検査体制の整備期間を考慮して設定したものであり、平成一六年四月一日の時点において、ＴＯＣによる検査が可能である水道事業体等においては、平成一六年度の定期及び臨時の水質検査を、有機物等（過マンガン酸カリウム消費量）にかえてＴＯＣで行ってもよいこと。ただし、検査結果が、新基準省令におけるＴＯＣの基準値近傍の値である場合には、併せて有機物等（過マンガン酸カリウム消費量）についても測定を行い、基準値への適否を確認することが望ましいこと。

(七)　答申では、水質基準について、最新の科学的知見に基づき常に見直しが行われるべきとしており、今後、答申の趣旨に従い、必要な対応を図る予定であること。

三　検査方法

(一)　新基準省令の規定に基づき、検査方法告示において具体の検査方法が定められたことから、新基準省令施行後は、水道法第二〇条に基づく定期及び臨時の水質検査は、検査方法告示に示した方法で行うことが必要であること。

(二)　検査方法告示においては、「シアン化物イオン及び塩化シアン」、「陰イオン界面活性剤」及び「フェノール類」の検査について、平成一九年三月三一日までの間は、流路型吸光光度法による検査も可能であるとしたこと。

(三)　答申では、水質検査技術の革新等に柔軟に対応できるよう、検査方法告示以外の方法で検査方法告示に示す方法と同等以上の方法と認められるものについては、積極的に公定検査法として認めることが必要であるとしており、今後、答申の趣旨に従い、必要な対応を図る予定であること。

第三　水道法施行規則の一部改正について

一　一般的事項

(一)　水道法施行規則第七条の二に定める事業の変更の認可を要しない軽微な変更に、内径が二五〇㎜以下の送水管及びその附属設備（ポンプを含む。）の整備を伴う変更のうち、給水区域の拡張又は給水人口若しくは給水量の増加に係る変更であって、水道法施行規則第七条の二の各号のいずれにも該当しないものが加えられたこと。

(二)　水道法施行規則第一五条の定期及び臨時の水質検査に関し、答申に基づき、検査の項目、回数、採水の場所及び水質検査計画の策定について、所要の規定を整備したこと。

(三)　第一六条中「伝染病」を「感染症」に改めたこと。

(四)　第一七条に規定する遊離残留塩素及び結合残留塩素に係る検査方法を厚生労働大臣が定める方法とし、所要の規定の整備を行ったこと。これに伴い残留塩素検査方法告示を定めたこと。

㈤　このほか、新基準省令の公布に伴い、第三条、第一〇条、第一五条、第一七条の二、第五二条について、所要の改正を行ったこと。

二　定期水質検査項目

検査を行う項目は、水道法施行規則第一五条第一項第一号において、色、濁り及び消毒の残留効果並びに新基準省令に定める水質基準項目としたこと。

三　定期水質検査に供する水の採取場所、検査回数及び検査の省略

㈠　水道法施行規則第一五条第一項第二号において、検査に供する水の採取の場所は、給水栓を原則とし、水道施設の構造等を考慮して、当該水道により供給される水が水質基準に適合するかどうかを判断できる場所を選定することとしたこと。ただし、一定の項目については、送水施設及び配水施設内で濃度が上昇しないことが明らかであると認められる場合には、浄水施設の出口、送水施設又は配水施設のいずれかにおいて採取をすることができることとしたこと。

㈡　水道法施行規則第一五条第一項第一号及び第三号において、検査の回数を各水質基準項目等ごとに定めたこと。ただし、一定の項目については、一定の条件の下、これを減じることができるとしたこと。

㈢　水道法施行規則第一五条第一項第四号において、一定の項目については、過去の検査の結果が基準値の二分の一を超えたことがなく、かつ、それぞれの項目に係る第四号の表の下欄に掲げる事項を勘案して、その全部又は一部を行う必要がないと認められる場合においては、検査を省略することができるとしたこと。

四　臨時の水質検査について

臨時の水質検査に関して、検査に供する水の採取場所は、定期の水質検査と同様、水道法施行規則第一五条第一項第二号の規定によることとしたこと。なお、従来省略ができないとされていた、硝酸態窒素及び亜硝酸態窒素については、今回の答申において糞便性汚染の指標としての性格は薄いとされたことから、臨時の水質検査において省略可能としたこと。その他、同条第一項の定期検査に係る規定の改正に伴う所要の改正を行ったこと。

五　水質検査計画の策定について

水道法施行規則第一五条第六項において、水道事業者は、毎事業年度の開始前に水質検査計画を策定しなければなら

ないこととし、当該計画に記載すべき事項を同条第七項に示したこと。さらに、同規則第一七条の二において、水道事業者等は、水質検査計画について毎事業年度の開始前に需要者に対し情報提供を行うこととしたこと。

第四　水質管理目標設定項目

一　一般的事項

将来にわたり水道水の安全性の確保等に万全を期する見地から、水道事業者等において水質基準に係る検査に準じて、体系的・組織的な監視によりその検出状況を把握し、水道水質管理上留意すべき項目として「水質管理目標設定項目」を別添一のとおり定めたこと。これにより、従前の「水質基準項目」、「快適水質項目」、「監視項目」及び「ゴルフ場使用農薬に係る暫定水質目標」という水道水質管理の体系は廃され、「水質基準項目」及び「水質管理目標設定項目」という新しい体系に基づき水道水質管理を行うことになること。

なお、水質管理目標設定項目の目標値が暫定的なものについては、目標値とともに明記したこと。

二　農薬類について

水質管理目標設定項目のうち農薬類については、下記の式で与えられる検出指標値が一を超えないこととする「総農薬方式」により水質管理目標設定項目に位置づけることとしたこと。

$$DI=\sum_{i}\frac{DVi}{GVi}$$

ここで、DIは検出指標値、DViは農薬iの検出値、GViは農薬iの目標値であること。なお、農薬iの検出値DViが当該農薬iの定量下限値を下回った場合、当該農薬iの検出値はDViは0として取り扱うこと。

測定を行う農薬については、各水道事業者等がその地域の状況を勘案して適切に選定するものであるが、検出状況や使用量などを勘案し、浄水で検出される可能性の高い農薬を別添二のとおりリストアップしたこと。

なお、これらの農薬以外の農薬についても、地域の実情に応じて測定を行い、総農薬方式による評価を行うこと。

第五　留意事項

一　検査体制の整備

新基準省令は、平成一六年四月一日（ＴＯＣについては平成一七年四月一日）より施行されるので、それまでに水質検査の実施体制の整備等につき必要な措置を講じられたいこと。

二　水道水源の保全

将来にわたり水質基準に適合する水を供給するためには、良好な水源を確保することが基本であるが、富栄養化による異臭味問題の拡大、化学物質の検出など水源水質の悪化は今後とも懸念されることから、水道水源保全対策が早期に講じられるよう、水道事業者等、関係部局等との連携を密にするよう留意されたいこと。

別添一　水質管理目標設定項目　略

別添二　農薬類（水質管理目標設定項目一五）の対象農薬リスト　略

二、「水質基準に関する省令の一部改正等について」の留意事項について（通知）

（令和二年三月三〇日　薬生水発〇三三〇第一号
各都道府県・市・特別区水道行政担当部（局）長
あて厚生労働省医薬・生活衛生局水道課長通知）

「水質基準に関する省令等の一部を改正する省令」（令和二年厚生労働省令第三八号）、「水質基準に関する省令の規定に基づき厚生労働大臣が定める方法等の一部を改正する告示」（令和二年厚生労働省告示第九五号）及び「水道法施行規則第一七条第二項の規定に基づき厚生労働大臣が定める遊離残留塩素及び結合残留塩素の検査方法の一部を改正する件」（令和二年厚生労働省告示第九六号）の公布並びに水質管理目標設定項目の一部改正については、厚生労働省大臣官房生活衛生・食品安全審議官通知「水質基準に関する省令の一部改正等について（施行通知）」（令和二年三月三〇日付け生食発〇三三〇第二号）により通知されたところである。

これらの改正を踏まえ、下記のとおり、施行に当たっての留意事項をとりまとめるとともに、関係通知について必要な改正を行うこととしたので、貴職におかれては、御留意の上、遺漏なきよう御対応願いたい。

なお、本通知は、地方自治法（昭和二二年法律第六七号）第二四五条の四第一項の規定に基づく技術的な助言であることを申し添える。

記

第一　水質基準に関する省令等の改正に係る留意事項

一　水質基準に関する省令等の改正について

六価クロム化合物については、令和元年八月六日に通知された内閣府食品安全委員会の食品健康影響評価を受けて、水質基準に関する省令（平成一五年厚生労働省令第一〇一号）において、六価クロム化合物の基準を「〇・〇五㎎／ℓ以下であること。」から「〇・〇二㎎／ℓ以下であること。」に改めることとした。

また、本改正に伴い、給水装置の構造及び材質の基準に関する省令（平成九年厚生省令第一四号）に規定する給水装置浸出性能基準、並びに水道施設の技術的基準を定める省令（平成一二年厚生省令第15号）に規定する薬品基準及び資機材材質基準についても、所要の改正を行った。なお、水道法第二〇条第一項の規定により行う定期の水質検査については、水道法施行規則第一五条第一項第三号ハただし書き及び第四号において、六価クロム化合物に係る過去の検査の結果が基準値の一定の割合以下であるなどの条件を満たす場合には、検査回数を減じることや検査を省略することができるとされているが、基準値の改正後においても、改正前に行った検査の結果を含めて、改正後の基準値（〇・〇二㎎／ℓ）に対してこれらの条件を満たすことを確認できる場合には、検査回数を減じ又は省略することは差し支えない。

二　水質基準に関する省令の規定に基づき厚生労働大臣が定める方法等の改正について

水質基準に関する省令の規定に基づき厚生労働大臣が定める方法（平成一五年厚生労働省告示第二六一号。以下「検査方法告示」という。）について、昨今の分析技術を取り巻く環境の変化を踏まえ、所要の改正を行った。これらの改正に係る留意事項は次のとおりである。

㈠　総則的事項並びに別表第一三において改正した陰イオン混合標準液の保存については、適切な条件下で保存することができるとしたものである。使用に当たっては適切に取り扱い、濃度の変化が起こらないようにすること。また、標準液の濃度が変化したおそれがある場合は確認試験等を実施すること。

㈡　別表第四において、六価クロム化合物の水質基準値が改正されることに伴い、基準値となる〇・〇二㎎／ℓの一〇分の一の定量下限値の精度が確保できなくなるため、測定対象とする項目から六価クロム化合物を削除したこと。

㈢　別表第一二において、標準液の調製及び検量線の作成について、シアン化物イオン及び塩化シアンを混合した混合標準液による方法を追加したこと。また、シアン化物イオン標準液の調製量を一ℓから一〇〇㎖としたこと。

㈣　別表第一三と別表第一六の二において対象とする項目を同時に測定可能であること、また、試料採取時の塩素除去剤の適用拡大及び試料の保存期間を統一することが確認できたため、別表第一六の二を削除し、別表第一三に統合したこと。

㈤　別表第一八の二において、臭素酸と塩素酸との同時測定が可能であることが確認できたため、塩素酸を追加したこと。

㈥　別表第一八と別表第一八の二において、標準液の調製時、標準原液から精製水で希釈する際の濃度を所定の倍率から一定の範囲内で任意としたこと。

㈦　別表第五、別表第六、別表第二〇及び別表第二四において、平成三〇年四月に改正した検水の濃度範囲について、一部の別表で標準液の濃度を上回る濃度範囲の測定が可能となったことから、標準液の濃度を上回る場合に限り、標準原液から検量線の調製を可能としたこと。ただし、一回の操作による高倍率の希釈操作には留意すること。

三　厚生労働省健康局長通知「水質基準に関する省令の制定及び水道法施行規則の一部改正等について」（平成一五年一〇月一〇日付け健発第一〇一〇〇〇四号）の一部改正について

内閣府食品安全委員会の健康影響評価等の最新の科学的知見に基づき、同通知「別添一水質管理目標設定項目」及び「別添二農薬類（水質管理目標設定項目一五）」について、所要の改正を行ったこと。これらの改正に係る留意事項は次のとおりである。

・ペルフルオロオクタンスルホン酸（ＰＦＯＳ）及びペルフルオロオクタン酸（ＰＦＯＡ）について（同通知別添一関係）

要検討項目から水質管理目標設定項目へ位置づけを変更するとともに、その目標値を、これら二物質の量の和として〇・〇〇〇〇五㎎／ℓ（暫定）としたこと。ＰＦＯＳ及びＰＦＯＡは、これらの分子内に含まれる炭素鎖が直鎖状及び分岐状の異性体が存在するが、測定の際はこれらを合算して評価すること。

なお、飲用水を供給する井戸等であって水道法等の適用を受けないものにおいて、上記暫定目標値を超えることが確認された場合は、厚生省生活衛生局長通知「飲用井戸等衛生対策要領等の実施について」（昭和六二年一月二九日付け衛水第一二号）の取扱いを参考に、当該井戸等の設置者等に対し水道への加入を勧める等、飲用指導等に努められたい。

第二　関連通知の改正について

一　厚生労働省健康局水道課長通知「水質基準に関する省令の制定及び水道法施行規則の一部改正等並びに水道水質管理における留意事項について」（平成一五年一〇月一〇日付け健水発第一〇一〇〇〇一号）の一部改正について

別紙一新旧対照表のとおり改正したこと。主な改正事項は次のとおりである。

㈠　第三の一（二）イに、「ペルフルオロオクタンスルホン酸（ＰＦＯＳ）及びペルフルオロオクタン酸（ＰＦＯＡ）」を追加したこと。

㈡　別添四に示す目標一〇亜塩素酸及び目標1一二二酸化塩素の検査方法の第一イオンクロマトグラフ法と、改正後の検査方法告示（以下、「検査方法告示」という。）の別表第一三では、塩素除去剤の適用範囲が異なることに留意すること。

また、亜硝酸態窒素と亜塩素酸が共存する場合、いずれの物質もその濃度が低下することに留意すること。

㈢　別添四に示す目標一〇亜塩素酸の検査方法について、第三として液体クロマトグラフ―質量分析法を追加した。検査方法告示の別表第一八の二に定める方法の対象とする項目について、各測定対象成分の分析に影響がないことを確認した上で、亜塩素酸と一斉分析を行うことができる。

ただし、第三液体クロマトグラフ―質量分析法と検査方法告示の別表第一八の二では、塩素除去剤の適用範囲が異なることに留意すること。

㈣　別添四に示す目標一五農薬類の検査方法の別添方法五の二において、オリサストロビン及び五Ｚ―オリサストロビンのフラグメントイオンを追加したこと。

㈤　別添四に示す目標一五農薬類の検査方法の別添方法二〇の二において、カルバリル及びネライストキシンの濃度範囲を改正したこと。

(六)　別添四に示す目標一五農薬類の検査方法の別添方法二五において、プロチオホス及びプロチオホスオキソンの濃度範囲を改正したこと。

(七)　別添四に示す目標三一にペルフルオロオクタンスルホン酸（ＰＦＯＳ）及びペルフルオロオクタン酸（ＰＦＯＡ）を追加したこと。検査方法について、固相抽出―液体クロマトグラフ―質量分析法を追加したこと。

二　厚生労働省健康局水道課長通知「水道施設の技術的基準を定める省令の一部を改正する省令及び資機材等の材質に関する試験の一部改正について」（平成一六年二月九日付健水発第〇二〇九〇〇一号）の一部改正について

同通知別添一を別紙二新旧対照表のとおり改正すること。

三　厚生省生活衛生局水道環境部水道整備課長通知「水道用薬品の評価のための試験方法ガイドラインについて」（平成一二年三月三一日付け衛水第二一号）の一部改正について

同通知別添「水道用薬品の評価のための試験方法ガイドライン」について、別紙三新旧対照表のとおり改正したこと。

四　厚生省生活衛生局水道環境部水道整備課長通知「水道水質管理計画の策定に当たっての留意事項について」（平成四年一二月二一日付け衛水第二七〇号）の一部改正について

同通知別表第四に掲げる「要検討項目」及び別表第六に掲げる「その他農薬類」について、別紙四新旧対照表のとおり改正したこと。主な改正事項は次のとおりである。

(一)　パーフルオロオクタンスルホン酸（ＰＦＯＳ）及びパーフルオロオクタン酸（ＰＦＯＡ）を削除したこと。

(二)　内閣府食品安全委員会の食品健康影響評価に基づき、セトキシジム、チオシクラム及びベンスルタップの目標値を改正したこと。

(三)　内閣府食品安全委員会の食品健康影響評価に基づき、チアクロプリドに目標値を設定したこと。

第三　その他

水道事業者及び水道用水供給事業者においては、水道の基盤を強化するための基本的な方針（令和元年厚生労働省告示第一三五号）の第二の「二　安全な水道水の確保」の内容も踏まえ、水源から給水栓に至る各段階における状況を考慮し、今般の改正事項への対応も含め、安全な水道水の供給を確保するための取組をお願いする。

第四　適用日

第二の改正について、令和二年四月一日から適用すること。

別紙一～四　略

三、水質基準に関する省令の制定及び水道法施行規則の一部改正等並びに水道水質管理における留意事項について（通知）

（平成一五年一〇月一〇日　健水発第一〇一〇〇〇一号
各都道府県・政令市・特別区水道行政担当部（局）長
あて厚生労働省健康局水道課長通知
最近改正　令和三年三月二六日　薬生水発〇三二六第一号）

水質基準に関する省令（平成一五年厚生労働省令第一〇一号。以下「新基準省令」という。）、「水質基準に関する省令の規定に基づき厚生労働大臣が定める方法」（平成一五年度厚生労働省告示第二六一号。以下「検査方法告示」という。）、「水道法施行規則の一部を改正する省令」（平成一五年厚生労働省令第一四二号）及び「水道法施行規則第一七条第二項の規定に基づき厚生労働大臣が定める遊離残留塩素及び結合残留塩素の検査方法」（平成一五年厚生労働省告示第三一八号。以下「残留塩素検査方法告示」という。）の制定については、平成一五年一〇月一〇日付健発第一〇一〇〇〇四号にて厚生労働省健康局長より通知されたところであるが、これらの施行に当たっての留意事項と水道水質管理に関する基本的留意事項を併せて下記のとおりとりまとめたので、御了知の上、貴管下水道事業者等に対する周知指導方、よろしく御配意願いたい。

なお、平成一六年四月一日付けをもって、厚生省生活衛生局水道環境部水道整備課長通知「水質検査にあたっての留意事項について」（平成四年一二月二一日付衛水第二六八号）、「水質基準を補完する項目に係る測定方法について」（平成五年三月三一日付衛水第一〇四号）、「簡易水道等における水質検査の頻度について」（平成五年八月一六日衛水一七七号）、「水質基準に関する省令の施行に当たっての留意事項について」（平成五年一二月一日付衛水第二二七号）、「「水質基準を補完する項目に係る測定方法について」等の一部改正について」（平成一一年六月二九日衛水第三九号、平成一一年一二月二七日付衛水第六七号、平成一二年九月一一日付衛水第四三号、平成一二年一二月二六日付衛水第六三号）、本職通知「「水質基準を補完する項目に係る測定方法について」等の一部改正について」（平成一三年三月三〇日付健水発第三四号）及び「水質基準に関する省令等の一部改正について」（平成一四年三月二七日付健水発第〇三二七〇〇三号）は廃止する。

記

第一　水道法施行規則（昭和三二年厚生省令第四五号）関係

一　第三条関係（工事設計書に記載すべき水質試験の結果）

水源において水質が最も悪化していると考えられる時期、すなわち、降雨、降雪、洪水、渇水時等においてもなお水質基準に適合する水を供給するようにしなければならないので、この時期を含んで過去一年以内に行った原水の総トリハロメタン、クロロホルム、ジブロモクロロメタン、ブロモジクロロメタン、ブロモホルム、クロロ酢酸、ジクロロ酢酸、トリクロロ酢酸、塩素酸、臭素酸、ホルムアルデヒド及び味を除く全項目の試験結果並びに必要に応じて行うその他の項目の試験結果を記載すること。なお、本試験における水質基準項目の検査方法は、検査方法告示に準じて行うこと。

二　第一〇条関係（給水開始前の水質検査）

給水開始前の水質検査は新設、増設又は改造に係る施設を経た給水栓水についての全項目検査（新基準省令の表の上欄に掲げるすべての事項の検査をいう。以下同じ。）及び消毒の残留効果の確認を行うこと。この場合、採水場所の選定は、水道法施行規則第一五条第一項第二号の規定の例に準じるものとし、また、全項目検査は検査方法告示により行うこと。なお、必要に応じて水源、配水池、浄水池等における水質についても検査すること。

三　第一五条関係（定期及び臨時の水質検査）

(一)　水道法施行規則第一五条第一項第二号の検査に供する水の採取場所たる給水栓の選定に当たっては、原則として配水系統ごとに一地点以上選定し（ただし、一の配水系統において検査を行うことにより、他の配水系統において供給される水が水質基準に適合するかどうかを判断できる場合を除く。）、また、検査項目ごとに異なった給水栓が選定されることがないようにすること。

(二)　水質基準項目のうち「鉛及びその化合物」に係る検査に供する水の採取方法については、毎分約五リットルの流量で五分間流して捨て、その後一五分間滞留させたのち、先と同じ流量（毎分約五リットル）で流しながら開栓直後から五リットルを採取し、均一に混合してから必要量の検査用試料を採水容器に分取する方法とすること。

㈢　検査に供する水の採取場所の数については、当該水道により供給される水が水質基準に適合するかどうかを判断できるよう、水道の規模に応じ、水源の種別、浄水施設及び配水施設ごとに合理的な数となるように設定するとともに、配水管の末端等水が停滞しやすい場所も選定することが必要であること。また、必要に応じて水源、浄水池及び配水池における水質も検査すること。

㈣　水道法施行規則第一五条第一項第三号イの「連続的に測定及び記録がなされている場合」とは、自動測定機器による測定・記録のほか、日常の点検による監視、測定及び記録も含むものであること。

㈤　水道法施行規則第一五条第一項第四号に基づき、省略を行った場合であっても、概ね三年に一回程度は、省略をした項目についても水質検査を行い、水道水質の状況に変化がないことを確認すること。

㈥　水質基準項目のうち年間の変動パターンが明らかとなっているものについては、年間の最高値が測定される時期が含まれるよう検査を行うこと。

㈦　臨時の水質検査は次のような場合に行うこと。

イ　水源の水質が著しく悪化したとき。

ロ　水源に異常があったとき。

ハ　水源付近、給水区域及びその周辺等において消化器系感染症が流行しているとき。

ニ　浄水過程に異常があったとき。

ホ　配水管の大規模な工事その他水道施設が著しく汚染されたおそれがあるとき。

ヘ　その他特に必要があると認められるとき。

㈧　水道法施行規則第一五条第六項において策定することとされた水質検査計画に関しては、以下のとおりとすること。

イ　水道法施行規則第一五条第七項第一号「水質管理において留意すべき事項のうち水質検査計画に係るもの」とは、原水から給水栓に至るまでの水質の状況、汚染の要因や水質管理上優先すべき対象項目等の水質管理上の留意すべき事項であって、水質検査計画を策定する上で関係する事項であること。

ロ　同項第四号「臨時の水質検査に関する事項」とは、臨時の水質検査を行うための要件、水質検査を行う項目等であること。
ハ　同項第六号「その他水質検査の実施に際し配慮すべき事項」とは、水質検査結果の評価に関する事項、水質検査計画の見直しに関する事項、水質検査の精度及び信頼性確保に関する事項、関係者との連携に関する事項等であること。
ニ　水質検査計画は水道法第二〇条第一項の規定に基づく水質検査を対象としたものであるが、水質管理目標設定項目及び原水に係る水質検査についても、必要に応じて当該水質検査に準じて当該計画に位置付けられたいこと。
ホ　水質検査計画に係る規定は、毎事業年度開始前に策定するものであるため、平成一七年度に実施する検査より水質検査計画を策定することが義務づけられるが、可能な限り平成一六年度に実施する検査についても同様の計画を策定すること。
ヘ　「水道におけるクリプトスポリジウム等対策指針」（平成一九年三月三〇日付け健水発第〇三三〇〇〇五号通知の別添。以下、「指針」という。）に基づき実施する、原水の指標菌の検査及びクリプトスポリジウム等による汚染のおそれのある施設における原水のクリプトスポリジウム等の検査についても、平成二〇年度以降においては水道法第二〇条第一項の規定に基づく水質検査に準じて、水質検査計画に位置付けられたいこと。
(九)　水道法施行規則第一五条に係る検査に供する水の採取場所、検査回数及び検査の省略について、別添一のとおりとりまとめ、また、第一五条関係並びに上記一の第三条関係及び上記二の第一〇条関係における水質試験・検査の結果を記載する書類の例を別添二に示したので参考にされたい。

四　第一六条関係（健康診断）
(一)　病原体検索は、赤痢菌、腸チフス菌及びパラチフス菌を対象とし、必要に応じてコレラ菌、赤痢アメーバ、サルモネラ等について行うものとし、急性灰白髄炎（小児麻痺）、流行性肝炎、泉熱、感染性下痢症及び各種下痢腸炎にも注意すること。
(二)　病原体検索は、主として便について行い、必要に応じて尿、血液、その他について行うこと。

五　第一七条関係（衛生上必要な措置）

(一)　水道事業者、水道用水供給事業者及び専用水道の設置者は、取水場、貯水池、導水きょ、浄水場及び配水池ポンプせい等の周辺は、常に充分な清掃を励行し、汚物等によって水が汚染されないよう留意するとともに、当該施設には柵を設け、施錠設備をする等のほか汚染防止のため一般の注意を喚起するに必要な標札、立札、掲示等をすること。

(二)　前項の施設の構内においては、便所、廃棄物集積所及び汚水溜等の施設は、汚水の漏れない構造とし、排水は良好な状態にしておくとともに、し尿を用いる耕作及び園芸並びに家畜及び家禽の放し飼等をしてはならないこと。

(三)　水の消毒は塩素によることを基本とすること。

(四)　消毒設備については、水道施設の技術的基準を定める省令（平成一二年厚生省令第一五号）第五条第一項第五号の規定によるほか、消毒が中断しないよう、常に整備を行うこと。

(五)　消毒剤の注入については、量水せい又は配水池等において、消毒剤が充分水に混合するように行うこと。

(六)　次のような場合には、遊離残留塩素を〇・二mg／ℓ（結合残留塩素の場合は一・五mg／ℓ）以上にすること。

イ　水源付近、給水区域及びその周辺等において消化器系感染症が流行しているとき。

ロ　全区域にわたるような広範囲の断水後給水を再開するとき。

ハ　洪水等で水質が著しく悪化したとき。

ニ　浄水過程に異常があったとき。

ホ　配水管の大規模な工事その他水道施設が著しく汚染されたおそれのあるとき。

ヘ　その他特に必要があると認められるとき。

第二　水質異常時の対応について

一　水質検査の結果、水質基準を超えた値が検出された場合には、直ちに原因究明を行い、基準を満たすため下記二から五に基づき必要な対策を講じること。なお、水質検査結果に異常が認められた場合に、確認のため直ちに再検査を行うこと。その際、初回及び再検査の結果を双方とも破棄せず保存し、どちらの検査結果を正式な結果として採用したかの記録を残すこと。また、分析操作に不備があったと考えられる等合理的な理由がある場合には、再検査の結果を正式な結果とすることができるが、原則として初回の結果を水質検査の正式な結果とすること。

二　一般細菌及び大腸菌については、その水道水中の存在状況は病原微生物による汚染の可能性を直接的に示すものであるので、それらの評価は、検査ごとの結果を基準値と照らし合わせて行うべきであり、基準を超えている場合には、水質異常時とみて直ちに別添三に従い、所要の措置を講ずる必要があること。また、塩化物イオンなど病原微生物の存在を疑わせる指標としての性格も有する項目（水道法施行規則第一五条第一項第四号において省略が可能とされていない項目のうち、総トリハロメタン、クロロホルム、ジブロモクロロメタン、ブロモジクロロメタン、ブロモホルム、クロロ酢酸、ジクロロ酢酸、トリクロロ酢酸、塩素酸、臭素酸及びホルムアルデヒド以外の項目をいう。）についても、その値が大きな変動を示した場合には、上記に準じて対応する必要があること。

三　シアン化物イオン及び塩化シアン並びに水銀及びその化合物については、生涯にわたる連続的な摂取をしても、人の健康に影響が生じない水準を基とし安全性を十分考慮して基準値が設定されているが、従前からの扱いを考慮して、上記二に準じて対応をとることが適当であること。

四　新基準省令の表中一の項から三一の項までの上欄に掲げる事項のうち上記二及び三に示した項目を除いては、長期的な影響を考慮して基準設定がなされているが、検査ごとの結果の値が基準値を超えていることが明らかになった場合には、直ちに原因究明を行い所要の低減化対策を実施することにより、基準を満たす水質を確保すべきであること。基準値超過が継続すると見込まれる場合には、水質異常時とみて別添三に従い所要の対応を図るべきであること。

五　新基準省令の表中三二の項から五一の項までの上欄に掲げる事項については、その基準値を超えることにより利用上、水道水として機能上の障害を生じるおそれがあることから、検査ごとの結果の値を基準値と照らし合わせることにより評価を行い、基準値を超えていることが明らかになった場合には、水質異常時とみて別添三に従い所要の対応を図るべきであること。

第三　水質管理目標設定項目に係る留意事項について

一　基本的考え方

(一)　水質管理目標設定項目は、浄水中で一定の検出の実績はあるが、毒性の評価が暫定的であるため水質基準とされなかったもの、又は、現在まで浄水中では水質基準とする必要があるような濃度で検出されてはいないが、今後、当該濃度を超えて浄水中で検出される可能性があるもの等水質管理上留意すべきものであること。このため、水質管理目標設定項目については、将来にわたり水道水の安全性の確保等に万全を期する見地から、水道事業者等において水質基準に係る検査に準じた検査等の実施に努め、水質管理に活用されたいこと。また、水質管理目標設定項目の結果については、水道事業者等においてとりまとめ、厚生科学審議会生活環境水道部会水質管理専門委員会の「水質基準の見直しにおける検討概要」等の当該項目に係る関連情報と併せて公表し、関係者の注意喚起等に努められたいこと。

㈡　なお、水質管理上、着目すべき水質管理項目を以下のとおり水源の種別等ごとにまとめたので、参考にされたいこと。

イ　水源が湖沼等停滞性の水域である場合に着目すべき項目

アンチモン及びその化合物、フタル酸ジ（二―エチルヘキシル）、農薬類、カルシウム及びマグネシウム等（硬度）、マンガン及びその化合物、遊離炭酸、一・一・一―トリクロロエタン、有機物等（過マンガン酸カリウム消費量）、臭気強度（ＴＯＮ）、蒸発残留物、濁度、pH値、腐食性（ランゲリア指数）、従属栄養細菌、ペルフルオロオクタンスルホン酸（ＰＦＯＳ）及びペルフルオロオクタン酸（ＰＦＯＡ）

ロ　水源が河川水である場合に着目すべき項目

上記イに掲げる項目、ウラン及びその化合物

ハ　水源が地下水である場合に着目すべき項目

上記ロに掲げる項目、一・二―ジクロロエタン、トルエン、メチル―t―ブチルエーテル、一・一―ジクロロエチレン

ニ　使用する資機材及び薬品の観点から着目すべき項目

ニッケル及びその化合物、亜塩素酸、二酸化塩素、臭気強度（ＴＯＮ）、pH値、アルミニウム及びその化合物

ホ　消毒副生成物等の観点から着目すべき項目

亜塩素酸、二酸化塩素、ジクロロアセトニトリル、抱水クロラール、残留塩素、臭気強度（ＴＯＮ）、pH値

二　水質の測定等

㈠　水質検査にあたっての地点や頻度設定の考え方は水質基準に係る検査に準じ、基本的には水質検査を行う地点と同

一とすること。

(二)　ニッケル及びその化合物、ジクロロアセトニトリル並びに抱水クロラールについては、目標値の一〇分の一を超えて検出される事例が見られるものの、毒性評価が暫定的であることから、水質基準とすることが見送られたものであり、これらの項目に係る水質検査については、国民の関心の高い農薬類とともに、他の水質管理目標設定項目に比して優先的に取り扱うこと。

(三)　浄水又は浄水処理過程で二酸化塩素を注入する水道事業者等においては、二酸化塩素及び亜塩素酸について、水質基準に準じて取扱うこととし、これらの項目及び塩素酸について毎日水質検査を行い、これらの目標値又は水質基準値を超過しないことを確認し、それらを超えた場合には、二酸化塩素の使用の中止等、直ちに対策を実施すること。

(四)　水質管理目標設定項目のうち、有機物等（過マンガン酸カリウム消費量）については、現在まで、多くの事業者において浄水処理の工程管理の指標として活用されてきたことから、当面、ＴＯＣと併せて測定を行うことによりＴＯＣとの相関の把握に努め、浄水の工程管理に支障のないようにされたいこと。

(五)　残留塩素、カルシウム、マグネシウム等（硬度）、遊離炭酸、有機物等（過マンガン酸カリウム消費量）、臭気強度（ＴＯＮ）、蒸発残留物、濁度、pH値、腐食性（ランゲリア指数）、アルミニウム及びその化合物の目標値は、おいしい水等より質の高い水道水の供給を目指すための目標との位置づけであること。また、有機物等（過マンガン酸カリウム消費量）の目標値三mg／ℓについては、上記(四)によりＴＯＣとの相関を把握した上で、これに対応するＴＯＣの値を目標値として水質管理を行っても問題ないこと。

(六)　なお、水質管理目標設定項目に係る標準的な検査方法及び測定精度を別添四に示したこと。

第四　その他留意事項

一　水質基準項目等の定量限界及び測定精度について

(一)　水質基準項目及び水質管理目標設定項目（農薬類を除く。）に関する水質検査方法における定量下限は、原則として基準値及び目標値の一〇分の一であること。ただし、固相抽出―吸光光度法による非イオン界面活性剤の定量下限は原則として基準値の四分の一、農薬類に係る検査方法の定量下限は原則として目標値の一〇〇分の一であること。

また、各機関において定量下限を設定するにあたっては、厚生労働省健康局水道課長通知「水道水質検査方法の妥当性評価ガイドラインについて」（平成二四年九月六日付健水発〇九〇六第一～四号）を参考とされたいこと。なお、技術的に実施可能な機関において、ここに示す桁数・最小値よりも詳細に測定することは差し支えないこと。

(二)　水質基準項目の水質検査の実施に当たっては、別添五「水質基準項目の測定精度」に示されている精度を確保すること。

二　原水に係る水質検査の実施について

すべての水源の原水について、水質が最も悪化していると考えられる時期を含んで少なくとも毎年一回は定期的に全項目検査（総トリハロメタン、クロロホルム、ジブロモクロロメタン、ブロモジクロロメタン、ブロモホルム、クロロ酢酸、ジクロロ酢酸、トリクロロ酢酸、塩素酸、臭素酸、ホルムアルデヒド及び味を除く。）を実施し、また必要に応じて水質管理目標設定項目等についても検査を実施し、その結果を一定期間保存されたいこと。

三　水道水源の汚染源等の把握について

平常より、水源付近及びその後背地域について汚染源及び汚染源となるおそれのある工場、事業場等の有無及び種類並びに汚染物質の排出状況などの把握に努めること。また、そのために、必要に応じ関係行政機関などの協力を得るよう努めること。

四　汚染の早期発見及び連絡通報体制の整備について

水道水源が汚染されるおそれのある水道事業者等にあっては水源の監視を強化し、また必要に応じ水道原水による魚類の飼育、自動水質監視機器の導入を考慮するなど、毒劇物等による汚染の早期発見に努めること。また、水源の汚染又はそのおそれのある事実を発見したときは、直ちに適切な対策が講ぜられるよう平常より連絡通報体制を整備し、関係者に周知しておくこと。なお、必要に応じ、各水系ごとに関係水道事業者等及び関係行政機関の間の相互連絡通報体制を整えるよう努めること。

五　水質検査における精度管理及び信頼性確保について

水道法第二〇条第一項の規定に基づく水質検査の実施に当たっては、その精度管理と信頼性の保証が重要であることから、当該検査を行う水道事業者等においては、「水道法施行規則の一部改正について」（平成二三年一〇月三日健水発一〇〇三第一号から第四号まで）を踏まえ、信頼性確保部門と水質検査部門に各責任者を配置した組織体制の整備や標準作業書の作成等を行うなどにより、正確な検査結果を得るための体制の構築に努められたいこと。

六　給水管等に係る衛生対策の推進について

給水管等に係る衛生対策の推進については、引き続き、鉛管の布設替え、pH値の調整、広報活動の実施等の一層の強化・推進に努め、鉛の水質基準の確保に万全を期されたい。

七　原水に係る指標菌及びクリプトスポリジウム等の検査の実施について

水道原水におけるクリプトスポリジウム等による汚染のおそれの程度を把握するため、指針に基づき、できるだけ早期に原水に係る検査の実施体制の整備等につき必要な措置を講じ、定期的に原水のクリプトスポリジウム等及び指標菌の検査を実施すること。

別添　一～五　略

四、水道法施行規則の一部改正について（通知）

（平成二三年一〇月三日　健水発一〇〇三第一号
各厚生労働大臣認可水道事業者・水道用水供給事業者あて厚生労働省健康局水道課長通知）

今般、「水道法施行規則の一部を改正する省令」（平成二三年厚生労働省令第一二五号。以下「改正省令」という。）が平成二三年一〇月三日に公布され、一部は同日から施行、その他について平成二四年四月一日から施行されることとなった。

改正の背景、内容及び留意事項等は下記のとおりであるので、その施行に遺漏のなきよう期されたい。

なお、本通知は、地方自治法（昭和二二年法律第六七号）第二四五条の四第一項の規定に基づく技術的助言であることを申し添える。

記

第一　改正の背景

一　事業認可に関する改正について

地方分権改革推進計画（平成二一年一二月一五日閣議決定）において、協議、同意、許可・認可・承認の見直しを行うため必要な法制上その他の措置を講ずる事項として、地方公共団体による事業認可に係る申請事務の簡素化及び事業の変更を行う場合における軽微な変更の範囲の大幅な拡大が定められたことを踏まえ、水道法施行規則（昭和三二年厚生省令第四五号。以下「規則」という。）の所要の改正を行うとともに、軽微な変更の際の届出の範囲の拡大に関連し、現在通知で定めている届出の際に必要な添付書類を規則で規定するための所要の改正を行うものである。

二　水質検査の信頼性確保に関する改正について

水道法（昭和三二年法律第一七七号。以下「法」という。）第二〇条第三項ただし書の規定により、水道事業者、水道用水供給事業者及び専用水道の設置者（以下「水道事業者等」という。）には、自らが水質検査施設を設ける代わりに、地方公共団体の機関又は厚生労働大臣の登録を受けた者に委託して水質検査を行うことが認められている。

厚生労働大臣の登録を受けた者（以下「登録水質検査機関」という。）については、規則において、登録の申請や登録を更新する際の申請書及び必要な添付書類、水質検査の方法、水質検査業務規程の記載事項、帳簿の備付けの方法及びその記載事項等所要の規定が整備されている。

近年、一部の登録水質検査機関において水質検査の不正行為が発覚する等、水質検査の信頼性の低下が懸念されるとともに、厚生科学審議会生活環境水道部会において、行き過ぎた価格競争に起因した水質検査の質の低下が懸念されるとの問題が提起されたことから、水道事業者等が水質検査を委託する際の水質検査の信頼性確保に関する取組を示すため、今般、規則を改正し、水道事業者等による水質検査の委託に関する規定を追加するとともに、登録水質検査機関の水質検査に関する規定並びに国による登録水質検査機関への指導及び監督に関する規定を改正する。

三　その他の改正について

内閣府が実施する規制改革要望（平成一九年一〇月に（社）日本技術士会より受付）を受け、技術士の資格を持つ者のうち一定の要件を満たす者について、布設工事監督者の資格を持つ者として認めることとする。

また、水道施設の耐震化推進施策の一環として、水道施設の耐震性能等に関する毎年一回以上の情報提供を水道事業者及び水道用水供給事業者に義務づけることとする。

さらに、第三者委託制度の活用促進のため、共同企業体（ＪＶ）も第三者委託の受託が可能であることを規則において明確化する。

第二　改正の内容及び留意事項

一　事業認可に関する事項

㈠　改正省令による改正後の規則（以下「改正規則」という。）第一条の二第二項及び第四九条第二項により、水道事業又は水道用水供給事業の全部を譲り受けることに伴う申請に係る提出書類の簡素化の対象を全ての地方公共団体に拡大し、申請者が地方公共団体である場合、当該事業経営を必要とする理由を記載した書類及び当該事業経営に関する意思決定を証する書類については提出不要とした。

上記の提出書類の簡素化の対象の拡大により、県等が対象に加わるため、市町村以外の者にあっては、市町村の同意を得た旨を証する書類の提出を規定した（ただし、水道事業に限る）。

㈡　改正規則第七条の二第一号ロにより、軽微な変更となる給水人口の変更の条件は、これまで変更後の給水人口と認可給水人口との差が五千人以下かつ認可給水人口の一〇〇分の一以下であることであったが、その差が認可給水人口の一〇分の一以下であることのみを条件とするよう改正した（ただし、水道事業に限る）。また、同号ハ及び第五一条の四第一号により、給水量の変更の条件は、これまで変更後の給水量と認可給水量との差が二千五百立方メートル以下かつ認可給水量の一〇〇分の一以下であることであったが、その差が認可給水量の一〇分の一以下であることのみを条件とするよう改正した。

㈢　さらに、改正規則第七条の二第三号及び第五一条の四第三号により、表流水又は伏流水を水源とする取水地点の変更において、他の変更を伴わず、原水の水質が大きく変わるおそれのない場合の取水地点の変更について、軽微な変更とするよう規定した。

ただし、変更前後の取水地点の間に河川の流入がある場合、汚染物質を当該河川に排出する施設が立地している場合その他の場合については、変更の認可を要する。

また、浄水方法の変更に関して、本改正で水源の種別と取水地点の変更を伴うものは軽微な変更の対象から除く旨、規則第七条の二第二号及び第五一条の四第二号を改正したが、これは改正前の規則においてこれらを伴う場合は変更の認可が必要であることが明確でなかったため、改めて明記したものであり、これまで軽微な変更であったものについて変更の認可が必要となるものではない。

㈣　改正規則第八条の二及び第五一条の五により、水道事業者又は水道用水供給事業者が事業の変更の届出を行う際の添付書類について、現在通知で定めている書類を法令上明確化するとともに、事務の簡素化の観点から省略可能な書類については省略することとし、水道事業者においては別表1、水道用水供給事業者においては別表2のとおりとした。

二　水道事業者等の水質検査に関する事項

法第二〇条第一項において、水道事業者等により供給される水が水質基準に適合するかどうかを判断するための水道水質の定期及び臨時の検査が水道事業者等に義務づけられている。水道事業者等は、地方公共団体の機関又は登録水質検査機関（以下「水質検査機関」という。）に水質検査を委託して行う場合においても、水質検査の結果に責任を持たなければならず、当事者間で明確な委託契約を締結し、速やかに水質検査が遂行される体制を確立する必要がある。

本改正により、法第二〇条第三項の規定に基づいて水道事業者等が水質検査を水質検査機関に委託する際に取り組むべき事項を明確化した。

なお、水道事業者等が水質検査を水質検査機関に委託する際の技術的な支援策として、入札条件例及び特記仕様書例、水質検査機関における精度管理及び検査内容のチェックリスト、水質検査の実施に必要な費用を積算するための標準歩掛り等をまとめた図書を今後作成する予定である。

㈠　改正規則第一五条第八項第一号により、水道事業者等が水質検査を水質検査機関に委託する場合は、書面により直接契約を締結することとした。なお、登録水質検査機関は、法第二〇条の四第一項第一号に定める登録基準により、法第二〇条第一項に規定する水質検査を行うために必要な能力を有していることが求められることから、業務の全部又は一部を別の者に再委託する内容の委託契約を締結することは認められない。

㈡　改正規則第一五条第八項第一号ニに定める「採取又は運搬の方法」には、採取日程、採取地点、試料容器、採取方法、運搬主体及び運搬方法を含めること。

(三)　改正規則第一五条第八項第一号ホに定める「水質検査の結果の根拠となる資料」には、分析日時及び分析を実施した規則第一五条の二第五号に定める検査員（以下「検査員」という。）の氏名を示した資料、検量線のクロマトグラム並びに濃度計算書を含めること。

(四)　臨時検査の委託契約を定期検査の委託契約と別途締結する場合、改正規則第一五条第八項第一号へに基づき、定期検査の委託契約において、臨時検査は別の契約に基づき委託することを明記すること。また、臨時検査の委託先を選定する際には、当該委託先となる水質検査機関が、水道事業者等の水道施設や水道原水の状況等を把握しており、水道事業者等と緊密な連絡体制をとることが可能であることを確認するように努めること。なお、継続的に水質を評価する観点から、定期検査と臨時検査の委託先は同一の水質検査機関であることが望ましい。

(五)　改正規則第一五条第八項第三号の規定は、水道事業者等が水質検査を委託する際に適切な水質検査の実施が困難になるほどの低廉な価格で業務を委託する事例が発生していることから、委託する水質検査機関の選定に当たり一定の価格競争が生じる場合においても、水質検査の信頼性を確保するために必要な費用を負担した上で、適切な委託形態を確保することを趣旨としたものである。上記の趣旨を踏まえ、水道事業者等は、委託する水質検査業務の内容を契約において明らかにし、検査価格を積算した上で水質検査業務を発注すること。また、地方公共団体の入札制度にのっとった低入札価格調査制度又は最低制限価格制度を活用するとともに、法第二〇条の一〇第二項の規定に基づいて、登録水質検査機関に財務諸表等の閲覧又は謄写を請求し、登録水質検査機関の経理状況や事業の状況の把握、落札した検査料金の積算等を確認するよう努めること。

(六)　改正規則第一五条第八項第四号及び第五号の規定は、水道事業者等が水質検査を水質検査機関に委託する場合においても、水質基準に関する省令の規定に基づき厚生労働大臣が定める方法（平成一五年七月二二日厚生労働省告示第二六一号。以下「検査法告示」という。）に従って試料の採取及び運搬を速やかに実施することを趣旨としたものである。したがって、水道事業者等が委託する水質検査機関を選定する際には、試料の採取地点から検査施設への試料の運搬手段や運搬経路にも着目し、試料の運搬の速やかな実施が確実であることを確認すること。

(七)　改正規則第一五条第八項第六号の規定により、水道事業者等は、水質検査の結果の根拠となる書類、精度管理の実施状況及び厚生労働省等による外部精度管理調査に係る資料、水質基準項目に関する品質管理の認証（水道GLP、ISO/IEC17025等）取得やこれに類する取組の状況に関する書類を確認するとともに、検査施設への立入検査及び試料のクロスチェック等、実施の水質検査機関における水質検査の業務の確認に関する調査（以下「日常業務確認調査」という。）を実施し、水質検査機関の技術能力の把握に努めること。なお、水質検査機関の不正行為が判明した場合は、水道事業者等が水質検査機関に対して適切な措置を講ずるとともに、厚生労働省健康局水道課に不正行為の内容に関する情報提供をお願いする。

(八)　厚生労働省が平成二二年に実施した水質検査状況等に係る調査の結果、水質検査機関以外の者に委託している事例、契約形態が不適切である事例、速やかな検査が実施されていない事例、臨時検査の取扱が不明確な事例、検査の実施状況を確認していない事例がみられたところである。このため、水道事業者等が規則第一五条第六項の規定に基づき策定する水質検査計画に、同条第七項第五号に規定されている委託の内容として、以下の事項を記載するとともに、当該水質検査計画にのっとって水質検査を委託すること。

一）委託の範囲

①具体的な検査項目、頻度

②試料の採取及び運搬方法

③臨時検査の取扱い

二）委託した検査の実施状況の確認方法

(九)　法第二〇条第三項の規定に基づく水質検査の信頼性を確保するため、自己検査を行う水道事業者等は、内部精度管理の実施と併せて外部精度管理調査を定期的に受けるとともに、複数事業体による水質検査施設の共同化や管理の一体化の実施、同一水系や近隣の水道事業者間の水質監視体制や非常時の相互応援体制の構築等に努めること。

三　登録水質検査機関の水質検査に関する事項

規則第一五条の四を改正し、登録水質検査機関における水質検査の業務において遵守すべき事項に関する規定を追加するとともに、規則第一五条の一〇第二項に定める登録水質検査機関の帳簿の備付けに関する規定を追加したので、登録水質検査機関においては、次のとおり適切に水質検査を実施すること。

㈠　改正規則第一五条の四第一号及び第六号の規定は、規則第一五条に定める水質検査を受託する登録水質検査機関が実施する検査が、検査法告示及び標準作業書に定める方法を遵守しなければならないことを明確にしたものである。なお、この改正に関連して、今後、検査法告示を改正する予定である。

㈡　改正規則第一五条の四第二号の規定により、水質検査に関する精度管理を定期的に実施するとともに、外部精度管理調査を定期的に受けることとした。

㈢　改正規則第一五条の四第四号ロの規定により、信頼性確保部門の業務として、国や水道事業者等が行う日常業務確認調査を受けるための事務を追加した。国が行う日常業務確認調査は、今後、厚生労働省において調査内容を検討したうえで、改正規則の施行後に実施する予定である。

㈣　改正規則第一五条の四第六号の規定により、試料取扱標準作業書に試料の採取の方法、運搬の方法、受領の方法ごとに作業手順や注意事項を記載することとした。試料の採取の方法には、検査員が行うことを明示するとともに、水質基準項目ごとに、試料の採取場所に応じた採取方法、採取容器や採取時に添加する試薬に関する注意事項、試料の採取時刻の記録等を具体的に記載すること。試料の運搬の方法には、水質検査を行う事業所までの試料の運搬方法、運搬に関する注意事項、運搬主体、試料の採取場所からの出発時刻と検査施設の到着時刻の記録等を具体的に記載すること。試料の受領の方法には、水質検査申請書の記載内容と試料の同一性に関する確認方法、試料の状態や試料の量の確認、試料の運搬状況の確認等試料の受領時に行う作業を具体的に記載すること。

㈤　水道事業者等から水質検査業務を受託した登録水質検査機関は、落札した委託料が改正規則第一五条第八項第三号に定めるように当該受託業務を遂行するに足りる額であることを明らかにするため、水道事業者等の求めに応じて委託料の積算根拠を提示すること。

㈥　水道事業者等が委託した登録水質検査機関の水質検査の業務内容を確認する際に用いることを想定し、規則第一五条の一〇第二項に定める登録水質検査機関の帳簿の備付け事項に、試料の運搬の方法、水質検査の開始及び終了の年月日時並びに水質検査結果の根拠となる書類を追加した。このうち、試料の運搬の方法には、運搬経路や運搬主体を具体的に記載すること。水質検査を開始及び終了した年月日時には、試料ごとにその試料を採取した年月日時（自らが採取していない場合を含む。）、検査項目ごとに検査施設において試料の分析を開始及び終了した年月日時を記載すること。第六号に定める水質検査を行った検査員の氏名を記載する際には、試料採取及び分析を行った検査員を含めること。水質検査結果の根拠となる書類には、分析日時及び分析を実施した検査員を示した資料、検量線のクロマトグラム並びに濃度計算書を含むこと。

四　登録水質検査機関の登録及び更新等に際し提出する書類に関する事項

厚生労働省が登録水質検査機関の登録及び更新等に係る手続書類を的確に審査することにより、登録水質検査機関の水質検査の信頼性を確保するため、規則第一五条の二、第一五条の三、第一五条の五及び第一五条の六を改正し、法第二〇条の二の登録又は法二〇条の五第一項の登録の更新を申請しようとする者及び法第二〇条の八第一項の水質検査業務規程の届出を使用する者が当該行政手続の際に厚生労働大臣に提出する書類を追加したので、厚生労働大臣へ登録の申請を行う者及び登録水質検査機関においては、次のとおり適切に取り組むこと。

㈠　登録水質検査機関が速やかに水質検査を実施する能力を有することを継続的に確保するため、改正規則第一五条の二第八号及び第一五条の五第二項を追加し、登録水質検査機関の登録及び更新の申請並びに水質検査を行う区域又は水質検査を行う事業所の所在地の変更の申請の際に、水質検査を行う区域内の場所と水質検査を行う事業所との間の試料の運搬の経路及び方法並びにその運搬に要する時間を記した書類を提出するよう規定した。なお、水質検査を行う区域は、試料取扱標準作業書に定める試料の運搬の方法に従って、速やかな水質検査を実施することが可能な範囲で設定すること。また、設定した区域において速やかな検査が困難な地域が存在することが判明した場合にあっては、区域を見直し、区域の変更を届け出ること。

㈡　改正規則第一五条の三第一号により、登録水質検査機関の登録の更新の申請を行う際には、厚生労働省に提出していた標準作業書等の文書と新たに提出する標準作業書等の文書との相違点が分かる新旧対照を明示した書類を添付すること。また、同条第二号により、直近の三事業年度の各事業年度における水道水の水質検査の受託実績に関する書類を添付すること。

㈢　改正規則第一五条の六第二項の規定により、登録水質検査機関の水質検査業務規程の届出を行う際には、当該規程に定められた水質検査に関する料金や水質検査の委託を受けることができる件数の上限の設定根拠を明らかにする書類を添付すること。

五　その他の改正

㈠　規則第九条において定める水道の布設工事監督者になることができる者について、技術士法（昭和五八年法律第二五号）による第二次試験のうち上下水道部門に合格した者（選択科目として上水道及び工業用水道又は水道環境を選択した者に限る。）であって、一年（簡易水道の場合は六か月）以上、水道に関する技術上の実務に従事した経験を有する者を追加した。

㈡　規則第一七条の二において定める水道事業者が水道の需要者に対して情報提供を行う事項に、水道施設の耐震性能及び耐震性の向上に関する取組等の状況に関する事項を追加した。

㈢　規則第一七条の四第一項において定める法第二四条の三第二項の業務委託について、二以上の事業者が、共同企業体として、同じ場所で行う事業の仕事を連帯して請け負う場合においても受託が可能であることを明確化した。

第三　施行期日について

改正省令の施行日は、水質検査の信頼性確保に関する改正（第二の二、三、四）については平成二四年四月一日、その他の改正については公布日（平成二三年一〇月三日）とする。

（別表1）

		該当条項			
		規則第7条の2第1号	規則第7条の2第2号	規則第7条の2第3号	法第10条第1項第2号
申請書	届出者の住所及び氏名（法人又は組合にあつては、主たる事務所の所在地及び名称並びに代表者の氏名）	○	○	○	○
	水道事務所の所在地	○	○	○	○
事業計画書	変更後の給水区域、給水人口及び給水量	○	○	○	○
	水道施設の概要	○	○	○	○
	給水開始の予定年月日	○	○	○	○
	変更後の給水人口及び給水量の算出根拠	○	○	○	○
	譲受けの年月日				○
	変更後の経常収支の概算				○
	料金、給水装置工事の費用の負担区分その他の供給条件				○
工事設計書	工事の着手及び完了の予定年月日	○	○	○	○
	配水管における最大静水圧及び最小動水圧	○			○
	変更される水道施設に係る水源の種別、取水地点、水源の水量の概算及び水質試験の結果		○	○	
	変更後の浄水方法		○		
その他の書類	水道施設の位置を明らかにする地図	○	○	○	○
	地方公共団体以外の者である場合は、水道事業経営を必要とする理由を記載した書類	○（給水区域の拡張の場合のみ）			○
	地方公共団体以外の法人又は組合である場合は、水道事業経営に関する意志決定を証する書類	○（給水区域の拡張の場合のみ）			○
	市町村以外の者である場合は、法第6条第2項の同意を得た旨を証する書類	○（給水区域の拡張の場合のみ）			○
	給水区域が他の水道事業の給水区域と重複しないこと及び給水区域内における専用水道の状況を明らかにする書類及びこれらを示した給水区域を明らかにする地図	○			○
	主要な水道施設であって、新設、増設又は改造されるものの構造を明らかにする平面図、立面図、断面図及び構造図		○	○	
	変更される水源からの取水が確実かどうかの事情を明らかにする書類			○	

（別表２）

		該当条項			
		規則第51条の４第１号	規則第51条の４第２号	規則第51条の２第３号	法第30条第１項第２号
申請書	届出者の住所及び氏名（法人又は組合にあつては、主たる事務所の所在地及び名称並びに代表者の氏名）	○	○	○	○
	水道事務所の所在地	○	○	○	○
事業計画書	変更後の給水対象及び給水量	○	○	○	○
	水道施設の概要	○	○	○	○
	給水開始の予定年月日	○	○	○	○
	譲受けの年月日				○
	変更後の経常収支の概算				○
工事設計書	工事の着手及び完了の予定年月日	○	○	○	○
	変更される水道施設に係る水源の種別、取水地点、水源の水量の概算及び水質試験の結果		○	○	
	変更後の浄水方法		○		
その他の書類	水道施設の位置を明らかにする地図	○	○	○	○
	地方公共団体以外の者である場合は、水道用水供給事業経営を必要とする理由を記載した書類	○（給水対象の追加の場合のみ）			○
	地方公共団体以外の法人又は組合である場合は、水道用水供給事業経営に関する意志決定を証する書類	○（給水対象の追加の場合のみ）			○
	主要な水道施設であって、新設、増設又は改造されるものの構造を明らかにする平面図、立面図、断面図及び構造図		○	○	
	変更される水源からの取水が確実かどうかの事情を明らかにする書類			○	

五、水質異常時における摂取制限を伴う給水継続の考え方について（通知）

（平成二八年三月三一日　生食水発〇三三一第二号各都道府県・市・特別区水道行政担当部（局）長あて厚生労働省医薬・生活衛生局生活衛生・食品安全部水道課長通知）

水道行政の推進につきましては、日頃から格別の御協力をいただきお礼申し上げます。

厚生労働省では、水質異常時の対応について、「水質基準に関する省令の制定及び水道法施行規則の一部改正等並びに水道水質管理における留意事項について」（平成一五年一〇月一〇日付け健水発第一〇一〇〇一号厚生労働省健康局水道課長通知）の第二「水質異常時の対応について」により示していますが、平成二三年三月の東京電力福島第一原子力発電所の事故に関連した水道水中の放射性物質への対応や平成二四年五月の利根川水系のホルムアルデヒド前駆物質による水質事故等の経験を踏まえ、水質異常時における摂取制限を伴う給水継続の考え方について「水質基準逐次改正検討会」及び「厚生科学審議会生活環境水道部会」の検討を経て、下記のとおり取りまとめました。

つきましては、貴管下の水道事業者及び水道用水供給事業者に対して周知いただくようお願いいたします。なお、本通知は「水質異常時の対応について」を補完するものであり、これを変更するものではないことに御留意ください。

また、「健康危機管理の適正な実施並びに水道施設への被害情報及び水質事故等に関する情報の提供について」（平成二五年一〇月二五日付け健水発一〇二五第一号厚生労働省健康局水道課長通知）により、水質事故等に関する情報の提供をお願いしているところですが、摂取制限を伴う給水継続を実施する場合は、当該通知に基づき情報提供をお願いしているケースに該当することから、直ちに厚生労働省水道課あて御報告をお願いします。御報告を受け、厚生労働省では同通知で示している「飲料水健康危機管理実施要領」に基づき、飲料水を原因とする健康被害の発生予防、拡大防止等の危機管理の適正に努めてまいります。

なお、本通知は、地方自治法（昭和二二法律第六七号）に規定する技術的助言であること並びに厚生労働大臣認可の水道事業者等及び国設置専用水道の設置者には別途通知していることを申し添えます。

記

一　**水質異常時における摂取制限を伴う給水継続の基本的な考え方**

水質事故等により、浄水中の有害物質の濃度が一時的に基準値を一定程度超過する水質異常が生じた場合においても、長期的な健康影響をもとに基準値が設定されているものについては、水道事業者及び水道用水供給事業者（以下「水道事業者等」という。）の判断により、水道利用者に対して水道水の摂取を控えるよう広報しつつ、給水を継続（摂取制限を伴う給水継続）することが可能である。摂取制限を伴う給水継続の実施に当たっては、汚染状況（原因物質の特性、濃度、汚染の範囲等）、復旧までに要する時間、給水区域の規模や地域性に応じた摂取制限・給水停止による地域住民に対する影響、応急給水等代替手段確保の実現性、広報体制等を踏まえて、総合的に判断し、より社会的影響の小さい対応として選択する必要がある。

二　**摂取制限を伴う給水継続を行う対象となる物質等について**

摂取制限を伴う給水の継続は、一般細菌や大腸菌、シアン、水銀のように基準値超過の継続時に給水停止が求められているものを対象に行うものではなく、長期的な健康影響をもとに基準値が設定されているものについて、一時的に基準値超過が見込まれる場合に行うことが可能となるものである。このため、水質基準項目のうち、長期的な健康影響をもとに基準値が設定されている物質（表二）が対象となる。

摂取制限を伴う給水継続を行う際の個別の物質濃度や期間については、その原因や復旧に要する時間、当該事業者における処理方式や配水池の容量等の水道システムの対応能力等が様々であるため、一律の基準を設けることは困難であり、各水道事業者等が原因、影響等を踏まえて総合的に判断することが必要である。

表一　長期的な健康影響を考慮して基準が設定されている物質

三	カドミウム及びその化合物	二〇	ベンゼン
五	セレン及びその化合物	二一	塩素酸

六	鉛及びその化合物	二二	クロロ酢酸
七	ヒ素及びその化合物	二三	クロロホルム
八	六価クロム化合物	二四	ジクロロ酢酸
一二	フッ素及びその化合物	二五	ジブロモクロロメタン
一三	ホウ素及びその化合物	二六	臭素酸
一四	四塩化炭素	二七	総トリハロメタン
一五	一・四ージオキサン	二八	トリクロロ酢酸
一六	シス・トランスー一・二ージクロロエチレン	二九	ブロモジクロロメタン
一七	ジクロロメタン	三〇	ブロモホルム
一八	テトラクロロエチレン	三一	ホルムアルデヒド
一九	トリクロロエチレン		

三　水質異常時の対応体制の整備について

水質異常が生じた際の対策について、予めその意思決定や実施体制、行政や他水道事業者等関係者との連携体制を検討、整備しておくことが必要である。

特に、水道用水供給事業者が水道事業に水道水を供給している場合や、水道事業者等が水道施設の運転管理を委託している場合等は、予め意思決定等に関する取り決めをしておくことが重要である。

水質異常時の対策に係る意思決定の参考とするため、専門家の意見を聴取できるような体制の整備が有効である。

また、摂取制限を伴う給水継続を実施する際の飲用水の応急給水に対応するためには、水源を別とする他の水道事業者等との連携体制を構築しておくことも有効である。

四　摂取制限を伴う給水継続を実施する際の対応について

水質異常時には、水道事業者等は、直ちにその実態把握を行うとともに、その原因を究明し、所要の低減化対策を実施する必要がある。

また、摂取制限を伴う給水継続を実施する際は、水道利用者に対し応急給水により飲用水を確保することが必要である。飲用水の配布に関しては水道事業者等と行政との連携が必要であり、また、応急給水により飲用水を入手することが困難な者についての配慮が必要である。

五　水道利用者に対する周知について

摂取制限を伴う給水継続を行う際は、水道事業者等は水道利用者に対し、水質に異常が生じていること又はそのおそれがあること、給水を継続しているが飲用は避けることについて速やかにかつ適切に周知する必要があり、解除に当たっても速やかに周知することが必要である。

周知の方法としては、近年用いられている新たな手法の導入の検討も有効であり、子どもやお年寄り等情報弱者対策を含めて複数の方法を用いて確実に行うとともに、水道利用者からの問い合わせに対応することも重要である。

（例）ビラ、エリアメール・緊急速報メール、ウェブ、連絡網、テレビ（データ放送）、ラジオ、広報車、防災無線 等

また、日頃から水道水が飲用できないことがあり得ることや、その際に水道事業者等が講じる対策及び周知の方法について、貯水槽水道の設置者を含め水道利用者と共有しておくことが有効である。

六　摂取制限の解除について

摂取制限を解除するに当たっては、水道事業者等は、末端の給水栓において実施する水質検査により、基準値超過のあった物質について水質基準に適合していることを確認することが求められる。

検査を行う給水栓については、通常の水質検査における採水場所（配水管の末端等水が停滞しやすい場所）を参考に決定することとなるが、配水に要する時間等を踏まえて解除の方法を予め検討しておくことが重要である。

〔判　例〕

フッ素を含む水道水の飲用により斑状歯に罹患したとしてされた損害賠償請求について、水道事業者の損害賠償責任が否定された事例

（最高裁平成五年一二月一七日判決（理由要旨））

自然流水を取水して供給する被上告人（水道事業者）の水道水に、多量のフッ素が含まれており、斑状歯に罹患したとして、上告人（水道使用者）が損害賠償の請求を求めた。

本件における被上告人の責任を考察すれば、設備の整った水道施設において基準値を上回るフッ素の含有を放置した場合と同列に論ずることはできず、上告人の歯の石灰化期のうち昭和四〇年頃から同四六年頃までの間、本件水道水中に基準値を相当程度超えるフッ素が含まれていたとしても、直ちに本件水道の設置又は管理に瑕疵があったとはいえず、また、被上告人ないしその担当職員に上告人主張の過失があったとみることはできない。

したがって、その間、被上告人が、現実に発生した斑状歯による被害の救済につき、治療補償に関する規程を制定した上、斑状歯患者からの要望により治療補償を実施する行政措置を講ずるなど、これを損失補償の領域に属する問題として対処してきたことは、相当であったということができ、原判決（第二審判決）を是認し、水道の設置又は管理に瑕疵及び水道事業を経営する市の担当職員の過失があったとはいえないとして、水道事業者の損害賠償責任を否定した。

〔法　律〕

（施設基準）

第五条　水道は、原水の質及び量、地理的条件、当該水道の形態等に応じ、取水施設、貯水施設、導水施設、浄水施設、送水施設及び配水施設の全部又は一部を有すべきものとし、その各施設は、次の各号に掲げる要件を備えるものでなければならない。

一　取水施設は、できるだけ良質の原水を必要量取り入れることができるものであること。

二　貯水施設は、渇水時においても必要量の原水を供給するのに必要な貯水能力を有するものであること。

三　導水施設は、必要量の原水を送るのに必要なポンプ、導水管その他の設備を有すること。

四　浄水施設は、原水の質及び量に応じて、前条の規定による水質基準に適合する必要量の浄水を得るのに必要なちんでん池、濾《ろ》過池その他の設備を有し、かつ、消毒設備を備えていること。

五　送水施設は、必要量の浄水を送るのに必要なポンプ、送水管その他の設備を有すること。

六　配水施設は、必要量の浄水を一定以上の圧力で連続して供給するのに必要な配水池、ポンプ、配水管その他の設備を有すること。

2　水道施設の位置及び配列を定めるにあたつては、その布設及び維持管理ができるだけ経済的で、かつ、容易になるようにするとともに、給水の確実性をも考慮しなければならない。

3　水道施設の構造及び材質は、水圧、土圧、地震力その他の荷重に対して充分な耐力を有し、かつ、水が汚染され、又は漏れるおそれがないものでなければならない。

4　前三項に規定するもののほか、水道施設に関して必要な技術的基準は、厚生労働省令で定める。

〔水道施設の技術的基準を定める省令〕

（平成一二年二月二三日厚生省令第一五号）

（最近改正　令和二年三月二五日厚生労働省令第三八号）

水道法（昭和三十二年法律第百七十七号）第五条第四項の規定に基づき、水道施設の技術的基準を定める省令を次のように定める。

（一般事項）

第一条　水道施設は、次に掲げる要件を備えるものでなければならない。

一　水道法（昭和三十二年法律第百七十七号）第四条の規定による水質基準（以下「水質基準」という。）に適合する必要量の浄水を所要の水圧で連続して供給することができること。

二　需要の変動に応じて、浄水を安定的かつ効率的に供給することができること。

三　給水の確実性を向上させるために、必要に応じて、次に掲げる措置が講じられていること。

イ　予備の施設又は設備が設けられていること。

ロ　取水施設、貯水施設、導水施設、浄水施設、送水施設及び配水施設が分散して配置されていること。

ハ　水道施設自体又は当該施設が属する系統としての多重性を有していること。

四　災害その他非常の場合に断水その他の給水への影響ができるだけ少なくなるように配慮されたものであるとともに、速やかに復旧できるように配慮されたものであること。

五　環境の保全に配慮されたものであること。

六　地形、地質その他の自然的条件を勘案して、自重、積載荷重、水圧、土圧、揚圧力、浮力、地震力、積雪荷重、氷圧、温度荷重等の予想される荷重に対して安全な構造であること。

七　施設の重要度に応じて、地震力に対して次に掲げる要件を備えるものであるとともに、地震により生ずる液状化、側方流動等によって生ずる影響に配慮されたものであること。

イ　次に掲げる施設については、レベル一地震動（当該施設の設置地点において発生するものと想定される地震動のうち、当該施設の供用期間中に発生する可能性の高いものをいう。以下同じ。）に対して、当該施設の健全な機能を損なわず、かつ、レベル二地震動（当該施設の設置地点において発生するものと想定される地震動のうち、最大規模の強さを有するものをいう。）に対して、生ずる損傷が軽微であって、当該施設の機能に重大な影響を及ぼさないこと。

(1)　取水施設、貯水施設、導水施設、浄水施設及び送水施設
(2)　配水施設のうち、破損した場合に重大な二次被害を生ずるおそれが高いもの
(3)　配水施設のうち、(2)の施設以外の施設であって、次に掲げるもの
(i)　配水本管（配水管のうち、給水管の分岐のないものをいう。以下同じ。）
(ii)　配水本管に接続するポンプ場
(iii)　配水本管に接続する配水池等（配水池及び配水のために容量を調節する設備をいう。以下同じ。）
(iv)　配水本管を有しない水道における最大容量を有する配水池等
ロ　イに掲げる施設以外の施設は、レベル一地震動に対して、生ずる損傷が軽微であって、当該施設の機能に重大な影響を及ぼさないこと。
八　漏水のおそれがないように必要な水密性を有する構造であること。
九　維持管理を確実かつ容易に行うことができるように配慮された構造であること。
十　水の汚染のおそれがないように、必要に応じて、暗渠とし、又はさくの設置その他の必要な措置が講じられていること。
十一　規模及び特性に応じて、流量、水圧、水位、水質その他の運転状態を監視し、制御するために必要な設備が設けられていること。
十一の二　施設の運転を管理する電子計算機が水の供給に著しい支障を及ぼすおそれがないように、サイバーセキュリティ（サイバーセキュリティ基本法（平成二十六年法律第百四号）第二条に規定するサイバーセキュリティをいう。）を確保するために必要な措置が講じられていること。
十二　災害その他非常の場合における被害の拡大を防止するために、必要に応じて、遮断弁その他の必要な設備が設けられていること。
十三　海水又はかん水（以下「海水等」という。）を原水とする場合にあっては、ほう素の量が一リットルにつき一・〇ミリグラム以下である浄水を供給することができること。
十四　浄水又は浄水処理過程における水に凝集剤、凝集補助剤、水素イオン濃度調整剤、粉末活性炭その他の薬品又は

消毒剤（以下「薬品等」という。）を注入する場合にあっては、当該薬品等の特性に応じて、必要量の薬品等を注入することができる設備（以下「薬品等注入設備」という。）が設けられているとともに、当該設備の材質が、当該薬品等の使用条件に応じた必要な耐食性を有すること。

十五　薬品等注入設備を設ける場合にあっては、予備設備が設けられていること。ただし、薬品等注入設備が停止しても給水に支障がない場合は、この限りでない。

十六　浄水又は浄水処理過程における水に注入される薬品等により水に付加される物質は、別表第一の上欄に掲げる事項につき、同表の下欄に掲げる基準に適合すること。

十七　資材又は設備（以下「資機材等」という。）の材質は、次の要件を備えること。

イ　使用される場所の状況に応じた必要な強度、耐久性、耐摩耗性、耐食性及び水密性を有すること。

ロ　水の汚染のおそれがないこと。

ハ　浄水又は浄水処理過程における水に接する資機材等（ポンプ、消火栓その他の水と接触する面積が著しく小さいものを除く。）の材質は、厚生労働大臣が定める資機材等の材質に関する試験により供試品について浸出させたとき、その浸出液は、別表第二の上欄に掲げる事項につき、同表の下欄に掲げる基準に適合すること。

（取水施設）

第二条　取水施設は、次に掲げる要件を備えるものでなければならない。

一　原水の水質の状況に応じて、できるだけ良質の原水を取り入れることができるように配慮した位置及び種類であること。

二　災害その他非常の場合又は施設の点検を行う場合に取水を停止することができる設備が設けられていること。

三　前二号に掲げるもののほか、できるだけ良質な原水を必要量取り入れることができるものであること。

2　地表水の取水施設にあっては、次に掲げる要件を備えるものでなければならない。

一　洪水、洗掘、流木、流砂等のため、取水が困難となるおそれが少なく、地形及び地質の状況を勘案し、取水に支障を及ぼすおそれがないように配慮した位置及び種類であること。

二　堰、水門等を設ける場合にあっては、当該堰、水門等が、洪水による流水の作用に対して安全な構造であること。

三　必要に応じて、取水部にスクリーンが設けられていること。
四　必要に応じて、原水中の砂を除去するために必要な設備が設けられていること。
3　地下水の取水施設にあっては、次に掲げる要件を備えるものでなければならない。
一　水質の汚染及び塩水化のおそれが少ない位置及び種類であること。
二　集水埋渠は、閉塞のおそれが少ない構造であること。
三　集水埋渠の位置を定めるに当たっては、集水埋渠の周辺に帯水層があることが確認されていること。
四　露出又は流出のおそれがないように河床の表面から集水埋渠までの深さが確保されていること。
五　一日最大取水量を常時取り入れるのに必要な能力を有すること。
4　前項第五号の能力は、揚水量が、集水埋渠によって取水する場合にあっては透水試験の結果を、井戸によって取水する場合にあっては揚水試験の結果を基礎として設定されたものでなければならない。

（貯水施設）
第三条　貯水施設は、次に掲げる要件を備えるものでなければならない。
一　貯水容量並びに設置場所の地形及び地質に応じて、安全性及び経済性に配慮した位置及び種類であること。
二　地震及び強風による波浪に対して安全な構造であること。
三　洪水に対処するために洪水吐きその他の必要な設備が設けられていること。
四　水質の悪化を防止するために、必要に応じて、ばっ気設備の設置その他の必要な措置が講じられていること。
五　漏水を防止するために必要な措置が講じられていること。
六　放流水が貯水施設及びその付近に悪影響を及ぼすおそれがないように配慮されたものであること。
七　前各号に掲げるもののほか、渇水時においても必要量の原水を供給するのに必要な貯水能力を有するものであること。
2　前項第一号の貯水容量は、降水量、河川流量、需要量等を基礎として設定されたものでなければならない。
3　ダムにあっては、次に掲げる要件を備えるものでなければならない。
一　コンクリートダムの堤体は、予想される荷重によって滑動し、又は転倒しない構造であること。

二　フィルダムの堤体は、予想される荷重によって滑り破壊又は浸透破壊が生じない構造であること。

三　ダムの基礎地盤（堤体との接触部を含む。以下同じ。）は、必要な水密性を有し、かつ、予想される荷重によって滑動し、滑り破壊又は転倒破壊が生じないものであること。

4　ダムの堤体及び基礎地盤に作用する荷重としては、ダムの種類及び貯水池の水位に応じて、別表第三に掲げるものを採用するものとする。

（導水施設）

第四条　導水施設は、次に掲げる要件を備えるものでなければならない。

一　導水施設の上下流にある水道施設の標高、導水量、地形、地質等に応じて、安定性及び経済性に配慮した位置及び方法であること。

二　水質の安定した原水を安定的に必要量送ることができるように、必要に応じて、原水調整池が設けられていること。

三　地形及び地勢に応じて、余水吐き、接合井、排水設備、制水弁、制水扉、空気弁又は伸縮継手が設けられていること。

四　ポンプを設ける場合にあっては、必要に応じて、水撃作用の軽減を図るために必要な措置が講じられていること。

五　ポンプは、次に掲げる要件を備えること。

イ　必要量の原水を安定的かつ効率的に送ることができる容量、台数及び形式であること。

ロ　予備設備が設けられていること。ただし、ポンプが停止しても給水に支障がない場合は、この限りでない。

六　前各号に掲げるもののほか、必要量の原水を送るのに必要な設備を有すること。

（浄水施設）

第五条　浄水施設は、次に掲げる要件を備えるものでなければならない。

一　地表水又は地下水を原水とする場合にあっては、水道施設の規模、原水の水質及びその変動の程度等に応じて、消毒処理、緩速濾《ろ》過、急速濾《ろ》過、膜濾《ろ》過、粉末活性炭処理、粒状活性炭処理、オゾン処理、生物処理その他の方法により、所要の水質が得られるものであること。

二　海水等を原水とする場合にあっては、次に掲げる要件を備えること。

イ　海水等を淡水化する場合に生じる濃縮水の放流による環境の保全上の支障が生じないように必要な措置が講じられていること。

ロ　逆浸透法又は電気透析法を用いる場合にあっては、所要の水質を得るための前処理のための設備が設けられていること。

三　各浄水処理の工程がそれぞれの機能を十分発揮させることができ、かつ、布設及び維持管理を効率的に行うことができるように配置されていること。

四　濁度、水素イオン濃度指数その他の水質、水位及び水量の測定のための設備が設けられていること。

五　消毒設備は、次に掲げる要件を備えること。

イ　消毒の効果を得るために必要な時間、水が消毒剤に接触する構造であること。

ロ　消毒剤の供給量を調節するための設備が設けられていること。

ハ　消毒剤の注入設備には、予備設備が設けられていること。

ニ　消毒剤を常時安定して供給するために必要な措置が講じられていること。

ホ　液化塩素を使用する場合にあっては、液化塩素が漏出したときに当該液化塩素を中和するために必要な措置が講じられていること。

六　施設の改造若しくは更新又は点検により給水に支障が生じるおそれがある場合にあっては、必要な予備の施設又は設備が設けられていること。

七　送水量の変動に応じて、浄水を安定的かつ効率的に送ることができるように、必要に応じて、浄水を貯留する設備が設けられていること。

八　原水に耐塩素性病原生物が混入するおそれがある場合にあっては、次に掲げるいずれかの要件が備えられていること。

イ　濾《ろ》過等の設備であって、耐塩素性病原生物を除去することができるものが設けられていること。

ロ　地表水を原水とする場合にあっては、濾《ろ》過等の設備に加え、濾《ろ》過等の設備の後に、原水中の耐塩素性病原生物を不活化することができる紫外線処理設備が設けられていること。ただし、当該紫外線処理設備における紫外線が照射される水の濁度、色度その他の水質が紫外線処理に支障がないものである場合に限る。

ハ　地表水以外を原水とする場合にあっては、原水中の耐塩素性病原生物を不活化することができる紫外線処理設備が設けられていること。ただし、当該紫外線処理設備における紫外線が照射される水の濁度、色度その他の水質が紫外線処理に支障がないものである場合に限る。

九　濾《ろ》過池又は濾《ろ》過膜（以下「濾《ろ》過設備」という。）を設ける場合にあっては、予備設備が設けられていること。ただし、濾《ろ》過設備が停止しても給水に支障がない場合は、この限りでない。

十　濾《ろ》過設備の洗浄排水、沈殿池等からの排水その他の浄水処理過程で生じる排水（以下「浄水処理排水」という。）を公共用水域に放流する場合にあっては、その排水による生活環境保全上の支障が生じないように必要な設備が設けられていること。

十一　濾《ろ》過池を設ける場合にあっては、水の汚染のおそれがないように、必要に応じて、覆いの設置その他の必要な措置が講じられていること。

十二　浄水処理排水を原水として用いる場合にあっては、浄水又は浄水処理の工程に支障が生じないように必要な措置が講じられていること。

十三　浄水処理をした水の水質により、水道施設が著しく腐食することのないように配慮されたものであること。

十四　前各号に掲げるもののほか、水質基準に適合する必要量の浄水を得るのに必要な設備を備えていること。

2　緩速濾《ろ》過を用いる浄水施設は、次に掲げる要件を備えるものでなければならない。

一　濾《ろ》過池は、浮遊物質を有効に除去することができる構造であること。

二　濾《ろ》過砂は、原水中の浮遊物質を有効に除去することができる粒径分布を有すること。

三　原水の水質に応じて、所要の水質の水を得るために必要な時間、水が濾《ろ》過砂に接触する構造であること。

四　濾《ろ》過池に加えて、原水の水質に応じて、沈殿池その他の設備が設けられていること。

五　沈殿池を設ける場合にあっては、浮遊物質を有効に沈殿させることができ、かつ、沈殿物を容易に排出することができる構造であること。

3　急速濾《ろ》過を用いる浄水施設は、次に掲げる要件を備えるものでなければならない。

一　薬品注入設備、凝集池、沈殿池及び濾《ろ》過池に加えて、原水の水質に応じて、所要の水質の水を得るのに必要な設備が設けられていること。
二　凝集池は、凝集剤を原水に適切に混和させることにより良好なフロックが形成される構造であること。
三　沈殿池は、浮遊物質を有効に沈殿させることができ、かつ、沈殿物を容易に排出することができる構造であること。
四　濾《ろ》過池は、浮遊物質を有効に除去することができる構造であること。
五　濾《ろ》材の洗浄により、濾《ろ》材に付着した浮遊物質を有効に除去することができ、かつ、除去された浮遊物質を排出することができる構造であること。
六　濾《ろ》材は、原水中の浮遊物質を有効に除去することができる粒径分布を有すること。
七　濾《ろ》過速度は、凝集及び沈殿処理をした水の水質、使用する濾《ろ》材及び濾《ろ》層の厚さに応じて、所要の水質の濾《ろ》過水が安定して得られるように設定されていること。

4　膜濾《ろ》過を用いる浄水施設は、次に掲げる要件を備えるものでなければならない。
一　膜濾《ろ》過設備は、膜の表面全体で安定して濾《ろ》過を行うことができる構造であること。
二　膜モジュールの洗浄により、膜モジュールに付着した浮遊物質を有効に除去することができ、かつ、洗浄排水を排出することができる構造であること。
三　膜の両面における水圧の差、膜濾《ろ》過水量及び膜濾《ろ》過水の濁度を監視し、かつ、これらに異常な事態が生じた場合に関係する浄水施設の運転を速やかに停止することができる設備が設けられていること。
四　膜モジュールは、容易に破損し、又は変形しないものであり、かつ、必要な通水性及び耐圧性を有すること。
五　膜モジュールは、原水中の浮遊物質を有効に除去することができる構造であること。
六　濾《ろ》過速度は、原水の水質及び最低水温、膜の種類、前処理等の諸条件に応じて、所要の水質の濾《ろ》過水が安定して得られるように設定されていること。
七　膜濾《ろ》過設備に加えて、原水の水質に応じて、前処理のための設備その他の必要な設備が設けられていること。
八　前処理のための設備は、膜モジュールの構造、材質及び性能に応じて、所要の水質の水が得られる構造であること。

5　粉末活性炭処理を用いる浄水施設は、次に掲げる要件を備えるものでなければならない。
一　粉末活性炭の注入設備は、適切な効果を得るために必要な時間、水が粉末活性炭に接触する位置に設けられていること。
二　粉末活性炭は、所要の水質の水を得るために必要な性状を有するものであること。
三　粉末活性炭処理の後に、粉末活性炭が浄水に漏出するのを防止するために必要な措置が講じられていること。
6　粒状活性炭処理を用いる浄水施設は、次に掲げる要件を備えるものでなければならない。
一　原水の水質に応じて、所要の水質の水を得るために必要な時間、水が粒状活性炭に接触する構造であること。
二　粒状活性炭の洗浄により、粒状活性炭に付着した浮遊物質を有効に除去することができ、かつ、除去された浮遊物質を排出することができる構造であること。
三　粒状活性炭は、所要の水質の水を得るために必要な性状を有するものであること。
四　粒状活性炭及びその微粉並びに粒状活性炭層内の微生物が浄水に漏出するのを防止するために必要な措置が講じられていること。
五　粒状活性炭層内の微生物により浄水処理を行う場合にあっては、粒状活性炭層内で当該微生物の特性に応じた適切な生息環境を保持するために必要な措置が講じられていること。
7　オゾン処理を用いる浄水施設は、次に掲げる要件を備えるものでなければならない。
一　オゾン接触槽は、オゾンと水とが効率的に混和される構造であること。
二　オゾン接触槽は、所要の水質の水を得るために必要な時間、水がオゾンに接触する構造であること。
三　オゾン処理設備の後に、粒状活性炭処理設備が設けられていること。
四　オゾンの漏えいを検知し、又は防止するために必要な措置が講じられていること。
8　生物処理を用いる浄水施設は、次に掲げる要件を備えるものでなければならない。
一　接触槽は、生物処理が安定して行われるために必要な時間、水が微生物と接触する構造であるとともに、当該微生物の特性に応じた適切な生息環境を保持するために必要な措置が講じられていること。
二　接触槽の後に、接触槽内の微生物が浄水に漏出するのを防止するために必要な措置が講じられていること。

9　紫外線処理を用いる浄水施設は、次に掲げる要件を備えるものでなければならない。
一　紫外線照射槽は、紫外線処理の効果を得るために必要な時間、水が紫外線に照射される構造であること。
二　紫外線照射装置は、紫外線照射槽内の紫外線強度の分布が所要の効果を得るものとなるように紫外線を照射する構造であるとともに、当該紫外線を常時安定して照射するために必要な措置が講じられていること。
三　水に照射される紫外線の強度の監視のための設備が設けられていること。
四　紫外線が照射される水の濁度及び水量の監視のための設備が設けられていること。ただし、地表水以外を原水とする場合にあっては、水の濁度の監視のための設備については、当該水の濁度が紫外線処理に支障を及ぼさないことが明らかである場合は、この限りではない。
五　紫外線照射槽内に紫外線ランプを設ける場合にあっては、紫外線ランプの破損を防止する措置が講じられ、かつ、紫外線ランプの状態の監視のための設備が設けられていること。

（送水施設）
第六条　送水施設は、次に掲げる要件を備えるものでなければならない。
一　送水施設の上下流にある水道施設の標高、送水量、地形、地質等に応じて、安定性及び経済性に配慮した位置及び方法であること。
二　地形及び地勢に応じて、接合井、排水設備、制水弁、空気弁又は伸縮継手が設けられていること。
三　送水管内で負圧が生じないために必要な措置が講じられていること。
四　ポンプを設ける場合にあっては、必要に応じて、水撃作用の軽減を図るために必要な措置が講じられていること。
五　ポンプは、次に掲げる要件を備えること。
イ　必要量の浄水を安定的かつ効率的に送ることができる容量、台数及び形式であること。
ロ　予備設備が設けられていること。ただし、ポンプが停止しても給水に支障がない場合は、この限りでない。
六　前各号に掲げるもののほか、必要量の浄水を送るのに必要な設備を有すること。

（配水施設）

第七条　配水施設は、次に掲げる要件を備えるものでなければならない。
一　配水区域は、地形、地勢その他の自然的条件及び土地利用その他の社会的条件を考慮して、合理的かつ経済的な施設の維持管理ができるように、必要に応じて、適正な区域に分割されていること。
二　配水区域の地形、地勢その他の自然的条件に応じて、効率的に配水施設が設けられていること。
三　配水施設の上流にある水道施設と配水区域の標高、配水量、地形等が考慮された配水方法であること。
四　需要の変動に応じて、常時浄水を供給することができるように、必要に応じて、配水区域ごとに配水池等が設けられ、かつ、適正な管径を有する配水管が布設されていること。
五　地形、地勢及び給水条件に応じて、排水設備、制水弁、減圧弁、空気弁又は伸縮継手が設けられていること。
六　配水施設内の浄水を採水するために必要な措置が講じられていること。
七　災害その他非常の場合に断水その他の給水への影響ができるだけ少なくなるように必要な措置が講じられていること。
八　配水管から給水管に分岐する箇所での配水管の最小動水圧が百五十キロパスカルを下らないこと。ただし、給水に支障がない場合は、この限りでない。
九　消火栓の使用時においては、前号にかかわらず、配水管内が正圧に保たれていること。
十　配水管から給水管に分岐する箇所での配水管の最大静水圧が七百四十キロパスカルを超えないこと。ただし、給水に支障がない場合は、この限りでない。
十一　配水池等は、次に掲げる要件を備えること。
イ　配水池等は、配水区域の近くに設けられ、かつ、地形及び地質に応じた安全性に考慮した位置に設けられていること。
ロ　需要の変動を調整することができる容量を有し、必要に応じて、災害その他非常の場合の給水の安定性等を勘案した容量であること。
十二　配水管は、次に掲げる要件を備えること。
イ　管内で負圧が生じないようにするために必要な措置が講じられていること。
ロ　配水管を埋設する場合にあっては、埋設場所の諸条件に応じて、適切な管の種類及び伸縮継手が使用されていること。

ハ 必要に応じて、腐食の防止のために必要な措置が講じられていること。

十三 ポンプを設ける場合にあっては、必要に応じて、水撃作用の軽減を図るために必要な措置が講じられていること。

十四 ポンプは、次に掲げる要件を備えること。

イ 需要の変動及び使用条件に応じて、必要量の浄水を安定的に供給することができる容量、台数及び形式であること。

ロ 予備設備が設けられていること。ただし、ポンプが停止しても給水に支障がない場合は、この限りでない。

十五 前各号に掲げるもののほか、必要量の浄水を一定以上の圧力で連続して供給するのに必要な設備を有すること。

（位置及び配列）

第八条 水道施設の位置及び配列を定めるに当たっては、維持管理の確実性及び容易性、増設、改造及び更新の容易性並びに所要の水質の原水の確保の安定性を考慮しなければならない。

附 則 略

別表第一（第一条関係）

事項	基準
カドミウム及びその化合物	カドミウムの量に関して、〇・〇〇三mg／ℓ以下であること。
水銀及びその化合物	水銀の量に関して、〇・〇〇〇五mg／ℓ以下であること。
セレン及びその化合物	セレンの量に関して、〇・〇〇一mg／ℓ以下であること。
鉛及びその化合物	鉛の量に関して、〇・〇〇一mg／ℓ以下であること。
ヒ素及びその化合物	ヒ素の量に関して、〇・〇〇一mg／ℓ以下であること。
六価クロム化合物	六価クロムの量に関して、〇・〇〇二mg／ℓ以下であること。
亜硝酸態窒素	〇・〇〇四mg／ℓ以下であること。

シアン化物イオン及び塩化シアン	シアンの量に関して、〇・〇〇一mg／ℓ以下であること。
硝酸態窒素及び亜硝酸態窒素	一・〇mg／ℓ以下であること。
ホウ素及びその化合物	ホウ素の量に関して、〇・一mg／ℓ以下であること。
四塩化炭素	〇・〇〇〇二mg／ℓ以下であること。
一・四―ジオキサン	〇・〇〇五mg／ℓ以下であること。
シス―一・二―ジクロロエチレン及びトランス―一・二―ジクロロエチレン	〇・〇〇四mg／ℓ以下であること。
ジクロロメタン	〇・〇〇二mg／ℓ以下であること。
テトラクロロエチレン	〇・〇〇一mg／ℓ以下であること。
トリクロロエチレン	〇・〇〇一mg／ℓ以下であること。
ベンゼン	〇・〇〇一mg／ℓ以下であること。
塩素酸	〇・四mg／ℓ以下であること。
臭素酸	〇・〇〇五mg／ℓ以下であること。
亜鉛及びその化合物	亜鉛の量に関して、〇・一mg／ℓ以下であること。
鉄及びその化合物	鉄の量に関して、〇・〇三mg／ℓ以下であること。
銅及びその化合物	銅の量に関して、〇・一mg／ℓ以下であること。
マンガン及びその化合物	マンガンの量に関して、〇・〇〇五mg／ℓ以下であること。
陰イオン界面活性剤	〇・〇二mg／ℓ以下であること。

非イオン界面活性剤	〇・〇〇五mg／ℓ以下であること。
フェノール類	フェノールの量に換算して、〇・〇〇〇五mg／ℓ以下であること。
有機物（全有機炭素（ＴＯＣ）の量）	〇・三mg／ℓ以下であること。
味	異常でないこと。
臭気	異常でないこと。
色度	〇・五度以下であること。
アンチモン及びその化合物	〇・〇〇二mg／ℓ以下であること。
ウラン及びその化合物	〇・〇〇〇二mg／ℓ以下であること。
ニッケル及びその化合物	〇・〇〇二mg／ℓ以下であること。
一・二―ジクロロエタン	〇・〇〇〇四mg／ℓ以下であること。
亜塩素酸	〇・六mg／ℓ以下であること。
二酸化塩素	〇・六mg／ℓ以下であること。
銀及びその化合物	〇・〇一mg／ℓ以下であること。
バリウム及びその化合物	〇・〇七mg／ℓ以下であること。
モリブデン及びその化合物	〇・〇〇七mg／ℓ以下であること。
アクリルアミド	〇・〇〇〇〇五mg／ℓ以下であること。

別表第二（第一条関係）

事　項	基　準
カドミウム及びその化合物	カドミウムの量に関して、〇・〇〇〇三mg／ℓ以下であること。
水銀及びその化合物	水銀の量に関して、〇・〇〇〇〇五mg／ℓ以下であること。
セレン及びその化合物	セレンの量に関して、〇・〇〇一mg／ℓ以下であること。
鉛及びその化合物	鉛の量に関して、〇・〇〇一mg／ℓ以下であること。
ヒ素及びその化合物	ヒ素の量に関して、〇・〇〇一mg／ℓ以下であること。
六価クロム化合物	六価クロムの量に関して、〇・〇〇二mg／ℓ以下であること。
亜硝酸態窒素	〇・〇〇四mg／ℓ以下であること。
シアン化物イオン及び塩化シアン	シアンの量に関して、〇・〇〇一mg／ℓ以下であること。
硝酸態窒素及び亜硝酸態窒素	一・〇mg／ℓ以下であること。
フッ素及びその化合物	フッ素の量に関して、〇・〇八mg／ℓ以下であること。
ホウ素及びその化合物	ホウ素の量に関して、〇・一mg／ℓ以下であること。
四塩化炭素	〇・〇〇〇二mg／ℓ以下であること。
一・四―ジオキサン	〇・〇〇五mg／ℓ以下であること。
シス―一・二―ジクロロエチレン及びトランス―一・二―ジクロロエチレン	〇・〇〇四mg／ℓ以下であること。
ジクロロメタン	〇・〇〇二mg／ℓ以下であること。

テトラクロロエチレン	○・○○一mg／ℓ以下であること。
トリクロロエチレン	○・○○一mg／ℓ以下であること。
ベンゼン	○・○○一mg／ℓ以下であること。
ホルムアルデヒド	○・○○八mg／ℓ以下であること。
亜鉛及びその化合物	亜鉛の量に関して、○・一mg／ℓ以下であること。
アルミニウム及びその化合物	アルミニウムの量に関して、○・○二mg／ℓ以下であること。
鉄及びその化合物	鉄の量に関して、○・○三mg／ℓ以下であること。
銅及びその化合物	銅の量に関して、○・一mg／ℓ以下であること。
ナトリウム及びその化合物	ナトリウムの量に関して、二○mg／ℓ以下であること。
マンガン及びその化合物	マンガンの量に関して、○・○○五mg／ℓ以下であること。
塩化物イオン	二○mg／ℓ以下であること。
蒸発残留物	五○mg／ℓ以下であること。
陰イオン界面活性剤	○・○二mg／ℓ以下であること。
非イオン界面活性剤	○・○○五mg／ℓ以下であること。
フェノール類	フェノールの量に換算して、○・○○○五mg／ℓ以下であること。
有機物（全有機炭素（ＴＯＣ）の量）	○・五mg／ℓ以下であること。
味	異常でないこと。

臭気	異常でないこと。
色度	〇・五度以下であること。
濁度	〇・二度以下であること。
一・二―ジクロロエタン	〇・〇〇四mg／ℓ以下であること。
アミン類	トリエチレンテトラミンとして、〇・〇一mg／ℓ以下であること。
エピクロロヒドリン	〇・〇一mg／ℓ以下であること。
酢酸ビニル	〇・〇一mg／ℓ以下であること。
N・N―ジメチルアニリン	〇・〇一mg／ℓ以下であること。
スチレン	〇・〇〇二mg／ℓ以下であること。
二・四―トルエンジアミン	〇・〇〇二mg／ℓ以下であること。
二・六―トルエンジアミン	〇・〇〇一mg／ℓ以下であること。
一・二―ブタジエン	〇・〇〇一mg／ℓ以下であること。
一・三―ブタジエン	〇・〇〇一mg／ℓ以下であること。

別表第三（第三条関係）

貯水池の水位	ダムの種類	重力式コンクリートダム	アーチ式コンクリートダム	フィルダム
一	ダムの非越流部の直上流部における水位が常時満水位以下又はサーチャージ水位以下である場合	W、P、Pe、I、Pd、U	W、P、Pe、I、Pd、U、T	W、P、I、Pp
二	ダムの非越流部の直上流部における水位が設計洪水位である場合	W、P、Pe、U	W、P、Pe、U、T	W、P、Pp

備考
この表において、W、P、Pe、I、Pd、U、Pp及びTは、それぞれ次の荷重を表すものとする。
W　ダムの堤体の自重
P　貯留水による静水圧の力
Pe　貯水池内に堆積する汚土による力
I　地震時におけるダムの堤体の慣性力
Pd　地震時における貯留水による動水圧の力
U　貯留水による揚圧力
Pp　間げき圧（ダムの堤体の内部及びダムの基礎地盤の浸透水による水圧をいう。）の力
T　ダムの堤体の内部の温度の変化によって生ずる力

〔要　旨〕

本条は、法第三条第八項に定める水道施設が具備すべき要件、水道施設の位置及び配列を定めるに当たって考慮すべき事項、水道施設の構造及び材質の要件について規定したものである。

〔解　説〕

一、水道施設の備えるべき要件（一項）

本条第一項では、「水道」が、原水の質及び量、地理的条件、当該水道の形態等に応じて、水道施設の全部又は一

部を有すべきものであるとしており、水道施設を構成する個々の施設が具備すべき要件について、次のとおり規定している。

㈠　取水施設（一号）

取水施設は、できるだけ良質の原水を必要量取り入れることのできることがその要件となっている。「できるだけ良質」とは、技術的、経済的観点から、選択可能な範囲において、できるだけ良質という意味である。できるだけ良質の原水を得るためには、取水施設を、将来とも水質汚染を受けるおそれが少なく良好な水質が得られる地点に設置する必要がある。また、複数の水源が存在している場合にあっては、良質なものをできるだけ多く取水できるように配慮する必要がある。「必要量」とは、計画給水量に対応した原水の量をいい、ここでは計画取水量をいう。

㈡　貯水施設（二号）

貯水施設は、渇水時（計画上で想定されたものをいう。一般には一〇年に一回程度の頻度で生じ得るものが想定されることが多い。）においても、計画給水量に対応した必要量の原水を供給するのに必要な貯水能力を有するものでなければならないとされている。「必要な貯水能力を有する」とは、当該貯水池が、計画上の渇水時において計画給水量を供給するのに不足する原水を、渇水の継続する期間補給し得る程度の容量を有することをいうものである。

㈢　導水施設（三号）

導水施設は、計画取水量を基準として算定した計画導水量を送るのに必要なポンプ、導水渠等の設備を有すべきものとされている。

㈣　浄水施設（四号）

浄水施設は、必要量の浄水を得るために必要な着水井、凝集・沈澱池、濾《ろ》過池等の設備を有するほか、必ず消毒設備を備えなければならないとされている。「原水の質」とは、現況の水質のみならず、将来における予測水質を含むものである。水質の将来予測に当たっては、計画策定時点の水質とそれに影響を及ぼす地域の地形等の条件、人口、産業の動向等を十分考慮する必要がある。浄水施設は、原水の質に応じて、当該原水を水質基準に適合させるために必要な設備を設けなければならない。また、その規模は、原水の量に応じて必要量の浄水を得ることのできるものでなければならない。「浄水」とは、これらの浄水施設によって処理（消毒のみの場合を含む。）された水をいう。「必要量の浄水」とは、計画給水量に対応する計画浄水量を意味するものであるが、計画浄水量は、計画一日最大給水量に浄水場内の作業用水等の損失水量を加えたものである。

㈤　送水施設（五号）

送水施設は、必要量の浄水を送るのに必要なポンプ、送水管その他の設備を有することとされている。「必要量の浄水」とは、計画給水量に、送水施設における漏水量等を加えた量を意味するものである。

㈥　配水施設（六号）

配水施設とは、必要量の浄水を一定以上の圧力で連続して供給するための設備である。「必要量の浄水」とは、計画給水量に対応する水量をいうのである。配水施設において、浄水を「一定以上の圧力」で供給することとしているのは、配水管への汚水等の吸引を防止することと、需要者に対する正常な給水の確保を図ることからである。従来、その圧力は、二階建程度の家屋において支障なく水が供給できる程度の圧力と考えられ、通常、配水管における最小動水圧が一・五kgf／cm²（〇・一四七MPa）程度以上あればよいとされていた。しかし、三階建以上の中高層建築物へ直結給水範囲の拡大を行う場合には、より大きな動水圧が必要となる。そのため、最小動水圧は、水道事業者ごとに、直結給水範囲の程度などを考慮し、地域の特性に応じて必要な水圧とすることとしている。また、「連続して」とは、需要に応じて常時という意味である。配水施設は、このように一定以上の圧力で連続して水の供給を行うために必要な配水池、ポンプ、配水管等の設備を設けなければならない。

二、水道施設の位置及び配列（二項）

㈠　水道施設の位置及び配列

水道施設は、本条第一項において、個々の施設について備えるべき要件が定められているが、同時に、布設及び維持管理等を考慮して全体の位置及び配列を定めなければならない。また、取水から給水までの水道施設の配列は、自然流下式、ポンプ揚水式又はその併用式等があるが、いずれの方式を選定するかについては、地勢等の自然条件を考慮する必要がある。施設の位置の選定に当たっては、用地取得の難易、基礎地盤の良否、土工量の大小、資材運搬等の難易等建設工事の実施に大きな影響を持つ諸要素を考慮するとともに、完成後の維持管理が安全かつ容易に行えるか等を比較検討する必要がある。

㈡　布設及び維持管理の経済性、容易性

水道施設の計画に当たっては、水道施設が恒久的なものであり、かつ、その維持管理に多額の経費と技術を要するものであるから、布設当初の工事費の額の多少のみでなく、維持管理の経費の多少と技術の難易も勘案して、その総合判断のもとに水道施設の位置及び配列を定めなければならない。

㈢　給水の確実性

水道は、常時安定して給水を行わなければならないものであり、水道施設の位置及び配列を定めるに当たっては、例えば、配水池の位置やポンプの設置場所の選定に当たり、給水の確実性についても十分配慮しておかなければならない。

三、**水道施設の構造及び材質**（三項）

水道施設は、長期的に安定して使用できるものでなければならず、また、人の飲用に適する水を供給するものであることから、第三項では、水道施設の構造、材質について次のとおり規定している。

㈠　自重、積載荷重、水圧、土圧、風圧、地震力、積雪荷重、氷圧及び温度応力等の荷重や外力に対して、構造上安全で、かつ、耐久的であること。

㈡　漏水がなく、かつ、外部からの汚染や資材からの汚染のおそれのない構造、材質のものとすること。

四、技術的基準（**四項**）

第一項から第三項までの規定の他、水道施設に関して必要な技術的基準は、第四項で厚生労働省令で定めることとされているが、平成一二年二月二三日に「水道施設の技術的基準を定める省令」（厚生省令第一五号）が公布され、同年四月一日に施行された。

この基準は、従来都道府県知事等に委任されていた認可等の事務が都道府県知事等の自治事務とされたことから、施設の技術的基準の明確化を図ることが必要とされ、また規制緩和の観点から水道施設の性能基準化を図ることが必要とされたこと等を踏まえ、施設基準を明確化するとともに性能基準化を図るために定められたものである。

なお、この省令が施行される以前は、平成三年一月二三日付衛水第一〇号水道環境部長通知によって、施設基準に関する詳細については、厚生省監修、日本水道協会発行の「水道施設設計指針・解説」を基本とすることとされていた。

〔参　考〕

一、水道施設の技術的基準を定める省令等の施行について（通知）

（平成一二年三月三一日　生衛発第六二〇号
各都道府県知事あて厚生省生活衛生局水道
環境部長通知）

水道法（昭和三二年法律第一七七号）第五条第四項の規定に基づき、水道施設の技術的基準を定める省令（平成一二年厚生省令第一五号）及び資機材等の材質に関する試験を定める件（平成一二年厚生省告示第四五号）が平成一二年二月二三日に公布され、平成一二年四月一日から施行されることとなった。その改正の趣旨は左記のとおりであるので、貴管下の水道事業者及び水道用水供給事業者及び専用水道設置者に対しこれを周知するとともに、その運用に当たっては遺漏のないようにされたい。

なお、平成三年一月二三日付け衛水第一〇号水道環境部長通知「水道施設の施設基準について」は、平成一二年四月一日をもって廃止する。

記

水道法第五条の施設基準は、水道事業者等に係る水道法第六条及び第二六条に基づく認可、同法第三二条に基づく確認並びに地方分権の推進を図るための関係法律の整備等に関する法律（平成一一年法律第八七号。以下「地方分権一括法」という。）による改正後の水道法第三六条第一項に基づく改善の指示の判断基準として用いられるものであることから、水道施設が有すべき必要最小限の要件を基準化しているものである。

この基準については、地方分権一括法により、従来都道府県知事等に委任されていた事務が都道府県知事等の自治事務とされたことから、その明確化を図ることが必要とされたこと、また、規制緩和の観点から性能基準化を図ることが必要とされたこと等を踏まえ、施設基準の明確化、性能基準化を図るため、水道法第五条第四項の規定に基づき、水道施設に関して必要な技術的基準として、水道施設の技術的基準を省令により定めるとともに、同省令第一条第一七号ハの規定に基づき、資機材等の材質に関する試験を告示したものである。

二、水道施設の技術的基準を定める省令等の留意事項について（通知）

（平成一二年三月三一日　衛水第二〇号各都道府県水道行政担当部（局）長あて厚生省生活衛生局水道環境部水道整備課長通知）

水道施設の技術的基準を定める省令（平成一二年厚生省令第一五号。以下「施設基準省令」という。）及び資機材等の材質に関する試験を定める件（平成一二年厚生省告示第四五号。以下「資機材等試験告示」という。）の施行については、別途、生活衛生局水道環境部長通知（平成一二年三月三一日付生衛発第六二〇号）により通知されたところであるが、なお左記の事項に留意の上、貴管下の水道事業者及び水道用水供給事業者及び専用水道設置者に対しこれを周知するとともに、その運用に遺漏のないようにされたい。

記

第一　施設基準省令

一　第一条（一般事項）関係

㈠　第三号ロに規定する「分散して配置」とは、各水道施設の立地が分散していることをいうものであること。

㈡　第三号ハの規定は、導水施設、送水施設及び配水施設の多系統化並びにこれらの系統の間で水道水を相互融通できる施設の整備等の措置をいうものであること。

㈢　第四号に規定する「その他の給水への影響」とは、水圧の低下や水質の悪化等をいうものであること。「できるだけ少なくなるように配慮されたものである」とは、緊急遮断弁の整備、送水又は配水の用に供する管路であって水の貯留機能を合わせ持つ施設の整備等をいうものであること。

㈣　第七号の規定は、各水道施設毎の重要度に応じて、対象とする地震規模を想定した上で施設の設計を行うことをいうものであること。

㈤　第一三号の規定は、浄水施設のみにより満たすべき要件ではなく、水道施設全体として満たすべき要件であること。

二　第二条（取水施設）関係

㈠　第二項第一号に規定する「種類」とは、取水堰、取水搭、取水門、取水管渠、取水枠等をいうものであること。

(二) 第三項に規定する「地下水」とは、井戸水、伏流水等をいうものであること。

(三) 第三項第一号に規定する「種類」とは、集水埋渠、浅井戸、深井戸等をいうものであること。

(四) 第三項第四号の規定は、伏流水を取水する場合にあっては、洪水時にあっても露出や流出がないように、十分な深さが確保されていることをいうものであること。

三　第三条（貯水施設）関係

第一項第一号に規定する「種類」とは、重力式コンクリートダム、アーチ式コンクリートダム、フィルダム等をいうものであること。

四　第四条（導水施設）関係

第一号に規定する「方法」とは、ポンプ加圧式、自然流下式等をいうものであること。

五　第五条（浄水施設）関係

(一) 第一項第一号に規定する「所要の水質」とは、水道により供給される水が水道法第四条に規定する水質基準に適合するために浄水施設の出口において確保しなければならない水質をいうものであること。

(二) 第二項から第八項までに規定する浄水方法は、その機能、性能等が確認され、実用に供されている方法であることから規定したものであり、これら以外の浄水方法を排除するものではないこと。ただし、第二項から第八項までに規定する浄水方法以外の浄水方法を用いる場合には、処理の安全性、確実性等について十分確認するものであること。

(三) 第四項第三号に規定する「膜の両面における水圧の差」とは、いわゆる膜差圧をいうものであること。

(四) 第四項第六号に規定する「濾《ろ》過速度」とは、いわゆる膜濾《ろ》過流束をいうものであること。

六　第六条（送水施設）関係

第一号に規定する「方法」とは、ポンプ加圧式、自然流下式等をいうものであること。

七　附則関係

施設基準省令の施行の際現に設置されている水道施設については、水道施設の構造に係る基準であって基準に適合させるためには大規模な改造を必要とするもの（水道水の安全性の確保に関わるものを除く）、水道施設の位置及び形式に関するものについては、その施設の大規模の改造の時までは、これらの規定を適用しない旨の経過措置を設けることとしたこと。

第二　**資機材等試験告示**

一　浸出液の分析方法については、資機材等試験告示においては方法名を掲げ、その詳細は別添によるものとしたこと。

二　浄水又は浄水処理過程における水に接する資材又は設備の材質が施設基準省令に適合している製品であるか否かについての試験は、資機材等試験告示に定める方法により行わなければならないこと。

第三　**その他**

関係通知について以下のとおり改正等を行い、平成一二年四月一日から適用すること。

一〜四　略

別添　略

三、水道施設の技術的基準を定める省令の一部を改正する省令及び資機材等の材質に関する試験の一部改正について（通知）

（平成一六年二月九日　健水発第〇二〇九〇〇一号各都道府県・市・特別区水道行政担当部（局）長あて厚生労働省健康局水道課長通知
最近改正　令和二年三月三〇日　薬生水発〇三三〇第一号）

水道施設の技術的基準を定める省令の一部を改正する省令（平成一六年厚生労働省令第五号）及び資機材等の材質に関する試験の一部を改正する件（平成一六年厚生労働省告示第一四号）は、平成一六年一月二六日に公布され、平成一六年四月一日から施行されることとなった。

ついては、下記に留意の上、貴認可水道事業者等関係者に対する周知方、よろしくご配慮願いたい。

記

一　**改正の背景**

厚生労働省においては、平成一五年四月にとりまとめられた厚生科学審議会答申「水質基準の見直し等について」（以下「答申」という。）を踏まえ、同五月に水質基準に関する省令（平成一五年厚生労働省令第一〇一号）、同七月に水質基準に関する省令の規定に基づき厚生労働大臣が定める方法を定める件（平成一五年厚生労働省告示第二六一号）を公布し、新しい水質基準及びその検査方法を定めたところである。

一方、水道施設の技術的基準を定める省令（平成一二年厚生省令第一五号。以下「技術基準省令」という。）及び資機材等の材質に関する試験（平成一二年厚生省告示第四五号。以下「資機材等試験告示」という。）については、従前より、水質基準及びその検査方法との整合を図りつつ、基準及び試験方法が定められてきたところである。

このようなことから、今般、水質基準等の改正を踏まえ、技術基準省令及び資機材等試験告示について所要の改正を行ったものである。

二　改正の概要

浄水又は浄水処理過程における水に注入される薬品等により水に付加される物質の基準及び浄水又は浄水処理過程における水に接する資機材等からの浸出基準は、水道施設の技術的基準を定める省令（平成一二年厚生省令第一五号）に定められている。

これらの基準を以下のとおり改正した。

	項目	水に注入される薬品等により付加される物質の基準	水に接する資機材等からの浸出基準
新規	一・四―ジオキサン	〇・〇〇五mg／ℓ以下	〇・〇〇五mg／ℓ以下
	臭素酸	〇・〇〇五mg／ℓ以下	—
	アルミニウム	—	〇・〇二mg／ℓ以下
	非イオン界面活性剤	〇・〇〇五mg／ℓ以下	〇・〇〇五mg／ℓ以下
	有機物（全有機炭素（TOC）の量）	〇・五mg／ℓ以下	〇・五mg／ℓ以下
	塩素酸	〇・六mg／ℓ以下	—

変更	フェノール類	現行	○・○○五mg／ℓ以下	○・○○五mg／ℓ以下
		改正	○・○○○五mg／ℓ以下	○・○○○五mg／ℓ以下
	ホウ素	現行	○・一mg／ℓ以下	―
		改正	○・一mg／ℓ以下	○・一mg／ℓ以下
	アンチモン	現行	○・○○二mg／ℓ以下	―
		改正	○・○○一五mg／ℓ以下	―
	亜塩素酸	現行	○・二mg／ℓ以下	―
		改正	○・六mg／ℓ以下	―
	二酸化塩素	現行	二・○mg／ℓ以下	―
		改正	○・六mg／ℓ以下	―
削除	一・一・一―トリクロロエタン		○・○三mg／ℓ以下	○・○三mg／ℓ以下
	有機物等（過マンガン酸カリウム消費量）		一・○mg／ℓ以下	一・○mg／ℓ以下

今回の改正は、厚生科学審議会答申及びこれに基づく水質基準の改正を踏まえ、必要な改正を行ったものであり、従来と同様、薬品等により水に付加することや資機材等から浸出することが考えられない病原微生物、消毒副生成物、農薬等については、基準項目として採用していない。また、基準値の基本的考え方も従来のものと変更はない。

なお、改正の趣旨等は以下の通りである。

㈠　臭素酸の基準については、現在の技術的な状況を鑑みて、水質基準値の二分の一の値を基準値として採用した。しかしながら、薬品中の不純物量はできる限り低減させるべきものであるため、薬品中の臭素酸の濃度を低減するための技術の進展状況等を勘案して、概ね三年後を目途として基準の見直しについて検討を行い、その結果に基づいて所要の措置を講ずることとしている。

㈡　非イオン界面活性剤の基準については、水質基準値の一〇分の一を定量することが困難であるため、定量下限値を基準値として採用した。

㈢　塩素酸、亜塩素酸及び二酸化塩素の基準については、塩素酸が水質管理目標設定項目に追加され、三項目について目標値が設定されたことに伴い、当該基準値の見直しを行った。なお、これらの項目は主として浄水処理過程において相互に関連して濃度変化することから浄水処理過程以後の水に適用することが適当である。

㈣　フェノール類の基準については、検査方法の変更により、水質基準値の一〇分の一の値が定量可能となったため、基準値の改正を行った。

㈤　アンチモンについては、従来の監視項目の指針値から水質管理目標設定項目の目標値への移行に際し、値が見直されたことから、基準値の改正を行った。

㈥　一・一・一―トリクロロエタンについては、「特定物質の規制等によるオゾン層の保護に関する法律に基づき、原則として、生産、使用が禁止されているため、基準から削除した。

三　資機材等試験告示の改正の概要

資機材等試験告示の一．浸出用液の調製における水質の確認の方法及び三．分析方法について、必要な改正を行った。当該改正においては、技術基準省令における基準項目のうち、水質基準項目又は水質管理目標設定項目であるものについては、これらと同様の分析（検査）方法を採用することとし、それ以外の項目（技術基準省令のみの項目）については、答申に示された考え方に準じて分析（検査）方法を改正した。なお、分析（検査）方法等の詳細について、別添に示した。

四　改正技術基準省令及び改正資機材等試験告示の施行日

水質基準に関する省令（平成一五年厚生労働省令第一〇一号）等の施行日に合わせ、平成一六年四月一日とした。

五　経過措置の考え方

㈠　基準のうち「有機物（全有機炭素（ＴＯＣ）の量）」については、平成一七年四月一日からの施行とし、平成一七年三月三一日までの間は、従前の「有機物等（過マンガン酸カリウム消費量）」を基準項目とし、従前の基準値を適用するとした。

これは水質基準における経過措置と同様、検査実施機関におけるＴＯＣの検査体制の整備期間を考慮して設定したものである。なお、平成一六年四月一日以降においてＴＯＣによる検査が可能である場合は、検査を、有機物等（過マンガン酸カリウム消費量）に代えて弾力的にＴＯＣで行っても差し支えない。

㈡　「パッキンを除く部品又は材料としてゴム、ゴム化合物又は合成樹脂を使用している資機材等」の浸出液に係る基準については、当分の間、この省令による改正後のフェノール類の基準値を従前の〇・〇〇五㎎／ℓ」とした。

これは、ゴム、ゴム化合物又は合成樹脂を水と接触する部分に多く使用している資機材等においては、ただちに新基準値を達成することが困難であり、代替材料使用による新基準値達成の目途が付く当分の間、従前の基準値に据置いたものである。

なお、パッキンには、フランジ継手に使用するシール材や管継手に使用される水密保持用ゴムも含まれるものである。

㈢　平成一六年四月一日時点で現に設置されている浄水又は浄水処理過程における水に接する資機材等であって、改正後の基準に適合しないものについては、当該水道施設の大規模の改造のときまでは、改正後の規定の適用を猶予することとした。

なお、資機材等に係る単純な交換工事であっても、当該工事により新規に設置される資機材等については、新基準を満たす必要がある。

六　その他

水に注入される薬品等により水に付加される物質の基準について、その評価のための試験方法については、水道事業者が合理的、客観的な判断に基づき、自らの責任で選択し、採用するものである。なお、その際に参考となるものとして「水道用薬品の評価のための試験方法ガイドラインについて」（平成一二年三月三一日衛水第二一号水道整備課長通知）において、水道用薬品の評価のための試験方法ガイドラインを示しているところであるが、今回の基準の改正を踏まえその見直しを行うこととしている。

別添　一、二　略

四、水道施設の技術的基準を定める省令の一部改正について（クリプトスポリジウム等対策関係）（通知）

（平成一九年三月三〇日　健水発第〇三三〇〇〇四号
各都道府県・政令市・特別区水道行政担当部（局）
長あて厚生労働省健康局水道課長通知）

水道施設の技術的基準を定める省令の一部を改正する省令（平成一九年厚生労働省令第五四号。以下「改正省令」という。）が、平成一九年三月三〇日に公布され、平成一九年四月一日から施行されることとなった。

ついては、下記に留意の上、貴管下の水道事業者、水道用水供給事業者及び専用水道設置者に対しこれを周知するとともに、その施行に遺漏のないようにされたい。

記

一　**改正の背景**

耐塩素性病原生物対策については、原水に耐塩素性病原生物が混入するおそれがある場合には浄水施設に濾過等の設備が設けられなければならないこととしている。

しかし、必要な濾過設備が設置されていない施設が、特に小規模な水道施設に多く残存していることなどから、耐塩素性病原生物対策を一層推進していく必要があるところである。

一方、近年、紫外線照射によるクリプトスポリジウム及びジアルジアの不活化の有効性に関する知見が得られてきており、濾過と比べ簡便な手法として導入することが可能であると考えられる。

こうしたことから、耐塩素性病原生物対策に紫外線処理を新たに位置づけることとしたものである。

二　**改正の概要**

原水に耐塩素性病原生物が混入するおそれのある水道施設は、これらを除去することができる濾過等の設備を設けることとされているが、地表水を原水としておらず、かつ、処理される水の水質が紫外線処理に適したものであって、耐塩素性病原生物を不活化できる紫外線処理設備が設けられている場合にはその限りではないこととするとともに、紫外線処理設備が備えるべき要件を定めるものである。

三　**留意事項**

(一)　第五条第一項第八号関係

イ　ただし書イの規定は、井戸水、伏流水、湧水等の地下水を原水とする場合であって、取水施設の位置及び構造、原水の水質検査の結果等から、地表水を直に取水していないことを確認できることをいうものであること。

ロ　ただし書ハの規定における「原水中の耐塩素性病原生物を不活化することができる紫外線処理設備」について、紫外線処理は耐塩素性病原生物のうちクリプトスポリジウム及びジアルジアの不活化に有効であることは明らかにされているところであるが、これら以外の耐塩素性病原生物による汚染のおそれがある場合には、当該生物に対する紫外線処理の有効性について慎重に検討し、紫外線処理によりこれらを不活化することができると判断できない場合には、これらを除去することができる濾過等の設備を設けなければならないこと。

(二)　第五条第九項関係

イ　第三号の規定は、紫外線照射装置による紫外線の照射量が必要な量となっていることを常時監視することができるものであることをいう。

ロ　第四号の規定における濁度の監視は、紫外線が照射される水の濁度が紫外線処理に支障がないものであることを常時監視することができるものであることをいう。

ハ　第四号の規定における水量の監視は、紫外線照射槽を流れる水が必要な時間、紫外線に照射されていることを常時監視することができるものであることをいう。

ニ　第四号ただし書の規定における「濁度が紫外線処理に支障を及ぼさないことが明らかである」とは、過去の原水の水質検査の結果等から判断されるものであること。

ホ　第五号の規定における紫外線ランプの状態の監視とは、紫外線ランプの破損及び点灯状況等を常時監視できるものであることをいう。

五、水道施設の技術的基準を定める省令の一部を改正する省令について（クリプトスポリジウム等対策関係）（通知）

（令和元年五月二九日　薬生水発第〇五二九第一号
各都道府県・市・特別区水道行政担当部（局）長あて
厚生労働省大臣官房生活衛生・食品安全審議官通知）

水道施設の技術的基準を定める省令の一部を改正する省令（令和元年厚生労働省令第六号。以下「改正省令」という。）が、令和元年五月二九日に公布、施行されることとなった。

ついては、下記について御了知の上、貴管下の水道事業者、水道用水供給事業者及び専用水道設置者に対しこれを周知するとともに、その施行に遺漏のないようにされたい。

なお、本通知は、厚生労働大臣認可の水道事業者及び水道用水供給事業者には別途通知していることを申し添える。

記

第一　改正の趣旨

水道におけるクリプトスポリジウム等の耐塩素性病原生物対策について、最近の厚生労働科学研究及び諸外国における研究の報告等から、地表水（河川水、湖沼水等）を原水とする水道施設の耐塩素性病原生物対策として、濾過設備による濾過を行った上での紫外線処理が有効であるとの科学的知見が得られたことを踏まえ、水道における耐塩素性病原生物対策をさらに推進するため、所要の改正を行うもの。

第二　改正の概要

一　紫外線処理の適用範囲の拡大（改正省令による改正後の水道施設の技術的基準を定める省令第五条第一項第八号関係）

これまで、地表水を原水とする浄水施設においては、濾過等の設備であって耐塩素性病原生物を除去することができる設備を設けることを必要としていたが、濾過等の設備の後に紫外線処理設備を設ける場合には、地表水を原水とする浄水施設でも紫外線処理を用いることを可能とすること。

二　紫外線処理設備の技術的要件の改正（改正省令による改正後の水道施設の技術的基準を定める省令第五条第九項第四号関係）

紫外線処理を用いる浄水施設の要件である、水の濁度を常時測定するための設備の設置について、地表水を原水とする浄水施設にあっては必ず設置すること。なお、地表水以外を原水とする浄水施設にあっては、水の濁度が紫外線処理に支障を及ぼさないことが明らかな場合は、この限りでないこと。

六、水道施設の技術的基準を定める省令の一部改正について（耐震化関係）（通知）

（平成二〇年四月八日　健水発第〇四〇八〇〇一号
各都道府県・政令市・特別区水道行政担当部（局）長あて厚生労働省健康局水道課長通知）

水道施設の技術的基準を定める省令の一部を改正する省令（平成二〇年厚生労働省令第六〇号。）が、平成二〇年三月二八日に公布され、平成二〇年一〇月一日から施行されることとなった。

ついては、下記に留意の上、貴管下の水道事業者、水道用水供給事業者及び専用水道設置者に対しこれを周知するとともに、その施行に遺漏のないようにされたい。

記

一　改正の趣旨

水道施設については、地震が発生した場合においても生命の維持や生活に必要な水を安定して供給する必要があるため、施設の耐震化を図り、被害の発生を抑制し、影響を小さくすることが重要である。

しかし、現在の水道施設は十分に耐震化が図られていると言える状況ではなく、近年発生した大規模な地震においても、水道施設に多大な被害が生じている。

水道施設の多くが今後、更新時期を迎えることから、更新の際に適切な耐震性能を有するものを整備することが、耐震化を推進する上で重要である。そのため、水道施設の備えるべき耐震性能をより明確なものとし、水道施設の更新の際等に適切な耐震性能を有する水道施設の整備が図られるよう省令の改正を行ったものである。

二　改正の概要

地震被害が水道施設としての本来の機能に与える影響及び地震被害が水道施設以外に与える二次的影響の視点から水道施設をその重要度に応じて二つに区分し、それぞれに備えるべき耐震性能の要件を明確化したものである。

三　**留意事項**

㈠　第一条第七号イに規定する「当該施設の供用期間中に発生する可能性の高い」とは、地震動の発生確率の観点から当該施設の設計供用期間に発生する可能性が高いことをいうものであること。

㈡　第一条第七号イに規定する「健全な機能を損なわない」とは、施設の設計能力を損なわないことをいうものであること。

㈢　第一条第七号イ及びロに規定する「機能に重大な影響を及ぼさない」とは、一定の機能低下をきたしたとしても、速やかに施設の機能が回復できる程度の影響に留まることをいうものであること。

㈣　第一条第七号イ㈡に規定する「破損した場合に重大な二次被害を生ずるおそれが高いもの」とは、破損した場合に住民の財産等に直接重大な損害を及ぼすおそれが高い施設、塩素などの危険物の流出を招き周辺の生活環境等に重大な被害を及ぼすおそれが高い施設等をいうものであること。

㈤　第一条第七号イ㈢ⅳの規定は、配水本管を有しない水道において、配水池等のうち少なくとも最大容量を有するものにより高い耐震性能を求めたものである。ただし、最大容量を有さないものであっても、同等程度に重要度の高い配水池等については、同様のより高い耐震性能が確保されることが望ましいこと。

㈥　施設全体として備えるべき耐震性能が確保されるよう、構造物と一体をなして施設の機能の維持に深く関わる機械設備、電気設備、計装設備、施設内の配管についても、その耐震性能に配慮すること。

四　**経過措置の考え方**

改正省令の附則では、「この省令の施行の際に現に設置され、又は設置の工事が行われている水道施設」（以下、「既存施設」という。）について、当該施設の大規模の改造のときまでは、改正後の規定を適用しないとの経過措置を置いている。これは、時を移さずこの省令の第一条第七号イ又はロの規定に適合させることが望ましいが、全ての水道施設を直ちに適合させることはできないという実情を考慮したものである。なお、厚生労働省としては、既存施設に関してもできるだけ速やかに新基準に適合させることが望ましいと考えているので申し添える。

七、水道施設の耐震化の計画的実施について（通知）

（平成二〇年四月八日　健水発第〇四〇八〇〇二号
各都道府県・政令市・特別区水道行政担当部（局）
長あて厚生労働省健康局水道課長通知）

日頃から水道行政の推進につきましては種々ご配意賜り感謝申し上げます。

さて、今般、水道施設の技術的基準を定める省令の一部を改正する省令（平成二〇年厚生労働省令第六〇号。以下「改正省令」という。）が平成二〇年三月二八日に公布され、水道施設が備えるべき耐震性能が明確化されたこと等を踏まえ、現に設置されている水道施設等についても適切な耐震性能を備えるよう計画的に整備することが望ましいことから、下記事項について貴管下の水道事業者、水道用水供給事業者及び専用水道設置者に対する周知指導及び取り組み方、よろしくご配意願います。なお、厚生労働大臣認可水道事業者及び厚生労働大臣認可水道用水供給事業者宛てに別途同様の通知を送付していることを申し添えます。

記

一　現に設置されている水道施設の耐震化

(一)　改正省令の施行の際に現に設置され、又は設置の工事が行われている水道施設（以下「既存施設」という。）であって、改正省令による改正後の水道施設の技術的基準を定める省令（以下「改正後の省令」という。）第一条第七号イ及びロに規定する基準に適合しないものについては、当該施設の大規模の改造のときまではこの規定を適用しないとされているが、既存施設についても、地震が発生した場合に被害の発生を抑制し、影響を小さくすることが重要であることから、できるだけ速やかにこれらの規定に適合させることが望ましい。他方、既存施設の耐震化は、水道水の供給に支障を与えない対策を講じて実施する必要があり、工期が長期間に及ぶものも多い。このため、水道事業者等においては、速やかに既存施設の耐震診断等を行い、その耐震性能を把握し、早期に耐震化計画を策定した上で、計画的に耐震化を進めるよう努められたい。

(二)　既存施設の耐震化にあたっては、以下に示す事項を踏まえつつ、重要度、緊急度の高い対策から順次計画的に実施されたい。

ア　破損した場合に重大な二次被害を生ずるおそれが高い水道施設や破損した場合に影響範囲が大きく応急給水で対応できないような水道施設については、優先的に耐震化を図る。

イ　耐震性能が特に低い石綿セメント管については、順次耐用年数に達しつつあること、経年劣化に伴い漏水事故の発生も多数みられることなどから、基幹管路（導水管、送水管及び配水本管をいう。以下同じ。）として布設されているものを中心にできるだけ早期に適切な耐震性能を有する管種、継手への転換を進めるとともに、今後遅くとも概ね一〇年以内に転換を完了するよう努める。さらに、基幹管路として布設されている鋳鉄管及び塩化ビニル管（TS継手）についても、老朽化の進行度を踏まえつつ、遅滞なく適切な耐震性能を有する管種、継手への転換を進める。

ウ　災害時に重要な拠点となる病院、診療所、介護や援助が必要な災害時要援護者の避難拠点など、人命の安全確保を図るために給水優先度が特に高いものとして地域防災計画等へ位置付けられている施設へ配水する管路については、優先的に耐震化を進める。その際、災害時においても給水を確保するため、基幹管路に該当しない管路についても、より高い耐震性能を有する管種、継手を採用することが望ましい。

㈢　各水道においてそれぞれ最も優先して耐震化を図るべき水道施設については、平成二五年度を目途に耐震化を完了できるよう、耐震化計画の中で事業の実施計画を明らかにし、確実な実施に努められたい。

㈣　水道事業者等がそれぞれの水道の状況に応じて計画的に耐震化施策を推進する上で活用できるよう、「水道の耐震化計画等策定指針」（厚生労働省健康局水道課ホームページに掲載：http://www.mhlw.go.jp/topics/bukyoku/kenkou/suido/hourei/ suidouhou/index.html）を取りまとめているので、参考にされたい。同指針は、従前の「水道の耐震化計画策定指針（案）」の公表から一〇年以上が経過し、その間の地震等災害での水道施設の被害を踏まえ、内容の充実を図ったものである。

㈤　既設管路の耐震性能の評価や布設する管路の管種、継手の選定に当たっては、「管路の耐震化に関する検討会報告書」（厚生労働省健康局水道課ホームページに掲載：http://www.mhlw.go.jp/topics/bukyoku/kenkou/suido/hourei/suidouhou/index.html）において、代表的な管種、継手について、過去の地震における被害データ等をもとに耐震性能への適合性の整理を行っているので、参考とされるとともに、各水道事業者等において地質分布・断層の有無を的確に把握するなど地盤条件について十分検討した上で判断されたい。

二　水道の利用者に対する情報の提供

水道施設の耐震化のために必要な投資を行っていく上で、水道の利用者の理解を得ることが不可欠であることから、水道事業者等は水道の利用者に対し、水道施設の耐震性能や耐震化に関する取り組みの状況、断水発生時の応急給水体制などについて定期的に情報を提供するよう努められたい。

八、水道施設の技術的基準を定める省令の一部改正について（通知）

（令和元年九月三〇日　薬生水発〇九三〇第七号
各都道府県水道行政主管部（局）長あて
厚生労働省医薬・生活衛生局水道課長通知）

水道施設の技術的基準を定める省令の一部を改正する省令（令和元年厚生労働省令第五九号）が令和元年九月三〇日に公布され、令和二年四月一日から施行される予定である。

これに伴う改正の趣旨、改正の内容及び留意事項は下記のとおりであるので、御了知の上、その施行に遺漏なきよう期されたい。

また、各都道府県におかれては、貴管下の市及び特別区並びに都道府県知事認可の水道事業者及び水道用水供給事業者へ周知されたい

なお、本通知は、地方自治法（昭和二二年法律第六七号）第二四五条の四第一項の規定に基づく技術的助言である旨申し添える。

記

第一　改正の趣旨

水道施設におけるサイバーセキュリティ対策を強化する観点から、水道施設の技術的基準を定める省令（平成一二年厚生省令第一五号）の規定の整備を行うものであること。

第二　改正の内容

水道施設におけるサイバーセキュリティ対策を強化する観点から、水道施設に備えるべき要件として、施設の運転を管理する電子計算機が水の供給に著しい支障を及ぼすおそれがないように、サイバーセキュリティを確保するために必要な措置が講じられたものであることを加えるものであること。

第三　留意事項

一　「施設の運転を管理する電子計算機」とは、制御系システム（浄水場の監視制御、ポンプ場の運転、水運用等）に使用されている電子計算機をいうものであること。

なお、「電子計算機」とは、コンピューター全般を指し、情報システムを構成するサーバ、端末、周辺機器等の装置全般をいう。

二　制御系システムに使用されている電子計算機について、次の措置が講じられていること。

・電子計算機へアクセスする者について主体認証を行うことができる機能を有すること。

・不正プログラム対策として、アンチウイルスソフトウェアが導入され、常に最新の状態が保たれていること。また、自動検査機能が有効となっていること。

・セキュリティ更新プログラムの提供等のサポートが終了したオペレーティングシステム（ＯＳ）が使用されていないこと（外部ネットワークからの分離、ＵＳＢメモリ等の外部記憶媒体からの感染防止対策等、不正プログラムの進入を防ぐ措置が講じられている場合はこの限りではない）。

・電子計算機は、障壁、施錠等により他の区域から隔離され、人の入退出を管理することができる場所に設置すること。可搬性のある電子計算機（モバイルパソコン、携帯端末等）についてはこの限りではないが、施錠できる保管庫で保管すること、常に携帯することなど、盗難等のおそれがないよう適切に管理すること。

九、水道用資材の使用について（通知）

（平成一〇年六月一一日　生衛発第九六六号各都道府県知事あて厚生省生活衛生局水道環境部長通知）

水道用の主要資材については、昭和三七年九月六日付環水第四一号厚生省環境衛生局長通知「水道用資材の使用について」（以下「局長通知」という。）により、資材として用いられる製品に起因する水質汚染、破損、漏水等の事故を防止するため、日本工業規格又は日本水道協会規格等の規格があるものについては当該規格品を使用するよう貴管下の水道事業者、水道用水供給事業者及び専用水道の設置者（以下「水道事業者等」という。）に対する指導方お願いしてきたところである。

一方、平成八年九月二〇日に閣議決定された「公益法人に対する検査等の委託等に関する基準」（別添一）においては、公益法人が行う検査・認定・資格付与等の在り方について見直しが求められているところである。このため、当省においては㈳日本水道協会が定める日本水道協会規格等に対する関与の在り方について見直し、昨今の水道用資材の製造技術の水準、国際標準化機構による製品の品質管理の客観的・統一的な考え方の普及等の状況に鑑みれば、特定の規格を使用する必要性は乏しくなっていること、また、公正取引委員会から日本水道協会規格の推奨について見直すべきとの趣旨の指摘（別添二）があったことを踏まえ、今般、日本水道協会規格を推奨する内容である局長通知を廃止することとしたので御了知いただきたい。

これに伴い、日本水道協会規格の性格はあくまで自主規格であり、その採否は水道事業者等の任意であることについて、貴職におかれても十分御留意の上、貴管下の水道事業者等に対する周知指導方お願いする。

なお、当省においては、水道施設に関して必要な技術的基準を定めるため、生活環境審議会水道部会に施設基準等専門委員会を設置し検討しているところであるが、この中で水道施設の材質に関する基準についても検討することとしているところであるので、念のため申し添える。

別添一、二　略

第二章　水道の基盤の強化

本章は、平成三〇年の水道法改正によって設けられたものであり、水道の基盤の強化に向けて、国、都道府県、市町村、水道事業者等が一体となって取り組み、かつ、水道事業者等の間の連携等の推進役として都道府県の権能を強化するため、地域における水道の基盤の強化の枠組みを規定するものである。具体的には、国による水道の基盤を強化するための基本的な方針の策定、都道府県による水道基盤強化計画の策定に関し、手続及び内容等を明らかにしたものである。

〔法　律〕

（基本方針）

第五条の二　厚生労働大臣は、水道の基盤を強化するための基本的な方針（以下「基本方針」という。）を定めるものとする。

2　基本方針においては、次に掲げる事項を定めるものとする。

一　水道の基盤の強化に関する基本的事項

二　水道施設の維持管理及び計画的な更新に関する事項

三　水道事業及び水道用水供給事業（以下「水道事業等」という。）の健全な経営の確保に関する事項

四　水道事業等の運営に必要な人材の確保及び育成に関する事項

五　水道事業者等の間の連携等の推進に関する事項

六　その他水道の基盤の強化に関する重要事項

3　厚生労働大臣は、基本方針を定め、又はこれを変更したときは、遅滞なく、これを公表しなければならない。

〔要　旨〕

本条は、水道の基盤を強化するための基本的な方針及びその内容等について規定したものである。

〔解　説〕

一、趣　旨

水道の基盤強化に向けて、国、都道府県、市町村、水道事業者等が一体となって取り組む観点から、法第二条の二第一項に定める国の責務である水道の基盤の強化に関する基本的かつ総合的な施策の策定の一環として、厚生労働大臣は、水道の基盤を強化するための基本的な方針を定めることにより、その政策的な方向性を明らかにすることとしたものである。

これは、水道の基盤の強化については、人口減少に伴う水需要の減少や水道施設の老朽化等、様々な課題を総合的に解決することが求められており、広域連携や水道の維持管理及び計画的な更新、水道事業等の健全な経営の確保等についての考え方等について、厚生労働大臣が一定の方向性を定め、これに基づき、各都道府県が計画区域内の水道事業者等に対して講ずべき施策等を水道基盤強化計画に規定することが効果的であると考えられたためである。

二、内容等

厚生労働大臣は、基本方針を定めるものとし、基本方針においては、水道の基盤の強化に関する基本的事項、水道施設の維持管理及び計画的な更新に関する事項その他の事項を定める（法五条の二第一項及び第二項）。

厚生労働大臣は、基本方針を定め、又はこれを変更したときは、遅滞なく、これを公表しなければならない（法五条の二第三項）。

基本方針は今後の水道事業等の目指すべき方向性を示すものであることから、都道府県は、基本方針に基づいて、水道基盤強化計画を定めることとなる（法五条の三第三項）。

なお、基本方針については、厚生科学審議会生活環境水道部会水道事業の維持向上に関する専門委員会における審議を踏まえ、令和元年九月三〇日に厚生労働大臣告示として公布された。

〔参　考〕

水道の基盤を強化するための基本的な方針

（令和元年九月三〇日
厚生労働省告示第一三五号）

水道法の一部を改正する法律（平成三〇年法律第九二号）の一部の施行に伴い、同法による改正後の水道法（昭和三二年法律第百七七号）第五条の二第一項の規定に基づき、水道の基盤を強化するための基本的な方針を次のように策定し、水道法の一部を改正する法律の施行の日（令和元年十月一日）から適用することとしたので、同条第三項の規定に基づき告示する。

記

本方針は、水道法（昭和三二年法律第百七七号。以下「法」という。）の目的である、水道の布設及び管理を適正かつ合理的ならしめるとともに、水道の基盤を強化することによって、清浄にして豊富低廉な水の供給を図り、もって公衆衛生の向上と生活環境の改善に寄与するため、法第五条の二第一項に基づき定める水道の基盤を強化するための基本的な方針であり、今後の水道事業及び水道用水供給事業（以下「水道事業等」という。）の目指すべき方向性を示すものである。

第一　水道の基盤の強化に関する基本的事項

一　水道事業等の現状と課題

我が国の水道は、平成二八年度末において九七．九％という普及率に達し、水道は、国民生活や社会経済活動の基盤として必要不可欠なものとなっている。

一方で、高度経済成長期に整備された水道施設の老朽化が進行しているとともに、耐震性の不足等から大規模な災害の発生時に断水が長期化するリスクに直面している。また、我が国が本格的な人口減少社会を迎えることから、水需要の減少に伴う水道事業等の経営環境の悪化が避けられないと予測されている。さらに、水道事業等を担う人材の減少や高齢化が進むなど、水道事業等は深刻な課題に直面している。

こうした状況は、水道事業が主に市町村単位で経営されている中にあって、特に小規模な水道事業者において深刻なものとなっている。

二　水道の基盤の強化に向けた基本的な考え方

一に掲げる課題に対応し、平成二五年三月に策定された新水道ビジョンの理念である「安全な水の供給」、「強靱な水道の実現」及び「水道の持続性の確保」を目指しつつ、法に掲げる水道施設の維持管理及び計画的な更新、水道事業等の健全な経営の確保、水道事業等の運営に必要な人材の確保及び育成等を図ることにより、水道の基盤の強化を図ることが必要である。

その際、地域の実情に十分配慮しつつ、以下に掲げる事項に取り組んでいくことが重要である。

㈠　法第二二条の四第二項に規定する事業に係る収支の見通しの作成及び公表を通じ、長期的な観点から水道施設の計画的な更新や耐震化等を進めるための適切な資産管理を行うこと。

㈡　水道事業等の運営に必要な人材の確保や経営面でのスケールメリットを活かし効率的な事業運営の観点から実施する、法第二条の二第二項に規定する市町村の区域を超えた広域的な水道事業間の連携等（以下「広域連携」という。）を推進すること。

㈢　民間事業者の技術力や経営に関する知識を活用できる官民連携を推進すること。

三　関係者の責務及び役割

国は、水道事業等において持続的かつ安定的な事業運営が可能になるよう、本方針をはじめとした水道の基盤の強化に関する基本的かつ総合的な施策を策定し、及びこれを推進するとともに、水道事業者及び水道用水供給事業者（以下「水道事業者等」という。）に対する必要な技術的及び財政的な援助を行うよう努めなければならない。また、認可権者として本方針に即した取組が推進されるよう、水道事業者等に対して法に基づく指導・監督を行うよう努めなければならない。

都道府県は、市町村の区域を越えた広域連携の推進役として水道事業者等の間の調整を行うとともに、その区域内の水道の基盤を強化するため、法第五条の三第一項に規定する水道基盤強化計画を策定し、これを実施するよう努めなければならない。また、認可権者として、本方針に即した取組が推進されるよう、水道事業者等に対して法に基づく指導・監督を行うよう努めなければならない。

市町村は、地域の実情に応じて、その区域内における水道事業者等の間の連携等その他の水道の基盤の強化に関する施策を策定し、及びこれを実施するよう努めなければならない。

水道事業者等は、国民生活や社会経済活動に不可欠な水道水を供給する主体として、その経営する事業を適正かつ能率的に運営するとともに、その事業の基盤の強化に努めなければならない。このため、水道施設の適切な資産管理を進め、長期的な観点から計画的な更新を行うとともに、その事業に係る収支の見通しを作成し、これを公表するなど、水道事業等の将来像を明らかにし、需要者である住民等に情報提供するよう努めなければならない。

民間事業者は、従来から、その技術力や経営に関する知識を活かし多様な官民連携の形態を通じて、水道事業等の事業運営に大きな役割を担ってきたところであり、必要な技術者及び技能者の確保及び育成等を含めて、引き続き、水道事業者等と連携して、水道事業等の基盤強化を支援していくことが重要である。

水道の需要者である住民等は、将来にわたり水道を持続可能なものとするためには水道施設の維持管理及び計画的な更新等に必要な相応の財源確保が必要であることを理解した上で、水道は地域における共有財産であり、その水道の経営に自らも参画しているとの認識で水道に関わることが重要である。

第二　水道施設の維持管理及び計画的な更新に関する事項

一　水道の強靱化

水道は、飲料水や生活に必要な水を供給するための施設であるため、災害その他の非常の場合においても、断水その他の給水への影響ができるだけ少なくなり、かつ速やかに復旧できるよう配慮されたものであることが求められる。特に主要な施設の耐震性については、レベル２地震動（当該施設の設置地点において発生するものと想定される地震動のうち、最大規模の強さを有するものをいう。）に対して、生ずる損傷が軽微であって、当該施設の機能に重大な影響を及ぼさないこととされ、当該地震動の災害時も含め法第五条の規定に基づく施設基準への適合が義務づけられている。しかしながら、大規模改造のときまでは適用しない旨の経過措置が置かれており、現状の水道施設は十分に耐震化が図られていると言える状況にはなく、大規模な地震等の際には長期の断水の被害が発生している。

このため、水道事業者等においては、以下に掲げる取組を行うことが重要である。

㈠　水道施設の耐震化計画を策定し、計画的に耐震化を進め、できる限り早期に法第五条の規定に基づく施設基準への適合を図ること。

㈡　地震以外の災害や事故時の対応も含めて、自らの職員が被災する可能性も視野に入れた事業継続計画、地域防災計画等とも連携した災害時における対策マニュアルを策定すること。また、それらの計画やマニュアルを踏まえて、自家発電設備等の資機材の整備や訓練の実施、住民等や民間事業者との連携等を含め、平時から災害に対応するための体制を整備すること。

㈢　災害時における他の水道事業者等との相互援助体制及び水道関係団体等との連携体制を構築すること。

国は、引き続き、これらの水道事業者等の取組に対する必要な技術的及び財政的な援助を行うとともに、水道事業等の認可権者として、認可権者である都道府県とともに、これらの取組を水道事業者等に対して促すことが重要である。

二　安全な水道の確保

我が国の水道については、法第四条の規定に基づく水質基準を遵守しつつ適切な施設整備と水質管理の実施を通じた水の供給に努めてきた結果、国内外において、その安全性が高く評価されている。しかしながら、事故等による不測の水道原水の水質変化により、水質汚染が発生し、給水停止等の対応が取られる事案も存在しており、水道水の安全性を確保するための取組が重要である。

このため、水道事業者等においては、引き続き、法に基づく水質基準を遵守しつつ、水源から給水栓に至る各段階で危害評価と危害管理を行うための水安全計画を策定するとともに、同計画に基づく施策の推進により、安全な水道水の供給を確保することが重要である。

国は、引き続き、これらの水道事業者等の取組に対する必要な技術的及び財政的な援助を行うとともに、水道事業等の認可権者として、認可権者である都道府県とともに、これらの取組を水道事業者等に対して促すことが重要である。

三　適切な資産管理

高度経済成長期に整備された水道施設の老朽化が進行している今日、水道施設の状況を的確に把握し、漏水事故等の発生防止や長寿命化による設備投資の抑制等を図りつつ、水需要の将来予測等を含めた長期的な視点にたって、計画的に水道施設の更新を進めていくことが重要である。

しかしながら、水道事業者等の一部には、法第二二条の三に定める水道施設の台帳（以下「水道施設台帳」という。）を作成していない者も存在する。また、水道施設の現状を評価し、施設の重要度や健全度を考慮して具体的な更新施設や更新時期を定める、いわゆるアセットマネジメントについても、小規模な水道事業者等において十分に実施されていない状況にある。

このため、水道事業者等においては、以下に掲げる取組を行うことが重要である。

㈠　水道施設台帳は、水道施設の維持管理及び計画的な更新のみならず、災害対応、広域連携や官民連携の推進等の各種取組の基礎となるものであり、適切に作成及び保存すること。また、記載された情報の更新作業を着実に行うこと。さらに、水道施設台帳の電子化等、長期的な資産管理を効率的に行うことに努めること。

㈡　点検等を通じて水道施設の状態を適切に把握した上で、水道施設の必要な維持及び修繕を行うこと。

㈢　水道施設台帳のほか、水道施設の点検を含む維持及び修繕の結果等を活用して、アセットマネジメントを実施し、中長期的な水道施設の更新に関する費用を含む事業に係る収支の見通しを作成・公表するとともに、水道施設の計画的な更新や耐震化等を進めること。

㈣　水需要や水道施設の更新需要等の長期的な見通しを踏まえ、地域の実情に応じ、水の供給体制を適切な規模に見直すこと。その際、中長期的な水道施設の更新計画については、水の供給の安定性の確保、災害対応能力の確保並びに費用の低減化の観点の他、都道府県や市町村のまちづくり計画等との整合性を考慮し、バランスの取れた最適なものとすること。

国は、引き続き、これらの水道事業者等の取組に対する必要な技術的及び財政的な援助を行うとともに、水道事業等の認可権者として、認可権者である都道府県とともに、これらの取組を水道事業者等に対して促すことが重要である。

第三　水道事業等の健全な経営の確保に関する事項

水道施設の老朽化、人口減少に伴う料金収入の減少等の課題に対し、水道事業等を将来にわたって安定的かつ持続的に運営するためには、事業の健全な経営を確保できるよう、財政的基盤の強化が必要である。

一方で、独立採算が原則である水道事業にあって、現状においても、水道料金に係る原価に更新費用が適切に見積もられていないため水道施設の維持管理及び計画的な更新に必要な財源が十分に確保できていない場合がある。

こうした中で、将来にわたり水道を持続可能なものとするためには、水道施設の維持管理及び計画的な更新等に必要な財源を、原則として水道料金により確保していくことが必要であることについて需要者である住民等の理解を得る必要がある。その上で、長期的な観点から、将来の更新需要を考慮した上で水道料金を設定することが不可欠である。

このため、水道事業者等においては、以下に掲げる取組を推進することが重要である。

(一)　長期的な観点から、将来の更新需要等を考慮した上で水道料金を設定すること。その上で、概ね三年から五年ごとの適切な時期に水道料金の検証及び必要に応じた見直しを行うこと。

(二)　法第二二条の四の規定に基づく収支の見通しの作成及び公表に当たって、需要者である住民等に対して、国民生活や社会経済活動の基盤として必要不可欠な水道事業等の将来像を明らかにし、情報提供すること。その際、広域連携等の取組が実施された場合には、その前提条件を明確化するとともに、当該前提条件、水道施設の計画的な更新及び耐震化等の進捗と、水道料金との関係性の提示に努めること。

国は、単独で事業の基盤強化を図ることが困難な簡易水道事業者等、経営条件の厳しい水道事業者等に対して、引き続き、必要な技術的及び財政的な援助を行うとともに、水道事業等の認可権者として、認可権者である都道府県とともに、これらの取組を水道事業者等に対して促すことが重要である。

第四　水道事業等の運営に必要な人材の確保及び育成に関する事項

水道事業等の運営に当たっては、経営に関する知識や技術力等を有する人材の確保及び育成が不可欠である。しかしながら、水道事業者等における組織人員の削減等により、事業を担う職員数は大幅に減少するとともに、職員の高齢化も進み、技術の維持及び継承並びに危機管理体制の確保が課題となっている。

水道事業等を経営する都道府県や市町村においては、長期的な視野に立って、自ら人材の確保及び育成ができる組織となることが重要である。

さらに、水道事業者等の自らの人材のみならず、民間事業者における人材も含めて、事業を担う人材の専門性の維持及び向上という観点も重要である。

このため、水道事業者等においては、以下に掲げる取組を推進することが重要である。

㈠　水道事業等の運営に必要な人材を自ら確保すること。単独での人材の確保が難しい場合等には、他の水道事業者等との人材の共用化等を可能とする広域連携や、経営に関する知識や技術力を有する人材の確保を可能とする官民連携（官民間における人事交流を含む。）を活用すること。

㈡　各種研修等を通じて、水道事業等の運営に必要な人材を育成すること。その際、専門性を有する人材の育成には一定の期間が必要であることを踏まえ、適切かつ計画的な人員配置を行うこと。さらに、必要に応じて、水道関係団体や教育訓練機関において実施する水道事業者等における人材の育成に対する技術的な支援を活用すること。

国は、こうした水道事業等の運営に必要な人材の確保及び育成に関する取組に対して、引き続き、必要な技術的及び財政的な援助を行うことが重要である。

都道府県は、その区域内における中核となる水道事業者等や民間事業者、水道関係団体等と連携しつつ、その区域内の水道事業者等の人材の育成に向けた取組を行うほか、必要に応じ人事交流や派遣なども活用して人材の確保に向けた取組も行うことが重要である。

第五　水道事業者等の間の連携等の推進に関する事項

市町村経営を原則として整備されてきた我が国の水道事業は、小規模で経営基盤が脆弱なものが多い。人口減少社会の到来により水道事業等を取り巻く経営環境の悪化が予測される中で、将来にわたり水道サービスを持続可能なものとするためには、運営に必要な人材の確保や施設の効率的運用、経営面でのスケールメリットの創出等を可能とする広域連携の推進が重要である。

広域連携の実現に当たっては、連携の対象となる水道事業者等の間の利害関係の調整に困難を伴うが、広域連携には、事業統合、経営の一体化、管理の一体化や施設の共同化、地方自治法（昭和二二年法律第六七号）第二五二条の一六の二に定める事務の代替執行等様々な形態があることを踏まえ、地域の実情に応じ、最適な形態が選択されるよう調整を進めることが重要である。

このため、都道府県は、法第二条の二第二項に基づき、長期的かつ広域的視野に立って水道事業者等の間の調整を行う観点から、以下に掲げる取組を推進することが重要である。

㈠　法第五条の三第一項の規定に基づく水道基盤強化計画は、都道府県の区域全体の水道の基盤の強化を図る観点から、区域内の水道事業者等の協力を得つつ、自然的社会的諸条件の一体性等に配慮して設定した計画区域において、その計画区域全体における水道事業等の全体最適化の構想を描く観点から策定すること。なお、都道府県による広域連携の推進は、市町村間のみの協議による広域連携を排除するものではなく、また、都道府県境をまたぐ広域連携を排除するものではないこと。

㈡　都道府県の区域全体の水道の基盤の強化を図る観点からは、経営に関する専門知識や高い技術力等を有する区域内の水道事業者等が中核となって、他の水道事業者等に対する技術的な援助や人材の確保及び育成等の支援を行うことが重要である。そのため、当該中核となる水道事業者等の協力を得つつ、単独で事業の基盤強化を図ることが困難な経営条件が厳しい水道事業者等も含めて、その区域内の水道の基盤を強化する取組を推進すること。

㈢　法第五条の四第一項の規定に基づき、広域的連携等推進協議会を組織すること等により、広域連携の推進に関する必要な協議を進めること。

市町村は、水道の基盤の強化を図る観点から、都道府県による広域連携の推進に係る施策に協力することが重要である。水道事業者等は、法第五条の四第一項に規定する広域的連携等推進協議会における協議への参加も含め、水道の基盤の強化を図る観点から、都道府県による広域連携の推進に係る施策に協力するとともに、必要に応じて官民連携の取組も活用しつつ、地域の実情に応じた広域連携を推進することが重要である。

国は、引き続き、広域連携の好事例の紹介等を通じて、そのメリットをわかりやすく説明するなど、都道府県や水道事業者等に対して広域連携を推進するための技術的な援助を行うことが重要である。その際、国は、必要に応じて、水道事業者等の行う広域連携の取組に対する財政的な援助を行うものとする。

第六　その他水道の基盤の強化に関する重要事項

一　官民連携の推進

官民連携は、水道施設の適切な維持管理及び計画的な更新やサービス水準等の向上はもとより、水道事業等の運営に必要な人材の確保、ひいては官民における技術水準の向上に資するものであり、水道の基盤の強化を図る上での有効な選択肢の一つである。

官民連携については、個別の業務を委託する形のほか、法第二四条の三の規定に基づく水道の管理に関する技術上の業務の全部又は一部の委託（以下「第三者委託」という。）、法第二四条の四に規定する水道施設運営等事業など、様々な形態が存在することから、官民連携の活用の目的を明確化した上で、地域の実情に応じ、適切な形態の官民連携を実施することが重要である。

このため、水道事業者等においては、以下に掲げる取組を推進することが重要である。

㈠　水道の基盤の強化を目的として官民連携をいかに活用していくかを明確化した上で、水道事業等の基盤強化に資するものとして、適切な形態の官民連携を実施すること。

㈡　第三者委託及び水道施設運営等事業を実施する場合においては、法第一五条に規定する給水義務を果たす観点から、あらかじめ民間事業者との責任分担を明確化した上で、民間事業者に対する適切な監視・監督に必要な体制を整備するとともに、災害時等も想定しつつ、訓練の実施やマニュアルの整備等、具体的かつ確実な対応方策を検討した上で実施すること。

国は、引き続き、水道事業者等が、地域の実情に応じ、適切な形態の官民連携を実施できるよう、検討に当たり必要な情報や好事例、留意すべき事項等を情報提供するなど、技術的な援助を行うことが重要である。その際、国は、必要に応じて、水道事業者等の行う官民連携の導入に向けた検討に対して財政的な援助を行うものとする。

二　水道関係者間における連携の深化

水道による安全かつ安定的な水の供給は、水道事業者等のほか、指定給水装置工事事業者、登録水質検査機関をはじめとした多様な民間事業者等が相互に連携・協力する体制の下で初めて成立しているものであり、これらの関係者における持続的かつ効果的な連携・協力体制の確保が不可欠である。

その中でも、水道事業者と需要者である住民等の接点となる指定給水装置工事事業者は、必要に応じ技能向上を目的とした講習会等への参加など、自らの資質向上に努めつつ、水道事業者と密接に連携して、安全かつ安定的な水道水の供給を確保する必要がある。

また、水道において利用する水が健全に循環し、そのもたらす恩恵を将来にわたり享受できるようにするため、安全で良質な水の確保、水の効率的な利用等に係る施策について、国、都道府県、市町村、水道事業者等及び住民等の流域における様々な主体が連携して取り組むことが重要である。

三　水道事業等に関する理解向上

水道の持続性を確保するための水道の基盤の強化の取組を進めるに当たっては、需要者である住民等に対して、水道施設の維持管理及び計画的な更新等に必要な財源を原則水道料金により確保していくことが必要であることを含め、水道事業等の収支の見通しや水質の現状等の水道サービスに関する情報を広報・周知し、その理解を得ることが重要である。

このため、水道事業者等は、需要者である住民等がこうした水道事業等に関する情報を適時適切に得ることができるよう、そのニーズにあった積極的な情報発信を行うとともに、需要者である住民等の意見を聴きつつ、事業に反映させる体制を構築し、水道は地域における共有財産であるという意識を醸成することが重要である。

また、国及び都道府県においても、水道事業等の現状と将来見通しに関する情報発信等を通じて、国民の水道事業等に対する理解を増進するとともに、国民の意見の把握に努めることが重要である。

四　技術開発、調査・研究の推進

水道における技術開発は、従来から、水道事業者等、民間事業者、調査研究機関、大学等の高等教育機関が相互に協力して実施してきた。技術開発については、水道事業者等において需要者である住民等のニーズに応える観点から技術的な課題や対応策を模索する一方、民間事業者等においてはこうしたニーズを的確にとらえ、新たな技術を提案することなどにより、更に推進していくことが重要である。

また、ＩＣＴ等の先端技術を活用し、水道施設の運転、維持管理の最適化、計画的な更新や耐震化等の効果的かつ効率的な実施を可能とするための技術開発が望まれる。

さらに、調査研究機関、大学等の高等教育機関や民間事業者等において、水道の基盤の強化に資する浄水処理、送配水及び給水装置等に係る技術的課題や水道事業の経営等水道における様々な課題に対応する調査・研究を推進することが重要である。

水道事業者等は、こうした技術開発、事業の経営等を含めた調査・研究で得られた成果を積極的に現場で活かし、事業の運営を向上させることが重要である。

国は、こうした水道事業者等、民間事業者、調査研究機関、大学等の高等教育機関等による技術開発及び調査・研究を推進するとともに、それらの成果を施策に反映するよう努めることが重要である。

〔法　律〕

（水道基盤強化計画）

第五条の三　都道府県は、水道の基盤の強化のため必要があると認めるときは、水道の基盤の強化に関する計画（以下この条において「水道基盤強化計画」という。）を定めることができる。

2　水道基盤強化計画においては、その区域（以下この条において「計画区域」という。）を定めるほか、おおむね次に掲げる事項を定めるものとする。

一　水道の基盤の強化に関する基本的事項

二　水道基盤強化計画の期間

三　計画区域における水道の現況及び基盤の強化の目標

四　計画区域における水道の基盤の強化のために都道府県及び市町村が講ずべき施策並びに水道事業者等が講ずべき措置に関する事項

五　都道府県及び市町村による水道事業者等の間の連携等の推進の対象となる区域（市町村の区域を超えた広域的なものに限る。次号及び第七号において「連携等推進対象区域」という。）
六　連携等推進対象区域における水道事業者等の間の連携等に関する事項
七　連携等推進対象区域において水道事業者等の間の連携等を行うに当たり必要な施設整備に関する事項
3　水道基盤強化計画は、基本方針に基づいて定めるものとする。
4　都道府県は、水道基盤強化計画を定めようとするときは、あらかじめ計画区域内の市町村並びに計画区域を給水区域に含む水道事業者及び当該水道事業者が水道用水の供給を受ける水道用水供給事業者の同意を得なければならない。
5　市町村の区域を超えた広域的な水道事業者等の間の連携等を推進しようとする二以上の市町村は、あらかじめその区域を給水区域に含む水道事業者及び当該水道事業者が水道用水の供給を受ける水道用水供給事業者の同意を得て、共同して、都道府県に対し、厚生労働省令で定めるところにより、水道基盤強化計画を定めることを要請することができる。
6　都道府県は、前項の規定による要請があつた場合において、水道の基盤の強化のため必要があると認めるときは、水道基盤強化計画を定めるものとする。
7　都道府県は、水道基盤強化計画を定めようとするときは、計画区域に次条第一項に規定する協議会の区域の全部又は一部が含まれる場合には、あらかじめ当該協議会の意見を聴かなければならない。
8　都道府県は、水道基盤強化計画を定めたときは、遅滞なく、厚生労働大臣に報告するとともに、計画区域内の市町村並びに計画区域を給水区域に含む水道事業者及び当該水道事業者が水道用水の供給を受ける水道用水供給事業者に通知しなければならない。
9　都道府県は、水道基盤強化計画を定めたときは、これを公表するよう努めなければならない。
10　第四項から前項までの規定は、水道基盤強化計画の変更について準用する。

〔施行規則〕
（水道基盤強化計画の作成の要請）

第一条の二　市町村の区域を超えた広域的な水道事業者等（水道法（昭和三十二年法律第百七十七号。以下「法」という。）第二条の二第一項に規定する水道事業者等をいう。）の間の連携等（同条第二項に規定する連携等をいう。）を推進しようとする二以上の市町村は、法第五条の三第五項の規定により都道府県に対し同条第一項に規定する水道基盤強化計画（以下「水道基盤強化計画」という。）を定めることを要請する場合においては、法第五条の二第一項に規定する基本方針に基づいて当該要請に係る水道基盤強化計画の素案を作成して、これを提示しなければならない。

〔要　旨〕

本条は、水道基盤強化計画及びその内容や手続等について規定したものである。

〔解　説〕

一、**趣　旨**

市町村経営を原則として整備されてきた我が国の水道事業は、小規模で経営基盤が脆弱なものが多い。人口減少社会の到来により水道事業等を取り巻く経営環境の悪化が予測される中で、将来にわたり水道サービスを持続可能なものとするためには、運営に必要な人材の確保や施設の効率的運用、経営面でのスケールメリットの創出等を可能とする広域連携の推進が重要である。広域連携の実現に当たっては、連携の対象となる水道事業者等の間の利害関係の調整に困難を伴うが、広域連携には、様々な形態があることを踏まえ、地域の実情に応じ、最適な形態が選択されるよう調整を進めることが重要である。

そうした中にあって、都道府県においては、法第二条の二第二項に定める責務にあるように、市町村を超えた広域的な見地から広域連携の推進役として積極的な関与が期待される。そのため、水道の基盤の強化に向けて、国、都道府県、市町村、水道事業者等が一体となって取り組み、かつ、広域連携の推進役としての都道府県の機能を強化するため、都道府県に対して、広域連携をはじめとした水道の基盤の強化に関する計画を主体的に策定することができる権限を与えたものである。

二、内　容

都道府県は、基本方針に基づき、水道基盤強化計画を定めることができるものとし、水道基盤強化計画においては、計画区域を記載するほか、おおむね、水道の基盤の強化に関する基本的事項、水道基盤強化計画の期間、計画区域における水道の基盤の強化のために都道府県及び市町村が講ずべき施策並びに水道事業者等が講ずべき措置に関する事項その他の事項について定める（法五条の三第一項から第三項）。

都道府県は、水道基盤強化計画を定めようとするときは、あらかじめ計画区域内の市町村及び水道事業者等の同意を得なければならない（法五条の三第四項）。なお、「計画区域内の市町村及び水道事業者等の同意」については、関係市町村等の議会の同意まで求めるものではなく、当該計画区域内の市町村及び水道事業者等が水道基盤強化計画を策定する会議の構成員となっている場合であれば、当該会議における合意を上記同意としてもよい。

二以上の市町村は、共同して、都道府県に対し、厚生労働省令で定めるところにより、水道基盤強化計画を定めることを要請することができ、都道府県は当該要請があった場合において、水道の基盤の強化のため必要があると認めるときは、水道基盤強化計画を定める（法五条の三第五項、第六項）。

要請に当たっては、基本方針に基づいて、当該要請に係る水道基盤強化計画の素案を作成し、提示しなければならない（施行規則一条の二）。

都道府県は、水道基盤強化計画を定めようとするときは、計画区域に広域的連携等推進協議会の区域の全部又は一部が含まれる場合には、あらかじめ当該協議会の意見を聴かなければならない、また、その他の水道基盤強化計画に関する所要の規定が定められている（法五条の三第七項から第一〇項）。

〔参　考〕

一、水道基盤強化計画の策定について（通知）

（令和元年九月三〇日　薬生水発〇九三〇第三号
各都道府県水道主管部（局）長あて厚生労働省
医薬・生活衛生局水道課長通知）

水道法の一部を改正する法律（平成三〇年法律第九二号。以下「改正法」という。）の施行に関し、全般にわたる改正の趣旨、内容及び留意点については、「改正水道法等の施行について」（令和元年九月三〇日付け薬生水発〇九三〇第一号厚生労働省医薬・生活衛生局水道課長通知）により通知したところである。

改正法による改正後の水道法（昭和三二年法律第一七七号。以下「法」という。）第五条の三第一項の規定に基づき、都道府県は、水道の基盤の強化のため必要があると認めるときは、水道の基盤の強化に関する計画（以下「水道基盤強化計画」という。）を定めることができるとされている。また、同条第三項に基づき、水道基盤強化計画は、厚生労働大臣において法第五条の二第一項の規定に基づき定める水道の基盤を強化するための基本的な方針（以下「基本方針」という。）に基づき定めるものとされている。

ついては、都道府県におかれては、水道の基盤の強化を図るため、基本方針に基づき水道基盤強化計画を策定するよう、通知するとともに、策定にあたっては、別添の「水道基盤強化計画作成の手引き」を参照されたい。

また、水道基盤強化計画と都道府県水道ビジョン及び水道広域化推進プランとの関係性については、「水道基盤強化計画、都道府県水道ビジョン及び水道広域化推進プランの関係性について」（令和元年九月三〇日付け薬生水発〇九三〇第四号厚生労働省医薬・生活衛生局水道課長通知）を参照されたい。

都道府県における水道基盤強化計画の策定に当たっては、水道事業者及び水道用水供給事業者（以下「水道事業者等」という。）の協力が不可欠であり、各都道府県におかれては、貴管下の都道府県知事認可の水道事業者等に対し、水道基盤強化計画の策定に向けた協力について周知されたい。また、厚生労働大臣認可の水道事業者等には、別途、本通知の発出について当課より情報共有をしている。

なお、本通知は、地方自治法（昭和二二年法律第六七号）第二四五条の四第一項に基づく技術的助言である旨申し添える。

別添　略

二、水道基盤強化計画、都道府県水道ビジョン及び水道広域化推進プランの関係性について（通知）

（令和元年九月三〇日　薬生水発〇九三〇第四号各都道府県水道主管部（局）長あて厚生労働省医薬・生活衛生局水道課長通知）

水道法の一部を改正する法律（平成三〇年法律第九二号。以下「改正法」という。）の施行に関し、全般にわたる改正の趣旨、内容及び留意点については、「改正水道法等の施行について」（令和元年九月三〇日付け薬生水発〇九三〇第一号厚生労働省医薬・生活衛生局水道課長通知）により通知したところであるが、このうち、水道基盤強化計画（以下「計画」という。）、都道府県水道ビジョン及び水道広域化推進プランの関係性について、下記のとおり、とりまとめたので、今後、計画、都道府県水道ビジョン及び水道広域化推進プランを策定又は改定する際には、留意願いたい。

なお、「広域的水道整備計画及び都道府県水道ビジョンについて」（平成二六年三月一九日付け健水発〇三一九第三号厚生労働省健康局水道課長通知）は、本通知をもって廃止する。

なお、本通知は、地方自治法（昭和二二年法律第六七号）第二四五条の四第一項に基づく技術的助言である旨申し添える。

記

第一　計画と都道府県水道ビジョンとの関係性について

水道事業の広域連携も含め、都道府県における水道事業が目指すべき方向等を定めた基本的なビジョンである都道府県水道ビジョンについては、その策定を各都道府県に要請しているところであるが、計画策定に当たっては、既に都道府県水道ビジョンを策定している場合にあっては、同ビジョンにおいて設定をした圏域等の内容を活用しつつ、水道の基盤を強化するための基本的な方針（令和元年厚生労働省告示第一三五号）に基づき、その内容を充実・具体化させることにより策定することも可能であること。

また、都道府県水道ビジョンを未策定の都道府県においては、計画策定を通じた検討内容を十分活用すること等により、引き続き、別添の「都道府県水道ビジョン作成の手引き」を参照のうえ都道府県水道ビジョンを策定されたい。

第二　計画と水道広域化推進プランとの関係性について

水道広域化推進プランは、計画の策定に先立って、広域連携の推進方針やこれに基づく当面の具体的取組の内容等を記載するものであり、最終的には計画に引き継がれることを想定しているものであること。

計画策定に当たっては、水道広域化推進プランの記載内容を活用しつつ、策定されたいこと。

また、同プランの策定に先立って、計画を策定した場合にあっては、計画の策定をもって同プランの策定したことをみなすことができること。

別添　略

〔法　律〕

（広域的連携等推進協議会）

第五条の四　都道府県は、市町村の区域を超えた広域的な水道事業者等の間の連携等の推進に関し必要な協議を行うため、当該都道府県が定める区域において広域的連携等推進協議会（以下この条において「協議会」という。）を組織することができる。

2　協議会は、次に掲げる構成員をもつて構成する。

一　前項の都道府県

二　協議会の区域をその区域に含む市町村

三　協議会の区域を給水区域に含む水道事業者及び当該水道事業者が水道用水の供給を受ける水道用水供給事業者

四　学識経験を有する者その他の都道府県が必要と認める者

3　協議会において協議が調つた事項については、協議会の構成員は、その協議の結果を尊重しなければならない。

4　前三項に定めるもののほか、協議会の運営に関し必要な事項は、協議会が定める。

〔要　旨〕

本条は、広域的連携等推進協議会について規定したものである。

〔解　説〕

一、趣　旨

各都道府県の区域において市町村の区域を超えた広域連携の推進を行うため、都道府県は、水道基盤強化計画の策定を目的とする場合に限らず、当該区域内の水道事業者等をはじめとした関係者を構成員として、必要な協議を行うための場を設けることができるものである。

二、内容等

都道府県は、市町村の区域を超えた広域的な水道事業者等の間の連携等の推進に関し必要な協議を行うため、当該都道府県が定める区域において広域的連携等推進協議会を組織することができる（法五条の四第一項）。なお、同協議会については、都道府県が定める区域毎に当該都道府県内で複数設置することは可能である。

広域的連携等推進協議会は、都道府県、広域的連携等推進協議会の区域をその区域に含む市町村、協議会の区域を給水区域に含む水道事業者及び当該水道事業者が水道用水の供給を受ける水道用水供給事業者並びに都道府県が必要と認める者をもって構成する（法五条の四第二項）。なお、市町村と水道事業者等が同一の場合には、一人の者の出席で足りる。

広域的連携等推進協議会において協議が調った事項については、広域的連携等推進協議会の構成員は、その協議の結果を尊重しなければならない（法五条の四第三項）。また、協議会の運営に関し必要な事項については、協議会が定める（法五条の四第四項）。

第三章　水道事業

本章は、水道事業の開始から廃止に至るまでの手続、業務の実施に関する事項等水道事業の運営において必要な事項を定めたものである。

第一節　事業の認可等

〔法　律〕

（事業の認可及び経営主体）

第六条　水道事業を経営しようとする者は、厚生労働大臣の認可を受けなければならない。

２　水道事業は、原則として市町村が経営するものとし、市町村以外の者は、給水しようとする区域をその区域に含む市町村の同意を得た場合に限り、水道事業を経営することができるものとする。

〔要　旨〕

本条は、水道事業の経営は厚生労働大臣の認可を要すること及び水道事業は市町村経営を原則とすることを定めたものである。

〔解　説〕

一、事業の認可（一項）

㈠　公益事業としての水道事業

水道事業は、電気・ガス事業等と同じく一般に公益事業と呼ばれている。公益事業が他の事業と異なる特色は、その事業の提供する給付が国民の福祉、公共の利益に密接な関係を有するものであり、事業によってはその性質上自由競争の原理になじまず地域独占性が強くなることもある。そして、これらの事業については、公共の利益を保護するため、事業の経営に関しては国の積極的関与を定めている。水道事業の経営に当たって、厚生労働大臣の認可が必要とされているのもこのような観点からである。すなわち、これは、水道事業の経営の認可権を国に留保し、認可を受けた特定者のみに水道事業経営の特権を設定しようとする趣旨のものである。

㈡　認可の法的性格

水道事業の認可は、いわゆる公企業の特許に相当するものといえる。公企業の特許は、自由の一般的禁止の解除という性格を持った許可と異なり、直接相手方に新たな権利を設定するという行政行為であり、その事業の経営のためには国からその権利を付与されなければならない。すなわち、水道事業経営の認可は、水道事業経営の特権の設定といえる。したがって、認可を受けずに事実上の水道事業を営む者があっても、その事業は何ら法の保護を受けない。例えば、その者は、水道事業を経営する能力を与えられていないので、料金を徴収する等の権限もないのである。

このように、公企業の特許は、国家から事業経営の特権を付与されるものであるから、その当然の結果として、特許を受けた者は国に対してその事業を遂行すべき義務を負い、また、国の特別の監督に服するものである。許可に係る事業については、その事業の遂行は全く個人の自由であって、許可を受けてもその事業を開始する義務はなく、事業を開始した後においてもいつでも任意に廃業できるものであるが、これに対し、特許企業は、その事業を国の目的に合致するように経営することを要求され、特許企業者は、その事業を継続して遂行し、任意にこれを休止し、又は廃止することができない性格のものである。

公企業の特許は、自由裁量による行政行為である。許可が、単に公共の利益を阻害しないかどうかの消極的事項のみを審査し、支障がないと認められるときは当然その許可を与えなければならない性質のものであるのとは異なり、特許は、その事業の経営が公益に合致するかどうか、事業が確実かつ合理的であるかどうか等積極的事項についても広く審査して与えられるものであるが、裁量権の濫用があってはならない。

なお、水道用水供給事業に係る認可も同様の性格を有する。

㈢　都道府県知事による事務処理

法第四六条第一項で定める政令又は道州制特別区域における広域行政の推進に関する法律施行令第二条第一項に該当する場合においては、本条第一項の厚生労働大臣の権限に属する事務は都道府県知事が行うものとされている。

㈣　罰則

本条の認可を受けないで水道事業を経営した者は、三年以下の懲役又は三〇〇万円以下の罰金に処せられる（法五二条一号）。

二、経営主体（二項）

㈠　市町村経営の原則

本条第二項は、水道事業の経営主体は原則として市町村とすることを規定したものである。これは、水道事業が一定の区域を給水区域とする公益事業であることから、地域の実情に通じた市町村に経営させるのが最も公益に合致するからである。さらに、水道事業は膨大な資金と高度な技術力を必要とし、かつ、これを継続的、安定的に経営させることが必要であるから、利潤の追求を目的とする私企業によるよりは公共団体である市町村によるのが適切と考えられるからである。

(二) 市町村以外の者による経営

市町村以外の者には、私企業者のみならず都道府県等も含まれる。これらの者が水道事業を経営する場合は、市町村の同意が必要とされる。この同意は認可を受けるための要件であるから、同意なくしてなされた認可は無効なものである。

第二項の同意が市町村議会の議決を経ることを要するかどうかという問題があるが、当該市町村において条例をもって議会の議決事項として指定する場合又は公の施設の区域外設置に該当する場合のほかは、議会の議決は法律上の要件ではない（地方自治法九六条二項・二四四条の三）。

〔参　考〕

地方自治法（抄）　（昭和二二年四月一七日法律第六七号）

（議決事件）

第九十六条　普通地方公共団体の議会は、次に掲げる事件を議決しなければならない。

一　条例を設け又は改廃すること。

二　予算を定めること。

三　決算を認定すること。

四　法律又はこれに基づく政令に規定するものを除くほか、地方税の賦課徴収又は分担金、使用料、加入金若しくは手数料の徴収に関すること。

五　その種類及び金額について政令で定める基準に従い条例で定める契約を締結すること。

六　条例で定める場合を除くほか、財産を交換し、出資の目的とし、若しくは支払手段として使用し、又は適正な対価なくしてこれを譲渡し、若しくは貸し付けること。
七　不動産を信託すること。
八　前二号に定めるものを除くほか、その種類及び金額について政令で定める基準に従い条例で定める財産の取得又は処分をすること。
九　負担付きの寄附又は贈与を受けること。
十　法律若しくはこれに基づく政令又は条例に特別の定めがある場合を除くほか、権利を放棄すること。
十一　条例で定める重要な公の施設につき条例で定める長期かつ独占的な利用をさせること。
十二　普通地方公共団体がその当事者である審査請求その他の不服申立て、訴えの提起（以下略）、和解（以下略）、あつせん、調停及び仲裁に関すること。
十三　法律上その義務に属する損害賠償の額を定めること。
十四　普通地方公共団体の区域内の公共的団体等の活動の総合調整に関すること。
十五　その他法律又はこれに基づく政令（これらに基づく条例を含む。）により議会の権限に属する事項
② 前項に定めるものを除くほか、普通地方公共団体は、条例で普通地方公共団体に関する事件（法定受託事務に係るものにあつては、国の安全に関することその他の事由により議会の議決すべきものとすることが適当でないものとして政令で定めるものを除く。）につき議会の議決すべきものを定めることができる。

（公の施設の区域外設置及び他の団体の公の施設の利用）
第二百四十四条の三　普通地方公共団体は、その区域外においても、また、関係普通地方公共団体との協議により、公の施設を設けることができる。
2　普通地方公共団体は、他の普通地方公共団体との協議により、当該他の普通地方公共団体の公の施設を自己の住民の利用に供させることができる。
3　前二項の協議については、関係普通地方公共団体の議会の議決を経なければならない。

〔法　律〕

（認可の申請）

第七条　水道事業経営の認可の申請をするには、申請書に、事業計画書、工事設計書その他厚生労働省令で定める書類（図面を含む。）を添えて、これを厚生労働大臣に提出しなければならない。

2　前項の申請書には、次に掲げる事項を記載しなければならない。

一　申請者の住所及び氏名（法人又は組合にあつては、主たる事務所の所在地及び名称並びに代表者の氏名）

二　水道事務所の所在地

3　水道事業者は、前項に規定する申請書の記載事項に変更を生じたときは、速やかに、その旨を厚生労働大臣に届け出なければならない。

4　第一項の事業計画書には、次に掲げる事項を記載しなければならない。

一　給水区域、給水人口及び給水量

二　水道施設の概要

三　給水開始の予定年月日

四　工事費の予定総額及びその予定財源

五　給水人口及び給水量の算出根拠

六　経常収支の概算

七　料金、給水装置工事の費用の負担区分その他の供給条件

八　その他厚生労働省令で定める事項

5　第一項の工事設計書には、次に掲げる事項を記載しなければならない。

一　一日最大給水量及び一日平均給水量

二　水源の種別及び取水地点

三　水源の水量の概算及び水質試験の結果
四　水道施設の位置（標高及び水位を含む。）、規模及び構造
五　浄水方法
六　配水管における最大静水圧及び最小動水圧
七　工事の着手及び完了の予定年月日
八　その他厚生労働省令で定める事項

〔施行規則〕

（認可申請書の添付書類等）

第一条の三　法第七条第一項に規定する厚生労働省令で定める書類及び図面は、次に掲げるものとする。
一　地方公共団体以外の者である場合は、水道事業経営を必要とする理由を記載した書類
二　地方公共団体以外の法人又は組合である場合は、水道事業経営に関する意思決定を証する書類
三　市町村以外の者である場合は、法第六条第二項の同意を得た旨を証する書類
四　取水が確実かどうかの事情を明らかにする書類
五　地方公共団体以外の法人又は組合である場合は、定款又は規約
六　給水区域が他の水道事業の給水区域と重複しないこと及び給水区域内における専用水道の状況を明らかにする書類及びこれらを示した給水区域を明らかにする地図
七　水道施設の位置を明らかにする地図
八　水源の周辺の概況を明らかにする地図
九　主要な水道施設（次号に掲げるものを除く。）の構造を明らかにする平面図、立面図、断面図及び構造図
十　導水管きよ、送水管及び主要な配水管の配置状況を明らかにする平面図及び縦断面図

2　地方公共団体が申請者である場合であつて、当該申請が他の水道事業の全部を譲り受けることに伴うものであるとき

は、法第七条第一項に規定する厚生労働省令で定める書類及び図面は、前項の規定にかかわらず、同項第三号、第六号及び第七号に掲げるものとする。

（事業計画書の記載事項）

第二条　法第七条第四項第八号に規定する厚生労働省令で定める事項は、次の各号に掲げるものとする。

一　工事費の算出根拠

二　借入金の償還方法

三　料金の算出根拠

四　給水装置工事の費用の負担区分を定めた根拠及びその額の算出方法

（工事設計書に記載すべき水質試験の結果）

第三条　法第七条第五項第三号（法第十条第二項において準用する場合を含む。）に規定する水質試験の結果は、水質基準に関する省令（平成十五年厚生労働省令第百一号）の表の上欄に掲げる事項に関して水質が最も低下する時期における試験の結果とする。

2　前項の試験は、水質基準に関する省令に規定する厚生労働大臣が定める方法によつて行うものとする。

（工事設計書の記載事項）

第四条　法第七条第五項第八号に規定する厚生労働省令で定める事項は、次の各号に掲げるものとする。

一　主要な水理計算

二　主要な構造計算

〔要　旨〕

本条は、水道事業経営の認可の申請に当たり、申請書に添付すべき書類等について規定したものである。

〔解　説〕

一、申請の手続

水道事業を経営しようとする者は、後述の書類、図面を添えて、厚生労働大臣（給水人口が五万人を超える特定水源水道事業以外の水道事業については、都道府県知事（法四六条、令一四条五項））宛て申請書を提出しなければならない。

なお、本条の申請について、水道事業を経営しようとする者が地方公共団体である場合においては、地方自治法第九六条第一項に議会の議決事項が制限列挙の形式で掲げられているので、これにより議会の議決を必要とするものについては、議決がなされなければならない。水道の布設は予算を伴うものであり、水道事業の経営は公の施設の設置であり、また、供給規程の中には料金等条例をもって定めるべき事項がある。これらはいずれも列挙事項に該当するものであるから、この限度においては、本条の認可の申請に当たって議会の議決を経るべきものである。地方公共団体以外の者の申請にあっては、その者が法人や組合である場合は、総会等の水道布設決議書及び布設予算決議書が必要である。

二、申請書の添付書類（一項）

水道事業の経営に当たっては厚生労働大臣の認可が必要であり（法六条一項）、その認可基準が法第八条に定められている。本条では、厚生労働大臣が法第八条の認可基準に照らして当該認可の適否について判断を行う資料として、申請書に、事業計画書、工事設計書を添付することが規定されているほか、厚生労働省令（規則一条の三）において次の書類等を添付するものとされている。

(一)　地方公共団体以外の者である場合は、水道事業経営を必要とする理由を記載した書類
(二)　地方公共団体以外の法人又は組合である場合は、水道事業経営に関する意思決定を証する書類（設置条例、給水条例、水道布設議決書、布設予算議決書等）
(三)　市町村以外の者である場合は、法第六条第二項の地元市町村の同意書
(四)　取水の確実性を証する書類（河川水、伏流水、湖沼水にあっては流水の占用許可書、同意書等、ダムを水源とするものにあっては、さらに、基本計画書、ダム使用権設定許可書、地下水にあっては揚水試験結果書、競合する利水者の同意書等、また、分水によるものにあっては分水同意書、水道用水供給事業者から受水するものにあっては協定書、契約書等）
(五)　地方公共団体以外の法人又は組合である場合は、定款又は規約
(六)　給水区域が他の水道事業の給水区域と重複しないこと及び給水区域内における専用水道の状況を明らかにする書類及びこれらを示した給水区域を明らかにする地図
(七)　水道施設の位置を明らかにする地図（水源の位置、導水管きょ、浄水場、送水管、ポンプ場、配水池、主要な配水管等の位置を記したもの）
(八)　水源の周辺の概況を明らかにする地図
(九)　主要な水道施設（取水施設、貯水施設、浄水施設、配水池等）の平面図、立面図、断面図及び構造図
(一〇)　導水管きょ、送水管及び主要な配水管の平面図及び縦断面図

なお、認可権者である厚生労働大臣又は都道府県知事は、事業計画書、工事設計書及び規則第一条の三に定める書類、図面以外の添付書類等の提出を強制することはできないが、書類、図面の不備を修正、補完させることはできる。

なお、地方分権改革推進計画（平成二一年一二月一五日閣議決定）において、協議、同意、許可・認可・承認の見直しを行うため必要な法制上その他の措置を講ずる事項として、地方公共団体による事業認可に係る申請事務の簡素化及び事業の変更を行う場合における軽微な変更の範囲の大幅な拡大が定められたことを踏まえ、申請者が地方公共団体である場合は、他の水道事業の全部を譲り受けることに伴う申請について提出書類を簡素化している（規則一条の三第二項）。

三、**認可申請書の記載事項（二項・三項）**

認可申請書に記載する事項は、本条第二項において次の事項とされている。

㈠　申請者の住所及び氏名（法人又は組合にあっては、主たる事務所の所在地及び名称並びに代表者の氏名）

㈡　水道事務所の所在地

なお、これらの記載事項について変更を生じた場合には、水道事業者は速やかにその旨を厚生労働大臣（給水人口が五万人を超える特定水源水道事業以外の水道事業については、都道府県知事（法四六条、令一四条五項））に届け出なければならない（本条三項）。

四、**事業計画書の記載事項（四項）**

「事業計画書」は、水道事業計画の概要を示すもので、本条第四項によって次の事項を記載することとされている。

㈠　給水区域、給水人口及び給水量

「給水区域、給水人口及び給水量」とは、計画上の事業規模を示すものであり、計画目標年次を設定して、その年次における計画給水区域、計画給水人口及び計画給水量として定められたものをいう。計画目標年次は、給水人口や給水量の見通しがある程度確実に設定し得る程度の期間であり、かつ、財政計画、工事計画等が適切に作成し得る程度の期間として定める。給水区域は、土地の利用状況、人口の配置状況、配水管等の布設に要する費用等からみて合理的な範囲を町名、字名等により明確に定めなければならない。

㈡　水道施設の概要

個々の水道施設の位置、規模、構造については、工事設計書に記載する（本条五項四号）こととなるので、ここでは、水道施設全体について概括的に記述する。

㈢　給水開始の予定年月日

給水区域内の需要者に対する給水開始の予定年月日を明示する。給水区域を幾つかの区域に分けて段階的に給水を開始しようとする場合には、それぞれの区域に対する給水開始の予定年月日を明示することが望ましいが、少なくとも、一部給水開始の予定年月日及び給水区域の全域にわたる最終的な給水開始の予定年月日を定めなければならない。

㈣　工事費の予定総額及び予定財源

ここでいう「工事費」とは、水道の布設工事等に要する費用、ダム等の負担金又は分担金、工事に係る用地費及び補償費並びに事務費等事業の実施に要する全ての費用をいう。

㈤　給水人口及び給水量の算出根拠

給水人口及び給水量の設定は事業経営の根幹をなすものであるから、確実な根拠によって算定されたものでなければならない。ここでいう「算出根拠」とは、単に算定方式だけでなく、将来推計の基礎となる数値の根拠をも含むものである。

㈥　経常収支の概算

収益的収支と資本的収支について、少なくとも計画目標年次までの期間における収支の概算を示す。資本欠損等の見込まれる場合には、併せて補塡財源及び補塡方法を示すほか、剰余金、内部留保金の取扱い等についても明らかにするものとする。

㈦　料金、給水装置工事の費用の負担区分その他の供給条件

「水道事業者は、料金、給水装置工事の費用の負担区分その他の供給条件について、供給規程を定めなければならない」（法一四条一項）とされているので、ここでは供給規程を添付する。

㈧　その他厚生労働省令で定める事項

その他の事項として、規則第二条において次の事項が定められている。

(1)　工事費の算出根拠

(2)　借入金の償還方法（償還金の額が最大となる時期を含む期間について示す。）

(3)　料金の算出根拠（計画目標年次までにおける料金改定計画を含めて説明する。）

(4)　給水装置工事の費用の負担区分を定めた根拠及びその額の算出方法

五、工事設計書の記載事項（五項）

「工事設計書」は、水道の布設工事の概要を示すものであり、本条第五項において次の事項を記載することとされている。

㈠　一日最大給水量及び一日平均給水量

「一日最大給水量」は水道施設の計画規模等を定めるもので、また、「一日平均給水量」は経常収支の算定の基

礎となるものであり、それぞれについて明示する。

㈡　水源の種別及び取水地点

水道の水源としては種々の種別のものが考えられるが、「水源の種別」により、取水の確実性を担保するための考え方が異なる。また、水質特性も異なるため、浄水方法を決定する場合にも配慮すべき要件の一つである。したがって、「水源の種別」は、河川水、地下水といった形態的な差異を有する種別をいうのみでなく、水質特性に差異をもたらすような種別として区分される。

このような観点から区分される「水源の種別」とは次のようなものが考えられる。

(1)　河川水（自流水）
(2)　湖沼水（自流水）
(3)　ダム水（放流水を含む）
(4)　伏流水（河川水が地下に伏流したもの）
(5)　浅層地下水（第一不透水層より表層部の地下水）
(6)　深層地下水（第一不透水層より深層部の地下水）
(7)　湧水
(8)　他の水道から供給を受ける水

また、「取水地点」は、地番、地先名等によって特定するほか、地下水にあっては採取位置（採水層の深さ）も含まれる。

(三)　水源の水量の概算及び水質試験の結果

「水源の水量の概算」とは、取水の確実な水源の水量を説明するものであり、河川水、湖沼水、ダム水、伏流水等の流水占用の許可（河川法二三条）に係るものにあっては、当該許可水量又は許可見込水量を、それ以外の場合にあっては、流量測定、揚水試験等の結果から得られた取水可能な最大量と計画取水量との関係を明らかにする。

「水質試験の結果」とは、水源としての利用の適否を判断し、また、浄水方法を選定するために必要な水源の水質についての試験結果のことをいう。規則第三条において、この水質試験の結果は、水質基準に関する省令の表の上欄に掲げる事項に関して水質が最も低下する時期における試験の結果とすること、及びこの試験は、水質基準に関する省令に規定する厚生労働大臣が定める方法によって行うものとすることが規定されている。原水の水質試験の試験項目及び試験方法を水道水に関するものと同一としたのは、浄水処理を行うことによって、水道により供給する水の水質が、最終的に水質基準に適合することとなるか否かの判断を容易にするためである。また、「水質が最も低下する時期」とは、渇水時等が考えられるが、一般には、「水質が最も低下する時期」の設定のためには、他に利用し得る定期的な水質試験結果がないときは、年間を通じた試験の結果から判断するほかはない。

(四)　水道施設の位置（標高及び水位を含む。）、規模及び構造

水道施設について、その設置場所、標高、水位（変動する場合にあっては高水位及び低水位）、規模（容量、寸法等）及び構造（形状、材質、型式等）を記載する。

(五)　浄水方法

「浄水方法」は、消毒のみの方式、緩速濾《ろ》過方式、急速濾《ろ》過方式、膜濾《ろ》過方式に大別される。いずれかの方法を明示し、浄水処理工程ごとに主要な諸元（薬品注入量、滞留時間等）を記載する。

原水の水質により、通常の浄水方法では十分に対応できない溶解性物質等（臭気物質、鉄、マンガン、アンモニア性窒素、トリハロメタン前駆物質、陰イオン界面活性剤、色度、侵食性遊離炭酸、トリクロロエチレン等）の処理を目的とする高度浄水施設等（活性炭処理設備、オゾン処理設備、生物処理設備、除鉄・除マンガン設備、エアレーション設備、塩素処理設備等）を含む場合は、その処理対象物質、処理方法、主要な諸元等を記載する。

(六)　配水管における最大静水圧及び最小動水圧

配水管の各部について、当該部分に作用する水圧の範囲を最大静水圧及び最小動水圧として記載する。

(七)　工事の着手及び完了の予定年月日

水道施設の工事の着手予定年月日及び完了予定年月日を記載する。

(八)　その他厚生労働省令で定める事項

その他厚生労働省令で定める事項としては、規則第四条において次のものが定められている。

(1)　主要な水理計算（水源から配水管の末端に至るまでの水位、水圧、水量等に関する計算）

(2)　主要な構造計算（水道施設の水圧、土圧、地震力その他の主要な荷重に対する強度等の計算）

〔参　考〕

一、水道の布設工事の監督の強化と事業認可の申請等について（通知）

（昭和三七年二月二日　環水第六号各都道府県民生主管部（局）長あて厚生省環境衛生局水道課長通知
最近改正　平成一〇年五月一日衛水第三二号）

標記に関しては未だ不充分なる点が認められるので、工事の適正なる執行をはかるため次の諸点に注意して指導されたい。

一　水道の布設工事の監督は、政令で定められた有資格の技術者によつておこなわれなければならないが、その実施が徹底していないきらいがあるので、今後は必ず実施するよう指導されたい。

また工事の発注にさいし、細部の設計不備のまま入る等の事例がみられるので今後は必ず実施設計によりおこなうよう指導されたい。

水道事業者において資格ある技術職員を有しない場合は、第三者に委嘱して工事の施工に関する技術上の監督業務をおこなわせなければならないが、このさい設計の責任を明らかにするため当初の設計者に一貫して監督業務までおこなわせることが望ましい。

二　布設工事の竣功時における検査は、水道法第一三条に規定されているが、その実施が徹底していないきらいがあるので、今後は通水前の水質検査及び施設検査は必ず実施するよう指導し、とくに管路における漏水検査は厳格におこなうよう指導されたい。

三　水道法に基く水道事業、水道用水供給事業の認可及び専用水道の確認の申請に関しては、次のとおりとするので、関係市町村にもその旨伝達されたい。

(1)　認可又は確認申請書に記載すべき内容は、水道事業にあつては法第七条、第一〇条及び同施行規則第一条から第八条まで、水道用水供給事業にあつては法第二七条、第三〇条及び同施行規則第四九条から第五二条まで、専用水道にあつては法第三三条並びに同施行規則第五三条及び第五四条に示されているとおりであるが、そのほか次の諸点によるものとする。

(2)　「主要な水理計算」に記載すべき内容は、取水施設から配水幹線の末端にいたる次の工種に関する水理計算（規模・容量・型式決定の根拠及び損失水頭の計算）の結果及び計算方法の概要を記載すること。なお、変更認可申請の際の記載については、新設、増設及び改造される水道施設並びに当該新設等により従前の水理計算の結果に変更を生じる水道施設に関するものとすること。

取水堰、取水門、取水塔、取水管きょ、ダム、原水調整池、凝集池、沈でん池、濾《ろ》過池、高度浄水施設、配水池、配水塔、ポンプ設備、管きょ（導水、送水、配水幹線及び主要施設の連絡管きょを含む。）

なお、配水管の管径決定のさいの配水区画ごとの人口、水量をあらわす図及び表を添付すること。

(3)「主要な構造計算」に記載すべき内容は、主要構造物の主要部材の応力計算の結果及び計算方法の概要並びに断面算定の結果及び算定方法の概要を記載すること。なお、変更認可申請の際の記載については、新設、増設及び改造される水道施設並びに当該新設等により従前の構造計算の結果に変更を生じる水道施設に関するものとすること。また、ここでいう主要構造物とはダム及び取水堰（水道専用の場合のみ）、取水門、取水塔、原水調整池、凝集池、沈でん池、濾《ろ》過池、高度浄水施設、浄水池等主要な浄水施設、配水池、配水塔及び高架タンクをいう。

(4)「図面及び地図」は次によること。

1　図面に関する一般的注意事項

a　図面の目録をつけること。

b　建設省国土地理院の地形図を用いる場合のほかは、図面実測図（航空写真による地形図を含む。）であること。

c　縮尺は次号以下にのべる括弧内のものを用い、計画給水人口二万人以下のものは、おおむね括弧内の左の縮尺によること。

d　各図面の右隅には図面番号、事業名、表題、縮尺、事業者名を記載すること。

e　既設と拡張部分は色分けまたは線の太さ、種類を変える等により明確に区分すること。

f　図面中に記載する施設の名称は、水道法並びに日本水道協会編纂の水道施設設計指針・解説に用いられている用語を使用すること。

2　給水区域が他の水道事業の給水区域と重複しないこと及び給水区域内における専用水道の状況を示した給水区域を明らかにする地図

（一〇〇〇〇分の一～二五〇〇〇分の一）

3　水道施設の位置を明らかにする地図

（一〇〇〇〇分の一～二五〇〇〇分の一）

これは取水、貯水、導水、浄水、送水施設、配水池、配水幹線、ポンプ場等の主要施設の配置を明示したものであること。

4　水源の周辺の概況を明らかにする地図
（一〇〇〇分の一～五〇〇〇分の一）
5　主要な水道施設の構造を明らかにする平面図、立面図、断面図及び構造図は次によること。
a　取水場、浄水場、配水場等の一般平面図（五〇〇分の一～一〇〇〇分の一）
b　主要な水道施設の水位高低図
（縦一〇〇分の一または二〇〇分の一、横任意）
c　主要構造物の一般図
（一〇〇分の一～五〇〇分の一）
d　主要構造物の構造詳細図
（一〇分の一～一〇〇分の一）
主要構造物の定義は(3)による。これは主要構造物の主要な寸法、配筋状況のわかる平面図、立面図、断面図及び構造図であつて、鉄筋径、ピッチ、本数等、鉄筋量をほぼ算出しうる程度のものを明示したものであること。なおこのさいコンクリート構造物については、土木学会のコンクリート標準示方書、日本建築学会のプレストレストコンクリート設計施工基準・同解説及び日本水道協会の水道用プレストレストコンクリートタンク標準仕様書に準拠して設計されたものであること。
6　導水管きよ、送水管及び主要な配水管の配置状況を明らかにする平面図（一〇〇〇分の一～一〇〇〇〇分の一）及び縦断面図（縦二〇〇分の一～四〇〇分の一、横一〇〇〇分の一～五〇〇〇分の一）で、平面図には測点符号、管種、管径、延長のほか、制水弁、泥吐弁、空気弁、減圧弁、並止弁、消火栓、接合井、河川・軌道横断、中継ポンプ場等の附帯施設の位置を明示し、縦断面図にはこのほか測点区間距離、追加距離、管中心高、地盤高、静水位、動水位（火災時及び平常時につき、動水勾配、流量）を記載すること。
7　拡張の場合は、既設水道施設の概要図
a　取水場、浄水場、配水場の平面図（五〇〇分の一～一〇〇〇分の一）

b　導水、送水及び主要な配水管の平面図
（一〇〇〇分の一～一〇〇〇〇分の一）

(5)　その他申請に関する注意事項

1　「水源の水量の概算」には、表流水にあつては河川渇水量を、また地下水にあつては揚水試験結果、土質柱状図による等、具体的に水量の確実性を説明したものであること。

2　「工事設計書に記載すべき水質試験結果」は、新たに設ける水源は勿論、既設水源についても、水質が最も低下する時期の試験結果を記載すること。

3　「経常収支の概算」については、各経費の算出根拠が明らかでないものがみられるので、その算出根拠を添付すること。

4　「工事費の算出根拠」については、その資材数量の根拠が明らかでないものがみられるので、その算出根拠を明らかにした書類を添付すること。

二、水道事業等の認可の手引きの改訂について

（令和元年九月三〇日　各都道府県水道行政担当部（局）長・各厚生労働大臣認可水道事業者・各厚生労働大臣認可水道用水供給事業者あて　厚生労働省健康局水道課事務連絡）

水道行政の推進につきまして、平素よりご尽力及びご協力を賜り厚く御礼申し上げます。

平成三〇年一二月一二日に「水道法の一部を改正する法律」（平成三〇年法律第九二号。以下「改正法」という。）が公布されました。改正法では、法の目的を「水道の計画的な整備」から「水道の基盤の強化」に改め、広域連携の推進、適切な資産管理の推進、官民連携の推進等について規定しています。また、本法律改正に伴い、水道法施行規則の一部を改正する省令（令和元年厚生労働省令第五七号。以下「改正規則」という。）が公布されました。改正規則では、事業の全部又は一部の休止及び廃止（以下「事業の休廃止」という。）について、これまで法令上詳細に規定されていなかった事業の休廃止に係る手続き及び許可基準について規定しています。

改正法及び改正規則が令和元年一〇月一日より施行されることを踏まえ、平成二八年三月二八日付厚生労働省医薬・生活衛生局生活衛生・食品安全部水道課事務連絡にて送付しました「水道事業等の認可の手引き（平成二八年三月版）」について、「水道事業等の認可等の手引き」と名称変更した上で、別添一のとおり改訂しましたので送付します。

本手引きは認可等に関する申請や審査等についての当課の基本的な考え方を示したものであり、不明な点等があれば、当課まで確認をとっていただきますようお願い申し上げます。

別添　略

〔**法　律**〕

（認可基準）

第八条　水道事業経営の認可は、その申請が次の各号のいずれにも適合していると認められるときでなければ、与えてはならない。

一　当該水道事業の開始が一般の需要に適合すること。

二　当該水道事業の計画が確実かつ合理的であること。

三　水道施設の工事の設計が第五条の規定による施設基準に適合すること。

四　給水区域が他の水道事業の給水区域と重複しないこと。

五　供給条件が第十四条第二項各号に掲げる要件に適合すること。

六　地方公共団体以外の者の申請に係る水道事業にあつては、当該事業を遂行するに足りる経理的基礎があること。

七　その他当該水道事業の開始が公益上必要であること。

２　前項各号に規定する基準を適用するについて必要な技術的細目は、厚生労働省令で定める。

〔**施行規則**〕

（法第八条第一項各号を適用するについて必要な技術的細目）

第五条　法第八条第二項に規定する技術的細目のうち、同条第一項第一号に関するものは、次に掲げるものとする。
一　当該水道事業の開始が、当該水道事業に係る区域における不特定多数の者の需要に対応するものであること。
二　当該水道事業の開始が、需要者の意向を勘案したものであること。
第六条　法第八条第二項に規定する技術的細目のうち、同条第一項第二号に関するものは、次に掲げるものとする。
一　給水区域が、当該地域における水系、地形その他の自然的条件及び人口、土地利用その他の社会的条件、水道により供給される水の需要に関する長期的な見通し並びに当該地域における水道の整備の状況を勘案して、合理的に設定されたものであること。
二　給水区域が、水道の整備が行われていない区域の解消及び同一の市町村の既存の水道事業との統合について配慮して設定されたものであること。
三　給水人口が、人口、土地利用、水道の普及率その他の社会的条件を基礎として、各年度ごとに合理的に設定されたものであること。
四　給水量が、過去の用途別の給水量を基礎として、各年度ごとに合理的に設定されたものであること。
五　給水人口、給水量及び水道施設の整備の見通しが一定の確実性を有し、かつ、経常収支が適切に設定できるよう期間が設定されたものであること。
六　工事費の調達、借入金の償還、給水収益、水道施設の運転に要する費用等に関する収支の見通しが確実かつ合理的なものであること。
七　水質検査、点検等の維持管理の共同化について配慮されたものであること。
八　水道基盤強化計画が定められている地域にあつては、当該計画と整合性のとれたものであること。
九　水道用水供給事業者から用水の供給を受ける水道事業者にあつては、水道用水供給事業者との契約により必要量の用水の確実な供給が確保されていること。
十　取水に当たつて河川法（昭和三十九年法律第百六十七号）第二十三条の規定に基づく流水の占用の許可を必要とする場合にあつては、当該許可を受けているか、又は許可を受けることが確実であると見込まれること。

十一　取水に当たつて河川法第二十三条の規定に基づく流水の占用の許可を必要としない場合にあつては、水源の状況に応じて取水量が確実に得られると見込まれること。
十二　ダムの建設等により水源を確保する場合にあつては、特定多目的ダム法（昭和三十二年法律第三十五号）第四条第一項に規定する基本計画においてダム使用権の設定予定者とされている等により、当該ダムを使用できることが確実であると見込まれること。

第七条　法第八条第二項に規定する技術的細目のうち、同条第一項第六号に関するものは、当該申請者が当該水道事業の遂行に必要となる資金の調達及び返済の能力を有することとする。

〔**要　旨**〕
本条は、水道事業の認可基準を規定するとともに、認可基準の適用における明確化を図るため、必要な技術的細目を厚生労働省令で定めることとしたものである。

〔**解　説**〕
一、**認可の基準**
認可権者は、本条に定める七項目の基準により認可の可否を判断するのであり、申請内容が七項目の基準全てに適合していると判断した場合でなければ認可を与えることはできない。
また、この基準を適用するに当たっては、本条第二項の規定により規則第五条、第六条及び第七条で定める技術的細目に基づく必要がある。

二、**一般の需要への適合**（一号）
「当該水道事業の開始が一般の需要に適合すること」とは、その水道事業を開始することが当該事業に係る区域における不特定多数の者の需要に対応するものであること及び需要者の意向を勘案したものであることをいう。「一般の」という文言は、水道事業の開始が、特定の者の需要あるいは一時的な需要その他の個別的な事情のみに基づいて行われる場合を排除する趣旨である。例えば、採算上有利な大口需要者のみを対象として行う水道事業は、一般の需要に適合するとはいえない。また、「需要」は、当面のそれはもとより、水道事業が半恒久的施設による継続的事業であることから、相当長期にわたる将来を見通しての需要を含むものと解される。一方、「適合する」とは、供給される水の料金が国民経済上妥当なものであり、需要者の欲する程度に合致するものであることを含むものである（規則五条）。

三、計画の確実性と合理性（二号）

「当該水道事業の計画が確実かつ合理的であること」とは、当該計画が確実に実施されるもので、かつ、その計画が技術的財政的観点等から合理的でなければならないことをいう。水道の事業計画は、水道の基盤強化に関する施策（例えば、水道基盤強化計画等）に基づいて策定されるのが望ましいが、このような計画がない場合においても、計画の全般にわたり、的確性、実現可能性、経済性等の広い観点からその確実性と合理性を確保する必要がある（規則六条）。

四、施設基準への適合（三号）

「工事の設計が第五条の規定による施設基準に適合すること」とは、水道事業経営の認可に当たり、水道施設が法第五条の施設基準に適合し、適切な水道水の供給を行えるかどうかの確認を行うものである。

五、給水区域の重複の排除（四号）

「給水区域が他の水道事業の給水区域と重複しないこと」とは、水道事業の地域的独占経営を認めて二重投資を避け、事業の計画的経営を可能にする趣旨で規定されたものである。なお、専用水道が当該水道事業の給水区域内に存在する場合において、当該専用水道を給水区域から除外する必要はない。

六、供給条件の要件（五号）

「供給条件が第十四条第二項各号に掲げる要件に適合すること」とは、①料金が、能率的な経営の下における適正な原価に照らし健全な経営を確保することができる公正妥当なものであること、②料金が、定率又は定額をもって明確に定められていること、③水道事業者及び水道の需要者の責任に関する事項並びに給水装置工事の費用の負担区分及びその額の算出方法が、適正かつ明確に定められていること、④特定の者に対して不当な差別的取扱いをするものでないこと、⑤貯水槽水道が設置される場合においては、貯水槽水道に関し、水道事業者及び当該貯水槽水道の設置者の責任に関する事項が、適正かつ明確に定められていることの各要件に供給条件が適合していることである（法一四条参照）。

七、経理的基礎の確実性（六号）

「地方公共団体以外の者の申請に係る水道事業にあっては、当該事業を遂行するに足りる経理的基礎があること」とは、水道事業者がその事業の経営を恒久的に遂行することができる経理的基礎が確実であることをいう。事業の遂行途中において、破産等のため事業の休止、廃止の事態を生ずるようなことは、事前に極力避けなければならない。水道事業は、国民の日常生活に不可欠であり、また、膨大な施設を必要とするものであるため、事業の遂行が不可能になった場合に短期間には新事業の成立が期し難いからである。「遂行するに足りる」とは、単に遂行できそうであるというだけでなく、具体的根拠を必要とする。「経理的基礎がある」とは、資金の調達及び返済並びに料金収入、運転管理費等に関する収支の見通しが確実かつ合理的なものであることをいう（規則七条）。

本号は、地方公共団体以外の者の申請に係る水道事業に限って適用される。

八、公益性（七号）

「その他当該水道事業の開始が公益上必要であること」とは、前各号に掲げた基準の補完基準であって、その申請内容が前述のほか公共の福祉、利益の増進に資するものかどうかの判断を加えるときの基準である。

〔法　律〕

（附款）
第九条　厚生労働大臣は、地方公共団体以外の者に対して水道事業経営の認可を与える場合には、これに必要な期限又は条件を附することができる。
2　前項の期限又は条件は、公共の利益を増進し、又は当該水道事業の確実な遂行を図るために必要な最少限度のものに限り、かつ、当該水道事業者に不当な義務を課することとなるものであつてはならない。

〔要　旨〕

本条は、地方公共団体以外の者に対して水道事業の認可をする場合には、厚生労働大臣は期限又は条件を付して、認可の効力を制限することができる旨を規定したものである。

〔解　説〕

一、**附款の意義**

期限、条件等のように、認可等の行政行為の法律効果を制限するために付加される意思表示を附款という。本法は、水道事業の公共性に鑑み、水道事業の経営について様々な制限を定めているが、本条はさらにこれを補完して、地方公共団体以外の者に認可を与える場合には、厚生労働大臣はこれに附款を付すことができることとしたものである。

二、**期限**

本条における期限は、市町村経営原則主義の考え方に基づき、市町村が水道事業経営を開始しようとするときは、容易にこれに移行できるようにとの趣旨で付されるものである。認可は、長期的見通しに立って水道を計画的に整備するために与えられるものであるから、これに付加される期限は、市町村による事業経営への移行が確実な時期までとすべきである。認可は、終期をもって消滅する。したがって、終期後も継続して事業を経営する場合には、改めて新規の場合と同様の手続によって認可を受けなければならない。

三、条件

ここでいう条件は、本来の意味における条件（一定の事実が生じたときに法律効果が生じ、又は消滅するとすること）のほかに特別の義務を命ずる負担、取消権の留保等も含むものである。条件としては、水道施設の譲渡制限、担保の禁止等が例としてあげられる（「水道法の施行について」昭和三二年発衛五二〇号厚生事務次官通達）。

四、附款の限界

附款は、本法の目的達成のための補完機能を果たすものであるから、本法の目的に必要な範囲内に限られるのは当然である。わずか数年の期限を付したり、経営の自主性を損ねるような条件を付すことは、本法の目的に反し、認可の基準を定めた趣旨を阻害する違法な附款といわなければならない。

五、都道府県知事による事務処理

法第四六条第一項で定める政令又は道州制特別区域における広域行政の推進に関する法律施行令第二条第一項に該当する場合においては、本条第一項（準用される場合を含む。）の厚生労働大臣の権限に属する事務は都道府県知事が行うものとされている。

六、罰則

本条第一項の規定により認可に附せられた条件に違反した者は、一〇〇万円以下の罰金に処せられる（法五四条一号）。

〔法　律〕

（事業の変更）

第十条　水道事業者は、給水区域を拡張し、給水人口若しくは給水量を増加させ、又は水源の種別、取水地点若しくは浄水方法を変更しようとするとき（次の各号のいずれかに該当するときを除く。）は、厚生労働大臣の認可を受けなければならない。この場合において、給水区域の拡張により新たに他の市町村の区域が給水区域に含まれることとなるときは、当該他の市町村の同意を得なければ、当該認可を受けることができない。

一　その変更が厚生労働省令で定める軽微なものであるとき。

二　その変更が他の水道事業の全部を譲り受けることに伴うものであるとき。

2　第七条から前条までの規定は、前項の認可について準用する。

3　水道事業者は、第一項各号のいずれかに該当する変更を行うときは、あらかじめ、厚生労働省令で定めるところにより、その旨を厚生労働大臣に届け出なければならない。

〔施行規則〕

（事業の変更の認可を要しない軽微な変更）

第七条の二　法第十条第一項第一号の厚生労働省令で定める軽微な変更は、次のいずれかの変更とする。

一　水道施設（送水施設（内径が二百五十ミリメートル以下の送水管及びその附属設備（ポンプを含む。）に限る。）並びに配水施設を除く。以下この号において同じ。）の整備を伴わない変更のうち、給水区域の拡張又は給水人口若しくは給水量の増加に係る変更であつて次のいずれにも該当しないもの（ただし、水道施設の整備を伴わない変更のうち、給水人口のみが増加する場合においては、ロの規定は適用しない。）。

イ　変更後の給水区域が他の水道事業の給水区域と重複するものであること。

ロ　変更後の給水人口と認可給水人口（法第七条第四項の規定により事業計画書に記載した給水人口（法第十条第一項又は第三項の規定により給水人口の変更（同条第一項第一号に該当するものを除く。）を行つたときは、直近の変更後の給水人口とする。）をいう。）との差が当該認可給水人口の十分の一を超えるものであること。

ハ　変更後の給水量と認可給水量（法第七条第四項の規定により事業計画書に記載した給水量（法第十条第一項又は第三項の規定により給水量の変更（同条第一項第一号に該当するものを除く。）を行つたときは、直近の変更後の給水量とする。）をいう。次号において同じ。）との差が当該認可給水量の十分の一を超えるものであること。

二　現在の給水量が認可給水量を超えない事業における、次に掲げるいずれかの浄水施設を用いる浄水方法への変更のうち、給水区域の拡張、給水人口若しくは給水量の増加又は水源の種別若しくは取水地点の変更を伴わないもの。ただし、ヌ又はルに掲げる浄水施設を用いる浄水方法に当該浄水施設を用いるものを追加する場合に限る。

イ　普通沈殿池

ロ　薬品沈殿池

ハ　高速凝集沈殿池

ニ　緩速濾《ろ》過池

ホ　急速濾《ろ》過池

ヘ　膜濾《ろ》過設備

ト　エアレーション設備

チ　除鉄設備

リ　除マンガン設備

ヌ　粉末活性炭処理設備

ル　粒状活性炭処理設備

三　河川の流水を水源とする取水地点の変更のうち、給水区域の拡張、給水人口若しくは給水量の増加又は水源の種別若しくは浄水方法の変更を伴わないものであつて、次に掲げる事由その他の事由により、当該河川の現在の取水地点から変更後の取水地点までの区間（イ及びロにおいて「特定区間」という。）における原水の水質が大きく変わるおそれがないもの。
イ　特定区間に流入する河川がないとき。
ロ　特定区間に汚染物質を排出する施設がないとき。
（変更認可申請書の添付書類等）
第八条　第一条の三第一項の規定は、法第十条第二項において準用する法第七条第一項に規定する厚生労働省令で定める書類及び図面について準用する。この場合において、第一条の三第一項中「次に」とあるのは「次の各号（給水区域を拡張しようとする場合にあつては第四号及び第八号を除き、給水人口を増加させようとする場合にあつては第三号、第四号及び第八号を除き、給水量を増加させようとする場合にあつては第三号を除き、水源の種別又は取水地点を変更しようとする場合にあつては第二号、第三号、第五号及び第六号を除き、浄水方法を変更しようとする場合にあつては第二号から第六号までを除く。）に」と、同項第九号中「除く。）」とあるのは「除く。）であつて、新設、増設又は改造されるもの」と、同項第十号中「配水管」とあるのは「配水管であつて、新設、増設又は改造されるもの」とそれぞれ読み替えるものとする。
2　第二条の規定は、法第十条第二項において準用する法第七条第四項第八号に規定する厚生労働省令で定める事項について準用する。この場合において、第二条中「各号」とあるのは、「各号（水源の種別、取水地点又は浄水方法の変更以外の変更を伴わない場合にあつては、第四号を除く。）」と読み替えるものとする。
3　第四条の規定は、法第十条第二項において準用する法第七条第五項第八号に規定する厚生労働省令で定める事項について準用する。この場合において、第四条第一号及び第二号中「主要」とあるのは、「新設、増設又は改造される水道施設に関する主要」と読み替えるものとする。
（事業の変更の届出）
第八条の二　法第十条第三項の届出をしようとする水道事業者は、次に掲げる事項を記載した届出書を厚生労働大臣に提出しなければならない。
一　届出者の住所及び氏名（法人又は組合にあつては、主たる事務所の所在地及び名称並びに代表者の氏名）

二　水道事務所の所在地

2　前項の届出書には、次に掲げる書類（図面を含む。）を添えなければならない。

一　次に掲げる事項を記載した事業計画書

イ　変更後の給水区域、給水人口及び給水量

ロ　水道施設の概要

ハ　給水開始の予定年月日

ニ　変更後の給水人口及び給水量の算出根拠

ホ　法第十条第一項第二号に該当する場合にあつては、当該譲受けの年月日、変更後の経常収支の概算及び料金並びに給水装置工事の費用の負担区分その他の供給条件

二　次に掲げる事項を記載した工事設計書

イ　工事の着手及び完了の予定年月日

ロ　第七条の二第一号又は法第十条第一項第二号に該当する場合にあつては、配水管における最大静水圧及び最小動水圧

ハ　第七条の二第二号に該当する場合にあつては、変更される浄水施設に係る水源の種別、取水地点、水源の水量の概算、水質試験の結果及び変更後の浄水方法

ニ　第七条の二第三号に該当する場合にあつては、変更される取水施設に係る水源の種別、水源の水量の概算、水質試験の結果及び変更後の取水地点

三　水道施設の位置を明らかにする地図

四　第七条の二第一号（水道事業者が給水区域を拡張しようとする場合に限る。次号及び第六号において同じ。）又は法第十条第一項第二号に該当し、かつ、水道事業者が地方公共団体以外の者である場合にあつては、水道事業経営を必要とする理由を記載した書類

五　第七条の二第一号又は法第十条第一項第二号に該当し、かつ、水道事業者が地方公共団体以外の法人又は組合である場合にあつては、水道事業経営に関する意思決定を証する書類

六　第七条の二第一号又は法第十条第一項第二号に該当し、かつ、水道事業者が市町村以外の者である場合にあつては、法第六条第二項の同意を得た旨を証する書類
七　第七条の二第一号又は法第十条第一項第二号に該当する場合にあつては、給水区域が他の水道事業の給水区域と重複しないこと及び給水区域内における専用水道の状況を明らかにする書類及びこれらを示した給水区域を明らかにする地図
八　第七条の二第二号に該当する場合にあつては、主要な水道施設であつて、新設、増設又は改造されるものの構造を明らかにする平面図、立面図、断面図及び構造図
九　第七条の二第三号に該当する場合にあつては、主要な水道施設であつて、新設、増設又は改造されるものの構造を明らかにする平面図、立面図、断面図及び構造図並びに変更される水源からの取水が確実かどうかの事情を明らかにする書類

〔要　旨〕

本条は、水道事業についてその事業内容を変更しようとする場合に、認可を受けなければならない範囲と認可の手続について規定したものである。

〔解　説〕

一、水道事業の変更

水道事業者が、その事業計画の主要部分について変更を行おうとするときは、水道事業の開始の場合と同様厚生労働大臣の認可が必要である。これは、事業の変更に伴い、水道事業の適切な運営が損なわれることのないようにするとの趣旨である。

厚生労働大臣の認可が必要な変更は、①給水区域の拡張、②給水人口又は給水量の増加及び③水源の種別、取水地

点又は浄水方法の変更である（後述する「軽微な変更」に該当する場合を除く。）。給水区域の拡張、給水人口又は給水量の増加は、需要に応じた十分な水の供給確保の観点から、また、水源の種別、取水地点又は浄水方法の変更は、清浄な水の確保の観点から、それぞれ認可を要件としているものである。ここにいう給水区域、給水人口、給水量、水源の種別、取水地点、浄水方法は、厚生労働大臣の認可を受けている計画上のものをいい、現にそれらによって給水が行われているか否か等とは関係ない。

変更の認可は、これらのいずれか一つに該当すれば必要となるものであるが、水源の種別、取水地点又は浄水方法の変更が、給水区域の拡張、給水人口又は給水量の増加に伴うものであるときは、その認可申請も後者に係る認可の手続をすれば足りる（「水道法の施行について」昭和三二年発衛五二〇号厚生事務次官通達）。

なお、給水区域、給水人口及び給水量は、厚生労働大臣の認可によって水道事業者に対しその範囲内において事業の経営を行う権限を付与したものである。給水に支障のない範囲において、水道事業者が当面の給水量、給水人口等を設定して事業を運営することは差し支えないが、給水区域については、法第一一条の規定により事業の休止又は廃止の許可を受ける以外には、給水区域を縮小させることはできない。なお、他の事項に係る事業変更に当たって、給水人口及び給水量の減少を含めて本条の認可を受けた場合には、変更（減少）後の給水人口及び給水量が計画給水人口及び計画給水量となる。

二、認可の申請に係る変更の内容（一項）

㈠　給水区域の拡張

「給水区域」とは、認可を受けた際に事業計画書に記載され、かつ、認可申請書に添付された給水区域を明らかにする地図（規則一条の三第六号）に示された計画給水区域をいう。水道事業者は、給水区域外の需要者（専用水道、工場等を含む。）に対して給水を行おうとするときは、あらかじめ給水区域の拡張について認可を受けなければならない。給水区域の拡張とは、既認可の水道施設の増設等によって給水区域を実質的に拡大する場合をいうものであって、この場合には、拡張しようとする区域の大小に係わらず認可が必要である。

㈡　給水人口の増加

「給水人口」とは、認可を受けた際に事業計画書に記載された計画給水人口をいう。水道事業者は、実際の給水人口が計画給水人口を上回るおそれがある場合には、あらかじめ計画給水人口の増加について認可を受けなければならない。

㈢　給水量の増加

「給水量」も、給水人口と同様認可を受けた際に事業計画書に記載された計画給水量をいう。需要量の増加により計画給水量の範囲内では十分な給水が確保されないおそれがある場合には、あらかじめ給水量の増加について認可を受けなければならない。

㈣　水源の種別の変更

「水源の種別」とは、工事設計書に記載された水源の種別をいう。この水源の種別の区分を変更しようとする場合には、認可を受けなければならない。新たに、既存水源と異なる種別の水源を設けるときも同様である。

㈤　取水地点の変更

「取水地点」とは、工事設計書に記載され、かつ、水道施設の位置を明らかにする地図（規則一条の三第七号）に示された取水地点をいう。例えば、取水口を上流又は下流に移し、又は左岸又は右岸に移し、若しくは井戸の位置を変えることは取水地点の変更である。井戸の深度を変えることによって採取する地下水の滞水層の変更をもたらすような場合も、取水地点の変更に含まれる。ただし、井戸の深度の変更が浅井戸又は深井戸の種別の変更を伴う場合には、当該変更は水源の種別の変更である。

㈥　浄水方法の変更

「浄水方法」とは、既認可の浄水処理工程に変更を加えること、又は当該施設の処理目的の変更や、大幅な設計諸元の変更を行うことであり、変更の有無については浄水場ごとに判断される。

浄水処理工程の変更は、新たな工程を付加する場合、工程の一部若しくは全部を廃止する場合であり、例えば高度浄水処理方式の導入等が該当する。なお、浄水場を廃止する場合は原則として浄水方法の変更に該当しないが、水源と浄水方法の組み合わせが変更になるなど、既認可に位置付けられていない浄水方法が新規に発生する場合は浄水方法の変更に該当する。

また、浄水処理工程に変更がない場合であっても、処理目的の変更、設計諸元に重大な変更を生じるような施設の改造、型式の変更にあっては浄水方法の変更に該当する。

三、**市町村の同意**（一項）

給水区域を拡張する場合において、その給水区域の拡張が新たに他の市町村の区域を対象とする場合には、水道事業者は当該他の市町村の同意が必要である。本条のこの同意は、「給水区域の拡張により新たに他の市町村の区域が給水区域に含まれることとなるとき」に限定されているが、その際に水道施設の整備を伴う等「公の施設の区域外設置」に該当する場合には、地方自治法第二四四条の三第一項及び第二項による協議が必要であり、この協議が整ったときはこの同意があったことになる。なお、法第六条第二項によって、地方公共団体以外の者に既に同意を与えた水道による当該市町村の区域内における給水区域の拡張については、本条は規定していないが、その場合であっても当該市町村の同意を得ることが望ましい。

四、申請手続、認可基準等の準用（二項）

本条の認可には、新設の場合における法第七条（認可の申請）、第八条（認可基準）及び第九条（附款）の規定が準用される。本条の変更は、事業の主要部分に係る変更であるので、変更の内容が一部であるとしても、事業全体にその影響が及ぶことが予想され、新たな観点から改めて検討を行う必要があるからである。事業の変更について本条の認可を受けた場合には、当該申請に係る事項についてだけでなく、全体の事業計画等が認可されたことになる。

本条による変更認可に係る申請手続に必要とされる書類等は、次の各表のとおりである。

㈠　事業の変更認可申請に係る添付書類等

（○は、申請に必要な添付書類）

規則第一条の三	創設時	給水区域拡張	給水人口増加	給水量増加	水源種別変更	取水地点変更	浄水方法変更
地方公共団体以外の者である場合は、水道事業経営を必要とする理由を記載した書類（一号）	○	○	○	○	○	○	○
地方公共団体以外の法人又は組合である場合は、水道事業経営に関する意思決定を証する書類（二号）	○	○	○	○			
市町村以外の者である場合は、法第六条第二項の同意を得た旨を証する書類（三号）	○	○					
取水が確実かどうかの事情を明らかにする書類（四号）	○			○	○	○	

<table>
<tr><td>地方公共団体以外の法人又は組合である場合は、定款又は規約（五号）</td><td>○</td><td>○</td><td>○</td><td>○</td><td></td><td></td><td></td></tr>
<tr><td>給水区域が他の水道事業の給水区域と重複しないこと及び給水区域内における専用水道の状況を明らかにする書類及びこれらを示した給水区域を明らかにする地図（六号）</td><td>○</td><td>○</td><td>○</td><td>○</td><td></td><td></td><td></td></tr>
<tr><td>水道施設の位置を明らかにする地図（七号）</td><td>○</td><td>○</td><td>○</td><td>○</td><td>○</td><td>○</td><td>○</td></tr>
<tr><td>水源の周辺の概況を明らかにする地図（八号）</td><td>○</td><td></td><td></td><td>○</td><td>○</td><td>○</td><td>○</td></tr>
<tr><td>主要な水道施設（次号に掲げるものを除く。）の構造を明らかにする平面図、立面図、断面図及び構造図（九号）</td><td>○</td><td rowspan="2" colspan="6">新設、増設又は改造される主要な水道施設、導水管きょ等の図面に限る。</td></tr>
<tr><td>導水管きょ、送水管及び主要な配水管の配置状況を明らかにする平面図及び縦断面図（一〇号）</td><td>○</td></tr>
</table>

(二)　事業の変更認可申請に係る事業計画書の記載事項（法第七条第四項第八号に掲げる事項）

（○は、申請に必要な記載事項）

規則第二条	創設時	給水区域拡張	給水人口増加	給水量増加	水源種別変更	取水地点変更	浄水方法変更
工事費の算出根拠（一号）	○	○	○	○	○	○	○
借入金の償還方法（二号）	○	○	○	○	○	○	○
料金の算出根拠（三号）	○	○	○	○	○	○	○
給水装置工事の費用の負担区分を定めた根拠及びその額の算出方法（四号）	○	○	○	○			

㈢　事業の変更認可申請に係る工事設計書の記載事項（法第七条第五項第八号に掲げる事項）

（○は、申請に必要な記載事項）

規則第四条	創設時	給水区域拡張	給水人口増加	給水量増加	水源種別変更	取水地点変更	浄水方法変更
主要な水理計算（一号）	○	新設、増設又は改造される水道施設に関する主要な水理計算又は構造計算に限る。					
主要な構造計算（二号）	○						

なお、右記に掲げた書類等で、水道台帳中に同じ内容の事項が含まれるものについては、当該事項を記載した部分をそのまま転載することにより当該書類等への記載とすることができる。

五、事業の変更認可手続の簡素化

本条第一項かっこ書及び同項第二号は、平成一三年の水道法改正において、管理体制強化の一つの手段として、複数の水道事業の統合による広域的な事業経営を推進するために設けられた、複数の事業の経営を統合する際の事業認可等の手続の簡素化の規定である。それぞれの事業内容の変更を伴わない単純な統合については、変更認可の例外として、認可に代えて事前届出で足りることとするものである。ただし、統合の際、給水人口等が明らかに増加する場合や取水地点を変更する場合等については、事業の変更認可が必要となるので留意する必要がある。

また、同項第一号で、厚生労働省令で定める軽微な変更の場合も例外として、事前届出で足りることとしており、同項第一号と第二号のいずれにも該当する場合についても、同様に事前届出で足りる。

厚生労働省令で定める軽微な変更は、左記に掲げるとおりである（一項一号、規則七条の二）が、該当する変更が複数に及ぶ場合は変更認可を受けなければならない。

㈠　給水区域の軽微な拡張や給水人口若しくは給水量の軽微な増加を行うもの（規則七条の二第一号）

これらは、簡易水道規模での拡張や増加との趣旨である。これにより、給水区域周辺の小さな集落を給水区域に取り込む場合や、人口のフレームが認可上の給水人口をわずかに超える場合などは、届出で済むことになる。具体的には、水道施設（送水施設（内径が二五〇ミリメートル以下の送水管及びその附属設備（ポンプを含む。）に限る。）並びに配水施設を除く。）の整備を伴わない変更のうち、給水区域の拡張又は給水人口若しくは給水量の増加に係る変更で、次のいずれの要件にも該当する場合は届出となる。

1　給水区域を拡張させる場合

変更後の給水区域が他の水道事業の給水区域と重複しないこと（規則七条の二第一号イ）

2　給水人口を増加させる場合

変更後の給水人口と認可給水人口との差が認可給水人口の一〇分の一以下であること（規則七条の二第一号ロ）

認可給水人口とは、事業計画書に記載した給水人口（法一〇条一項又は三項の規定により給水人口の変更（同条一項一号に該当するものを除く。）を行ったときは、直近の変更後の給水人口とする。）をいう。

3　給水量を増加させる場合

変更後の給水量と認可給水量との差が認可給水量の一〇分の一以下であること（規則七条の二第一号ハ）

認可給水量とは、事業計画書に記載した給水量（法一〇条一項又は三項の規定により給水量の変更（同条一項一号に該当するものを除く。）を行ったときは、直近の変更後の給水量とする。）をいう。

㈡　規定する浄水施設を用いる浄水方法に変更するもの（規則七条の二第二号）

広い範囲の水道に利用可能な設計に要する技術的知見が確立し、かつ、多くの水道で長い使用実績があり、水道事業者等及び事業認可者に相当の知識及び経験が蓄積されている浄水方法については、事業認可に当たって、その採用の適否を詳細に審査する必要がないものがあると認められることを踏まえ、現在の給水量が認可給水量を超えていない水道事業等において、規定する浄水施設を用いる浄水方法に変更しようとするもので、既存の給水区域の拡張又は給水人口あるいは給水量の増加を伴わないものを、事業の変更の認可を要しない軽微な変更としている（平成一九年健水発第〇三三〇〇〇三号水道課長通知、平成二一年健水発〇三二五第三号水道課長通知）。ただし、次の事項に留意が必要である。

・「現在の給水量」とは、浄水方法の変更を行おうとする時点の事業計画に定める給水量をいい、法第一〇条第一項第一号の規定に基づく軽微な変更による給水量の増加を含むものであること。

・浄水方法の変更とともに、水源の種別又は取水地点を変更しようとする場合は、法第一〇条第一項第一号の規定のとおり、変更の認可を要するものであること。

・粉末活性炭処理設備又は粒状活性炭処理設備を用いる浄水方法への変更については、変更前の浄水方法に当該設備を追加する場合に限るものであり、例えば、新規水源を確保して浄水場を新たに建設し、粉末活性炭処理又は粒状活性炭処理を含む浄水処理工程を導入する場合などについては、処理対象物質や必要となる除去量が明らかではないため、原水を用いた処理実験の実施等により処理の安全性・確実性を個別に確認する必要があることから、変更の認可を要するものであること。

㈢　河川の流水を水源とする取水地点の変更のうち、原水の水質が大きく変わるおそれがないもの（規則七条の二第三号）

河川の流水を水源とする取水地点の変更のうち、河川改修に伴う取水地点の変更等、水源水質に大きな変化がないと認められる場合には軽微な変更としている。

なお、届出をしようとする水道事業者は、左記の表に掲げる事項を記載した届出書を、厚生労働大臣に提出しなければならないが（本条三項、規則八条の二）、その記載は変更認可の申請書及びその添付書類等の記載に準じることとされている（平成一四年健水発第〇三二七〇〇四号水道課長通知）。

		該当条項			
		規則第七条の二第一号	規則第七条の二第二号	規則第七条の二第三号	法第一〇条第一項第二号
届出書	届出者の住所及び氏名（法人又は組合にあっては、主たる事務所の所在地及び名称並びに代表者の氏名）	○	○	○	○
	水道事務所の所在地	○	○	○	○
事業計画書	変更後の給水区域、給水人口及び給水量	○	○	○	○
	水道施設の概要	○	○	○	○
	給水開始の予定年月日	○	○	○	○
	変更後の給水人口及び給水量の算出根拠	○	○	○	○
	譲受けの年月日				○
	変更後の経常収支の概算				○
	料金、給水装置工事の費用の負担区分その他の供給条件				○

工事設計書	工事の着手及び完了の予定年月日	○	○	○	○
	配水管における最大静水圧及び最小動水圧	○			○
	変更される水道施設に係る水源の種別、取水地点、水源の水量の概算及び水質試験の結果		○	○	
	変更後の浄水方法		○		
その他の書類	水道施設の位置を明らかにする地図	○	○	○	○
	地方公共団体以外の者である場合は、水道事業経営を必要とする理由を記載した書類	○（給水区域の拡張の場合のみ）			○
	地方公共団体以外の法人又は組合である場合は、水道事業経営に関する意思決定を証する書類	○（給水区域の拡張の場合のみ）			○
	市町村以外の者である場合は、法第六条第二項の同意を得た旨を証する書類	○（給水区域の拡張の場合のみ）			○
	給水区域が他の水道事業の給水区域と重複しないこと及び給水区域内における専用水道の状況を明らかにする書類及びこれらを示した給水区域を明らかにする地図	○			○
	主要な水道施設であって、新設、増設又は改造されるものの構造を明らかにする平面図、立面図、断面図及び構造図		○	○	
	変更される水源からの取水が確実かどうかの事情を明らかにする書類			○	

六、都道府県知事による事務処理

法第四六条第一項で定める政令又は道州制特別区域における広域行政の推進に関する法律施行令第二条第一項に該当する場合においては、本条第一項及び第三項の厚生労働大臣の権限に属する事務は都道府県知事が行うものとされている。

七、罰則

本条第一項の規定に違反した者は、一年以下の懲役又は一〇〇万円以下の罰金に処せられる（法五三条一号）。また、本条第三項の規定に違反して、届出をせず、又は虚偽の届出をした者は、三〇万円以下の罰金に処せられる（法五五条二号）。

〔参　考〕

水道法施行規則の一部改正について（通知）

（平成二三年一〇月三日　健水発一〇〇三第一号
各厚生労働大臣認可水道事業者・水道用水供給事業者あて厚生労働省健康局水道課長通知）

第四条　水質基準〔参考〕四を参照のこと。

〔法　律〕

（事業の休止及び廃止）

第十一条　水道事業者は、給水を開始した後においては、厚生労働省令で定めるところにより、厚生労働大臣の許可を受けなければ、その水道事業の全部又は一部を休止し、又は廃止してはならない。ただし、その水道事業の全部を他の水道事業を行う水道事業者に譲り渡すこととなるときは、その水道事業の全部を廃止することとなるときは、この限りでない。
2　地方公共団体以外の水道事業者（給水人口が政令で定める基準を超えるものに限る。）が、前項の許可の申請をしようとするときは、あらかじめ、当該水道事業の給水区域をその区域に含む市町村に協議しなければならない。
3　第一項ただし書の場合においては、水道事業者は、あらかじめ、その旨を厚生労働大臣に届け出なければならない。

〔施行令〕

（法第十一条第二項に規定する給水人口の基準）

第四条　法第十一条第二項に規定する政令で定める基準は、給水人口が五千人であることとする。

〔施行規則〕

（事業の休廃止の許可の申請）

第八条の三　法第十一条第一項の許可を申請する水道事業者は、申請書に、休廃止計画書及び次に掲げる書類（図面を含む。）を添えて、厚生労働大臣に提出しなければならない。
一　水道事業の休止又は廃止により公共の利益が阻害されるおそれがないことを証する書類
二　休止又は廃止する給水区域を明らかにする地図
三　地方公共団体以外の水道事業者（給水人口が令第四条で定める基準を超えるものに限る。）である場合は、当該水道事業の給水区域をその区域に含む市町村に協議したことを証する書類
2　前項の申請書には、次に掲げる事項を記載しなければならない。
一　申請者の住所及び氏名（法人又は組合にあつては、主たる事務所の所在地及び名称並びに代表者の氏名）
二　水道事務所の所在地
3　第一項の休廃止計画書には、次に掲げる事項を記載しなければならない。
一　休止又は廃止する給水区域
二　休止又は廃止の予定年月日

三　休止又は廃止する理由
四　水道事業の全部又は一部を休止する場合にあつては、事業の全部又は一部の再開の予定年月日
五　水道事業の一部を廃止する場合にあつては、当該廃止後の給水区域、給水人口及び給水量
六　水道事業の一部を廃止する場合にあつては、当該廃止後の給水人口及び給水量の算出根拠

（事業の休廃止の許可の基準）
第八条の四　厚生労働大臣は、水道事業の全部又は一部の休止又は廃止により公共の利益が阻害されるおそれがないと認められるときでなければ、法第十一条第一項の許可をしてはならない。

〔要　旨〕
本条は、水道事業の公共性に鑑み、給水を開始した後においては、その事業の全部又は一部を休止又は廃止するには厚生労働大臣の許可を要することを規定したものである。
平成三〇年の法改正により、それまで、法令上詳細に規定されていなかった水道事業等の全部又は一部の休止及び廃止に係る手続き及び許可基準が規則に定められるとともに、地方公共団体以外の水道事業者（その給水人口が五千人を超えるものに限る。）は、事業の休廃止の許可の申請に際して、当該水道事業の給水区域をその区域に含む市町村に協議しなければならないこととされた。

〔解　説〕
一、許可の意義
「許可」とは、法令によってある行為が一般的に禁止されているときに、特定の場合についてこれを解除し、適法にその行為をすることができるようにする行政行為であり、相手方に特別の権能を付与する事業の経営、変更等の認可とは性格を異にする。許可を必要とする行為を許可なしに行った場合は当然に処罰の対象となるが、一般には、そ

の行為の法律的効力そのものは否定されない。

本条が許可制度を導入したのは、水道事業が公益事業たる性格を持つものであることに鑑み、一度給水が開始された後においては、その給水の継続は水道事業者の義務とし、その休止又は廃止を水道事業者の任意に委ねることなく一般的禁止の下におき、特定の場合にこれを解除することによって公共の利益を保護しようとするためである。他の公益事業についても同様の規定が置かれている（電気事業法一四条、ガス事業法九条）。

二、**休止、廃止の意義**

水道事業の「休止」とは、水道施設についていうのではなく、住民への給水義務を反復継続して行う有機的組織体の一時的機能中断であり、将来業務の再開を予定している場合をいう。これに対して、水道事業の「廃止」とは、当該組織体の将来にわたる消滅を意味し、期間の概念を含まない。したがって、「休止」と「廃止」との区別は、水道事業者の意思によるものといえる。本条の休止と法第一五条第二項の停止との差異は、休止が意思によって行われるものであるのに反して、停止は意思を欠く事実上の不稼働の状態をも含むのである。したがって、災害等によって水道施設が破壊して水の供給が止まる場合は停止であって、本条にいう休止ではない。

また、事業の「全部」又は「一部」の区別は、給水という機能の作用する区域の全部であるか一部であるかに係るものであって、水道施設の稼働状況についていうものではない。

なお、休止又は廃止の許可を受けるのは「給水を開始した後」とされているが、これは水道事業経営の認可を受けた際に事業計画書に記載され、かつ、認可申請書に添付された給水区域を明らかにする地図（規則一条の三第六号）に示された計画給水区域内の給水を開始した後をいう。既に給水を開始した給水区域の一部を縮小する場合は本条の許可の対象となり、一方で、事業計画書に記載した給水開始の予定年月日の経過後一年以内に給水を開始していない区域については許可の対象とはならず、法第三五条の認可の取消しの対象となる。

三、事業の休止及び廃止の申請手続き（一項）

事業の休止及び廃止をしようとする水道事業者等は、申請書に、休廃止計画書及び以下の書類を添えて厚生労働大臣に提出しなければならない。

㈠　事業の休廃止により公共の利益が阻害されるおそれがないことを証する書類

㈡　休廃止する給水区域を明らかにする地図

㈢　給水人口が五千人を超える水道事業を経営する地方公共団体以外の水道事業者にあっては、当該水道事業の給水区域をその区域に含む市町村に協議したことを証する書類

このうち、「㈠事業の休廃止により公共の利益が阻害されるおそれがないことを証する書類」の内容については、休廃止する区域内において給水契約がないことを示す書類や他の手段による水の確保が確認できる書類をいうものである。

なお、休止の許可がなされた場合であっても、法第六条に基づいて行われた認可の範囲、性格に変更はないが、事業全部の廃止に許可があった場合、当該認可は消滅し、一部廃止の許可があったときには、当該認可に当たって審査の対象となった諸事実（給水区域、給水人口等）のうち、当該一部廃止に係る事情変更の範囲で認可の内容が修正されたことになる。

四、事業の休止及び廃止の許可基準

事業の休廃止により公共の利益が阻害されるおそれがないと認められるときでなければ、法第一一条第一項に規定する許可をしてはならない。

「公共の利益が阻害されるおそれがない」ことは、許可の申請の内容に基づいて具体的に判断されるべきものであるが、水道事業にあっては、休廃止しようとする給水区域において給水契約がないこと又は休廃止しようとする区域において給水契約があるときは他の手段による水の確保が可能であることが考えられる。

なお、「他の手段による水の確保が可能であること」については、他の水道事業による給水が行われる又は、新たな水の確保の方法、衛生対策並びに負担するべき事項及びその額等を提示した上で、休廃止しようとする区域における給水契約の相手方全員に対して同意を得る必要がある。水道用水供給事業にあっては、休廃止しようとする給水対象の水道事業者の合意が得られている必要がある。

五、地方公共団体以外の水道事業者による市町村への協議（二項・令四条）

法第一一条第二項及び令第四条において、給水人口が五千人を超える水道事業を経営する地方公共団体以外の水道事業者については、その事業の休廃止に関する許可の申請に当たり、あらかじめ、当該申請に係る給水区域をその区域に含む市町村に協議しなければならないとされるが、これは単に協議（話し合い）をするだけではなく、協議が整うことを必要とする意味である。

これは、市町村以外の者が水道事業を経営しようとする場合、認可申請の際に、水道事業を経営することについて、水道事業者が水道事業の休廃止の権限を有することも含めて、給水しようとする区域をその区域に含む市町村の同意を得ているものであるが、一定規模以上の水道事業の休廃止は、水道事業の経営に関する市町村の判断に対して大きな影響を与えることが考えられるためである。

なお、給水人口が五千人以下の水道事業を経営する地方公共団体以外の水道事業者においても、水道事業の休廃止は市町村の判断に対して一定の影響を与えるものであることから、事業の休廃止の申請に当たっては、あらかじめ給水区域をその区域に含む市町村と十分に相談することが必要である。

六、事業の廃止許可手続の簡素化（一項ただし書・三項）

管理体制強化の一つの手段として、複数の水道事業の統合による広域的な事業経営を推進するため、平成一三年の改正により、単純な統合に伴い水道事業の全部を他の水道事業を行う水道事業者に譲り渡すことにより、その水道事業の全部を廃止することとなるときは、厚生労働大臣の許可を要しないとしたものである（一項ただし書）。

この場合においては、あらかじめ、廃止の期日、廃止の理由等を記載した事業廃止の届出書を厚生労働大臣に届け出なければならない（三項）。

七、事業の休止及び廃止に係る水道用水供給事業者への準用

本条は、水道用水供給事業者が事業を休止又は廃止する場合について準用する（法三一条及び規則五十二条）。

八、都道府県知事による事務処理

法第四六条第一項で定める政令又は道州制特別区域における広域行政の推進に関する法律施行令第二条第一項に該当する場合においては、本条第一項及び第三項の厚生労働大臣の権限に属する事務は都道府県知事が行うものとされている。

九、罰則

本条第一項の規定に違反して、許可を受けないで事業の全部又は一部を休止し、又は廃止した者は、一年以下の懲役又は一〇〇万円以下の罰金に処せられる（法五三条二号）。また、本条第三項の規定に違反して、届出をせず、又は虚偽の届出をした者は、三〇万円以下の罰金に処せられる（法五五条二号）。

〔法　律〕

（技術者による布設工事の監督）

第十二条　水道事業者は、水道の布設工事（当該水道事業者が地方公共団体である場合にあつては、当該地方公共団体の条例で定める水道の布設工事に限る。）を自ら施行し、又は他人に施行させる場合においては、その職員を指名し、又は第三者に委嘱して、その工事の施行に関する技術上の監督業務を行わせなければならない。

2　前項の業務を行う者は、政令で定める資格（当該水道事業者が地方公共団体である場合にあつては、当該資格を参酌して当該地方公共団体の条例で定める資格）を有する者でなければならない。

〔施行令〕

（布設工事監督者の資格）

第五条　法第十二条第二項（法第三十一条において準用する場合を含む。）に規定する政令で定める資格は、次のとおりとする。

一　学校教育法（昭和二十二年法律第二十六号）による大学（短期大学を除く。以下同じ。）の土木工学科若しくはこれに相当する課程において衛生工学若しくは水道工学に関する学科目を修めて卒業した後、又は旧大学令（大正七年勅令第三百八十八号）による大学において土木工学科若しくはこれに相当する課程を修めて卒業した後、二年以上水道に関する技術上の実務に従事した経験を有する者

二　学校教育法による大学の土木工学科又はこれに相当する課程において衛生工学及び水道工学に関する学科目以外の学科目を修めて卒業した後、三年以上水道に関する技術上の実務に従事した経験を有する者

三　学校教育法による短期大学（同法による専門職大学の前期課程を含む。）若しくは高等専門学校又は旧専門学校令（明治三十六年勅令第六十一号）による専門学校において土木科又はこれに相当する課程を修めて卒業した後（同法による専門職大学の前期課程にあつては、修了した後）、五年以上水道に関する技術上の実務に従事した経験を有する者

四　学校教育法による高等学校若しくは中等教育学校又は旧中等学校令（昭和十八年勅令第三十六号）による中等学校において土木科又はこれに相当する課程を修めて卒業した後、七年以上水道に関する技術上の実務に従事した経験を有する者

五　十年以上水道の工事に関する技術上の実務に従事した経験を有する者

六　厚生労働省令の定めるところにより、前各号に掲げる者と同等以上の技能を有すると認められる者

2　簡易水道事業の用に供する水道（以下「簡易水道」という。）については、前項第一号中「二年以上」とあるのは「一年以上」と、同項第二号中「三年以上」とあるのは「一年六箇月以上」と、同項第三号中「五年以上」とあるのは「二年六箇月以上」と、同項第四号中「七年以上」とあるのは「三年六箇月以上」と、同項第五号中「十年以上」とあるのは「五年以上」とそれぞれ読み替えるものとする。

〔施行規則〕

（布設工事監督者の資格）

第九条　令第五条第一項第六号の規定により同項第一号から第五号までに掲げる者と同等以上の技能を有すると認められる者は、次のとおりとする。

一　令第五条第一項第一号又は第二号の卒業者であつて、学校教育法（昭和二十二年法律第二十六号）に基づく大学院研究科において一年以上衛生工学若しくは水道工学に関する課程を専攻した後、又は大学の専攻科において衛生工学若しくは水道工学に関する専攻を修了した後、同項第一号の卒業者にあつては一年（簡易水道の場合は、六箇月）以上、同項第二号の卒業者にあつては二年（簡易水道の場合は、一年）以上水道に関する技術上の実務に従事した経験を有する者

二　外国の学校において、令第五条第一項第一号若しくは第二号に規定する課程及び学科目又は第三号若しくは第四号に規定する課程に相当する課程又は学科目を、それぞれ当該各号に規定する学校において修得する程度と同等以上に修得した後、それぞれ当該各号に規定する最低経験年数（簡易水道の場合は、それぞれ当該各号に規定する最低経験年数の二分の一）以上水道に関する技術上の実務に従事した経験を有する者

三　技術士法（昭和五十八年法律第二十五号）第四条第一項の規定による第二次試験のうち上下水道部門に合格した者（選択科目として上水道及び工業用水道を選択したものに限る。）であって、一年（簡易水道の場合は、六箇月）以上水道に関する技術上の実務に従事した経験を有する者

〔要　旨〕

本条は、水道の布設工事について、一定の資格を有する者に工事の施行に関する技術上の監督業務を行わせることを水道事業者に義務付けたものである。

〔解　説〕

一、布設工事の監督（一項）

水道事業者は、「水道の布設工事」（法三条一〇項）が直営工事であると請負工事であるとにかかわらず、資格を有する職員を指名するか、又は資格を有する第三者に委嘱して工事の施行監督を行わせなければならない。資格を有する第三者に委嘱する場合、当該工事の請負人あるいは請負人の被雇用者に委嘱して監督業務を行わせることはできない。請負人は、水道事業者と利害が対立する者であって、本条で規定する第三者ではないからである。工事監督者を各工事現場ごとにおくか、一人とするかは、法第一九条の水道技術管理者と異なり一人に限られていないためいずれでもよいと解されるが、布設工事の規模等を勘案し、適切な人員を確保する必要がある。また、指名は、辞令形式を用いることもあるが、必ずしも形式は問わず、監督する工事の範囲と本条による技術上の監督を担任する者であることが明らかにされていればよい。

なお、水道事業を経営する地方公共団体（地方公共団体の組合を含む。）は、布設工事監督者の配置基準及び資格基準について、条例で定める必要がある（平成二三年健水発一一一八第一号水道課長通知）。

また、布設工事に含まれない工事については、昭和四四年の厚生省通達（昭和四四年環水第九〇五九号）により、これに準じて監督者を置いて監督業務を実施するよう求めており、工事監督体制の不十分さに起因する事故を防止する観点からは、水道の布設工事に準じて監督者を置いて監督業務を実施させることが望ましいものの、それぞれの水道事業者における人員体制などの状況を勘案した上で、柔軟に工事監督体制を構築してもよい。ただし、その場合であっても、適切な責任体制の確立、責任分担の明確化及び適切な検査の実施がなされることが必要である。

二、**監督者の資格**（二項・令五条）

水道の布設工事監督者の資格は、学校教育法に基づく学校における土木工学科（土木科）又はこれに相当する課程の履修経歴と水道に関する技術上の実務経験との総合判断によるものとして次のように定められている。

㈠　令第五条関係

⑴　大学の土木工学科において衛生工学又は水道工学を修めた（旧制大学では土木工学科の課程を修めた）卒業者　水道技術の実務経験　二年

⑵　大学の土木工学科卒業者（前号以外の者）　水道技術の実務経験　三年

⑶　短大（専門職大学の前期課程を含む。）若しくは高等専門学校又は旧制専門学校の土木科卒業者（専門職大学の前期課程にあっては、修了した者）　水道技術の実務経験　五年

⑷　高等学校若しくは中等教育学校又は旧制中等学校の土木科卒業者　水道技術の実務経験　七年

⑸　⑴から⑷までに該当しない者　水道工事の実務経験一〇年

⑹　簡易水道事業の用に供する水道については前各号の経験年数は二分の一とする。

㈡　規則第九条関係（令五条一項六号）

(1)　大学院研究科において一年以上衛生工学若しくは水道工学を専攻した者又は大学の専攻科において衛生工学若しくは水道工学の専攻を修了した者　前掲(1)の卒業者　水道技術の実務経験　一年

(2)　外国の学校において、令第五条各号に掲げるものと同等以上の教育内容を修得した者　前掲(2)の卒業者　水道技術の実務経験　二年　当該各号に規定する最低経験年数

(3)　技術士法第四条第一項の規定による第二次試験のうち上下水道部門に合格した者（選択科目として上水道及び工業用水道を選択したものに限る。）　水道技術の実務経験　一年

(4)　簡易水道事業の用に供する水道については前各号の経験年数は二分の一とする。

なお、「土木工学科（土木科）又はこれに相当する課程」とは、土木工学と同様の課程で、水道法における「水道の布設工事」を行えると判断できるものであればよい。また、「技術上の実務」とは、水道の技術に関するものであれば、計画、設計、施工、施設の維持管理等いずれに係るものであってもよく、また、他の地方公共団体又は私企業における経験であってもよい。年限については、これらの経験の通算であってもよい。

三、**準用**

本条は、水道用水供給事業者について準用する（法三一条）。

〔参　考〕

一、**地方自治法**

㈠　**地方自治法**（抄）　（昭和二二年四月一七日法律第六七号）

（契約の履行の確保）

第二百三十四条の二　普通地方公共団体が工事若しくは製造その他についての請負契約又は物件の買入れその他の契約を締結した場合においては、当該普通地方公共団体の職員は、政令の定めるところにより、契約の適正な履行を確保するため又はその受ける給付の完了の確認（給付の完了前に代価の一部を支払う必要がある場合において行なう工事若しくは製造の既済部分又は物件の既納部分の確認を含む。）をするため必要な監督又は検査をしなければならない。

2　普通地方公共団体が契約の相手方をして契約保証金を納付させた場合において、契約の相手方が契約上の義務を履行しないときは、その契約保証金（政令の定めるところによりその納付に代えて提供された担保を含む。）は、当該普通地方公共団体に帰属するものとする。ただし、損害の賠償又は違約金について契約で別段の定めをしたときは、その定めたところによるものとする。

㈡　地方自治法施行令（抄）

（昭和二二年五月三日政令第一六号）

（監督又は検査の方法）

第百六十七条の十五　地方自治法第二百三十四条の二第一項の規定による監督は、立会い、指示その他の方法によつて行なわなければならない。

2　地方自治法第二百三十四条の二第一項の規定による検査は、契約書、仕様書及び設計書その他の関係書類（当該関係書類に記載すべき事項を記録した電磁的記録を含む。）に基づいて行なわなければならない。

3　普通地方公共団体の長は、地方自治法第二百三十四条の二第一項に規定する契約について、契約の目的たる物件の給付の完了後相当の期間内に当該物件につき破損、変質、性能の低下その他の事故が生じたときは、取替え、補修その他必要な措置を講ずる旨の特約があり、当該給付の内容が担保されると認められるときは、同項の規定による検査の一部を省略することができる。

4　普通地方公共団体の長は、地方自治法第二百三十四条の二第一項に規定する契約について、特に専門的な知識又は技能を必要とすることその他の理由により当該普通地方公共団体の職員によつて監督又は検査を行なうことが困難であり、又は適当でないと認められるときは、当該普通地方公共団体の職員以外の者に委託して当該監督又は検査を行なわせることができる。

二、ガス爆発事故の防止に関する緊急措置について（通知）

（昭和四五年五月一一日 環水第四六号各都道府県知事・各政令指定市長あて厚生省環境衛生局長通知）

大規模掘削工事に起因するガス爆発事故を防止するため現に工事中であるか、今後施行されることとなる大規模掘削工事については、大阪ガス爆発事故対策連絡本部において別添のとおりの対策を決定したので、工事施行に当つては、関係者と充分協議の上対策を講ずるよう貴管下の水道事業体に指示されたい。

（別添）

ガス爆発事故の防止に関する緊急措置について

昭和四五年五月一日 大阪ガス爆発事故対策連絡本部

地下鉄工事、地下街建設工事等道路の大規模掘削工事に起因するガス爆発事故を防止するため、現に工事中であるか今後施行されることとなる地下鉄工事等について、関係者に対し、早急に次の対策を講じさせるものとする。

一 ガス導管の保安確保対策の再協議

地下鉄企業者、地下街建設企業者等（以下「地下鉄企業者等」という。）は、ガス事業者に対し、当該地下鉄工事等に伴うガス導管の保安確保対策をあらためて協議するものとする。

二 ガス導管の移設等の実施

前記一の協議に際して地下鉄工事等の進捗状況を勘案して可能な限りガス導管の移設、切りまわしまたはガス供給系統の切替えをガス事業者が行ない、しかるのちに地下鉄企業者等は当該工事に着手し、または当該工事を進行させることとする。

三 緊急しや断装置の設置

前記二のガス導管の移設等ができない事情が存するときは、ガス事業者は、可能な限り当該工事区間の入口、出口および当該工事区間の途中にある導管の分岐部に緊急しや断用装置（しや断用バルブ、水封器等）を設置することとする。

四 ガス導管の防護方法の改善

前記二のガス導管の移設等を行なう場合以外は、従来同様ガス導管の防護を行なう必要があるが、掘削により露出したガス導管の防護方法については、地下鉄企業者等はガス事業者と協議のうえ、次の点に配慮して地下鉄工事等施行者にガス導管の防護を行なわせるものとする。

なお、(4)の工事については、ガス事業者に行なわせるものとする。

(1)　今後施行されることとなる地下鉄工事等に伴なう吊防護については、自動車等による振動の影響を防止するため、吊防護専用の梁を用いることとし、吊金具はその張力を容易に調整し得る構造のものとすること。

(2)　ガス導管の屈曲部等の特殊箇所については、曲げ応力が働かないようにステー等により連結し、固定するとともに、内圧による不均衡な力を均衡させるような措置を講ずること。

(3)　受防護については、土荷重等に対して十分な強度をもつものとし、特に掘削深度が大きい場合等重要な受防護については、鍋または鉄筋コンクリートを主体とする構造のものとすること。

(4)　掘削により露出した導管の継手部には、必ず押し輪をつけることとし、屈曲部等の特殊箇所の継手部については、さらに抜け出し防止装置を施すことにより補強すること。

(5)　掘削により露出した継手部については、白色塗料を塗布する等の措置を講じ、工事現場における作業員の注意を喚起するとともに、あわせて、継手部のずれ、ゆるみ等の発生を発見するための一手段として役立たせるものとすること。

五　ガス導管の監視および通報体制等の確立

(1)　地下鉄企業者等およびガス事業者は、地下鉄工事等に伴うガス導管の保安監視のため、協力して工事現場の巡回、点検等の保安確保体制を確立強化するとともに、警察および消防機関と密接な連携を保ちつつ、緊急処理用機材を常備する等の緊急処理体制を確立強化するものとする。

(2)　地下鉄企業者等は、地下鉄工事等施行者に対し、工事現場と工事現場詰所との間を連絡する通報装置等を設けさせるとともに、ガスの漏えいがあつた場合、ガス事業者、警察および消防機関に対するガス漏えい状況についての通報体制と工事現場附近の住民に対する警報体制を確立させ、かつ、これらについて工事現場等の作業員に周知徹底させるものとする。

(3)　ガス事業者は、ガスの漏えいがあつた場合の警察および消防機関に対するガス漏えい状況についての通報体制を確立するものとする。

六　協定書の締結等責任体制の明確化

地下鉄企業者等およびガス事業者は、相互に協議して前記四のガス導管の具体的な防護工法および前記五のガス導管の監視および通報体制等を定め、文書により相互に確認することとし、もつて地下鉄工事等に伴うガス導管の保安確保に係る責任体制の明確化を図るものとする。この場合において、地下鉄企業者等は、ガス事業者との合意の内容を文書をもつて地下鉄工事等施行者に通知徹底するものとする。

七　その他工事に関し留意すべき事項

(1)　地下鉄企業者等は、準備工事または埋め戻しには十分な工期をとるとともに、工事現場におけるブルドーザー等建設機械の運転操作を慎重に行なうよう地下鉄工事等施行者を十分監督するものとする。

(2)　道路管理者および公安委員会は、地下鉄工事等の工事現場においては、重量車両について可能な限り通行の禁止または制限を行なうものとする。

(3)　ガス事業者は、道路法施行令の施行前に埋設されたこと等の理由により、埋設の状況が同令の基準に適合しないガス導管がある場合には、地下鉄工事等による掘削を機会にこれを同令の基準に適合するよう処置するものとする。

地下鉄企業者等およびガス事業者は、以上の対策を講ずるにあたつては、道路管理者の主催する関係者連絡協議会の場を十二分に活用するものとする。

なお、以上の対策を講ずるに必要な費用については、原因者負担を原則とするものとする。

三、道路法施行令および道路法施行規則の一部改正に伴う水道管の布設について（通知）

（昭和四六年六月四日　環水第五五号各都道府県民生主管部（局）長あて厚生省環境衛生局水道課長通知）

道路占用の許可基準にかかる道路法施行令ならびに施行規則の一部が別添資料（資料―一、二、三、四）のとおり改正され、本年四月一日から施行することとなった。

今回の改正は、近年、道路掘削に伴う事故が多発し、かつ大規模化していることにかんがみ、道路に埋設される電源、水道管、ガス管等の構造および掘削を伴う占用工事の実施法に関し、保安上必要な事項を定めることにより事故の防止を図ろうとするものである。

改正の要旨は次のとおりであるので、貴管下各水道事業者等に対して、周知徹底方取り計らわれたい。

なお、明示の方法については、全国統一するために別添「明示要領」を定めたのでこれに準拠するよう指導されたい。

一　名称等の明示

道路に埋設される水道管のうち、⑴外径○・○八メートル（内径七五ミリメートル）未満のもの、⑵市街地を形成している地域又は市街地を形成する見込みの多い地域以外の地域内の道路において、他の占用物件が埋設されていない場所に埋設されるもの、⑶コンクリートで堅固に防護されたものを除き、その名称、管理者、埋設の年を明示すること。

明示の方法は、水道管又はこれに附属して設けられる物件に、退色その他により明示に係る事項の識別が困難になるおそれがないように、ビニールその他耐久性を有するテープを巻き付ける等により、二メートル以下の間隔で名称等を明示すること。

二　工事の実施方法

工事の実施方法としては、請負業者が工事を実施することになると考えられるので、水道事業者等の責任ある監督のもとに、請負業者の工事が適切に行なわれるよう指導すること。特に地下鉄工事その他の市街地で行なわれる大規模な工事については見廻または立会等を通じて、工事施行中の監督を徹底して行なうようされたいこと。

⑴　試掘等

水道事業者等は、試掘等によりガス管等他の地下埋設物を確認した後に工事を実施されたいこと。

なお、マンホール等によりガス管等の埋設の位置が明確にでき、かつ、ガス管等に影響を及ぼさない範囲内で工事を行う場合、人力をもつて手掘りで掘削工事を行なうような場合には「保安上支障がない場合」として、試掘等の必要はない。

⑵　ガス管等の管理者との協議に基づく保安措置

ガス管等、他の地下埋設物の保安に関する関係者の責任を明確にするとともに、その保安について専門的な知識を有する管理者との協議に基づき、適切な保安措置を講ずること。

特に、大規模な管布設工事でガス管に係るものについては、あらかじめガス管の管理者との間にガス管の保安に関する協定書を締結すること。

協定書の内容は、別添（資料—五）「ガス爆発事故防止に関する措置について」中八の(2)の各事項に反しないものとし、警察および消防機関に対する通報ならびに工事現場附近の住民に対する警報の措置についても明確にすること。

なお、ガス管等を収容している共同溝または洞道の附近において、比較的小規模な道路の掘削を伴う工事を行なうような場合には、「保安上支障のない場合」としてガス管等の管理者との協議の必要はない。

(3)　火気の使用の禁止

火の使用のほか、溶接機、切断機その他の火気を伴う機械器具の使用は原則として禁止されているが、ガスが漏えいしていないことを確認し、かつ、ガス管の管理者と協議して火気またはその熱による事故を防止するために必要な防護措置を講ずるような場合には、火気を使用することは差支えない。

三　経過措置

改正令の施行の際現に地下に埋設されている水道管に関しては、その管理者が掘削により露出させた場合に限り、その露出させた部分について適用するものとされているが、水道事業者等以外の者で掘削により露出させた場合にも名称等を明示すること。

なお、埋設の年等を容易にできないときは、推定年度を明示することとし、推定年度の誤差は一〇年程度で差支えない。

（別　添）

明示要領

明示の方法は次のとおりとし、管径三五〇ミリメートル以下は胴巻テープのみ、管径四〇〇ミリメートル以上については胴巻テープと天端テープの使用により識別を明らかにするものとする。

一　明示に使用する材料

イ　材料　塩化ビニールテープ
ロ　色　地色―青、文字―白
　注：工事用水道管は、地色は白、文字は黒である。
ハ　テープの形状

管　径	銅巻テープの幅	天端テープの幅	テープの厚さ
三五〇㎜以下	三cm	―	〇・一五㎜
四〇〇㎜以上	三cm	三cm	±〇・〇三㎜

二　胴巻テープの間隔
イ　管長四メートル以下　三カ所／本
　管の両端から一五～二〇センチメートルならびに中間一カ所
ロ　管長五～六メートル　四カ所／本
　管の両端から一五～二〇センチメートルならびに中間二カ所
ハ　特殊管でイ、ロに該当しない場合は、テープの間隔が二メートル以上にならないよう箇所を増加する。
ニ　推進工法による場合は、テープに代り青色ペイントを天端に塗布することとする。
三　明示の方法
イ　文字の大きさ　タテ、ヨコ八ミリメートル、文字間隔　四ミリメートル程度とする。
ロ　表示間隔　三センチメートル程度とする。
ハ　明示年は三カ月ぐらいずれても差支えない。
ニ　大正以前に布設された管及び布設年が明確でない管は、一〇年程度の誤差は差支えない。
ホ　胴巻テープは一回半巻きとする。

（明示例）

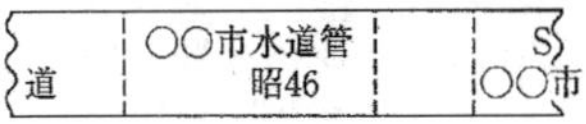

四　特殊部

イ　異型管

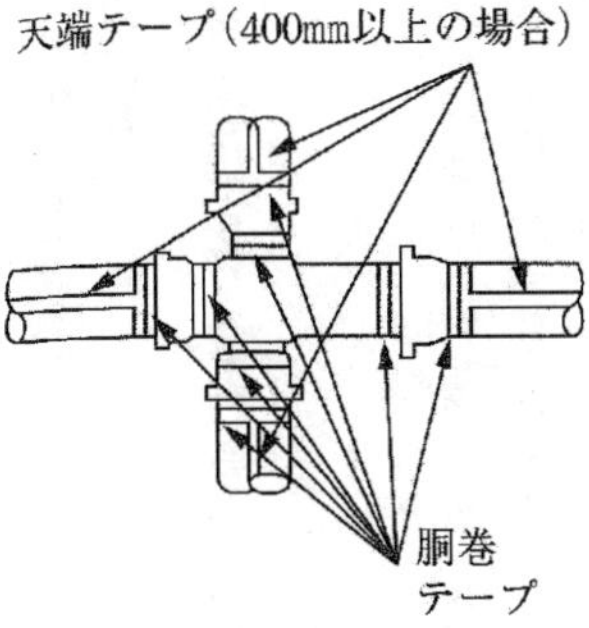

ロ　弁　類

弁類は表函があり、これに表示されているので、他の埋設管と区別が容易であり表示の必要はない。

別添　資料五　略

四、道路に埋設される管の名称等の明示の方法について（通知）

〔昭和四六年六月八日　環水第六八号各都道府県民生主管部（局）長あて厚生省環境衛生局水道課長通知〕

標記に関しては、昭和四六年六月四日付、環水第五五号をもつて明示要領を定め、これに準拠するよう通知したところであるが、地域の特殊性を勘案するとともに、道路管理者の意見等も考慮して、その細部を変更することは差支えないこととするので、御了知の上、貴管下水道事業者等を指導されたい。

五、地域の自主性及び自立性を高めるための改革の推進を図るための関係法律の整備に関する法律の留意事項等について（通知）

〔平成二三年一一月一八日　健水発一一一八第一号厚生労働大臣認可水道事業者・水道用水供給事業者あて厚生労働省健康局水道課長通知〕

「地域の自主性及び自立性を高めるための改革の推進を図るための関係法律の整備に関する法律」（平成二三年法律第一〇五号。以下「整備法」という。）の施行については、厚生労働省健康局長通知「地域の自主性及び自立性を高めるための改革の推進を図るための関係法律の整備に関する法律の施行等について」（平成二三年八月三〇日付け健発〇八三〇第一〇号。以下「局長通知」という。）により指示されたところであるが、なお下記の事項に留意の上、遺漏なきよう願いたい。

なお、本通知は、地方自治法（昭和二二年法律第六七号）に規定する技術的助言であることを申し添える。

記

第一　水道法（昭和三二年法律第一七七号）の一部改正について

(一) 布設工事監督者及び水道技術管理者の配置基準及び資格基準（水道法第一二条、第一九条関係）

布設工事監督者の配置基準及び資格基準について、水道事業又は水道用水供給事業を経営するすべての地方公共団体（地方公共団体の組合を含む。以下同じ。）が条例で定めること。また、水道技術管理者の資格基準について、水道事業若しくは水道用水供給事業を経営する又は専用水道の設置者であるすべての地方公共団体が条例で定めること。

地方公共団体が水道法第二四条の三第一項の業務の委託を受ける場合の受託水道業務技術管理者の資格は、水道法第二四条の三第五項及び水道法施行令第九条の規定により、水道法施行令第六条に規定する資格となり、従前どおりであること。

施行日（平成二四年四月一日）から一年を超えない期間内において、条例が制定施行されるまでの間は、布設工事監督者を置く工事は従前のとおり水道法第三条第一〇項に定める水道の布設工事とするとともに、布設工事監督者及び水道技術管理者の資格は従前のとおり政令で定める資格とみなす経過措置を設けていること。

(二) 専用水道及び簡易専用水道に係る権限の移譲（水道法第四六条、第四八条の二、第五〇条、第五〇条の二関係）

事務権限が移譲される場合にあっては、新たに事務を移譲される市において施行日（平成二五年四月一日）までに万全の事務執行体制が整備されるよう、都道府県と市において相互に十分調整されたいこと。都道府県においては、事務の移譲に当たり、移譲先の市と情報を共有し連携を図るとともに、移譲後、体制の整備や取組が不十分な市に対し取組の実施を促す等配慮願いたいこと。

事務が移譲される市においては、関係者、関係部局が相互に密接に連携し、当該地域を管轄する保健所等とも連携するなど、体制の整備に万全を期されたいこと。

第二　水道原水水質保全事業の実施の促進に関する法律（平成六年法律第八号。以下「原水法」という。）の一部改正について

(一) 都道府県計画の内容（原水法第五条関係）

都道府県計画において、その他地域水道原水水質保全事業の実施に際し配慮すべき重要事項に係る規定を廃止したが、当該事項について定めることを妨げるものではないこと。

(二) 河川管理者事業計画の内容（原水法第七条関係）

河川管理者事業計画において、その他河川水道原水水質保全事業の実施に際し配慮すべき重要事項に係る規定を廃止したが、当該事項について定めることを妨げるものではないこと。

第三　飲用井戸等衛生対策要領の改正について

専用水道及び簡易専用水道に係る事務がすべての市に移譲されることを踏まえると、飲用に供する井戸等及び水道法等の規制対象とならない水道の衛生対策についてもすべての市が実施することが適切であるため、局長通知により、「飲用井戸等衛生対策要領」（昭和六二年一月二九日衛水第一二号厚生省生活衛生局長通知別紙）の改正を行ったこと（改正後の要領については別紙のとおり。）。（別紙（略））

都道府県においては、事務の移譲に当たり、移譲先の市と情報を共有し連携を図るとともに、移譲後、体制の整備や取組が不十分な市に対し取組の実施を促す等配慮願いたいこと。

事務が移譲される市においては、関係者、関係部局が相互に密接に連携し、当該地域を管轄する保健所等とも連携するなど、体制の整備に万全を期されたいこと。

六、水道法施行規則の一部を改正する省令について（通知）

（平成三〇年一二月二六日　生食発一二二六第六号
各都道府県知事・市長・特別区区長あて
厚生労働省大臣官房生活衛生・食品安全審議官通知）

技術士法施行規則の一部を改正する省令（平成二九年文部科学省令第四五号）が平成二九年一二月二八日に公布され平成三一年四月一日から施行される予定である。

これに伴い本日公布された水道法施行規則の一部を改正する省令（平成三〇年厚生労働省令第一四八号）の趣旨及び内容は下記のとおりであるので、御了知の上、その施行に遺漏なきよう期されたい。また、都道府県知事におかれては、貴管下の都道府県知事認可の水道事業者及び水道用水供給事業者に対し、本件を周知徹底いただきたい。

記

第一　技術士法施行規則の一部を改正する省令の概要

変化に対応した高い専門性と倫理観を有する技術者の育成・確保のための技術士制度の活用の促進、技術士の資質の向上及び技術士資格の国際的通用性の確保を目的として、科学技術・学術審議会技術士分科会において、技術士試験の見直し、継続研さん（ＣＰＤ）、技術士の普及拡大・活用の促進等について審議が行われ、平成二八年一二月二二日に報告「今後の技術士制度の在り方について」が取りまとめられた。同報告に基づき、第二次試験科目の改正及び他の国家資格との相互活用の促進に係る所要の改正を行うもの。

第二　水道法施行規則の一部を改正する省令の趣旨と内容

技術士法施行規則の一部を改正する省令においては、現在の技術士試験の第二次試験について、現在二〇部門九六科目のところ、二〇部門六九科目に選択科目を見直すこととされ、上下水道部門についても選択科目の水道環境が上水道及び工業用水道に統合され、削除される。

水道法施行規則第九条において布設工事監督者の資格を定めており、同条第三号において技術士法（昭和五八年法律第二五号）第四条第一項の規定による第二次試験のうち上下水道部門に合格した者（選択科目として上水道及び工業用水道又は水道環境を選択したものに限る。）を掲げているところ、選択科目の水道環境が削除されることを踏まえ、この資格の見直しを行う。

なお、この省令の施行前に行われた技術士法第四条第一項の規定による第二次試験のうち上下水道部門に係るものに合格した者であって、選択科目として水道環境を選択したものは、この省令による改正後の水道法施行規則第九条第三号の適用については、同法第四条第一項の規定による第二次試験のうち上下水道部門に係るものに合格した者であって、選択科目として上水道及び工業用水道を選択したものとみなす。

〔判　例〕

配水管布設工事に係るガス漏出事故について市の損害賠償責任を認めた事例

（大阪地裁昭和五一年五月二五日判決（理由要旨））

一般に道路復旧工事は公共の安全に重要なかかわり合いを有するものであり、殊に、住宅の密集する市街地においては地下にガス管等の危険な埋設物が存するのが常態であって、道路掘削の方法いかんによっては附近住民の生命、財産に重大な影響を及ぼす危険性が極めて高いのであるから、地域住民の生命、財産の安全保持を常に心がけるべき高度の責務を有する地方公共団体たる被告としては、一般の私企業とは異なり、たとえ契約上道路復旧工事については請負業者の責任施工とする旨の定めがなされていた場合であっても、本件の場合の如く、道路掘削に際し埋設物損傷の具体的危険が現に予測され、しかも、特に右工事に立会を求められている場合においては、これに応じ、適切な監督指導をなすべき義務があるといわなければならない。

また、被告が本件工事に先立つ工事打合せの際、請負人に対し、地下埋設物には十分注意して工事を行なうよう一般的注意を与えていたことはすでに認定したとおりであるが、本件のような埋設物損傷の具体的危険が存する状況のもとにおいては、右のような一般的、抽象的注意をなしたからといって注文者としての注意義務がすべて尽されていたものとは到底認めることができない。

〔法　律〕

（給水開始前の届出及び検査）

第十三条　水道事業者は、配水施設以外の水道施設又は配水池を新設し、増設し、又は改造した場合において、その新設、増設又は改造に係る施設を使用して給水を開始しようとするときは、あらかじめ、厚生労働大臣にその旨を届け出で、かつ、厚生労働省令の定めるところにより、水質検査及び施設検査を行わなければならない。

2　水道事業者は、前項の規定による水質検査及び施設検査を行つたときは、これに関する記録を作成し、その検査を行つた日から起算して五年間、これを保存しなければならない。

〔施行規則〕

（給水開始前の水質検査）

第十条　法第十三条第一項の規定により行う水質検査は、当該水道により供給される水が水質基準に適合するかしないかを判断することができる場所において、水質基準に関する省令の表の上欄に掲げる事項及び消毒の残留効果について行うものとする。

2　前項の検査のうち水質基準に関する省令の表の上欄に掲げる事項の検査は、同令に規定する厚生労働大臣が定める方法によつて行うものとする。

（給水開始前の施設検査）

第十一条　法第十三条第一項の規定により行う施設検査は、浄水及び消毒の能力、流量、圧力、耐力、汚染並びに漏水のうち、施設の新設、増設又は改造による影響のある事項に関し、新設、増設又は改造に係る施設及び当該影響に関係があると認められる水道施設（給水装置を含む。）について行うものとする。

〔要　旨〕

本条は、水道施設を新設、増設又は改造した場合において、その施設を使用して給水を開始しようとするときの事前の届出、水質検査及び施設検査の実施、その結果の記録の作成と保存を水道事業者に義務付けたものである。

〔解　説〕

一、給水開始前の届出及び検査（一項）

(一)　届出及び検査対象

配水施設以外の水道施設又は配水池を新設し、増設し、又は改造した場合、その施設を使用して給水を開始しようとするときは、その旨を給水開始に先立って厚生労働大臣に届け出るとともに、当該施設が適切に施工され、かつ、その供給される水が法第四条に規定する水質基準に適合するものであることを確認しなければならない。なお、ここでいう「配水施設以外の水道施設又は配水池の新設、増設、改造」は、法第三条第一〇項に示す「水道の布設工事」すなわち水道施設の新設又は政令で定めるその増設若しくは改造の工事とは異なる。

配水池を除く配水施設の新設、増設又は改造の場合が届出及び確認の対象とされていないのは、これらの工事（配水管工事等）が頻繁に施行されていることから生ずる実際上の困難を考慮したものである。しかし、配水池以外の配水施設についても、本条による届出を要しないというにすぎず、水道事業者は、清掃、消毒その他衛生上の措置や水圧試験等を実施し、当該施設が適切に施工され、かつ、その供給される水が水質基準に適合するものであることを確認する必要があることはいうまでもない。

本条の届出は、認可した事業の開始を知らせるとともに、監督庁において必要と認めるときは、法第三九条の規定による検査ができるようにするためである。届出は厚生労働大臣に対して行う。

㈡　水質検査及び施設検査

水質検査は、その水道により供給される水が法第四条の水質基準に適合するかしないかを判断することができる場所において、「水質基準に関する省令」に掲げる全項目及び消毒の残留効果について行う。水質基準の項目に係る検査の方法は、同省令の定めるところによることとされている（規則一〇条）。ここで「水質基準に適合するかしないかを判断することができる場所」とは、当該新設、増設又は改造に係る施設を経た水道水の末端をいい、必ずしも給水栓を意味しない。

施設検査は、浄水及び消毒の能力、流量、圧力、耐力、汚染並びに漏水のうち、施設の新設、増設又は改造による影響のある事項について、新設、増設又は改造に係る施設及び当該影響に関係があると認められる水道施設（給水装置を含む。）について行う（規則一一条）。

水質検査及び施設検査は、水道技術管理者が従事し、及び従事する職員を監督する（法一九条二項二号）。

二、**検査記録の作成、保存**（二項）

水質検査及び施設検査を行ったときは、水道事業者は、当該施設の適正な維持管理等の確保を図るためその検査記録を作成し、検査日から五年間保存しなければならないとされている。

三、**水道用水供給事業者及び専用水道の設置者への準用**

本条は、水道用水供給事業者及び専用水道の設置者について準用する。この場合、専用水道にあっては、第一項中「厚生労働大臣」とあるのは「都道府県知事」と、市又は特別区の区域においては「市長」又は「区長」と読みかえる（法三一条・三四条一項・四八条の二第一項）。

四、**都道府県知事による事務処理**

法第四六条第一項で定める政令又は道州制特別区域における広域行政の推進に関する法律施行令第二条第一項に該当する場合においては、本条第一項の厚生労働大臣の権限に属する事務は都道府県知事が行うものとされている。

五、**罰　則**

本条第一項の水質検査又は施設検査を行わなかった者は、一〇〇万円以下の罰金に処せられる（法五四条二号）。

第二節　業　務

〔法　律〕

（供給規程）

第十四条　水道事業者は、料金、給水装置工事の費用の負担区分その他の供給条件について、供給規程を定めなければならない。

2　前項の供給規程は、次に掲げる要件に適合するものでなければならない。

一　料金が、能率的な経営の下における適正な原価に照らし、健全な経営を確保することができる公正妥当なものであること。

二　料金が、定率又は定額をもつて明確に定められていること。

三　水道事業者及び水道の需要者の責任に関する事項並びに給水装置工事の費用の負担区分及びその額の算出方法が、適正かつ明確に定められていること。

四　特定の者に対して不当な差別的取扱いをするものでないこと。

五　貯水槽水道（水道事業の用に供する水道及び専用水道以外の水道であつて、水道事業の用に供する水道から供給を受ける水のみを水源とするものをいう。以下この号において同じ。）が設置される場合においては、貯水槽水道に関し、水道事業者及び当該貯水槽水道の設置者の責任に関する事項が、適正かつ明確に定められていること。

3　前項各号に規定する基準を適用するについて必要な技術的細目は、厚生労働省令で定める。

4　水道事業者は、供給規程を、その実施の日までに一般に周知させる措置をとらなければならない。

5　水道事業者が地方公共団体である場合にあつては、供給規程に定められた事項のうち料金を変更したときは、厚生労働省令で定めるところにより、その旨を厚生労働大臣に届け出なければならない。

6　水道事業者が地方公共団体以外の者である場合にあつては、供給規程に定められた供給条件を変更しようとするときは、厚生労働大臣の認可を受けなければならない。
7　厚生労働大臣は、前項の認可の申請が第二項各号に掲げる要件に適合していると認めるときは、その認可を与えなければならない。

〔施行規則〕

（法第十四条第二項各号を適用するについて必要な技術的細目）

第十二条　法第十四条第三項に規定する技術的細目のうち、地方公共団体が水道事業を経営する場合に係る同条第二項第一号に関するものは、次に掲げるものとする。

一　料金が、イに掲げる額とロに掲げる額の合算額からハに掲げる額を控除して算定された額を基礎として、合理的かつ明確な根拠に基づき設定されたものであること。

イ　人件費、薬品費、動力費、修繕費、受水費、減価償却費、資産減耗費その他営業費用の合算額

ロ　支払利息と資産維持費（水道施設の計画的な更新等の原資として内部留保すべき額をいう。）との合算額

ハ　営業収益の額から給水収益を控除した額

二　第十七条の四第一項の試算を行つた場合にあつては、前号イからハまでに掲げる額が、当該試算に基づき、算定時からおおむね三年後から五年後までの期間について算定されたものであること。

三　前号に規定する場合にあつては、料金が、同号の期間ごとの適切な時期に見直しを行うこととされていること。

四　第二号に規定する場合以外の場合にあつては、料金が、おおむね三年を通じ財政の均衡を保つことができるよう設定されたものであること。

五　料金が、水道の需要者相互の間の負担の公平性、水利用の合理性及び水道事業の安定性を勘案して設定されたものであること。

第十二条の二　法第十四条第三項に規定する技術的細目のうち、地方公共団体以外の者が水道事業を経営する場合に係る同条第二項第一号に関するものは、次に掲げるものとする。

一　料金が、イに掲げる額とロに掲げる額の合算額からハに掲げる額を控除して算定された額を基礎として、合理的か

つ明確な根拠に基づき設定されたものであること。
イ　人件費、薬品費、動力費、修繕費、受水費、減価償却費、資産減耗費、公租公課、その他営業費用の合算額
ロ　事業報酬の額
ハ　営業収益の額から給水収益を控除した額
二　第十七条の四第一項の試算を行つた場合にあつては、前号イ及びハに掲げる額が、当該試算に基づき、算定時からおおむね三年後から五年後までの期間について算定されたものであること。
三　前号に規定する場合にあつては、料金が、同号の期間ごとの適切な時期に見直しを行うこととされていること。
四　第二号に規定する場合以外の場合にあつては、料金が、おおむね三年を通じ財政の均衡を保つことができるよう設定されたものであること。
五　料金が、水道の需要者相互の間の負担の公平性、水利用の合理性及び水道事業の安定性を勘案して設定されたものであること。

第十二条の三　法第十四条第三項に規定する技術的細目のうち、同条第二項第三号に関するものは、次に掲げるものとする。
一　水道事業者の責任に関する事項として、必要に応じて、次に掲げる事項が定められていること。
イ　給水区域
ロ　料金、給水装置工事の費用等の徴収方法
ハ　給水装置工事の施行方法
ニ　給水装置の検査及び水質検査の方法
ホ　給水の原則及び給水を制限し、又は停止する場合の手続
二　水道の需要者の責任に関する事項として、必要に応じて、次に掲げる事項が定められていること。
イ　給水契約の申込みの手続
ロ　料金、給水装置工事の費用等の支払義務及びその支払遅延又は不払の場合の措置
ハ　水道メーターの設置場所の提供及び保管責任

ニ　水道メーターの賃貸料等の特別の費用負担を課する場合にあつては、その事項及び金額
ホ　給水装置の設置又は変更の手続
ヘ　給水装置の構造及び材質が法第十六条の規定により定める基準に適合していない場合の措置
ト　給水装置の検査を拒んだ場合の措置
チ　給水装置の管理責任
リ　水の不正使用の禁止及び違反した場合の措置

第十二条の四　法第十四条第三項に規定する技術的細目のうち、同条第二項第四号に関するものは、次に掲げるものとする。
一　料金に区分を設定する場合にあつては、給水管の口径、水道の使用形態等の合理的な区分に基づき設定されたものであること。
二　料金及び給水装置工事の費用のほか、水道の需要者が負担すべき費用がある場合にあつては、その金額が、合理的かつ明確な根拠に基づき設定されたものであること。

第十二条の五　法第十四条第三項に規定する技術的細目のうち、同条第二項第五号に関するものは、次に掲げるものとする。
一　水道事業者の責任に関する事項として、必要に応じて、次に掲げる事項が定められていること。
イ　貯水槽水道の設置者に対する指導、助言及び勧告
ロ　貯水槽水道の利用者に対する情報提供
二　貯水槽水道の設置者の責任に関する事項として、必要に応じて、次に掲げる事項が定められていること。
イ　貯水槽水道の管理責任及び管理の基準
ロ　貯水槽水道の管理の状況に関する検査

（料金の変更の届出）
第十二条の六　法第十四条第五項の規定による料金の変更の届出は、届出書に、料金の算出根拠及び経常収支の概算を記載した書類を添えて、速やかに行うものとする。

〔要　旨〕

本条は、供給規程の設定義務、適合すべき要件、周知義務及び変更の手続について規定したものである。

〔解　説〕

一、供給規程の性格

「供給規程」は、水道事業者と水道の需要者との給水契約の内容を示すものであり、料金、給水装置工事の費用の負担区分その他の供給条件を定めるものである。

供給規程に定める供給条件は、多数の取引きを迅速かつ安全にするために定型的に定められるもので、いわゆる定型約款と呼ばれる。一般に、契約は両当事者が対等の立場で締結するものであるが、給水契約に係る供給条件については、水道事業者があらかじめ一方的にこれを定めることとされている。このように、一方が決める契約の内容に相手方が従うか従わないかの自由しか有しないような契約を、付合契約又は付従契約という。これは、水道事業が地域的独占の事業であり、多数の需要者と迅速かつ公正に契約を結び、かつ、需要者相互間の水道の利用関係について公平を期すためには、このような契約方式によることが適当と考えられるからである。

供給規程には、その性格から、法律上の拘束力をもたらしめる必要のある事項は全て規定しておく必要があるが、本法には、供給条件に関するもののうち、主として需要者保護の必要上供給規程にまかせることなく自ら規定を設けたものがある。例えば、給水義務（法一五条一項・二項）、給水装置の検査（法一七条）、検査の請求（法一八条）等の規定がそのようなものとして設けられている。これらの規定は強行規定であり、本法に基づき直接水道事業者に所定の義務が課せられているので、これに反する供給条件を定めても無効である。ただし、これらに関する手続等の具体的内容は水道事業者において定めることが必要である。

二、**供給規程の設定**（一項）

「水道事業者は、料金、給水装置工事の費用の負担区分その他の供給条件について、供給規程を定めなければならない」とされている。このうち、「料金、給水装置工事の費用の負担区分」は、供給規程に必ず定めなければならないものであるが、「その他の供給条件」に関する供給規程の具体的内容は、水道事業者が当該水道事業の地域的社会的諸条件に応じて自主的に定めるものである。

水道事業の認可申請に当たって、供給条件は事業計画書記載事項の一つとされ（法七条四項七号）、その供給条件が本条第二項各号に掲げる要件に適合することが、水道事業経営の認可の要件の一つとされている（法八条五号）。

本条第一項は、これを規程の形として、その実施すべき供給条件の全てについて供給規程の設定を義務付けたものである。これは、水道事業が地域的独占の事業であり、需要者は、水道事業者が一方的に定める供給条件に事実上従わざるを得ないため、契約自由の原則を制限するとともに、供給条件を成文化して国の強い監督のもとに需要者の利益を保護する必要があるからである。

なお、水道事業者が地方公共団体である場合には、供給規程として定める内容の中に、地方自治法第二二八条、第二四四条の二等によって条例で定めることとされている事項が含まれているから、少なくともその部分については、当該地方公共団体の条例をもって定めなければならないものであるが、条例に定められているか否かに関係なく、供給条件を定めているものは全て本条の供給規程である。

なお、水道用水供給事業及び専用水道については一般の需要を対象としないので、供給規程の設定が義務付けられていない。

三、**供給規程の適合すべき要件**（二項・七項）

本条第二項は、水道事業者が定めることとされている供給規程の適合すべき要件について定めたものである。また、本項に定められた要件は、本条第七項において、地方公共団体以外の水道事業者が供給規程に定められた供給条件の変更を申請したときの認可の要件とされている。なお、供給条件が本項各号に掲げる要件に適合していることは、水道事業経営の認可及び事業の変更に係る認可の要件の一つとなっている（法八条五号・一〇条二項）。

供給規程の適合すべき要件としては、次のものが定められている。

㈠　健全な経営を確保することができる公正妥当な料金（一号）

１　料金の性格

水道料金は、水の供給の対価である。水道事業者が地方公共団体である場合には、「地方公営企業の給付について料金を徴収することができる」（地方公営企業法二一条）ことと規定されており、その料金は、公の施設の利用について徴収する「使用料」（地方自治法二二五条）としての性格を有するものとされている。なお、過料は、地方公共団体である水道事業者についてのみ認められるものである（地方自治法二二八条二項）。

２　料金のあり方

供給規程に定められる料金は、能率的な経営の下における適正な原価に照らし、健全な経営を確保することができる公正妥当なものでなくてはならない。

「健全な経営を確保」とは、適切な資産管理に基づき、水道施設の維持管理や計画的な更新などを行うとともに、水道事業の運営に必要な人材を確保し、継続的なサービスの提供が可能となるよう、水道事業を経営する状態をいうものである。

料金が「公正妥当なものであること」とは、水道事業がその公益事業としての特性に鑑み地域的独占経営を許容されていることから生ずる当然の原則である。本項第一号は、公正妥当であることの前提として、料金は、能率的な経営の下における水の供給に要する適正な原価を基準にして決定されるべきであるという原価主義を明らかにしたものである。

「能率的な経営の下における適正な原価」とは、水道事業が公益事業としてなすべき正常な努力を行った上で必要な営業上の費用に、健全な経営を維持するために必要な資産維持費（水道施設の計画的な更新等の原資として内部留保すべき額をいう。）を含むものとされており、これは総括原価と呼ばれている（規則一二条第一号）。

総括原価は、規則第一七条の四第一項の試算を行った場合にあっては、当該試算に基づき、算定時からおおむね三年後から五年後までの期間について算定されたものとされ（規則一二条第二号）、その場合にあっては、料金は総括原価の算定期間ごとの適切な時期に見直しを行うこととされている（規則一二条第三号）。総括原価の算定にあたって規則第一七条の四第一項の試算を行う場合以外の場合にあっては、料金がおおむね三年を通じ財政の均衡を保つことができるよう設定されたものであることとされている（規則一二条第四号）。

地方公共団体以外の者が水道事業を経営する場合の料金原価の算定方法は、地方公共団体が経営する場合と同様に総括原価主義であり、地方公共団体による水道事業の経営を前提とした「支払利息と資産維持費との合算額（規則一二条第一号ロ）」の代わりに、電気事業やガス事業で用いられている「事業報酬の額」を用いることとされている。事業報酬の額には、支払利息や配当金等が含まれる（規則一二条の二第一号ロ）。

料金を決定するためには、総括原価の算定と、これを需要者に適正に配分する料金体系を設定する必要があり、料金が公正妥当であるか否かは、総括原価と料金体系の両面から判断する必要がある（規則一二条第五号、規則一二条の二第五号）。

㈡　料金の明定性（二号）

本号は、明確な料金体系をもって料金を設定すべきことを定めたものである。「定率」とは、別に算定された基準の金額（例えば、固定資産税等）に一定の率を乗ずることによって料金を算定する方法をいう。また、「定額」とは、使用の状況によらず常に一定額の料金を徴収する「定額料金制」のほか、別に算定された基準の数量（例えば、供給数量、需要者数等）に一定の金額を乗ずることによって料金を算定する方法をいう。我が国の場合、一般に、用途別又は口径別に需要種別を区分し、これに応じて料金を基本料金と従量料金とに区分して算定する方法がとられているが、いずれの算定方式をとるにせよ、料金は具体的数字をもって明確に定められなければならないものである。

㈢　責任区分等の適正、明確性（三号）

本号は、料金以外の供給条件について、水道事業者と利用者との間のそれぞれの責任が適正かつ明確に定められていることを要する旨を規定したものである。「適正かつ明確に定められていること」を要するのは、給水契約が付従契約であるので、水道事業者と需要者、需要者相互間の公平を期すとともに、後日の紛争を避けるため、水道の利用関係から生ずる需要者の権利義務関係についてあらかじめ具体的に定めておく趣旨である。

「水道事業者の責任に関する事項」とは、①給水区域、②料金、給水装置工事の費用等の徴収方法、③給水装置工事の施行方法、④給水装置の検査及び水質検査の方法、⑤給水の原則及び給水の制限や停止の場合の手続などであり、「需要者の責任に関する事項」とは、①給水契約の申込みの手続、②料金、給水装置工事の費用等の支払義務及びその支払遅延又は不払の場合の措置、③水道メーターの設置場所の提供及び保管責任、④水道メーターの賃貸料等の特別の費用負担を課する場合にあっては、その事項及び金額、⑤給水装置の設置又は変更の手続、⑥給水装置の構造及び材質が法第一六条の規定により定める基準に適合していない場合の措置、⑦給水装置の検査を拒んだ場合の措置、⑧給水装置の管理責任、⑨水の不正使用の禁止及び違反した場合の措置などである（規則一二条の三）。「給水装置工事の費用の負担区分及びその額の算出方法」とは、給水装置の設置工事の際に個人の負担すべき工事費用の部分とその算出方法をいい、これらをあらかじめ定めておくことにより、需要者が申込んだ際に需要者が不当な要求を受けることのないようにしたものである。ここに定めることを要するのは負担額そのものではなくて、その額の算出の方法であり、これによって客観的に負担額が算出できれば足りるのである。

㈣　差別的取扱いの禁止（四号）

本号は、水道の利用関係における公平の原則を定めたものである。法の下の平等と同じ精神であり、地方公共団体の公の施設としての水道の利用については、地方自治法第二四四条第三項に同様の規定がある。本号の規定は、特定の需要者に対する不当な差別を禁じたものであって、正当な理由に基づいて格差をつける場合、例えば、用途別料金体系において一般用、営業用等に区別し、又は口径別料金体系において量水器の口径差に応じて格差を設け、また、従量料金においてその地域の将来の水需給の状況等を勘案して段階別逓増料金を設定する等合理的な理由に基づく場合には、不当な差別的取扱いには該当しない。

これに対して、同一の水道事業の給水区域において、新たに拡張した地区の工事費を勘案してその地区の料金を割高に設定したり、他の市町村の区域をも含めて給水したりする場合に、市外給水と称して割高の料金を設定する等は差別的取扱いに該当する。

料金及び給水装置工事の費用のほか、水道の需要者が負担すべき費用がある場合は、その金額が、合理的かつ明確な根拠に基づき設定されたものでなければならない（規則一二条の四第二号）。

㈤　貯水槽水道に関する責任区分の適正、明確性（五号）

本号は、貯水槽水道が設置されている場合に、貯水槽水道に関し水道事業者及び当該貯水槽水道の設置者が果たすべき責任に関する事項が、適正かつ明確に定められていることを要する旨を規定したものである。「貯水槽水道」とは、簡易専用水道を含め、水道事業から供給を受けるもので、直結給水でなく、規模を問わず、貯水槽に始まる建物内水道の総称である。したがって、貯水槽を設けていても水道事業の用に供する水道以外で自己水源を有するものは、貯水槽水道に含まれない。本号は、簡易専用水道を含めた貯水槽水道の適正な管理を図るために水道事業者及び貯水槽水道の設置者に求める趣旨であるが、簡易専用水道については法により規制されている（法三四条の二・三六条三項・三七条・三九条三項）ことから、簡易専用水道に該当しない小規模な貯水槽水道について、実質的な意味を持つといえよう。

貯水槽水道に関し、「水道事業者の責任に関する事項」とは、①貯水槽水道の設置者に対する指導、助言及び勧告、②貯水槽水道の利用者に対する情報提供とされ、「貯水槽水道の設置者の責任に関する事項」とは、①貯水槽水道の管理責任及び管理の基準、②貯水槽水道の管理の状況に関する検査とされており、これらの事項を必要に応じて、水道事業者ごとに供給規程に定めることとなる（規則一二条の五）。なお、水道事業者による「貯水槽水道の設置者に対する指導、助言及び勧告」は、需要者を含めた利用者に適切に情報提供等を行い、貯水槽水道の設置者に貯水槽水道の適正な管理を促すものであり、水道事業者としてなしうる範囲で供給規程に定めるものであって、規制的な手法によってその実効性を担保する性格のものではない。

四、供給規程の周知（四項）

本条第四項は、水道事業者が、供給規程をその実施の日までに一般に周知させる措置をとらなければならない旨を定めたものである。水道事業者が地方公共団体である場合には、供給規程が、条例、規程の形式で定められれば、一定の公告方式によって公示されるので（地方自治法一六条）、本項の要件に適合することとなる。地方公共団体以外の水道事業者は、事務所その他の事業場に供給規程を掲示する等の措置をとらなければならない。なお、この周知措置には、供給規程をいつでも一般の閲覧に供し得るよう常時備えておくことも含まれる。供給規程の一部変更の場合も同様の措置が必要である。しかし、水道料金は、検針日以前に使用した水量をもって調定するので、料金改正の際には、需要者が現に使用する水道水に新料金が適用されることとなる日までに周知措置を完了しておくことが必要である。

五、供給規程に定められた供給条件の変更（五項・六項）

㈠　水道事業者が地方公共団体である場合

水道事業を開始した後の供給条件については、法第一〇条に定める事業の変更の際改めて法第八条の認可基準が準用され、供給条件の妥当性についても審査されるものであるが、水道事業者が地方公共団体である場合には、そのうち最も重要な料金を変更したときについてだけ、本条第五項においてその旨を届け出なければならないものとしている。これは、料金はもちろん、供給条件のほとんどが条例で定められるものであることから、その制定の過程で住民（需要者と一致することも多い。）の代表者の意見が十分に反映されるので、その際に、適切な判断に基づき適切な措置をすることが期待できると考えられるからである。

届出に関しては、届出書に料金の算出根拠及び経常収支の概算を記載した書類を添えて、厚生労働大臣に対して速やかに行うものとすることが規定されている（規則一二条の六）。なお、法第四六条第一項で定める政令又は道州制特別区域における広域行政の推進に関する法律施行令第二条第一項に該当する場合においては、本条第五項の厚生労働大臣の権限に属する事務は都道府県知事が行うものとされている。

㈡　水道事業者が地方公共団体以外の者である場合

水道事業者が地方公共団体以外の者である場合には、料金に限らず全ての供給条件の変更を認可の対象としている。これは、地方公共団体のように水道使用者の意思を反映する議会という機関を持たないためで、本法は利用者の利益を保護するために、本条第六項において、「水道事業者が地方公共団体以外の者である場合にあつては、供給規程に定められた供給条件を変更しようとするときは、厚生労働大臣の認可を受けなければならない」ことを規定している。

また、厚生労働大臣は、「料金、給水装置工事の費用の負担区分その他の供給条件が、社会的経済的事情の変動等により著しく不適当となり、公共の利益の増進に支障があると認めるときは、当該水道事業者に対し、相当の期間を定めて、供給条件の変更の認可を申請すべきことを命ずることができ」、当該期間内に当該変更の「申請をしないときは、供給条件を変更することができる」ものとされている（法三八条）。電気・ガス事業についても同様の規定がある（電気事業法一九条、ガス事業法一九条）。

なお、供給条件によらないで料金又は給水装置工事の費用を受け取った者は、三〇万円以下の罰金に処せられる（法五五条一号）。

法第四六条第一項で定める政令又は道州制特別区域における広域行政の推進に関する法律施行令第二条第一項に該当する場合においては、本条第五項及び第六項の厚生労働大臣の権限に属する事務は都道府県知事が行うものとされている。

〔参　考〕

一、地方公営企業法（抄）

（昭和二七年八月一日法律第二九二号）

（料　金）

第二十一条　地方公共団体は、地方公営企業の給付について料金を徴収することができる。

2　前項の料金は、公正妥当なものでなければならず、かつ、能率的な経営の下における適正な原価を基礎とし、地方公営企業の健全な運営を確保することができるものでなければならない。

二、地方自治法（抄）

（昭和二二年四月一七日法律第六七号）

（条例及び規則の公告式）

第十六条　普通地方公共団体の議会の議長は、条例の制定又は改廃の議決があつたときは、その日から三日以内にこれを当該普通地方公共団体の長に送付しなければならない。

②　普通地方公共団体の長は、前項の規定により条例の送付を受けた場合は、その日から二十日以内にこれを公布しなければならない。ただし、再議その他の措置を講じた場合は、この限りでない。

③　条例は、条例に特別の定があるものを除く外、公布の日から起算して十日を経過した日から、これを施行する。

④　当該普通地方公共団体の長の署名、施行期日の特例その他条例の公布に関し必要な事項は、条例でこれを定めなければならない。

⑤　前二項の規定は、普通地方公共団体の規則並びにその機関の定める規則及びその他の規程で公表を要するものにこれを準用する。但し、法令又は条例に特別の定があるときは、この限りでない。

（使用料）

第二百二十五条　普通地方公共団体は、第二百三十八条の四第七項の規定による許可を受けてする行政財産の使用又は公の施設の利用につき使用料を徴収することができる。

（分担金等に関する規制及び罰則）

第二百二十八条　分担金、使用料、加入金及び手数料に関する事項については、条例でこれを定めなければならない。この場合において、手数料について全国的に統一して定めることが特に必要と認められるものとして政令で定める事務（以下本項において「標準事務」という。）について手数料を徴収する場合においては、当該標準事務に係る事務のうち政令で定めるものにつき、政令で定める金額の手数料を徴収することを標準として条例を定めなければならない。

２　分担金、使用料、加入金及び手数料の徴収に関しては、次項に定めるものを除くほか、条例で五万円以下の過料を科する規定を設けることができる。
３　詐欺その他不正の行為により、分担金、使用料、加入金又は手数料の徴収を免れた者については、条例でその徴収を免れた金額の五倍に相当する金額（当該五倍に相当する金額が五万円を超えないときは、五万円とする。）以下の過料を科する規定を設けることができる。

（公の施設）
第二百四十四条　普通地方公共団体は、住民の福祉を増進する目的をもつてその利用に供するための施設（これを公の施設という。）を設けるものとする。
２　普通地方公共団体（次条第三項に規定する指定管理者を含む。次項において同じ。）は、正当な理由がない限り、住民が公の施設を利用することを拒んではならない。
３　普通地方公共団体は、住民が公の施設を利用することについて、不当な差別的取扱いをしてはならない。

（公の施設の設置、管理及び廃止）
第二百四十四条の二　普通地方公共団体は、法律又はこれに基づく政令に特別の定めがあるものを除くほか、公の施設の設置及びその管理に関する事項は、条例でこれを定めなければならない。
２　普通地方公共団体は、条例で定める重要な公の施設のうち条例で定める特に重要なものについて、これを廃止し、又は条例で定める長期かつ独占的な利用をさせようとするときは、議会において出席議員の三分の二以上の者の同意を得なければならない。
３　普通地方公共団体は、公の施設の設置の目的を効果的に達成するため必要があると認めるときは、条例の定めるところにより、法人その他の団体であつて当該普通地方公共団体が指定するもの（以下本条及び第二百四十四条の四において「指定管理者」という。）に、当該公の施設の管理を行わせることができる。
４　前項の条例には、指定管理者の指定の手続、指定管理者が行う管理の基準及び業務の範囲その他必要な事項を定めるものとする。
５　指定管理者の指定は、期間を定めて行うものとする。
６　普通地方公共団体は、指定管理者の指定をしようとするときは、あらかじめ、当該普通地方公共団体の議会の議決を経なければならない。
7　指定管理者は、毎年度終了後、その管理する公の施設の管理の業務に関し事業報告書を作成し、当該公の施設を設置する普通地方公共団体に提出しなければならない。
8　普通地方公共団体は、適当と認めるときは、指定管理者にその管理する公の施設の利用に係る料金（次項において「利用料金」という。）を当該指定管理者の収入として収受させることができる。
9　前項の場合における利用料金は、公益上必要があると認める場合を除くほか、条例の定めるところにより、指定管理者が定めるものとする。この場合において、指定管理者は、あらかじめ当該利用料金について当該普通地方公共団体の承認を受けなければならない。
10　普通地方公共団体の長又は委員会は、指定管理者の管理する公の施設の管理の適正を期するため、指定管理者に対して、当該管理の業務又は経理の状況に関し報告を求め、実地について調査し、又は必要な指示をすることができる。
11　普通地方公共団体は、指定管理者が前項の指示に従わないときその他当該指定管理者による管理を継続することが適当でないと認めるときは、その指定を取り消し、又は期間を定めて管理の業務の全部又は一部の停止を命ずることができる。

三、給水条例（規程）（例）

供給規程を条例化する義務は水道法上ないが、地方自治法等の要請から地方公共団体の場合、水道料金等を条例化する必要があることから、供給規程全体を条例とするのが一般的であろう。
具体の給水条例としては、以下のようなものが考えられる。

目　次

○○市（町村）○○水道事業給水条例（規程）

註　解

一　この給水条例は、その事業主体を地方公共団体として規定してあるので、地方公共団体以外の水道事業者が行う水道事業に適用する場合は条例の字句を使用することはできない。

二　この給水条例には、水道法第十四条に基づく供給規程として必要な事項を列挙してあるが、法的な条例事項のほかに管理規程に譲り得るものも含まれているので、条例事項以外は必要に応じて、規程の内に移しても差し支えない。

三　同一市（町村）に二つ以上の水道がある場合は各別にその属する水道事業の名称を附し、例えば○○市（甲）（乙）水道事業給水条例とすることが考えられる。

四　地方公営企業法の適用を受ける水道事業については過料の条項を除いて市（町村）長とあるのは、管理者と読み替えるものとする。

第一章　総　則

（条例の目的）

第一条　この条例は、市（町村）○○水道事業の給水についての料金及び給水装置工事の費用負担、その他の供給条件並びに給水の適正を保持するために必要な事項を定めることを目的とする。

註　解

本条中「給水の適正を保持するため必要な事項…」とは、地方自治法に基づく規定であるので地方公共団体以外の事業主体が行う水道事業に於いては、この字句を使用することはできない。

（給水区域）

第二条　市（町村）○○水道事業の給水区域は○○市（町村）の次の区域とする。

註　解

一　給水区域は、町名、字名等をできるだけ詳細に記入するほか、なお不充分なときは図面を添付する等の方法により、具体的に表示すること。

二　給水区域が市（町村）の全域に亘る場合は、町名、字名等をあげる必要はない。

三　給水区域が字句で的確に表示できるときは図面の添付を要しない。

（給水装置の定義）

第三条　この条例において、「給水装置」とは、需要者に水を供給するために市（町村）長の施設した配水管から分岐して設けられた給水管及びこれに直結する給水用具をいう。

註　解

水道法及びこれに基づく命令において使用されている用語を使用するときは、その例によることとする。

（給水装置の種類）

第四条　給水装置は次の三種とする

一　専用給水装置　一（世帯、戸）又は一箇所で専用するもの

二　共用給水装置　二（世帯、戸）若しくは二箇所以上で共用するもの

三　私設消火栓　消防用に使用するもの

註　解

水道事業がその対象とする場合の「世帯」又は「戸」の概念は統一されておらず適宜運用している実情にかんがみ、事業主体がいずれかの表現により、運用上支障のないようにすること。

第二章　給水装置の工事及び費用

（給水装置の新設等の申込）

第五条　給水装置を新設、改造、修繕（水道法（昭和三十二年法律第百七十七号。以下「法」という。）第十六条の二第三項の厚生省令で定める給水装置の軽微な変更を除く。）又は撤去しようとする者は、市（町村）長の定めるところにより、あらかじめ市（町村）長に申し込み、その承認を受けなければならない。

（新設等の費用負担）

第六条　給水装置の新設、改造、修繕又は撤去に要する費用は、当該給水装置を新設、改造、修繕又は撤去する者の負担とする。ただし市（町村）長が特に必要があると認めたものについては、市（町村）においてその費用を負担することができる。

註　解

給水装置の新設、改造、修繕又は撤去に要する費用についてその負担区分を設ける場合は、次の例文のように規定すること。

「給水装置の新設、改造、修繕又は撤去に要する費用は、市（町村）において○○部分を負担し、その他の部分は、当該新設、改造、修繕又は撤去をしようとする者の負担とする。ただし、市（町村）長において特に必要があると認めたときは、当該新設、改造、修繕又は撤去をしようとする者が、負担すべき部分についても市（町村）において、その費用を負担することができる。」

（工事の施行）

第七条　給水装置工事は、市（町村）長又は市（町村）長が法第十六条の二第一項の指定をした者（以下「指定給水装置工事事業者」という。）が施行する。

2　前項の規定により、指定給水装置工事事業者が給水装置工事を施行する場合は、あらかじめ市（町村）長の設計審査（使用材料の確認を含む。）を受け、かつ、工事しゅん工後に市（町村）長の工事検査を受けなければならない。

3　第一項の規定により市（町村）長が工事を施行する場合においては、当該工事に関する利害関係人の同意書等の提出を求めることができる。

註　解

水道法第二十五条の十一各号のいずれかに該当する指定給水装置工事事業者について、情状酌量により、水道法第十六条の二第一項の指定を取り消すことを留保して行う措置（指定給水装置工事事業者としての義務を一時停止することの指導等）について、その判断基準、手続き等を明確にするための規則を設けても差し支えない。ただし、水道法第二十五条の十一の各号に定める事項以外の事項を独自に定めて指定の停止等の新たな規制を行うことはできない。

（給水管及び給水用具の指定）

第八条　市（町村）長は、災害等による給水装置の損傷を防止するとともに、給水装置の損傷の復旧を迅速かつ適切に行えるようにするため必要があると認めるときは、配水管への取付口から水道メーターまでの間の給水装置に用いようとする給水管及び給水用具について、その構造及び材質を指定することができる。

2　市（町村）長は、指定給水装置工事事業者に対し、配水管に給水管を取り付ける工事及び当該取付口から水道メーターまでの工事に関する工法、工期、その他の工事上の条件を指示することができる。

3　第一項の規定による指定の権限は、法第十六条の規定に基づく給水契約の申込みの拒否又は給水の停止のために認められたものと解釈してはならない。

（工事費の算出方法）

第九条　市（町村）長が、施行する給水装置工事の工事費は、次の合計額とする。

一　材料費

二　運搬費

三　労力費

四　道路復旧費
五　工事監督費
六　間接経費
2　前項各号に定めるもののほか、特別の費用を必要とするときは、その費用を加算する。
3　前二項に規定する工事費の算出に関して必要な事項は、別に市（町村）長が定める。
註　解
一　本条に列記した費目は例示にすぎないので、事業主体の実情ならびに必要により適宜その費目を調整すること。
二　工事費の算出に関して必要な事項は、別に規則（管理規程）によって定めること。

（工事費の予納）
第十条　市（町村）長に給水装置の工事を申し込む者は、設計によって算出した給水装置の工事費の概算額を予納しなければならない。ただし、市（町村）長が、その必要がないと認めた工事については、この限りではない。
2　前項の工事費の概算額は、工事しゅん工後に清算する。
註　解
事業主体の必要に基づき、工事費の分納の特例を設けるときは、本条の次に、下記例文のような規定を設ける必要がある。

（工事費の分納）
第○条　前条第一項の工事費の概算額は、新設、改造又は修繕の工事に関するものに限り、市（町村）長が定めるところにより、市（町村）長の承認を受けて、○カ月以内において分納することができる。

（給水装置所有権の移転の時期）
第○条　市（町村）長が、給水装置の工事を施行した場合における当該給水装置の所有権移転の時期は、当該給水装置の工事の工事費が完納になった時とし、その管理は当該工事の工事費が完納になるまでの間においても工事申込者の責任とする。

（工事費の未納の場合の措置）

第○条　市（町村）長が施行した給水装置の工事の工事費を、工事申込者が指定期限内に納入しないときは、市（町村）長は、その給水装置を撤去することができる。

2　前項の規定により、市（町村）長が給水装置を撤去した後、なお損害があるときは、工事申込者は、市（町村）長にその損害を賠償しなければならない。

（給水装置の変更等の工事）

第十一条　市（町村）長は、配水管の移転その他特別の理由によって、給水装置に変更を加える工事を必要とするときは、当該給水装置の所有者の同意がなくても、当該工事を施行することができる。

第三章　給　水

（給水の原則）

第十二条　給水は、非常災害、水道施設の損傷、公益上その他やむを得ない事情及び法令又は、この条例の規定による場合のほか、制限又は停止することはない。

2　前項の給水を制限又は停止しようとするときは、その日時及び区域を定めて、その都度これを予告する。ただし、緊急やむを得ない場合は、この限りではない。

3　第一項の規定による、給水の制限又は停止のため損害を生ずることがあっても市（町村）は、その責を負わない。

（給水契約の申込）

第十三条　水道を使用しようとする者は、市（町村）長が定めるところにより、あらかじめ、市（町村）長に申し込み、その承認を受けなければならない。

（給水装置の所有者の代理人）

第十四条　給水装置の所有者が、市（町村）内に居住しないとき、又は、市（町村）長において必要があると認めたときは、給水装置の所有者は、この条例に定める事項を処理させるため、市（町村）内に居住する代理人を置かなければならない。

（管理人の選定）

第十五条　次の各号の一に該当する者は、水道の使用に関する事項を処理させるため、管理人を選定し、市（町村）長に届け出なければならない。

一　給水装置を共有する者

二　給水装置を共用する者

三　その他市（町村）長が必要と認めた者

2　市（町村）長は、前項の管理人を不適当と認めたときは、変更させることができる。

（水道メーターの設置）

第十六条　給水量は、市（町村）の水道メーター（以下「メーター」という。）により計量する。ただし、市（町村）長が、その必要がないと認めたときは、この限りではない。

2　メーターは給水装置に設置し、その位置は、市（町村）長が定める。

（メーターの貸与）

第十七条　メーターは、市（町村）長が設置して、水道の使用者又は管理人若しくは給水装置の所有者（以下「水道使用者等」という。）に保管させる。

2　前項の保管者は、善良な管理者の注意をもってメーターを管理しなければならない。

3　保管者が、前項の管理義務を怠ったために、メーターを亡失又は、き損した場合はその損害額を弁償しなければならない。

（水道の使用中止、変更等の届出）

第十八条　水道使用者等は、次の各号の一に該当するときは、あらかじめ、市（町村）長に届け出なければならない。
一　水道の使用をやめるとき。
二　用途を変更するとき。
三　消防演習に私設消火栓を使用するとき。
2　水道使用者等は、次の各号の一に該当するときは、すみやかに、市（町村）長に届け出なければならない。
一　水道の使用者の氏名又は住所に変更があったとき。
二　給水装置の所有者に変更があったとき。
三　消防用として水道を使用したとき。
四　管理人に変更があったとき又はその住所に変更があったとき。
註　解
定額制を採用している市（町村）においては、給水人員の標準等に異動を生じたときは、その旨を届け出るように規定すること。

（私設消火栓の使用）
第十九条　私設消火栓は、消防又は、消防の演習の場合のほか使用してはならない。
2　私設消火栓を、消防の演習に使用するときは、市（町村）長の指定する市（町村）職員の立会を要する。

（水道使用者等の管理上の責任）
第二十条　水道使用者等は善良な管理者の注意をもって、水が汚染し又は漏水しないよう給水装置を管理し、異状があるときは、直ちに市（町村）長に届け出なければならない。
2　前項において修繕を必要とするときは、その修繕に要する費用は、水道使用者等の負担とする。ただし、市（町村）長が必要と認めたときは、これを徴収しないことができる。
3　第一項の管理義務を怠ったために生じた損害は、水道使用者等の責任とする。

（給水装置及び水質の検査）

第二十一条　市（町村）長は、給水装置又は供給する水の水質について、水道使用者等から請求があったときは、検査を行い、その結果を請求者に通知する。

2　前項の検査において、特別の費用を要したときは、その実費額を徴収する。

第四章　料金及び手数料

（料金の支払義務）

第二十二条　水道料金（以下「料金」という。）は水道の使用者から徴収する。

2　共用給水装置によって水道を使用する者は、料金の納入について連帯責任を負うものとする。

（料金）

第二十三条　料金は次の表のとおりとする。

種別	用途＼料率	基本料金（一カ月につき）		超過料金一立方メートルにつき
		水量	料金	
専用	一般用	使用水量○立方メートルまで	円	円
	営業用	同	円	円
	浴場営業用	同	円	円
共用		一世帯一戸につき使用水量○立方メートルまで	円	円

註　解

一　本条は、事業主体の実情並びに必要により適宜その口径又は用途を定めて規定する。
二　定額制を設ける場合は、その料金については、本条中に規定する必要がある。
三　定額制と計量制を併用するために、メーター使用料を別途徴収する必要がある場合においては、メーター使用料について規定すること。

（料金の算定）

第二十四条　料金は、定例日（料金算定の基準日として、あらかじめ、市（町村）長が、定めた日をいう。）に、メーターの点検を行い、その日の属する月分として算定する。ただし、やむを得ない理由があるときは、市（町村）長は、定例日以外の日に点検を行うことができる。

（使用水量及び用途の認定）

第二十五条　市（町村）長は次の各号の一に該当するときは、使用水量及びその用途を認定する。

一　メーターに異状があったとき。
二　料率の異なる二種以上の用途に水道を使用するとき。
三　使用水量が不明のとき。
四　共用給水装置により、水道を使用するとき。

註　解

本条に基づく認定をする場合は、次の基準によることが考えられる。

使用水量について

㈠　前○カ月間の使用水量、その他の事情を考慮して認定する。
㈡　前年度同期の使用水量を考慮して認定する。

（特別な場合に於ける料金の算定）

第二十六条　月の中途において水道の使用を開始し、又は使用をやめたときの料金は次の通りとする。

一　使用水量が、基本水量の二分の一以下のとき、基本料金の二分の一
二　使用水量が、基本水量の二分の一を超えるときは、一カ月として算定した金額
2　月の中途においてその用途に変更があった場合は、その使用日数の多い料率を適用する。

註　解

一　中途料金を一カ月として算定する場合は、次の例文のように規定すること。
「月の中途において水道の使用を開始し、又は中止したときは、その料金は一カ月分として算定する。」
二　右のほか日割計算による方法をとることも差支えない。

（臨時使用の場合の概算料金の前納）

第二十七条　工事その他の理由により、一時的に水道を使用する者は、水道の使用の申込の際、市（町村）長が定める概算料金を前納しなければならない。ただし、市（町村）長が、その必要がないと認めたときは、この限りではない。

2　前項の概算料金は、水道の使用をやめたとき、清算する。

（料金の徴収方法）

第二十八条　料金は、納額告知書又は集金の方法により毎月徴収する。ただし、市（町村）長は必要があるときは、〇カ月分をまとめて徴収することができる。

（手数料）

第二十九条　手数料は、次の各号の区別により、申込者から申込の際、これを徴収する。ただし、市（町村）長が、特別の理由があると認めた申込者からは、申込後、徴収することができる。

一　市（町村）長が給水装置工事の設計をするとき
　一件につき　　円
二　第七条第一項の指定をするとき
　一件につき　　円

三　第七条第二項の設計審査（材料の確認を含む。）をするとき
　一回につき　円
四　第七条第二項の工事の検査をするとき
　一回につき　円
五　第十九条第二項の消防演習の立会をするとき
　一回につき　円
六　第三十二条第二項の確認をするとき
　一回につき　円

註　解

本条は第七条、第十九条及び第三十二条の規定に関連する例示にすぎないので事業主体の実情ならびに必要により適宜その種別に応じて規定すること。

（料金、手数料等の軽減又は免除）

第三十条　市（町村）長は、公益上その他特別の理由があると認めたときは、この条例によって納付しなければならない料金、手数料、その他の費用を軽減又は免除することができる。

第五章　管　理

（給水装置の検査等）

第三十一条　市（町村）長は、水道の管理上必要があると認めたときは、給水装置を検査し、水道使用者等に対し、適当な措置を指示することができる。

（給水装置の基準違反に対する措置）

第三十二条　市（町村）長は、水の供給を受ける者の給水装置の構造及び材質が、水道法施行令（昭和三二年政令第三三六号）第四条に規定する給水装置の構造及び材質の基準に適合していないときは、その者の給水契約の申込を拒み、又はその者が給水装置をその基準に適合させるまでの間、その者に

対する給水を停止することができる。

2　市（町村）長は、水の供給を受ける者の給水装置が、指定給水装置工事事業者の施行した給水装置工事に係るものでないときは、その者の給水契約の申込みを拒み、又はその者に対する給水を停止することができる。ただし、法第一六条の二第三項の厚生省令で定める給水装置の軽微な変更であるとき、又は当該給水装置の構造及び材質がその基準に適合していることを確認したときは、この限りではない。

註　解

水道法施行令第四条に規定する給水装置の構造及び材質の基準以外の独自の基準に適合しないことを理由として、水道法第十六条に基づく給水契約申込みの拒否等の権限を発動することはできない。

（給水の停止）

第三十三条　市（町村）長は、次の各号の一に該当するときは、水道の使用者に対し、その理由の継続する間、給水を停止することができる。

一　水道の使用者が、第九条の工事費、第二十条第二項の修繕費、第二十三条の料金、又は第二十九条の手数料を指定期限内に納入しないとき。

二　水道の使用者が、正当な理由がなくて、第二十四条の使用水量の計量、又は第三十一条の検査を拒み、又は妨げたとき。

三　給水栓を、汚染のおそれのある器物又は施設と連絡して使用する場合において警告を発しても、なお、これを改めないとき。

（給水装置の切り離し）

第三十四条　市（町村）長は、次の各号の一に該当する場合で、水道の管理上必要があると認めたときは、給水装置を切り離すことができる。

一　給水装置所有者が、○○日以上所在が不明で、かつ、給水装置の使用者がいないとき。

二　給水装置が、使用中止の状態にあって、将来使用の見込みがないと認めたとき。

註　解

本条第一号の日数は、六十日乃至九十日を基準とすることが妥当と思われる。

（過料）

第三十五条　市（町村）長は、次の各号の一に該当する者に対し、○○円以下の過料を科することができる。

一　第五条の承認を受けないで、給水装置を新設、改造、修繕（法第十六条の二第三項の厚生省令で定める給水装置の軽微な変更を除く。）又は撤去した者

二　正当な理由がなくて、第十六条第二項のメーターの設置、第二十四条の使用水量の計量、第三十一条の検査、又は第三十三条の給水の停止を拒み、又は妨げた者

三　第二十条第一項の給水装置の管理義務を著しく怠った者

四　第二十三条の料金、又は第二十九条の手数料の徴収を免れようとして、詐欺その他不正の行為をした者

註　解

一　過料処分は、地方自治法に基づく規定であるので、地方公共団体以外の事業主体が行う水道事業については、過料の規定は設けてはならない。

二　過料処分は、地方自治法に基づく市（町村）長の権限事項であるので、公営企業法上の事業管理者が、これを科するような規定方法をとってはならない。

（料金を免れた者に対する過料）

第三十六条　市（町村）長は、詐欺その他、不正の行為によって第二十三条の料金又は、第二十九条の手数料の徴収を免れた者に対し、徴収を免れた金額の五倍に相当する金額以下の過料を科することができる。

註　解

本条も第三十五条の註解と同様の趣旨により地方公共団体以外の事業主体が行う水道事業については、この規定は設けてはならない。

第六章　補　　則

（委　任）

第三十七条　この条例の施行に関し必要な事項は、市（町村）長が定める。

附　則

この条例は、平成　年　月　日より施行する。

（注　意）

この給水条例（規程）（例）は、平成八年六月の水道法改正の内容に対応した法第一四条に基づく供給規程の例であり、「給水条例（規程）（例）の送付について（平成九年衛水第一九八号水道整備課長通知）」において示されたものである。なお、本通知は「地方分権の推進を図るための関係法律の整備等に関する法律等の留意事項について（平成一二年衛水第一九号水道整備課長通知）」において廃止されているが、参考として掲載したものである。

四、貯水槽水道に係る供給規程案について

平成一四年五月に日本水道協会が作成した「貯水槽水道に係る供給規程案」（水道事業運営に関する特別調査委員会報告書）より、給水条例案一～三を抜粋したので、参考に供されたい。

給水条例案

例示１：衛生行政の条例等が制定されている場合

第○○章　貯水槽水道

（市〔町村〕の責務）

第○条　水道事業管理者は、貯水槽水道（法第十四条第二項第五号に定める貯水槽水道をいう。以下同じ。）の管理に関し必要があると認めるときは、貯水槽水道の設置者に対し、指導、助言及び勧告を行うことができるものとする。

2　水道事業管理者は、貯水槽水道の利用者に対し貯水槽水道の管理等に関する情報提供を行うものとする。

（設置者の責務）

第○条　貯水槽水道のうち簡易専用水道（法第三条第七項に定める簡易専用水道をいう。以下同じ。）の設置者は、法第三十四条の二の定めるところにより、その水道を管理し、及びその管理の状況に関する検査を受けなければならない。

2　前項に定める簡易専用水道以外の貯水槽水道の設置者は、○○市小規模貯水槽水道における衛生的な水の確保に関する条例（昭和○○年○○市条例第○号）により、その水道を管理し、及びその管理の状況に関する検査を受けなければならない。

附　則

この条例は、平成　年　月　日から施行する。

給水条例案

例示2：衛生行政の条例等が制定されていない場合

第○○章　貯水槽水道

（市〔町村〕の責務）

第○条　水道事業管理者は、貯水槽水道（法第十四条第二項第五号に定める貯水槽水道をいう。以下同じ。）の管理に関し必要があると認めるときは、貯水槽水道の設置者に対し、指導、助言及び勧告を行うことができるものとする。

２　水道事業管理者は、貯水槽水道の利用者に対し、貯水槽水道の管理等に関する情報提供を行うものとする。

（設置者の責務）

第○条　貯水槽水道のうち簡易専用水道（法第三条第七項に定める簡易専用水道をいう。次項において同じ。）の設置者は、法第三十四条の二の定めるところにより、その水道を管理し、及びその管理の状況に関する検査を受けなければならない。

２　前項に定める簡易専用水道以外の貯水槽水道の設置者は、別に定めるところにより、当該貯水槽水道を管理し、及びその管理の状況に関する検査を行うよう努めなければならない。

附　則

この条例は、平成　年　月　日から施行する。

例示３：例示２の条例を受けた○○市（町村）給水条例施行規程

（簡易専用水道以外の貯水槽水道の管理等）

第○条　条例第○条第二項の規定による簡易専用水道以外の貯水槽水道の管理及びその管理の状況に関する検査の受検は、次に定めるところによるものとする。

(1)　次に掲げる管理基準に従い、管理すること。

ア　水槽の掃除を一年以内ごとに一回、定期に行うこと。

イ　水槽の点検等有害物、汚水等によって水が汚染されるのを防止するために必要な措置を講ずること。

ウ　給水栓における水の色、濁り、臭い、味その他の状態により供給する水に異常を認めたときは、水質基準に関する省令（平成四年厚生省令第六十九号）の表の上欄に掲げる事項のうち必要なものについて検査を行うこと。

エ　供給する水が人の健康を害するおそれがあることを知ったときは、直ちに給水を停止し、かつ、その水を使用することが危険である旨を関係者に周知させる措置を講ずること。

(2)　前号の管理に関し、一年以内ごとに一回、定期に、法第三十四条の二第二項に規定する地方公共団体の機関若しくは厚生労働大臣の指定する者又は（衛生行政の）長が認める者による給水栓における水の色、濁り、臭い、味に関する検査及び残留塩素の有無に関する水質の検査を受けること。

附　則

この規程は、平成　年　月　日から施行する。

五、水道料金の算定

(一)　水道法制定後の水道料金算定基準

水道料金の算定に関しては、厚生事務次官通知（昭和三二年発衛五二〇号）において、法第一四条第二項及び第三項の規定に基づき、料金の変更の届出又は変更の認可申請を行う際に「料金の算出根拠及び経常収支の概算」を示す様式が定められている。この「料金の算出根拠及び経常収支の概算」は、料金算定期間をおおむね五年間とし、施設部門別に経常収支を算定し、同期間中の有収水量の合計で除することによって単価を算出する方式をとっている。これに見合う料金総収入額については、用途別に単価及び数量を記載するよう定めている。しかし、この算定方式は、料金の変更の届出又は変更の認可の際に提出すべき様式として定められたもので、料金の具体的な算定の基準を示したものではない。

このため、厚生省は、水道料金の望ましいあり方を示す具体的算定基準が必要であるとし、昭和四一年社団法人日本水道協会に対して、水道料金の具体的算定基準の検討を要請し、これに応えて昭和四二年七月に「水道料金算定要領」（以下「算定要領」という。）が作成された。その後、昭和四八年一〇月に厚生大臣の諮問機関である生活環境審議会が、「水道の未来像とそのアプローチ方策」を答申しているが、そのなかで水道料金に関して、算定要領の考え方を大綱において望ましい方向であるとしている。以上のように、算定要領は、水道料金の算定について事業体の指針となっている。

また、算定要領については、定期的に見直しが行われており、直近では平成二七年二月に四度目の改訂が行われた。これは、前回（平成二〇年三月）改訂時から水道事業を取り巻く環境が変化していること、また、厚生労働省の「新水道ビジョン」など、国等による水道料金や公共料金に関する提言があったこと、さらに、四六年ぶりに地方公営企業法が大幅に改正されたことに伴い、総括原価の算定に際し新たな論点が出現したことなどを踏まえて改訂版が作成された。

主な改正点としては、基本料金の軽減措置を図るための修正措置等の見直し、地方公営企業会計制度の見直しにより新たに導入された引当金や長期前受金戻入に対する総括原価算定における取扱い、資産維持費の算定基礎となる償却対象資産の対象範囲の厳格化などが挙げられる。このように改訂された算定要領は、水需要減少時代に即した料金体系の検討により、料金収入による健全かつ安定的な事業運営の確保を事業体に求める内容となっている。

しかし、水道、電気、ガス等の公益事業には、それぞれの事業がもつ特殊性や歴史的沿革があり、料金理論も必ずしも画一的に確立されたものとなっていないのが実情である。特に水道事業の場合には、市町村公営を原則としてほとんどの事業が地方公共団体による地方公営企業により経営されてきたため、それぞれの水道事業者によってその歴史的沿革、経営規模や経営環境が千差万別であり、社会政策的配慮が強く要請される等一定の基準によって律し得ないのが実情である。

㈡　水道料金算定要領

（日本水道協会昭和四二年七月策定・昭和五四年八月、平成九年一〇月、平成二〇年三月、平成二七年二月改訂）

一、総　則

(1)　本　旨

水道料金の算定にあたっては、水道使用者の公正な利益と水道事業の健全な発達を図り、もって地域住民の福祉の増進に寄与するよう配慮されなければならない。

二、総括原価

(1)　基本原則

水道料金は、過去の実績及び社会経済情勢の推移に基づく合理的な給水需要予測と、これに対応する施設計画を前提とし、誠実かつ能率的な経営の下における適正な営業費用に、水道事業の健全な運営を確保するために必要とされる資本費用を加えて算定しなければならない。

なお、受託工事その他の付帯的事業については、当該事業に要する直接費及び間接費を含め、収支相償うよう定められていなければならない。

(2)　料金算定期間

料金算定期間は、概ね将来の三年から五年を基準とする。

(3)　営業費用

営業費用は、人件費、薬品費、動力費、修繕費、受水費、減価償却費、資産減耗費、その他維持管理費の合計額から控除項目の額を控除した額とする。各費用及び控除項目の額の見積りにあたっては、料金算定期間中の事業計画及び経済情勢の推移等を十分に考慮しなければならない。

イ　人件費

人件費は、給料、手当、賃金、報酬、法定福利費及び退職給付費（退職手当組合等への負担金を含む。以下「退職給付費等」という。）の合計額とし、過去の実績、職員計画及び給与水準の上昇等を考慮して適正に算定した額とする。特に、退職給付費等は職員の年齢構成の実態等をもとに合理的に見積もらなければならない。

ロ　薬品費

薬品費は、給水計画及び各水源別水質の実態等を考慮して適正に算定した額とする。

ハ　動力費

動力費は、地区別需要予測に基づく水道施設の個別稼働計画に準拠して適正に算定した額とする。

ニ　修繕費

修繕費は、水道施設の適正な維持を基本とし、過去の実績、事業の特性及び地域の実態等を考慮して適正に算定した額とする。

ホ　受水費

受水費は、受水計画に基づき適正に算定した額とする。

ヘ　減価償却費

減価償却費は、料金算定期間中の水道事業償却対象資産の帳簿原価に対し、原則として定額法により算定した額とする。

ト　資産減耗費

資産減耗費は、過去の実績及び水道施設の実態等を考慮して適正に算定した額とする。

チ　その他維持管理費

通信運搬費、委託料及び手数料等のその他維持管理費は、過去の実績、将来の事業計画及び個別費用の特質等を勘案して適正に算定した額とする。

リ　控除項目

諸手数料その他事業運営に伴う関連収入は、過去の実績及び将来の事業計画等を考慮して適正に算定した額とする。

(4)　資本費用

資本費用は、支払利息及び施設実体の維持等に必要とされる資産維持費の合計額とする。

イ　支払利息

支払利息は、企業債の利息、取扱諸費及び発行差金償却費並びに一時借入金の利息の合計額とする。なお、受取利息等関連収入は、これを控除しなければならない。

ロ　資産維持費

資産維持費は、事業の施設実体の維持等のために、施設の建設、改良、再構築及び企業債の償還等に充当されるべき額であり、維持すべき資産に適正な率を乗じて算定した額とする。

(5)　経営効率化計画

水道料金の算定にあたっては、事業全般にわたる経営の見直しを行い、経営効率化計画を策定し、これを総括原価に反映させなければならない。

三、料金体系

(1)　一般原則

イ　個別原価主義

料金は、各使用者群に対して総括原価を各群の個別費用に基づいて配賦し、基本料金と従量料金に区分して設定するものとする。

この場合において設定された料金をもって計算した料金収入額は、総括原価と一致するものでなければならない。

ロ　特別措置

(イ)　各使用者群の基本料金に対しては、生活用水への配慮及び給水需給の実情等から必要がある場合には、資本費用の一部を配賦しない等その料金の軽減措置を講ずることができる。

(ロ)　従量料金については、給水需給の実情等により適当な区画を設けて、逓増又は逓減料金制をとることができる。

(2)　経過措置

本算定方式の実施にあたっては、急激な変動を緩和するため適当な経過措置を講ずることができる。なお、用途別料金及び基本水量を付与する料金は、料金の激変を招かないよう漸進的に解消するものとし、経過的に存置することはやむを得ない。

〔註　解〕

(一)　料金水準の算定

1　料金算定期間

料金の決定に当たっては、まず総括原価を算定し、これに見合う料金総収入額の水準（一般に、料金水準といわれる。）を決定する。そのためには、まず財政計画に基づく料金算定期間を定め、この期間の料金総収入の算定の基礎となる費用すなわち総括原価を決定しなければならない。この算定期間は、料金負担の期間的公平性と安定性が要請されるため、その時々の社会経済環境によって大きく左右される。「料金の算出根拠及び経常収支の概算」は、料金算定期間をおおむね五年と予定し、算定要領は、おおむね三年から五年が妥当であるとしている。

2　総括原価の算定

料金水準は、水道法第一四条の趣旨に照らし、適正原価を基準として総括原価主義によって決定されなければならない。総括原価は、能率的な経営の下における適正な営業費用に、事業の健全な運営を維持していくために必要な資本費用を加えて算定する。算定要領では、総括原価の算定に当たり、資本費用については、基本的に支払利息と一定の基準により算出された資産維持費の合計額とするとして損益ベースによる費用積上げ方式を採用している。

公益事業料金における資本費用の算定には、レートベース方式と費用積上げ方式があり、一般の公益事業料金の決定においては、レートベース方式による事業報酬（資本報酬）として算定される場合が多い。この方法は、事業の資産価値に対して一定の報酬率を乗じて算出するもので、客観的に決められる事業報酬の枠内で必要な資金を確保しなければならないため、事業の自主的努力が期待され、経営効率の向上を促進させる利点があるとされている。諸外国並びに我が国の電気、ガス等他の公益事業において一般に採用されている算定方法である。

算定要領では、我が国の水道事業の場合は、資本調達の方法に制約があることや、事業の規模、資本構成等が千差万別であること等レートベース方式になじまない多くの問題があることを理由として、費用積み上げ方式による算定方法を採用したのである。ただし、資本費用における資産維持費については実体資本の維持及び使用者負担の期間的公平等を確保する観点からレートベース方式を一部採り入れた方法により算出することとしている。資産維持費の内容は、我が国の水道事業の実態を十分考慮した独特の算定方式であるが、地域の実情に応じてこれ以外の手法により算出することを妨げるものではない。

(二)　料金体系の設定

料金体系は、需要者の負担能力又は需要者がそのサービスについて認める価値をもとに設定すべきであるとする考え方と、個々のサービスに対応する原価をもとに設定すべきであるとする二つの主要な考え方がある。前者は、負担力主義又は価値基準に基づく料金設定の方法であり、用途別料金体系に代表される。これに対して、後者は、個別原価主義に基づく料金の設定方法で、口径別料金体系に代表される。用途別料金体系は、需要者の負担力や水道のサービス価値の差とその用途を基準にして価格を設定するもので、奢侈的、副次的用水に高額の料金を課すとともに、生活用水の低廉を図るという水道事業の公共性を重視した政策的色彩の強い料金体系である。一方、口径別料金体系は、料金を個々のサービスの供給に必要な原価をもとに決定しようとするもので、水道事業の場合は、設置量水器の口径差によって各需要者の個有原価に差が認められること、口径差が時間的流量の差異を示しているので需要の特性もこれによって識別できること等に着目し、量水器の口径差を基準にして、料金を算定しようとするものである。このように、用途別料金体系は、水道料金のもつ強い公共性を考慮して負担力という社会的に容認された基準を用いて社会政策的な配慮を強く反映している制度であるのに対して、口径別料金体系は、個別原価並びに量水器口径別を用いて算定されるもので、料金の客観的公平性という面を強調した料金体系であるといえる。

算定要領では、料金設定における客観的公平性を重視して口径別料金体系を採用している。

㈢　料金体系における特別な配慮

従量水量に対する料金単価は、個別原価主義の立場からは、立方メートル当たり均一に設定することが原則である。しかし、我が国の水道事業における従量料金体系は、多量使用の抑制を目的とした逓増制が一般化している。

算定要領では、料金と原価との関係を明確にした上で運用すべきであるとしているが、あまりに強度の傾斜をもつ逓増料金体系は、負担の公平の原則に照らし妥当性を欠く場合もあるので慎重に設定すべきである。

六、分担金及び加入金

配水管の布設により特に利益を受ける者から配水管施設費等に要する費用の一部として徴収する費用は、地方自治法第二二四条にいう「分担金」と解される。ただ、給水区域外への配水管の布設の場合は別として、給水区域内における場合に、それが特に利益を受けることになるかについては、慎重な検討が必要である。

なお、給水区域内の新規の需要者の加入に伴い当該加入者から徴収するいわゆる加入金は、一般に、水道需要者の増加に伴って必要とされる施設増強のための経費の一部に充当するものと説明されている。すなわち、新規需要者の加入によって給水量が増加し、そのために水道事業者として、新たな水源の手当、配水施設の増強等の施設整備が必要となる場合があるので、その増加する費用の負担について、新規需要者と従来からの需要者との負担の公平を期すための措置として徴収されているものである。しかし、こうした加入金の徴収については、新規需要者の加入がなくても給水人口や給水量は増加するものであり、また、当該水道の事業計画において、新規給水人口の増加をあらかじめ見込むものであるから、需要増に伴う増加費用といっても通常の料金として徴収すべきものであって、別途の費用徴収は好ましくないとの考え方もある。

また、水道事業者がこのような加入金を徴収する場合、加入金の性格は、事実上供給条件の一つであり、本条第一項の規定により供給規程としてこれを定めなければならないものと解される。

加入金の徴収に際して、具体的な事情を勘案したうえで加入金が正当な理由と認められた事例を本法第一五条の解説に記載する。

七、料金規制の変遷

水道料金は、水道条例の制定以来、同条例第三条第一項の目論見書記載事項の第十号の「水料ノ等級、価格、水料徴収ノ方法及経常収支ノ概算」に掲げるように、その設定及び変更については、主務大臣の認可が必要とされてきた。ところが、物価統制令（昭和二一年勅令第一一八号）によって各種物価料金が総理府物価庁の所管となると、物価統制令第七条に規定する他法令に基づく統制額として、物価統制令及び水道条例の両者による統制額として厳格な原価主義のもとに物価庁において認可され、後には単に物価統制令第四条による指定統制額として指定されてきたのである。昭和二七年四月物価庁の廃止に伴い各種の物価料金の統制事務が、それぞれの所管に応じて各省に分割され、水道料金の統制もそのままの姿において厚生省に移管された。厚生省においては、同年一二月水道料金の統制のうち地方公共団体の経営に係る水道料金の変更は統制からはずし届出制に改め、地方公共団体以外の水道事業についてのみ依然として物価統制令による料金の統制額の指定を維持していたのであるが、水道法の制定を機として料金の規制は水道法の定めるところにより行われることになったのである。

物価統制令（抄）

（昭和二一年勅令第一一八号）

（価格等ノ定義）

第二条　本令ニ於テ価格等トハ価格、運送賃、保管料、保険料、賃貸料、加工賃、修繕料其ノ他給付ノ対価タル財産的給付ヲ謂フ

（統制額ノ指定）

第四条　主務大臣ハ第七条ニ規定スル場合ヲ除クノ外政令ノ定ムル所ニ依リ価格等ニ付其ノ統制額ヲ指定スルコトヲ得

（他ノ法令ニ基ク統制額）

第七条　価格等ニ付他ノ法令ニ定ムル額又ハ他ノ法令ニ基ク行政機関及都道府県知事ノ決定、命令、許可、認可其ノ他ノ処分アリタル額アルトキハ之ヲ当該価格等ノ統制額トス

3　第一項ノ他ノ法令ハ政令ヲ以テ之ヲ定ム

八、消費税率の引上げに伴う水道料金等の取扱いについて（通知）

（令和元年七月八日　薬生水発〇七〇八第一号各都道府県水道行政担当部（局）・各厚生労働大臣認可水道事業者及び水道用水供給事業者あて厚生労働省医薬・生活衛生局水道課長通知）

平成二四年八月に成立した「社会保障の安定財源の確保等を図る税制の抜本的な改革を行うための消費税法の一部を改正する等の法律」（平成二四年法律第六八号）等において、消費税率（地方消費税率を含む。以下同じ。）が令和元年一〇月一日に八％から一〇％に引上げられることが規定されているところである。

消費税の導入に際しては、「消費税の導入に伴う水道料金等の取扱いについて」（平成元年一月二〇日付け衛水第七号厚生省生活衛生局水道環境部水道整備課長通知）により、水道料金、用水料金の取扱いにつき留意すべき事項を通知し、さらに、消費税の引上げに際しては、「消費税率の引上げ及び地方消費税の導入に伴う水道料金等の取扱いについて」（平成八年一二月二〇日付け衛水第二八七号厚生省生活衛生局水道環境部水道整備課長通知）及び「消費税率の引上げに伴う水道料金等の取扱いについて」（平成二五年一二月一七日付け健水発一二一七第二号厚生労働省健康局水道課長通知）により、税率引上げ等への円滑かつ適正な対応をお願いしている。

今回の税率引上げにおいても、円滑かつ適正な対応を図るため、下記につき遺漏なきよう対応をお願いする。また、各都道府県水道行政担当部（局）におかれては、貴管下の都道府県知事認可の水道事業者及び水道用水供給事業者（以下「水道事業者等」という。）へ周知されたい。

記

一　消費税転嫁対策特別措置法について

消費税の円滑かつ適正な転嫁を確保する観点から、「消費税の円滑かつ適正な転嫁の確保のための消費税の転嫁を阻害する行為の是正等に関する特別措置法」（平成二五年法律第四一号）（以下「消費税転嫁対策特別措置法」という。）が制定されている（平成二五年一〇月一日施行）。

このたび、経済産業大臣及び公正取引委員会委員長より「消費税率の引上げに伴う消費税の円滑かつ適正な転嫁について」（二〇一九〇五二二中第三号、公取第四四号）が示されており、適切な対応をお願いする。

二　**水道料金に係る消費税の経過措置について**

令和元年一〇月一日前から継続的に行っている水道水の供給については、同日以降初めて水道料金の支払を受ける権利が確定する場合について、所要の経過措置が設けられており、当該料金の一部については従前の税率（八％）によることとされている。（別紙参照）

三　**その他**

（一）水道料金等の改定等について

消費税は、消費一般に負担を求めるもので消費者がその最終的な負担者となることが予定されている間接税であることから、水道料金、水道用水供給事業料金についても円滑かつ適正な転嫁が行われることが必要である。

このため、各水道事業者等においては、消費税率の引上げ等が実施される令和元年一〇月一日から水道料金の改定を円滑かつ適正に実施できるよう、速やかに条例改正等の所要の手続きを進めるようお願いする。

また、供給規程の変更にあたっては、水道事業者が地方公共団体である場合は水道法第一四条第五項の規定に基づき、その旨を届け出る必要がある。また、水道事業者が地方公共団体以外の者である場合は、供給規程の変更にあたって水道法第一四条第六項の規定に基づき、認可を受ける必要がある。

（二）地方公共団体における軽減税率制度への対応について

令和元年一〇月一日に実施される消費税率の引上げにあたっては、軽減税率制度が導入される。軽減税率制度は地方公共団体における取引においても対象となるものであり、導入に当たっては「地方公共団体における消費税率（国・地方）の引上げに伴う対応等について」（平成三一年四月一七日付け総財公第五二号・総財務第五五号総務省自治財政局公営企業課長・財務調査課長通知）を踏まえ、適切な対応をお願いする。

別紙　略

九、「消費税率の円滑かつ適正な転嫁の確保のための消費税の転嫁を阻害する行為の是正等に関する特別措置法」の時限措置について

（令和三年一月二五日　都道府県水道行政主管部（局）・厚生労働大臣認可水道事業者及び水道用水供給事業者あて厚生労働省医薬・生活衛生局水道課事務連絡）

水道行政の推進につきましては、日頃から格別の御協力をいただき御礼申し上げます。

平成二六年四月及び令和元年一〇月の消費税率の引き上げに際し、消費税の適切な転嫁対策が行われるよう、「消費税の円滑かつ適正な転嫁の確保のための消費税の転嫁を阻害する行為の是正等に関する特別措置法」（消費税転嫁対策特別措置法）が平成二五年一〇月一日から施行されており、本年三月末までの時限措置となっております。

本特別措置法では、消費税の転嫁拒否等の行為の是正（買いたたきなどの防止）、消費者に誤解を招く広告等の是正、総額表示の特例（一定の場合には総額表示をしなくてもよいという特例措置）、表示価格等の決定に当たり届け出を行った場合は共同行為（転嫁カルテル等）が独禁法に該当しないこととする、といった取扱いを定めていました。このうち、特に総額表示については、本年四月以降は義務化となりますので、これに伴い、財務省、公正取引委員会においてリーフレット等をＨＰに公表しております。

まだ総額表示の対応を行っていない事業者におかれましては以下を参考に、遺漏なきようご対応お願いいたします。また、各都道府県水道行政担当部（局）におかれましては、貴管下の都道府県知事認可の水道事業者及び水道用水供給事業者への周知をお願いいたします。

■財務省■

財務省ホームページ（令和三年四月一日以降の価格表示について）

URL：https://www.mof.go.jp/tax_policy/summary/consumption/sougaku.html

この中には、以下の二点が掲載されています。

◎「総額表示リーフレット」：総額表示として認められる価格表示例やよくあるご質問（FAQ）が記載されています。

◎「事業者が消費者に対して価格を表示する場合の価格表示に関する消費税法の考え方」：総額表示義務の趣旨や対象についての考え方、具体的な表示方法についての考え方が記載されています。

■公正取引委員会■

公正取引委員会ホームページ（消費税転嫁対策コーナー内の「消費税転嫁対策特別措置法の失効後における消費税の転嫁拒否等の行為に係る独占禁止法及び下請法の考え方に関するQ＆A」）

URL：https://www.jftc.go.jp/tenkataisaku/tenka-shikko-QandA.html

ここには、「消費税転嫁対策特別措置法の失効後における消費税の転嫁拒否等の行為に係る独占禁止法及び下請法の考え方に関するQ＆A」が掲載されています。

（参考）なお、転嫁対策の全般的な資料等は以下を参照ください。

https://www.mof.go.jp/tax_policy/summary/consumption/tenkataisaku.html

一〇、民法の一部を改正する法律の施行について（情報提供）

（令和元年八月一九日　各都道府県水道行政担当部（局）・各厚生労働大臣認可水道事業者担当部（局）あて厚生労働省医薬・生活衛生局水道課事務連絡）

水道行政の推進につきましては、日頃から格別の御協力をいただき御礼申し上げます。

民法の一部を改正する法律（平成二九年法律第四四号。以下「改正法」という。）が令和二年四月一日から施行されます。

改正法による改正後の民法（明治二九年法律第八九号。以下「改正民法」という。）では、消滅時効制度の見直しがされ、職業別の短期消滅時効が廃止されるとともに、債権者が権利を行使することができることを知った時から五年の消滅時効期間が新設されています。また、改正民法では、不特定多数を相手方として行う取引であって、その内容の全部又は一部が画一的であることが双方にとって合理的な取引（定型取引）に用いられる契約条項である「定型約款」に関する規定が新設されています。

つきましては、改正法の施行に当たって、水道事業者が留意すべき事項について、下記のとおり、とりまとめましたので、適切に対応いただくようお願いいたします。なお、本事務連絡は、民法を所管する法務省及び総務省自治財政局公営企業課公営企業経営室と協議の上、作成したものであることを申し添えます。

また、都道府県水道行政担当部（局）におかれましては、都道府県認可の水道事業者への情報提供をお願い申し上げます。

記

第一　消滅時効期間に関する規定について（**改正民法第一六六条関係**）

一　水道料金請求権の取扱い

改正法の施行後は、水道料金請求権の消滅時効は、改正民法第一六六条に基づき、債権者が権利を行使することができることを知った時から五年間行使しないとき又は権利を行使することができる時から一〇年間行使しないときに完成することとなります。

二　改正法の経過措置

改正法附則第一〇条第四項により、施行日前に債権が生じた場合（施行日以後に債権が生じた場合であって、その原因である法律行為が施行日前にされたときを含む。）におけるその債権の消滅時効の期間については、なお従前の例によるとされています。

そのため、改正法の施行日前（令和二年三月三一日以前）に締結した給水契約に基づいて発生した水道料金請求権は、改正前の民法第一七三条に基づき、二年の消滅時効期間が適用されます。これに対し、改正法の施行後（令和二年四月一日以後）に締結された給水契約に基づいて発生した水道料金請求権の消滅時効は、改正民法第一六六条に基づき、権利を行使することができることを知った時から五年間行使しないとき又は権利を行使することができる時から一〇年間行使しないときに完成することになります。

第二　定型約款に関する規定について（改正民法第五四八条の二から第五四八条の四まで関係）

一　供給規程の取扱い

改正民法第五四八条の二第一項は、「不特定多数の者を相手方とする取引であって内容の全部又は一部が画一的であることが当事者双方にとって合理的なもの」を定型取引とし、この「定型取引において契約の内容とすることを目的としてその特定の者により準備された条項の総体」を定型約款としました。

水道供給契約の条件を定めた供給規程は、この定型約款に当たるものと考えられますので、改正民法の定型約款に関する規定が適用されます。

二　供給規程が契約内容となるための要件

定型約款については、改正民法第五四八条の二第一項に基づき、定型約款を契約内容とする旨の合意がされた場合又は定型約款を準備した者があらかじめその定型約款を契約の内容とする旨を相手方に表示していた場合に限り、定型約款の個別の条項についても合意したものとみなされます。そのため、改正法の施行後は、給水契約の申込み時において、需要者に対して定型約款（供給規程）を契約の内容とする旨を表示すること等が必要となります。電話等による開栓の申込みのみをもって供給を開始し、特段の契約書等を交わさない場合であっても、開栓の申込者に対して定型約款を契約の内容とする旨を表示した書類を郵便受け等に事前に投入しておくこと又は電話等による開栓の申込時に定型約款を契約の内容とする旨を口頭で相手方に伝達することなどの対応が必要となります。

三　供給規程の開示

改正民法第五四八条の三第一項は、「定型取引を行い、又は行おうとする定型約款準備者は、定型取引合意の前又は定型取引合意の後相当の期間内に相手方から請求があった場合には、遅滞なく、相当な方法でその定型約款の内容を示さなければならない」としています。そのため、水道事業者は、給水区域内の需要者から請求があった場合には、供給規程の内容を表示する必要があります。

なお、水道法（昭和三二年法律第一七七号）第一四条第四項において、「水道事業者は、供給規程を、その実施の日までに一般に周知させる措置をとらなければならない」とされていますが、この周知措置がとられていることのみをもって、改正民法第五四八条の三第一項にいう表示がされたものとはいえません。

四　定型約款の変更について

改正民法第五四八条の四第一項は、定型約款準備者が個別に相手方と合意をすることなく契約の内容を変更することができるのは、「変更が相手方の一般の利益に適合するとき」又は「契約をした目的に反せず、かつ、変更の必要性、変更後の内容の相当性、この条の規定により定型約款の変更をすることがある旨の定めの有無及びその内容その他の変更に係る事情に照らして合理的なものであるとき」であると規定しています。

この点、水道事業者が地方公共団体である場合には、供給規程の内容について、地方自治法（昭和二二年法律第六七号）第二二八条第一項及び同法第二四四条の二第一項等の規定により、条例で定めなければならないとされており、その内容を変更する際には議会の決議が必要となります。また、水道事業者が地方公共団体以外の場合には、水道法第一四条第六項の規定に基づき、供給規程に定められた供給条件を変更しようとするときは、厚生労働大臣の認可を受けなければならないとされています。供給規程の変更がこのような手続を経た上でされるものであることは、定型約款の変更の合理性を基礎づける事情の一つとして考慮されますが、上記のとおり、変更の合理性は、変更の必要性、変更後の内容の相当性等の事情に照らして判断されるものであることに留意する必要があります。

五　改正法の経過措置

改正法附則第三三条第一項において、「新法第五四八条の二から第五四八条の四までの規定は、施行日前に締結された定型取引（新法第五四八条の二第一項に規定する定型取引をいう。）に係る契約についても、適用する。ただし、旧法の規定によって生じた効力を妨げない。」と規定されています。

そのため、定型約款に関する規定については、改正法の施行日前（令和二年三月三一日以前）に締結された給水契約についても、原則として改正民法が適用されることとなります。もっとも、旧法の規定によって生じた効力は妨げられないため、施行日前に有効に締結された給水契約の効力や内容は、施行日後も影響も受けません。

【参考】　○民法の一部を改正する法律（平成二九年法律第四四号）による改正後の民法（抄）　略

〔判　例〕

一、地方公共団体が経営する水道事業の料金債権の消滅時効について、公営水道事業者と水道使用者との間の水道供給契約は私法上の契約であり、公営水道料金債権は私法上の金銭債権であるとして、民法第一七三条第一号所定の二年の消滅時効の適用があるとされた事例

（東京高裁平成一三年五月二二日判決（理由要旨））
（最高裁平成一五年一〇月一〇日上告不受理決定）

地方公共団体が有する金銭債権であっても、私法上の金銭債権に当たるものについては民法の消滅時効に関する規定が適用されるものと解されるところ、水道供給事業者としての被控訴人（水道事業者）の地位は、一般私企業のそれと特に異なるものではないから、控訴人（水道使用者）と被控訴人との間の水道供給契約は私法上の契約であり、したがって、被控訴人が有する水道料金債権は私法上の金銭債権であると解される。

また、水道供給契約によって供給される水は、民法第一七三条第一号所定の「生産者、卸売商人及び小売商人が売却したる産物及び商品」に含まれるものというべきであるから、結局、本件水道料金債権についての消滅時効期間は、民法第一七三条所定の二年間と解すべきこととなる。

二、公営水道事業に関する法律関係について

（横浜地裁昭和五四年四月二三日判決（理由要旨））

水道法第二条は、水道が国民の日常生活に直結し、その健康を守るために欠くことのできないものであり、かつ、水が貴重な資源であることに鑑み、水源及び水道施設並びにこれらの周辺の清潔保持並びに水の適正かつ合理的な使用に関し必要な施策を講ずべき国及び地方公共団体の責務を明らかにしている。

これを地方公共団体たる市町村の経営する公営水道事業についてみれば、右事業は、一種の公共用営造物で、地方自治法第二四四条にいう公の施設であり、地方公営企業たる水道事業の設置及びその経営の基本に関する事項は条例で定めるものとされている（地方公営企業法四条）。そして、公営水道事業の設置及び管理はいわゆる非権力的な管理作用に属し、私人の経営する事業と本質的に異ならないとしても、社会公共の福祉を実現するという公共的目的をもち、公益と密接な関係を有するため、水道法や条例等によって特別な規制が加えられている。

かような規制の法的性質については、典型的な私法上の当事者関係と相当異質ではあるがなお私法関係とみるのが相当な場合と、一般行政的見地をも加味してなされる規制であって、その規制による効果が特定の個人に分割して帰属するものでなく、不特定多数の住民福祉の増進に向けられている等公法関係とみるのが相当な場合とがあり、そのいずれであるかは、規制の目的、効果等を検討の上個別的に決すべき事柄であるというべきである。

三、用途別料金格差は差別的取扱禁止、平等原則に違反しないとされた事例

（大阪地裁昭和四五年三月二〇日判決（理由要旨））

憲法第一四条の規定する平等原則は、あらゆる場合、あらゆる点で国民全部が絶対に平等であることを要求するものでなく、平等の要請そのものの中においておのずから合理的な制限を当然含んでいるのであって、その制限がどの

程度まで認められるかは、その差別が合理的なものであるかによって決すべきであると解するのが相当である。

而して、被告（水道事業者）の給水条例、同規則の改正の経緯、水道料金の内容、水道料金規制の推移、国の行政指導及びその内容、水道料金体系の種類と特色を考え合せると、用途別料金により特殊用料金の適用を受ける原告と一般用料金の適用を受ける者との水道料金の面における格差は、公共の福祉の要請に基づく合理的な差別である。

四、別荘給水契約者の基本料金を他の給水契約者よりも高額に設定すること自体は水道事業者の裁量として許されるが、本件基本料金の改定は個別原価に基づかず大きな格差を正当化する合理性を有しないため、給水条例の改正は地方自治法第二四四条第三項に違反し無効であるとされた事例

（最高裁平成一八年七月一四日判決（理由要旨））

夏季等の一時期に水道使用が集中する別荘給水契約者に対し年間を通じて平均して相応な水道料金を負担させるために、別荘給水契約者の基本料金を別荘以外の給水契約者の基本料金よりも高額に設定すること自体は、水道事業者の裁量として許されないものではない。

給水契約者の水道使用量に大きな格差があるにもかかわらず、水道料金の改定においては、ホテル等の大規模施設に係る給水契約者を含む別荘以外の給水契約者の一件当たりの水道料金の平均額と別荘給水契約者の負担額がほぼ同一水準になるようにするとの考え方に基づいて、別荘給水契約者の基本料金が定められた。

公営企業として営まれる水道事業において、水道使用の対価である水道料金は、原則として当該給水に要する個別原価に基づいて設定されるべきものである。

このような原則に照らせば、本件改正条例における水道料金の設定方法は、基本料金の大きな格差を正当化するに足りる合理性を有するものではない。

そうすると、本件改正条例による基本料金の改定は、地方自治法第二四四条第三項にいう不当な差別的取扱いに当たるというほかはない。

以上によれば、本件改正条例のうち、別荘給水契約者の基本料金を改定した部分は、地方自治法第二四四条第三項に違反するものとして無効というべきである。

五、条例で定めた加入金の納付義務は水道法第一四条第一項の供給条件であるとされた事例

（東京高裁平成九年一〇月二三日判決（理由要旨））

本件条例は、本件簡易水道事業の給水についての料金及び給水装置工事の費用負担、その他の供給条件並びに給水の適性を維持するために必要な事項を定めることを目的として制定されたものであり、水道加入金は、当該工事の申込みの際に納入しなければならない旨を規定している。

本件条例の水道加入金は、その納付が右の給水契約の締結の前提となっていて、水道法第一四条第一項に例示されている料金、給水装置工事の費用負担区分と同様に、水道の供給の条件といえるものであるから、同項にいう「その他の供給条件」に該当するものと解するのが相当であり、寄附金にも、地方自治法上の分担金にも当たらない。

〔法　律〕

（給水義務）

第十五条　水道事業者は、事業計画に定める給水区域内の需要者から給水契約の申込みを受けたときは、正当の理由がなければ、これを拒んではならない。

2　水道事業者は、当該水道により給水を受ける者に対し、常時水を供給しなければならない。ただし、第四十条第一項

の規定による水の供給命令を受けた場合又は災害その他正当な理由があってやむを得ない場合には、給水区域の全部又は一部につきその間給水を停止することができる。この場合には、やむを得ない事情がある場合を除き、給水を停止しようとする区域及び期間をあらかじめ関係者に周知させる措置をとらなければならない。

３　水道事業者は、当該水道により給水を受ける者が料金を支払わないとき、正当な理由なしに給水装置の検査を拒んだとき、その他正当な理由があるときは、前項本文の規定にかかわらず、その理由が継続する間、供給規程の定めるところにより、その者に対する給水を停止することができる。

〔要　旨〕

本条は、給水契約申込みの受諾義務、常時給水義務及び給水の停止について規定したものである。

〔解　説〕

一、給水契約

㈠　給水契約の性格

「給水契約」は、水道事業者が水道により常時水を供給する義務を負い、需要者がこの給付に対して料金の支払義務を負う有償双務契約である。水道事業は公益性の高い事業であることから、本法においては水道事業の経営に当たっての種々の規制を行っているところであるが、給水契約についても給水契約の申込みの受諾及び常時給水の義務等を定めて契約自由の原則に制約を加えているのである。

㈡　給水契約の成立

給水契約は、需要者の給水申込みと水道事業者のこれに対する承諾とによって成立し、一定の様式を必要としない（諾成・不要式）契約である。

二、給水契約の受諾義務（一項）

㈠　給水契約の受諾

契約自由の原則は、当事者の自由な意思を尊重し、契約を締結するか否かの自由、契約の相手方を選択する自由、契約内容をいかに定めるかの自由を含むとされているが、給水契約のような付合契約においては、需要者は契約を締結するか否かの自由のみを有するにすぎない。

これに対して、本条第一項では、需要者の利益を保護するために、水道事業者が相手方を選択する自由を制限している。水道事業者は、一般の需要に応じて水を供給する事業を経営するものとして認可されているものであるから、当該事業計画に定める給水区域内の何人からの申込みにも応ずべきであり、申込者を選択して事業経営に有利な者のみに水を供給するようなことがあってはならない。本条第一項の規定は、給水契約の締結に当たっての水道事業者の恣意を排除する趣旨である。したがって、水道事業者は、それが供給規程に反しないものである限り、申込者の使用水量の多少、用途、信条、社会的地位等に関わりなく給水契約を締結しなければならない。

なお、給水装置の設置工事の申込みについても、正当な理由がなければ、水道事業者は拒み得ないとされている（長岡簡裁昭和四二年五月一七日判決、奈良地裁昭和五五年一二月二四日判決）。これは、需要者の給水装置工事の申込みを拒否することは、事実上給水契約の申込みを拒否するのと同じ結果となるからである。

㈡　正当な理由

1　本項の給水義務を解除する「正当の理由」とは、水道事業者の正常な企業努力にもかかわらずその責に帰すことのできない理由により給水契約の申込みを拒否せざるを得ない場合に限られるものであり、法第一六条（給水装置の構造及び材質）に定めるもののほかおおむね次のような場合が想定される。

(1)　配水管未布設地区からの申込み

給水区域内であっても、配水管が未布設である地区からの給水の申込みがあった場合、配水管が布設されるまでの期間、給水契約の締結を拒否することは正当な理由となる。配水管未布設地区からの申込者が自己の費用で配水管を設置し、給水を申し込む場合については、次の(2)及び(3)に述べるような事情がない限り拒否することができない。

(2)　給水量が著しく不足している場合

正常な企業努力にもかかわらず給水量が著しく不足している場合であって、給水契約の受諾により他の需要者への給水に著しい支障をきたすおそれが明らかである場合には、その不足している期間において給水契約の締結を拒否することは正当な理由となる。

(3)　多量の給水量を伴う申込み

当該水道事業の事業計画内では対応し得ない多量の給水量を伴う給水の申込みに対して給水を拒否することは、正当な理由となる。

2　需要者の申込みに対するその家主、地主等の反対は、一般に正当な理由とはならない。申込者側の個々の事情は申込者において処理すべきものであって、給水契約の締結とは直接関係がないからである。したがって、水道事業者が給水の申込みを受ける際に求める利害関係人の同意は、給水装置工事の施行に当たっての紛争を未然に防止し、工事が円滑に行われるようにするための配慮からあらかじめ利害関係人との調整を求めるに過ぎないものであって、同意が得られないことをもって給水を拒むことはできない。

もっとも、同意が得られないことを理由に給水契約に応じなかったとしても、直ちに違法な給水拒否として、申込者に対し不法行為が成立するとは限らない（奈良地裁昭和五五年一二月二四日判決）。また、給水契約が成立していても、法に基づく手続や利害関係人の実力行使により給水装置の工事が施行できず、現実に給水ができなくとも、これは水道事業者の責に帰すことのできない事由により給水契約が履行できないだけにすぎない。

水道事業者は、需要者から申込みがあった場合には、申込者が現に居住し、又は事業を営んでいる等の事実に基づいて申込みを承諾すべきもので、たとえ需要者が土地の不法占拠者であっても、また、違法建築物への給水の申込みであっても同様である（水道法上の疑義について昭和四一年環水五〇一八号水道課長通知）。しかし、水道事業の適正な運営を図りつつ都市の秩序ある発展に資するために、現に居住していない違法建築物で一定の条件を満たしているときは、当該違法建築物への給水の申込みに対し承諾を一時保留するよう指導されている（建築基準法の違反建築物に係る水道の取扱いについて昭和四六年環水一二号環境衛生局長通知）。

㈢　罰　則

正当な理由がなく給水契約の申込みを拒んだ者は、一年以下の懲役又は一〇〇万円以下の罰金に処せられる（法五三条三号）。

三、**常時給水の義務**（二項）

㈠　常時給水

水道事業者は、給水契約の成立した水道使用者に対して常時水を供給する義務を負う。「常時給水」とは、需要者の欲するところにより常時水を供給することをいう。これは、電気、ガスと同じく、水が日常生活に必要不可欠であり、不断に提供される必要があるからである。ただし、水道用水の緊急応援命令（法四〇条）を受けたため水量が不足した場合、又は災害その他正当な理由があってやむを得ないときはこの限りでない。

(二)　正当な理由

常時給水の義務を解除する「正当な理由」とは、給水の停止が、異常渇水によるもののほか災害、停電等による施設の破損、動力の使用不能又は水道管の破裂等水道事業者に起因しない理由による場合と、水道施設の拡張、改良、補修等水道事業者に起因する場合とがある。

これらの場合のうち、突然の停電、災害等による事故発生等水道事業者の意思に反して給水が停止される場合を除き、原因を問わず、水道事業者の意思により給水を停止しようとする場合は、給水を停止する区域及び期間をあらかじめ関係者に適切な方法で周知させなければならない。周知すべき「関係者」とは、給水を停止する区域の水道使用者及び消防機関等であり、「周知させる措置」とは、関係者に給水を停止することを知れわたらせる手段、方法をいい、具体的にはチラシ、広報紙、広報車、ラジオ、テレビ等によることが考えられるが、時間的余裕がなく広報車のみによる場合は、客観的に、当該区域の関係者全てが承知し得る程度に広報することが必要である。ただし、全ての関係者が現実に了知することは必ずしも必要でない。しかし、消防機関や病院等人の生命等に係る水道使用者には個々に通知することが望ましい。また、本項は水圧を下げて水の出を鈍くするような給水の制限方法にはふれていないが、この場合も本項の定めるところと同様に扱うことが望ましい。なお、事故等による突発的な給水停止の場合であっても、速やかに関係者に対しその旨周知させることが必要である。

(三)　準　用

本条第二項の義務は、水道用水供給事業者に準用される。この場合、同項中「常時」とあるのは「給水契約の定めるところにより」と、「関係者に周知させる」とあるのは「水道用水供給事業者が水道用水を供給する水道事業者に通知する」と読み替える（法三一条）。

(四)　罰　則

正当な理由がなく常時給水の義務に違反した水道事業者及び法第三一条において準用した場合の水道用水供給事業者は、一年以下の懲役又は一〇〇万円以下の罰金に処せられる（法五三条四号）。

四、給水の停止（三項）

(一)　給水停止の趣旨

本項は、個々の需要者（給水契約の当事者）に対する給水停止を規定したものである。前項の給水停止は、給水区域の全部又は一部にわたる一般的なもので、その給水停止の事由は、水道事業者の責に帰すことができない事由により水道事業の適正な運営が阻害された場合その他正当な理由がある場合に限定されるのに対し、本項の給水停止の事由は、需要者の責に帰すべき事由であって、水道事業の健全な運営あるいは衡平の法理に反する場合に限られる。また、これらの事由は、水道事業者と個々の需要者との関係であるので、本項に基づく給水停止は、供給条件として供給規程に定めておかなければならない。

本項の趣旨は、水道使用者に料金不払、給水装置の検査拒否その他その責に帰すべき事由があるときは、水道事業者は、その者に対する給水義務の履行を拒むことができることである。これは、広い意味での同時履行の抗弁権といわれるもので、給水契約が有償、双務、継続的供給の関係にあることに着目して認められたものである。したがって、給水停止は、給水契約を解除するものではなく、給水を停止することができる事由が解消すれば直ちに給水を開始しなければならない。

(二)　給水停止の事由

1　料金不払

給水契約は、水の継続的供給と水道料金の支払とが相互に対価関係にある双務契約であるから、料金を支払わないときは同時履行の抗弁権が認められる。水道事業は水道料金収入を主たる経営財源とする企業であるので、料金を支払わない者に対し給水を継続することは事業の収支の均衡を失うことになるから、かかる者に対し給水の継続を中止することは、衡平の法理に照らし当然のことである。

水道事業者は、給水契約の成立に伴い水を供給し、給水の対価を水道使用者に請求して支払を受けることとなるが、給水契約のような継続的供給契約においては、水の供給と料金の支払とは全期間を通じて対価関係にあるので、既に供給した水の料金支払義務と今期の水の供給義務とは同時履行の関係にある。

2　給水装置の検査拒否

給水装置による水の汚染等を防止するために、法第一六条以下第一八条までの規定がおかれているが、本項は、正当な理由なしに給水装置の検査を拒んだときの給水の停止について定めたものであり、水質及び水圧の適正な管理を確保し、一般の需要者への被害を未然に防止する趣旨である。給水装置の構造、材質等が不適切な場合には、供給する水の水質に影響を及ぼし、又は他の需要者の利用に支障を与えるおそれがあるので、給水装置が一定の基準に適合していること及びそのために必要な検査を受検することを水の供給と交換的に履行させることとしたものである。検査を拒む正当な理由とは、身分証明書の不携帯等法第一七条に規定する検査の要件を欠くような場合である。

3　その他正当な理由

「その他正当な理由」とは、給水装置の使用が不適切で、再三の警告にもかかわらずこれを改めず、他の需要者に悪影響を及ぼすおそれのある場合、水道メーターの検針を拒み又は妨げた場合等である。

また、水道事業者の行った給水装置工事費用の支払義務と給水義務とは厳密な意味において同時履行の関係にあるとはいえないが、公平の見地から、たとえ給水開始後の料金は支払っているとしても、給水の前提となる給水装置工事費用の支払をしない使用者に対し給水停止権を認めることは十分合理性を有するものとされている（岡山地裁昭和四四年五月二九日判決）。

〔参　考〕

一、水道法上の疑義について（通知）

（昭和四一年三月九日　環水第五〇一八号各都道府県衛生主管部（局）長あて厚生省環境衛生局水道課長通知）

標記について、別紙一のとおり大阪府衛生部長から照会があり、別紙二のとおり回答したから御了知ありたい。

（別紙一）

環第一三二二号昭和四一年一月二六日

厚生省環境衛生局水道課長殿

大阪府衛生部長

水道法上の疑義について（照会）

最近、本府管下各都市では人口の激増にともない、不法建築物が急増の傾向にあり、このため各都市においては、防火対策、都市計画等に重大な支障をきたすのみならず、水道の給水計画の大巾な変更を余儀なくされている現状であります。これに対し、一部の都市では、給水受諾の制限等の措置を検討している所もあり、本府といたしましても水道法の解釈を明らかにして、水道法上遺憾のないよう行政指導いたしたいと存じますので、左記事項につきよろしくご回答くださるようお願いします。

記

一　水道法第一五条の規定により給水の受諾拒否は「正当の理由」が必要とされているが、建築物と給水施設とは一体の関係をもつものであり、このため建築基準法、農地法等の違反の故をもつてこれを正当な理由と解せられるか。

二　水道法第一四条の規定による給水条例又は同条例施行規則において給水工事の施行を円滑にするため、給水に直接関係のない事項に必要な書類（たとえば建築確認書等）の提出を求めることを規定することは差しつかえないか。

（別紙二）

環水第五〇一八号昭和四一年三月九日

大阪府衛生部長殿

厚生省環境衛生局水道課長

水道法上の疑義について

昭和四一年一月二六日環第一三二二号で照会のあつた標記については、次のとおり回答する。

記

一　水道法第一五条の規定は、水道事業者にその給水区域内の一般の需要に応じて水を供給すべき義務を課することによつて水道事業の公共性を確保しようとするものであり、正当の理由によつて同条第一項の給水契約の申込みに応ずる義務または同条第二項の常時給水する義務が解除されるのは、水の供給が困難または不可能な場合にかぎられるべきであり、また、正当の理由によつて同条第三項の給水の停止が認められるのは、水道事業の適正な運営が阻害される場合にかぎられるべきである。したがつて、建築基準法、農地法等の違反の故をもつて給水契約の申込みを拒み、または、給水を停止することはできない。

二　水道法第一四条の規定による給水条例またはその施行規則において、給水に直接関係のない、書類の提出を義務づけることを規定すべきものではない。

二、建築基準法の違反建築物に係る水道の取扱いについて（通知）

〔昭和四六年一月二九日　環水第一二号各都道府県知事あて厚生省環境衛生局長通知〕

都市における建築物の用途を規制して住環境の保護の強化を図るため、昭和四五年六月一日法律第一〇九号をもつて建築基準法の一部が改正され、本年一月一日から施行されたところである。

今回の建築基準法の一部改正では、特に建築基準行政の適正な執行を図るための体制の整備と違反建築に対する取締り及び違反是正の措置を強化する制度が設けられたが、水道事業の適正な運営を図りつつ都市の秩序ある発展に資するため、建築基準法の違反建築物に係る水道について左記により取扱われるよう配慮願いたい。

記

第一　給水装置工事の申込みの承諾保留の要請について

建築基準法又はこれに基づく命令若しくは条例の規定に違反した建築物について、水道事業者が当該建築物に係る給水装置工事の申込みの承諾を行なう前に、左記の措置を講じた特定行政庁から当該工事の申込みの承諾を保留するよう公文書により理由を附して要請があつた場合には、その要請に応じる措置を講ずるよう水道事業者を指導されたいこと。

ただし、当該建築物が現に居住の用に供されているものである場合については、この限りでないこと。

イ　特定行政庁又は建築監視員が当該建築物について、その建築主、工事施行者等に対し、建築基準法第九条に規定する工事の施行の停止又は当該建築物の除却、移転若しくは使用禁止を命じていること。

ロ　特定行政庁又は建築監視員が当該建築物について、その建築主、工事施行者等に対し、水道事業者に対して前記要請を行なう旨を確実な方法で通知していること。

ハ　特定行政庁が当該建築物について、水道事業者に対して前記要請をしている旨を当該建築物の見易い箇所に掲示していること。

第二　特定行政庁との連絡調整について

違反建築物に係る水道事業者の協力については、建設省との間に中央連絡協議会を設け協議することとなつているが、各都道府県においても関係部局と協議して具体的な運用にあたつての統一的な事務処理について、水道事業者と特定行政庁との密接な連絡を図られたいこと。

〔判　例〕

一、土地所有者の同意、承諾がないことを理由に土地の不法占拠者に対する給水を拒むことは許されないとされた事例

㈠　大阪地裁昭和四二年二月二八日判決（理由要旨）

原告（土地所有者）は、被告（水道事業者）が本件土地を不法占拠している居住者らに水道水を供給して、居住者らの不法占有継続を容易ならしめているのは、被告と居住者らとの共同不法行為であると主張するが、この主張も失当である。すなわち、居住者らが本件土地を不法に占拠しているものであるとしても、その者らから給水契約の申込みを受けた場合、被告は水道法第一五条により給水しなければならない義務を負わされているのである。

水道法は、清浄にして豊富低廉な水の供給を図り、もって公衆衛生の向上と生活環境の改善とに寄与すること等を目的とする（同法一条）給付行政に関する法規である。同法第一五条にいう給水を拒否できる正当な理由が何であるかも、前記公共目的にのみに従って解釈されるべきものであって、たとえ給水申込者がその占有する土地につき土地所有者に対する関係で正当な占有権原を有しないとしても、それは、給水申込者と土地所有者との間の私法上の法律関係の紛争として処理されるべきものであり、局外者である水道事業者がそれを理由に給水を中止して拒むことは許されない。被告が居住者らに給水することは正当な業務行為であって、何ら違法性を有しないものである。

㈡　大阪高裁昭和四三年七月三一日判決（理由要旨）

土地所有者の同意ないし承諾も給水のための要件ではなく、提出された同意書や承諾書が偽造であるからといって給水契約を無効とすることはできない。もっとも、被告市の給水条例は「他人の所有地を通過して給水装置を設置するときは、土地所有者の同意書」の提出を求めているが、これは、給水工事等を行う際の紛争を避け工事施行を円滑にするための便宜の措置にすぎないものである。したがって、右規定を根拠に、水道事業者は同意書の真偽を調査し偽造の場合は給水を拒否すべき義務あるものということもできない。

二、水道事業者は借地人に対する水の供給について賃貸人の承諾がないことを理由にその給水の申込みを拒むことは許されないとされた事例

（長岡簡裁昭和四二年五月一七日判決（理由要旨））

水道事業者は、正当の事由なくしてその供給区域内における何人に対してもその供給を拒んではならない（水道法一五条一項）のであって、この理は水の供給を受けようとする者が不法占拠者である場合にあってさえ妥当するのである（前掲大阪地裁昭和四二年二月二八日判決参照）。ましてや原告（給水申込者）は本件土地の正当な賃借人なのであるから、仮に賃貸人の承諾が得られないという事情があるとしてもこれをもって被告（水道事業者）に供給を拒否する正当の事由があるということはできない。

三、給水装置工事の申込みの際に利害関係人の同意書を求めることができるとする給水条例の規定は訓示規定にすぎないとされた事例

（奈良地裁昭和五五年一二月二四日判決（理由要旨））

市給水条例及び同規程が、給水装置工事の申込みについて、土地所有者の同意書の提出を要求するのは、被告（水道事業者）が自ら施工するのが建前になっている関係上、工事の施行に当たっての紛争を未然に防止するためのもので、その意味で訓示規定にすぎないものと解すべきであって、その同意書の提出がないからということで、給水装置工事の申込みあるいは給水契約を拒否すべき理由はないものといわなければならない。

しかし、同意書を求めることは通常の手続の仕方としては必ずしも不当なものではなく、実際に所有者の同意がなければ工事の施行ができないような土地の場合にはむしろ予め同意を得ておくことが望ましいともいえるのであり、他人所有地に給水装置を設置する場合、その承諾の要否は被告にとってにわかに判断し難いところもあるから、同意書の提出のないことを理由に給水契約に応じなかったことをもって、直ちに違法な給水拒否として申込者に対し不法行為が成立するものとすることは妥当でない。

四、「違反建築に対する給水制限実施要綱」に基づき建築基準法違反の建築物に対する給水契約の申込みを係員が事実上拒否したことについて市の損害賠償責任がないとされた事例

㈠　大阪高裁昭和五三年九月二六日判決（理由要旨）

控訴人は、昭和四八年五月一二日ごろ市水道局に給水装置工事の申込みをしたところ、市水道局は既に市建築部長名の文書で控訴人に対し給水制限するよう通知を受けており、同局職員は右通知により本件建物は建築基準法に違反する無確認建築物であるとし、市建築部制定の違反建築に対する給水制限実施要綱を理由として右申込みの受理を拒絶した。その後、昭和四九年一二月九日これを受理し、昭和五〇年一二月四日給水装置工事は完了した。

この間、控訴人は止むなく昭和四八年六月暫定的に隣の居住者の専用給水管を分割してもらい、私設水道設備により本件建物に給水を受けることにして、訴外甲に本件建物を賃貸したが、控訴人が給水装置工事の申込みの受理を拒絶されたことによる損害賠償を請求した事件について、市が昭和四一年当時市内における建築基準法等の法令の規定に適合しない建築物の著増傾向に鑑み、法令違反行為を防止しあるいはこれを除去するには、建築基準法等の規定の活用によるだけでは行政上有効適切でないとし、給水条例施行規程第一〇条第二項に「前項に規定するもののほか、管理者が必要と認めるときは、工事申込者に対して、当該工事の申込みにかかる建築物の確認通知書の提示を求めることがある」の規定を設け、かつ、前記実施要綱を定めて行政指導をすることとしたこと自体は、その目的、趣旨に照らし違法とすることはできない。要はその運用の適否にある。

他方、控訴人のした前記給水装置新設工事の申込みは、水道法第一五条第一項の「給水契約の申込み」に該当するものであって、市は「正当の理由」がない限りその申込みを拒否することは許されないものというべきであり、本件にあっては正当の事由があるものと認められず、水道法第一五条の規定に違背するものとみられないではない。

そこで、控訴人の給水契約申込みに対する事実上の拒否が不法行為上違法であるか否かについて検討するに、控訴人が本訴において自認している本件建物についての建築基準法に定める建ぺい率違反は決して軽微なものとして看過できることがらではないこと、控訴人はその違反の是正が可能であるにもかかわらず是正の意思が全くなかったこと、訴外甲は入居時本件建物に設置されていた水道設備（給水装置）は市の許可を得ていないものであることを承知していたが入居後水の供給を受けており、生命、健康に影響があったとは認められないこと、行政指導の方針である前記実施要綱の趣旨、目的、その他前記事情を総合斟酌すると、局職員の措置はいまだもって行政指導の限界を超えたものということはできない。本件において、行政法規たる水道法第一五条に違反するからといって直ちに不法行為法上の違反ということはできない。

㈡　最高裁昭和五六年七月一六日判決（理由要旨）

市水道局職員が上告人の本件建物についての給水装置新設工事申込みの受理を事実上拒絶し、申込書を返戻した措置は、前記申込みの受理を最終的に拒否する旨の意思表示をしたものではなく、上告人に対し、前記建物につき存する建築基準法違反の状態を是正して建築確認を受けたうえ申込みをするよう一応の勧告をしたものにすぎないと認められるところ、これに対し上告人は、その後一年半余の間前記工事申込みに関してなんらの措置を講じないままこれを放置していたのであるから、本件における事実関係の下においては、市水道局職員の当初の措置のみによっては、いまだ、市水道局職員が上告人の給水装置工事申込みの受理を違法に拒否したものとして、市において上告人に対し不法行為法上の損害賠償責任を負うものとするには当たらないと解するのが相当である。

五、マンション建設指導要綱中の条件に従わないことは水道法第一五条第一項にいう「正当の理由」に当たらず当該市が右指導要綱の規定に従って給水契約を拒むことはできないとされた事例

（東京地裁八王子支部昭和五〇年一二月八日決定（理由要旨））

指導要綱上一定の条件手続が定められ、指導要綱に従わない事業主に対し給水等の制限措置を講じることができる旨の規定があり、その規定に従って給水契約を拒むことが水道法第一五条第一項の「正当の理由」に該当するか否かについて判断するに、行政庁が国民に義務を命じ、あるいは権利自由を制限又は剥奪する権力行為を行う場合には法律の根拠があることを要すると解すべきところ、指導要綱は条例や規則のように正規の法規ではなく、また法律上の根拠に基づいて制定されたものでもないことから、関係業者等に対し指導方針を明示したものにすぎず、行政上の法律関係において直接的な強制力をもつものではないと解するのが相当である。

六、マンション建設指導要綱に従わない事業主に対する給水契約の締結の拒否が水道法違反の罪に当たるとされた事例

（前掲五、に係る市長に対する水道法違反被告事件）

（最高裁第二小法廷平成元年一一月八日決定（理由要旨））

原判決の認定によると、被告人らが本件マンションを建設中の事業主及びその購入者から提出された給水契約の申込書を受領することを拒絶した時期には、既に、事業主は、市の宅地開発に関する指導要綱に基づく行政指導には従わない意思を明確に表明し、マンションの購入者も、入居に当たり給水を現実に必要としていたというのである。そうすると、原判決が、このような時期に至ったときは、水道法上給水契約の締結を義務づけられている水道事業者としては、たとえ右の指導要綱を事業主に順守させるため行政指導を継続する必要があったとしても、これを理由として事業主らとの給水契約の締結を留保することは許されないというべきであるから、これを留保した被告人らの行為は、給水契約の締結を拒んだ行為に当たると判断したのは、是認することができる。

また、原判決の認定によると、被告人らは、右の指導要綱を順守させるための圧力手段として、水道事業者が有している給水の権限を用い、指導要綱に従わない事業主らとの給水契約の締結を拒んだものであり、その給水契約を締結して給水することが公序良俗違反を助長することとなるような事情もなかったというのである。そうすると、原判決が、このような場合には、水道事業者としては、たとえ指導要綱に従わない事業主らからの給水契約の申込みであっても、その締結を拒むことは許されないというべきであるから、被告人らには本件給水契約の締結を拒む正当の理由がなかったと判断した点も、是認することができる。

七、建築基準法違反の建築物に対する上水供給契約の申込みに対し水道事業者が応じないことに水道法第一五条第一項の「正当の理由」があるとされた事例

（大阪地裁平成二年八月二九日決定（理由要旨））

水道法第一五条第一項所定の「正当の理由」とは、原則として水道事業者がその事業経営上給水区域内からの需要者に対し給水しないことをやむを得ないものとする、専ら水道事業固有の事由のみを指すと解すべきであり、水道法の所期する目的以外の他の行政目的を達成するため、たやすく水道事業固有の事由以外の事由を「正当の理由」の有無の判断の基礎とするのは相当でないというべきである。

しかしながら、水道事業者に給水契約の申込みに対し承諾義務を課し、給水を強制することが法秩序全体の精神に反する結果となり、公序良俗違反を助長することになるような場合には、必ずしも水道事業固有の事由に基づく場合でなくとも、給水契約を拒みうる「正当の理由」があると判断される場合もあるというべきである。

被申請人（水道事業者）が申請人のした給水契約の申込みに応じなかったのは、水道事業固有の事由に基づくものではなく、建築基準法に違反する建築物の違法を是正することを目的とすることが明らかである。しかし、申請人の建築した建築物は建築基準法上違反の程度が甚だしく、かつ、申請人は係る違法状態を是正するために市長がした正当な指示、命令（工事施工停止命令・違反建築物の除去及び使用禁止命令）をことごとく無視し、あえて同法違反の建築物を完成させるなど、態様はきわめて悪質というべきである。また、同建築物は居住の用に供することを目的としたものではなく、同所に上水を供給しないことが直ちに水道法の所期する目的に背馳するものとはいえず、かえって、被申請人が申請人に上水を供給するときは、これが違法建築物の営業の用に供され、かかる違法状態を直接的に助長することになることは明らかである。

結局、申請人のこのような行為を放置することは公共の利益に重大な悪影響を及ぼすというべきところ、このような申請人に対し上水を供給することは、違反行為を直接に助長、援助することとなって公序良俗に違反するというべきであり、法秩序全体の精神からしても到底許されないというべきであって、被申請人において給水契約の締結を拒みうる正当な理由があるというべきである。

八、水道加入金の支払拒否を明示してなされた給水申込みを受諾しなかったことが水道法第一五条第一項に違反しないとされた事例

（東京高裁平成九年一〇月二三日判決（理由要旨））

水道加入金の不払を理由に、給水契約の締結を拒否した被告（水道事業者）に対して原告（リゾートマンション開発業者）が給水請求と損害賠償を求めた。

水道事業の経営に要する経費はその受益者の負担によって賄うべきであり（地方公営企業法一七条の二）、その負担の内容は、供給条件として、供給規程により予め定めたうえで周知させておかなければならない（水道法一四条一項・四項）とされている。

その上で、①被告の簡易水道施設の設備投資には多額を要すること、②もともとは組合営施設の統合施設であり、組合員から権利金を徴収してきており、加入金徴収はその延長線と考えられ、新規水道利用者から徴収しないのは公平を欠くことになること、③被告の加入金は他の事業体より高額だが、被告（町）の条件を考慮すれば水準は妥当である、として水道加入金の正当性を認め、その上で、原告が訴える人の生存に関わる給水拒否と水道加入金の支払拒絶を理由とする給水契約の申込拒否とは別問題であり、原告が緊急に生活用水を必要としたり、支払能力がないわけではないとし、条例で定める加入金の不払を明示してなされた給水申込みには、水道法第一五条第一項の適用がないから、それを受諾しなかったことに違反はないとされた。また、原告の憲法第二九条の財産権を条例によって侵害するという主張についても、水道加入金の定めは財産権の内容を定めたものでも私法秩序を形成するものでもないとした。

九、水道事業者である町が水道水の需要の増加を抑制するためマンション分譲業者との給水契約の締結を拒否したことに水道法第一五条第一項にいう「正当の理由」があるとされた事例

（最高裁平成一一年一月二一日判決（理由要旨））

原告（マンション分譲業者）は、被告（水道事業者）の給水区域内にマンションの建設を計画し、平成二年五月三一日、被告に建設予定戸数四二〇戸分の給水申込みをしたところ、被告から水道事業給水規則第三条の二第一項が新たに給水の申込みをする者に対して「開発行為又は建築で二〇戸（二〇世帯）を超えるもの」又は「共同住宅等で二〇戸（二〇世帯）を超えて建築する場合は全戸」に給水しないと規定していることを根拠に給水契約の締結を拒否されたので、右の拒否は水道法第一五条一項に違反するとして、被告に対し右給水申込みの承諾を求めた。

水道が国民にとって欠くことのできないものであることからすると、市町村は、水道事業を経営するに当たり、当該地域の自然的社会的諸条件に応じて、可能な限り水道水の需要を賄うことができるように、中長期的視点に立って適正かつ合理的な水の供給に関する計画を立て、これを実施しなければならず、当該供給計画によって対応することができる限り、給水契約の申込みに対して応ずべき義務があり、みだりにこれを拒否することは許されないものというべきである。

しかしながら、他方、水が限られた資源であることを考慮すれば、市町村が正常な企業努力を尽くしてもなお水の供給に一定の限界があり得ることも否定することはできないのであって、給水義務は絶対的なものということはできず、給水契約の申込みが右のような適正かつ合理的な供給条件によって対応することができないものである場合には、水道法第一五条一項にいう「正当の理由」があるものとして、これを拒むことが許されると解すべきである。

一〇、阪神・淡路大震災後に賃貸マンションで発生した漏水事故は早期通水が責務である水道事業者に損害賠償責任がないとされた事例

（大阪高裁平成一二年三月一六日判決（理由要旨））

原告（マンション住人）は、震災直後帰省したが、その間、上階ではトイレタンクの給水管から漏水、下階原告の家具、敷物等に被害を与えた。原告は被告（水道事業者）に対して不法行為による損害賠償の請求を求めた。

①公道上の止水栓は被告が管理すべきだが各戸メーターバルブ等は建物所有者など水道使用者で管理すべきものであり、各建物内の設備損傷による漏水事故について被告が責任を負うべきでない。②通水によって漏水事故を引き起こすおそれのあったことは予見できるが、居住者が建物から離れ内部の損傷が確認できない場合でも被告には条例上の給水義務

があり、これを早期に行うことは市民生活救済の上でも急務であった。③被告は本管通水前に全戸の止水栓を閉じたとしているが、これが漏水事故防止を目的にした措置であったとしても、このことで被告に止水栓の閉栓義務があったと言えない。④平常時でも被告には各建物内の給排水設備損傷に伴う漏水事故防止のための義務がないのに、通水再開が急務で、限られた人員で通水を再開しなければならなかった異常事態のもとで、その義務があったと解することはできない。

〔法　律〕

（給水装置の構造及び材質）

第十六条　水道事業者は、当該水道によつて水の供給を受ける者の給水装置の構造及び材質が、政令で定める基準に適合していないときは、供給規程の定めるところにより、その者の給水契約の申込を拒み、又はその者が給水装置をその基準に適合させるまでの間その者に対する給水を停止することができる。

〔施行令〕

（給水装置の構造及び材質の基準）

第六条　法第十六条の規定による給水装置の構造及び材質は、次のとおりとする。

一　配水管への取付口の位置は、他の給水装置の取付口から三十センチメートル以上離れていること。

二　配水管への取付口における給水管の口径は、当該給水装置による水の使用量に比し、著しく過大でないこと。

三　配水管の水圧に影響を及ぼすおそれのあるポンプに直接連結されていないこと。

四　水圧、土圧その他の荷重に対して充分な耐力を有し、かつ、水が汚染され、又は漏れるおそれがないものであること。

五　凍結、破壊、侵食等を防止するための適当な措置が講ぜられていること。

六　当該給水装置以外の水管その他の設備に直接連結されていないこと。

七　水槽、プール、流しその他水を入れ、又は受ける器具、施設等に給水する給水装置にあつては、水の逆流を防止するための適当な措置が講ぜられていること。

2　前項各号に規定する基準を適用するについて必要な技術的細目は、厚生労働省令で定める。

〔給水装置の構造及び材質の基準に関する省令〕

（平成九年三月一九日厚生省令第一四号）

（最近改正　令和二年三月二五日厚生労働省令第三八号）

水道法施行令（昭和三十二年政令第三百三十六号）第四条第二項［現行＝六条＝平成三一年四月政令一五四号により改正］の規定に基づき、給水装置の構造及び材質の基準に関する省令を次のように定める。

（耐圧に関する基準）

第一条　給水装置（最終の止水機構の流出側に設置されている給水用具を除く。以下この条において同じ。）は、次に掲げる耐圧のための性能を有するものでなければならない。

一　給水装置（次号に規定する加圧装置及び当該加圧装置の下流側に設置されている給水用具並びに第三号に規定する熱交換器内における浴槽内の水等の加熱用の水路を除く。）は、厚生労働大臣が定める耐圧に関する試験（以下「耐圧性能試験」という。）により一・七五メガパスカルの静水圧を一分間加えたとき、水漏れ、変形、破損その他の異常を生じないこと。

二　加圧装置及び当該加圧装置の下流側に設置されている給水用具（次に掲げる要件を満たす給水用具に設置されているものに限る。）は、耐圧性能試験により当該加圧装置の最大吐出圧力の静水圧を一分間加えたとき、水漏れ、変形、破損その他の異常を生じないこと。

イ　当該加圧装置を内蔵するものであること。

ロ　減圧弁が設置されているものであること。

ハ　ロの減圧弁の下流側に当該加圧装置が設置されているものであること。

ニ　当該加圧装置の下流側に設置されている給水用具についてロの減圧弁を通さない水との接続がない構造のものであること。

三　熱交換器内における浴槽内の水等の加熱用の水路（次に掲げる要件を満たすものに限る。）については、接合箇所

（溶接によるものを除く。）を有せず、耐圧性能試験により一・七五メガパスカルの静水圧を一分間加えたとき、水漏れ、変形、破損その他の異常を生じないこと。

イ　当該熱交換器が給湯及び浴槽内の水等の加熱に兼用する構造のものであること。

ロ　当該熱交換器の構造として給湯用の水路と浴槽内の水等の加熱用の水路が接触するものであること。

四　パッキンを水圧で圧縮することにより水密性を確保する構造の給水用具は、第一号に掲げる性能を有するとともに、耐圧性能試験により二〇キロパスカルの静水圧を一分間加えたとき、水漏れ、変形、破損その他の異常を生じないこと。

2　給水装置の接合箇所は、水圧に対する充分な耐力を確保するためにその構造及び材質に応じた適切な接合が行われているものでなければならない。

3　家屋の主配管は、配管の経路について構造物の下の通過を避けること等により漏水時の修理を容易に行うことができるようにしなければならない。

（浸出等に関する基準）

第二条　飲用に供する水を供給する給水装置は、厚生労働大臣が定める浸出に関する試験（以下「浸出性能試験」という。）により供試品（浸出性能試験に供される器具、その部品、又はその材料（金属以外のものに限る。）をいう。）について浸出させたとき、その浸出液は、別表第一の上欄に掲げる事項につき、水栓その他給水装置の末端に設置されている給水用具にあっては同表の中欄に掲げる基準に適合し、それ以外の給水装置にあっては同表の下欄に掲げる基準に適合しなければならない。

2　給水装置は、末端部が行き止まりとなっていること等により水が停滞する構造であってはならない。ただし、当該末端部に排水機構が設置されているものにあっては、この限りでない。

3　給水装置は、シアン、六価クロムその他水を汚染するおそれのある物を貯留し、又は取り扱う施設に近接して設置されていてはならない。

4　鉱油類、有機溶剤その他の油類が浸透するおそれのある場所に設置されている給水装置は、当該油類が浸透するおそれのない材質のもの又はさや管等により適切な防護のための措置が講じられているものでなければならない。

（水撃限界に関する基準）

第三条　水栓その他水撃作用（止水機構を急に閉止した際に管路内に生じる圧力の急激な変動作用をいう。）を生じるおそれのある給水用具は、厚生労働大臣が定める水撃限界に関する試験により当該給水用具内の流速を二メートル毎秒又は当該給水用具内の動水圧を〇・一五メガパスカルとする条件において給水用具の止水機構の急閉止（閉止する動作が自動的に行われる給水用具にあっては、自動閉止）をしたとき、その水撃作用により上昇する圧力が一・五メガパスカル以下である性能を有するものでなければならない。ただし、当該給水用具の上流側に近接してエアチャンバーその他の水撃防止器具を設置すること等により適切な水撃防止のための措置が講じられているものにあっては、この限りでない。

（防食に関する基準）

第四条　酸又はアルカリによって侵食されるおそれのある場所に設置されている給水装置は、酸又はアルカリに対する耐食性を有する材質のもの又は防食材で被覆すること等により適切な侵食の防止のための措置が講じられているものでなければならない。

2　漏えい電流により侵食されるおそれのある場所に設置されている給水装置は、非金属製の材質のもの又は絶縁材で被覆すること等により適切な電気防食のための措置が講じられているものでなければならない。

（逆流防止に関する基準）

第五条　水が逆流するおそれのある場所に設置されている給水装置は、次の各号のいずれかに該当しなければならない。

一　次に掲げる逆流を防止するための性能を有する給水用具が、水の逆流を防止することができる適切な位置（ニに掲げるものにあっては、水受け容器の越流面の上方一五〇ミリメートル以上の位置）に設置されていること。

イ　減圧式逆流防止器は、厚生労働大臣が定める逆流防止に関する試験（以下「逆流防止性能試験」という。）により三キロパスカル及び一・五メガパスカルの静水圧を一分間加えたとき、水漏れ、変形、破損その他の異常を生じないとともに、厚生労働大臣が定める負圧破壊に関する試験（以下「負圧破壊性能試験」という。）により流入側からマイナス五四キロパスカルの圧力を加えたとき、減圧式逆流防止器に接続した透明管内の水位の上昇が三ミリメートルを超えないこと。

ロ　逆止弁（減圧式逆流防止器を除く。）及び逆流防止装置を内部に備えた給水用具（ハにおいて「逆流防止給水用具」という。）は、逆流防止性能試験により三キロパスカル及び一・五メガパスカルの静水圧を一分間加えたとき、水漏れ、変形、破損その他の異常を生じないこと。

ハ　逆流防止給水用具のうち次の表の第一欄に掲げるものに対するロの規定の適用については、同欄に掲げる逆流防止給水用具の区分に応じ、同表の第二欄に掲げる字句は、それぞれ同表の第三欄に掲げる字句とする。

逆流防止給水用具の区分	読み替えられる字句	読み替える字句
(1)　減圧弁	一・五メガパスカル	当該減圧弁の設定圧力
(2)　当該逆流防止装置の流出側に止水機構が設けられておらず、かつ、大気に開口されている逆流防止給水用具（(3)及び(4)に規定するものを除く。）	三キロパスカル及び一・五メガパスカル	三キロパスカル
(3)　浴槽に直結し、かつ、自動給湯する給湯機及び給湯付きふろがま（(4)に規定するものを除く。）	一・五メガパスカル	五〇キロパスカル
(4)　浴槽に直結し、かつ、自動給湯する給湯機及び給湯付きふろがまであって逆流防止装置の流出側に循環ポンプを有するもの	一・五メガパスカル	当該循環ポンプの最大吐出圧力又は五〇キロパスカルのいずれかの高い圧力

ニ　バキュームブレーカは、負圧破壊性能試験により流入側からマイナス五四キロパスカルの圧力を加えたとき、バキュームブレーカに接続した透明管内の水位の上昇が七五ミリメートルを超えないこと。

ホ　負圧破壊装置を内部に備えた給水用具は、負圧破壊性能試験により流入側からマイナス五四キロパスカルの圧力を加えたとき、当該給水用具に接続した透明管内の水位の上昇が、バキュームブレーカを内部に備えた給水用具にあっては逆流防止機能が働く位置から水受け部の水面までの垂直距離の二分の一、バキュームブレーカ以外の負圧破壊装置を内部に備えた給水用具にあっては吸気口に接続している管と流入管の接続部分の最下端又は吸気口の最下端のうちいずれか低い点から水面までの垂直距離の二分の一を超えないこと。

ヘ　水受け部と吐水口が一体の構造であり、かつ、水受け部の越流面と吐水口の間が分離されていることにより水の逆流を防止する構造の給水用具は、負圧破壊性能試験により流入側からマイナス五四キロパスカルの圧力を加えたとき、吐水口から水を引き込まないこと。

二　吐水口を有する給水装置が、次に掲げる基準に適合すること。

イ　呼び径が二五ミリメートル以下のものにあっては、別表第二の上欄に掲げる呼び径の区分に応じ、同表中欄に掲げる近接壁から吐水口の中心までの水平距離及び同表下欄に掲げる越流面から吐水口の最下端までの垂直距離が確保されていること。

ロ　呼び径が二五ミリメートルを超えるものにあっては、別表第三の上欄に掲げる区分に応じ、同表下欄に掲げる越流面から吐水口の最下端までの垂直距離が確保されていること。

2　事業活動に伴い、水を汚染するおそれのある場所に給水する給水装置は、前項第二号に規定する垂直距離及び水平距離を確保し、当該場所の水管その他の設備と当該給水装置を分離すること等により、適切な逆流の防止のための措置が講じられているものでなければならない。

（耐寒に関する基準）

第六条　屋外で気温が著しく低下しやすい場所その他凍結のおそれのある場所に設置されている給水装置のうち減圧弁、逃し弁、逆止弁、空気弁及び電磁弁（給水用具の内部に備え付けられているものを除く。以下「弁類」という。）にあっては、厚生労働大臣が定める耐久に関する試験（以下「耐久性能試験」という。）により十万回の開閉操作を繰り返し、かつ、厚生労働大臣が定める耐寒に関する試験（以下「耐寒性能試験」という。）により零下二〇度プラスマイナス二度の温度で一時間保持した後通水したとき、それ以外の給水装置にあっては、耐寒性能試験により零下二〇度プラスマイナス二度の温度で一時間保持した後通水したとき、当該給水装置に係る第一条第一項に規定する性能、第三条に規定する性能及び前条第一項第一号に規定する性能を有するものでなければならない。ただし、断熱材で被覆すること等により適切な凍結の防止のための措置が講じられているものにあっては、この限りでない。

（耐久に関する基準）

第七条　弁類（前条本文に規定するものを除く。）は、耐久性能試験により十万回の開閉操作を繰り返した後、当該給水装置に係る第一条第一項に規定する性能、第三条に規定する性能及び第五条第一項第一号に規定する性能を有するものでなければならない。

附　則　略

別表第一

事　項	水栓その他給水装置の末端に設置されている給水用具の浸出液に係る基準	給水装置の末端以外に設置されている給水用具の浸出液、又は給水管の浸出液に係る基準
カドミウム及びその化合物	カドミウムの量に関して、〇・〇〇三mg／ℓ以下であること。	カドミウムの量に関して、〇・〇〇三mg／ℓ以下であること。
水銀及びその化合物	水銀の量に関して、〇・〇〇〇〇五mg／ℓ以下であること。	水銀の量に関して、〇・〇〇〇〇五mg／ℓ以下であること。
セレン及びその化合物	セレンの量に関して、〇・〇〇一mg／ℓ以下であること。	セレンの量に関して、〇・〇一mg／ℓ以下であること。
鉛及びその化合物	鉛の量に関して、〇・〇〇一mg／ℓ以下であること。	鉛の量に関して、〇・〇一mg／ℓ以下であること。

ヒ素及びその化合物	ヒ素の量に関して、〇・〇〇一mg／ℓ以下であること。	ヒ素の量に関して、〇・〇一mg／ℓ以下であること。
六価クロム化合物	六価クロムの量に関して、〇・〇〇二mg／ℓ以下であること。	六価クロムの量に関して、〇・〇二mg／ℓ以下であること。
亜硝酸態窒素	〇・〇〇四mg／ℓ以下であること。	〇・〇四mg／ℓ以下であること。
シアン化物イオン及び塩化シアン	シアンの量に関して、〇・〇〇一mg／ℓ以下であること。	シアンの量に関して、〇・〇一mg／ℓ以下であること。
硝酸態窒素及び亜硝酸態窒素	一・〇mg／ℓ以下であること。	一〇mg／ℓ以下であること。
フッ素及びその化合物	フッ素の量に関して、〇・〇八mg／ℓ以下であること。	フッ素の量に関して、〇・八mg／ℓ以下であること。
ホウ素及びその化合物	ホウ素の量に関して、〇・一mg／ℓ以下であること。	ホウ素の量に関して、一・〇mg／ℓ以下であること。
四塩化炭素	〇・〇〇〇二mg／ℓ以下であること。	〇・〇〇二mg／ℓ以下であること。
一・四―ジオキサン	〇・〇〇五mg／ℓ以下であること。	〇・〇五mg／ℓ以下であること。
シス―一・二―ジクロロエチレン及びトランス―一・二―ジクロロエチレン	〇・〇〇四mg／ℓ以下であること。	〇・〇四mg／ℓ以下であること。
ジクロロメタン	〇・〇〇二mg／ℓ以下であること。	〇・〇二mg／ℓ以下であること。
テトラクロロエチレン	〇・〇〇一mg／ℓ以下であること。	〇・〇一mg／ℓ以下であること。

トリクロロエチレン	〇・〇〇一mg／ℓ以下であること。	〇・〇一mg／ℓ以下であること。
ベンゼン	〇・〇〇一mg／ℓ以下であること。	〇・〇一mg／ℓ以下であること。
ホルムアルデヒド	〇・〇〇八mg／ℓ以下であること。	〇・〇八mg／ℓ以下であること。
亜鉛及びその化合物	亜鉛の量に関して、〇・一mg／ℓ以下であること。	亜鉛の量に関して、一・〇mg／ℓ以下であること。
アルミニウム及びその化合物	アルミニウムの量に関して、〇・〇二mg／ℓ以下であること。	アルミニウムの量に関して、〇・二mg／ℓ以下であること。
鉄及びその化合物	鉄の量に関して、〇・〇三mg／ℓ以下であること。	鉄の量に関して、〇・三mg／ℓ以下であること。
銅及びその化合物	銅の量に関して、〇・一mg／ℓ以下であること。	銅の量に関して、一・〇mg／ℓ以下であること。
ナトリウム及びその化合物	ナトリウムの量に関して、二〇mg／ℓ以下であること。	ナトリウムの量に関して、二〇〇mg／ℓ以下であること。
マンガン及びその化合物	マンガンの量に関して、〇・〇〇五mg／ℓ以下であること。	マンガンの量に関して、〇・〇五mg／ℓ以下であること。
塩化物イオン	二〇mg／ℓ以下であること。	二〇〇mg／ℓ以下であること。
蒸発残留物	五〇mg／ℓ以下であること。	五〇〇mg／ℓ以下であること。
陰イオン界面活性剤	〇・〇二mg／ℓ以下であること。	〇・二mg／ℓ以下であること。
非イオン界面活性剤	〇・〇〇五mg／ℓ以下であること。	〇・〇二mg／ℓ以下であること。

フェノール類	フェノールの量に換算して、〇・〇〇〇五mg／ℓ以下であること。	フェノールの量に換算して、〇・〇〇五mg／ℓ以下であること。
有機物（全有機炭素（ＴＯＣ）の量）	〇・五mg／ℓ以下であること。	三mg／ℓ以下であること。
味	異常でないこと。	異常でないこと。
臭気	異常でないこと。	異常でないこと。
色度	〇・五度以下であること。	五度以下であること。
濁度	〇・二度以下であること。	二度以下であること。
一・二―ジクロロエタン	〇・〇〇〇四mg／ℓ以下であること。	〇・〇〇四mg／ℓ以下であること。
アミン類	トリエチレンテトラミンとして、〇・〇一mg／ℓ以下であること。	トリエチレンテトラミンとして、〇・〇一mg／ℓ以下であること。
エピクロロヒドリン	〇・〇一mg／ℓ以下であること。	〇・〇一mg／ℓ以下であること。
酢酸ビニル	〇・〇一mg／ℓ以下であること。	〇・〇一mg／ℓ以下であること。
スチレン	〇・〇〇二mg／ℓ以下であること。	〇・〇〇二mg／ℓ以下であること。
二・四―トルエンジアミン	〇・〇〇二mg／ℓ以下であること。	〇・〇〇二mg／ℓ以下であること。
二・六―トルエンジアミン	〇・〇〇一mg／ℓ以下であること。	〇・〇〇一mg／ℓ以下であること。
一・二―ブタジエン	〇・〇〇一mg／ℓ以下であること。	〇・〇〇一mg／ℓ以下であること。
一・三―ブタジエン	〇・〇〇一mg／ℓ以下であること。	〇・〇〇一mg／ℓ以下であること。

備考

主要部品の材料として銅合金を使用している水栓その他給水装置の末端に設置されている給水用具の浸出液に係る基準にあっては、この表鉛及びその化合物の項中「〇・〇〇一mg／ℓ」とあるのは「〇・〇〇七mg／ℓ」と、亜鉛及びその化合物の項中「〇・一mg／ℓ」とあるのは「〇・九七mg／ℓ」と、銅及びその化合物の項中「〇・一mg／ℓ」とあるのは「〇・九八mg／ℓ」とする。

別表第二

呼び径の区分	近接壁から吐水口の中心までの水平距離	越流面から吐水口の最下端までの垂直距離
一三ミリメートル以下のもの	二五ミリメートル以上	二五ミリメートル以上
一三ミリメートルを超え二〇ミリメートル以下のもの	四〇ミリメートル以上	四〇ミリメートル以上
二〇ミリメートルを超え二五ミリメートル以下のもの	五〇ミリメートル以上	五〇ミリメートル以上

備考

1　浴槽に給水する給水装置（水受け部と吐水口が一体の構造であり、かつ、水受け部の越流面と吐水口の間が分離されていることにより水の逆流を防止する構造の給水用具（この表及び次表において「吐水口一体型給水用具」という。）を除く。）にあっては、この表下欄中「二五ミリメートル」とあり、又は「四〇ミリメートル」とあるのは、「五〇ミリメートル」とする。

2　プール等の水面が特に波立ちやすい水槽並びに事業活動に伴い洗剤又は薬品を入れる水槽及び容器に給水する給水

装置（吐水口一体型給水用具を除く。）にあっては、この表下欄中「二五ミリメートル」とあり、「四〇ミリメートル」とあり、又は「五〇ミリメートル」とあるのは、「二〇〇ミリメートル」とする。

別表第三

区分			越流面から吐水口の最下端までの垂直距離
近接壁の影響がない場合			（1・7×d＋5）ミリメートル以上
近接壁の影響がある場合	近接壁が一面の場合	壁からの離れが（3×D）ミリメートル以下のもの	（3×d）ミリメートル以上
		壁からの離れが（3×D）ミリメートルを超え（5×D）ミリメートル以下のもの	（2×d＋5）ミリメートル以上
		壁からの離れが（5×D）ミリメートルを超えるもの	（1・7×d＋5）ミリメートル以上
	近接壁が二面の場合	壁からの離れが（4×D）ミリメートル以下のもの	（3・5×d）ミリメートル以上
		壁からの離れが（4×D）ミリメートルを超え（6×D）ミリメートル以下のもの	（3×d）ミリメートル以上
		壁からの離れが（6×D）ミリメートルを超え（7×D）ミリメートル以下のもの	（2×d＋5）ミリメートル以上
		壁からの離れが（7×D）ミリメートルを超えるもの	（1・7×d＋5）ミリメートル以上

備考
1　D：吐水口の内径（単位　ミリメートル）
　d：有効開口の内径（単位　ミリメートル）
2　吐水口の断面が長方形の場合は長辺をDとする。
3　越流面より少しでも高い壁がある場合は近接壁とみなす。
4　浴槽に給水する給水装置（吐水口一体型給水用具を除く。）において、下欄に定める式により算定された越流面から吐水口の最下端までの垂直距離が五〇ミリメートル未満の場合にあっては、当該距離は五〇ミリメートル以上とする。
5　プール等の水面が特に波立ちやすい水槽並びに事業活動に伴い洗剤又は薬品を入れる水槽及び容器に給水する給水装置（吐水口一体型給水用具を除く。）において、下欄に定める式により算定された越流面から吐水口の最下端までの垂直距離が二〇〇ミリメートル未満の場合にあっては、当該距離は二〇〇ミリメートル以上とする。

〔要　旨〕

本条は、給水装置からの水の汚染を防止する等の観点から、給水装置の構造及び材質が政令で定める基準に適合していないときは、供給規程に定めるところにより給水契約の申込みを拒み、又は給水を停止できることを規定したものである。

〔解　説〕

一、給水契約の締結拒否等

水道事業者は、水質基準に適合する水を常時安定して供給する義務がある。また、給水装置は、供給規程に定めるところにより管理されるものである。水道事業者は、給水装置から常時、水質基準に適合した水を安定的に供給する義務を負っており、そのためには、給水装置からの水の汚染を防止する等の措置が講じられていることが必要である。

このため、本条において「給水装置の構造及び材質の基準」を政令で定め、これに適合していない場合には、供給規程の定めるところにより「その者の給水契約の申込を拒み」、又は「給水を停止することができる」こととされているのである。これらの措置は個々の水道使用者との関係であるので、供給規程に定めることを前提としている。水道事業者が給水契約の申込みを拒み、又は給水を停止することができるのは、当該給水装置の構造及び材質を政令に定める基準に適合させるまでの間である。水の供給を受けるために給水装置の構造及び材質を政令に定める基準に適合させなければならない者は需要者である。

二、給水装置の構造及び材質の基準（令六条）

給水装置の構造及び材質の基準は、令第六条において次のように定められている。

㈠　配水管への取付口の位置は、他の給水装置の取付口から三〇センチメートル以上離れていること（一号）

配水管の取付口孔による耐力の減少を防止することと、給水装置相互間の水の流量に及ぼす悪影響を防止する趣旨である。

㈡　配水管への取付口における給水管の口径は、当該給水装置による水の使用量に比し、著しく過大でないこと（二号）

水の使用量に比して著しく過大な口径は、給水管内の水の停滞による水質の悪化を招くおそれがあるため、これを防止する趣旨である。

㈢　配水管の水圧に影響を及ぼすおそれのあるポンプに直接連結されていないこと（三号）

配水管の水を吸引するようなポンプとの連結を禁止して、吸引による水道水の汚染、他の需要者の水使用の障害等を防止する趣旨である。

㈣　水圧、土圧その他の荷重に対して充分な耐力を有し、かつ、水が汚染され、又は漏れるおそれがないものであ

ること（四号）

水圧、土圧等の諸荷重に対して十分な耐力を有し、使用する材料に起因して水が汚染されるものでなく、また、不浸透質の材料によりつくられたものであり、継目等から水が漏れ、又は汚水が吸引されるおそれがないものでなければならないとする趣旨である。

㈤　凍結、破壊、侵食等を防止するための適当な措置が講ぜられていること（五号）

地下に一定以上の深さに埋設し、埋設しない場合は管巻立等の防護工事を施し、また、電食、特殊な土壌等による侵食のおそれがあるときは、特別の対応工事を施す等給水装置の破損によって水が汚染され、又は漏れるおそれがないように防護措置を講じなければならないとする趣旨である。

㈥　当該給水装置以外の水管その他の設備に直接連結されていないこと（六号）

専用水道、工業用水道等の水管その他の設備と直接に連結してはならないとする趣旨である。給水装置は、法第三条第九項（給水装置の定義）によって「配水管から分岐して設けられた給水管及びこれに直結する給水用具」をいうのであるから、直接連結する給水用具は全て給水装置の一部となって本条の構造、材質の基準が適用されることとなるのであるが、本号は、水管及び「給水用具」でない設備と一時的にも直接に連結することを禁止した規定である。工業用水道の水管との連結、その他の給水用具とはいえない設備との連結は、水道水を汚染するおそれが多大であるからである。

㈦　水槽、プール、流しその他水を入れ、又は受ける器具、施設等に給水する給水装置にあつては、水の逆流を防止するための適当な措置が講ぜられていること（七号）

水槽、プール、流し等に給水する給水装置にあっては、装置内が負圧になった場合に貯留水等が逆流するおそれがあるので、それらと十分な吐水口空間を保持し、又は有効な逆流防止装置を具備する等水の逆流防止の措置を講じなければならないとする趣旨である。

三、**給水装置の構造及び材質の基準に関する省令**

本省令は、平成九年三月一一日に水道法施行令第四条（現法六条）が改正され、同条第一項で規定する給水装置の構造及び材質の基準を適用するについての必要な技術的細目を、新たに加えられた同二項の規定により省令で定めることとされたことに伴い、同年三月一九日厚生省令第一四号をもって公布され、一〇月一日から施行されることとなったものである。

この省令は、個々の給水管及び給水用具が満たすべき性能及びその定量的な判断基準並びに給水装置工事が適正に施行された給水装置であるか否かの判断基準を明確にするものであり、耐圧、浸出等、水撃限界、防食、逆流、耐寒及び耐久に関する基準を定めている。

〔参　考〕

一、**給水装置に直結する給水用具の取扱い**

法第三条第九項において、「給水装置」とは、「配水管から分岐して設けられた給水管及びこれに直結する給水用具」をいうものとされているから、給水用具は、それが給水管等の給水装置に直結された場合、一体として給水装置を構成することとなり、令第五条（現行第六条）の「給水装置の構造及び材質の基準」が適用されることとなる。

しかし、ガス湯沸器、太陽熱温水器等の給水用具については、その通常の使用において、加熱等に伴う残留塩素の消費や接触する材質の成分の溶出等により、これらを通じて給水される水を常時水質基準に適合させることが困難な場合もある。これらの給水用具は、需要者の水使用の一形態として使用されるものであり、また、実態上その使用により給水する水質の変化が予想されるが、一方水圧の利用等給水装置に直結することによってその機能が果たされる構造となっており、これらの使用による社会的便益等を考慮して、これらの給水用具についても給水装置との直結を認め、「構造及び材質に関する基準」を適用することとしている。しかし、これらの給水用具を通じて給水される水の水質の変化については、水道事業者等の責任は免除され得ると考えられる。

二、元付け型浄水器等の衛生管理の徹底について

（平成一四年八月三〇日　各水道事業者担当官あて厚生労働省健康局水道課事務連絡）

このところ、水道メータの直下流に設置する浄水器が見受けられるが、これらのものの中には、水道水中の遊離残留塩素を水道法施行規則に定める基準値以下の濃度にまで除去するものがある。このような浄水器については、配管の状況や使用状態等によっては、家屋内等に給水される水の細菌等による汚染が懸念されているところであり、貴水道事業の需要者及び指定給水装置工事事業者に対し、適切な情報提供等を行い、給水される水の衛生管理に万全を期せられたい。

なお、貯水槽水道についても、当該貯水槽水道の設置者に対してはさらに徹底した情報提供が必要であるとともに、改正水道法の規定に基づき、供給規程の定めにより指導、助言及び勧告を行うことも可能であるので、念のため申し添える。

併せて、浄水機能を持つ冷水器等の給水装置に関しても、使用状態によっては雑菌等が繁殖する可能性があるため、衛生検査の受検等の措置が必要である旨、設置者に周知されたい。

三、給水装置の構造及び材質の基準の改正について（通知）

（平成九年七月二三日　衛水第二〇三号各都道府県水道行政担当部(局)長あて厚生省生活衛生局水道環境部水道整備課長通知）

日頃から水道行政の推進につきましては種々ご配意賜り感謝申し上げます。

さて、今般、水道法施行令の一部を改正する政令（平成九年政令第三六号）により、水道法（昭和三二年法律第一七七号。

以下「法」という。）第一六条に基づき水道法施行令（昭和三二年政令第三三六号。以下「令」という。）第四条に規定する給水装置の構造及び材質の基準（以下「構造・材質基準」という。）が改正され、新たに構造・材質基準の技術的細目を厚生省令で定めることとされるとともに、当該厚生省令として給水装置の構造及び材質の基準に関する省令（以下「基準省令」という。）が平成九年三月一九日厚生省令第一四号をもって公布され、平成九年一〇月一日より施行されることとなりました。

つきましては、左記の事項に留意の上、法に基づく給水装置の使用に関する規制が適正に行われるよう、貴管下の水道事業者に対する周知及び指導方よろしくお願いします。

記

第一　構造・材質基準の改正等の趣旨

構造・材質基準は、水道事業者が法第一六条に基づき給水契約の申込みの拒否又は給水停止の権限を発動するか否かの判断に用いるためのものであるから、給水装置が有すべき必要最小限の要件を基準化しているものであること。

今般、この基準について、生活環境審議会水道部会給水装置専門委員会報告書「給水装置に係る使用規制の合理化について」（平成九年三月）において、現行の構造・材質基準の考え方は妥当であり基準項目を改める必要はないが、その明確化、性能基準化を図るため、技術的な細目を定めるべきとされたことから、これを踏まえて令第四条が改正され、同条に第二項を新たに設けて、構造・材質基準を適用するために必要な技術的細目を厚生省令で定めることとされたこと。

この厚生省令として、新たに基準省令を定め、個々の給水管及び給水用具が満たすべき性能及びその定量的な判断基準（以下「性能基準」という。）及び給水装置工事が適正に施行された給水装置であるか否かの判断基準を明確化することとしたこと。

第二　基準省令の概要

二―一　基準省令の各技術的細目について
基準省令において定めている技術的細目は、令第四条の各号列記の基準項目のすべてについて定めたものではなく、当該基準項目のうち技術的細目を必要とするものについて定めたものであること。
㈠　耐圧に関する基準（基準省令第一条）

令第四条第一項第四号の「水圧に対し充分な耐力を有するものであること」及び「水が漏れるおそれがないものであること」についての技術的細目を次のように定めたこと。
ア　給水装置（最終の止水機構の流出側に設置されている給水用具を除く。次のイにおいて同じ。）に一定の静水圧を加えたとき、水漏れ、変形、破損その他の異常を生じないものでなければならない。
イ　給水装置の構造及び材質に応じた適切な接合が行われているものでなければならない。
ウ　家屋の主配管は、配管の経路について構造物の下の通過を避けること等により漏水時の修理を容易に行うことができるようにしなければならない。

(二)　浸出等に関する基準（基準省令第二条）
令第四条第一項第四号の「水が汚染されるおそれがないものであること」についての技術的細目を次のように定めたこと。
ア　飲用に供する水を供給する給水装置は、供試品からの金属等の浸出が基準値以下となるものでなければならない。
イ　給水装置は、末端部に排水機構が設置されているものを除き、水が停滞する構造であってはならない。
ウ　シアン等の水を汚染するおそれのある物の貯留・取り扱い施設に近接して給水装置が設置されていてはならない。
エ　油類が浸透するおそれのある場所に設置されている給水装置は、当該油類が浸透するおそれがない材質のもの又は適切な防護措置が講じられているものでなければならない。

(三)　水撃限界に関する基準（基準省令第三条）
令第四条第一項第五号の「破壊を防止するための適当な措置が講ぜられていること」についての技術的細目として、水栓その他水撃作用を生じるおそれのある給水用具は、一定の流速又は動水圧条件において止水機構を急閉止した際に生ずる水撃作用による上昇圧力が一定以下となるものであるか、又は水撃防止器具を設置すること等の水撃防止措置が講じられているものでなければならないことを定めたこと。

(四)　防食に関する基準（基準省令第四条）
令第四条第一項第五号の「侵食を防止するための適当な措置が講ぜられていること」についての技術的細目を次の

ように定めたこと。

ア　酸又はアルカリによる侵食のおそれのある場所に設置されている給水装置は、それらに対する耐食性材質のものであるか、又は適切な侵食防止措置が講じられているものでなければならない。

イ　漏えい電流による侵食のおそれのある場所に設置されている給水装置は、非金属製のものであるか、又は適切な電気防食措置が講じられているものでなければならない。

㈤　逆流防止に関する基準（基準省令第五条）

令第四条第一項第四号の「水が汚染されるおそれがないものであること」及び同条第一項第七号の「水の逆流を防止するための適当な措置が講ぜられていること」についての技術的細目を次のように定めたこと。

ア　水が逆流するおそれのある場所に設置されている給水装置は、一定の逆流防止性能を有する減圧式逆流防止器、逆止弁等の給水用具が水の逆流を防止することができる位置に設けられ、又は一定以上の吐水口空間が確保されているものでなければならない。

イ　事業活動に伴い、水を汚染するおそれのある場所に給水する給水装置は、一定以上の吐水口空間が確保され、当該場所の水管等と分離すること等により、適切な逆流防止措置が講じられているものでなければならない。

㈥　耐寒に関する基準（基準省令第六条）

令第四条第一項第五号の「凍結を防止するための適当な措置が講ぜられていること」についての技術的細目として、屋外で気温が著しく低下しやすい場所その他凍結のおそれのある場所に設置されている給水装置であって、断熱材で被覆すること等により適切な凍結防止措置が講じられていないものについて、次のように定めたこと。

ア　減圧弁、逃し弁、逆止弁、空気弁及び電磁弁（給水用具の内部の弁を除く。以下「弁類」という。）は一定回数の開閉操作後、一定の低温条件下で保持した後通水したとき、基準省令に規定する耐圧性能、水撃限界性能及び逆流防止性能を有するものでなければならない。

イ　弁類以外の給水装置は、一定の低温条件下で保持した後通水したとき、基準省令に規定する耐圧性能、水撃限界性能及び逆流防止性能を有するものでなければならない。

(七) 耐久に関する基準（基準省令第七条）
頻繁な開閉作動を繰り返すうちに弁類の耐圧性能、水撃限界性能及び逆流防止性能に支障が生じることを防止するための基準であり、弁類は一定回数の開閉操作後、基準省令に規定する耐圧性能、水撃限界性能及び逆流防止性能を有するものでなければならないことを定めたこと。

二―二　基準省令の性能基準に係る試験方法について

(一) 基準省令の性能基準に係る試験方法として、基準省令第一条第一項第一号、第二条第一項、第三条、第五条第一項第一号イ及び第六条の規定に基づき給水装置の構造及び材質の基準に係る試験（平成九年厚生省告示第一一一号。以下「試験告示」という。）を定めたこと。

(二) 給水装置工事に使用する材料（以下「給水装置工事材料」という。）が基準省令の性能基準に適合している製品（以下「性能基準適合品」という。）であるか否かについての試験は試験告示に定める方法により行われなければならないこと。

第三　給水装置の構造及び材質の基準の運用

三―一　既存の給水装置等と基準省令との関係について

(一) 基準省令は、改正前の令第四条に規定していた構造・材質基準の範囲内で、そのうちのいくつかの基準項目について適用の技術的細目を定めたものであることから、既設の給水装置及び（社）日本水道協会の検査証紙表示製品又は日本工業規格表示製品、その他現に水道事業者が使用を認めている給水管及び給水用具については、基準省令が定められたことをもって再検査を実施する等により、水の供給を受ける者、製造業者等に過重な負担を及ぼすことがないようにすること。

(二) 同様に、基準省令第一条第三項その他の配管方法に係る規定は従来の規制を強化するものではないため、改正前の令第四条に適合している配管方法については基準省令にも適合するものであり、建築主等に新たな負担を課すものではないこと。

(三) 基準省令の性能基準を満足する製品規格（日本工業規格、製造業者等の団体の規格、海外認証機関の規格等の製品規格のうち、その性能基準項目の全部に係る性能条件が基準省令の性能基準と同等以上に厳しいものをいう。）に適合している製品については、基準省令の性能基準に適合したものとなること。
したがって、当該製品規格に適合していることが明確な製品（例えば当該製品規格の体系において規格適合の認証が行われ、製品にその旨表示されている製品）について、重ねて基準省令に係る試験を行う必要はないこと。

三―二　性能基準適合品であることの判断について

(一)　基準省令及び試験告示の制定により、給水装置工事材料が性能基準適合品であるか否かについての判断内容及び判断方法が明確化されたため、給水装置工事材料を製造、輸入又は販売する製造業者等、給水装置工事材料を購入して工事に用いる指定給水装置工事事業者、水道法第一七条に基づき給水装置の検査を行う水道事業者等、すべての関係者が同一の定量的な判断を行うことが可能となったこと。

(二)　したがって、製造業者等が自らの責任において性能基準適合品であることを証明できる制度になったこと。

(三)　水道事業者は、給水装置が構造・材質基準に不適合であれば法第一六条に基づく給水停止等の権限を発動できるが、当該権限の発動を回避するために、製造業者等や指定給水装置工事事業者に対して特定の基準認証機関の利用を義務付けることはできないこと。

(四)　水道事業者は、性能基準適合品である給水装置工事材料について、自らが推薦する製品ではないこと、又は特定の基準認証機関による認証が行われていないこと等を理由として、指定給水装置工事事業者にその給水装置工事材料を使用させせないことはできないこと。

(五)　水道事業者は、法第一六条の権限の発動とは別に、災害防止並びに漏水時及び災害時等の緊急工事を円滑かつ効率的に行う観点から、配水管への給水管の取付工事及び当該取付口から水道メータまでの給水装置工事についてその材料や工法等の指定を行うことは可能であるが、この場合であっても災害時の給水や災害復旧工事の円滑な実施を確保するために、必要最低限のものに限定して材料指定等を行うこと。
なお、このような指定等は、法第一六条の権限の発動と明確に区分されていなければならないこと。

（参考）

一　「自己認証」について

製造業者等は、自らの責任のもとで性能基準適合品を製造し若しくは輸入することのみならず、性能基準適合品であることを証明できなければ、指定給水装置工事事業者等の顧客の理解を得て販売することは困難となる。この証明について、製造業者等が自ら又は製品試験機関等に委託して得たデータ、作成した資料等によって行うことが自己認証といわれ、性能基準適合品であることの証明方法の基本となるものである。

なお、自己認証の具体例としては、製造業者等が、性能基準適合品であることを示す自社検査証印等の表示を製品等に行うこと、製品が設計段階で基準省令に定める性能基準を満たすものとなることを示す試験証明書及び製品品質の安定性を示す証明書（一例として、ＩＳＯ（国際標準化機構）九〇〇〇シリーズの規格への適合証明書）を製品の種類ごとに指定給水装置工事事業者等に提示すること等が考えられる。

二　「第三者認証」について

基準適合性の証明方法としては、自己認証のほかに、製造業者等との契約により、中立的な第三者機関が製品試験、工場検査等を行い、基準に適合しているものについては基準適合品として登録して認証製品であることを示すマークの表示を認める方法（以下「第三者認証」という。）があるが、これは製造業者等の希望に応じて任意に行われるものであり、義務付けられるものではない。

第三者認証を行う機関の要件及び業務実施方法については、国際整合化等の観点から、ＩＳＯのガイドライン（ＩＳＯ／ＩＥＣガイド六五：製品認証機関のための一般的要求事項）に準拠したものであることが望ましい。なお、厚生省においては、平成九年六月、「給水装置に係る第三者認証機関の業務等の指針」を定めたところである。

別添一　給水管及び給水用具の性能基準の解説　略

別添二　給水装置標準計画・施工方法　略

四、「給水装置の構造及び材質の基準に関する省令」及び「給水装置の構造及び材質の基準に係る試験」の一部改正等について（通知）

（平成二四年九月六日　健水発〇九〇六第五号各厚生労働大臣認可水道事業者あて厚生労働省健康局水道課長通知）

今般、「給水装置の構造及び材質の基準に関する省令」（平成九年厚生省令第一四号。以下「基準省令」という。）及び「給水装置の構造及び材質の基準に係る試験」（平成九年厚生省告示第一一一号。以下「試験告示」という。）の一部改正が平成二四年九月六日にそれぞれ公布され、一部を除き即日施行されることとなった。

ついては、下記の事項に留意の上、貴水道事業において給水装置の構造及び材質に関する規定が適正に運用されるよう、特段のご配慮をお願いしたい。

記

第一　改正の背景

基準省令の制定から一〇年以上が経過し、その間に技術の進歩や需要者のニーズによって多様な製品が開発されてきている。これらの製品においては、従来想定していなかった構造の製品があり、現行の基準省令の規定では解釈が難しいものが出てきている。このため、新たな製品開発にも柔軟に対応できるよう表現の修正や基準の明確化を図ったものである。

なお、改正した内容は、耐圧に関する基準及び逆流防止に関する基準である。

第二　改正の概要及び留意事項

一　耐圧に関する基準

(一)　改正の概要

給水装置は一・七五メガパスカルの静水圧を加える耐圧性能試験を行うこととされている。その例外として、改正前の基準省令においては、貯湯湯沸器及び貯湯湯沸器の下流側に設置されている給水用具は、その使用圧力を維持するための減圧弁を外した状態で、〇・三メガパスカルの静水圧を加える耐圧性能試験を行うことと規定していた。

しかし、基準省令制定以降に開発されたヒートポンプ等を利用した給湯器等の製品は、貯湯湯沸器に該当するかどうかが明確でないものもあり、また使用圧力が〇・三メガパスカルを超える製品もあることから、耐圧性能試験の方法を見直すとともに貯湯湯沸器等の文言を削除し、表現を修正した。

(二)　主な変更点及び留意事項

ア．減圧弁が設置された給湯器（ヒートポンプ等を利用した給湯器を含む）等については、減圧弁の上流から一・七五メガパスカルの静水圧を加えることで、当該給水用具の減圧弁の下流側部分において、減圧弁で減圧された圧力による試験によって異常を生じないことを確認することとした。これに伴い、現行の基準省令による貯湯湯沸器及び貯湯湯沸器の下流側に設置されている給水用具における〇・三メガパスカルの静水圧を加える耐圧性能試験は廃止する。ただし、給水用具のうち、減圧弁が設置されており、その下流側に加圧装置が内蔵されている給水用具にあっては、当該加圧装置及びその下流側部分については、当該加圧装置の最大吐出圧力の静水圧を一分間加えたときに異常を生じないことを確認することとした。

なお、当該規定は減圧弁の下流側と上流側ごとに分けて耐圧性能試験を実施することを妨げるものではない。（別添図一－一、図一－二参照）

イ．一缶二水路型貯湯湯沸器以外のより複雑な構造を有する湯沸器（一缶三水路型湯沸器等）における熱交換部分の耐圧性能試験に関する規定がなかったため、これらを含めた表現に修正した。また、給湯以外の浴槽内の水、暖房用の液体等を加熱する熱交換器の水路が破損した場合、給湯以外の液体が給湯の配管経路に流入して水を汚染するおそれがあるため、熱交換器内の加熱用の水路は、接合箇所（溶接によるものを除く。）を有しない破損を防ぐ構造とし、試験水圧一・七五メガパスカルで耐圧性能試験を行い、異常を生じないことを確認することとした。

ただし、給湯の水路と熱交換部の外壁が一枚で仕切られている場合は本規定の対象となるが、二枚以上の壁で仕切られている場合は、破損しても水を汚染するおそれがないことから本規定の対象とはならない。（別添表一参照）

ウ．水圧で圧縮することにより水密性を確保する構造の給水用具は、低水圧時には密着力が低下し外部への漏水が生じるおそれがあるため、二〇キロパスカルの低水圧試験も併せて行うこととしている。しかし、Oリングは水圧で圧縮することにより水密性を確保するのではなく、装着時の密着力で水密性を確保する構造のものであるため、低水圧での耐圧性能試験の対象から除くこととした。

二　逆流防止に関する基準

㈠　改正の概要

負圧破壊装置を内部に備えた給水用具における試験方法において、従来は負圧破壊性能試験による基準に適合しても逆流が生じる構造の製品があり得たため、より適切な試験方法に改正した。また、吐水口空間を有する給水装置については、越流面から吐水口の中心までの垂直距離が基準を確保していることを条件としていたが、吐水口が越流面と平行でない場合に安全性に欠ける可能性があったため、基準の見直しを行った。

㈡　主な変更点及び留意事項

ア．吐水口空間を有する給水装置の基準を、「越流面から吐水口の中心までの垂直距離」から「越流面から吐水口の最下端までの垂直距離」に変更する。このため、これまで吐水口の切り込み部分の上端を吐水口の位置としていた給水用具にあっても吐水口の最下端が基準の位置となる。なお、この基準に適合する場合は、第五条第一項第一号に規定する負圧破壊性能試験は省略できる。また、当該基準の改正については、製品開発等の対応に時間を要するため、平成二五年一〇月一日からの施行とする。（別添図二参照）

イ．バキュームブレーカの負圧破壊性能試験においては、空気吸入シート面から水受け部の水面までの垂直距離が一五〇ミリメートルとなるよう供試器具を取り付けることとしていた。しかし、内部の空気吸入シート面を外観から判断することは困難であることから、バキュームブレーカの下端又は逆流防止機能が働く位置（取付基準線）から水面までの垂直距離が一五〇ミリメートルとなるよう供試器具を取り付けることに変更した。（別添図三参照）

ウ．減圧式逆流防止器の負圧破壊性能試験においても、内部の空気吸入シート面を外観から判断することは困難であることから、逃し弁の排水口の下端から水面までの垂直距離に基準を変更し、その垂直距離が一五〇ミリメートルとなるよう供試器具を取り付けることとした。（別添図四参照）

エ．バキュームブレーカを内部に備えた給水用具にあっては、バキュームブレーカの下端又は取付基準線の位置を判断することが困難であることから、逆流防止機能が働く位置から水受け部の水面までの垂直距離に基準を変更した。ここでいう逆流防止機能が働く位置とは、逆流防止機能を果たす弁のシート面である。

オ．バキュームブレーカ以外の負圧破壊装置を内部に備えた給水用具にあっては、吸気口に接続している管と流入管の接続部分の最下端又は吸気口の最下端のうち、いずれか低い点から水面までの距離を判断基準とした。（別添図五－一、図五－二参照）

カ．ダイアフラム式のボールタップ等、負圧破壊装置を内部に備え、止水するために一次側圧力を利用する給水用具において、その用具の構造によっては止水機構の弁が全開した場合の試験だけで負圧破壊性能の適否を判断することができない給水用具があるため、止水機構の弁が全開及び全閉の両方の場合において、負圧破壊性能試験を行うこととした。

第三　その他の留意事項

今回の基準省令又は試験告示の改正に直接関係するものではないが、給水装置の構造及び材質の基準に関する規定が適切に運用されるよう、以下について周知する。

㈠　ボールタップの耐圧性能試験方法について

現行の試験告示では、ボールタップの耐圧性能試験において、ボールタップの止水機構を閉止する方法について明記されていない。水槽の水位を上げて浮き球を上昇させて止水機構を閉止した場合、浮き球の浮力が試験水圧の一・七五メガパスカルの圧力よりも低く、不適合と判断される場合があるため、止水機構の閉止方法を以下のとおりとする。

試験告示第一の二試験操作㈡ウに関して、浮き玉式ボールタップの耐圧性能試験は、ボールタップの浮き玉等を治具で固定すること等により閉止し、流入側から一・七五メガパスカルの静水圧を一分間加えて試験を行う。

㈡　一時止水機能を有する混合水栓の水撃限界性能試験について

試験告示第三の一試験装置㈥において、湯水混合水栓その他の同一の仕様の止水機構を二つ以上有する供試用具にあっては、当該止水機構の少なくとも一つについて試験を行うこととしており、止水の構造が異なる場合においては各々について水撃限界性能の試験が必要であることを規定している。

このため、二ハンドル湯水混合水栓等において二ハンドル以外に止水する機能を有し、その止水機構が２ハンドル部と同一でない用具については、その部分についても試験を行う必要がある。

㈢　水撃限界性能の試験条件について

試験告示第三の二試験操作において、水撃限界に関する試験方法は、流速を二メートル／毎秒又は動水圧〇・一五メガパスカルの条件の下で止水機構を行うことになっている。流速で行う場合と動水圧で行う場合では試験結果が異なるが、供試用具の損失の大小により試験条件は変わるものであり、何れかの試験に適合すれば必要な水撃限界性能が確保されるものである。

このため、水撃限界性能試験は、流速二メートル／毎秒又は動水圧〇・一五メガパスカルの条件で行い、いずれかの試験に適合すれば水撃限界性能を有すると判断する。

㈣　負圧破壊性能試験装置の配管の呼び径について

試験告示第五の一試験装置㈣において、供試用具から真空計までの配管の呼び径については、供試用具と同一の径とすることが規定されている。一方、真空装置から真空計までの配管呼び径については規定されていないが、配管呼び径が小さい場合、空気抵抗が大きくなり、試験圧力のマイナス五四キロパスカルに達しない場合があることから、真空装置から真空計までの配管についても供試用具の呼び径と同等以上とすることが望ましい。

別添図及び表　略

五、給水装置の構造及び材質の基準に関する省令の一部を改正する省令及び給水装置の構造及び材質の基準に係る試験の一部改正について（通知）

（平成一六年二月九日　健水発第〇二〇九〇〇三号
各都道府県・市・特別区水道行政担当部（局）長あて厚生労働省健康局水道課長通知
最近改正　平成二八年三月三〇日　薬生水発〇三三〇第一号）

今般、給水装置の構造及び材質の基準に関する省令の一部を改正する省令（平成一六年厚生労働省令第六号）及び給水装置の構造及び材質の基準に係る試験の一部を改正する件（平成一六年厚生労働省告示第一五号）が、平成一六年一月二六日に公布され、平成一六年四月一日から施行されることになった。

ついては、下記に留意の上、貴認可水道事業者等関係者に対する周知方、よろしくご配慮お願いする。

記

1．改正の背景
厚生労働省においては、平成一五年四月にとりまとめられた厚生科学審議会答申「水質基準の見直し等について」（以下「答申」という。）を踏まえ、同五月に水質基準に関する省令（平成一五年厚生労働省令第一〇一号）、同七月に水質基準に関する省令の規定に基づき厚生労働大臣が定める方法を定める件（平成一五年厚生労働省告示第二六一号）を公布し、新しい水質基準及びその検査方法を定めたところである。

一方、給水装置の構造及び材質の基準に関する省令（平成九年厚生省令第一四号。以下「給水装置省令」という。）及び給水装置の構造及び材質の基準に係る試験（平成九年厚生省告示第一一一号。以下「給水装置試験告示」という。）については、従前より、水質基準及びその検査方法との整合を図りつつ、基準及び試験方法が定められてきたところである。

このようなことから、今般、水質基準等の改正を踏まえ、給水装置省令及び給水装置試験告示について所要の改正を行った。
2．給水装置省令の改正の概要
給水装置省令第二条第一項の浸出に関する基準について、下表のとおり改正を行った。

	項目		水栓その他給水装置の末端に設置されている給水用具の浸出液に係る基準	給水装置の末端以外に設置されている給水用具の浸出液、又は給水管の浸出液に係る基準
新規	ホウ素		〇・一mg／ℓ以下	一・〇mg／ℓ以下
	一・四―ジオキサン		〇・〇〇五mg／ℓ以下	〇・〇五mg／ℓ以下
	アルミニウム		〇・〇二mg／ℓ以下	〇・二mg／ℓ以下
	非イオン界面活性剤		〇・〇〇五mg／ℓ以下	〇・〇二mg／ℓ以下
	有機物（全有機炭素（ＴＯＣ）の量）		〇・五mg／ℓ以下	五mg／ℓ以下
変更	ホルムアルデヒド	現行	〇・〇五mg／ℓ以下	〇・〇五mg／ℓ以下
		改正	〇・〇〇八mg／ℓ以下	〇・〇八mg／ℓ以下
	フェノール類	現行	〇・〇〇五mg／ℓ以下	〇・〇〇五mg／ℓ以下
		改正	〇・〇〇〇五mg／ℓ以下	〇・〇〇五mg／ℓ以下
削除	一・一・一―トリクロロエタン		〇・〇三mg／ℓ以下	〇・三mg／ℓ以下
	有機物等（過マンガン酸カリウム消費量）		一・〇mg／ℓ以下	一〇mg／ℓ以下

今回の改正は、水質基準等の改正を踏まえ、必要な改正を行ったものであり、従来と同様、給水装置から浸出するとは考えられない病原微生物、消毒副生成物、農薬等については、基準項目として採用していない。また、基準値の考え方も従来のものと変更はない。

給水装置の末端に設置されている給水用具の浸出液に係る基準のうち、非イオン界面活性剤の基準については、水質基準値の1／10の値を定量することが困難であるため、定量下限値を採用した。また、ホルムアルデヒドの基準については、水質基準値との整合を図るため、基準値の改正を行い、フェノール類の基準については、検査方法の変更により、水質基準値の1／10の値が測定可能となったため、給水装置の末端に設置されている給水用具の浸出液に係る基準値の改正を行った。さらに、一・一・一―トリクロロエタンについては、「特定物質の規制等によるオゾン層の保護に関する法律」に基づき、原則として、生産、使用が禁止されているため、基準から削除した。

3．給水装置試験告示の改正の概要

給水装置試験告示第二（浸出に関する試験）の浸出用液の調製における水質の確認の方法及び浸出液の分析方法について、必要な改正を行った。

当該改正においては、給水装置省令における基準項目のうち、水質基準項目又は水質管理目標設定項目については、これらと同様の分析（検査）方法を採用することとし、それ以外の項目（給水装置の構造・材質基準のみの項目）については、答申に示された考え方に準じて分析（検査）方法を改正した。なお、分析（検査）方法の詳細を別添一に、分析（検査）項目を具体的に判断するに当たっての基本的な考え方を別添二にそれぞれ示した。

4．改正給水装置省令及び改正給水装置試験告示の施行日

水質基準に関する省令（平成一五年厚生労働省令第一〇一号）等の施行日に合わせ、平成一六年四月一日とした。

5．経過措置の考え方

(1)　浸出液に係る基準のうち「有機物（全有機炭素（ＴＯＣ）の量）」については、平成一七年四月一日からの施行とし、平成一七年三月三一日までの間は、従前の「有機物等（過マンガン酸カリウム消費量）」を基準項目とし、従前の基準値を適用するとした。

これは水質基準における経過措置と同様、検査実施機関におけるＴＯＣの検査体制の整備期間を考慮して設定したものである。なお、平成一六年四月一日以降においてＴＯＣによる検査・認証が可能である場合は、検査・認証を、有機物等（過マンガン酸カリウム消費量）に代えて弾力的にＴＯＣで行っても差し支えない。

⑵　「パッキンを除く主要部品の材料としてゴム、ゴム化合物又は合成樹脂を使用している水栓その他給水装置の末端に設置されている給水用具」の浸出液に係る基準について、当分の間、フェノール類の基準値を従前のとおり〇・〇〇五mg／ℓとした。

これは、ゴム、ゴム化合物又は合成樹脂を水と接触する部分に多く使用している末端給水用具においては、ただちに新基準値を達成することが困難であり、代替材料使用による新基準値達成の目途が付く当分の間、従前の基準値に据え置いたものである。

⑶　給水装置の構造及び材質の基準に関する省令の一部を改正する省令の施行の際、現に設置され、若しくは設置の工事が行われている給水装置又は現に建築の工事が行われている建築物に設置されるものについては、その給水装置の大規模の改造のときまで、改正後の規定の適用を猶予することとした。

これは、給水装置が建築物に付属して設けられるものであるという特徴から、その建築物の工事が始まった時点で既に付随する給水装置についても発注が行われている場合があるという実情に鑑み、現場工事の手戻りや混乱が生じないよう、施行日時点で給水装置工事又は建築工事に着手している場合は、適用除外としたものである。また、「大規模の改造のときまで」適用を猶予したのは、給水装置の一部の補修等に伴い給水管を含めた連結する当該すべての給水装置を取り替えなければならない事態とならないよう配慮したものである。したがって、給水栓のみの取替や給水管の部分的な補修の場合、取替又は補修個所は新基準適合品を使用しなければならないが、その他の連結する給水装置については、必ずしも新基準適合品への取替を要するものではない。

別添一　「浸出用液の調製における水質の確認方法及び浸出液の分析方法」　略

別添二　「分析項目を具体的に判断するに当たっての基本的な考え方」　略

六、給水管等に係る衛生対策について（通知）

（平成元年六月二七日　衛水第一七七号各都道府県水道行政担当部（局）長あて厚生省生活衛生局水道環境部水道整備課長通知）

標記について、厚生省では、昭和六三年一一月に「給水管衛生問題検討会」を設置し、当面の課題として、給水管等による水道水中への鉛溶出の問題に関して調査検討を行つてきたところであるが、今般、結論がまとまり、別添のとおり報告がなされたところである。

今後、この報告を踏まえ、左記措置を講ずることが妥当と考えられるので、貴管下水道事業体等に対する周知指導方よろしく御配慮願いたい。

記

一　給水管の管材の選択

新しく給水管を布設するに際しては、鉛溶出による問題の生じない管材を使用すること。

二　鉛管の布設替

現在布設されている鉛管について、配水管の更新を行う場合等には、それに付随する鉛管を鉛溶出による問題の生じない管材に布設替するよう努めること。

三　pHの改善

水道水のpHが低いほど鉛管からの鉛の溶出を促進することから、pHが低い水道にあつては、pHの改善に努めること。

四　広報活動の実施

鉛溶出が問題となるのは開栓初期の水であり、またその他の衛生面からも、開栓初期の水を飲用以外の用途に用いることが望ましく、その旨の広報活動を行うこと。

別添　略

七、建築基準法施行令第一二九条の二の四に規定する配管設備に関する技術基準との適用関係

建築基準法第三六条において、建築設備に関する安全上、防火上及び衛生上必要な基準を政令で定めることとしているのを受けて、建築基準法施行令第一二九条の二の四において、建築物に設ける給水、排水その他の配管設備の設置及び構造の基準が定められている。このうち第一項の規定は安全上の基準であり、建築物に設けられる全ての給水用配管設備に適用されるが、第二項の衛生上の基準は水道法の給水装置については適用が除外されている。ただし、専用水道及び簡易専用水道又は水道法の適用を受けないその他の水道のための給水用配管設備については給水装置に該当しないから、建築基準法施行令の基準が適用される。

㈠　建築基準法（抄）

（昭和二五年五月二四日法律第二〇一号）

（この章の規定を実施し、又は補足するため必要な技術的基準）

第三十六条　居室の採光面積、天井及び床の高さ、床の防湿方法、階段の構造、便所、防火壁、防火床、防火区画、消火設備、避雷設備及び給水、排水その他の配管設備の設置及び構造並びに浄化槽、煙突及び昇降機の構造に関して、この章の規定を実施し、又は補足するために安全上、防火上及び衛生上必要な技術的基準は、政令で定める。

㈡　建築基準法施行令（抄）

（昭和二五年一一月一六日政令第三三八号）

（給水、排水その他の配管設備の設置及び構造）

第百二十九条の二の四　建築物に設ける給水、排水その他の配管設備の設置及び構造は、次に定めるところによらなければならない。

一　コンクリートへの埋設等により腐食するおそれのある部分には、その材質に応じ有効な腐食防止のための措置を講ずること。

二　構造耐力上主要な部分を貫通して配管する場合においては、建築物の構造耐力上支障を生じないようにすること。

三　第百二十九条の三第一項第一号又は第三号に掲げる昇降機の昇降路内に設けないこと。ただし、地震時においても昇降機の籠（人又は物を乗せ昇降する部分をいう。以下同じ。）の昇降、籠及び出入口の戸の開閉その他の昇降機の機能並びに配管設備の機能に支障が生じないものとして、国土交通大臣が定めた構造方法を用いるもの及び国土交通大臣の認定を受けたものは、この限りでない。
四　圧力タンク及び給湯設備には、有効な安全装置を設けること。
五　水質、温度その他の特性に応じて安全上、防火上及び衛生上支障のない構造とすること。
六　地階を除く階数が三以上である建築物、地階に居室を有する建築物又は延べ面積が三千平方メートルを超える建築物に設ける換気、暖房又は冷房の設備の風道及びダストシュート、メールシュート、リネンシュートその他これらに類するもの（屋外に面する部分その他防火上支障がないものとして国土交通大臣が定める部分を除く。）は、不燃材料で造ること。
七　給水管、配電管その他の管が、第百十二条第二十項の準耐火構造の防火区画、第百十三条第一項の防火壁若しくは防火床、第百十四条第一項の界壁、同条第二項の間仕切壁又は同条第三項若しくは第四項の隔壁（ハにおいて「防火区画等」という。）を貫通する場合においては、これらの管の構造は、次のイからハまでのいずれかに適合するものとすること。ただし、一時間準耐火基準に適合する準耐火構造の床若しくは壁又は特定防火設備で建築物の他の部分と区画されたパイプシャフト、パイプダクトその他これらに類するものの中にある部分については、この限りでない。
イ　給水管、配電管その他の管の貫通する部分及び当該貫通する部分からそれぞれ両側に一メートル以内の距離にある部分を不燃材料で造ること。
ロ　給水管、配電管その他の管の外径が、当該管の用途、材質その他の事項に応じて国土交通大臣が定める数値未満であること。
ハ　防火区画等を貫通する管に通常の火災による火熱が加えられた場合に、加熱開始後二十分間（第百十二条第一項若しくは第四項から第六項まで、同条第七項（同条第八項の規定により床面積の合計二百平方メートル以内ごとに区画する場合又は同条第九項の規定により床面積の合計五百平方メートル以内ごとに区画する場合に限る。）、同条

第十項（同条第八項の規定により床面積の合計二百平方メートル以内ごとに区画する場合又は同条第九項の規定により床面積の合計五百平方メートル以内ごとに区画する場合に限る。）若しくは同条第十八項の規定による準耐火構造の床若しくは壁又は第百十三条第一項の防火壁若しくは防火床にあつては一時間、第百十四条第一項の界壁、同条第二項の間仕切壁又は同条第三項若しくは第四項の隔壁にあつては四十五分間）防火区画等の加熱側の反対側に火炎を出す原因となる亀裂その他の損傷を生じないものとして、国土交通大臣の認定を受けたものであること。

八　三階以上の階を共同住宅の用途に供する建築物の住戸に設けるガスの配管設備は、国土交通大臣が安全を確保するために必要があると認めて定める基準によること。

2　建築物に設ける飲料水の配管設備（水道法第三条第九項に規定する給水装置に該当する配管設備を除く。）の設置及び構造は、前項の規定によるほか、次に定めるところによらなければならない。

一　飲料水の配管設備（これと給水系統を同じくする配管設備を含む。以下この項において同じ。）とその他の配管設備とは、直接連結させないこと。

二　水槽、流しその他水を入れ、又は受ける設備に給水する飲料水の配管設備の水栓の開口部にあつては、これらの設備のあふれ面と水栓の開口部との垂直距離を適当に保つことその他の有効な水の逆流防止のための措置を講ずること。

三　飲料水の配管設備の構造は、次に掲げる基準に適合するものとして、国土交通大臣が定めた構造方法を用いるもの又は国土交通大臣の認定を受けたものであること。

イ　当該配管設備から漏水しないものであること。

ロ　当該配管設備から溶出する物質によつて汚染されないものであること。

四　給水管の凍結による破壊のおそれのある部分には、有効な防凍のための措置を講ずること。

五　給水タンク及び貯水タンクは、ほこりその他衛生上有害なものが入らない構造とし、金属性のものにあつては、衛生上支障のないように有効なさび止めのための措置を講ずること。

六　前各号に定めるもののほか、安全上及び衛生上支障のないものとして国土交通大臣が定めた構造方法を用いるものであること。

3　建築物に設ける排水のための配管設備の設置及び構造は、第一項の規定によるほか、次に定めるところによらなければならない。
一　排出すべき雨水又は汚水の量及び水質に応じ有効な容量、傾斜及び材質を有すること。
二　配管設備には、排水トラップ、通気管等を設置する等衛生上必要な措置を講ずること。
三　配管設備の末端は、公共下水道、都市下水路その他の排水施設に排水上有効に連結すること。
四　汚水に接する部分は、不浸透質の耐水材料で造ること。
五　前各号に定めるもののほか、安全上及び衛生上支障のないものとして国土交通大臣が定めた構造方法を用いるものであること。

(三)　建築物に設ける飲料水の配管設備及び排水のための配管設備の構造方法を定める件（告示）

（昭和五〇年一二月二〇日建設省告示第一五九七号
最近改正　平成二二年三月二九日　国土交通省告示　第二四三号）

建築基準法施行令（昭和二五年政令第三三八号）第一二九条の二の五第二項第六号及び第三項第五号の規定に基づき、建築物に設ける飲料水の配管設備及び排水のための配管設備を安全上及び衛生上支障のない構造とするための構造方法を次のように定める。

第一　飲料水の配管設備の構造は、次に定めるところによらなければならない。
一　給水管
イ　ウォーターハンマーが生ずるおそれがある場合においては、エアチャンバーを設ける等有効なウォーターハンマー防止のための措置を講ずること。
ロ　給水立て主管からの各階への分岐管等主要な分岐管には、分岐点に近接した部分で、かつ、操作を容易に行うことができる部分に止水弁を設けること。
二　給水タンク及び貯水タンク

イ　建築物の内部、屋上又は最下階の床下に設ける場合においては、次に定めるところによること。
(1)　外部から給水タンク又は貯水タンク（以下「給水タンク等」という。）の天井、底又は周壁の保守点検を容易かつ安全に行うことができるように設けること。
(2)　給水タンク等の天井、底又は周壁は、建築物の他の部分と兼用しないこと。
(3)　内部には、飲料水の配管設備以外の配管設備を設けないこと。
(4)　内部の保守点検を容易かつ安全に行うことができる位置に、次に定める構造としたマンホールを設けること。ただし、給水タンク等の天井がふたを兼ねる場合においては、この限りでない。
(い)　内部が常時加圧される構造の給水タンク等（以下「圧力タンク等」という。）に設ける場合を除き、ほこりその他衛生上有害なものが入らないように有効に立ち上げること。

(ろ)　直径六〇センチメートル以上の円が内接することができるものとすること。ただし、外部から内部の保守点検を容易かつ安全に行うことができる小規模な給水タンク等にあつては、この限りでない。
(5)　(4)のほか、水抜管を設ける等内部の保守点検を容易に行うことができる構造とすること。
(6)　圧力タンク等を除き、ほこりその他衛生上有害なものが入らない構造のオーバーフロー管を有効に設けること。
(7)　最下階の床下その他浸水によりオーバーフロー管から水が逆流するおそれのある場所に給水タンク等を設置する場合にあつては、浸水を容易に覚知することができるよう浸水を検知し警報する装置の設置その他の措置を講ずること。
(8)　圧力タンク等を除き、ほこりその他衛生上有害なものが入らない構造の通気のための装置を有効に設けること。ただし、有効容量が二立方メートル未満の給水タンク等については、この限りでない。
(9)　給水タンク等の上にポンプ、ボイラー、空気調和機等の機器を設ける場合においては、飲料水を汚染することのないように衛生上必要な措置を講ずること。
ロ　イの場所以外の場所に設ける場合においては、次に定めるところによること。
(1)　給水タンク等の底が地盤面下にあり、かつ、当該給水タンク等からくみ取便所の便槽、し尿浄化槽、排水管（給水タンク等の水抜管又はオーバーフロー管に接続する排水管を除く。）、ガソリンタンクその他衛生上有害な物の貯溜又は処理に供する施設までの水平距離が五メートル未満である場合においては、イの(1)及び(3)から(8)までに定めるところによること。
(2)　(1)の場合以外の場合においては、イの(3)から(8)までに定めるところによること。

第二　排水のための配管設備の構造は、次に定めるところによらなければならない。

一　排水管
イ　掃除口を設ける等保守点検を容易に行うことができる構造とすること。
ロ　次に掲げる管に直接連結しないこと。
(1)　冷蔵庫、水飲器その他これらに類する機器の排水管
(2)　滅菌器、消毒器その他これらに類する機器の排水管
(3)　給水ポンプ、空気調和機その他これらに類する機器の排水管
(4)　給水タンク等の水抜管及びオーバーフロー管
ハ　雨水排水立て管は、汚水排水管若しくは通気管と兼用し、又はこれらの管に連結しないこと。

二　排水槽（排水を一時的に滞留させるための槽をいう。以下この号において同じ。）
イ　通気のための装置以外の部分から臭気が洩れない構造とすること。
ロ　内部の保守点検を容易かつ安全に行うことができる位置にマンホール（直径六〇センチメートル以上の円が内接することができるものに限る。）を設けること。ただし、外部から内部の保守点検を容易かつ安全に行うことができる小規模な排水槽にあつては、この限りでない。
ハ　排水槽の底に吸い込みピットを設ける等保守点検がしやすい構造とすること。
ニ　排水槽の底の勾配は吸い込みピットに向かつて一五分の一以上一〇分の一以下とする等内部の保守点検を容易かつ安全に行うことができる構造とすること。
ホ　通気のための装置を設け、かつ、当該装置は、直接外気に衛生上有効に開放すること。

三～六　略

第三　適用の特例

建築基準法（昭和二五年法律第二〇一号）別表第一(い)欄に掲げる用途以外の用途に供する建築物で、階数が二以下で、かつ、延べ面積が五〇〇平方メートル以下のものに設ける飲料水の配管設備及び排水のための配管設備については、第一（第一号ロを除く。）並びに第二第三号イ及び第四号の規定は、適用しない。ただし、二以上の建築物（延べ面積の合計が五〇〇平方メートル以下である場合を除く。）に対して飲料水を供給するための給水タンク等又は有効容量が五立方メートルを超える給水タンク等については、第一第二号の規定の適用があるものとする。

附　則（平成二二年三月二九日国土交通省告示第二四三号）

この告示は、平成二二年六月一日から施行する。

(四)　建築物に設ける飲料水の配管設備の構造方法を定める件（告示）

（平成一二年五月二九日建設省告示第一三九〇号）

建築基準法施行令（昭和二五年政令第三三八号）第一二九条の二の五第二項第三号の規定に基づき、建築物に設ける飲料水の配管設備の構造方法を次のように定める。

建築基準法施行令第一二九条の二の五第二項第三号に掲げる基準に適合する飲料水の配管設備（これと給水系統を同じくする配管設備を含む。以下同じ。）の構造方法は、次の各号のいずれかに定めるものとする。

一　配管設備の材質は、不浸透質の耐水材料その他水が汚染されるおそれのないものとすること。

二　配管設備のうち当該設備とその外部を区画する部分の材質を前号に掲げる材質とし、かつ、配管設備の内部に次に掲げる基準に適合する活性炭等の濾《ろ》材その他これに類するもの（以下「濾《ろ》材等」という。）を内蔵した装置を設けること。

イ　容易に清掃、点検又は交換できる構造とすること。

ロ　逆止弁を設ける等逆流を防止できる構造とすること。

ハ　濾《ろ》材等が飲料水に流出しないこと。

ニ　濾《ろ》材等により飲料水中の残留塩素が除去される構造の装置にあっては、配管設備に有効に塩素消毒設備を設けること。

ただし一の住戸又は一団として設けられた水栓にのみ給水する配管設備に設ける装置にあつては、この限りでない。

附　則

この告示は、平成一二年六月一日から施行する。

(五)　建築基準法施行令の一部改正と水道法第三条第八項の給水装置について（通知）

（昭和三三年一一月一二日　衛水第六五号　各都道府県衛生主管部（局）長あて厚生省公衆衛生局水道課長通知）

建築基準法施行令の一部改正（昭和三三年一〇月四日政令第二八三号）により同令第一二九条の二に建築物に設ける給水・排水その他の配管設備の工法の規定が新たに設けられたが、給水装置については、同条第四号から第七号までの適用除外が規定されたほか、更に別紙写の通り、その他の事項についても建築基準法による確認申請書の添付書類として図書を提出せしめないこととなつているのでこの旨御了知のうえ管下水道事業者の指導に当られたい。

（別紙写）

住指発第一四八号昭和三三年一〇月三一日

建設省住宅局建築指導課長

厚生省公衆衛生局水道課長殿

建築基準法施行令の一部改正について

昭和三三年一〇月四日政令第二八三号をもつて建築基準法施行令が別紙の通り改正されたが、本令中、給水、排水の配管整備の工法の規定の施行については、水道法の施行と密接な関係をし、かつ、さきに口頭で連絡した通り、当省としては、特に建築基準法による確認申請書の添付書類として水道の給水装置に関する図書を強制する意志はないので、貴職においても、宜しく御配慮をお願いする。

※なお、現在は、給水装置については、水道法第三条第九項に規定されている。

〔法　律〕

（給水装置工事）

第十六条の二　水道事業者は、当該水道によつて水の供給を受ける者の給水装置の構造及び材質が前条の規定に基づく政令で定める基準に適合することを確保するため、当該水道事業者の給水区域において給水装置工事を適正に施行することができると認められる者の指定をすることができる。

２　水道事業者は、前項の指定をしたときは、供給規程の定めるところにより、当該水道によつて水の供給を受ける者の給水装置が当該水道事業者又は当該指定を受けた者（以下「指定給水装置工事事業者」という。）の施行した給水装置工事に係るものであることを供給条件とすることができる。

３　前項の場合において、水道事業者は、当該水道によつて水の供給を受ける者の給水装置が当該水道事業者又は指定給水装置工事事業者の施行した給水装置工事に係るものでないときは、供給規程の定めるところにより、その者の給水契約の申込みを拒み、又はその者に対する給水を停止することができる。ただし、厚生労働省令で定める給水装置の軽微な変更であるとき、又は当該給水装置の構造及び材質が前条の規定に基づく政令で定める基準に適合していることが確認されたときは、この限りでない。

〔施行規則〕

（給水装置の軽微な変更）

第十三条　法第十六条の二第三項の厚生労働省令で定める給水装置の軽微な変更は、単独水栓の取替え及び補修並びにこま、パッキン等給水装置の末端に設置される給水用具の部品の取替え（配管を伴わないものに限る。）とする。

〔要　旨〕

本条は、水道事業者は給水装置工事事業者の指定をすることができること、給水装置が指定給水装置工事事業者のの者が施行した場合並びに軽微な変更である場合についての給水の取扱いについて定めたものである。

施行した給水装置工事に係るものであることを供給条件とすることができること、及び指定給水装置工事事業者以外

〔解　説〕

一、**給水装置工事事業者の指定**（一項）

本条第一項は、ほとんどの水道事業者は給水装置工事事業者の指定をすることを前提とするが、水道事業者の中には指定制度を実施することができない特別な理由（事業者がいない等）を有する水道事業者もあるため、「指定をすることができる。」と規定したものである。

二、**供給条件**（二項）

水道事業者と水道の需要者との給水契約の内容を示すものである「供給規程」において、給水装置が指定給水装置工事事業者によって施行された給水装置工事によるものであることを供給条件とすることができる旨規定したものである。

三、**給水契約の申込みの拒否又は給水の停止**（三項）

指定給水装置工事事業者が給水装置工事を施行した場合には、給水装置の構造及び材質が、政令で定める基準（給水装置の構造及び材質の基準）に適合することが確保されると期待されるが、指定給水装置工事事業者以外の者が施行した場合にはこれを担保し得ない。このため、第二項の供給条件に反する場合には、供給条件に定めるところにより、水道事業者は給水契約の申込みの拒否又は給水の停止をすることができることとしたものである。なお、指定制度は、給水装置の構造及び材質の基準に適合させることを目的とするものであるから、需要者が立証すること等により基準に適合していることが確認されたときには、給水拒否等の措置を継続する理由はないことから、これを解除す

ることとしたものである。

四、給水装置の軽微な変更（規則一三条）

給水装置に起因する汚水の発生等水道の適正管理に支障をもたらすことがほとんど想定し得ないような給水装置の軽微な変更の場合にまで、給水拒否等の措置を講ずる必要はない。

なお、軽微な変更の内容として、単独水栓の取替え及び補修並びに末端給水用具の部品の取替えのうち、配管を伴わない給水装置工事を定めている。ここで、単独水栓とは、湯水を混合して吐水する機能を有しない手動により作動する給水栓をいい、電気等により作動する自動水栓を含まないものである。また、単独水栓の取替えとは、同型の単独水栓への取替えに限られるものではない。

〔参　考〕

「給水装置に係る第三者認証機関の業務等の指針」について（通知）

（平成九年六月三〇日　衛水第一九九号
各都道府県水道行政担当部（局）長あて厚生省生活衛生局水道環境部水道整備課長通知）

日頃から、水道行政の推進につきましては、種々ご配意賜り感謝申し上げます。

さて、水道の給水装置につきましては、生活環境審議会水道部会給水装置専門委員会の報告書「給水装置に係る使用規制の合理化について」（以下「専門委員会報告書」という。）を踏まえ、給水装置の構造及び材質基準を明確化、性能基準化することとし、平成九年三月、給水装置の構造及び材質の基準に関する省令（厚生省令第一四号。以下「構造・材質基準」という。）を制定し、平成九年一〇月一日より施行することとしたところです。

構造・材質基準への適合性の証明については、専門委員会報告書において、製造業者等による自己認証を基本とすることとされ、製造業者等の希望に応じて行う第三者機関による認証については、ＩＳＯのガイドライン（ＩＳＯ／ＩＥＣガイド六五）に準拠すべきことのほか、製造業者等の負担が過重にならないように合理的な評価方法及び検査方法とすること、国は第三者認証機関が適切に業務を実施する上で参考となる指針を作成する必要があることが指摘されています。

今般、厚生省において、第三者認証業務を行おうとする機関向けに、標記指針を別添のとおり作成いたしましたので、参考までに送付いたします。

つきましては、貴管下の水道事業者に対する周知方よろしくお願いします。

平成九年六月

厚生省水道環境部水道整備課

給水装置に係る第三者認証機関の業務等の指針

一　**指針の目的及び性格**
本指針は、平成九年三月の生活環境審議会水道部会給水装置専門委員会報告「給水装置に係る使用規制の合理化について」を受けて、水道法施行令第四条の給水装置の構造及び材質に関する基準（以下「構造・材質基準」という。）への適合性に係る認証業務を行おうとする機関及びその他の関係者に対し、新たな第三者認証制度に対する正しい理解を求めるとともに、認証業務を適切に実施する上で参考となる情報を提供するために作成したものである。

なお、専門委員会報告書においても、「第三者認証制度は、認証機関自身の努力により、製造業者、消費者等から信用を得ることによって成り立つものであり、参入等に対する規制を行うことによってよりはむしろ、自由な競争を通じてより合理的な制度となることが期待できる」と指摘されているとおり、本指針を第三者認証機関又はその認証製品に対する規制に用いることは適当ではない。

二　**給水装置の構造・材質基準の明確化、性能基準化**
従来の水道法施行令の構造・材質基準は、「水を汚染するおそれのないこと」等といった幅広い判断を許容する内容となっていたことから、平成八年三月二九日に閣議決定された規制緩和推進計画において、その明確化、性能基準化を図ることとされた。

これに対応するため、平成九年三月一九日に水道法施行令の一部を改正する政令（平成九年政令第三六号）が公布され、これに基づき、給水装置の構造及び材質の基準に関する省令（平成九年厚生省令第一四号）が同日に公布され、水道法施行令第四条の構造・材質基準を適用するに当たって必要な技術的な細目として、水道水の安全性等を確保するための必要最小限の項目及び内容である耐圧に関する基準、浸出等に関する基準、水撃限界に関する基準、防食に関する基準、逆流防止に関する基準、耐寒に関する基準及び耐久に関する基準が定められた。これらの基準においては、個々の給水管及び給水用具に係る基準として、七項目の性能に係る基準（以下「性能基準」という。）が定められた。

これらの政省令については、平成九年一〇月一日から施行されることとなっている。

三　第三者認証制度のあり方

性能基準に適合する製品であることを消費者、工事事業者等に証明する方法として、製造業者が自ら証明する自己認証の他に、第三者機関が、製造業者の希望に応じて製品が基準に適合することを認証し、認証マークの表示を認める第三者認証制度がある。この第三者認証制度は、国内の他の分野においても、また欧米諸国においても、一般的に実施されており、極めて有効であると考えられる。

新しい第三者認証制度は、認証・検査方法が合理的で、国際整合のとれたものとする必要がある。認証の際の具体的な判断基準は、性能基準として明確化されたが、業務の運営についても合理的かつ透明性のあるものでなければならない。

第三者認証機関の満たすべき要件については、ＩＳＯ（国際標準化機構）がガイドライン（ＩＳＯ／ＩＥＣガイド六五：製品認証機関のための一般的要求事項。以下「ガイド六五」という。）を定めている。

今後、製品の国際的な流通を容易にするためには、海外の認証機関との間で相互認証を推進し、海外でもわが国の基準への適合性の認証を受けることができ、同時にわが国において外国の基準への適合性の認証を受けることができるようにすることが望ましい。このような国際整合化を進めるためにも、第三者認証機関の要件及び業務実施方法は、このガイド六五に準拠することとする。

また、第三者認証機関が行う検査については、製造業者の希望に応じ、製造される製品自体を検査する方法と工場の品質管理状態を検査する方法とのいずれかを選択できるなど、合理的な仕組みとする必要がある。

この第三者認証制度は、認証機関自身の努力により、製造業者、消費者等から信用を得ることによって成り立つものであり、参入等に対する規制を行うことによってよりはむしろ、自由な競争を通じてより合理的な制度となることが期待できるものである。

四　第三者認証機関の要件及び業務実施方法

㈠　技術的基礎

> 第三者認証機関の認証要員は、給水装置の構造・材質、性能等に関する専門的な知識を有していること。

（解説）

ガイド六五においては、認証機関は、認証業務に必要な知識、技能及び経験を有する十分な数の人員を雇用していることとされており、さらに、認証機関の要員の責務を明確に示す文書を、当該要員が利用可能なようにしておかなければならないとされている。また、認証要員の資格基準を一律に定める規定はないが、認証機関は、要員が最低限満たすべき能力の基準を定めるとともに、要員の持つ関連資格、教育訓練、経験に関する最新の情報を保有していることが必要とされている。

給水装置の認証を行う認証要員については、当然ながら、給水管や給水用具の構造・材質、性能等に関する専門的な知識を有していることが求められる。この要件は、学校や認証機関における教育・訓練や実務経験、給水装置の検査等の実務経験等により修得することができる。

㈡　信用性及び財政的基礎

> 認証結果に対し社会的な信用が得られる必要があることから、第三者認証機関は、公平性・中立性の高い機関であるとともに、財政的な安定性を有していること。

（解説）

ガイド六五においては、認証機関の組織運営機構は、認証結果に対する社会的な信用が得られるように、公平かつ中立的であり、責任の所在が明確なものであることが求められている。

これに関する主な規定としては、

ア　公明正大であること

イ　認証に関する決定は、当該認証審査の実施者以外の者が行うこと

ウ　認証業務と当該認証機関が行う他の業務との区別が明確になされていること

エ　認証機関の経営者及び職員は、認証業務に影響を及ぼすおそれのあるいかなる圧力も受けないこと

オ　認証機関の関連機関の活動が、認証の守秘性、客観性及び公平性に影響を及ぼさないようにすること

カ　認証業務を運営するために必要な財政的安定性及び経営資源を有するとともに、賠償責任等の債務を履行するための準備がなされていること

等が挙げられる。

(三)　認証の基準

認証機関は、営利団体・非営利団体を問わないが、いずれであっても上記の要件を満たしていることが必要である。

構造・材質基準への適合性の認証に当たっては、試験の方法及び審査の基準は、性能基準によること。

〔解説〕

ガイド六五においては、認証の基準は、明確な試験方法に基づき客観的な判定が可能なものでなければならず、認証機関は、申請された製品を、申請書で指定された認証基準に基づいて評価しなければならないとされている。

この認証基準の具体的な要件については、ＩＳＯ／ＩＥＣガイド七（適合性評価に適する規格作成のガイド）において、次のように述べられている。

ア　当該規格を使用する関係者にとって内容が明瞭であり、正確かつ統一的な解釈が得られるものでなければならないこと

イ　性能規定とするなど技術開発を阻害せず、促進するようなものでなければならないこと

ウ　試験方法は客観的、簡素かつ正確であり、試験結果に再現性があり、試験結果の比較が可能な方法でなければならないこと等

給水管及び給水用具の構造・材質基準への適合性の認証に当たっては、厚生省令に基づき明確に定められている性能基準によることとし、この基準に定められていない事項を付加的に要求することがないように注意する必要がある。

給水管及び給水用具の性能基準の試験方法、解釈等については、厚生省の通達により示されているのでこれを参照すること。

なお、性能基準以外の規格への適合性の認証を行う場合には、当該規格はＩＳＯ／ＩＥＣガイド七の要件を満たすものである必要がある。

㈣　関係者の意見の反映

> 認証・検査業務の計画策定や実施に当たっては、学識経験者、消費者、製造業者、水道事業者、工事事業者等からなる制度運営委員会を設置するなど、関係者の意見を反映できる仕組みとなっていること。

（解説）

ガイド六五においては、

ア　認証機関の運営の公平性を確保する手段として、認証業務の方針決定に利害関係者が参加できるようになっていること

イ　認証業務に係る委員会の設置及び運営の規程を有するとともに、当該委員会は認定の決定に影響を及ぼすおそれのあるいかなる圧力も受けないこと。なお、委員の人選において利害関係の均衡が確保される仕組みとなっている場合、この規定を満たすものとみなすこと

が規定されている。

給水装置に係る認証業務の公平性及び利害関係の均衡を確保するためには、認証機関内に学識経験者、消費者、製造業者、水道事業者、工事事業者等からなる制度運営委員会等の組織を設置し、認証・検査業務の計画策定や実施に、幅広い関係者

の意見を反映させるようにすることが考えられる。

㈤　情報公開及び手続きの簡素合理化

> 申請手続き、審査結果、認証品のリスト等の情報公開に積極的に努めるとともに、申請書類、提出データ等は認証に必要最小限のものに限定する等、手続きは極力簡略化・迅速化すること。

（解説）

ガイド六五においては、認証機関は、認証の仕組み及び手続き、認証に係る料金、申請者の権利及び義務、苦情等の処理手続き、認証品のリスト等について文書化し、求めがあれば利用できるようにしなければならないとされている。

また、認証機関が申請者に対して行う情報提供、認証書類の記載事項又は添付事項、申請者が行うべき情報提供等についても述べられている。

これまでの規制緩和要望において、手続きの透明化・簡素化が特に求められてきたことを踏まえると、新たな認証制度においては、積極的に情報公開を行うとともに、内容が重複した書類の提出は求めないこと、審査項目と関連性の低いデータの提出を求めないこと等、手続きは極力簡略化・迅速化することが必要である。

㈥　消費者等からの苦情への対応

> 消費者等からの苦情に対応して、必要に応じ抜き打ち工場調査等を行い、品質管理状態を確認する仕組みが設けられていること。

（解説）

ガイド六五においては、認証機関は、苦情、紛争及び訴えをあらかじめ定められた手順に従って処理しなければならないとされており、その際、苦情等の内容及び措置の記録を保存すること、適切な是正措置及び予防措置を講じること、講じた措置及びその有効性を文書にすることが求められている。

　消費者等からの苦情が頻発したり、認証機関が行う試買調査の結果、製品品質に問題があるおそれがあると判断された製品については、抜き打ちで工場調査等を行い、品質管理状態が不適切な場合には、必要な指導を実施し、改善がみられない場合は認証登録を取り消す等の措置を行う仕組みを設けておくことが有効である。

　また、消費者からの苦情等については、必要に応じて㈣で述べた制度運営委員会に報告し、認証業務の適正化に役立てるようにすることが必要である。

㈦　その他

その他、ＩＳＯガイドラインが定めるところによること。

（解説）

前記で述べた事項以外にも、ガイド六五においては、
○下請負契約を行う場合の要求事項
○認証機関の品質システムに関する要求事項
○文書化、記録、機密保持に関する要求事項
○評価、評価報告書、認証の決定、検査に関する事項
○証明書及び認証マークの使用に関する事項
○認証を受けた者に対する要求事項等
について規定がなされており、認証機関はこれらに従って業務を実施することが必要である。

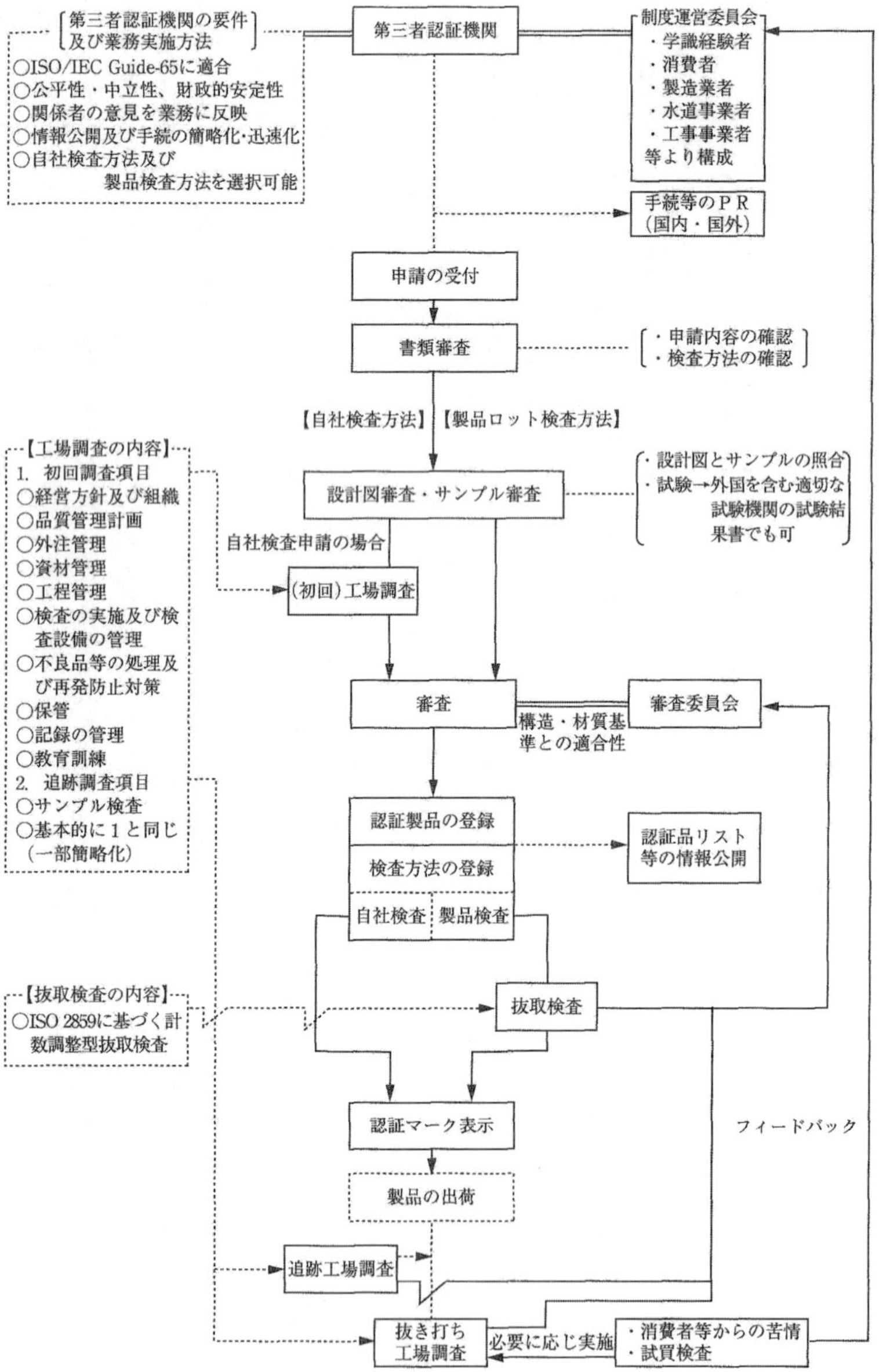
第三者認証機関の要件
及び業務実施方法
○ISO/IEC Guide-65に適合
○公平性・中立性、財政的安定性
○関係者の意見を業務に反映
○情報公開及び手続の簡略化･迅速化
○自社検査方法及び
製品検査方法を選択可能
第三者認証機関
制度運営委員会
・学識経験者
・消費者
・製造業者
・水道事業者
・工事事業者
等より構成
手続等のＰＲ
（国内・国外）
申請の受付
書類審査
・申請内容の確認
・検査方法の確認
【自社検査方法】
【製品ロット検査方法】
【工場調査の内容】
1. 初回調査項目
○経営方針及び組織
○品質管理計画
○外注管理
○資材管理
○工程管理
○検査の実施及び検査設備の管理
○不良品等の処理及び再発防止対策
○保管
○記録の管理
○教育訓練
2. 追跡調査項目
○サンプル検査
○基本的に１と同じ（一部簡略化）
設計図審査・サンプル審査
・設計図とサンプルの照合
・試験→外国を含む適切な試験機関の試験結果書でも可
自社検査申請の場合
（初回）工場調査
審査
審査委員会
構造・材質基準との適合性
認証製品の登録
検査方法の登録
認証品リスト等の情報公開
自社検査
製品検査
【抜取検査の内容】
○ISO 2859に基づく計数調整型抜取検査
抜取検査
認証マーク表示
フィードバック
製品の出荷
追跡工場調査
抜き打ち工場調査
必要に応じ実施
・消費者等からの苦情
・試買検査

五　認証方法

認証の申請があった場合には、対象製品のサンプルについて性能基準に適合しているか否かの試験を行い、試験に合格した製品について、六に示す検査方法によって基準適合が継続していることを確認しつつ、認証を行う。

（解説）

認証の申請があった場合には、申請者から提出された対象製品のサンプルについて、構造・材質基準に基づく性能試験方法に従い試験を行い、性能基準への適合性を確認する。これと同時に、提出された設計図と製品の照合を行い、申請製品とサンプルが同一であることを確認する。

ここで性能基準への適合性の確認は、ＩＳＯ／ＩＥＣガイド二五（校正機関及び試験所の能力に関する一般的要求事項）に適合するような適切な能力を有する試験機関の試験結果証明書をもとに行ってもよい。

認証方法のフロー例を図一に示す。

なお、認証方法の例に関しては、ＩＳＯ／ＩＥＣガイド二八（製品の典型的な第三者認証制度に関する総則）があるので、これを参考にするとよい。

認証に当たっては、性能基準項目に係る試験を行った場合に同等の結果が得られると判断される製品については一括して評価を行うなど、申請者の負担が過重にならないようにすべきである。

（解説）

認証時の製品区分については、性能基準項目に係る性能の違いの有無を基本として行うべきであり、通水部分の構造や材質が同等であるものは、性能基準項目に係る試験を行った場合に同等の結果が得られると考えられるので、同一の製品区分として取り扱い、認証を行って差し支えない。

例えば、通水部分以外の構造及び材質、設置形態（壁付き、台付き等）、呼び径、熱源の能力、接合部の形状（ねじ、フランジ等）、コアの有無等をもとに製品区分を行う必要はないと考えられる。

> 同等の材料を用い、構造及び製造方法が類似している製品群の水質性能試験については、当該製品群のうち最も金属等の溶出が多いと判断される製品の試験結果をもって、製品群全体の判定を行うことができることとする。

（解説）

性能基準項目のうち浸出性能については、使用材料の材質が同等で、構造及び製造方法が類似している製品については、同一製品群として扱い一括して評価を行うことができることとなっている。

すなわち、同一製品群のうち最も接触面積比の大きい代表製品（例えば給水管の場合は、最も管径が小さいもの）において試験を行えば、他の製品についてはその結果をもとに算式を用いて浸出濃度を算出できる。

なお、浸出性能の評価をより効率的に行うため、認証機関において、例えば、

① 認証機関が材料に係る浸出性能試験の結果を登録し、当該材料を用いた製品については、試験を行わなくても認証を受けることができるようにすること

② 製造業者団体等が一括して実施した浸出性能試験結果の証明書をもとに、個々の製造業者は、当該証明書と併せて、代表製品と使用材料が同等であること、構造及び製造方法が類似していること、接触面積比がそれ以下であることを証明する書類を提出することにより認証を受けることができるようにすること

などの仕組みを設けることも考えられる。

六　検査方法

第三者認証機関が行う検査については、主に品質管理が良好で大量生産を行う製造業者にとって利点がある左記㈠の自社検査方法、又は、主に検査対象数が少ない製造業者にとって利点がある左記㈡の製品ロット検査方法のいずれかを、製造業者が選択できる仕組みとする。

㈠　自社検査方法

製造業者から認証申請のあった製品について、性能基準を満たすものとして安定して供給できる工場にあっては、第三者認証機関が、工場の品質管理状態を審査した上で、製品品質の安定性、性能基準への適否を確認するための検査体制等が十分であると判断した場合には、自社検査を行うことができる工場（自社検査工場）として認定を行う。

自社検査工場としての認定要件としては、

ア　製品検査の頻度や内容、検査設備の精度管理が適切であること

イ　資材、製造設備、製造工程等の管理が適切に行われていること

等の直接的な要件に加えて、

ウ　品質管理の方針が明確で、品質管理のための組織が整備されていること、品質管理計画が策定されていること、苦情処理体制が整っていること、記録の管理が適切に行われていること、教育訓練が実施されていること

等品質管理に対し、組織的・計画的な取り組みが行われていることが必要である。

（解説）

自社検査工場の認定要件の例を以下に示す。

一　経営方針及び組織

㈠　品質管理の推進が経営方針として確立されており、品質管理が計画的に実施されていること。

㈡　品質管理に関し、各組織の責任及び権限が明確に定められ、組織間の連携が図られていること。

㈢　品質管理に関する責任者を選任して、品質管理に関する職務を行わせていること。

二　品質管理計画

㈠　品質管理計画が整備され、本認定要件の三～一〇の事項が規定されていること。

㈡　品質管理計画が適切に見直され、かつ、就業者に十分周知されていること。

三　外注管理

製造工程、試験又は設備の維持管理の一部が外注されている場合は、外注先の選定基準、管理基準等が規定され、適切な外注管理が行われていること。

四　資材管理

原材料及び購入部品については、品質管理項目及び管理基準が規定され、当該基準に基づく適切な品質管理が行われていること。

五　工程管理

㈠　製造が工程ごとに適切な方法で行われているとともに、各工程における管理項目及び管理方法が規定され、各工程が適切に管理されていること。

㈡　製造設備は、性能基準を満たす均質な製品を製造するために必要な能力及び精度を持つものであること。

㈢　製造設備について、維持管理の基準が規定されているとともに、当該基準に基づく管理が適切に行われ、能力及び精度が適正に維持されていること。

六　検査の実施及び検査設備の管理

㈠　資材の検査について、検査の項目及び基準が規定され、当該基準に基づく検査が適切に行われていること。

㈡　製品の検査について、適切な検査方法に基づく最終検査又は工程間検査が行われていること。

（注）　日常の検査においては、構造・材質基準に基づく性能試験方法とは別の工場独自の検査方法が採用されていても支障はない。なお、製品開発時等には性能基準への適合性を構造・材質基準に基づく性能試験方法に基づき自社又は外注により確認する必要がある。

㈢　検査設備について、維持管理の基準が規定されているとともに、当該基準に基づく管理が適切に行われ、能力及び精度が適正に維持されていること。

七　不良品等の処置及び再発防止対策
㈠　工程において発生した不良品又は不合格ロットの処置、工程に生じた異常に対する処置及び再発防止対策が適切に行われていること。
㈡　苦情処理について、各部門の職務分担、処理手順、原因調査、再発防止措置等の事項が規定され、適切に行われているとともに、苦情の要因となった事項の改善が図られていること。
八　保管
資材及び製品の保管が、種類、ロット等の分類に従い、規定された場所で行われていること。
九　記録の管理
品質管理に関する記録が必要な期間保存されており、かつ、品質管理の推進に活用されていること。
一〇　教育訓練
品質管理を推進するために必要な教育訓練が就業者に対して、計画的に行われていること。

自社検査工場については、第三者認証機関が、適宜工場調査を実施し、製品が性能基準に適合していること及び品質管理状態が要件を満たし続けていることを検査する。


（解説）

第二回目以降の工場調査（追跡工場調査）においては、初回工場調査で確認した事項が適切に維持されているかどうかの検査を行うとともに、製品サンプルを抜き取り、それが性能基準に適合しているかどうかの検査を行い、これらの検査に合格した場合は、自社検査工場の認定を継続する。

一方、検査に不合格の場合は、一定の猶予期間を設けて改善させることとし、改善ができない場合には製品ロット検査方法に変更する等の措置を講じる必要がある。

製品サンプルの検査方法については、㈡製品ロット検査方法における検査方法に準じて行うこと。

　ＩＳＯ九〇〇〇シリーズの規格を満たすことが確認されているなど、対象製品について品質管理状態が良好であることが別途確認されている工場については、重複する項目の二重検査を省略するなど工場調査内容の簡素化が図られることが望ましい。

（解説）

　工場の品質管理状態については、品質システムに関する規格が、ＩＳＯ九〇〇一～九〇〇三（ＪＩＳ　Ｚ九九〇一～九九〇三）として制定されている。

〇ＩＳＯ九〇〇一（ＪＩＳ　Ｚ九九〇一）

　設計、開発、製造、据付け及び付帯サービスにおいて規定要求事項に適合していることを供給者が保証する必要のある場合に用いる。

〇ＩＳＯ九〇〇二（ＪＩＳ　Ｚ九九〇二）

　製造、据付け及び付帯サービスにおいて規定要求事項に適合していることを供給者が保証する必要のある場合に用いる。

〇ＩＳＯ九〇〇三（ＪＩＳ　Ｚ九九〇三）

　最終検査・試験だけで規定要求事項に適合していることを供給者が保証する必要のある場合に用いる。

対象製品についてこれらの規格に適合することが証明されている工場に対しては、自社検査工場の調査項目と重複する部分は当該規格への適合証明書の書類検査で代替するなど、できるだけ工場調査内容を簡素化することが望ましい。

また、同一工場で、多種の製品を製造している場合には、個別の製品ごとに工場調査を行うのではなく、できるだけ一括して工場調査を実施することが望ましい。

㈡　製品ロット検査方法

自社検査方法を選択しない製品については、第三者認証機関が行うロットごとの製品の抜き取り検査によって品質を確認する。
製品の抜き取り方法としては、ISO二八五九で定められた計数調整型抜き取り検査方法が望ましい。この抜き取り方法は、検査結果が良好であれば抜き取り個数が減少し、悪ければ増加するようになっており、品質管理向上に対するインセンティブが働く仕組みとなっている。

（解説）
ISO二八五九に規定された計数調整型抜き取り検査方法のイメージ図を以下に示す。

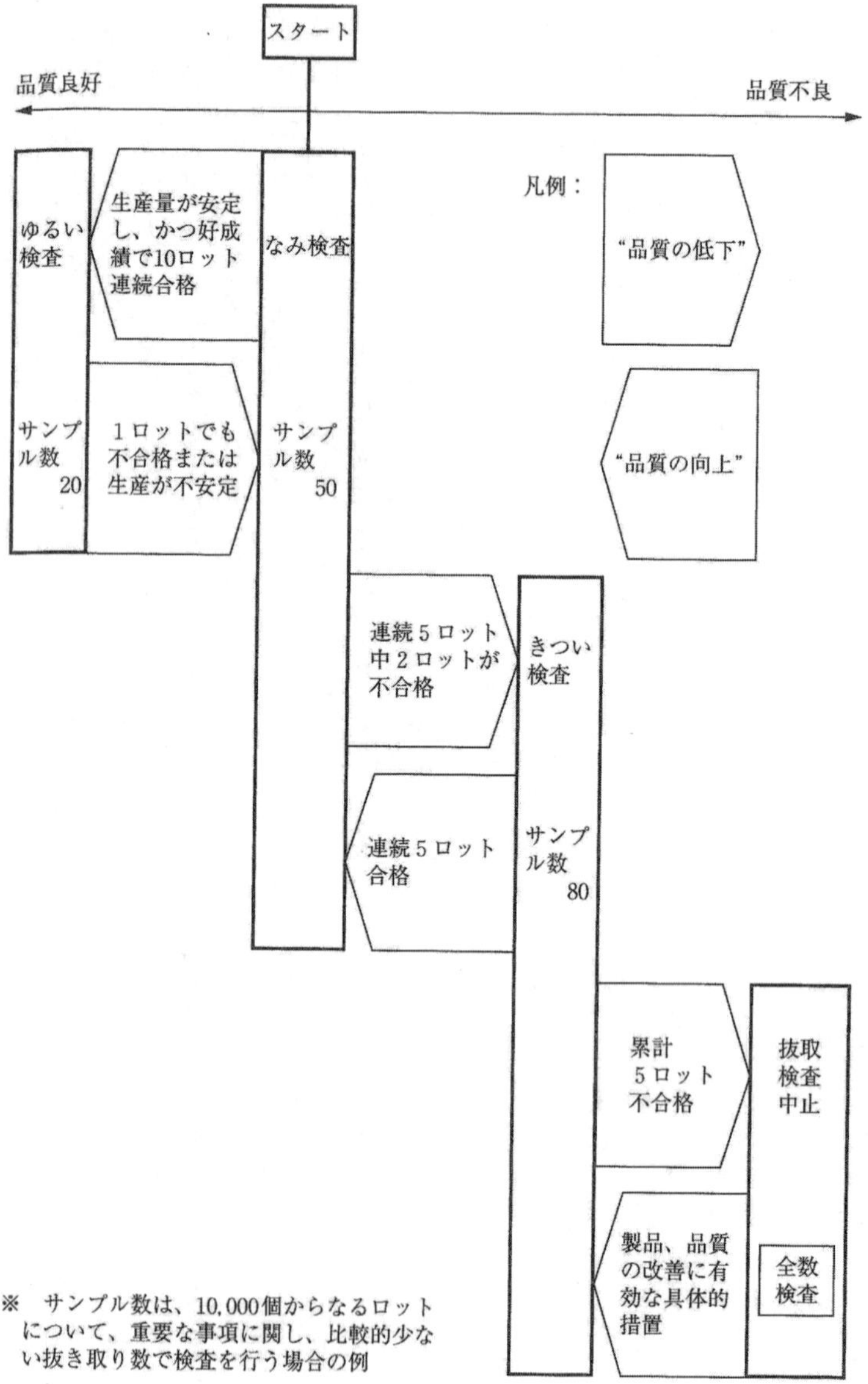

※　サンプル数は、10,000個からなるロットについて、重要な事項に関し、比較的少ない抜き取り数で検査を行う場合の例

検査においては、実際に水圧や空気圧による試験を行わなければ確認が困難な耐圧性能の項目を除き、目視、材料証明書等の関係書類の検査により認証登録されたものと同等の製品であることを確認すれば足りる性能項目については、必ずしも実地に性能基準に定められた試験を繰り返す必要はない。

（解説）

検査においては、認証登録されたものと同等の製品が安定して製造されていることを確認することとなる。このため、大部分の項目については、基本的には目視及び計測による構造の確認等により行うことが可能であるが、鋳造時に発生する鋳巣などは目視及び計測では確認が困難であることから、耐圧性能に関しては空気圧又は水圧により実際に試験を行う必要がある。

なお、通常は構造の確認等により検査を行う項目についても、一定の頻度で性能試験も行うことが望ましい。

各性能基準項目ごとの検査方法の具体例を以下に示す。

基準項目	検査方法の例
耐圧性能	空気圧試験又は性能試験（水圧試験）の実施
浸出性能	目視及び計測による構造の確認、書類検査による製造方法の確認、材料証明書の検査による材料成分の確認
耐寒性能	目視による凍結防止機構の構造の確認、作動操作による作動状況の確認
水撃限界性能	目視及び計測による止水機構の構造の確認、性能試験の実施
逆流防止性能	目視及び計測による弁体及び弁座部の構造の確認、性能試験の実施
負圧破壊性能	目視及び計測による負圧破壊装置の構造の確認、性能試験の実施
耐久性能	目視及び計測による可動部の構造の確認、作動操作による作動状況の確認、材料証明書の検査による材料強度の確認

七　認証マークの表示

第三者認証機関は、製品に求められるすべての性能基準の項目について基準を満たしていることを認証した製品に限って認証マークの表示を認めることとし、製造業者は、消費者や工事事業者が確認しやすい任意の方法で、製品、梱包材、説明書等に自ら認証マークを表示することができることとする。

（解説）

製品に求められる性能基準の項目の一部にのみ適合することをもって認証マークが表示（例えば耐圧性能適合マーク等）されると、消費者はその製品が給水装置として使用できるものであると誤解するおそれが強い。このため、第三者認証機関は、製品に求められるすべての性能基準の項目について基準を満たす製品に限って認証マークの表示を認めるような認証方法をとるべきである。この点に関しては、ＩＳＯ／ＩＥＣガイド二三（第三者認証制度のための規格への適合の表示方法）においても指摘されている。

また、ガイド二三においては、規格への適合の表示方法として認証マークの対象範囲を明確に示すように留意する必要があるとされている。認証マークを見ただけでは、性能基準への適合性が証明されていることが明らかでない場合には、認証マーク中又はマークの付近に性能基準に適合している旨を示す「水道法基準適合」等の文言を付記することが適当である。

なお、認証マークの表示箇所については、製造業者が、消費者や工事事業者に受け入れられやすいと判断する任意の方法を選択できるようにすべきであり、また製造業者自らが、第三者認証機関の一定の管理のもとで、印刷、刻印、シール貼付等の多様な方法で表示を行うことができるようにすべきである。なお、第三者認証を受けるのみで認証マークの表示を行わないことも製造業者の選択肢のひとつである。

第三者認証機関は、認証マークの社会的な信頼性を確保するため、マークの不適正な使用が行われた場合の是正措置について、あらかじめ認証業務に係る製造業者との契約に定めておくこととする。

〔解説〕

ガイド六五においては、認証システムに対し不正確に言及し、又は証明書、マークを誤解を招く方法で広告、カタログなどに使用すると、然るべき処置の対象となる、とされている。

ＩＳＯ／ＩＥＣガイド二七（適合マークを誤用された際に認証機関がとるべき是正措置に関する手引き）においては、認証機関は、認証マークの表示が認められていない製品、認証契約に違反している製品等に認証マークが表示されていたり、偽造の認証マークが使用されていた場合には、必ず認証マークの誤用者に対し、次のような是正措置を行うよう要請することとされている。

〔是正措置の内容〕

ア　認証機関が製品のリコールが必要であると判断した場合は、リコールを実施する当事者を公表する。

イ　認証マークを製品から除去する。

ウ　認証の要求事項を満たすように製品を改造する。

エ　イ又はウが実施できない場合は、製品の回収・廃棄又は交換を行う。

オ　危険な状態が存在し、上記のいずれも実施できない場合は、その危険性について一般に周知等を行う。

＊　誤用者が是正措置の実施を拒否した場合は、認証契約の解除、関係行政機関等への通知、法的措置等その他の措置の検討を行うことが望ましい。

消費者等にとって基準適合性の判断を容易にするため、海外の認証機関も含め、第三者認証機関が統一意匠のマークを使用するようになることが望ましい。

（解説）

第三者認証機関が統一意匠のマークを使用するに当たっては、透明性・公平性を確保するため、消費者、製造業者、工事事業者、第三者認証機関等からなる任意参加の協議会を設け、その協議会での議論を受けて、第三者認証機関がマークの共同出願を行う方法が考えられる。また、統一意匠マークと併せて各機関のマークを表示することにより、各第三者認証機関の独自性及び自由競争を確保するようにすることも必要であろう。

なお、この協議会においては、統一料金の作成、業務量及び内容の調整等の自由な競争を妨げるような申し合わせや、正当な理由もなく希望者に入会や統一マークの使用を認めない、新規加入希望者に対し不当に高い加入料を要求する等の排他的な運営がなされないように、前述のとおり利害の偏らないメンバー構成とする必要がある。

八　既存の型式承認品等の取り扱い

新しい構造・材質基準は、現に給水装置に要求されている性能をもとに、基準の国際的整合を踏まえた必要最小限の項目に限定したものである。従って、既設の給水装置や、型式承認・検査済証やＪＩＳマークが表示されている製品など水道事業者が使用を認めている製品について、構造・材質基準の見直しに伴う再検査など、消費者や製造業者に過重な負担を及ぼす手続きが課されることのないようにしなければならない。

（解説）

今回策定した性能基準は、公益社団法人日本水道協会の型式承認基準など、現に水道事業者が給水装置に要求している性能をもとに、給水拒否等を行うかどうかの判断基準として、水道水の安全性等を確保するために設定する必要のある最小限の項目及び内容に限定したものである。

従って、すでに公益社団法人日本水道協会の型式登録を受けている製品など水道事業者が使用を認めている製品については、性能基準にも適合していると考えられることから、新たな第三者認証機関において性能基準への適合性の認証を受ける際に、構造・材質基準に基づく性能試験を行って性能基準への合否を改めて確認しなくても差し支えない。

製造業者等に対する負担を極力軽減するためにも、このような製品については、書類手続きのみで認証登録を受けられるようにすることが適当である。

〔判　例〕

給水装置工事業者の指定について

（横浜地裁昭和五四年四月二三日判決（理由要旨））

水道法は、給水装置工事について、水道事業者が供給規程で工事費用の負担区分を定めなければならない旨規定するのみで、同工事を誰が施工するか定めていない。確かに、給水装置工事を含む水道工事業について営業許可等の法律上の規制は行われていないが、水道法の規定は、費用負担区分の定めを置くべきことを命ずることによって、水道事業者自ら給水装置工事の設計施工をすることのある場合を当然予定しているということができるし、また、水道事業者自ら給水装置工事を施工することを禁止しなければならない合理的理由を見いだし得ないことからすれば、公営水道事業者である市町村が、その条例により、当該公営水道の給水装置工事を自ら行うものとし、又は水道衛生上の見地から一定の技術水準にある者をしてこれを行わしめることができる旨定めても、地方自治法第一四条第一項に違反するものとは解されない。

〔法　律〕

（給水装置の検査）

第十七条　水道事業者は、日出後日没前に限り、その職員をして、当該水道によって水の供給を受ける者の土地又は建物に立ち入り、給水装置を検査させることができる。ただし、人の看守し、若しくは人の住居に使用する建物又は閉鎖された門内に立ち入るときは、その看守者、居住者又はこれらに代るべき者の同意を得なければならない。

２　前項の規定により給水装置の検査に従事する職員は、その身分を示す証明書を携帯し、関係者の請求があつたときは、これを提示しなければならない。

〔要　旨〕

本条は、水道事業者が給水装置を検査するための土地、建物への立入り等を規定したものである。

〔解　説〕

給水装置は、供給規程の定めるところにより通常需要者が管理しているので、給水装置の構造及び材質が令第六条に定める基準に適合するか否かを検査するため、水道事業者が需要者の土地、建物に立ち入り、給水装置を検査することを認め、給水装置による水道水の汚染防止を期そうとするのが本条の趣旨である。

需要者である個人の所有する土地、建物に立ち入ることについては、私生活の平穏等を侵すこととならないよう一定の制限が設けられており、水道事業者が給水装置の検査のため立ち入ることのできる時間は、「日出後日没前」の間に限られること、立ち入りできる土地、建物は、「水の供給を受ける者の土地又は建物」であって、「人の看守し、若しくは住居に使用する建物又は閉鎖された門内に立ち入るときは、その看守者、居住者又はこれらに代るべき者の同意を得なければならない」こととされている。正当な理由のない不同意に対しては、供給規程の定めるところにより給水の停止ができる（法一五条三項）。なお、「閉鎖された門内」とは、扉、塀、垣等によって人の自由に出入りすることができないようにした場所をいう。

また、立入検査には身分証明書を携帯し、請求があったときはこれを提示しなければならないこととされている。

〔法　律〕

（検査の請求）

第十八条　水道事業によつて水の供給を受ける者は、当該水道事業者に対して、給水装置の検査及び供給を受ける水の水質検査を請求することができる。

2　水道事業者は、前項の規定による請求を受けたときは、すみやかに検査を行い、その結果を請求者に通知しなければならない。

〔要　旨〕

本条は、前条の水道事業者の給水装置の検査に対応して、水の供給を受ける者に給水装置の検査及び供給を受ける水の水質検査の請求権を認め、水道事業者に検査結果の報告義務を課したものである。

〔解　説〕

一、**検査の請求**（一項）

水道事業者から水の供給を受ける者は、常時、水質基準に適合する水の供給を保障されているところであるが、給水装置の損壊、老朽化等に伴い水質基準に適合しない水の供給を受けるおそれがある。このような場合において、需要者に給水装置及び供給を受ける水の水質についての検査請求権を認めたのが本条である。なお、供給を受ける水の水質検査の請求は、給水装置の異常によるものでなくても、水に異常を認めたとき等において行い得るものである。

また、正常な作動を疑わせるような量水器の検査についても本条の規定によって検査を請求できる。

二、**検査の実施及び結果の通知**（二項）

水道事業者は、検査の請求を受けたときは速やかにその状況に応じて必要な検査を行うこととされている。本条は、この検査に要する費用の負担についてふれていないが、検査をすべき合理的な根拠のない請求によるものについては、供給規程に定めることによって手数料（地方自治法二二七条）を徴収することも許されるであろう。なお、検査を行ったときは、その結果を検査請求者に通知しなければならない。

〔法　律〕

（水道技術管理者）

第十九条　水道事業者は、水道の管理について技術上の業務を担当させるため、水道技術管理者一人を置かなければならない。ただし、自ら水道技術管理者となることを妨げない。

2　水道技術管理者は、次に掲げる事項に関する事務に従事し、及びこれらの事務に従事する他の職員を監督しなければならない。

一　水道施設が第五条の規定による施設基準に適合しているかどうかの検査（第二十二条の二第二項に規定する点検を含む。）

二　第十三条第一項の規定による水質検査及び施設検査

三　給水装置の構造及び材質が第十六条の政令で定める基準に適合しているかどうかの検査

四　次条第一項の規定による水質検査

五　第二十一条第一項の規定による健康診断

六　第二十二条の規定による衛生上の措置

七　第二十二条の三第一項の台帳の作成

八　第二十三条第一項の規定による給水の緊急停止

九　第三十七条前段の規定による給水停止

3　水道技術管理者は、政令で定める資格（当該水道事業者が地方公共団体である場合にあつては、当該資格を参酌して当該地方公共団体の条例で定める資格）を有する者でなければならない。

〔施行令〕

（水道技術管理者の資格）

第七条　法第十九条第三項（法第三十一条及び第三十四条第一項において準用する場合を含む。）に規定する政令で定める資格は、次のとおりとする。

一　第五条の規定により簡易水道以外の水道の布設工事監督者たる資格を有する者

二　第五条第一項第一号、第三号及び第四号に規定する学校において土木工学以外の工学、理学、農学、医学若しくは薬学に関する学科目又はこれらに相当する学科目を修めて卒業した後（学校教育法による専門職大学の前期課程にあつては、修了した後）、同項第一号に規定する学校を卒業した者については四年以上、同項第三号に規定する学校を卒業した者（同法による専門職大学の前期課程にあつては、修了した者）については六年以上、同項第四号に規定する学校を卒業した者については八年以上水道に関する技術上の実務に従事した経験を有する者

三　十年以上水道に関する技術上の実務に従事した経験を有する者

四　厚生労働省令の定めるところにより、前二号に掲げる者と同等以上の技能を有すると認められる者

2　簡易水道又は一日最大給水量が千立方メートル以下である専用水道については、前項第一号中「簡易水道以外の水道」とあるのは「簡易水道」と、同項第二号中「四年以上」とあるのは「二年以上」と、「六年以上」とあるのは「三年以上」と、「八年以上」とあるのは「四年以上」と、同項第三号中「十年以上」とあるのは「五年以上」とそれぞれ読み替えるものとする。

〔施行規則〕

（水道技術管理者の資格）

第十四条　令第七条第一項第四号の規定により同項第二号及び第三号に掲げる者と同等以上の技能を有すると認められる者は、次のとおりとする。

一　令第五条第一項第一号、第三号及び第四号に規定する学校において、工学、理学、農学、医学及び薬学に関する学科目並びにこれらに相当する学科目以外の学科目を修めて卒業した（当該学科目を修めて学校教育法に基づく専門職大学の前期課程（以下この号及び第四十条第二号において「専門職大学前期課程」という。）を修了した場合を含む。）

後、同項第一号に規定する学校の卒業者については五年（簡易水道及び一日最大給水量が千立方メートル以下である専用水道（以下この号及び次号において「簡易水道等」という。）の場合は、二年六箇月）以上、同項第三号に規定する学校の卒業者（専門職大学前期課程の修了者を含む。次号において同じ。）については七年（簡易水道等の場合は、三年六箇月）以上、同項第四号に規定する学校の卒業者については九年（簡易水道等の場合は、四年六箇月）以上水道に関する技術上の実務に従事した経験を有する者

二　外国の学校において、令第七条第一項第二号に規定する学科目又は前号に規定する学科目に相当する学科目を、それぞれ当該各号に規定する学校において修得する程度と同等以上に修得した後、それぞれ当該各号の卒業者ごとに規定する最低経験年数（簡易水道等の場合は、それぞれ当該各号の卒業者ごとに規定する最低経験年数の二分の一）以上水道に関する技術上の実務に従事した経験を有する者

三　厚生労働大臣の登録を受けた者が行う水道の管理に関する講習（以下「登録講習」という。）の課程を修了した者

（登録）

第十四条の二　前条第三号の登録は、登録講習を行おうとする者の申請により行う。

2　前条第三号の登録を受けようとする者は、次に掲げる事項を記載した申請書を厚生労働大臣に提出しなければならない。

一　申請者の氏名又は名称並びに法人にあつては、その代表者の氏名

二　登録講習を行おうとする主たる事務所の名称及び所在地

三　登録講習を開始しようとする年月日

3　前項の申請書には、次に掲げる書類を添付しなければならない。

一　申請者が個人である場合は、その住民票の写し

二　申請者が法人である場合は、その定款及び登記事項証明書

三　申請者が次条各号の規定に該当しないことを説明した書類

四　講師の氏名、職業及び略歴

五　学科講習の科目及び時間数

六　実務講習の実施方法及び期間
七　登録講習の業務以外の業務を行つている場合には、その業務の種類及び概要を記載した書類
八　その他参考となる事項を記載した書類

（欠格条項）

第十四条の三　次の各号のいずれかに該当する者は、第十四条第三号の登録を受けることができない。
一　法又は法に基づく命令に違反し、罰金以上の刑に処せられ、その執行を終わり、又は執行を受けることがなくなつた日から二年を経過しない者
二　第十四条の十三の規定により第十四条第三号の登録を取り消され、その取消しの日から二年を経過しない者
三　法人であつて、その業務を行う役員のうちに前二号のいずれかに該当する者がある者

（登録基準）

第十四条の四　厚生労働大臣は、第十四条の二の規定により登録を申請した者が次に掲げる要件のすべてに適合しているときは、その登録をしなければならない。
一　学科講習の科目及び時間数は、次のとおりであること。
イ　水道行政　二時間以上
ロ　公衆衛生・衛生管理　二時間以上
ハ　水道経営　三時間以上
ニ　水道基礎工学概論　二十一時間以上
ホ　水質管理　十二時間以上
ヘ　水道施設管理　三十三時間以上
二　学科講習の講師が次のいずれかに該当するものであること。
イ　学校教育法に基づく大学若しくは高等専門学校において前号に掲げる科目に相当する学科を担当する教授、准教授若しくは講師の職にある者又はこれらの職にあつた者

ロ　法第三条第二項に規定する水道事業又は同条第四項に規定する水道用水供給事業に関する実務に十年以上従事した経験を有する者

ハ　イ又はロに掲げる者と同等以上の知識及び経験を有すると認められる者

三　水道施設の技術的基準を定める省令（平成十二年厚生省令第十五号）第五条に適合する濾《ろ》過設備を有する水道施設において、十五日間以上の実務講習（一日につき五時間以上実施されるものに限る。）が行われること。

2　登録は、登録講習機関登録簿に次に掲げる事項を記載してするものとする。

一　登録年月日及び登録番号

二　登録を受けた者の氏名又は名称及び住所並びに法人にあつては、その代表者の氏名

三　登録を受けた者が登録講習を行う主たる事業所の名称及び所在地

（登録の更新）

第十四条の五　第十四条第三号の登録は、五年ごとにその更新を受けなければ、その期間の経過によつて、その効力を失う。

2　前三条の規定は、前項の登録の更新について準用する。

（実施義務）

第十四条の六　第十四条第三号の登録を受けた者（以下「登録講習機関」という。）は、正当な理由がある場合を除き、毎事業年度、次に掲げる事項を記載した登録講習の実施に関する計画を作成し、これに従つて公正に登録講習を行わなければならない。

一　学科講習の実施時期、実施場所、科目、時間及び受講定員に関する事項

二　実務講習の実施時期、実施場所及び受講定員に関する事項

2　登録講習機関は、毎事業年度の開始前に、前項の規定により作成した計画を厚生労働大臣に届け出なければならない。これを変更しようとするときも、同様とする。

（変更の届出）

第十四条の七　登録講習機関は、その氏名若しくは名称又は住所の変更をしようとするときは、変更しようとする日の二

週間前までに、その旨を厚生労働大臣に届け出なければならない。

（業務規程）

第十四条の八　登録講習機関は、登録講習の業務の開始前に、次に掲げる事項を記載した登録講習の業務に関する規程を定め、厚生労働大臣に届け出なければならない。これを変更しようとするときも、同様とする。

一　登録講習の受講申請に関する事項

二　登録講習の受講手数料に関する事項

三　前号の手数料の収納の方法に関する事項

四　登録講習の講師の選任及び解任に関する事項

五　登録講習の修了証書の交付及び再交付に関する事項

六　登録講習の業務に関する帳簿及び書類の保存に関する事項

七　第十四条の十第二項第二号及び第四号の請求に係る費用に関する事項

八　前各号に掲げるもののほか、登録講習の実施に関し必要な事項

（業務の休廃止）

第十四条の九　登録講習機関は、登録講習の業務の全部又は一部を休止し、又は廃止しようとするときは、あらかじめ、次に掲げる事項を厚生労働大臣に届け出なければならない。

一　休止又は廃止の理由及びその予定期日

二　休止しようとする場合にあつては、休止の予定期間

（財務諸表等の備付け及び閲覧等）

第十四条の十　登録講習機関は、毎事業年度経過後三月以内に、その事業年度の財産目録、貸借対照表及び損益計算書又は収支計算書並びに事業報告書（その作成に代えて電磁的記録（電子的方式、磁気的方式その他の人の知覚によつては認識することができない方式で作られる記録であつて、電子計算機による情報処理の用に供されるものをいう。以下同じ。）の作成がされている場合における当該電磁的記録を含む。次項において「財務諸表等」という。）を作成し、五年

間事務所に備えて置かなければならない。

2　登録講習を受験しようとする者その他の利害関係人は、登録講習機関の業務時間内は、いつでも、次に掲げる請求をすることができる。ただし、第二号又は第四号の請求をするには、登録講習機関の定めた費用を支払わなければならない。

一　財務諸表等が書面をもつて作成されているときは、当該書面の閲覧又は謄写の請求

二　前号の書面の謄本又は抄本の請求

三　財務諸表等が電磁的記録をもつて作成されているときは、当該電磁的記録に記録された事項を紙面又は出力装置の映像面に表示する方法により表示したものの閲覧又は謄写の請求

四　前号の電磁的記録に記録された事項を電磁的方法であつて次のいずれかのものにより提供することの請求又は当該事項を記載した書面の交付の請求

イ　送信者の使用に係る電子計算機と受信者の使用に係る電子計算機とを電気通信回線で接続した電子情報処理組織を使用する方法であつて、当該電気通信回線を通じて情報が送信され、受信者の使用に係る電子計算機に備えられたファイルに当該情報が記録されるもの

ロ　磁気ディスクその他これに準ずる方法により一定の情報を確実に記録しておくことができる物をもつて調製するファイルに情報を記録したものを交付する方法

（適合命令）

第十四条の十一　厚生労働大臣は、登録講習機関が第十四条の四第一項各号のいずれかに適合しなくなつたと認めるときは、その登録講習機関に対し、これらの規定に適合するため必要な措置をとるべきことを命ずることができる。

（改善命令）

第十四条の十二　厚生労働大臣は、登録講習機関が第十四条の六第一項の規定に違反していると認めるときは、その登録講習機関に対し、登録講習を行うべきこと又は登録講習の実施方法その他の業務の方法の改善に関し必要な措置をとるべきことを命ずることができる。

（登録の取消し等）

第十四条の十三　厚生労働大臣は、登録講習機関が次の各号のいずれかに該当するときは、その登録を取り消し、又は期間を定めて登録講習の業務の全部若しくは一部の停止を命ずることができる。
一　第十四条の三第一号又は第三号に該当するに至つたとき。
二　第十四条の六第二項、第十四条の七から第十四条の九まで、第十四条の十第一項又は次条の規定に違反したとき。
三　正当な理由がないのに第十四条の十第二項各号の規定による請求を拒んだとき。
四　第十四条の十一又は前条の規定による命令に違反したとき。
五　不正の手段により第十四条第三号の登録を受けたとき。

（帳簿の備付け）
第十四条の十四　登録講習機関は、次に掲げる事項を記載した帳簿を備え、登録講習の業務を廃止するまでこれを保存しなければならない。
一　学科講習、実務講習ごとの講習実施年月日、実施場所、参加者氏名及び住所
二　学科講習の講師の氏名
三　講習修了者の氏名、生年月日及び修了年月日

（報告の徴収）
第十四条の十五　厚生労働大臣は、登録講習の実施のため必要な限度において、登録講習機関に対し、登録講習事務又は経理の状況に関し報告させることができる。

（公示）
第十四条の十六　厚生労働大臣は、次の場合には、その旨を公示しなければならない。
一　第十四条第三号の登録をしたとき。
二　第十四条の七の規定による届出があつたとき。
三　第十四条の九の規定による届出があつたとき。
四　第十四条の十三の規定により第十四条第三号の登録を取り消し、又は登録講習の業務の停止を命じたとき。

〔要　旨〕

本条は、水道の管理の適正を期するため、水道事業者が水道技術管理者を置くことを義務付け、その所掌事務及び資格要件について規定したものである。

〔解　説〕

一、水道技術管理者（一項）

水道事業者は、水道技術管理者一人を置き、管理について技術上の業務を担当させなければならないとされている。一人を置くとしたのは、当該業務における責任の所在を明確にするためである。

水道技術管理者は、必ずしも専任であることを必要とせず、他の業務と併せて担当することもできる。また、水道事業者が自ら水道技術管理者になることを妨げないことが規定されているが、これは水道事業者が自然人である場合についての特殊な場合を想定したものである。

水道技術管理者は、水道事業者が選任する。地方公営企業法の適用される水道事業の場合は、補助職員の任免は当該企業の管理者の権限と規定されている（地方公営企業法一五条）ので、その任免も管理者が行うところであるが、当該地方公共団体の規則で地方公共団体の長の同意を得るべき旨を定めている場合には、その長の同意を必要とする（同条ただし書）。

水道技術管理者は、その業務の遂行に支障のない範囲内で複数の水道事業の技術管理者となることは差し支えないが、地方公共団体が経営する水道事業の場合は、地方公務員法の適用があるので注意が必要である。この場合、水道事業者は、水道技術管理者となる者の能力、担当する水道の規模、施設内容、所在地、交通等の諸条件を考慮し、職務遂行に支障のないよう配慮すべきであろう。水道技術管理者の任命に当たっては、本条第三項の政令で定める資格を有する者であることを確認して行う。

二、水道技術管理者の所掌事務（二項）

水道技術管理者の所掌事務は、水道の管理についての技術上の業務である。同じ技術上の業務でも、水道の布設工事の監督業務は、法第一二条に定める布設工事監督者の所掌事務である。水道技術管理者の行うべき具体的事務の内容は、本条第二項第一号から第九号に掲げる事務に従事し、及びこれらの事務に従事する他の職員を監督することである。

第一号の「水道施設が第五条の規定による施設基準に適合しているかどうかの検査」が所掌事務の一つとされているのは、法第五条の施設基準は水道の布設に当たって適用されるのみでなく、その後においても常時保持されるべき基準であることから、技術上の管理業務の一つとして水道技術管理者がその適否を検査するためである。なお、当該検査については、法第二二条の二第二項に規定する点検を含むものである。

水道技術管理者の職務は、これらの検査、健康診断、衛生上の措置及び給水の停止そのものを内容とするのであって、本条の規定は、検査の結果必要とされる改善等の措置までは含まれないが、検査の結果改善策の措置が必要なものについて所要の措置が講じられるようにしなければならないことはいうまでもない。

なお、厚生労働大臣は、水道技術管理者がその職務を怠り、警告を発したにもかかわらずなお継続して職務を怠ったときは、当該水道事業者に対して、水道技術管理者を変更すべきことを勧告することができるとされている（法三六条二項）。

三、水道技術管理者の資格（三項・令七条）

(一)　資格の内容

水道技術管理者の資格は、水道技術管理者として必要な基礎教育と、水道に関する技術上の実務の経験との総合判断によって定められている。水道技術管理者は、布設工事の監督者と異なり当該水道に必置されるものであるので、その資格も布設工事の監督者よりも広く定められている。「技術上の実務」とは、法第一二条の布設工事監督者に関するものと同様である。なお、水道事業を経営する地方公共団体（地方公共団体の組合を含む。）は、水道技術管理者の資格基準について、条例で定める必要がある（平成二三年一一月一八日付健水発一一一八第一号水道課長通知）。

水道技術管理者の資格は次のように定められている。

1　施行令第七条関係

(1)　水道の布設工事の監督の有資格者

(2)　大学の工学（土木工学を除く。）、理学、農学、医学、薬学の卒業者　水道技術の実務経験　四　年

(3)　短大（専門職大学前期課程を修了した場合を含む。）若しくは高等専門学校又は旧制専門学校のこれらの学科卒業者　水道技術の実務経験　六　年

(4)　高等学校若しくは中等教育学校又は旧制中等学校のこれらの学科卒業者　水道技術の実務経験　八　年

(5)　(1)から(4)までに該当しない者　水道技術の実務経験　一〇年

(6)　簡易水道の用に供する水道又は一日最大給水量が千立方メートル以下である専用水道については、前各号の経験年数は二分の一とする。

2　規則第一四条関係（令七条一項四号）

(1)　大学の工学、理学、農学、医学、薬学以外の卒業者　水道技術の実務経験　五　年

(2)　短大（専門職大学前期課程を修了した場合を含む。）若しくは高等専門学校又は旧制専門学校のこれらの

学科以外の卒業者　　　水道技術の実務経験　七　年

(3)　高等学校若しくは中等教育学校又は旧制中等学校のこれらの学科以外の卒業者
水道技術の実務経験　九　年

(4)　簡易水道の用に供する水道又は一日最大給水量が千立方メートル以下である専用水道については、前各号の経験年数は二分の一とする。

(5)　外国の学校は、その教育内容が学校教育法と同程度のものは全て令第七条第一項第二号又は規則第一四条第一号と同様の取扱いをする。

(6)　厚生労働大臣の登録を受けた者が行う講習（登録講習）を修了した者

なお、登録講習機関は、五年ごとの登録の更新（規則一四条の五）や、毎事業年度開始前における登録講習の実施に関する計画の作成及び届出（規則一四条の六）等が必要となる。

水道技術管理者は、水道の技術管理の中心責任者となるものであるから、その設置に当たっては、当該水道の規模、構造等に適応する十分な技能を有する者を選定するとともに、その業務を適正に実施可能な業務体制、情報管理体制等を備えることが必要である。

(二)　簡易水道事業等に関する特例

消毒設備以外の浄水施設を必要とせず、かつ、自然流下のみによって給水することができる簡易水道事業及び同様の給水方法による一日最大給水量が千立方メートル以下である専用水道における水道技術管理者については、資格者であることを問わない特例（法二五条一項・三四条二項）が認められている。ただし、このような簡易水道事業又は専用水道においても、水道技術管理者に関する資格の適用が免除されているにすぎないものであって、水道技術管理者を置かなければならないことにかわりはない。

四、準　用

本条は、水道用水供給事業者及び専用水道の設置者について準用する（法三一条・三四条一項）。

五、罰　則

水道技術管理者を置かなかった水道事業者等は、一年以下の懲役又は一〇〇万円以下の罰金に処せられる（法五三条五号）。

〔参　考〕

一、水道法施行規則の一部改正について（通知）

（平成二三年一〇月三日　健水発一〇〇三第一号　厚生労働大臣認可水道事業者・水道用水供給事業者あて厚生労働省健康局水道課長通知）

第四条　水質基準〔参考〕四を参照のこと。

二、地域の自主性及び自立性を高めるための改革の推進を図るための関係法律の整備に関する法律の留意事項等について（通知）

（平成二三年一一月一八日　健水発一一一八第一号　厚生労働大臣認可水道事業者・水道用水供給事業者あて厚生労働省健康局水道課長通知）

第一二条　技術者による布設工事の監督〔参考〕五を参照のこと。

三、出入国管理及び難民認定法及び日本国との平和条約に基づき日本の国籍を離脱した者等の出入国管理に関する特例法の一部を改正する等の法律の施行に伴う厚生労働省関係省令の整備に関する省令の公布について〔水道法〕（通知）

（平成二四年六月二九日　健発〇六二九第四号　各都道府県知事・広島市長・長崎市長あて厚生労働省健康局長通知）

出入国管理及び難民認定法及び日本国との平和条約に基づき日本の国籍を離脱した者等の出入国管理に関する特例法の一部を改正する等の法律（平成二一年法律第七九号）により、外国人登録法（昭和二七年法律第一二五号）が廃止され、外国人登録証明書等が平成二四年七月九日以降、廃止される。同時に、住民基本台帳法（昭和四二年法律第八一号）改正により、外国人住民についても住民票が作成されることとなる。

これに伴い、出入国管理及び難民認定法及び日本国との平和条約に基づき日本の国籍を離脱した者等の出入国管理に関する特例法の一部を改正する等の法律の施行に伴う厚生労働省関係省令の整備に関する省令（平成二四年厚生労働省令第九七号）により、厚生労働省関係省令が改正され、外国人の各種制度の申請・届出に際し、外国人登録証明書等に代えて、住民票の写し等の書類の添付又は提示を求める等、規定の整備が行われた。

健康局が所管する厚生労働省令の改正の内容等は下記のとおりであるので、御了知の上、その事務の運営に当たってよろしく御配慮願いたい。

記

第一　改正の内容

一．略

二．水道法施行規則（昭和三二年厚生省令第四五号）の一部改正

水道技術管理の講習を行う者の登録申請、水質検査を行う者の登録申請、給水装置工事事業者の指定申請、指定給水装置工事事業者による事業所の名称等の変更の届出及び簡易専用水道の管理を行う者の登録申請にあたり、登録証明書の写しに代えて、住民票の写しを添付することとする。（同規則第一四条の二第三項第一号、第一五条の二第一号、第一八条第二項第二号、第三四条第二項第一号及び第五六条の二第一号）

三．〜八．略

第二　施行日

平成二四年七月九日

〔法　律〕

（水質検査）

第二十条　水道事業者は、厚生労働省令の定めるところにより、定期及び臨時の水質検査を行わなければならない。

２　水道事業者は、前項の規定による水質検査を行つたときは、これに関する記録を作成し、水質検査を行つた日から起算して五年間、これを保存しなければならない。

３　水道事業者は、第一項の規定による水質検査を行うため、必要な検査施設を設けなければならない。ただし、当該水質検査を、厚生労働省令の定めるところにより、地方公共団体の機関又は厚生労働大臣の登録を受けた者に委託して行うときは、この限りでない。

〔施行規則〕

（定期及び臨時の水質検査）

第十五条　法第二十条第一項の規定により行う定期の水質検査は、次に掲げるところにより行うものとする。

一　次に掲げる検査を行うこと。

イ　一日一回以上行う色及び濁り並びに消毒の残留効果に関する検査

ロ　第三号に定める回数以上行う水質基準に関する省令の表（以下この項及び次項において「基準の表」という。）の上欄に掲げる事項についての検査

二　検査に供する水（以下「試料」という。）の採取の場所は、給水栓を原則とし、水道施設の構造等を考慮して、当該水道により供給される水が水質基準に適合するかどうかを判断することができる場所を選定すること。ただし、基準の表中三の項から五の項まで、七の項、九の項、十一の項から二十の項まで、三十六の項、三十九の項から四十一の項まで、四十四の項及び四十五の項の上欄に掲げる事項については、送水施設及び配水施設内で濃度が上昇しないことが明らかであると認められる場合にあつては、給水栓のほか、浄水施設の出口、送水施設又は配水施設のいずれかの場所を採取の場所として選定することができる。

三　第一号ロの検査の回数は、次に掲げるところによること。
イ　基準の表中一の項、二の項、三十八の項及び四十六の項から五十一の項までの上欄に掲げる事項に関する検査については、おおむね一箇月に一回以上とすること。ただし、同表中三十八の項及び四十六の項から五十一の項までの上欄に掲げる事項に関する検査については、水道により供給される水に係る当該事項について連続的に計測及び記録がなされている場合にあつては、おおむね三箇月に一回以上とすることができる。
ロ　基準の表中四十二の項及び四十三の項の上欄に掲げる事項に関する検査については、水源における当該事項を産出する藻類の発生が少ないものとして、当該事項について検査を行う必要がないことが明らかであると認められる期間を除き、おおむね一箇月に一回以上とすること。
ハ　基準の表中三の項から三十七の項まで、三十九の項から四十一の項まで、四十四の項及び四十五の項の上欄に掲げる事項に関する検査については、おおむね三箇月に一回以上とすること。ただし、同表中三の項から九の項まで、十一の項から二十の項まで、三十二の項から三十七の項まで、三十九の項から四十一の項まで、四十四の項及び四十五の項の上欄に掲げる事項に関する検査については、水源に水又は汚染物質を排出する施設の設置の状況等から原水の水質が大きく変わるおそれが少ないと認められる場合（過去三年間において水源の種別、取水地点又は浄水方法を変更した場合を除く。）であつて、過去三年間における当該事項についての検査の結果がすべて当該事項に係る水質基準値（基準の表の下欄に掲げる許容限度の値をいう。以下この項において「基準値」という。）の五分の一以下であるときは、おおむね一年に一回以上と、過去三年間における当該事項についての検査の結果がすべて基準値の十分の一以下であるときは、おおむね三年に一回以上とすることができる。
四　次の表の上欄に掲げる事項に関する検査は、当該事項についての過去の検査の結果が基準値の二分の一を超えたことがなく、かつ、同表の下欄に掲げる事項を勘案してその全部又は一部を行う必要がないことが明らかであると認められる場合は、第一号及び前号の規定にかかわらず、省略することができること。

基準の表中三の項から五の項まで、七の項、十二の項、十三の項（海水を原水とする場合を除く。）、二十六の項（浄水処理にオゾン処理を用いる場合及び消毒に次亜塩素酸を用いる場合を除く。）、三十六の項、三十七の項、三十九の項から四十一の項まで、四十四の項及び四十五の項の上欄に掲げる事項	原水並びに水源及びその周辺の状況
基準の表中六の項、八の項及び三十二の項から三十五の項までの上欄に掲げる事項	原水、水源及びその周辺の状況並びに水道施設の技術的基準を定める省令（平成十二年厚生省令第十五号）第一条第十四号の薬品等及び同条第十七号の資機材等の使用状況
基準の表中十四の項から二十の項までの上欄に掲げる事項	原水並びに水源及びその周辺の状況（地下水を水源とする場合は、近傍の地域における地下水の状況を含む。）
基準の表中四十二の項及び四十三の項の上欄に掲げる事項	原水並びに水源及びその周辺の状況（湖沼等水が停滞しやすい水域を水源とする場合は、上欄に掲げる事項を産出する藻類の発生状況を含む。）

２　法第二十条第一項の規定により行う臨時の水質検査は、次に掲げるところにより行うものとする。

一　水道により供給される水が水質基準に適合しないおそれがある場合に基準の表の上欄に掲げる事項について検査を行うこと。

二　試料の採取の場所に関しては、前項第二号の規定の例によること。

三　基準の表中一の項、二の項、三十八の項及び四十六の項から五十一の項までの上欄に掲げる事項以外の事項に関する検査は、その全部又は一部を行う必要がないことが明らかであると認められる場合は、第一号の規定にかかわらず、省略することができること。

3　第一項第一号ロの検査及び第二項の検査は、水質基準に関する省令に規定する厚生労働大臣が定める方法によつて行うものとする。

4　第一項第一号イの検査のうち色及び濁りに関する検査は、同号ロの規定により色度及び濁度に関する検査を行つた日においては、行うことを要しない。

5　第一項第一号ロの検査は、第二項の検査を行つた月においては、行うことを要しない。

6　水道事業者は、毎事業年度の開始前に第一項及び第二項の検査の計画（以下「水質検査計画」という。）を策定しなければならない。

7　水質検査計画には、次に掲げる事項を記載しなければならない。

一　水質管理において留意すべき事項のうち水質検査計画に係るもの

二　第一項の検査を行う項目については、当該項目、採水の場所、検査の回数及びその理由

三　第一項の検査を省略する項目については、当該項目及びその理由

四　第二項の検査に関する事項

五　法第二十条第三項の規定により水質検査を委託する場合における当該委託の内容

六　その他水質検査の実施に際し配慮すべき事項

8　法第二十条第三項ただし書の規定により、水道事業者が第一項及び第二項の検査を地方公共団体の機関又は登録水質検査機関（以下この項において「水質検査機関」という。）に委託して行うときは、次に掲げるところにより行うものとする。

一　委託契約は、書面により行い、当該委託契約書には、次に掲げる事項（第二項の検査のみを委託する場合にあつては、ロ及びヘを除く。）を含むこと。

イ　委託する水質検査の項目

ロ　第一項の検査の時期及び回数
ハ　委託に係る料金（以下この項において「委託料」という。）
ニ　試料の採取又は運搬を委託するときは、その採取又は運搬の方法
ホ　水質検査の結果の根拠となる書類
ヘ　第二項の検査の実施の有無
二　委託契約書をその契約の終了の日から五年間保存すること。
三　委託料が受託業務を遂行するに足りる額であること。
四　試料の採取又は運搬を水質検査機関に委託するときは、その委託を受ける水質検査機関は、試料の採取又は運搬及び水質検査を速やかに行うことができる水質検査機関であること。
五　試料の採取又は運搬を水道事業者が自ら行うときは、当該水道事業者は、採取した試料を水質検査機関に速やかに引き渡すこと。
六　水質検査の実施状況を第一号ホに規定する書類又は調査その他の方法により確認すること。

〔要　旨〕

本条は、定期及び臨時の水質検査の実施、その結果の保存、検査施設の設置等について定めたものである。

〔解　説〕

一、**水質検査**（一項）

(一)　水質検査の意義

水道事業者にとって、安全かつ清浄な水の供給を確保することは、最も基本的な義務である。これを常時確保するためには、状況に即応した水質の管理が不可欠である。このため、本条第一項において、水道水質の定期及び臨

時の検査を水道事業者に義務付けたものである。これらの検査は、当該水道により供給される水が法第四条に定める水質基準に適合するかどうかを判断するために行うものであり、「給水栓を原則とし、水道施設の構造等を考慮して、当該水道により供給される水が水質基準に適合するかどうかを判断することができる場所」から採取した水について行うこととされている（規則一五条一項二号）。ここで「判断することができる場所」とは、給水栓のほか配水管の末端等水が停滞しやすい場所を含むものであり、水道施設の規模等を考慮して必要な数の採水場所を適切に選定しなければならない。

㈡　定期の水質検査

水道により供給される水の水質は、水源の水質の変動、使用水量の変動等に伴い変化することがあるが、定期的な水質検査は、水質を常時把握し、その異常を発見するために行うものである。水道水の水質を確認するために定期的に行うべき検査としては、規則第一五条において、一日一回行うものとおおむね一か月ごとに行うものと、おおむね三か月ごとに行うものとが定められている。なお、水質変動の著しい水源から取水する水道等にあっては、必要に応じて検査の頻度を増加させることが望ましい。

1　毎日行う検査

「色及び濁り並びに消毒の残留効果に関する検査」は、一日一回行わなければならない。「色及び濁り」とは、必ずしも「水質基準に関する省令」に定める色度及び濁度を意味するものではなく、目視により検査を行っても差し支えない。「消毒の残留効果に関する検査」とは、水道水の消毒に使用された塩素が十分に残留しているかどうかについての検査をいうものであり、必ずしも残留塩素濃度の測定を行わなければならないものではない。これらの検査は、検査方法が簡便で、水質の異常を発見しやすいことを考慮して定められているものである。

なお、次に述べる毎月行う検査において色度及び濁度に関する検査を行った日においては、当日の毎月検査のうち「色及び濁り」についての検査は行わなくてもよい（規則一五条四項）。

2　おおむね一か月に一回以上行う検査及びおおむね三か月に一回以上行う検査

「水質基準に関する省令」に定められている五一項目については、おおむね一か月に一回以上検査をしなければならない項目とおおむね三か月に一回以上検査をしなければならない項目に分けられる。なお、これら「水質基準に関する省令」に定められている五一項目の検査については、㈢で述べる臨時の水質検査を行った月には、検査を行わなくとも良いとされている（規則一五条五項）。

(1)　おおむね一か月に一回以上行う検査

おおむね一か月に一回以上検査を行わなければならない項目は、一般細菌、大腸菌、塩化物イオン、有機物（全有機炭素（ＴＯＣ）の量）、pH値、味、臭気、色度、濁度である。

これらの項目は、病原微生物による汚染の可能性を直接的に示すもの若しくは病原性微生物の存在を疑わせる指標であり、検査の省略はできないとされている。ただし、一般細菌及び大腸菌以外の項目については、水道施設の運転管理の必要上の観点から、自動測定装置や日常点検等により監視されている場合は、検査の実施頻度をおおむね三か月に一回以上とすることができるとされている（規則一五条一項三号イ）。

また、上記のほか、（四Ｓ・四ａＳ・八ａＲ）―オクタヒドロ―四・八ａ―ジメチルナフタレン―四ａ（二Ｈ）―オール（別名ジェオスミン）及び一・二・七・七―テトラメチルビシクロ［二・二・一］ヘプタン―二―オール（別名二―メチルイソボルネオール）については、水源における当該物質を産出する藻類の発生状況から検査をする必要がないことが明らかであると認められる時期を除き一か月に一回以上検査を行うこととされている（規則一五条一項三号ロ)。なお、これら二項目については、一定の条件を満たせば、検査の省略も可能とされている(規則一五条一項四号)。

(2)　おおむね三か月に一回以上行う検査

おおむね三か月に一回以上検査を行わなければならない項目は、「水質基準に関する省令」に定められている五一項目のうち、右記(1)に掲げた一一項目以外の四〇項目である。これらのうち、消毒副生成物に関連する項目(シアン化物イオン及び塩化シアン、クロロ酢酸、ジクロロ酢酸、トリクロロ酢酸、塩素酸、臭素酸、クロロホルム、ジブロモクロロメタン、ブロモジクロロメタン、ブロモホルム、総トリハロメタン、ホルムアルデヒド)以外の項目については、検査の実施頻度について、一定の条件を満たせばおおむね一年に一回以上、さらに厳しい一定の条件を満たせばおおむね三年に一回以上とすることができるとされている(規則一五条一項三号ハ)。また、四〇項目のうち、ホウ素(海水を原水とする場合に限る。)、消毒副生成物(ただし、浄水処理にオゾン処理を用いない場合の臭素酸及び消毒に次亜塩素酸を用いない場合の臭素酸を除く。)、亜硝酸態窒素並びに硝酸態窒素及び亜硝酸態窒素は検査の省略はできないが、これら以外の項目は一定の条件を満たせば検査の省略も可能とされている(規則一五条一項四号)。

㈢　臨時の水質検査

臨時の水質検査は、当該水道により供給される水が水質基準に適合しないおそれがある場合に、「水質基準に関する省令」に定められている項目について行う検査である。「水質基準に適合しないおそれがある場合」とは、①水源の水質が著しく悪化したとき、②水源に異常があったとき、③水源付近、給水区域及びその周辺等において消化器系感染症が流行しているとき、④浄水過程に異常があったとき、⑤配水管の大規模な工事その他水道施設が著しく汚染されたおそれがあるとき、⑥その他特に必要があると認められるときをいう。この場合においても、毎月検査で省略することができるとされている項目のうち検査を行う必要がないことが明らかに認められる項目については、その検査を省略することができるとされている（規則一五条二項三号）。採水箇所は、水質の異常の内容とその範囲を正確に把握するのに適当な場所でなければならない。

二、検査記録の作成、保存（二項）

水道事業者は、前述の定期及び臨時の水質検査を行ったときは、これに関する記録を作成して五年間は保存しておかなければならないこととされている。

三、検査施設の設置（三項）

本条第三項は、水道水の安全性を確保し、清浄な水を供給するため、水道事業者自らが水質検査の励行を図ることを趣旨として昭和五二年の法改正の際に追加されたものである。

水質検査は、その目的からして、水道事業者が速やかにその結果を把握し、必要な管理上の措置を迅速にとり得るように行われなければならない。このため、本項は、原則として水道事業者が自ら検査施設を設置すべきことと定めている。

しかし、小規模水道事業者等では単独に検査施設を設置して行うことが困難な事情等もあると考えられる。このような場合には、他の者に委託して水質検査を行わせた方が水質検査の励行が図られると判断されるため、本項ただし書において委託検査によることを認めている。ただし、平成一六年の法改正により、委託により検査を行う場合には、厚生労働省令の定めるところにより保健所、地方衛生研究所等の「地方公共団体の機関」又は厚生労働大臣の登録を受けた者（以下「登録水質検査機関」という。）に委託して行うこととされている。

しかし、一部の登録水質検査機関における水質検査の不正行為の発覚、行き過ぎた価格競争に起因した水質検査の質の低下等への懸念が生じたこと等を受け、水質検査の信頼性確保のための規則改正が平成二三年に行われ、水道事業者等が登録水質検査機関に水質検査を委託する際に取り組むべき事項が明確化された。

四、信頼性確保の取組

平成一六年に登録制度が施行されて以降、一部の登録水質検査機関において水質検査の不正行為が発覚する等、水質検査の信頼性の低下が懸念されるとともに、行き過ぎた価格競争に起因した水質検査の質の低下が懸念されるとの問題が提起されたことから、水道事業者等が水質検査を委託する際の水質検査の信頼性を確保するため、平成二三年、水道事業者等による水質検査の委託に関する規定を追加するとともに、登録水質検査機関の水質検査に関する規定並びに国による登録水質検査機関への指導及び監督に関する規定を追加する改正が行われた。

㈠　規則第一五条第八項第一号では、水質検査の委託に際して、契約書や依頼書等の書面によって契約の当事者及び契約内容を明確にしてない事例があり、水道事業者等の水質検査の実施に関する責任が曖昧となっていたため、委託契約は書面により行うこととした。委託契約を書面で行うとは、法第二〇条第三項ただし書の規定により行う委託の内容を書面で取り交わすことであり、規則同号イ〜へに該当する項目が当該書面に含まれていれば、必ずしも「契約書」という形式でなくてもよい。

五、準　用

本条は、水道用水供給事業者及び専用水道の設置者について準用する（法三一条・三四条一項）。

六、罰　則

定期及び臨時の水質検査を行わなかった水道事業者等は、一〇〇万円以下の罰金に処せられる（法五四条三号）。

〔参　考〕

水質検査等の実施に当たっての留意事項等は、「水質基準に関する省令の制定及び水道法施行規則の一部改正等について（通知）」（平成一五年一〇月一〇日健発第一〇一〇〇〇四号）及び「水質基準に関する省令の制定及び水道法施行規則の一部改正等並びに水道水質管理における留意事項について（通知）」（平成一五年一〇月一〇日健水発第一〇一〇〇〇一号）に定められている（第四条関係の参考一及び三参照）。

また、水質検査の信頼性確保に関する改正については、「水道法施行規則の一部改正について（通知）」（平成二三年一〇月三日健水発一〇〇三第一号）に定められている（第四条関係の参考四参照）。

〔法　律〕

（登録）

第二十条の二　前条第三項の登録は、厚生労働省令で定めるところにより、水質検査を行おうとする者の申請により行う。

〔施行規則〕

（登録の申請）

第十五条の二　法第二十条の二の登録の申請をしようとする者は、様式第十三による申請書に次に掲げる書類を添えて、厚生労働大臣に提出しなければならない。

一　申請者が個人である場合は、その住民票の写し

二　申請者が法人である場合は、その定款及び登記事項証明書

三　申請者が法第二十条の三各号の規定に該当しないことを説明した書類

四　法第二十条の四第一項第一号の必要な検査施設を有していることを示す次に掲げる書類

イ　試料及び水質検査に用いる機械器具の汚染を防止するために必要な設備並びに適切に区分されている検査室を有していることを説明した書類（検査室を撮影した写真並びに縮尺及び寸法を記載した平面図を含む。）

ロ　次に掲げる水質検査を行うための機械器具に関する書類
（1）前条第一項第一号の水質検査の項目ごとに水質検査に用いる機械器具の名称及びその数を記載した書類
（2）水質検査に用いる機械器具ごとの性能を記載した書類
（3）水質検査に用いる機械器具ごとの所有又は借入れの別について説明した書類（借り入れている場合は、当該機械器具に係る借入れの期限を記載すること。）
（4）水質検査に用いる機械器具ごとに撮影した写真
五　法第二十条の四第一項第二号の水質検査を実施する者（以下「検査員」という。）の氏名及び略歴
六　法第二十条の四第一項第三号イに規定する部門（以下「水質検査部門」という。）及び同号ハに規定する専任の部門（以下「信頼性確保部門」という。）が置かれていることを説明した書類
七　法第二十条の四第一項第三号ロに規定する文書として、第十五条の四第六号に規定する標準作業書及び同条第七号イからルまでに掲げる文書
八　水質検査を行う区域内の場所と水質検査を行う事業所との間の試料の運搬の経路及び方法並びにその運搬に要する時間を説明した書類
九　次に掲げる事項を記載した書面
イ　検査員の氏名及び担当する水質検査の区分
ロ　法第二十条の四第一項第三号イの管理者（以下「水質検査部門管理者」という。）の氏名及び第十五条の四第三号に規定する検査区分責任者の氏名
ハ　第十五条の四第四号に規定する信頼性確保部門管理者の氏名
ニ　水質検査を行う項目ごとの定量下限値
ホ　現に行つている事業の概要

〔要　旨〕

本条は、第二〇条第三項に規定されている登録（以下「水質検査機関の登録」という。）に係る申請について定めたものである。

〔解　説〕

水質検査機関の登録制度について、その登録は水質検査を行おうとする者の申請により行うものとし、その詳細については厚生労働省令によるものとしている。平成二三年の水質検査の信頼性確保のための規則改正により、登録水質検査機関の登録における提出書類の追加が行われた。

〔参　考〕

出入国管理及び難民認定法及び日本国との平和条約に基づき日本の国籍を離脱した者等の出入国管理に関する特例法の一部を改正する等の法律の施行に伴う厚生労働省関係省令の整備に関する省令の公布について〔水道法〕（通知）

（平成二四年六月二九日　健発〇六二九第四号　各都道府県知事・広島市長・長崎市長あて厚生労働省健康局長通知）

第一九条　水道技術管理者〔参考〕三を参照のこと。

〔法　律〕

（欠格条項）

第二十条の三　次の各号のいずれかに該当する者は、第二十条第三項の登録を受けることができない。

一　この法律又はこの法律に基づく命令に違反し、罰金以上の刑に処せられ、その執行を終わり、又は執行を受けることがなくなつた日から二年を経過しない者

二　第二十条の十三の規定により登録を取り消され、その取消しの日から二年を経過しない者
三　法人であつて、その業務を行う役員のうちに前二号のいずれかに該当する者があるもの

〔要　旨〕

本条は、水質検査機関の登録に係る欠格要件を定めたものである。

〔解　説〕

水質検査機関の登録制度について、登録機関の業務の公正性を確保することが重要であることから、犯罪履歴、登録の取消履歴、役員の犯罪・登録の取消履歴を欠格要件としている。欠格の期間については、平成一五年改正前の指定制度の例にならい二年としている。

〔法　律〕

（登録基準）

第二十条の四　厚生労働大臣は、第二十条の二の規定により登録を申請した者が次に掲げる要件のすべてに適合しているときは、その登録をしなければならない。
一　第二十条第一項に規定する水質検査を行うために必要な検査施設を有し、これを用いて水質検査を行うものであること。
二　別表第一に掲げるいずれかの条件に適合する知識経験を有する者が水質検査を実施し、その人数が五名以上であること。
三　次に掲げる水質検査の信頼性の確保のための措置がとられていること。
イ　水質検査を行う部門に専任の管理者が置かれていること。
ロ　水質検査の業務の管理及び精度の確保に関する文書が作成されていること。
ハ　ロに掲げる文書に記載されたところに従い、専ら水質検査の業務の管理及び精度の確保を行う部門が置かれてい

ること。

2　登録は、水質検査機関登録簿に次に掲げる事項を記載してするものとする。
一　登録年月日及び登録番号
二　登録を受けた者の氏名又は名称及び住所並びに法人にあつては、その代表者の氏名
三　登録を受けた者が水質検査を行う区域及び登録を受けた者が水質検査を行う事業所の所在地

〔要　旨〕

本条は、水質検査機関の登録に係る基準を定めたものである。

〔解　説〕

水質検査機関の登録制度における登録の基準について、本条第一項において、厚生労働大臣は同項に掲げる要件に適合していると認める者から申請があれば、登録をしなければならないこととされている。登録の要件としては、設備及び人員併せて水質検査機関として必要な管理体制を定めている。また、検査技能者の数については、水道に係る水質検査の頻度、水質検査項目の数・構成、また、必要な内部管理体制等を総合的に勘案し、一定の知識経験を有する者を五名以上置くこととされている。なお、本条第一項第二号の知識経験を有する者の要件は別表第一に定めている（別表第一については、左記参照）。

また、第二項において、登録については、水質検査機関登録簿に記載して行うことで登録機関の名称や業務対象区域等を一般に明らかにすることとしている。

別表第一（第二〇条の四関係）

一　学校教育法（昭和二二年法律第二六号）に基づく大学（短期大学を除く。）、旧大学令（大正七年勅令第三八八

号）に基づく大学又は旧専門学校令（明治三六年勅令第六一号）に基づく専門学校において、理学、医学、歯学、薬学、保健学、衛生学、工学、農学若しくは獣医学の課程又はこれらに相当する課程を修めて卒業した後、一年以上水質検査の実務に従事した経験を有する者であること。

二　学校教育法に基づく短期大学（同法に基づく専門職大学の前期課程を含む。）又は高等専門学校において、生物学若しくは工業化学の課程又はこれらに相当する課程を修めて卒業した後（同法に基づく専門職大学の前期課程にあつては、修了した後）、二年以上水質検査の実務に従事した経験を有する者であること。

三　臨床検査技師等に関する法律（昭和三三年法律第七六号）第三条の規定による臨床検査技師の免許を有する者であつて、一年以上水質検査の実務に従事した経験を有するものであること。

四　前三号に掲げる者と同等以上の知識経験を有する者であること。

〔**法　律**〕

（登録の更新）

第二十条の五　第二十条第三項の登録は、三年を下らない政令で定める期間ごとにその更新を受けなければ、その期間の経過によつて、その効力を失う。

2　前三条の規定は、前項の登録の更新について準用する。

〔**施行令**〕

（登録水質検査機関等の登録の有効期間）

第八条　法第二十条の五第一項（法第三十四条の四において準用する場合を含む。）の政令で定める期間は、三年とする。

〔施行規則〕

（登録の更新）

第十五条の三　法第二十条の五第一項の登録の更新を申請しようとする者は、様式第十四による申請書に次に掲げる書類を添えて、厚生労働大臣に提出しなければならない。

一　前条各号に掲げる書類（同条第七号に掲げる文書にあつては、変更がある事項に係る新旧の対照を明示すること。）

二　直近の三事業年度の各事業年度における水質検査を受託した実績を記載した書類

〔要　旨〕

本条は、水質検査機関の登録の更新について定めたものである。

〔解　説〕

水質検査機関の登録制度について、登録は更新を受けなければ、三年を下らない政令で定める期間で失効するとしている。また、更新の際にも、前三条の申請に基づく登録、欠格要件及び登録基準に係る規定は適用される。平成二三年の水質検査の信頼性確保のための規則改正により、登録水質検査機関の登録の更新における提出書類の追加が行われた。

〔参　考〕

水道法施行規則の一部改正について（通知）

（平成二三年一〇月三日　健水発一〇〇三第一号
厚生労働大臣認可水道事業者・水道用水供給事
業者あて厚生労働省健康局水道課長通知）

第四条　水質基準〔参考〕四を参照のこと。

〔法　律〕

（受託義務等）

第二十条の六　第二十条第三項の登録を受けた者（以下「登録水質検査機関」という。）は、同項の水質検査の委託の申込みがあつたときは、正当な理由がある場合を除き、その受託を拒んではならない。

2　登録水質検査機関は、公正に、かつ、厚生労働省令で定める方法により水質検査を行わなければならない。

〔施行規則〕

（検査の方法）

第十五条の四　法第二十条の六第二項の厚生労働省令で定める方法は、次のとおりとする。

一　水質基準に関する省令の表の上欄に掲げる事項の検査は、同令に規定する厚生労働大臣が定める方法により行うこと。

二　精度管理（検査に従事する者の技能水準の確保その他の方法により検査の精度を適正に保つことをいう。以下同じ。）を定期的に実施するとともに、外部精度管理調査（国又は都道府県その他の適当と認められる者が行う精度管理に関する調査をいう。以下同じ。）を定期的に受けること。

三　水質検査部門管理者は、次に掲げる業務を行うこと。ただし、ハについては、あらかじめ検査員の中から理化学的検査及び生物学的検査の区分ごとに指定した者（以下「検査区分責任者」という。）に行わせることができるものとする。

イ　水質検査部門の業務を統括すること。

ロ　次号ハの規定により報告を受けた文書に従い、当該業務について速やかに是正処置を講ずること。

ハ　水質検査について第六号に規定する標準作業書に基づき、適切に実施されていることを確認し、標準作業書から逸脱した方法により水質検査が行われた場合には、その内容を評価し、必要な措置を講ずること。

ニ　その他必要な業務

四　信頼性確保部門につき、次に掲げる業務を自ら行い、又は業務の内容に応じてあらかじめ指定した者に行わせる者（以下「信頼性確保部門管理者」という。）が置かれていること。

イ　第七号への文書に基づき、水質検査の業務の管理について内部監査を定期的に行うこと。

ロ　第七号トの文書に基づく精度管理を定期的に実施するための事務、外部精度管理調査を定期的に受けるための事務及び日常業務確認調査（国、水道事業者、水道用水供給事業者及び専用水道の設置者が行う水質検査の業務の確認に関する調査をいう。以下同じ。）を受けるための事務を行うこと。

ハ　イの内部監査並びにロの精度管理、外部精度管理調査及び日常業務確認調査の結果（是正処置が必要な場合にあつては、当該是正処置の内容を含む。）を水質検査部門管理者に対して文書により報告するとともに、その記録を法第二十条の十四の帳簿に記載すること。

ニ　その他必要な業務

五　水質検査部門管理者及び信頼性確保部門管理者が登録水質検査機関の役員又は当該部門を管理する上で必要な権限を有する者であること。

六　次の表に定めるところにより、標準作業書を作成し、これに基づき検査を実施すること。

作成すべき標準作業書の種類	記載すべき事項
検査実施標準作業書	一　水質検査の項目及び項目ごとの分析方法の名称

	二 水質検査の項目ごとに記載した試薬、試液、培地、標準品及び標準液（以下「試薬等」という。）の選択並びに調製の方法、試料の調製の方法並びに水質検査に用いる機械器具の操作の方法 三 水質検査に当たつての注意事項 四 水質検査により得られた値の処理の方法 五 水質検査に関する記録の作成要領 六 作成及び改定年月日
試料取扱標準作業書	一 試料の採取の方法 二 試料の運搬の方法 三 試料の受領の方法 四 試料の管理の方法 五 試料の管理に関する記録の作成要領 六 作成及び改定年月日
試薬等管理標準作業書	一 試薬等の容器にすべき表示の方法 二 試薬等の管理に関する注意事項 三 試薬等の管理に関する記録の作成要領 四 作成及び改定年月日
機械器具保守管理標準作業書	一 機械器具の名称 二 常時行うべき保守点検の方法 三 定期的な保守点検に関する計画 四 故障が起こつた場合の対応の方法

五　機械器具の保守管理に関する記録の作成要領
六　作成及び改定年月日

七　次に掲げる文書を作成すること。
イ　組織内の各部門の権限、責任及び相互関係等について記載した文書
ロ　文書の管理について記載した文書
ハ　記録の管理について記載した文書
ニ　教育訓練について記載した文書
ホ　不適合業務及び是正処置等について記載した文書
ヘ　内部監査の方法を記載した文書
ト　精度管理の方法及び外部精度管理調査を定期的に受けるための計画を記載した文書
チ　水質検査結果書の発行の方法を記載した文書
リ　受託の方法を記載した文書
ヌ　物品の購入の方法を記載した文書
ル　その他水質検査の業務の管理及び精度の確保に関する事項を記載した文書

〔要　旨〕
本条は、登録水質検査機関の検査受託義務等を定めたものである。
〔解　説〕
水質検査機関の登録制度について、水質検査の重要性に鑑み、登録機関については公正な検査に努めるとともに、正当な理由がある場合を除き、検査の受託義務を課すこととされており、事業の全部又は一部を別の者に再委託する

ようなことは認められない。平成二三年の水質検査の信頼性確保のための規則改正により、登録水質検査機関における水質検査業務において遵守すべき事項に関する規定が追加された。

〔参　考〕

一、水道法施行規則の一部改正について（通知）

（平成二三年一〇月三日　健水発一〇〇三第一号
厚生労働大臣認可水道事業者・水道用水供給事業者あて厚生労働省健康局水道課長通知）

第四条　水質基準〔参考〕四を参照のこと。

二、登録検査機関における水質検査の業務管理要領の策定について（通知）

（平成二四年九月二一日　健水発〇九二一第二号
各都道府県・保健所設置市・特別区水道行政担当部（局）長あて厚生労働省健康局水道課長通知）

水道行政の推進につきましては、日頃からご協力を賜り厚く御礼申し上げます。

さて、水道法施行規則の一部を改正する省令（平成二三年厚生労働省令第一二五号）により、登録水質検査機関（水道法（昭和三二年法律第一七七号）第二〇条第三項ただし書きの規定により厚生労働大臣の登録を受けた者をいう。以下同じ。）における水質検査の業務において遵守すべき事項が追加され、また、登録水質検査機関に委託して水質検査を行う水道事業者等は、水質検査の実施状況を水質検査の結果の根拠となる書類等により確認することとされたところです。

今般、水質検査の信頼性確保の取組を促進するため、別添のとおり登録水質検査機関における水質検査の業務管理について要領を策定しましたので、水道事業者等による水質検査の実施状況の確認、登録水質検査機関に対する日常業務確認調査の実施等につき、遺漏なきよう、貴管下水道事業者等に対する周知指導につき特段のご配慮をお願いいたします。

なお、本通知は、地方自治法（昭和二二年法律第六七号）に規定する技術的助言であること並びに大臣認可の水道事業者等、国設置専用水道の設置者及び登録水質検査機関には別途通知していることを申し添えます。

別添　略

〔法　律〕
（変更の届出）
第二十条の七　登録水質検査機関は、氏名若しくは名称、住所、水質検査を行う区域又は水質検査を行う事業所の所在地を変更しようとするときは、変更しようとする日の二週間前までに、その旨を厚生労働大臣に届け出なければならない。

〔施行規則〕
（変更の届出）
第十五条の五　法第二十条の七の規定により変更の届出をしようとする者は、様式第十五による届出書を厚生労働大臣に提出しなければならない。
２　水質検査を行う区域又は水質検査を行う事業所の所在地の変更を行う場合に提出する前項の届出書には、第十五条の二第八号に掲げる書類を添えなければならない。

〔要　旨〕
本条は、登録検査機関の名称、住所等の変更に係る届出義務を定めたものである。

〔解　説〕
水質検査機関の登録制度について、登録機関の事業所の所在地等の基本的な事項が前触れなく変更されれば、検査を委託しようとしていた事業者や検査契約の締結後の事業者に、不測の混乱を生ずるおそれがあることから、このような混乱を防止するとともに、厚生労働大臣が登録機関の事業所の所在地を常に把握できる状態を確保することができるよう、登録水質検査機関は、名称、住所及び水質検査を行う区域等の変更について、厚生労働大臣に事前に届け出ることとされている。

〔法　律〕

（業務規程）

第二十条の八　登録水質検査機関は、水質検査の業務に関する規程（以下「水質検査業務規程」という。）を定め、水質検査の業務の開始前に、厚生労働大臣に届け出なければならない。これを変更しようとするときも、同様とする。

2　水質検査業務規程には、水質検査の実施方法、水質検査に関する料金その他の厚生労働省令で定める事項を定めておかなければならない。

〔施行規則〕

（水質検査業務規程）

第十五条の六　法第二十条の八第二項の厚生労働省令で定める事項は、次のとおりとする。

一　水質検査の業務の実施及び管理の方法に関する事項
二　水質検査の業務を行う時間及び休日に関する事項
三　水質検査の委託を受けることができる件数の上限に関する事項
四　水質検査の業務を行う事業所の場所に関する事項
五　水質検査に関する料金及びその収納の方法に関する事項
六　水質検査部門管理者及び信頼性確保部門管理者の氏名並びに検査員の名簿
七　水質検査部門管理者及び信頼性確保部門管理者の選任及び解任に関する事項
八　法第二十条の十第二項第二号及び第四号の請求に係る費用に関する事項
九　前各号に掲げるもののほか、水質検査の業務に関し必要な事項

2　登録水質検査機関は、法第二十条の八第一項前段の規定により水質検査業務規程の届出をしようとするときは、様式第十六による届出書に次に掲げる書類を添えて、厚生労働大臣に提出しなければならない。

一　前項第三号の規定により定める水質検査の委託を受けることができる件数の上限の設定根拠を明らかにする書類
二　前項第五号の規定により定める水質検査に関する料金の算出根拠を明らかにする書類
3　登録水質検査機関は、法第二十条の八第一項後段の規定により水質検査業務規程の変更の届出をしようとするときは、様式第十六の二による届出書に前項各号に掲げる書類を添えて、厚生労働大臣に提出しなければならない。ただし、第一項第三号及び第五号に定める事項（水質検査に関する料金の収納の方法に関する事項を除く。）の変更を行わない場合には、前項各号に掲げる書類を添えることを要しない。

〔要　旨〕

本条は、水質検査の業務規程に定めるべき事項とその厚生労働大臣への届出を定めたものである。

〔解　説〕

水質検査機関の登録制度について、厚生労働大臣は、水道事業者等への情報提供や改善措置の発動等の制度の円滑な運用のため、一定の業務内容を把握しておく必要があることから、登録水質検査機関は、検査の実施方法及びその料金ほか一定の事項を業務規程に定め、当該規程を厚生労働大臣に届け出るものとされている。平成二三年の水質検査の信頼性確保のための規則改正により、業務規定の届出を行う際の提出書類の追加が行われた。

〔参　考〕

水道法施行規則の一部改正について（通知）

（平成二三年一〇月三日　健水発一〇〇三第一号
厚生労働大臣認可水道事業者・水道用水供給事業者あて厚生労働省健康局水道課長通知）

第四条　水質基準〔参考〕四を参照のこと。

〔法　律〕

（業務の休廃止）

第二十条の九　登録水質検査機関は、水質検査の業務の全部又は一部を休止し、又は廃止しようとするときは、休止又は廃止しようとする日の二週間前までに、その旨を厚生労働大臣に届け出なければならない。

〔施行規則〕

（業務の休廃止の届出）

第十五条の七　登録水質検査機関は、法第二十条の九の規定により水質検査の業務の全部又は一部の休止又は廃止の届出をしようとするときは、様式第十六の三による届出書を厚生労働大臣に提出しなければならない。

〔要　旨〕

本条は、登録水質検査機関が業務を休廃止する際の届出義務を定めたものである。

〔解　説〕

一、**業務の休廃止の届出**

水質検査機関の登録制度において、登録機関の事業所の所在地が前触れなく休廃止されれば、検査を委託しようとしていた水道事業者等や検査契約の締結後の事業者に、不測の混乱を生ずるおそれがあることから、このような混乱を防止するとともに、厚生労働大臣が登録機関の事業所の所在地を常に把握できる状態を確保することができるよう、登録検査機関は厚生労働大臣に事前届出を行うこととされている。

二、**罰　則**

本条の規程による届出をせず、又は虚偽の届出をした者は、三〇万円以下の罰金に処せられる（法五五条の二第一号）。

〔法　律〕

（財務諸表等の備付け及び閲覧等）

第二十条の十　登録水質検査機関は、毎事業年度経過後三月以内に、その事業年度の財産目録、貸借対照表及び損益計算書又は収支計算書並びに事業報告書（その作成に代えて電磁的記録（電子的方式、磁気的方式その他の人の知覚によつては認識することができない方式で作られる記録であつて、電子計算機による情報処理の用に供されるものをいう。以下同じ。）の作成がされている場合における当該電磁的記録を含む。次項において「財務諸表等」という。）を作成し、五年間事業所に備えて置かなければならない。

2　水道事業者その他の利害関係人は、登録水質検査機関の業務時間内は、いつでも、次に掲げる請求をすることができる。ただし、第二号又は第四号の請求をするには、登録水質検査機関の定めた費用を支払わなければならない。

一　財務諸表等が書面をもつて作成されているときは、当該書面の閲覧又は謄写の請求

二　前号の書面の謄本又は抄本の請求

三　財務諸表等が電磁的記録をもつて作成されているときは、当該電磁的記録に記録された事項を厚生労働省令で定める方法により表示したものの閲覧又は謄写の請求

四　前号の電磁的記録に記録された事項を電磁的方法であつて厚生労働省令で定めるものにより提供することの請求又は当該事項を記載した書面の交付の請求

〔施行規則〕

（電磁的記録に記録された情報の内容を表示する方法）

第十五条の八　法第二十条の十第二項第三号の厚生労働省令で定める方法は、当該電磁的記録に記録された事項を紙面又は出力装置の映像面に表示する方法とする。

（情報通信の技術を利用する方法）

第十五条の九　法第二十条の十第二項第四号に規定する厚生労働省令で定める電磁的方法は、次の各号に掲げるもののう

ちいずれかの方法とする。
一　送信者の使用に係る電子計算機と受信者の使用に係る電子計算機とを電気通信回線で接続した電子情報処理組織を使用する方法であつて、当該電気通信回線を通じて情報が送信され、受信者の使用に係る電子計算機に備えられたファイルに当該情報が記録されるもの
二　磁気ディスクその他これに準ずる方法により一定の情報を確実に記録しておくことができる物をもつて調製するファイルに情報を記録したものを交付する方法

〔要　旨〕

本条は、登録水質検査機関における財務諸表の備付け及び閲覧等を定めたものである。

〔解　説〕

水質検査機関の登録制度について、水質検査機関の登録の際の要件には、経理的な基礎を有することが含まれていないため、水道事業者等が、委託契約を行う際に登録機関の経理的基礎等を判断する根拠情報を入手できることが必要であるため、登録水質検査機関は、財務諸表等を備付け、及び閲覧等に供するものとされている

〔法　律〕

（適合命令）

第二十条の十一　厚生労働大臣は、登録水質検査機関が第二十条の四第一項各号のいずれかに適合しなくなつたと認めるときは、その登録水質検査機関に対し、これらの規定に適合するため必要な措置をとるべきことを命ずることができる。

〔要　旨〕

本条は、登録検査機関が登録基準を満たさなくなった場合における当該基準への適合命令を定めたものである。

〔解　説〕

水質検査機関の登録制度について、いったん登録を受けた登録機関であっても、その後の事情の変化により、登録基準に適合しなくなる事態が想定される。こういった場合に、厚生労働大臣が登録水質検査機関に登録基準に適合するように必要な措置を講ずることを命ずることができるものとされている。

〔法　律〕

（改善命令）

第二十条の十二　厚生労働大臣は、登録水質検査機関が第二十条の六第一項又は第二項の規定に違反していると認めるときは、その登録水質検査機関に対し、水質検査を受託すべきこと又は水質検査の方法その他の業務の方法の改善に関し必要な措置をとるべきことを命ずることができる。

〔要　旨〕

本条は、登録水質検査機関に対する改善命令について定めたものである。

〔解　説〕

水質検査機関の登録制度について、登録水質検査機関が法第二〇条の六に規定されている検査の受託義務又は水質検査の方法に違反している場合に、厚生労働大臣は、受託すべきこと若しくは水質検査の方法又はその他業務の方法の改善に関する命令を行うことができることとされている。

〔法　律〕

（登録の取消し等）

第二十条の十三　厚生労働大臣は、登録水質検査機関が次の各号のいずれかに該当するときは、その登録を取り消し、又は期間を定めて水質検査の業務の全部若しくは一部の停止を命ずることができる。

一　第二十条の三第一号又は第三号に該当するに至つたとき。

二　第二十条の七から第二十条の九まで、第二十条の十第一項又は次条の規定に違反したとき。

三　正当な理由がないのに第二十条の十第二項各号の規定による請求を拒んだとき。

四　第二十条の十一又は前条の規定による命令に違反したとき。

五　不正の手段により第二十条第三項の登録を受けたとき。

〔要　旨〕

本条は、登録水質検査機関に対する登録取消及び業務停止処分について定めたものである。

〔解　説〕

一、**業務停止命令**

水質検査機関の登録制度について、登録機関が、欠格条項に該当するに至った場合や法に定める義務に違反するような事態が生じた場合等には、厚生労働大臣が登録の取消しや業務の停止命令を行うことができることとされている。

二、**罰　則**

本条の規定による業務の停止の命令に違反した者は、一年以下の懲役又は一〇〇万円以下の罰金に処せられる（法五三条の二)。

〔法　律〕

（帳簿の備付け）

第二十条の十四　登録水質検査機関は、厚生労働省令で定めるところにより、水質検査に関する事項で厚生労働省令で定めるものを記載した帳簿を備え、これを保存しなければならない。

〔施行規則〕

（帳簿の備付け）

第十五条の十　登録水質検査機関は、書面又は電磁的記録によつて水質検査に関する事項であつて次項に掲げるものを記載した帳簿を備え、水質検査を実施した日から起算して五年間、これを保存しなければならない。

2　法第二十条の十四の厚生労働省令で定める事項は次のとおりとする。

一　水質検査を委託した者の氏名及び住所（法人にあつては、主たる事務所の所在地及び名称並びに代表者の氏名）

二　水質検査の委託を受けた年月日

三　試料を採取した場所

四　試料の運搬の方法

五　水質検査の開始及び終了の年月日時

六　水質検査の項目

七　水質検査を行つた検査員の氏名

八　水質検査の結果及びその根拠となる書類

九　第十五条の四第四号ハにより帳簿に記載すべきこととされている事項

十　第十五条の四第七号ハの文書において帳簿に記載すべきこととされている事項

十一　第十五条の四第七号ニの教育訓練に関する記録

〔要　旨〕

本条は、登録水質検査機関における帳簿の備付け等を定めたものである。

〔解　説〕

一、**帳簿の記載及び保存義務**

水質検査機関の登録制度について、登録水質検査機関の業務状況を明らかにし、厚生労働大臣がその状況を把握可能な状況とするため、登録水質検査機関は、帳簿の記載及び保存が義務付けられている。

二、**罰　則**

本条の規定に違反して、帳簿を備えず、帳簿に記載せず、若しくは帳簿に虚偽の記載をし、又は帳簿を保存しなかった者は、三〇万円以下の罰金に処せられる（法五五条の二第二号）。

〔法　律〕

（報告の徴収及び立入検査）

第二十条の十五　厚生労働大臣は、水質検査の適正な実施を確保するため必要があると認めるときは、登録水質検査機関に対し、業務の状況に関し必要な報告を求め、又は当該職員に、登録水質検査機関の事務所又は事業所に立ち入り、業務の状況若しくは検査施設、帳簿、書類その他の物件を検査させることができる。

2　前項の規定により立入検査を行う職員は、その身分を示す証明書を携帯し、関係者の請求があったときは、これを提示しなければならない。

3　第一項の規定による権限は、犯罪捜査のために認められたものと解釈してはならない。

〔施行規則〕

（証明書の様式）

第五十七条　法第二十条の十五第二項（法第三十四条の四において準用する場合を含む。）の規定により当該職員の携帯する証明書は、様式第十二とする。

〔要　旨〕

本条は、登録水質検査機関への報告徴収及び立入検査について定めたものである。

〔解　説〕

一、**報告徴収及び立入検査**

水質検査機関の登録制度について、登録機関に課されている所要の義務が遵守されているかについて、厚生労働大臣が監督するため、その権限の範囲内において報告徴収及び立入検査の規定を設けている。

二、**罰　則**

本条の規定による報告をせず、若しくは虚偽の報告をし、又は当該職員の検査を拒み、妨げ、若しくは忌避した者は、三〇万円以下の罰金に処せられる（法五五条の二第三号）。

〔法　律〕

（公示）

第二十条の十六　厚生労働大臣は、次の場合には、その旨を公示しなければならない。

一　第二十条第三項の登録をしたとき。

二　第二十条の七の規定による届出があつたとき。
三　第二十条の九の規定による届出があつたとき。
四　第二十条の十三の規定により第二十条第三項の登録を取り消し、又は水質検査の業務の停止を命じたとき。

〔要　旨〕

本条は、水質検査機関の登録等に際しての厚生労働大臣による公示について定めたものである。

〔解　説〕

水質検査機関の登録制度について、法の規定に基づく厚生労働大臣又は登録機関の行為は、水道事業者等にとって重大な関心事項であることから、これらについては厚生労働大臣に対し公示を行う義務を課し、広く周知することとしている。

〔法　律〕

（健康診断）

第二十一条　水道事業者は、水道の取水場、浄水場又は配水池において業務に従事している者及びこれらの施設の設置場所の構内に居住している者について、厚生労働省令の定めるところにより、定期及び臨時の健康診断を行わなければならない。

2　水道事業者は、前項の規定による健康診断を行つたときは、これに関する記録を作成し、健康診断を行つた日から起算して一年間、これを保存しなければならない。

〔施行規則〕

（健康診断）

第十六条　法第二十一条第一項の規定により行う定期の健康診断は、おおむね六箇月ごとに、病原体がし尿に排せつされる感染症の患者（病原体の保有者を含む。）の有無に関して、行うものとする。
２　法第二十一条第一項の規定により行う臨時の健康診断は、同項に掲げる者に前項の感染症が発生した場合又は発生するおそれがある場合に、発生した感染症又は発生するおそれがある感染症について、前項の例により行うものとする。
３　第一項の検査は、前項の検査を行つた月においては、同項の規定により行つた検査に係る感染症に関しては、行うことを要しない。
４　他の法令（地方公共団体の条例及び規則を含む。以下本項において同じ。）に基いて行われた健康診断の内容が、第一項に規定する感染症の全部又は一部に関する健康診断の内容に相当するものであるときは、その健康診断の相当する部分は、同項に規定するその部分に相当する健康診断とみなす。この場合において、法第二十一条第二項の規定に基いて作成し、保管すべき記録は、他の法令に基いて行われた健康診断の記録をもつて代えるものとする。

〔要　旨〕
本条は、水道水の汚染を防止するため、水道の取水場、浄水場又は配水池において業務に従事する者及びその構内居住者について、定期及び臨時の健康診断を義務付けたものである。

〔解　説〕
一、**健康診断の対象者**
取水場、浄水場又は配水池において業務に従事している者及びこれらの施設の構内に居住している者の全員が本条の健康診断対象者である。これらの者に感染症等の保菌者がいた場合には、水道水が汚染されるおそれがあるからである。臨時の職員、作業人等についても、本条は適用される。
二、**健康診断（一項）**

健康診断には、定期健康診断と臨時健康診断とがある。

㈠　定期健康診断

定期の健康診断は、病原体が便中に排泄される感染症（赤痢、腸チフス、パラチフス等）について、その保菌者の有無を検査するため行うものである。検査は、おおむね六か月ごとに行うものとされている（規則一六条一項）。

㈡　臨時の健康診断

臨時の健康診断は、健康診断対象者が赤痢、腸チフス、パラチフス等の患者又は保菌者であることが明らかとなった場合又はこれら施設の地域において、赤痢等の感染症が発生する等により健康診断対象者に罹患するおそれがある場合に行うものとされている（規則一六条二項）。また、臨時の健康診断を行った月においては、その感染症についての定期健康診断の検査は必要ない（規則一六条三項）。

㈢　他の法令等に基づく健康診断

他の法令等に基づいて本条の規定に相当する健康診断が行われた場合には、それを本条の規定による健康診断とみなすものとされている（規則一六条四項）。

三、**記録の作成、保存**（二項）

水道事業者は、健康診断を行ったときは、これに関する記録を作成し、これを一年間保存しなければならない。記録書類の様式は定められていないが、診断年月日、診断を受けた者の氏名、性別、年齢、診断結果、診断医師名、検便成績、同検査場所が必要である。ただし、他の法令等に基づいて行われた健康診断の内容が本条の健康診断の内容に相当するものであるときは、その記録をもって代えるものとされている（規則一六条四項）。

四、**準　用**

本条は、水道用水供給事業者及び専用水道の設置者について準用する（法三一条・三四条一項）。

五、罰　則

定期又は臨時の健康診断を行わなかった水道事業者等は、一〇〇万円以下の罰金に処せられる（法五四条四号）。

〔法　律〕

（衛生上の措置）

第二十二条　水道事業者は、厚生労働省令の定めるところにより、水道施設の管理及び運営に関し、消毒その他衛生上必要な措置を講じなければならない。

〔施行規則〕

（衛生上必要な措置）

第十七条　法第二十二条の規定により水道事業者が講じなければならない衛生上必要な措置は、次の各号に掲げるものとする。

一　取水場、貯水池、導水きよ、浄水場、配水池及びポンプせいは、常に清潔にし、水の汚染の防止を充分にすること。

二　前号の施設には、かぎを掛け、さくを設ける等みだりに人畜が施設に立ち入つて水が汚染されるのを防止するのに必要な措置を講ずること。

三　給水栓における水が、遊離残留塩素を〇・一mg／ℓ（結合残留塩素の場合は、〇・四mg／ℓ）以上保持するように塩素消毒をすること。ただし、供給する水が病原生物に著しく汚染されるおそれがある場合又は病原生物に汚染されたことを疑わせるような生物若しくは物質を多量に含むおそれがある場合の給水栓における水の遊離残留塩素は、〇・二mg／ℓ（結合残留塩素の場合は、一・五mg／ℓ）以上とする。

2　前項第三号の遊離残留塩素及び結合残留塩素の検査方法は、厚生労働大臣が定める。

〔要　旨〕

本条は、水道の衛生確保のために必要な消毒その他厚生労働省令で定める措置を講じることを水道事業者に義務付けたものである。

〔解　説〕

一、衛生上の措置の必要性

水道により供給される水が安全かつ清浄なものであることを確保するための措置として、水道法では、水質基準（法四条）及び施設基準（法五条）の規定を設け、供給される水に対しては定期及び臨時の水質検査を行うことを義務付け（法二〇条）、さらに、浄水場業務の従事者等には定期及び臨時の健康診断を行うことを義務付けている（法二一条）が、これらの措置によっても、病原菌による汚染の危険が残るおそれがある。そのため、本条は、水道施設の管理及び運営に関する衛生上必要な措置として消毒その他の措置を定め、水道の衛生管理の徹底を期したものである。

二、衛生上必要な措置の内容

衛生上必要な措置の内容は、厚生労働省令（規則一七条）において次のように定められている。

㈠　取水場、貯水池等における清潔の保持（一号）

取水場、貯水池、導水渠、浄水場、配水池、ポンプ井等の施設は、外部との連絡があり水が汚染されるおそれがあるので、常に清掃等を行って清潔を保持し、水道の汚染防止を十分に行わなければならない。

㈡　汚染防止の措置（二号）

前号の施設には鍵をかけ、その周囲に柵を設ける等人畜により水が汚染されるのを防止するのに必要な措置を講じなければならない。汚染防止のための措置としては、このほか、必要な標札、立札、掲示等により一般の注意を喚起すること、これら施設の構内に設ける便所、ごみ捨て場、汚水溜等の設備は汚水の漏れない構造とし、排水を良好な状態にしておくこと、屎尿を用いる耕作、園芸又は家畜等の放し飼いをしないこと等が考えられる。

㈢　塩素消毒の基準（三号）

水道事業者は、給水栓において遊離残留塩素（又は結合残留塩素）の濃度を一定以上保持するよう塩素消毒をしなければならない。この消毒には、液化塩素、次亜塩素酸ナトリウム、次亜塩素酸カルシウム等を用いる。水道水は、浄水場で一旦消毒されたとしても、送水、配水等の過程において汚水を吸引する等により汚染されるおそれがあるため、消毒の効果を給水栓に至るまで保持させておく必要がある。塩素によって消毒することとしたのは、これらの塩素剤は残留効果が大きく、消毒の効果を長時間保持することができるからである。したがって、オゾン処理等消毒の残留効果のない消毒方法のみを用いて消毒を行うことはできないが、これらを塩素消毒と併行して使用することは差し支えない。

規則第一七条第三号では、残留塩素の濃度について、通常の場合（遊離残留塩素〇・一mg／ℓ又は結合残留塩素〇・四mg／ℓ）と「供給する水が病原生物に著しく汚染されるおそれがある場合又は病原生物に汚染されたことを疑わせるような生物若しくは物質を多量に含むおそれがある場合」（遊離残留塩素〇・二mg／ℓ又は結合残留塩素一・五mg／ℓ）とに区分して定めているが、これは、原水、施設等の状況に応じ消毒の効果を十分に確実なものとするためである。ここで「病原生物に著しく汚染されるおそれがある場合」とは、水源の上流地域、給水区域又はその周辺区域において消化器系の感染症が流行しているとき等をいう。また、「病原生物に汚染されたことを疑わせるような生物」とは、大腸菌群、一般細菌のことであり、「物質」とは、硝酸性窒素及び亜硝酸性窒素、塩化物イオン及び有機物等（全有機炭素（ＴＯＣ）の量）である。これらの生物若しくは物質を「多量に含むおそれがある場合」としては、次のような場合が考えられる。

(1)　洪水又は渇水等により原水の水質が著しく悪化したとき

(2)　浄水施設の故障、誤操作等により浄水過程に異常があったとき

(3)　配水管の大規模な工事等により水道水が著しく汚染されたおそれのあるとき

また、全区域にわたるような広範囲の断水後給水を開始するときも残留塩素〇・二mg／ℓ（結合残留塩素の場合は一・五mg／ℓ）以上にすることとされている。

なお、塩素消毒の基準は、水道施設の管理及び運営に関する衛生上の措置として定められているものであって、水質基準として定められている事項には含まれないが、法第二〇条に規定する水質検査に当たっては、消毒の残留効果について毎日一回検査しなければならないこととされている。なお、残留塩素は、長時間にわたり水中の無機物や有機物と反応し、また、時間の経過につれて塩素自体が分解する等により減少するため、末端での水の使用状況によっては、規則第一七条第三号に定められている残留塩素の確実な保持が実態上困難と考えられるが、水道事業者は、需要者の通常の使用形態を想定して、残留塩素が定められた濃度以上となるような塩素消毒をしなければならないことはいうまでもない。

三、準　用

本条は、水道用水供給事業者及び専用水道の設置者について準用する（法三一条・三四条一項）。

四、罰　則

本条の規定に違反した水道事業者等は、一〇〇万円以下の罰金に処せられる（法五四条五号）。

〔参　考〕

一、衛生上必要な措置についての留意事項等及び残留塩素の検査方法

一、衛生上必要な措置についての留意事項等は、「水質基準に関する省令の制定及び水道法施行規則の一部改正等について（通知）」（平成一五年一〇月一〇日健発第一〇一〇〇〇四号）及び「水質基準に関する省令の制定及び水道法施行規則の一部改正等並びに水道水質管理における留意事項について（通知）」（平成一五年一〇月一〇日健水発第一〇一〇〇〇一号）に定められている（第四条関係の参考一及び三参照）。

また、残留塩素の検査方法は、「水道法施行規則第十七条第二項の規定に基づき厚生労働大臣が定める遊離残留塩素及び結合残留塩素の検査方法」（平成一五年九月二十九日厚生労働省告示第三一八号）により定められている。

二、水道水中の放射性濃度が管理目標値を超過した場合の措置

水道水中の放射性濃度が管理目標値を超過した場合の措置については、健水発〇三〇五第一～三号（平成二四年三月五日厚生労働省健康局水道課長通知）において、高濃度の放射性セシウムを含む濁度成分が、浄水施設の不具合等により浄水中に混入し、浄水中の放射能濃度が管理目標値を上回った場合には、水道法第二二条に規定する衛生上の措置として、速やかに濾《ろ》過機能を復旧させ、必要に応じて摂取制限の措置をとることとしている。

三、水道水中の放射性物質に係る管理目標値の設定等について（通知）

（平成二四年三月五日健水発〇三〇五第一号　各都道府県・保健所設置市・特別区水道行政担当部（局）長あて厚生労働省健康局水道課長通知）

平成二三年三月一一日に発生した東日本大震災に伴う東京電力株式会社福島第一原子力発電所の事故に関連した水道水中の放射性物質への対応については、平成二三年三月一九日付け健水発〇三一九第一号及び第二号厚生労働省健康局水道課長通知「福島第一・第二原子力発電所の事故に伴う水道の対応について」並びに平成二三年三月二一日付け健水発〇三二一第

一号及び第二号厚生労働省健康局水道課長通知「乳児による水道水の摂取に係る対応について」により、内閣府原子力安全委員会の定める飲食物摂取制限の指標及び食品衛生法（昭和二二年法律第二三三号）上の暫定規制値に基づき、緊急時における水道水中の放射性物質に係る指標を定め、当該指標を超過した場合の水道の対応について通知したところである。

また、平成二三年四月四日付け健水発〇四〇四第三号及び第四号厚生労働省健康局水道課長通知「水道水中の放射性物質に関する指標等の取扱い等について」（平成二三年六月三〇日一部改定）により、水道水中の放射性物質のモニタリングの方針、検査結果に基づく摂取制限の要否の判断及び摂取制限の解除の考え方を示したところである。

今般、飲料水を含む食品中の放射性物質について、食品衛生法の規定に基づく新たな基準が設定され、平成二四年四月一日に施行されることとされたことを踏まえ、水道水についても当該指標を見直して新たな目標を設定するとともに、モニタリング方法及び目標値超過時の措置等について別紙のとおり示すので、御了知の上、貴管下の水道事業者等に対する周知指導方、よろしく御配慮願いたい。

なお、本通知は、地方自治法（昭和二二年法律第六七号）に規定する技術的助言であることを申し添える。

別紙　略

四、水道水質検査方法の妥当性評価ガイドラインの一部改定について（通知）

（平成二九年一〇月一八日薬生発一〇一八第一号
各都道府県・市・特別区水道行政担当部（局）長あて厚生労働省医薬・生活衛生局水道課長通知）

水道行政の推進につきましては、日頃から御協力を賜り厚く御礼申し上げます。

「水質基準に関する省令」（平成一五年厚生労働省令第一〇一号）の規定に基づく水道水の水質基準に係る検査方法については、「水質基準に関する省令の規定に基づき厚生労働大臣が定める方法」（平成一五年厚生労働省告示第二六一号。以下単に「告示」という。）で定められています。また、水質管理目標設定項目に係る検査方法については、「水質基準に関する省令の制定及び水道法施行規則の一部改正等並びに水道水質管理における留意事項について」（平成一五年一〇月一〇日付け健水発第一〇一〇〇〇一号。以下単に「通知」という。）で定められています。これに関連して、水道事業者等が実施する水質検査結果の妥当性評価については、「水道水質検査方法の妥当性評価ガイドライン」（平成二四年九月六日付け健水発〇九〇六第一～四号。以下「ガイドライン」という。）を策定し、通知しているところです。

今般、策定から五年が経過し、妥当性評価の手法に変更すべき点がみられたことから、ガイドラインを別添のとおり改定することとしましたので、下記事項に御留意の上、ガイドラインの活用により適切な水質管理がなされるように、貴管下の水道事業者等に対する周知指導について特段の御配慮をお願いします。

なお、本通知は、地方自治法（昭和二二年法律第六七号）第二四五条の四第一項の規定に基づく技術的な助言であること並びに厚生労働大臣認可の水道事業者及び水道用水供給事業者、国の設置する専用水道の設置者並びに登録水質検査機関には別途通知していることを申し添えます。

記

第一　改正の概要

一　ガイドラインの対象となる検査方法の明示（二．本ガイドラインの対象関係）

ガイドラインの対象となる検査方法について、原則として、告示及び通知に定める検査方法のうち、機器分析による方法とした。また、「水道法施行規則第一七条第二項の規定に基づき厚生労働大臣が定める遊離残留塩素及び結合残留塩素の検査方法」（平成一五年厚生労働省告示第三一八号）で定める検査方法を対象から除外した。

二　検量線の妥当性評価に係る事項の追加（四．妥当性評価の方法関係）

検量線の作成方法と評価方法を新たに追加した。

三　添加試験における真度及び精度の目標値の変更（四．妥当性評価の方法関係）

これまで添加濃度の基準値等に対する割合で設定していた添加試験の真度及び精度の目標値について、対象物質の種類ごとに設定した。

第二　適用時期

平成三〇年四月一日から適用する。

〔**法　律**〕

（水道施設の維持及び修繕）

第二十二条の二　水道事業者は、厚生労働省令で定める基準に従い、水道施設を良好な状態に保つため、その維持及び修繕を行わなければならない。

2　前項の基準は、水道施設の修繕を能率的に行うための点検に関する基準を含むものとする。

〔**施行規則**〕

（水道施設の維持及び修繕）

第十七条の二　法第二十二条の二第一項の厚生労働省令で定める基準は、次のとおりとする。

一　水道施設の構造、位置、維持又は修繕の状況その他の水道施設の状況（次号において「水道施設の状況」という。）を勘案して、流量、水圧、水質その他の水道施設の運転状態を監視し、及び適切な時期に、水道施設の巡視を行い、並びに清掃その他の当該水道施設を維持するために必要な措置を講ずること。

二　水道施設の状況を勘案して、適切な時期に、目視その他適切な方法により点検を行うこと。

三　前号の点検は、コンクリート構造物（水密性を有し、水道施設の運転に影響を与えない範囲において目視が可能なものに限る。次項及び第三項において同じ。）にあつては、おおむね五年に一回以上の適切な頻度で行うこと。

四　第二号の点検その他の方法により水道施設の損傷、腐食その他の劣化その他の異状があることを把握したときは、水道施設を良好な状態に保つように、修繕その他の必要な措置を講ずること。

2　水道事業者は、前項第二号の点検（コンクリート構造物に係るものに限る。）を行つた場合に、次に掲げる事項を記録し、これを次に点検を行うまでの期間保存しなければならない。

一　点検の年月日

二　点検を実施した者の氏名

三　点検の結果

３　水道事業者は、第一項第二号の点検その他の方法によりコンクリート構造物の損傷、腐食その他の劣化その他の異状があることを把握し、同項第四号の措置（修繕に限る。）を講じた場合には、その内容を記録し、当該コンクリート構造物を利用している期間保存しなければならない。

〔要　旨〕

本条は、水道事業者において厚生労働省令で定める基準に従って水道施設の維持及び修繕しなければならない旨を規定したものである。

〔解　説〕

一、水道施設の維持及び修繕の意義

高度経済成長期に整備された水道施設の老朽化が進行している今日において、水道施設の状況を的確に把握し、漏水事故等の発生防止や長寿命化による設備投資の抑制等を図ることが重要である。

そのため、平成三〇年の法改正において、本条が追加され、水道事業者等は、水道施設を良好な状態に保つため、厚生労働省令で定める基準に従い、その維持及び修繕を行わなければならないこととされた。

「維持」とは、水道施設の運転、保守、巡視、点検、清掃等の水道の機能を保持するための事実行為であって工事を伴わないものをいい、「修繕」とは、老朽化した施設又は故障若しくは損傷した施設を対象として機能が発揮できる原状程度に復旧することをいうものである。

また、法第二四条の三第一項の規定により業務の委託を受けた水道管理業務受託者及び第二四条の四第三項に定める水道施設運営権者については、その業務の範囲内において水道施設の維持及び修繕に関する義務を負うことになる。

二、水道施設の維持及び修繕に関する基準（規則一七条の二）

水道施設の機能を維持するための管理方法は、予防保全型を基本とし、劣化や不具合の予兆がとらえられる場合には状態監視保全、それが困難な場合には時間計画保全を適用すべきである。これは、予防保全型の管理として状態監視保全や時間計画保全による適切な修繕を行うことによって、事後保全型に比べて、施設の機能・性能の保持や長寿命化の効果が大きいためである。

そのため、本条第一項に規定する水道施設の維持及び修繕に関する基準については、次に掲げる事項を規定している。

㈠　点検を含む維持・修繕（一項一号）

維持及び修繕に当たっては、水道施設の構造（バイパス等代替施設の有無や材質等）、位置（埋設環境は腐食環境にあるか等）、維持又は修繕の状況等を勘案し、水道施設の運転状態を監視し、適切な時期に巡視を行う。その上で、水道施設を維持するために、清掃等の措置を講ずることが必要である。

ここでいう監視とは、水道施設の運転状況を把握するため、遠方監視装置の活用のほか、個々の設備の運転状態、各需要者への給水状況（検針結果、需要者からの苦情・問い合わせ等）及び水質検査結果等を多様な方法で確認することである。

㈡　水道施設の点検（一項二号、三号）

水道施設の状況を勘案して、適切な時期に、目視等の適切な方法により点検する。

特に、水道施設の運転に影響を与えない範囲において目視が可能で、水密性を有するコンクリート構造物については、おおむね五年に一回以上の適切な頻度で点検を行う。

ここで、水密性を有するコンクリート構造物とは、導水渠、沈澱池、濾《ろ》過池、浄水池、配水池等、漏水防止や外部からの汚染防止の観点から水密性を有する水路や池状のコンクリート構造物を指し、弁室、流量計室、人孔、排水枡等、安定給水を確保する上で特段の水密性を求めないものは含まない。

㈢　水道施設の修繕（一項四号）

点検等により、水道施設の損傷、腐食、劣化等の異状を把握したときは、水道施設を良好な状態に保つために修繕等の措置を講ずる。

㈣　水道施設の点検及び修繕等の記録（二項、三項）

水道事業者等は、規則第一七条の二第一項第三号に示すコンクリート構造物について点検を行った場合は、点検の年月日、点検を実施した者の氏名及び点検の結果を記録し、これを次に点検を行うまでの期間保存しなければならない（二項）。

また、水道事業者等は、右記のコンクリート構造物について、損傷、腐食、劣化等の異状を把握し、修繕を行った場合は、その内容を記録し、当該コンクリート構造物を利用している期間保存しなければならない（三項）。

また、道路法（昭和二七年法律第一八〇号）第三二条に基づき道路の占用の許可を受けている水道事業者等については、同法第三九条の八の規定に基づき、占用物件の維持管理義務を課されており、道路法施行規則（昭和二七年建設省令第二五号）第四条の五の五の規定に基づき、道路の構造若しくは交通に支障を及ぼし、又は及ぼすこととなるおそれがないように、適切な時期に、占用物件の巡視、点検、修繕その他の当該占用物件の適切な維持管理を行うこととされている。この維持管理に関する取扱いについては、法第二二条の二及び規則第一七条の二に基づき維持管理が適切になされていれば、一定程度の占用物件の構造の安全性が担保されると考えられることから、道路の構造又は交通に支障を及ぼしていない限り、道路法施行規則第四条の五の五の基準に従った維持管理がなされているものと認められることとされている。

〔法　律〕

（水道施設台帳）

第二十二条の三　水道事業者は、水道施設の台帳を作成し、これを保管しなければならない。

２　前項の台帳の記載事項その他その作成及び保管に関し必要な事項は、厚生労働省令で定める。

〔施行規則〕

（水道施設台帳）

第十七条の三　法第二十二条の三第一項に規定する水道施設の台帳は、調書及び図面をもつて組成するものとする。

２　調書には、少なくとも次に掲げる事項を記載するものとする。

一　導水管きよ、送水管及び配水管（次号及び次項において「管路等」という。）にあつては、その区分、設置年度、口径、材質及び継手形式（以下この号において「区分等」という。）並びに区分等ごとの延長

二　水道施設（管路等を除く。）にあつては、その名称、設置年度、数量、構造又は形式及び能力

３　図面は、一般図及び施設平面図を作成するほか、必要に応じ、その他の図面を作成するものとし、水道施設につき、少なくとも次に掲げるところにより記載するものとする。

一　一般図は、次に掲げる事項を記載した地形図とすること。

イ　市町村名及びその境界線

ロ　給水区域の境界線

ハ　主要な水道施設の位置及び名称

ニ　主要な管路等の位置

ホ　方位、縮尺、凡例及び作成の年月日

二　施設平面図は、次に掲げる事項を記載したものとすること。

イ　前号（ロを除く。）に掲げる事項

ロ　管路等の位置、口径及び材質
ハ　制水弁、空気弁、消火栓、減圧弁及び排水設備の位置及び種類
ニ　管路等以外の施設の名称、位置及び敷地の境界線
ホ　付近の道路、河川、鉄道等の位置
三　一般図、施設平面図又はその他の図面のいずれかにおいて、次に掲げる事項を記載すること。
イ　管路等の設置年度、継手形式及び土かぶり
ロ　制水弁、空気弁、消火栓、減圧弁及び排水設備の形式及び口径
ハ　止水栓の位置
ニ　道路、河川、鉄道等を架空横断する管路等の構造形式、条数及び延長
4　調書及び図面の記載事項に変更があつたときは、速やかに、これを訂正しなければならない。

〔要　旨〕

本条は、水道事業者が水道施設台帳を作成し、保管しなければならない旨を規定したものである。なお、本条の規定は、令和四年一〇月一日から適用される。

〔解　説〕

一、**水道施設台帳の意義**

水道施設台帳は、水道施設の維持管理及び計画的な更新のみならず、災害対応、広域連携及び官民連携の推進等の各種取組の基礎となるものであり、適切に作成及び保存することが重要である。そのため、台帳の記載事項に変更があったときは、速やかに訂正するなど、その適切な整理を継続して実施する必要がある。

二、**水道施設台帳の記載内容**

水道施設台帳については、水道施設そのものに関する基礎情報に加え、適切な管理を行う上で必要となる周辺情報について適切に記載することが必要である。そうした観点から、施設付近の道路、河川及び鉄道等の位置や、漏水が発生している給水管の止水等に必要となる止水栓の位置情報についても把握を求めている。

水道施設台帳に記載する情報としては、規則第一七条の三で定める事項に加え、水道事業者等の業務状況等を十分に踏まえた上で、事業の円滑な実施に有効となる情報も含めた形で整備することが望ましい。

三、**水道施設台帳の整備方法**

水道施設台帳は、必要な情報が容易に把握できる状況が確保されていれば、紙媒体及び電子媒体のいずれであっても差し支えないが、長期的な資産管理を効率的に行う観点から、水道施設台帳の電子化に努めることが重要である。

また、水道施設台帳の作成にあたり、情報の一部が欠損している場合は、次の方法等による情報の補完について検討することが望ましい。

・過去の工事記録の整理
・認可（変更）申請書に添付する図面及び工事設計書等の整理
・現地調査
・他の社会資本（下水道、道路、電気及びガス等）の整備状況や同種管路の普及時期等から、当該施設の設置年度等を推測
・過去に在籍した職員への聞き取り調査

さらに、災害時でも台帳が活用できるよう、分散保管やバックアップ、停電対策等の危機管理対策を行うことが重要である。

加えて、水道施設台帳の情報を固定資産台帳の情報に整合させることにより、中長期的な更新需要の算定の精度を向上させることについて検討することが望ましい。

〔参　考〕

水道法の一部改正に伴う水道施設台帳の整備について（通知）

（令和元年九月三〇日　薬生水発〇九三〇第二号各都道府県水道行政主管部（局）長、各厚生労働大臣認可水道事業者及び水道用水供給事業者あて厚生労働省医薬・生活衛生局水道課長通知）

水道法の一部を改正する法律（平成三〇年法律第九二号）等の施行については、別途「改正水道法等の施行について」（令和元年九月三〇日付け薬生水発〇九三〇第一号厚生労働省医薬・生活衛生局水道課長通知）により通知したところであるが、このうち、水道施設台帳（以下「台帳」という。）の整備についての留意点等は下記のとおりであるので、これらの趣旨を踏まえつつ、遺憾なきよう適切な対応を願いたい。

また、都道府県におかれては、貴管下の都道府県知事認可の水道事業者及び水道用水供給事業者へ周知されたい。

なお、本通知は、地方自治法（昭和二二年法律第六七号）第二四五条の四第一項の規定に基づく技術的助言である旨申し添える。

記

第一　全般的事項

一　台帳は、水道施設の維持管理及び計画的な更新のみならず、災害対応、広域連携及び官民連携の推進等の各種取組の基礎となるものであり、適切に作成及び保存すること。水道事業者及び水道用水供給事業者（以下「水道事業者等」という。）は、令和四年九月三〇日までに整備を完了する必要があること。

二　台帳の記載事項に変更があったときは、速やかに訂正するなど、その適切な整理を継続して実施する必要があること。

第二　台帳の記載内容

一　台帳については、水道施設そのものに関する基礎情報に加え、適切な管理を行う上で必要となる周辺情報について適切に記載するものであること。そうした観点から、施設付近の道路、河川及び鉄道等の位置や、漏水が発生している給水管の止水等に必要となる止水栓の位置情報についても把握を求めているものであること。

二　台帳に記載する情報としては、水道法施行規則の一部を改正する省令（令和元年厚生労働省令第五七号）による改正後の水道法施行規則（昭和三二年厚生省令第四五号）第一七条の三で定める事項に加え、水道事業者等の業務状況等を十分に踏まえた上で、事業の円滑な実施に有効となる情報も含めた形で整備することが望ましいこと。

具体的には、以下の情報の追加が想定されるものであること。

・給水管に関する情報（口径・材質など）
・点検、修繕記録
・工事図面
・施設の写真
・制水弁の開閉状況　等

第三　台帳の整備方法

一　台帳は、必要な情報が容易に把握できる状況が確保されていれば、紙媒体及び電子媒体のいずれであっても差し支えないが、長期的な資産管理を効率的に行う観点から、台帳の電子化に努めること。

二　台帳の作成にあたり、情報の一部が欠損している場合は、以下の方法等による情報の補完について検討すること。

・過去の工事記録の整理
・認可（変更）申請書に添付する図面及び工事設計書等の整理
・現地調査
・他の社会資本（下水道、道路、電気及びガス等）の整備状況や同種管路の普及時期等から、当該施設の設置年度等を推測
・過去に在籍した職員への聞き取り調査

三　災害時でも台帳が活用できるよう、分散保管やバックアップ、停電対策等の危機管理対策を行うこと。

四　水道施設台帳の情報を固定資産台帳の情報に整合させることにより、中長期的な更新需要の算定の精度を向上させる

ことについて検討すること。

第四　その他

台帳の整備に当たっては、別紙の作成例を参考とされたいこと。（別紙（略））

〔**法　律**〕

（水道施設の計画的な更新等）

第二十二条の四　水道事業者は、長期的な観点から、給水区域における一般の水の需要に鑑み、水道施設の計画的な更新に努めなければならない。

2　水道事業者は、厚生労働省令で定めるところにより、水道施設の更新に要する費用を含むその事業に係る収支の見通しを作成し、これを公表するよう努めなければならない。

〔**施行規則**〕

（水道事業に係る収支の見通しの作成及び公表）

第十七条の四　水道事業者は、法第二十二条の四第二項の収支の見通しを作成するに当たり、三十年以上の期間（次項において「算定期間」という。）を定めて、その事業に係る長期的な収支を試算するものとする。

2　前項の試算は、算定期間における給水収益を適切に予測するとともに、水道施設の損傷、腐食その他の劣化の状況を適切に把握又は予測した上で水道施設の新設、増設又は改造（当該状況により必要となる水道施設の更新に係るものに限る。）の需要を算出するものとする。

3　前項の需要の算出に当たつては、水道施設の規模及び配置の適正化、費用の平準化並びに災害その他非常の場合における給水能力を考慮するものとする。

4　水道事業者は、第一項の試算に基づき、十年以上を基準とした合理的な期間について収支の見通しを作成し、これを公表するよう努めなければならない。

5　水道事業者は、収支の見通しを作成したときは、おおむね三年から五年ごとに見直すよう努めなければならない。

〔要　旨〕

本条は、水道施設の計画的な更新に努めなければならない旨を規定したものである。

〔解　説〕

一、水道施設の計画的な更新の意義（一項・二項）

水道事業者等は、将来にわたって安定的に水道事業等を経営するため、長期的な視野に立った計画的な資産管理（アセットマネジメント）を行い、更新の需要を的確に把握した上で、必要な財源を確保し、水道施設の更新を計画的に行う必要がある。

そのため、水道事業者等は、長期的な観点から、その給水区域における一般の水の需要に鑑み、水道施設の計画的な更新に努めるとともに、更新に要する費用を含むその事業に係る収支の見通しを作成し、公表するよう努めなければならない（法二二条の四）。

なお、水道施設の「計画的な更新」とは、水需要や水道施設の更新需要等の長期的な見通しを踏まえ、地域の実情に応じ、水の供給体制を適切な規模に見直すことも含め、水道施設の全部又は一部を取り替えることにより、必要な水道施設の機能を維持・向上させることをいう。

二、事業に係る収支の見通しの作成方法（規則一七条の四）

水道事業者等は、事業経営の将来的見通しを把握するため、事業に係る収支の見通しは、次のとおり作成することとされている。

㈠　長期的な収支の試算（一項、二項、三項）

三〇年以上の合理的な算定期間を定めて当該事業に係る長期的な収支を試算する（一項）。

当該試算においては、算定期間における給水収益を適切に予測するとともに、水道施設の損傷、腐食その他の劣化の状況を適切に把握又は予測した上で、水道施設の更新需要を算出する（二項）。その際、更新需要の算出に当たっては、水道施設の規模及び配置の適正化、費用の平準化並びに災害その他非常の場合における給水能力を考慮する（三項）。

㈡　収支の見通しの作成及び公表（四項）

水道事業者等は、上記㈠の試算に基づき、一〇年以上を基準とした合理的な期間について収支の見通しを作成し、これを公表するよう努めなければならない。事業に係る収支の試算に当たっては、収益的収支及び資本的収支それぞれの変動要素を適切に考慮することが必要である。

㈢　収支の見通しの見直し（五項）

水道事業者等は、収支の見通しを作成したときは、おおむね三年から五年ごとに見直すよう努めなければならない。

〔法　律〕

（給水の緊急停止）

第二十三条　水道事業者は、その供給する水が人の健康を害するおそれがあることを知つたときは、直ちに給水を停止し、かつ、その水を使用することが危険である旨を関係者に周知させる措置を講じなければならない。

2　水道事業者の供給する水が人の健康を害するおそれがあることを知つた者は、直ちにその旨を当該水道事業者に通報しなければならない。

〔要　旨〕

本条は、水道事業者の供給する水が人の健康を害するおそれのあることを知ったときにとるべき措置を規定したものである。

〔解　説〕

一、水道事業者のとるべき措置（一項）

本条第一項は、水道事業者が、当該水道により供給する水が人の健康を害するおそれのあることを知った場合には、直ちにその給水を停止するとともに、その水を使用することが危険である旨を関係者に周知させることを水道事業者に義務付けたものである。ここで「人の健康を害するおそれ」とは、水道水の水質が法第四条に規定する水質基準に適合しない場合をいうのではなく、その水を使用すれば直ちに人の生命に危険を生じ、又は身体の正常な機能に影響を与えるおそれがある場合をいう。

人の健康を害するおそれがある場合としては、次のような場合が考えられる。

㈠　水源又は取水若しくは導水の過程にある水が、浄水操作等により除去を期待するのが困難な病原生物若しくは人の健康に影響を及ぼすおそれのある物質により汚染されているか、又はその疑いがあるとき

㈡　浄水場以降の過程にある水が、病原生物若しくは人の健康に影響を及ぼすおそれのある物質により汚染されているか、又はその疑いがあるとき

㈢　塩素注入機の故障又は薬剤の欠如のために消毒が不可能となったとき

㈣　工業用水道の水管等に誤接合されていることが判明したとき

㈤　水道水中の放射性濃度が管理目標値を超過し、濾《ろ》過機能を復旧させてもなお改善が見込めない場合、管理目標値超過の原因が不明な場合等であって、濁度成分等によって人の健康を害するおそれがある場合

また、水源又は取水若しくは導水の過程にある水に次のような変化があり、給水栓水が水質基準値を超えるおそれ

がある場合は、直ちに取水を停止して水質検査を行うとともに、必要に応じて給水を停止する必要がある。

㈠　不明の原因によって色及び濁りに著しい変化が生じた場合

㈡　臭気及び味に著しい変化が生じた場合

㈢　魚が死んで多数浮上した場合

㈣　塩素消毒のみで給水している水道の水源において、ゴミや汚泥等の汚物の浮遊を発見した場合

「関係者に周知させる措置」とは、その水が供給される者又は使用する可能性のある者に対し、テレビ、ラジオ、広報車を用いることなどにより緊急事態にふさわしい方法で周知させるための手段、方法をいう。

二、その他の者のとるべき措置（二項）

本条第二項は、当該水道事業者以外の者が、前項の危険を知ったときの水道事業者への通報を義務付けたものである。水道事業者が、その初期において危険に気付かなかった場合でも、可及的速やかに情報を得て第一項の措置を講ぜしめ、危険の発生又はその拡大を防止しようとするものである。

三、準　用

本条は、水道用水供給事業者及び専用水道の設置者について準用する。この場合、水道用水供給事業者にあっては、第一項中の「関係者に周知させる」とあるのは「水道用水供給事業者が水道用水を供給する水道事業者に通知する」と読み替える（法三一条・三四条一項）。

四、罰　則

本条第一項の規定に違反した水道事業者等は、三年以下の懲役又は三〇〇万円以下の罰金に処せられる（法五二条二号）。

〔法　律〕

（消火栓）

第二十四条　水道事業者は、当該水道に公共の消防のための消火栓を設置しなければならない。

2　市町村は、その区域内に消火栓を設置した水道事業者に対し、その消火栓の設置及び管理に要する費用その他その水道が消防用に使用されることに伴い増加した水道施設の設置及び管理に要する費用につき、当該水道事業者との協議により、相当額の補償をしなければならない。

3　水道事業者は、公共の消防用として使用された水の料金を徴収することができない。

〔要　旨〕

本条は、公共の消防のための消火栓の設置、それに要する費用の補償及び消防使用水に係る料金の取扱いについて規定したものである。

〔解　説〕

一、**消火栓の設置**（一項）

本条第一項は、水利の基準及び水利施設の設置等について定める消防法第二〇条の規定を受けて、公共の消防のための消火栓の設置を水道事業者に義務付けたものである。消火栓の設置については、消防法第二〇条第一項の規定に基づき「消防水利の基準」（昭和三九年消防庁告示第七号）が告示されているので、この基準に従って行う必要がある。

消火栓の数、位置等設置の具体的方法については、水道事業者と消防の事務を管理する市町村長との協議により定められるべきものである。

二、**消火栓の設置・管理費等の負担**（二項）

消防組織法第八条において、市町村の消防に要する費用は、当該市町村が負担することとされているが、本条第二項も、消防の費用負担者である市町村に、消防のために要した水道施設の費用の補償をしなければならないことを規定したものである。補償の範囲は、単に消火栓の設置及び管理に要する費用のみでなく、その水道が消防用に使用されることに伴い増加した配水管、配水池、加圧装置等の水道施設並びにそれらの施設の管理に要する費用を含むものである。本条において、市町村は、これらの費用の相当額を水道事業者と協議して補償することとされている。協議すべき事項としては、補償額の算定方法、負担の方法及び時期等が考えられる。地方公営企業法の適用される水道事業において、水道事業者と消防に要する費用を負担する市町村とが同一の法人格である場合には、補償金を一般会計から水道特別会計へ繰り入れ、それ以外の場合には、法人格の異なる組合等から水道事業者へ交付することとなる。

三、**公共の消防用水の料金**（三項）

本条第三項は、「公共の消防用として使用された水の料金を徴収することができない」旨を規定したものである。ここに「公共の消防用として使用された水」とは、公設、私設を問わず消火栓又は給水栓を利用し、消防の指揮・命令に基づいて行われた消防の公的活動により、消火及び演習用に使用される水並びにこのために必要となる消火水槽の補充用水等をいう。これらの活動以外に使用される消防車の洗浄水、消防署における日常の使用水等は勿論、たとえ消火に使用された水であっても、消防の指揮・命令に基づいて行われなかった場合や消防の公的活動に至らなかった場合の使用水は、公共の消防のために使用された水とはいえない。

なお、ここに「水の料金を徴収することができない」とは、例えば、失火した者、消火活動により類焼を免れた者等から消防の指揮・命令に基づいて行われた消防の公的活動によって使用した水の料金を徴収することができないことであり、水道事業者が当該市町村に消火活動に使用した水に係る費用の負担を求めることまでも禁じたものではない。

〔参　考〕

一、消防法（抄）

（昭和二三年七月二四日法律第一八六号）

（消防水利の基準及び水利施設の設置等の義務）

第二十条　消防に必要な水利の基準は、消防庁がこれを勧告する。

②　消防に必要な水利施設は、当該市町村がこれを設置し、維持し及び管理するものとする。但し、水道については、当該水道の管理者が、これを設置し、維持し及び管理するものとする。

（消防水利の指定、標識の掲示、水利変更等の事前届出）

第二十一条　消防長又は消防署長は、池、泉水、井戸、水そうその他消防の用に供し得る水利についてその所有者、管理者又は占有者の承諾を得て、これを消防水利に指定して、常時使用可能の状態に置くことができる。

②　消防長又は消防署長は、前項の規定により指定をした消防水利には、総務省令で定めるところにより、標識を掲げなければならない。

③　第一項の水利を変更し、撤去し、又は使用不能の状態に置こうとする者は、予め所轄消防長又は消防署長に届け出なければならない。

二、消防組織法（抄）

（昭和二二年一二月二三日法律第二二六号）

（市町村の消防に要する費用）

第八条　市町村の消防に要する費用は、当該市町村がこれを負担しなければならない。

三、消防水利の基準（抄）

（昭和三九年一二月一〇日消防庁告示第七号
平成二六年一〇月三一日消防庁告示第二九号）

第一条　この基準は、市町村の消防に必要な水利について定めるものとする。

第二条　この基準において、消防水利とは、消防法（昭和二十三年法律第百八十六号）第二十条第二項に規定する消防に必要な水利施設及び同法第二十一条第一項の規定により消防水利として指定されたものをいう。

2　前項の消防水利を例示すれば、次のとおりである。

一　消火栓
二　私設消火栓
三　防火水そう
四　プール
五　河川、溝等
六　濠、池等
七　海、湖
八　井戸
九　下水道

第三条　消防水利は、常時貯水量が四十立方メートル以上又は取水可能水量が毎分一立方メートル以上で、かつ、連続四十分以上の給水能力を有するものでなければならない。

2　消火栓は、呼称六十五の口径を有するもので、直径百五十ミリメートル以上の管に取り付けられていなければならない。ただし、管網の一辺が百八十メートル以下となるように配管されている場合は、七十五ミリメートル以上とすることができる。

3　私設消火栓の水源は、五個の私設消火栓を同時に開弁したとき、第一項に規定する給水能力を有するものでなければならない。

第四条　消防水利は、市街地（消防力の基準（平成十二年消防庁告示第一号）第二条第一号に規定する市街地をいう。以下本条において同じ。）又は準市街地（消防力の基準第二条第二号に規定する準市街地をいう。以下本条において同じ。）の防火対象物から一の消防水利に至る距離が、別表に掲げる数値以下となるように設けなければならない。

2　市街地又は準市街地以外の地域で、これに準ずる地域の消防水利は、当該地域内の防火対象物から一の消防水利に至る距離が、百四十メートル以下となるように設けなければならない。

3　前二項の規定に基づき配置する消防水利は、消火栓のみに偏することのないように考慮しなければならない。

4　第一項及び第二項の規定に基づき消防水利を配置するに当たっては、大規模な地震が発生した場合の火災に備え、耐震性を有するものを、地域の実状に応じて、計画的に配置するものとする。

第五条　消防水利が、指定水量（第三条第一項に定める数量をいう。）の十倍以上の能力があり、かつ、取水のため同時に五台以上の消防ポンプ自動車が部署できるときは、当該水利の取水点から百四十メートル以内の部分には、その他の水利を設けないことができる。

第六条　消防水利は、次の各号に適合するものでなければならない。

一　地盤面からの落差が四・五メートル以下であること。

二　取水部分の水深が〇・五メートル以上であること。

三　消防ポンプ自動車が容易に部署できること。

四　吸管投入孔のある場合は、その一辺が〇・六メートル以上又は直径が〇・六メートル以上であること。

第七条　消防水利は、常時使用しうるように管理されていなければならない。

別表（第四条関係）

平均風速／用途地域	年間平均風速が四メートル毎秒未満のもの	年間平均風速が四メートル毎秒以上のもの
近隣商業地域 商業地域 工業地域 工業専用地域 （メートル）	一〇〇	八〇

その他の用途地域及び用途地域の定められていない地域（メートル）	一二〇	一〇〇

備考　用途地域区分は、都市計画法（昭和四十三年法律第百号）第八条第一項第一号に規定するところによる。

四、地方公営企業法

㈠　地方公営企業法（抄）

（昭和二七年八月一日法律第二九二号）

（経費の負担の原則）

第十七条の二　次に掲げる地方公営企業の経費で政令で定めるものは、地方公共団体の一般会計又は他の特別会計において、出資、長期の貸付け、負担金の支出その他の方法により負担するものとする。

一　その性質上当該地方公営企業の経営に伴う収入をもつて充てることが適当でない経費

二　当該地方公営企業の性質上能率的な経営を行なつてもなおその経営に伴う収入のみをもつて充てることが客観的に困難であると認められる経費

2　地方公営企業の特別会計においては、その経費は、前項の規定により地方公共団体の一般会計又は他の特別会計において負担するものを除き、当該地方公営企業の経営に伴う収入をもつて充てなければならない。

㈡　地方公営企業法施行令（抄）

（昭和二七年九月三日政令第四〇三号）

（一般会計等において負担する経費）

第八条の五　法第十七条の二第一項第一号に規定する経費で政令で定めるものは、次の各号に掲げる事業の区分に応じ、当該各号に定める経費（当該経費に係る特定の収入がある場合には、当該特定の収入の額をこえる部分）とする。

一　水道事業　公共の消防のための消火栓に要する経費その他水道を公共の消防の用に供するために要する経費及び公園その他の公共施設において水道を無償で公共の用に供するために要する経費

五、令和三年度の地方公営企業繰出金について（通知）

（令和三年四月一日　総財公第二七号各都道府県知事・各指定都市市長あて総務副大臣通知）

最近における社会経済情勢の推移、地方公営企業の現状にかんがみ、地方公営企業法等に定める経営に関する基本原則を堅持しながら、地方公営企業の経営の健全化を促進し、その経営基盤を強化するため、毎年度地方財政計画において公営企業繰出金を計上することとしています。

その基本的な考え方は、下記のとおりですので、地方公営企業の実態に即しながら、運営していただくようお願いします。

なお、一般会計がこの基本的な考え方に沿って公営企業会計に繰出しを行ったときは、その一部について地方交付税等において考慮するものですので、御承知願います。

貴都道府県内市町村等に対しましても、周知されるようお願いします。

記

第一　上水道事業

一　消火栓等に要する経費

(一)　趣旨

公共消防のための消火栓に要する経費その他水道を公共の消防の用に供するために要する経費について一般会計が負担するための経費である。

(二)　繰出しの基準

消火栓の設置及び管理に要する経費、消火栓の設置に伴う水道管の増設、口径の増大等に要する経費等に相当する額とする。

（以下、第一　二～第一一　略）

〔法　律〕

（情報提供）

第二十四条の二　水道事業者は、水道の需要者に対し、厚生労働省令で定めるところにより、第二十条第一項の規定による水質検査の結果その他水道事業に関する情報を提供しなければならない。

〔施行規則〕

（情報提供）

第十七条の五　法第二十四条の二の規定による情報の提供は、第一号から第六号までに掲げるものにあつては毎年一回以上定期に（第一号の水質検査計画にあつては、毎事業年度の開始前に）、第七号及び第八号に掲げるものにあつては必要が生じたときに速やかに、水道の需要者の閲覧に供する等水道の需要者が当該情報を容易に入手することができるような方法で行うものとする。

一　水質検査計画及び法第二十条第一項の規定により行う定期の水質検査の結果その他水道により供給される水の安全に関する事項

二　水道事業の実施体制に関する事項（法第二十四条の三第一項の規定による委託及び法第二十四条の四第一項の規定による水道施設運営権の設定の内容を含む。）

三　水道施設の整備その他水道事業に要する費用に関する事項

四　水道料金その他需要者の負担に関する事項

五　給水装置及び貯水槽水道の管理等に関する事項

六　水道施設の耐震性能、耐震性の向上に関する取組等の状況に関する事項

七　法第二十条第一項の規定により行う臨時の水質検査の結果

八　災害、水質事故等の非常時における水道の危機管理に関する事項

〔要　旨〕

本条は、水道事業者の責務として、水道の需要者に対する情報の提供について定めたものである。

〔解　説〕

水道をはじめとする電気、ガス、通信等の公共サービスは、今やサービスの内容や質に対する需要者の関心が高まっており、需要者への説明や需要者の意見の反映が従来にも増して求められている。

これからの水道は、最低限の給水サービスの水準を確保するだけでなく、需要者の多様なニーズに対応できる「需要者の視点」に立ったサービスのあり方を模索することが重要になってきている。

水道事業が料金収入を基礎に運営されるものである以上、需要者の水道事業に対する理解が不可欠であり、今後の水道施設の整備の見直し、委託の内容等水道事業の運営やサービスに関し需要者自らが判断できるような情報の公開が必要となるのである。そのため、需要者に対して水道事業に関するコスト等の客観的な情報をわかりやすいかたちで提供したり、水道の水質に関する情報など需要者が知りたい情報についても積極的に提供することが重要となる。

こうしたことから水道事業者の責務として、需要者に対する情報提供を制度上位置付け、水道の安全性やコストに関する情報提供を積極的に行うものとした。

この規定は、罰則や行政処分を伴うものではなく、訓示的な責務を定めたものであるが、今後ますます積極的な情報提供を求められる状況の中、水道事業者の姿勢として情報公開を一層推進させるものである。

また、本条は水道用水供給事業者についても準用され、間接的に給水している末端の需要者に対する情報提供を義務付けている（法三一条）。ただし、水道用水供給事業者が、受水団体の水道事業を通じて、需要者に適切に情報提供することも可能である。

なお、情報の提供については、その方法、形式等は各水道事業者の判断に委ねられ、水道事業者は需要者に対して入手しやすい方法や理解しやすい形式を工夫し行うものとする。少なくとも「需要者が自由に利用できるかたち」で提供することが求められる。

提供すべき情報は、水質検査の結果など水道の安全性に関する情報等、厚生労働省令で次のように定められている。

㈠　毎年一回以上定期に提供する情報（水質検査計画にあっては、毎事業年度の開始前に行う。）

1　水質検査計画及び法第二〇条第一項の規定により行う定期の水質検査の結果その他水道により供給される水の安全に関する事項（規則一七条の五第一号）

2　水道事業の実施体制に関する事項（法二四条の三第一項の規定による委託及び法二四条の四第一項の規定による水道施設運営権の設定の内容を含む。）（規則一七条の五第二号）

3　水道施設の整備その他水道事業に要する費用に関する事項（規則一七条の五第三号）

4　水道料金その他需要者の負担に関する事項（規則一七条の五第四号）

5　給水装置及び貯水槽水道の管理等に関する事項（規則一七条の五第五号）

6　水道施設の耐震性能、耐震性の向上に関する取組等の状況に関する事項（規則一七条の五第六号）

㈡　必要が生じたときに速やかに提供する情報

1　法第二〇条第一項の規定により行う臨時の水質検査の結果（規則一七条の五第七号）

2　災害、水質事故等の非常時における水道の危機管理に関する事項（規則一七条の五第八号）

㈢　準用

本条は、水道用水供給事業者について準用する。

この場合、水道用水供給事業にあっては、「水道の」とあるのは「水道用水供給事業者が水道用水を供給する水道事業者の水道の」と、「水道事業に」とあるのは「水道用水供給事業に」と読み替える（法三一条）。

〔参　考〕

経営情報公開のガイドライン及び水道事業者間の適正な比較評価をなしえる経営効率化指標（日本水道協会）

水道事業における経営情報の公開を促進するために、水道事業者が公開すべき情報の内容、情報公開の方法等を定めることによって水道事業の経営内容と料金設定の透明性を確保し、水道事業者に経営効率化努力を促すとともに、水道事業に対する使用者意見の反映を促進することを目的として、経営情報公開のガイドライン及び水道事業者間の適正な比較評価をなしえる経営効率化指標を平成一一年九月に（社）日本水道協会が作成した。

なお、経営情報公開のガイドラインについては、公共料金に対する住民の関心が大きく変化していること、また、需要構造の変化に対応した料金制度の最適化や老朽化に伴う施設の更新・再構築を行う中で、住民に対して、より高いレベルの情報公開が求められていることなどを踏まえ、平成二七年二月に改訂したので参考に供されたい。

〔法　律〕

（業務の委託）

第二十四条の三　水道事業者は、政令で定めるところにより、水道の管理に関する技術上の業務の全部又は一部を他の水道事業者若しくは水道用水供給事業者又は当該業務を適正かつ確実に実施することができる者として政令で定める要件に該当するものに委託することができる。

２　水道事業者は、前項の規定により業務を委託したときは、遅滞なく、厚生労働省令で定める事項を厚生労働大臣に届け出なければならない。委託に係る契約が効力を失つたときも、同様とする。

３　第一項の規定により業務の委託を受ける者（以下「水道管理業務受託者」という。）は、水道の管理について技術上の業務を担当させるため、受託水道業務技術管理者一人を置かなければならない。

4　受託水道業務技術管理者は、第一項の規定により委託された業務の範囲内において第十九条第二項各号に掲げる事項に関する事務に従事し、及びこれらの事務に従事する他の職員を監督しなければならない。
5　受託水道業務技術管理者は、政令で定める資格を有する者でなければならない。
6　第一項の規定により水道の管理に関する技術上の業務を委託する場合においては、当該委託された業務の範囲内において、水道管理業務受託者を水道事業者と、受託水道業務技術管理者を水道技術管理者とみなして、第十三条第一項（水質検査及び施設検査の実施に係る部分に限る。）及び第二項、第十七条、第二十条から第二十二条の三まで、第二十三条第一項、第二十五条の九、第三十六条第二項並びに第三十九条（第二項及び第三項を除く。）の規定（これらの規定に係る罰則を含む。）を適用する。この場合において、当該委託された業務の範囲内において、水道事業者及び水道技術管理者については、これらの規定は、適用しない。
7　前項の規定により水道管理業務受託者を水道事業者とみなして第二十五条の九の規定を適用する場合における第二十五条の十一第一項の規定の適用については、同項第五号中「水道事業者」とあるのは、「水道管理業務受託者」とする。
8　第一項の規定により水道の管理に関する技術上の業務を委託する場合においては、当該委託された業務の範囲内において、水道技術管理者については第十九条第二項の規定は適用せず、受託水道業務技術管理者が同項各号に掲げる事項に関する全ての事務に従事し、及びこれらの事務に従事する他の職員を監督する場合においては、水道事業者については、同条第一項の規定は、適用しない。

〔施行令〕

（業務の委託）

第九条　法第二十四条の三第一項（法第三十一条及び第三十四条第一項において準用する場合を含む。）の規定による水道の管理に関する技術上の業務の委託は、次に定めるところにより行うものとする。

一　水道施設の全部又は一部の管理に関する技術上の業務を委託する場合にあつては、技術上の観点から一体として行わなければならない業務の全部を一の者に委託するものであること。

二　給水装置の管理に関する技術上の業務を委託する場合にあつては、当該水道事業者の給水区域内に存する給水装置の管理に関する技術上の業務の全部を委託するものであること。
三　次に掲げる事項についての条項を含む委託契約書を作成すること。
イ　委託に係る業務の内容に関する事項
ロ　委託契約の期間及びその解除に関する事項
ハ　その他厚生労働省令で定める事項

第十条　法第二十四条の三第一項（法第三十一条及び第三十四条第一項において準用する場合を含む。）に規定する政令で定める要件は、法第二十四条の三第一項の規定により委託を受けて行う業務を適正かつ確実に遂行するに足りる経理的及び技術的な基礎を有するものであることとする。

（受託水道業務技術管理者の資格）
第十一条　法第二十四条の三第五項（法第三十一条及び第三十四条第一項において準用する場合を含む。）に規定する政令で定める資格は、第七条の規定により水道技術管理者たる資格を有する者とする。

〔施行規則〕
（委託契約書の記載事項）
第十七条の六　令第九条第三号ハに規定する厚生労働省令で定める事項は、委託に係る業務の実施体制に関する事項とする。

（業務の委託の届出）
第十七条の七　法第二十四条の三第二項の規定による業務の委託の届出に係る厚生労働省令で定める事項は、次のとおりとする。
一　水道事業者の氏名又は名称
二　水道管理業務受託者の住所及び氏名（法人又は組合（二以上の法人が、一の場所において行われる業務を共同連帯して請け負つた場合を含む。）にあつては、主たる事務所の所在地及び名称並びに代表者の氏名）
三　受託水道業務技術管理者の氏名
四　委託した業務の範囲

五　契約期間

2　法第二十四条の三第二項の規定による委託に係る契約が効力を失つたときの届出に係る厚生労働省令で定める事項は、前項各号に掲げるもののほか、当該契約が効力を失つた理由とする。

（業務の委託に関する特例）

第十七条の八　法第二十四条の三第六項の規定により水道管理業務受託者を水道事業者とみなして法第二十条第三項ただし書、第二十二条及び第二十二条の二第一項の規定を適用する場合における第十五条第八項、第十七条第一項並びに第十七条の二第二項及び第三項の規定の適用については、これらの規定中「水道事業者」とあるのは、「水道管理業務受託者」とする。

〔要　旨〕

本条は、水道事業者による水道の管理に関する技術上の業務の全部又は一部の他の水道事業者等への委託について規定したものである。

〔解　説〕

一、**本条の趣旨**

従来の水道法では、水道事業者による法的責任を伴う第三者への業務委託が想定されていないことから、水道事業者が自らの責任において、適正な管理を維持していくための選択肢が必ずしも十分ではなかった。このため、平成一三年の水道法改正において、特に中小の水道事業者にとって技術的に困難となりつつある浄水場の運転管理、水質管理等の技術上の業務を、技術的に信頼できる第三者に委託して適正に実施できるようにすることによって、水道事業者における管理体制強化の選択肢の充実を図るため、本条が追加された。

本条に基づく委託は、後述するように水道法上の責任を伴う包括的な委託であり、各水道事業者の責任のもとで行われている一部の業務委託（私法上の委託）とは性格の異なるものである。したがって、本条の規定はこうした私法上の委託に制約を設けるものではない。地方公共団体である水道事業者が、地方自治法第二五二条の一四の規定に基づく他の地方公共団体への事務の委託を行う場合についても同様である。

なお、本条に基づく委託を行う場合であっても、水道事業を経営するのはあくまで委託元の水道事業者であり、給水契約に基づいて需要者に対して負っている責任は、受託者に転嫁されることはない。したがって、水道事業者として常時給水義務等の需要者に対する責任が果たされない場合は、受託者の不適切な業務が原因であっても、水道事業者の責任は免れないことになる。

また、本制度は認可を受けた水道事業者の委託に限って設けたものであり、その受託者が他者に再委託することはできない。

二、**業務の委託（一項、令九条・一〇条）**

本条第一項は、水道事業者が、政令で定めるところにより、水道の管理に関する技術上の業務の全部又は一部を他の水道事業者若しくは水道用水供給事業者又は政令で定める要件に該当する第三者に委託することができる旨を規定したものである。

㈠　委託対象業務

「水道の管理に関する技術上の業務」である。すなわち、水道技術管理者が統括する技術上の業務全体を指し、具体的には水道施設の管理（運転、保守点検等）、水質管理（水質検査を含む。）、給水装置の検査等をいう。

なお、料金設定等の水道事業の経営そのものは委託対象とはならない。

㈡　委託の基準

本条の規定による委託は、「政令で定めるところにより」行うこととなっている（本条一項）。この委託の基準は次のとおりである。

１　水道施設の管理に関する技術上の業務の委託

水道施設の全部又は一部の管理に関する技術上の業務の委託については、技術上の観点から一体として行わなければならない業務の全部を一の者に委託するものとされている（令九条一号）。

例えば、ある浄水場における技術上の業務について本条の委託を行う場合は、水質検査、衛生上の措置等の施設管理業務全般を包括的に一事業者に委託するべきであり、ある一部の業務（例えば水質検査）のみを委託し、または業務全般を複数の事業者に分割して委託することはできない。

なお、本条第一項の「一部」の委託とは、例えば複数の系統の浄水場を管理している水道事業者が、ある一部の系統についての業務を委託するという場合等の委託をいい、このような場合でも当該系統の業務は一括して委託することとなる。

２　給水装置の管理に関する技術上の業務の委託

給水装置の管理に関する技術上の業務の委託については、当該水道事業者の給水区域内に存する給水装置の管理に関する技術上の業務の全部を委託するものとされている（令九条二号）。

これは、委託対象業務には、給水装置の検査のような給水装置の管理に関する技術上の業務も含まれるが、給水装置の管理は一般に需要者の所有物について行う業務であり他の委託対象業務とは性格が異なることから、別に委託基準を設けたものである。給水装置の管理に関する業務で全部委託する場合は、給水装置の管理に関する業務は需要者と直接関わるものであり、これに複数の委託者が関係することは需要者のサービスの公平性に影響を与えかねないこと等が想定され、給水区域内に存在する給水装置について、工事の設計審査から竣工検査までの全てを委託することとされたものである。また、こうした性格の違いから、水道施設の管理に関する技術上の業務と分離して委託することも可能である。

3　契約書の作成

本条の規定による委託を行う場合には、契約書を作成しなくてはならない（令九条三号）。契約書に記載すべき事項は同号の規定により次のとおりとされている。

(イ)　委託に係る業務の内容に関する事項

(ロ)　委託契約の期間及びその解除に関する事項

(ハ)　その他厚生労働省令で定める事項

このうち、(ハ)に掲げる「厚生労働省令で定める事項」とは、委託に係る業務の実施体制に関する事項である（規則一七条の六）。

(三)　水道管理業務受託者

受託者（水道管理業務受託者）となることのできる者は、他の水道事業者若しくは水道用水供給事業者又は当該業務を適正かつ確実に実施することができる者として政令で定める要件に該当するものである。

このうち、水道事業者及び水道用水供給事業者は既に水道法上の認可を受けて事業を行っており、また水道技術管理者を設置していることから、本条の規定による委託は、基本的にはこれらの者が受託者となることが想定されている。

これらの者以外の民間の法人については、政令で定める要件に該当する者に限り受託者となることができる。すなわち、委託業務を適正かつ確実に遂行するに足りる経理的及び技術的な基礎を有するものであることが求められる（令一〇条）。

㈣　罰則

本条第一項の規定に違反して業務を委託した者は、一年以下の懲役又は一〇〇万円以下の罰金に処せられる（法五三条六号）。

三、**届出（二項）**

㈠　届出の義務

水道事業者は、本条第一項の規定により業務を委託したとき及び委託に係る契約が効力を失ったときは、遅滞なく、厚生労働省令で定める事項を厚生労働大臣に届け出なければならない。

これは、本条の委託が行われた場合は、水道法上の責任の一部が水道事業者から受託者に移ることとなり、水道事業の監督者である国又は都道府県は、受託者を直接監督する責任を負うことから、受託の事実を把握しておく必要があるため事後の届出を義務としたものである。

なお、法第四六条第一項で定める政令又は道州制特別区域における広域行政の推進に関する法律施行令第二条第一項に該当する場合においては、厚生労働大臣の権限に属する事務は都道府県知事が行うものとされている。

厚生労働省令で定める具体的な届出事項は次のとおりである（規則一七条の七第一項）。

1　水道事業者の氏名又は名称（一号）

2　水道管理業務受託者の住所及び氏名（法人又は組合（二以上の法人が、一の場所において行われる業務を共同連帯して請け負った場合を含む。）にあっては、主たる事務所の所在地及び名称並びに代表者の氏名）（二号）

3　受託水道業務技術管理者の氏名（三号）
4　委託した業務の範囲（四号）
5　契約期間（五号）

㈡　罰則

本条第二項の規定に違反して、同項の規定による届出をせず、又は虚偽の届出をした者は、三〇万円以下の罰金に処せられる（法五五条二号）。

また、委託契約が効力を失ったときは、右記1から5に加え、当該契約が効力を失った理由を届け出なければならない（規則一七条の七第二項）。

四、受託水道業務技術管理者（三項、四項、五項、六項及び七項）

㈠　受託水道業務技術管理者の選任と責務

水道事業者は、水道の管理に関する技術上の業務を統括する責任者として水道技術管理者を選任し、その任に当たらせているが、本条の規定による委託では、水道技術管理者が担当する業務の全部又は一部が委託されることになる。このため、受託者が受託業務を遂行するに当たっては、水道技術管理者に相当する技術上の責任者を置く必要があり、法はこの責任者を受託水道業務技術管理者と位置付けているのである。

受託水道業務技術管理者の位置付け、事務の内容、資格は、基本的には水道技術管理者と同様の考え方で整理されている。まず、受託者の責務として、受託水道業務技術管理者一人を置かなければならない（三項）。その事務は、委託された業務の範囲内において同技術管理者の行うべき事務に従事し、及びこれらの事務に従事する他の職員を監督しなければならないとされ（四項）、また、水道技術管理者たる資格を有する者でなければならないとされている（五項、令一一条）。

委託によって受託水道業務技術管理者に適用される水道法の規定は、第六項・第七項に限定列挙されており、次のとおりである。

1　給水開始前の水質検査・施設検査の実施、記録の作成・保存（法一三条）
2　給水装置の検査（法一七条）
3　水質検査の実施、記録の作成・保存、検査の委託（法二〇条）
4　健康診断の実施、記録の作成・保存（法二一条）
5　衛生上の措置（法二二条）
6　水道施設の維持及び修繕（法二二条の二）
7　水道施設台帳（法二二条の三）
8　給水の緊急停止（法二三条一項）
9　給水装置工事主任技術者の立会い（法二五条の九）及び指定の取消し（法二五条の一一第一項）

㈡　罰則

本条第三項の規定に違反して、資格のある受託水道業務技術管理者を置かなかった場合には、水道技術管理者についての水道事業者と同様に、受託者は一年以下の懲役又は一〇〇万円以下の罰金に処せられることとなる（法五三条七号）。

五、受託者の責任と受託者に対する監督（六項）

㈠　受託者の責任

本条第六項は、委託された業務の範囲内では、水道事業者に代えて受託者に、あるいは、水道技術管理者に代えて受託水道業務技術管理者にそれぞれ水道法上の責任が課され、同法が適用されるという、法律上の責任関係を定めている。

したがって、受託者は、委託契約に基づき、一定範囲で水道事業者に代わって水道法上の責任を負うこととなり、自らが適正に業務を実施しない場合には、受託者自身がその責任を問われ、罰則の適用も受けることとなる。

㈡　受託者に対する監督

また、併せて、国又は都道府県による監督に関する次の規定についても、受託者に適用される。したがって、国又は都道府県は、受託水道業務技術管理者の変更勧告、受託者に対する報告徴収・立入検査を直接行うことができることとなる。

イ　厚生労働大臣による技術管理者の変更勧告（法三六条二項）

ロ　厚生労働大臣による報告徴収・立入検査（法三九条）

なお、受託者に対する監督は、委託元の水道事業の認可権者が行うこととなっており、法第四六条第一項又は道州制特別区域における広域行政の推進に関する法律施行令第二条第一項に該当する場合においては、厚生労働大臣の権限に属する事務は都道府県知事が行うものとされている（法四六条、令一四条一項）。

六、水道技術管理者と受託水道業務技術管理者との関係（八項）

委託者の選任すべき水道技術管理者と受託水道業務技術管理者との関係は、委託契約に基づき受託水道業務技術管理者が行うこととなった事務については、水道技術管理者の責任が免除され、また、水道技術管理者の行うべき事務のすべてが委託される場合には、水道事業者は水道技術管理者を置かなくてよいものとされている。

七、準用

本条は、水道用水供給事業者及び専用水道の設置者について準用する（法三一条、三四条一項）。

〔参　考〕

「水道施設運営権の設定に係る許可に関するガイドライン」の策定及び「水道事業における官民連携に関する手引き」の改訂について（通知）

（令和元年九月三〇日　薬生水発〇九三〇第五号各都道府県水道行政主管部（局）長、各厚生労働大臣認可水道事業者及び水道用水供給事業者あて厚生労働省医薬・生活衛生局水道課長通知）

平成三〇年一二月一二日に公布された、水道法の一部を改正する法律（平成三〇年法律第九二号。以下「改正法」という。）により、官民連携の選択肢の一つとして、ＰＦＩの一類型である公共施設等運営事業について、地方公共団体が水道事業者及び水道用水供給事業者（以下、「水道事業者等」という。）としての位置づけを維持しつつ、厚生労働大臣の許可を受けて水道施設運営権を民間事業者に設定できる仕組みが新たに導入され、令和元年一〇月一日から施行されることとなった。

これを受け、厚生労働省においては、「水道施設運営権の設定に係る許可に関するガイドライン」を策定するとともに「水道事業における官民連携に関する手引き」（平成二六年三月策定、平成二八年一二月一部追記）の改訂を行った。

ついては、水道事業者等におかれては、下記のとおり、公共施設等運営事業の導入の検討・実施に当たって本ガイドライン等を参照等願いたい。また、各都道府県におかれては、本通知について管下の都道府県知事認可の水道事業者等に周知願いたい。

なお、本通知は、地方自治法（昭和二二年法律第六七号）第二四五条の四第一項に基づく技術的助言である旨申し添える。

記

一．「水道施設運営権の設定に係る許可に関するガイドライン」の策定について

改正法による改正後の水道法（昭和三二年法律第一七七号。以下「法」という。）第二四条の四の規定に基づき、地方公共団体である水道事業者等が水道施設運営権の設定に係る許可の申請を行う場合には、法第二四条の五の規定に基づき、申

請書等を厚生労働大臣に提出しなければならないこととされている。また、許可に当たっての基準は法第二四条の六に規定されており、これらの規定に基づき審査が行われる。

厚生労働省においては、厚生労働大臣の許可に関する審査についての基本的な考え方を示すため、許可に際しての留意事項や、申請書の審査上の基本事項等を「水道施設運営権の設定に係る許可に関するガイドライン」として別添一のとおり取りまとめた。

地方公共団体である水道事業者等が法第二四条の四の規定に基づく許可の申請を行う場合には、本ガイドラインを参照願いたい。

二.「水道事業における官民連携に関する手引き」の改訂について

厚生労働省においては、水道事業者等が官民連携の検討を行う場合の参考として、平成二六年三月に「水道事業における官民連携に関する手引き」を策定し、官民連携による事業基盤の強化の取組を推進してきた。

今般、本手引きについて、公共施設等運営事業を導入するに当たって事前に検討すべき事項や、公共施設等運営事業を導入・実施する際の手順等についての実務的な解説を新たに「第Ⅴ編　コンセッション方式導入の検討」として追加する等の改訂を行い、別添二のとおり取りまとめた。

水道事業者等におかれては、公共施設等運営事業の導入について検討する際の参考として、本手引きを活用願いたい。

三.その他

改正法の施行に関し、水道施設運営権の設定の許可に関する事項も含めた全般にわたる改正の趣旨、内容及び留意点については、「改正水道法等の施行について」（令和元年九月三〇日付け薬生水発第〇九三〇第一号）厚生労働省医薬・生活衛生局水道課長通知）により通知したところであり、併せて参照願いたい。

別添一「水道施設運営権の設定に係る許可に関するガイドライン」（令和元年九月三〇日）

https://www.mhlw.go.jp/content/000552925.pdf

別添二「水道事業における官民連携に関する手引き（改訂版）」（令和元年九月）

https://www.mhlw.go.jp/content/000552935.pdf

〔法　律〕

（水道施設運営権の設定の許可）

第二十四条の四　地方公共団体である水道事業者は、民間資金等の活用による公共施設等の整備等の促進に関する法律（平成十一年法律第百十七号。以下「民間資金法」という。）第十九条第一項の規定により水道施設運営等事業（水道施設の全部又は一部の運営等（民間資金法第二条第六項に規定する運営等をいう。）であつて、当該水道施設の利用に係る料金（以下「利用料金」という。）を当該運営等を行う者が自らの収入として収受する事業をいう。以下同じ。）に係る民間資金法第二条第七項に規定する公共施設等運営権（以下「水道施設運営権」という。）を設定しようとするときは、あらかじめ、厚生労働大臣の許可を受けなければならない。この場合において、当該水道事業者は、第十一条第一項の規定にかかわらず、同項の許可（水道事業の休止に係るものに限る。）を受けることを要しない。

2　水道施設運営等事業は、地方公共団体である水道事業者が、民間資金法第十九条第一項の規定により水道施設運営権を設定した場合に限り、実施することができるものとする。

3　水道施設運営権を有する者（以下「水道施設運営権者」という。）が水道施設運営等事業を実施する場合には、第六条第一項の規定にかかわらず、水道事業経営の認可を受けることを要しない。

〔要　旨〕

本条は、水道施設運営等事業に係る水道施設運営権の設定には、厚生労働大臣の許可を要することを規定したものである。

〔解　説〕

一、**本条の趣旨**

利用料金の徴収を行う公共施設について、施設の所有権を地方公共団体が所有したまま、施設に関する公共施設等運営権を民間事業者に設定する方式（いわゆるコンセッション方式）は、Private Finance Initiative（ＰＦＩ）の手法の一つであり、民間資金等の活用による公共施設等の整備等の促進に関する法律（平成一一年法律第一一七号。以下「民間資金法」という。）の一部改正（平成二三年）により創設された。同方式の対象には、当初から水道施設が含まれており、また、同法に基づく「民間資金等の活用による公共施設等の整備等に関する事業の実施に関する基本方針（平成三〇年一〇月二三日閣議決定）」において、「事業を経営するには、各事業法に基づく許可等を受けることが必要」とされた。すなわち、水道事業においては、民間事業者である公共施設等運営権者が法に基づく水道事業経営の認可を受け、水道施設の全部の運営等を担う形であれば、同方式の導入が可能とされた。この場合、それまで水道事業を経営していた地方公共団体は、水道事業の廃止の許可を受ける必要があった（いわゆる民間事業型のコンセッション方式）。

その後、いくつかの地方公共団体において水道事業へのコンセッション方式の導入のための検討が進められたが、導入には至らなかった。そのような中、不測のリスク発生時等に地方公共団体が水道水の供給に責任を負える制度を求める要望も踏まえ、水道事業の確実かつ安定的な運営のために公の関与を強化する観点から、平成三〇年の水道法改正において本条から法第二四条の一三までの規定が追加された。これにより、本条に基づく厚生労働大臣の許可を受けることで、地方公共団体が水道事業者としての位置づけを維持しつつ、水道施設に関する公共施設等運営権を民間事業者に設定することが可能となった（いわゆる地方公共団体事業型のコンセッション方式）。

なお、本条において、水道施設の全部又は一部の運営等であって、当該水道施設の利用に係る料金（利用料金）を当該運営等を行う者が自らの収入として収受する事業を「水道施設運営等事業」と、水道施設運営等事業に係る公共施設等運営権を「水道施設運営権」と、水道施設運営権を有する者を「水道施設運営権者」としている。

本条に基づく許可を受け、水道施設運営等事業が行われる場合でも、水道事業経営の認可を受けた者として住民等に対する最終的な給水責任を負う主体は地方公共団体であり、経営方針など水道事業全体に関わる方針決定や住民等との給水契約の締結等は引き続き地方公共団体である水道事業者が実施することとなる。

なお、本条の規定によらず、従前のとおり、民間事業型のコンセッション方式により水道施設に関する公共施設運営等事業を行うことを妨げるものではない。また、民間事業型、地方公共団体事業型いずれの方式による場合も、民間資金法の規定が適用されることに留意が必要である。

二、**水道施設運営権の設定の許可**

地方公共団体である水道事業者は、水道施設運営等事業に係る水道施設運営権を設定しようとするときは、あらかじめ、厚生労働大臣の許可を受けなければならない（一項）。この場合、当該水道事業者は、水道事業の休止に係る許可を受けることを要しない（一項後段）。なお、水道施設運営等事業に関しては、厚生労働大臣認可の水道事業者であるか都道府県知事認可の水道事業者であるかを問わず、厚生労働大臣に対して申請を行い、水道施設運営権の設定の許可を受けることとされている。

また、水道施設運営等事業は、地方公共団体である水道事業者が水道施設運営権を設定した場合に限り実施することができること、及び水道施設運営権者が水道施設運営等事業を実施する場合には、水道事業経営の認可を受けることを要しないことが規定されている（二項、三項）。

三、**準用**

本条は、水道用水供給事業者について準用する（法三一条）。

〔参　考〕

「水道施設運営権の設定に係る許可に関するガイドライン」の策定及び「水道事業における官民連携に関する手引き」の改訂について（通知）

（令和元年九月三〇日　薬生水発〇九三〇第五号各都道府県水道行政主管部（局）長、各厚生労働大臣認可水道事業者及び水道用水供給事業者あて厚生労働省医薬・生活衛生局水道課長通知）

第二四条の三　業務の委託〔参考〕を参照のこと。

〔法　律〕

（許可の申請）

第二十四条の五　前条第一項前段の許可の申請をするには、申請書に、水道施設運営等事業実施計画書その他厚生労働省令で定める書類（図面を含む。）を添えて、これを厚生労働大臣に提出しなければならない。

2　前項の申請書には、次に掲げる事項を記載しなければならない。

一　申請者の主たる事務所の所在地及び名称並びに代表者の氏名

二　申請者が水道施設運営権を設定しようとする民間資金法第二条第五項に規定する選定事業者（以下この条及び次条第一項において単に「選定事業者」という。）の主たる事務所の所在地及び名称並びに代表者の氏名

三　選定事業者の水道事務所の所在地

3　第一項の水道施設運営等事業実施計画書には、次に掲げる事項を記載しなければならない。

一　水道施設運営等事業の対象となる水道施設の名称及び立地

二　水道施設運営等事業の内容

三　水道施設運営権の存続期間

四　水道施設運営等事業の開始の予定年月日

五　水道事業者が、選定事業者が実施することとなる水道施設運営等事業の適正を期するために講ずる措置

六　災害その他非常の場合における水道事業の継続のための措置
七　水道施設運営等事業の継続が困難となった場合における措置
八　選定事業者の経常収支の概算
九　選定事業者が自らの収入として収受しようとする水道施設運営等事業の対象となる水道施設の利用料金
十　その他厚生労働省令で定める事項

〔施行規則〕

（水道施設運営権の設定の許可の申請）

第十七条の九　法第二十四条の五第一項に規定する厚生労働省令で定める書類（図面を含む。）は、次に掲げるものとする。
一　申請者が水道施設運営権を設定しようとする民間資金等の活用による公共施設等の整備等の促進に関する法律（平成十一年法律第百十七号）第二条第五項に規定する選定事業者（以下「選定事業者」という。）の定款又は規約
二　水道施設運営等事業の対象となる水道施設の位置を明らかにする地図

第十七条の十　法第二十四条の五第三項第十号の厚生労働省令で定める事項は、次に掲げるものとする。
一　選定事業者が水道施設運営等事業を適正に遂行するに足りる専門的能力及び経理的基礎を有するものであることを証する書類
二　水道施設運営等事業の対象となる水道施設の維持管理及び計画的な更新に要する費用の予定総額及びその算出根拠並びにその調達方法並びに借入金の償還方法
三　水道施設運営等事業の対象となる水道施設の利用料金の算出根拠
四　水道施設運営等事業の実施による水道の基盤の強化の効果
五　契約終了時の措置

〔要　旨〕

本条は、水道施設運営権の設定に係る許可の申請に当たり、申請書に添付すべき書類等について規定したものである。

〔解　説〕

一、申請の手続

水道施設運営等事業に係る水道施設運営権を設定しようとする者は、後述の書類、図面を添えて、厚生労働大臣に申請書を提出しなければならない。

二、申請書の添付書類（一項）

水道施設運営等事業に係る水道施設運営権の設定に当たっては厚生労働大臣の許可が必要であり（法二四条の四第一項）、その許可基準が法第二四条の六に定められている。本条では、厚生労働大臣が法第二四条の六の許可基準に照らして当該許可の適否について判断を行う資料として、申請書に、水道施設運営等事業実施計画書を添付することが規定されているほか、厚生労働省令（規則一七条の九）において次の書類等を添付することとされている。

㈠　申請者が水道施設運営権を設定しようとする民間資金法第二条第五項に規定する選定事業者（以下「選定事業者」という。）の定款又は規約

㈡　水道施設運営等事業の対象となる水道施設の位置を明らかにする地図

三、許可申請書の記載事項（二項）

許可申請書に記載する事項は、本条第二項において次の事項とされている。

㈠　申請者の主たる事務所の所在地及び名称並びに代表者の氏名

㈡　申請者が水道施設運営権を設定しようとする民間資金法第二条第五項に規定する選定事業者の主たる事務所の所在地及び名称並びに代表者の氏名
㈢　選定事業者の水道事務所の所在地
なお、㈡又は㈢に変更が生じた場合は、水道施設運営権者は、遅滞なく、その旨を水道事業者及び厚生労働大臣に届け出なければならない（法二四条の一〇）。

四、水道施設運営等事業実施計画書の記載事項（三項）

水道施設運営等事業実施計画書は、水道施設運営等事業の概要等を示すもので、本条第三項によって次の事項を記載することとされている。

㈠　水道施設運営等事業の対象となる水道施設の名称及び立地
㈡　水道施設運営等事業の内容
㈢　水道施設運営権の存続期間
㈣　水道施設運営等事業の開始の予定年月日
㈤　水道事業者が、選定事業者が実施することとなる水道施設運営等事業の適正を期するために講ずる措置
㈥　災害その他非常の場合における水道事業の継続のための措置
㈦　水道施設運営等事業の継続が困難となった場合における措置
㈧　選定事業者の経常収支の概算
㈨　選定事業者が自らの収入として収受しようとする水道施設運営等事業の対象となる水道施設の利用料金
㈩　その他厚生労働省令で定める事項

その他厚生労働省令で定める事項としては、規則第一七条の一〇において次のものが定められている。

イ　選定事業者が水道施設運営等事業を適正に遂行するに足りる専門的能力及び経理的基礎を有するものであることを証する書類

ロ　水道施設運営等事業の対象となる水道施設の維持管理及び計画的な更新に要する費用の予定総額及びその算出根拠並びにその調達方法並びに借入金の償還方法

ハ　水道施設運営等事業の対象となる水道施設の利用料金の算出根拠

ニ　水道施設運営等事業の実施による水道の基盤の強化の効果

ホ　契約終了時の措置

なお、「水道施設運営権の設定に係る許可に関するガイドライン」において、水道施設運営等事業実施計画書の記載事項についての考え方を含めた申請書の審査上の基本事項が示されている。

五、準用

本条は、水道用水供給事業者について準用する（法三一条）。

〔**法　律**〕

（許可基準）

第二十四条の六　第二十四条の四第一項前段の許可は、その申請が次の各号のいずれにも適合していると認められるときでなければ、与えてはならない。

一　当該水道施設運営等事業の計画が確実かつ合理的であること。

二　当該水道施設運営等事業の対象となる水道施設の利用料金が、選定事業者を水道施設運営権者とみなして第二十四条の八第一項の規定により読み替えられた第十四条第二項（第一号、第二号及び第四号に係る部分に限る。以下この号において同じ。）の規定を適用するとしたならば同項に掲げる要件に適合すること。

三　当該水道施設運営等事業の実施により水道の基盤の強化が見込まれること。

２　前項各号に規定する基準を適用するについて必要な技術的細目は、厚生労働省令で定める。

〔施行規則〕

（水道施設運営権の設定の許可基準）

第十七条の十一　法第二十四条の六第二項に規定する技術的細目のうち、同条第一項第一号に関するものは、次に掲げるものとする。

一　水道施設運営等事業の対象となる水道施設及び当該水道施設に係る業務の範囲が、技術上の観点から合理的に設定され、かつ、選定事業者を水道施設運営権者とみなした場合の当該選定事業者と水道事業者の責任分担が明確にされていること。

二　水道施設運営権の存続期間が水道により供給される水の需要、水道施設の維持管理及び更新に関する長期的な見通しを踏まえたものであり、かつ、経常収支が適切に設定できるよう当該期間が設定されたものであること。

三　水道施設運営等事業の適正を期するために、水道事業者が選定事業者を水道施設運営権者とみなした場合の当該選定事業者の業務及び経理の状況を確認する適切な体制が確保され、かつ、当該確認すべき事項及び頻度が具体的に定められていること。

四　災害その他非常の場合における水道事業者及び選定事業者による水道事業を継続するための措置が、水道事業の適正かつ確実な実施のために適切なものであること。

五　水道施設運営等事業の継続が困難となつた場合における水道事業者が行う措置が、水道事業の適正かつ確実な実施のために適切なものであること。

六　選定事業者の工事費の調達、借入金の償還、給水収益及び水道施設の運営に要する費用等に関する収支の見通しが、水道施設運営等事業の適正かつ確実な実施のために適切なものであること。
七　水道施設運営等事業に関する契約終了時の措置が、水道事業の適正かつ確実な実施のために適切なものであること。
八　選定事業者が水道施設運営等事業を適正に遂行するに足りる専門的能力及び経理的基礎を有するものであること。
2　法第二十四条の六第二項に規定する技術的細目のうち、同条第一項第二号に関するものは、選定事業者を水道施設運営権者とみなして次条の規定により第十二条の二各号及び第十二条の四各号の規定を適用することとしたならばこれに掲げる要件に適合することとする。
3　法第二十四条の六第二項に規定する技術的細目のうち、同条第一項第三号に関するものは、水道施設運営等事業の実施により、当該水道事業における水道施設の維持管理及び計画的な更新、健全な経営の確保並びに運営に必要な人材の確保が図られることとする。

〔要　旨〕

本条は、水道施設運営権の設定の許可基準を規定するとともに、許可基準の適用における明確化を図るため、必要な技術的細目を厚生労働省令で定めることとしたものである。

〔解　説〕

一、許可の基準

厚生労働大臣は、本条に定める三項目の基準により許可の可否を判断するのであり、申請内容が三項目の基準全てに適合していると判断した場合でなければ許可を与えることはできない。

また、この基準を適用するに当たっては、本条第二項の規定により規則第一七条の一一で定める技術的細目に基づく必要がある。

なお、「水道施設運営権の設定に係る許可に関するガイドライン」において、本条で規定されている許可基準についての考え方を含めた事業許可に際しての留意事項が示されている。

二、計画の確実性と合理性（一項一号）

当該水道施設運営等事業の計画が確実に実施されるもので、かつ、その計画が技術的財政的観点等から合理的でなければならないことから、業務の範囲、責任分担、水道施設運営権の存続期間、水道施設運営権者に対するモニタリング、災害その他非常の場合における事業継続のための措置、事業継続が困難となった場合の措置、選定事業者の収支の見通し、契約終了時の措置、選定事業者の専門的能力及び経理的基礎等の広い観点からその確実性と合理性を確認することとされている（規則一七条の一一第一項）。

三、利用料金の要件への適合（一項二号）

水道施設運営権者が収受することとなる利用料金が、法第一四条第二項（一号、二号及び四号に係る部分に限る）並びに規則第一二条の二各号及び規則第一二条の四各号に規定する要件に適合することとされている（規則一七条の一一第二項）。

四、水道の基盤の強化（一項三号）

水道施設運営等事業は、当該水道事業の基盤の強化に資する場合に実施されるべきものであることから、水道施設運営等事業の実施により、当該水道事業における水道施設の維持管理及び計画的な更新、健全な経営の確保並びに運営に必要な人材の確保が図られることとされている（規則一七条の一一第三項）。

五、準用

本条は、第一項第二号を除き水道用水供給事業者について準用する（法三一条）。

〔法　律〕

（水道施設運営等事業技術管理者）

第二十四条の七　水道施設運営権者は、水道施設運営等事業について技術上の業務を担当させるため、水道施設運営等事業技術管理者一人を置かなければならない。

2　水道施設運営等事業技術管理者は、水道施設運営等事業に係る業務の範囲内において、第十九条第二項各号に掲げる事項に関する事務に従事し、及びこれらの事務に従事する他の職員を監督しなければならない。

3　水道施設運営等事業技術管理者は、第二十四条の三第五項の政令で定める資格を有する者でなければならない。

〔要　旨〕

本条は、水道事業者における水道技術管理者と同様に、水道施設運営権者が水道施設運営等事業技術管理者を置くことを義務づけ、その所掌事務及び資格要件について規定したものである。

〔解　説〕

一、**水道施設運営等事業技術管理者**

水道事業者は、水道の管理に関する技術上の業務を統括する責任者として水道技術管理者を選任し、その任に当たらせているが、水道施設運営等事業においては、水道技術管理者が担当する業務の全部又は一部を水道施設運営権者が実施することとなる。このため、水道施設運営権者が水道施設運営等事業を実施するに当たっては、水道技術管理者に相当する技術上の責任者を置く必要があり、本条はこの責任者を水道施設運営等事業技術管理者と位置づけている。

水道施設運営等事業技術管理者の位置付け、事務の内容、資格は、基本的には水道技術管理者と同様の考え方で整理されている。まず、水道施設運営権者の責務として、水道施設運営等事業技術管理者一人を置かなければならない（一項）。水道施設運営等事業技術管理者は、水道施設運営等事業の業務の範囲内において法第一九条第二項各号に掲げる事項に関する事務に従事し、及びこれらの事務に従事する他の職員を監督しなければならないとされ（二項）、また、水道技術管理者たる資格を有する者でなければならないとされている（三項、令一一条）。

二、**準用**

本条は、水道用水供給事業者について準用する。この場合、給水装置の検査に関する規定（法一九条二項三号）については水道用水供給事業者に適用されないことから、第二項中「第十九号第二項各号」とあるのは、「第十九号第二項各号（第三号を除く。）」と読み替える（法三一条）。

三、**罰則**

水道施設運営等事業技術管理者を置かなかった水道施設運営権者は、一年以下の懲役又は一〇〇万円以下の罰金に処せられる（法五三条八号）。

〔**法　律**〕

（水道施設運営等事業に関する特例）

第二十四条の八　水道施設運営権者が水道施設運営等事業を実施する場合における第十四条第一項、第二項及び第五項、第十五条第二項及び第三項、第二十三条第二項、第二十四条第三項並びに第四十条第一項、第五項及び第八項の規定の適用については、第十四条第一項中「料金」とあるのは「料金（第二十四条の四第三項に規定する水道施設運営権者（次項、次条第二項及び第二十三条第二項において「水道施設運営権者」という。）が自らの収入として収受する水道施設の利用に係る料金（次項において「水道施設運営権者に係る利用料金」という。）を含む。次項第一号及び第二号、第五項、次条第三項並びに第二十四条第三項において同じ。）」と、同条第二項中「次に」とあるのは「水道施設運営権者に係る利用料金について、水道施設運営権者は水道の需要者に対して直接にその支払を請求する権利を有する旨が明確に定められていることのほか、次に」と、第十五条第二項ただし書中「受けた場合」とあるのは「受けた場合（水道施設運営権者が当該供給命令を受けた場合を含む。）」と、第二十三条第二項中「水道事業者の」とあるのは「水道事業者（水道施設運営権者を含む。以下この項及び次条第三項において同じ。）の」と、第四十条第一項及び第五項中「又は水道用水供給事業者」とあるのは「若しくは水道用水供給事業者又は水道施設運営権者」とする。この場合において、水道施設運営権者は、当然に給水契約の利益（水道施設運営等事業の対象となる水道施設の利用料金の支払を請求する権利に係る部分に限る。）を享受する。

2　水道施設運営権者が水道施設運営等事業を実施する場合においては、当該水道施設運営等事業に係る業務の範囲内において、水道施設運営権者を水道事業者と、水道施設運営等事業技術管理者を水道技術管理者とみなして、第十二条、第十三条第一項（水質検査及び施設検査の実施に係る部分に限る。）及び第二項、第十七条、第二十条から第二十二条の四まで、第二十三条第一項、第二十五条の九、第三十六条第一項及び第二項、第三十七条並びに第三十九条（第二項及び第三項を除く。）の規定（これらの規定に係る罰則を含む。）を適用する。この場合において、当該水道施設運営等事業に係る業務の範囲内において、水道事業者及び水道技術管理者については、これらの規定は適用せず、第二十二条の四第一項中「更新」とあるのは、「更新（民間資金等の活用による公共施設等の整備等の促進に関する法律（平成十一年法律第百十七号）第二条第六項に規定する運営等として行うものに限る。次項において同じ。）」とする。

3　前項の規定により水道施設運営権者を水道事業者とみなして第二十五条の九の規定を適用する場合における第二十五条の十一第一項の規定の適用については、同項第五号中「水道事業者」とあるのは、「水道施設運営権者」とする。

4　水道施設運営権者が水道施設運営等事業を実施する場合においては、当該水道施設運営等事業に係る業務の範囲内において、水道技術管理者については第十九条第二項の規定は適用せず、水道施設運営等事業技術管理者が同項各号に掲げる事項に関する全ての事務に従事し、及びこれらの事務に従事する他の職員を監督する場合においては、水道事業者については、同条第一項の規定は、適用しない。

〔施行規則〕

（水道施設運営等事業に関する特例）

第十七条の十二　法第二十四条の八第二項の規定により水道施設運営権者を水道事業者とみなして法第十四条第三項及び第五項、第二十条第三項ただし書、第二十二条、第二十二条の二第一項並びに第二十二条の四第二項の規定を適用する場合における第十二条から第十二条の四まで、第十二条の六、第十五条、第十七条、第十七条の二及び第十七条の四の規定の適用については、第十二条第一号中「料金」とあるのは「料金（水道施設運営権者が自らの収入として収受する水道施設の利用に係る料金を含む。第三号から第五号まで、次条から第十二条の四まで及び第十二条の六において同じ。）」と、第十五条第八項、第十七条第一項、第十七条の二第二項及び第三項並びに第十七条の四第一項中「水道事業者」とあるのは「水道施設運営権者」と、同条第二項中「更新」とあるのは「更新（民間資金等の活用による公共施設等の整備等の促進に関する法律（平成十一年法律第百十七号）第二条第六項に規定する運営等として行うものに限る。）」とする。

〔要　旨〕

本条は、水道施設運営権者が水道施設運営等事業を実施する場合における、供給規程、水道法上の責任関係、国による監督等に関する取り扱いの特例を定めたものである。

〔解　説〕

一、**供給規程に関する規定等の適用に係る特例**（法二四条の八第一項）

民間資金法第二条第六項において、公共施設等運営事業とは、公共施設等の管理者等が所有権を有する公共施設等について、運営等を行い、利用料金を自らの収入として収受するものと定義されており、また、同法第二三条第一項の規定において、公共施設等運営権者は、利用料金を自らの収入として収受するものとされている。
一方、水道事業における料金の収受については、水道事業者が水道の需要者との間で締結する給水契約に基づくものとされており、また、当該給水契約の内容については水道事業者が供給規程としてあらかじめ定めることとされている（法一四条一項）。
このため、水道施設運営権者が、利用料金を給水契約に基づくものとして収受することができるよう、本条第一項において、供給規程に関する規定等の適用に係る特例が定められている。
具体的には、次の特例が適用される。

㈠　供給規程等における料金の取扱いの特例

水道施設運営権者が水道施設運営等事業を実施する場合には、供給規程において定めるべき「料金」に、水道施設運営権者に係る利用料金を含むこととして法第一四条第一項の規定が適用される。

なお、この取扱いは、供給規程の適合すべき要件に関する規定（法一四条二項一号及び二号）、料金の変更の届出に関する規定（法一四条五項）、給水の停止に関する規定（法一五条三項）及び公共の消防用水の料金に関する規定（法二四条三項）においても同様となる。

㈡　供給規程の適合すべき要件の取扱いの特例

水道施設運営権者が水道施設運営等事業を実施する場合には、供給規程の適合すべき要件として、「水道施設運営権者に係る利用料金について、水道施設運営権者は水道の需要者に対して直接にその支払いを請求する権利を有する旨が明確に定められていること」を加えて法第一四条第二項の規定が適用される。このため、水道事業者は、水道施設運営等事業の開始に先立って供給規程の変更を行う必要がある。

水道事業者は、給水契約に係る供給条件について、あらかじめ一方的に供給規程（定型約款）を定めることとされており、供給規程の変更についても広範な裁量が与えられている。水道施設運営等事業を実施する場合、水道事業者と水道の需要者（住民）との既存の給水契約の内容を変更する必要があるが、前述の供給規程の変更を行い、水道施設運営権者が水道の需要者に対して直接に利用料金の支払を請求する権利を有する旨を供給規程に定めることにより、既存の住民との間の給水契約が変更されることとなる。なお、契約変更に当たり、個々の住民の同意は不要である。

また、前述の供給規程の変更が行われた場合、給水契約は、民法（明治二九年法律第一四号）第五三七条に規定するいわゆる第三者のためにする契約となる。この場合、水道施設運営権者は、水道事業者と住民との間の第三者のためにする契約における第三者に位置付けられる。ここで、民法においては、第三者の債務者に対する契約の利益を享受する意思表示を権利発生の要件としているところ（同法五三七条三項）、本条第一項後段において、「この場合において、水道施設運営権者は、当然に給水契約の利益（水道施設運営等事業の対象となる水道施設の利用料金の支払を請求する権利に係る部分に限る。）を享受する」との規定を設けることにより、同要件を不要としている。このため、水道施設運営権者から個々の住民に対する利益享受の意思表示は不要である。

㈢　給水の緊急停止、公共の消防用水の料金及び水道用水の緊急応援に関する規定の取扱いの特例

水道施設運営権者が水道施設運営等事業を実施する場合には、給水の緊急停止に係る通報に関する規定（法二三条二項）、公共の消防用水の料金に関する規定（法二四条三項）及び水道用水の緊急応援に関する規定（法一五条二項、四〇条一項、五項、八項）について、その対象に水道施設運営権者を含めて適用される。

二、水道施設運営権者の責任と水道施設運営権者に対する監督に関する規定の適用に係る特例（法二四条の八第二項か

ら第四項、規則第一七条の一二)

(一)　水道施設運営権者の責任

本条第二項においては、水道施設運営権者が水道施設運営等事業を実施する場合において、当該水道施設運営等事業に係る業務の範囲内では、水道事業者に代えて水道施設運営権者に、あるいは、水道技術管理者に代えて水道施設運営等事業技術管理者にそれぞれ水道法上の責任が課され、同法が適用されるという、法律上の責任関係の特例が定められている。

したがって、水道施設運営権者は、一定範囲で水道事業者に代わって水道法上の責任を負うこととなり、自らが適正に業務を実施しない場合には、水道施設運営権者自身がその責任を問われ、罰則の適用も受けることとなる。なお、個々の水道施設運営等事業における水道施設運営権者の業務の範囲は、実施契約によって個別具体的に定められることとなる。

水道施設運営権者に適用することができる水道法の規定は次のとおりである。これら以外の規定については、当然ながら水道施設運営権者に適用することはできず、引き続き水道事業者がその責任を負うこととなる。

イ　技術者による布設工事の監督(法一二条)
ロ　給水開始前の届出及び検査(水質検査・施設検査の実施に係る部分に限る)(法一三条一項)
ハ　給水開始前検査の記録の作成・保存(法一三条二項)
ニ　給水装置の検査(法一七条)
ホ　水質検査(法二〇条)
ヘ　健康診断(法二一条)

ト　衛生上の措置（法二二条）
チ　水道施設の維持及び修繕（法二二条の二）
リ　水道施設台帳（法二二条の三）
ヌ　水道施設の計画的な更新等（法二二条の四）
法第二二条の四の規定を水道施設運営権者に適用する場合、同条第一項中「更新」とあるのは、「更新（民間資金等の活用による公共施設等の整備等の促進に関する法律（平成十一年法律第百十七号）第二条第六項に規定する運営等として行うものに限る。次項において同じ。）」として適用される。これは、法第二二条の四に規定する「更新」には、公共施設等運営事業に含まれない、施設等を全面除却し再整備するものが含まれることから、公共施設等運営事業において実施できる「運営等」に限定する趣旨である。
ル　給水の緊急停止（法二三条一項）
ヲ　給水装置工事主任技術者の立会い（法二五条の九）
法第二五条の九の規定を水道施設運営権者に適用する場合、法第二五条の一一第一項第五号中「水道事業者」とあるのは、「水道施設運営権者」として適用される（三項）。
なお、水道施設運営等事業に係る業務の範囲内においては、水道技術管理者の責任が免除され、また、水道技術管理者の行うべき事務のすべてを水道施設運営等事業技術管理者が実施する場合には、水道事業者は水道技術管理者を置かなくてよいものとされている（四項）。
㈡　水道施設運営権者に対する監督
水道法上の責任に関する規定と同様に、国による監督に関する規定についても水道施設運営権者に適用される（二項）。

水道施設運営等事業による水道施設の適切な運転管理や健全な経営を確保する観点から、水道事業者は、水道施設運営権者にセルフモニタリングを実施させるとともに、民間資金法等に基づき、自ら水道施設運営権者に対して適切なモニタリングを継続的に実施することとなるが、これに加えて、厚生労働大臣が水道施設運営権者に対する報告徴収・立入検査その他の監督を直接行うことができることとなる。

水道施設運営権者に適用される監督に関する規定は次のとおりである。

イ　厚生労働大臣による施設の改善の指示（法三六条一項）

ロ　厚生労働大臣による技術管理者の変更勧告（法三六条二項）

ハ　厚生労働大臣による給水停止命令（法三七条）

ニ　厚生労働大臣による報告徴収・立入検査（法三九条）

なお、水道施設運営権の設定の許可と同様に、都道府県知事認可の水道事業者が水道施設運営等事業を実施する場合においても、厚生労働大臣が水道施設運営権者に対する監督を行うこととなる。この場合、水道事業者に対する監督は都道府県知事が、水道施設運営権者に対する監督は厚生労働大臣が行うことから、相互に密接な連携が必要となる。また、この場合においても、水道事業者が法第一五条の給水義務を負っていることに鑑み、都道府県知事は、水道施設運営等事業に係る業務の実施状況も含む水道事業全体の実施状況に関して、水道事業者に対する監督を行うことが必要である。

三、**準用**

本条は、第三項を除き水道用水供給事業者について準用する。この場合、供給規程に関する規定（法一四条、法一五条三項）、消火栓に関する規定（法二四条三項）及び給水装置に関する規定（法一七条、法二五条の九）については水道用水供給事業者に適用されないことから、必要な読替えを行うこととされている（法三一条）。

〔法　律〕
（水道施設運営等事業の開始の通知）
第二十四条の九　地方公共団体である水道事業者は、水道施設運営権者から水道施設運営等事業の開始に係る民間資金法第二十一条第三項の規定による届出を受けたときは、遅滞なく、その旨を厚生労働大臣に通知するものとする。

〔要　旨〕
本条は、水道施設運営等事業の開始の通知について定めたものである。

〔解　説〕
一、**水道施設運営等事業の開始の通知**
地方公共団体である水道事業者は、水道施設運営権者から水道施設運営等事業の開始に係る民間資金法第二一条第三項の規定による届出を受けたときは、遅滞なく、その旨を厚生労働大臣に通知しなければならない。
これは、水道施設運営権者が水道施設運営等事業を実施する場合においては、水道法上の責任の一部が水道事業者に代えて水道施設運営権者に課されることとなり、また、厚生労働大臣が水道施設運営権者に対する報告徴収・立入検査その他の監督を直接行う権限を有することとなることから、事業の開始の事実を把握しておく必要があるため事後の届出を義務としたものである。

二、**準用**
本条は、水道用水供給事業者について準用する（法三一条）。

〔法　律〕

（水道施設運営権者に係る変更の届出）

第二十四条の十　水道施設運営権者は、次に掲げる事項に変更を生じたときは、遅滞なく、その旨を水道施設運営権を設定した地方公共団体である水道事業者及び厚生労働大臣に届け出なければならない。

一　水道施設運営権者の主たる事務所の所在地及び名称並びに代表者の氏名

二　水道施設運営権者の水道事務所の所在地

〔要　旨〕

本条は、水道施設運営権者に係る変更の届出について定めたものである。

〔解　説〕

一、**水道施設運営権者に係る変更の届出**

水道施設運営権者は、①水道施設運営権者の主たる事務所の所在地及び名称並びに代表者の氏名、又は②水道施設運営権者の水道事務所の所在地に変更が生じた場合には、遅滞なく、その旨を水道事業者及び厚生労働大臣に届け出なければならない。

二、**準用**

本条は、水道用水供給事業者について準用する（法三一条）。

〔法　律〕

（水道施設運営権の移転の協議）

第二十四条の十一　地方公共団体である水道事業者は、水道施設運営等事業に係る民間資金法第二十六条第二項の許可をしようとするときは、あらかじめ、厚生労働大臣に協議しなければならない。

〔要　旨〕

本条は、水道施設運営権の移転に際して、厚生労働大臣への協議を義務づけたものである。

〔解　説〕

一、**水道施設運営権の移転の協議**

公共施設等運営権は、公共施設等の管理者等の許可を受けなければ移転できないこととされており（民間資金法二六条二項）、公共施設等の管理者等は、許可を行おうとするときは、運営権の移転が実施方針に照らして適切なものであること等の基準に適合するかどうかを審査して、これをしなければならないとされている（同条三項）。また、この許可を行おうとするときは、条例に特別の定めがある場合を除き、あらかじめ議会の議決を経なければならないこととされている（同条四項）。

このように、水道施設運営権の移転に際しては地方公共団体による審査等を経ることとなるが、本条は、水道施設運営権の移転に伴い水道事業の適切な運営が損なわれることのないよう、公共の利益の保護の観点から、厚生労働大臣の関与について定めたものである。具体的には、地方公共団体である水道事業者は、水道施設運営等事業に係る民間資金法第二六条第二項に基づく移転の許可をしようとする場合には、あらかじめ、厚生労働大臣への協議を要することとされている。

二、**準用**

本条は、水道用水供給事業者について準用する（法三一条）

〔法　律〕

（水道施設運営権の取消し等の要求）

第二十四条の十二　厚生労働大臣は、水道施設運営権者がこの法律又はこの法律に基づく命令の規定に違反した場合には、民間資金法第二十九条第一項第一号（トに係る部分に限る。）に掲げる場合に該当するとして、水道施設運営権を設定した地方公共団体である水道事業者に対して、同項の規定による処分をなすべきことを求めることができる。

〔要　旨〕

本条は、水道事業者に対する水道施設運営権の取消し等の要求について定めたものである。

〔解　説〕

一、**水道施設運営権の取消し等の要求**

民間資金法第二九条第一項の規定において、公共施設等の管理者等は、公共施設等運営権者が公共施設等運営事業に関する法令の規定に違反したとき等の場合には、公共施設等運営権を取り消し、又はその行使の停止を命ずることができることとされている。このため、地方公共団体である水道事業者は、水道施設運営権者に対する継続的なモニタリング等により水道施設運営等事業の適正を確保するとともに、必要な場合には、同項の規定に基づき水道施設運営権の取消し等の処分を行うことができる。

本条は、当該処分に係る厚生労働大臣の関与について定めたものであるが、水道施設運営権の取り消し等については、水道施設運営権者に代わって水を供給することができる水道事業者の判断にかからしめる必要があることから、水道施設運営権者が水道法又は同法に基づく命令の規定に違反した場合に限り、厚生労働大臣は、民間資金法第二九条第一項第一号トに掲げる場合に該当するとして、水道施設運営権を設定した地方公共団体である水道事業者に対して、同項の規定による処分をなすべきことを求めることができることとしている。

二、準用

本条は、水道用水供給事業者について準用する（法三一条）。

〔法　律〕

（水道施設運営権の取消し等の通知）

第二十四条の十三　地方公共団体である水道事業者は、次に掲げる場合には、遅滞なく、その旨を厚生労働大臣に通知するものとする。

一　民間資金法第二十九条第一項の規定により水道施設運営権を取り消し、若しくはその行使の停止を命じたとき、又はその停止を解除したとき。

二　水道施設運営権の存続期間の満了に伴い、民間資金法第二十九条第四項の規定により、又は水道施設運営権者が水道施設運営権を放棄したことにより、水道施設運営権が消滅したとき。

〔要　旨〕

本条は、水道施設運営権の取消を行った場合等の厚生労働大臣への通知を義務づけたものである。

〔解　説〕

一、水道施設運営権の取消等の通知

水道施設運営権の取消し、消滅等について厚生労働大臣が把握できるようにするため、地方公共団体である水道事業者は、次に掲げる場合には、遅滞なく、その旨を厚生労働大臣に通知しなければならない。

㈠　民間資金法第二九条第一項の規定により水道施設運営権を取り消し、若しくはその行使の停止を命じたとき又はその停止を解除したとき。
㈡　水道施設運営権の存続期間の満了に伴い、民間資金法第二九条第四項の規定により、又は水道施設運営権者が水道施設運営権を放棄したことにより、水道施設運営権が消滅したとき。

二、準用

本条は、水道用水供給事業者について準用する（法三一条）。

〔法　律〕

（簡易水道事業に関する特例）

第二十五条　簡易水道事業については、当該水道が、消毒設備以外の浄水施設を必要とせず、かつ、自然流下のみによつて給水することができるものであるときは、第十九条第三項の規定を適用しない。

2　給水人口が二千人以下である簡易水道事業を経営する水道事業者は、第二十四条第一項の規定にかかわらず、消防組織法（昭和二十二年法律第二百二十六号）第七条に規定する市町村長との協議により、当該水道に消火栓を設置しないことができる。

〔要　旨〕

本条は、簡易水道事業における水道技術管理者の資格及び消火栓設置についての特例を規定したものである。

〔解　説〕

一、水道技術管理者の資格の特例（一項）

本条第一項は、原水の水質が良好で消毒設備以外の浄水施設を必要とせず、かつ、自然流下のみによって給水できる簡易水道事業にあっては、法第一九条第三項の水道技術管理者の資格要件は適用されないことを規定したものである。ここで「浄水施設を必要とせず」とは、消毒設備以外の浄水施設を必要としないほどに常に原水が良好であるということである。また「自然流下のみによって給水することができる」とは、山腹の湧水を平地に給水するように、取水から末端の配水に至る過程において、ポンプ等により水を加圧することなく自然の法則に従って流下させ、給水できるものをいう。このような水道は、外部からの汚染の危険が非常に少なく、また、その規模も小さいものであり、施設の内容からしてもその維持管理が比較的容易であると考えられるから、水道技術管理者については、法第一九条第三項に基づき政令で定める一定の資格を有さなくてもよいこととしたものである。

二、**消火栓設置の特例**（二項）

本条第二項は、給水人口が二千人以下の簡易水道事業の場合には、消防組織法第七条に定める消防の管理者である市町村長との協議により、消火栓の設置を行わないことができることを規定したものである。給水人口が二千人以下であるような小規模水道にあっては、消火栓の設置によりその放水能力の確保のため配水管及びその他の水道施設の増大を余儀なくされることとなり、施設費用が膨大となる。また、地域によっては、他に河川、用水路、溜池等の水を消防水利に供することも可能であるので、これらの状況を勘案して、消火栓の設置の要否を市町村長と水道事業者との協議に委ねたものである。

〔参　考〕

消防組織法（抄）

（昭和二二年一二月二三日法律第二二六号）

（市町村の消防の管理）

第七条　市町村の消防は、条例に従い、市町村長がこれを管理する。

第三節　指定給水装置工事事業者

〔法　律〕

（指定の申請）

第二十五条の二　第十六条の二第一項の指定は、給水装置工事の事業を行う者の申請により行う。

2　第十六条の二第一項の指定を受けようとする者は、厚生労働省令で定めるところにより、次に掲げる事項を記載した申請書を水道事業者に提出しなければならない。

一　氏名又は名称及び住所並びに法人にあつては、その代表者の氏名

二　当該水道事業者の給水区域について給水装置工事の事業を行う事業所（以下この節において単に「事業所」という。）の名称及び所在地並びに第二十五条の四第一項の規定によりそれぞれの事業所において選任されることとなる給水装置工事主任技術者の氏名

三　給水装置工事を行うための機械器具の名称、性能及び数

四　その他厚生労働省令で定める事項

〔施行規則〕

（指定の申請）

第十八条　法第二十五条の二第二項の申請書は、様式第一によるものとする。

2　前項の申請書には、次に掲げる書類を添えなければならない。

一　法第二十五条の三第一項第三号イからへまでのいずれにも該当しない者であることを誓約する書類

二　法人にあつては定款及び登記事項証明書、個人にあつてはその住民票の写し

3　前項第一号の書類は、様式第二によるものとする。

第十九条　法第二十五条の二第二項第四号の厚生労働省令で定める事項は、次の各号に掲げるものとする。
一　法人にあつては、役員の氏名
二　指定を受けようとする水道事業者の給水区域について給水装置工事の事業を行う事業所（第二十一条第三項において単に「事業所」という。）において給水装置工事主任技術者として選任されることとなる者が法第二十五条の五第一項の規定により交付を受けている給水装置工事主任技術者免状（以下「免状」という。）の交付番号
三　事業の範囲

〔要　旨〕
本条は給水装置工事事業者の指定を受けようとする場合の申請手続等について定めたものである。

〔解　説〕
一、**指定の申請手続**
指定は給水装置工事事業者の申請によって行うこととし、申請に必要な書類の記載事項について法第二五条の二に定め、申請書の様式及び添付書類について規則第一八条に定めたものである。同条では、申請手続の合理化を図る観点から、申請書等の様式を定め、全国統一化を行っている。なお、申請の受付は、随時が原則であり、水道事業者は、受付を年間数回に限る等参入制限となるような受付期間の限定を行うことはできない。

二、**指定の申請書の記載事項**
申請書の記載事項の範囲は、次条の給水装置工事事業者の指定の基準に適合しているか否かを判断する上で必要となるものを定めている。

〔参　考〕

一、水道法の一部改正による給水装置工事事業者の指定制度等について（通知）

（平成九年八月一一日　衛水第二一六号
各都道府県知事あて厚生省生活衛生局
水道環境部長通知）

民間活動に係る規制の改善及び行政事務の合理化のための厚生省関係法律の一部を改正する法律が平成八年六月二六日法律第一〇七号をもって公布され、同法により水道法（昭和三二年法律第一七七号）の一部が改正されました。

今回の水道法の一部改正のうち、給水装置工事主任技術者試験に係る規定及び罰則の強化等に係る規定については、民間活動に係る規制の改善及び行政事務の合理化のための厚生省関係法律の一部を改正する法律の一部の施行期日を定める政令（平成八年政令第三四二号）によってその施行期日が平成九年四月一日と定められ、これに伴いその施行のために必要な水道法施行規則の一部を改正する省令（平成八年厚生省令第六九号。以下「八年改正省令」という。）が同日付けで施行されました。

また、指定給水装置工事事業者に係る規定及び経過措置に係る規定については、民間活動に係る規制の改善及び行政事務の合理化のための厚生省関係法律の一部を改正する法律の一部の施行期日を定める政令（平成九年政令第二三〇号）によってその施行期日が平成一〇年四月一日と定められ、これに伴いその施行のために必要な水道法施行規則の一部を改正する省令（平成九年厚生省令第五九号。以下「九年改正省令」という。）及び民間活動に係る規制の改善及び行政事務の合理化のための厚生省関係法律の一部を改正する法律附則第二条第二項の届出に関する省令（平成九年厚生省令第六〇号。以下「届出省令」という。）が同日付けで施行されることとなりました。

今回の水道法の一部改正は、公的規制の緩和及び行政改革の一環として、民間活動に係る規制がもたらす負担の軽減及び行政事務の合理化を図ることを目的とし、水道事業者による従来の水道指定工事店制度を見直し、統一化、明確化された指定要件の下、給水装置工事事業者を指定する制度を法定するとともに、給水装置工事主任技術者の国家資格を創設し、給水装置工事に係る全国統一的な技術力の確保を図ることとしたものです。

貴職におかれましては、左記事項に留意の上、改正後の水道法（以下「法」という。）の運用に当たって所期の目的達成のため遺漏のないよう、貴管下の水道事業者に対する周知及び指導方よろしくお願いいたします。

記

第一　一般的事項

一　今回の水道法の一部改正は、従来より行われてきた水道事業者による給水装置の水道指定工事店制度において、その指定要件が水道事業者ごとに異なること及び参入制限的な指定要件の設定や運用が散見されることから、給水装置工事事業者の円滑な事業活動を確保するため、水道法に水道事業者による給水装置工事事業者の指定制度を新たに設け、明確かつ一律の指定の基準を定めたものであること。

二　また、給水装置工事主任技術者の国家資格を創設し、給水装置工事事業者の指定制度において当該資格を有する者の事業者ごとの配置を指定の基準とすること等により、給水装置の構造及び材質を水道法施行令（昭和三三年政令第三三六号）第四条に規定する給水装置の構造及び材質の基準（以下「構造・材質基準」という。）に適合させるよう、給水装置工事を適正に施行できる全国統一的な技術水準の確保を図ったこと。

三　さらに、新たに設けた給水装置工事事業者の指定制度においては、指定の基準に加え、指定の申請手続に関する事項、指定を受けた給水装置工事事業者の遵守事項及び指定の取消しに関する事項について必要な規定を定め、全国統一的な運用の確保を図ったこと。

四　法第一四条第一項に基づく水道事業者による水道指定工事店制度に関する従来の供給規程については、今回の水道法の一部改正に伴い、所要の見直しを行うことが必要であること。

なお、指定の基準、指定の申請手続に関する事項、指定を受けた給水装置工事事業者の遵守事項及び指定の取消しに関する事項は、八年改正省令及び九年改正省令による改正後の水道法施行規則（昭和三二年厚生省令第四五号。以下「規則」という。）並びに届出省令の規定によることとし、これらについて、水道事業者が別に独自の内容を供給規程に定めることはできないこと。

第二　給水装置工事事業者の指定制度について

一　給水装置工事事業者の指定

水道事業者による、給水装置工事事業者の指定及び当該指定を行うこととした場合における水道水の供給を受ける者に対する給水契約の申込みの拒否又は給水停止の権限について、次のように定めたこと。

㈠　水道水の供給を受ける者の給水装置の構造及び材質が構造・材質基準に適合することを確保するため、水道事業者は、その給水区域において給水装置工事を適正に施行することができると認められる者の指定をすることができること。

㈡　水道事業者は、供給規程の定めるところにより、水道水の供給を受ける者の給水装置が、当該水道事業者又は当該水道事業者の指定を受けた給水装置工事事業者（以下「指定給水装置工事事業者」という。）の施行した給水装置工事（単独水栓の取替え等一定の給水装置の軽微な変更を除く。㈢において同じ。）に係るものであることを供給条件とすることができること。

㈢　水道事業者は、供給規程の定めるところにより、水道水の供給を受ける者の給水装置が、当該水道事業者又は指定給水装置工事事業者の施行した給水装置工事に係るものでないときは、当該給水装置の構造及び材質が構造・材質基準に適合していることを確認するまでの間は、給水契約の申込みを拒み、又は給水を停止することができること。

二　指定の申請手続及び指定の基準

給水装置工事事業者が行う指定の申請手続及び指定の基準について、次のように定めたこと。

㈠　水道事業者による給水装置工事事業者の指定は、指定を受けようとする者の申請により行うこととし、申請手続を統一化するため、申請書の様式その他申請に要する事項を規則に定めたこと。

㈡　指定の基準は、給水装置工事の施行に必要かつ十分な技術力を保持していることを主たる要件とし、事業所ごとに給水装置工事主任技術者として選任することとなる者を置くこと、一定の機械器具を有すること及び一定の欠格要件に該当しないものであることを全国一律の要件としたこと。

㈢　指定の申請をした者が法に定める指定の基準に適合するときは、水道事業者は指定をしなければならないこと。

㈣　水道事業者は給水装置工事事業者の指定を行ったときは、遅滞なく、その旨を一般に周知しなければならないこと。

三　指定給水装置工事事業者の遵守事項

指定給水装置工事事業者の遵守事項として、給水装置工事主任技術者の選任、水道事業者への届出及び給水装置工事の事業の運営の基準に従った事業の運営について、次のように定めたこと。

㈠　指定給水装置工事事業者は、事業所ごとに、二週間以内に、一定の条件で給水装置工事主任技術者を選任しなければならないこと。また、給水装置工事主任技術者を選任したとき及び解任したときは、一定の手続により、その旨を水道事業者に届け出なければならないこと。

㈡　指定給水装置工事事業者は、事業所の名称及び所在地その他一定の事項に変更があったとき、又は給水装置工事の事業を廃止し、休止し、若しくは再開したときは、一定の手続により、その旨を水道事業者に届け出なければならないこと。

㈢　指定給水装置工事事業者は、給水装置工事ごとの給水装置工事主任技術者の指名、配水管から給水管を分岐する等の一定の給水装置工事についての要件、給水装置の設置及び機械器具使用の要件、給水装置工事に係る記録の作成・保管等に関する基準として定めた規則第三六条の事業の運営の基準に従い、給水装置工事の事業を適正に運営しなければならないこと。

四　水道事業者による指定の取消し等

指定給水装置工事事業者による給水装置工事の適正な施行及び給水装置工事事業者の指定制度の的確な運営を図るため、水道事業者の権限として、指定給水装置工事事業者について、水道事業者が行う給水装置の検査に給水装置工事主任技術者の立会いを求めることができること、給水装置工事に関し必要な報告等を求めることができること、一定の要件に該当するときは指定の取消しができることとしたこと。

また、水道事業者は指定給水装置工事事業者の指定を取り消したときは、遅滞なく、その旨を一般に周知する措置をとらなければならないこと。

第三　給水装置工事主任技術者について

一　給水装置工事主任技術者試験

給水装置工事主任技術者として必要な知識及び技能について、一定の受験資格を持つ者に対して、給水装置工事主任技術者試験を厚生大臣が行うこととし、その実施に関する事務を指定試験機関に行わせることができることとしたこと。

また、当該試験の合格者に対して、厚生大臣が給水装置工事主任技術者免状を交付することとしたこと。

二　給水装置工事主任技術者の職務等

指定給水装置工事事業者は、給水装置が構造・材質基準に適合するよう確実に工事を施行することができる者として指定されるものであることから、そのために必要な技術水準を確保するため、給水装置工事の技術上の総括者となる給水装置工事主任技術者の職務等を次のように定め、給水装置工事の適正な施行を確保するための責任と地位を付与したものであること。

㈠　給水装置工事主任技術者は、給水装置工事に関する技術上の管理、給水装置工事の従事者の技術上の指導監督、給水装置が構造・材質基準に適合していることの確認及び水道事業者との給水装置工事に関する一定の事項に係る連絡調整を誠実に行わなければならないこと。

㈡　給水装置工事の従事者は、給水装置工事主任技術者の職務上の指導に従わなければならないこと。

第四　その他の改正事項

一　経過措置

指定給水装置工事事業者に係る法の規定の施行（平成一〇年四月一日）の際、現に、水道事業者の供給規程に基づき、法第一六条の二第一項の指定に相当する指定を受けている者（以下「旧指定給水装置工事事業者」という。）について、次のように一定期間の経過措置を定めたこと。

㈠　旧指定給水装置工事事業者については、平成一〇年四月一日から九〇日間、又は当該九〇日の間に㈡の一定の届出があったときはその届出があった日までの間は、当該者の施行した給水装置工事に係る給水装置については、法に基づく指定給水装置工事事業者の施行した給水装置工事に係るものとみなすこと。

㈡　また、平成一〇年四月一日から九〇日以内に一定の届出を行った旧指定給水装置工事事業者については、法に基づく指定給水装置工事事業者とみなすこととし、この場合にあっては、当該者については、平成一〇年四月一日から一年間は、給水装置工事主任技術者の選任を行わないことを理由として指定の取消しを受けることがないこと。

二　罰則の強化等

法の適正な施行を確保するため、罰金の額について、所要の引上げを行ったほか、給水装置工事主任技術者免状の返納命令に従わなかった者等について、所要の罰則を設けたこと。

二、水道法の一部改正による給水装置工事事業者の指定制度等について（通知）

（平成九年八月一一日　衛水第二一七号
各都道府県水道行政担当部（局）長あて
厚生省生活衛生局水道環境部水道整備課長通知）

平成八年六月二六日法律第一〇七号をもって公布された民間活動に係る規制の改善及び行政事務の合理化のための厚生省関係法律の一部を改正する法律（以下、「改正法」という。）及び水道法施行規則の一部を改正する省令（平成八年厚生省令第六九号。以下「八年改正省令」という。）、水道法施行規則の一部を改正する省令（平成九年厚生省令第五九号。以下、「九年改正省令」という。）並びに民間活動に係る規制の改善及び行政事務の合理化のための厚生省関係法律の一部を改正する法律附則第二条第二項の届出に関する省令（平成九年厚生省令第六〇号。以下、「届出省令」という。）の施行については、別途平成九年八月一一日付け衛水第二一六号厚生省生活衛生局水道環境部長通知により指示されたところですが、なお、左記事項に十分留意の上、運用に当たって遺漏のないよう、貴管下の水道事業者に周知徹底をお願いします。

記

第一　給水装置工事の定義

一　「給水装置工事」は、改正法による改正後の水道法（以下「法」という。）第三条第一一項の規定において、給水装置の設置又は変更の工事と定義されており、給水装置を新設、改造、修繕又は撤去するための工事をいうこと。

二　同項の「工事」は、工事に先立ってあらかじめ行う調査から、計画の立案、工事の施工、竣工検査までの一連の過程の一部又は全部をいうものであること。

三　なお、給水用具の製造工場内で行う給水用具の組立作業や、住宅生産工場内で行われる工場生産住宅に給水管及び給水用具を設置し、又は変更する作業は、給水装置工事には含まれないこと。

第二　給水装置の軽微な変更の範囲

一　法第一六条の二第三項に規定する「給水装置の軽微な変更」については、八年改正省令及び九年改正省令による改正後の水道法施行規則（以下「規則」という。）第一三条において、単独水栓の取替え及び補修並びにこま及びパッキン等末端に設置される給水用具の部品の取替えのうち、配管を伴わない給水装置工事であることを定めたこと。

二　なお、単独水栓とは、湯水を混合して吐水する機能を有しない手動により作動する給水栓をいい、電気等により作動する自動水栓を含まないものであること。

三　また、単独水栓の取替えとは、単独水栓から単独水栓への取替えをいうものであり、同型の単独水栓への取替えに限るものではないこと。

第三　給水装置工事主任技術者に関する事項

一　給水装置工事に関する実務の経験

㈠　法第二五条の六第二項でいう「給水装置工事に関する実務の経験」とは、給水装置工事に関する技術上の職務経験をいうこと。

㈡　技術上の職務経験とは、給水装置の工事計画の立案、給水装置工事の現場における監督その他給水装置工事の施行を計画、調整、指揮監督又は管理する職務に従事した経験、及び、給水管の配管、給水用具の設置その他給水装置工事の施行を実地に行う職務に従事した経験をいい、これらの職務に従事するための技術を習得する見習期間中の技術的な経験も含まれること。

㈢　なお、工事現場への物品の搬入等の単なる雑務及び給与計算等の庶務系の職務に従事した経験は、ここでいう実務経験には含まれないこと。

二　八年改正省令附則第二条の経過措置

㈠　八年改正省令附則第二条第一項及び同条第二項に基づき地方公共団体の水道条例又はこれに基づく規程（以下「給水条例等」という。）による給水装置工事責任技術者（給水装置工事技術者その他類似の名称のものを含む。）の資格を有する者（以下「受講資格者」という。）であって厚生大臣が指定する講習会（以下「講習会」という。）の課程を修了したもの（以下「講習会修了者」という。）については、給水装置工事主任技術者試験（以下「試験」という。）の受験の申請手続きと同時に試験の全部の免除申請を行うことにより、その全部の免除を受けることができること。

㈡　受講資格者は、講習会受講時に法第二五条の六第二項に規定する給水装置工事に関する三年以上の実務経験年数を有する者である必要はないが、このような者が講習会修了者として八年改正省令附則第二条第二項に定める手続きを行うまでには、三年以上の実務経験年数が必要となることに留意すること。

三　受講資格者の範囲

受講資格者とは、給水条例等において給水装置工事の事業を行う者（以下「事業者」という。）の指定制度（いわゆる水道工事店制度をいう。）が設けられている場合であって、当該指定制度において、指定を受けようとする際の事業者の要件若しくは指定を受けた事業者（以下「水道指定工事店」という。）の責務として、その名称にかかわらず給水装置工事主任技術者に相当する者を有することを当該事業者に求めているときの、次に該当する者をいうこと。

㈠　現に水道指定工事店において給水装置工事主任技術者に相当する職務を行っている者。

㈡　過去に水道指定工事店において給水装置工事主任技術者に相当する職務を行っていた者。ただし、給水条例等に基づき資格を取り消された者であること等のため、水道事業者が受講資格者と認めない者はこの限りではない。

㈢　給水条例等に定められた資格要件若しくは個別の判断基準に基づき、給水装置工事主任技術者に相当する職務を行うために必要な知識、技術等を有する者であることを、水道事業者が認めた者。この場合において、水道事業者は、例えば水道事業者が県下統一で行うこととした試験に合格した者であること等の客観的に合理的な理由で、現時点では水道指定工事店に属さない技術者についても、受講資格者であると認めても差し支えない。

四　給水装置工事主任技術者の選任

㈠　法第二五条の四第一項の規定に基づき規則第二一条第一項及び第二項に給水装置工事主任技術者の選任の期限を定めたこと。

㈡　同条第三項の「一の給水装置工事主任技術者が当該二以上の事務所の給水装置工事主任技術者となってもその職務を行うに当たって特に支障がないとき」に該当するかどうかは、法第二五条の四第三項の職務を規則第三六条第一号及び第六号にのっとり遂行できるかどうか、法第二五条の九の規定に基づく水道事業者からの立会いの求めに応じることができるかどうか等により判断されるものであること。

㈢　指定給水装置工事事業者は、事業所に、給水装置工事主任技術者を新たに選任し、又は追加して選任し、若しくは解任したときは、規則第二二条の規定により届出を行うものであり、また、同条の規定により届け出された給水装置工事主任技術者に係る当該届出内容について、規則第三四条第一項第三号に掲げる事項の変更があったときは、規則第三四条第二項に定める届出書（様式第一〇）により届出を行うものであること。

五　給水装置工事主任技術者の職務

㈠　法第二五条の四第三項第一号の「給水装置工事に関する技術上の管理」とは、給水装置工事の事前調査から、計画、施工及び竣工検査までに至る一連の過程において行う、事前調査の実施、水道事業者等との事前の調整、給水装置の材料及び機材の選定、工事方法の決定、施工計画の立案、必要な機械器具の手配、施工管理及び工程ごとの仕上がり検査等の管理をいうものであること。

㈡　同項第二号の「給水装置工事に従事する者の技術上の指導監督」とは、調査、計画、施工及び検査までに至る一連の過程において行う、工事品質の確保に必要な、工事に従事する者の技能に応じた役割分担の指示、分担させた従事者に対する品質目標、工期その他施工管理上の目標に適合した工事の実施のための随時の技術的事項の指導及び監督をいうものであること。

㈢　同項第三号の「給水装置工事に係る給水装置の構造及び材質が法第一六条の規定に基づく政令で定める基準に適合していることの確認」とは、水道法施行令（昭和三二年政令第三三六号）第四条の給水装置の構造及び材質に関する基準（以下「構造・材質基準」という。）に適合する給水装置の設置を確保するために行う、構造・材質基準に適合する材料の選定、現場の状況に応じた給水装置の材料の選定・侵食防止のための措置・逆流防止のための弁類の設置等による構造・材質基準に適合する給水装置のシステムの計画及び施工、工程ごとの品質管理による構造・材質基準の適合性の確保、給水装置工事の完了段階に行う竣工検査による構造・材質基準の適合性の確保をいうものであること。

㈣　これらの他、同項第四号に基づき、規則第二三条に水道事業者の給水区域において施行する給水装置工事に関して当該水道事業者と行う連絡調整として、配水管から給水管を分岐する工事を施行しようとする場合に行う配水管の位置の確認に関する連絡調整、配水管から給水管を分岐し、当該分岐部から水道メーターまでの工事を施行する場合に行う当該工事に関する工法、工期その他の工事上の条件に関する連絡調整及び給水装置工事（規則第一三条に規定する給水装置の軽微な変更を除く。）を完了した旨の連絡調整を定めたこと。

第四　給水装置工事事業者の指定制度に関する事項

一　指定を受けようとする給水装置工事事業者の申請等

㈠　法第二五条の二の指定の申請を行う者（以下「申請者」という。）に対し、法第二五条の二第二項第一号から第三号までに掲げる事項及び規則第一九条に掲げる事項以外の申請事項並びに規則第一八条に規定する書類以外の添付書類を求めることを給水条例等に定めることはできないこと。

㈡　申請者の住所又は事業所の所在地が、給水区域内に存在するか否かに拘わらず、法第二五条の三の指定の要件に適合するときは、指定をしなければならないこと。

㈢　法第二五条の二第一項の規定により、給水装置工事の事業を行う者でなければ同項の申請を行うことはできないことから、規則第一九条第三号に事業の範囲を申請させることを定め、規則第一八条の規定により定款又は寄付行為を提出させ、事業の範囲に給水装置工事の事業を行う者であることを確認することとしたこと。

㈣　法第一六条の二の指定は、法第二五条の一一の規定に基づいて取り消されない限り、効力を有するものであることから、給水条例等において、指定に期限を付し、又は更新を義務づけること等はできないこと。

二　指定又は指定取消の周知

法第一六条の二第一項の規定に基づき給水装置工事事業者を指定したとき又は法第二五条の一一第一項の規定に基づき指定給水装置工事事業者の指定を取り消したときは、指定をした旨又は指定を取り消した旨を一般に周知させる措置として、当該事業者の氏名又は名称、住所、法人にあっては代表者の氏名、事業所の名称及び所在地等について、公報等による周知を行うこと。

三　機械器具

法第二五条の三第一項第二号の規定に基づき、規則第二〇条に指定の基準となる機械器具として、金切りのこ等の切断用の機械器具、ヤスリ、パイプねじ切り器等の管の加工用の機械器具、トーチランプ、パイプレンチ等の接合用の機械器具及び水圧テストポンプを定めたこと。

また、給水条例等において、規則第二〇条に掲げるもの以外の機械器具を有すること、又は機械器具を特定の型式・性能に限ること等を指定の基準として定めることはできないこと。

四　変更の届出

給水条例等において、事業所の名称及び所在地並びに規則第三四条第一項に掲げる事項以外の変更について、指定給水装置工事事業者に対し変更の届出を求めること、及び法第二五条に基づく変更の届出に際し、規則第三四条第二項に規定する書類以外の添付書類の提出を求めることを定めることはできないこと。

五　事業の運営の基準

㈠　規則第三六条第一号において給水装置工事ごとに給水装置工事主任技術者を指名することを定め、個々の給水装置工事について法第二五条の四第三項の職務を行う者を明らかにし、給水装置工事の責任体制を明確化することとしたこと。ただし、指名された給水装置工事主任技術者が法第二五条の四第三項の職務の遂行等に支障を生じない範囲において、複数の給水装置工事について一名の給水装置工事主任技術者を指名し、又は一つの工事について工程ごと、若しくは法第二五条の四第三項の職務ごとに複数の給水装置工事主任技術者を指名することができること。

なお、この場合において、給水装置工事主任技術者は、法第二五条の四第三項の職務を誠実に遂行することが求められていることから、指名を受けた給水装置工事の不適正な施行があったときは、法第二五条の五第三項の規定が適用されうるものであること。

㈡　規則第三六条第二号に規定する「適切に作業を行うことができる技能を有する者」とは、配水管への分水栓の取付け、配水管のせん孔、給水管の接合等の配水管から給水管を分岐する工事に係る作業及び当該分岐部から水道メーターまでの配管工事に係る作業について、配水管その他の地下埋設物に変形、破損その他の異常を生じさせることがないよう、適切な資機材、工法、地下埋設物の防護の方法を選択し、正確な作業を実施することができる者をいうこと。

これらの技能を有する者としては、これまでに、水道事業者等によって行われた試験や講習により資格を与えられた配管工（配管技能者、その他類似の名称のものを含む。）、職業能力開発促進法第六二条に規定する配管技能士、同法第二四条に規定する都道府県知事の認定を受けた職業訓練校の配管科の課程の修了者等が想定されるが、当職においても、こうした技能を有する者の育成が重要であることにかんがみ、給水装置工事の従事者の技能習得の機会を確保するための方策を検討することとしている。このため、財団法人給水工事技術振興財団においても、配管技能習得のための講習の実施について、検討が行われていること。

(三)　規則第三六条第三号の「工法、工期その他の工事上の条件」とは、配水管の管種等に応じた工法の指定、配水管から水道メーターまでに係る震災等の災害防止及び漏水時又は災害時等の緊急工事を円滑かつ効率的に行う観点からの材料及び工法の指定、水道事業の断水防止等の観点からの工期の指定、水道事業者の職員の立ち会いの下での工事の施工等の工事上の条件をいうこと。

これらの工事上の条件については、水道施設の機能の保全、配水管から水道メーターまでの給水装置の防災や緊急工事の円滑な実施等のために必要となる合理的なものに限るものであり、例えば、特定の者への下請けの指定や保証金の積み立てを求めること等を工事上の条件とすることはできないこと。

(四)　同条第四号の研修とは、外部の講習会等への参加によるもののほか、事業内訓練等の自社内で行う研修も含まれること。

(五)　同条第五号は、指定給水装置工事事業者が施行する給水装置が構造・材質基準に適合したものとなるよう、構造・材質基準に適合する給水管及び給水用具の使用並びに同基準に適合する給水装置の設置及びこれに必要な機械器具の使用を求めたものであること。

(六)　同条第六号の給水装置工事の記録については、指定給水装置工事事業者が、工事の施行にあたり、あらかじめ水道事業者に提出した図書及び図面等や、工事の品質管理として行った確認、検査等の記録等を活用することによって足りる場合には、それらのものとは別に、新たに作成させる必要がないものであること。

第五　旧指定給水装置工事事業者に関する経過措置

一　運営の基準

九年改正省令附則第二条の規定は、改正法附則第二条第二項の規定により指定給水装置工事事業者とみなされたもの（以下「みなし指定給水装置工事事業者」という。）については、改正法の全面施行の日（平成一〇年四月一日）から一年間は、改正法附則第二条第三項の規定により、給水装置工事主任技術者を選任しないことを理由として指定が取り消されることはないが、この経過措置の期間内においても、九年改正省令附則第二条の規定により、規則第三六条第一号、第四号及び第六号において、給水装置工事主任技術者とあるのを給水装置工事主任技術者又は給水装置工事責任技術者等と読み替えて適用することにより、給水装置工事を適正に施行するために必要な給水装置工事に係る技術力の確保を図ることとしたものであること。

二　給水装置工事主任技術者の選任

みなし指定給水装置工事事業者は、上記の経過措置の期間内であっても、給水装置工事主任技術者として選任することができる者をその事業所に置くこととなった場合には、当該者を法第二五条の四に定めるところにより選任し、同条第三項に規定する職務を遂行させることが望ましいので、この旨、みなし指定給水装置工事事業者を指導されたいこと。

三　旧指定給水装置工事事業者の届出

改正法附則第二条第二項の規定に基づく指定の届出を行う者に対し、届出省令に掲げる事項以外の申請事項及び届出省令に規定する書類以外の添付書類の届出を求めることを給水条例等に定めることはできないこと。

第六　その他

(一)「給水装置の管理の強化について（昭和四八年五月八日付け環水第五〇号　各都道府県水道主管部（局）長あて厚生省環境衛生局水道課長通知）」は廃止する。

(二)「水道用ユニット化装置の検査制度について（昭和四九年一月二三日付け環水第七号　各都道府県水道主管部（局）長あて厚生省環境衛生局水道課長通知）」は廃止する。

(三)「給水装置の設置に際しての衛生上の措置について（昭和五六年一月二八日付け環水第一五号　各都道府県水道主管部（局）長あて厚生省生活衛生局水道環境部水道整備課長通知）」は廃止する。

(四)〜(九)　略

三、出入国管理及び難民認定法及び日本国との平和条約に基づき日本の国籍を離脱した者等の出入国管理に関する特例法の一部を改正する等の法律の施行に伴う厚生労働省関係省令の整備に関する省令の公布について〔水道法〕（通知）

（平成二四年六月二九日　健発〇六二九第四号
各都道府県知事・広島市長・長崎市長あて
厚生労働省健康局長通知）

第一九条　水道技術管理者〔参考〕三を参照のこと。

〔法　律〕

（指定の基準）

第二十五条の三　水道事業者は、第十六条の二第一項の指定の申請をした者が次の各号のいずれにも適合していると認めるときは、同項の指定をしなければならない。

一　事業所ごとに、第二十五条の四第一項の規定により給水装置工事主任技術者として選任されることとなる者を置く者であること。

二　厚生労働省令で定める機械器具を有する者であること。

三　次のいずれにも該当しない者であること。

イ　心身の故障により給水装置工事の事業を適正に行うことができない者として厚生労働省令で定めるもの

ロ　破産手続開始の決定を受けて復権を得ない者

ハ　この法律に違反して、刑に処せられ、その執行を終わり、又は執行を受けることがなくなつた日から二年を経過しない者

ニ　第二十五条の十一第一項の規定により指定を取り消され、その取消しの日から二年を経過しない者

ホ　その業務に関し不正又は不誠実な行為をするおそれがあると認めるに足りる相当の理由がある者

ヘ　法人であつて、その役員のうちにイからホまでのいずれかに該当する者があるもの

2　水道事業者は、第十六条の二第一項の指定をしたときは、遅滞なく、その旨を一般に周知させる措置をとらなければ

ならない。

〔施行規則〕

（厚生労働省令で定める機械器具）

第二十条　法第二十五条の三第一項第二号の厚生労働省令で定める機械器具は、次の各号に掲げるものとする。

一　金切りのこその他の管の切断用の機械器具

二　やすり、パイプねじ切り器その他の管の加工用の機械器具

三　トーチランプ、パイプレンチその他の接合用の機械器具

四　水圧テストポンプ

（厚生労働省令で定める者）

第二十条の二　法第二十五条の三第一項第三号イの厚生労働省令で定める者は、精神の機能の障害により給水装置工事の事業を適正に行うに当たつて必要な認知、判断及び意思疎通を適切に行うことができない者とする。

〔要　旨〕

本条は給水装置工事事業者の指定の基準を定め、当該基準に適合しているときは水道事業者は指定をしなければならない旨規定したものである。

〔解　説〕

一、**指定の基準**

指定の基準は、参入制限とならない客観的かつ合理的なものとして、技術力と信頼性を要件とし、事業所ごとに給水装置工事主任技術者として選任されることとなる者（給水装置工事主任技術者免状の交付を受けている者のうちから選任）をおくこと、一定の機械器具を有すること、一定の欠格要件に該当しないことを定めている。水道事業者は

これら以外に指定の基準を定めることはできない。

なお、法第二五条の三第一項第一号でいう事業所とは、調査から工事検査に至る一連の給水装置工事の事業の拠点となる場所をいい、当該場所には給水装置工事の技術上の統括者となる給水装置工事主任技術者となる者をおくこととしたものである。

二、機械器具

給水装置工事に特有の機械器具で必要最小限のものを指定の基準となる機械器具として定めたものである。給水装置工事の作業が、主に切断、加工、接合からなり、また適切な接合が行われ水圧によって漏水が生じないことを検査することが必要となるため、規則第二〇条の四種類を定めたものである。

三、欠格要件

指定の欠格要件として法第二五条の三第一項第三号イからへまでを定めているが、このうち、ホに規定する「その業務に関し不正又は不誠実な行為をするおそれがあると認めるに足りる相当の理由がある者」というのは、一般的には過去において契約（水道に関するものに限らない。）の締結や実行に際して不正又は不誠実な行為を繰り返したことがあって、将来もそのようなことを繰り返す蓋然性が高い者が想定されるが、欠格要件に該当するか否かについては個別具体的に判断されることとなるものである。

また、ニの規定により、給水装置工事事業者の指定の取消しを受けた者は、二年間は新たな指定を受けることができないこととなるものである。

なお、法人の場合には役員に関してもこの欠格要件が適用される。

四、水道事業者の周知

水道事業者は、指定給水装置工事事業者による給水装置工事の施行を供給条件とすることができることから（法一六条の二第二項）、指定を行った場合には法第二五条の三第二項の規定において、指定をした給水装置工事事業者について、広報、公示等により一般に周知する措置を講じなければならないとしたものである。

〔参　考〕

成年被後見人等の権利の制限に係る措置の適正化等を図るための関係法律の整備に関する法律の施行について

（令和元年九月一三日　薬生水発〇九一三第一号各都道府県水道行政担当部（局）長及び各厚生労働大臣認可水道事業者あて厚生労働省医薬・生活衛生局水道課長事務連絡）

令和元年六月一四日に成立した成年被後見人等の権利の制限に係る措置の適正化等を図るための関係法律の整備に関する法律（令和元年法律第三七号。以下「成年被後見人改正法」という。）において、成年被後見人等を資格・職種・業務等から一律に排除する規定（欠格条項）が、心身の故障等の状況を個別的、実質的に審査し、各制度ごとに必要な能力の有無を判断する規定（以下「個別審査規定」という。）に改正されることとなった。

成年被後見人改正法の施行に伴い、同法により改正された法律において規定された個別審査規定において、厚生労働省令で定めることとされた「心身の故障により業務を適正に行うことができない者」を定める等、個別的、実質的な審査を行うよう所要の規定の整備を行うため、今般、成年被後見人等の権利の制限に係る措置の適正化等を図るための関係法律の整備に関する法律の施行に伴う厚生労働省関係省令の整備等に関する省令が令和元年九月一三日に公布され、同年九月一四日に施行されることとなった。

ついては、下記について御了知の上、都道府県におかれては都道府県知事認可の水道事業者に対しこれを周知するとともに、その施行に遺漏なきよう期されたい。

なお、本通知は、地方自治法（昭和二二年法律第六七号）第二四五条の四第一項の規定に基づく技術的な助言であることを申し添える。

記

第一　改正の趣旨

成年被後見人改正法の施行に伴い、水道法（昭和三二年法律第一七七号）第二五条の三に定める指定給水装置工事事業者の指定基準に関して、精神の機能の障害により給水装置工事の事業を適正に行うに当たり、必要な認知、判断及び意思疎通の有無を個別的、実質的な審査を行うよう所要の規定の整備を行うもの。

第二　改正の概要

成年被後見人改正法による改正後の水道法第二五条の三第一項第三号イの厚生労働省令で定める者として、水道法施行規則（昭和三二年厚生省令第四五号）第二〇条の二において「精神の機能の障害により給水装置工事の事業を適正に行うに当たって必要な認知、判断及び意思疎通を適切に行うことができない者」と新たに規定したこと。

第三　留意事項

指定給水装置工事事業者については申請時において欠格事由に該当しないことを宣誓するとともに、五年ごとの更新の都度、定期的に事業の実施状況を確認するため、届出時において、精神の機能障害に関する判断について医師の診断書を求める必要性はない。

〔法　律〕

（指定の更新）

第二十五条の三の二　第十六条の二第一項の指定は、五年ごとにその更新を受けなければ、その期間の経過によつて、その効力を失う。

2　前項の更新の申請があつた場合において、同項の期間（以下この項及び次項において「指定の有効期間」という。）の満了の日までにその申請に対する決定がされないときは、従前の指定は、指定の有効期間の満了後もその決定がされるまでの間は、なおその効力を有する。
3　前項の場合において、指定の更新がされたときは、その指定の有効期間は、従前の指定の有効期間の満了の日の翌日から起算するものとする。
4　前二条の規定は、第一項の指定の更新について準用する。

〔要　旨〕

本条は指定給水装置工事事業者の指定の有効期間及び五年ごとの更新を定め、その更新の申請手続について規定したものである。

〔解　説〕

一、**更新制**

給水装置工事事業者の指定については、五年ごとの更新制が導入されている。これは、新規の指定のみでは、その後の工事事業者の事業の休廃止状況の把握が難しく、所在不明な事業者が存在するなどといった課題への対応や、指定給水装置工事事業者の資質の維持・向上を図ることを目的としている。

二、**指定の失効**

有効期間前に更新の申請を行わなかった場合、有効期間満了後に指定が自動的に失効する。なお、指定の失効は、水道事業者による行為を何ら必要としないものであり、行政処分には該当しないため、自動失効については、行政手続法第二条第四号の不利益処分に当たらない。

また、指定の失効による広報、公示等については規定されていないため必要ないが、指定が失効した場合は、指定給水装置工事事業者ではなくなるため、水道利用者（需要者）の無用の混乱を避ける観点から、水道事業者等のホームページ等により周知している情報から速やかに削除することが望ましい。

三、指定の有効期間

有効期間内に更新の手続きが完了された場合は、更新後の有効期間は政令で定められた従前の有効期間の満了の日の翌日から五年間となる。なお、有効期間の開始日を四月一日に変更するというような運用はできない。

また、水道事業者が自らの運用において、有効期間内における指定給水装置工事事業者からの申請の時期を合理的な範囲内で別途設定することが可能である。その場合、更新手続きの順番や時期の割振り等を、各水道事業者の判断で定めることとなるが、有効期間内で別途設定した更新申請受付期間内に手続きができずに期間を経過した場合でも、法令で定めた有効期間を超過していなければ、指定の失効の対象とはならない。

四、申請手続の準用

本条の指定の更新申請においては、法第二五条の二（指定の申請）及び法第二五条の三（指定の基準）が準用される。指定の更新の申請要件は新規指定時の要件と同一である。なお、更新申請時に給水装置工事主任技術者の選任・解任が発生する場合については、法第二十五条の四に基づく届出が別途必要となる。

〔参　考〕

水道法の一部改正に伴う指定給水装置工事事業者制度への指定の更新制の導入について（通知）

（令和元年六月二六日　薬生水発〇六二六第一号各都道府県水道行政担当部（局）長及び各厚生労働大臣認可水道事業者あて厚生労働省医薬・生活衛生局水道課長通知）

水道法の一部を改正する法律（平成三〇年法律第九二号）の施行については、別途「「水道法の一部を改正する法律」の公布について」（平成三〇年一二月一二日付け厚生労働省大臣官房生活衛生・食品安全審議官通知）及び「水道法の一部を改正する法律の施行に伴う関係政令の整備及び経過措置に関する政令等の公布について」（平成三一年四月一七日付け厚生労働省大臣官房生活衛生・食品安全審議官通知）により通知したところであるが、このうち、指定給水装置工事事業者制度への指定の更新制の導入についての留意点等は下記のとおりであるので、これらの趣旨を踏まえつつ、遺漏なきよう適切な対応を願いたい。

ついては、下記について御了知の上、都道府県におかれては都道府県知事認可の水道事業者に対しこれを周知するとともに、その施行に遺漏なきよう期されたい。

なお、本通知は、地方自治法（昭和二二年法律第六七号）第二四五条の四第一項の規定に基づく技術的な助言であることを申し添える。

記

第一　改正の趣旨

指定給水装置工事事業者制度は、平成八年の水道法改正により導入され、広く門戸が開かれたことにより、その指定の数が大幅に増えた。一方、現行制度では、指定給水装置工事事業者の指定についてのみ定められているが、指定の有効期間がなく、その廃止・休止等の状況が反映されにくく、実態を把握することが困難であるため、水道事業者による所在確認が取れない指定給水装置工事事業者の存在等、実態との乖離が生じていたほか、無届工事や不良工事が発生していた。このため、指定給水装置工事事業者制度の改善を図り、指定給水装置工事事業者の資質が継続して保持されるよう、指定の更新制を導入することとした。

第二　改正の概要（水道法の一部を改正する法律による改正後の水道法（昭和三二年法律第一七七号。以下「改正水道法」という。）第二五条の三の二関係）

一　改正水道法第一六条の二第一項による指定給水装置工事事業者の指定について、五年間の更新制を導入したこと。

二　指定給水装置工事事業者から更新の申請があった場合において、指定の有効期間の満了の日までにその申請に対する決定がされないときは、従前の指定は、指定の有効期間の満了後もその決定がなされるまでの間は、なおその効力を有することとしたこと。

三　二の場合において、指定の更新がされたときは、その指定の有効期間は、従前の指定の有効期間の満了の日の翌日から起算することとしたこと。

四　改正水道法第二五条の二（指定の申請）及び第二五条の三（指定の基準）の規定は、指定の更新について準用することとしたこと。

五　施行に伴う経過措置として、水道事業者における更新に係る事務の平準化のため、以下のとおり指定を受けた年月日により、政令で定める期間（施行日を基準とした有効期間）に差を設け、指定の有効期間について割り振ることとしたこと。

指定を受けた年月日	政令で定める期間
平成一〇年四月一日～平成一一年三月三一日	一年
平成一一年四月一日～平成一五年三月三一日	二年
平成一五年四月一日～平成一九年三月三一日	三年
平成一九年四月一日～平成二五年三月三一日	四年
平成二五年四月一日～平成二六年九月三〇日	五年

※　平成二六年一〇月一日～令和元年九月三〇日までに指定を受けた指定給水装置工事事業者の指定の有効期間は、改正水道法第二五条の三の二の規定により五年となる。

第三　指定の有効期間

改正水道法第二五条の三の二第一項に定める五年の更新期間については、指定給水装置工事事業者の質の担保や複数の水道事業者へ申請を行う給水装置工事事業者の事務負担を考慮し、全国一律の期間としており、地方公共団体の条例や規則において指定の有効期間の延長又は短縮はできないこと。

ただし、五年の指定の有効期間にかかわらず、水道事業者が指定給水装置工事事業者に対して、改正法第二五条の三に基づく指定基準や改正法第二五条の八に基づく事業の基準などを満たしていることを確認するために必要な報告を求めることを妨げるものではないこと。

第四　更新の申請時期

水道事業者は、有効期間内における指定給水工事事業者からの更新の申請時期について自らの運用において合理的な範囲内で設定することができる。その際、更新の申請を行う指定給水装置工事事業者が十分に時間的余裕をもって申請書の準備を行うことができるよう配慮すること。

第五　更新時に確認することが望ましい事項

指定給水装置工事事業者の資質向上は重要な課題であり、「給水装置工事事業者の指定制度等の適正な運用について」（平成二〇年三月二一日付け厚生労働省健康局水道課長通知）により、水道事業者に対して、

・指定給水装置工事事業者の代表者に対して必要な情報の提供等を行う講習・研修の定期的な実施、

・指定給水装置工事事業者が外部機関の研修会への参加等による給水工事主任技術者等の研修の機会を適切に確保するための助言や指導、

・需要者が工事を依頼する指定給水装置工事事業者を選定する際の参考となる情報の提供、

・必要な技能を有する配管技能者を確保するための指定給水装置工事事業者に対する助言や指導等に努めることを要請しているところであり、引き続き適切な対応をお願いする。

そのため、水道事業者におかれては、指定給水装置工事事業者による指定更新の申請時に、事業の運営に関する基準（改正水道法第二五条の八及び水道法施行規則（昭和三二年厚生省令第四五号）第三六条）に従い、適正に給水装置工事の事業を運営していることを確認すること。

具体的には、以下の一から四に示すとおり、指定給水装置工事事業者への講習会の受講実績、業務内容、技能を有する者の従事状況等について確認し、その確認結果によっては、指定給水装置工事事業者に対し、運営基準に基づく適切な事業運営、講習会の受講や技能を有する者を従事又は配置するよう助言及び指導に努められたい。

一　指定給水装置工事事業者の講習会の受講実績

水道事業者等が開催する指定給水装置工事事業者を対象とした講習会の受講実績について確認する。

二　指定給水装置工事事業者の業務内容

水道利用者に提供する指定給水装置工事事業者に関する情報の充実を図り水道利用者の利便性の向上を図るととも

に、給水装置工事に係るトラブルを防止する観点から、指定給水装置工事事業者の業務内容について確認する。確認する業務内容としては、以下の事項が挙げられる。
①営業時間等：営業時間、修繕対応時間、休業日
②漏水修繕等：屋内給水装置の漏水修繕、埋設部の漏水修繕、その他
③対応工事等：配水管分岐部から水道メーターまでの新設・改造工事
　水道メーターから屋内給水装置までの新設・改造工事

三　給水装置工事主任技術者等の研修会の受講状況
確認の対象となる研修については、外部機関による研修の他、事業所内訓練等による自社内研修が想定されるが、以下に挙げられる事項が含まれていることなど、給水装置工事主任技術者等の技術力の確保に資する内容であることを確認する。
①　水道法（給水装置関連）
・　給水装置工事主任技術者の職務と役割
・　給水装置の構造及び材質
②　給水装置及び給水装置工事法に関する最新の技術情報
③　給水装置の事故事例と対策技術
④　給水装置の維持管理（故障・異常の原因と修繕工事法）
なお、公益財団法人給水工事技術振興財団において、給水装置工事主任技術者に対し、今回の改正水道法の内容を含め、全国統一的に必要な知識等を習得させるためのｅ－ラーニング研修や、現地研修会が行われるので、活用されたい。

四　適切に作業を行うことができる技能を有する者の従事状況
給水装置工事に際しては、水道法施行規則第三六条第二号の規定に基づき、配水管から分岐して給水管を設ける工事等を施行する場合において、適切に作業を行うことができる技能を有する者を従事又は監督させることとしており、指

定更新の申請時に確認する。

この「適切に作業を行うことができる技能を有する者」としては、具体的には、以下の資格等が想定されるが、いずれの場合も、配水管への分水栓の取付け、配水管のせん孔、給水管の接合等の経験を有している必要がある。

・水道事業者等によって行われた試験や講習により、資格を与えられた配管工（配管技能者、その他類似の名称のものを含む。）

・職業能力開発促進法（昭和四四年法律第六四号）第四四条に規定する配管技能士

・職業能力開発促進法第二四条に規定する都道府県知事の認定を受けた職業訓練校の配管科の課程の修了者

・公益財団法人給水工事技術振興財団が実施する配管技能に係る検定会の合格者

また、その確認に当たっては適切に作業を行うことができる技能を有する判断を客観的に行うため、先に例示した資格等を供給規程又は指定給水装置工事事業者に関する規程に明示する等の方策も検討されたい。

第六　水道利用者への指定給水装置工事事業者に関する情報の提供について

水道事業者は、更新時に確認した情報を活用し、第五の二に掲げられる指定給水工事事業者の業務内容をはじめとした水道利用者が指定工事事業者を選択する際に有用となるような情報について、定期的に提供することに努められたい。

第七　その他

一　指定の失効時に既に施行している給水装置工事の取扱いについて

指定がその効力を失う前に締結された工事契約に係る給水装置工事については、指定給水装置工事事業者により施行された給水装置工事と見なすことができる。この場合、当該指定給水装置工事事業者は指定が失効した旨を速やかに当該給水装置工事の施主及びその関係者に通知することが望ましい。

二　指定の有効期間の満了日と閉庁日が重複した場合の取扱いについて

地方自治法第四条の二の規定により、指定の有効期間の満了日と閉庁日と重複した場合は、その翌開庁日に更新の申請を行えば、その指定は失効とはならない。ただし、この場合の次回更新までの有効期間については、従前の有効期間の満了日の翌日から五年間となる。

三　指定の更新の公示について

改正水道法第二五条の三（指定の基準）の規定は、指定の更新について準用することとしたことから、指定の更新をしたときは、公報等により、遅滞なくその旨を一般に周知させる措置をとらなければならない。この場合、公報に限らず、水道事業者等のホームページ等により周知を図ることも差し支えない。

〔判　例〕

自動失効が不利益処分に当たらないとされた事例

（最高裁第一小法廷昭和三九年一〇月二九日判決（理由要旨））

行政庁の処分とは、「公権力の主体たる国または公共団体が行う行為のうち、その行為によって、直接国民の権利義務を形成しまたはその範囲を確定することが法律上認められているもの」とされており、不利益処分を含む行政処分は、国または地方公共団体の「行為」が介在するものといえる。

〔法　律〕

（給水装置工事主任技術者）

第二十五条の四　指定給水装置工事事業者は、事業所ごとに、第三項各号に掲げる職務をさせるため、厚生労働省令で定めるところにより、給水装置工事主任技術者免状の交付を受けている者のうちから、給水装置工事主任技術者を選任しなければならない。

2　指定給水装置工事事業者は、給水装置工事主任技術者を選任したときは、遅滞なく、その旨を水道事業者に届け出なければならない。これを解任したときも、同様とする。

3　給水装置工事主任技術者は、次に掲げる職務を誠実に行わなければならない。

一　給水装置工事に関する技術上の管理

二　給水装置工事に従事する者の技術上の指導監督
三　給水装置工事に係る給水装置の構造及び材質が第十六条の規定に基づく政令で定める基準に適合していることの確認
四　その他厚生労働省令で定める職務
4　給水装置工事に従事する者は、給水装置工事主任技術者がその職務として行う指導に従わなければならない。

〔**施行規則**〕

（給水装置工事主任技術者の選任）
第二十一条　指定給水装置工事事業者は、法第十六条の二の指定を受けた日から二週間以内に給水装置工事主任技術者を選任しなければならない。
2　指定給水装置工事事業者は、その選任した給水装置工事主任技術者が欠けるに至つたときは、当該事由が発生した日から二週間以内に新たに給水装置工事主任技術者を選任しなければならない。
3　指定給水装置工事事業者は、前二項の選任を行うに当たつては、一の事業所の給水装置工事主任技術者が、同時に他の事業所の給水装置工事主任技術者とならないようにしなければならない。ただし、一の給水装置工事主任技術者が当該二以上の事業所の給水装置工事主任技術者となつてもその職務を行うに当たつて特に支障がないときは、この限りでない。
第二十二条　法第二十五条の四第二項の規定による給水装置工事主任技術者の選任又は解任の届出は、様式第三によるものとする。

（給水装置工事主任技術者の職務）
第二十三条　法第二十五条の四第三項第四号の厚生労働省令で定める給水装置工事主任技術者の職務は、水道事業者の給水区域において施行する給水装置工事に関し、当該水道事業者と次の各号に掲げる連絡又は調整を行うこととする。
一　配水管から分岐して給水管を設ける工事を施行しようとする場合における配水管の位置の確認に関する連絡調整
二　第三十六条第一項第二号に掲げる工事に係る工法、工期その他の工事上の条件に関する連絡調整
三　給水装置工事（第十三条に規定する給水装置の軽微な変更を除く。）を完了した旨の連絡

〔要　旨〕

本条は、給水装置工事主任技術者の選任等及びその届出並びにその職務について規定したものである。

〔解　説〕

一、**給水装置工事主任技術者の選任**（一項）

法第一六条の二に基づく水道事業者の指定を受けた給水装置工事事業者（指定給水装置工事事業者）は、事業活動の本拠たる事業所ごとに給水装置工事の技術上の統括者となる給水装置工事主任技術者を選任しなければならない。当然ながら選任は、給水装置工事主任技術者試験に合格し、給水装置工事主任技術者免状（以下「免状」という。）の交付を受けている者のうちから行わなければならない。

なお、給水装置工事主任技術者の選任を行わないで他人の依頼を受けて給水装置工事を行うことは法の趣旨に反することから、指定給水装置工事事業者の指定を受けてから速やかにその選任を行わせる必要がある。このため、選任の期限を、指定を受けた日から二週間以内と定めたものである。選任した給水装置工事主任技術者が欠けるに至ったときも同様に選任を行わなければならない。

また、事業所を本拠として、調査、計画、施工、検査といった一連の工事の過程全体が進行するというのが一般的な事業活動の形態であることから、給水装置工事主任技術者の選任は、原則として事業所ごとに専任とする。しかし、こうした事業において行われることが想定される計画と施工部門の分離等、多様な事業形態を妨げることは合理的ではないことから、給水装置工事主任技術者の職務を行うに当たって特に支障がないときは専任ではなくともよいこととしている。

本条の規定に違反して、適法な給水装置工事主任技術者の選任を行わなかった場合には、法第二五条の一一の規定により給水装置工事事業者の指定の取消しを受けることがある。

二、**給水装置工事主任技術者の選任等の届出**（二項）

給水装置工事主任技術者の選任又は解任の届出を水道事業者に一定の様式により行わなければならないとしたものである。指定給水装置工事事業者は、給水装置工事主任技術者の選任を行い、その届出を水道事業者に行うことによって、選任に係る手続を完了することとなる。この届出を行わなかった場合にも、法第二五条の一一の規定により給水装置工事事業者の指定の取消しを受けることがある。

三、**給水装置工事主任技術者の職務**（三項）

給水装置工事主任技術者は、給水装置工事の調査、計画、施工、検査といった一連の工事の過程の全体について技術上の統括、管理を行う者である。本条において、こうした技術上の統括、管理を行う者としての具体的な職務の内容を定めている。

㈠　給水装置工事に関する技術上の管理

工事の事前調査から計画、施工及び竣工検査までに至る一連の過程における技術面での管理をいい、調査の実施、給水装置の計画、工事材料の選定、工事方法の決定、施工計画の立案、必要な資機材の手配、施工管理及び工程ごとの工事の仕上がり検査（品質検査）等がこれに該当する。

㈡　給水装置工事に従事する者の技術上の指導監督

工事の事前調査から計画、施工及び竣工検査までに至る一連の過程において、工事品質の確保に必要な従事者の役割分担の指示、品質目標、工期等の管理上の目標に適合する工事の実施のための従事者に対する技術的事項の指導、監督をいう。

㈢　給水装置の構造及び材質の基準に適合していることの確認

給水装置の構造及び材質の基準に適合する給水装置の設置を確保するために行う、基準に適合する材料の選定、現場の状況に応じた材料の選定（例えば、対侵食性のある材料や耐寒材料の使用）、給水装置システムの計画及び施工（例えば、逆流防止器具の設置）、工程ごとの検査等による基準適合性の確保、竣工検査における基準適合性の確保をいう。

㈣　工事に関する水道事業者との連絡調整

水道事業者の給水区域において施工する給水装置工事に関して、当該水道事業者との連絡調整を行うことも給水装置工事主任技術者の職務である。具体的には、

・配水管から給水管を分岐する場合には配水管の布設位置の確認が必要となることから、これに関する連絡調整を行うこと。

・配水管から給水管を分岐する工事及び分岐部から水道メーターまでの工事を行う場合には、水道事業者の承認を受けた工法、工期その他の工事上の条件に適合するよう施行しなくてはならないことから、これに関する連絡調整を行うこと。

・給水装置工事（単独水栓の交換等の軽微な変更を除く。）を完了した旨の連絡を行うこと。

である。なお、工事開始段階については、需要者や給水装置を設置しようとする者が水道事業者に対して行う給水装置の設置の申込みによって、水道事業者がこれを把握することができるので、給水装置工事主任技術者の職務として定めるには及ばないものである。

〔法　律〕

（給水装置工事主任技術者免状）

第二十五条の五　給水装置工事主任技術者免状は、給水装置工事主任技術者試験に合格した者に対し、厚生労働大臣が交付する。

２　厚生労働大臣は、次の各号のいずれかに該当する者に対しては、給水装置工事主任技術者免状の交付を行わないことができる。

一　次項の規定により給水装置工事主任技術者免状の返納を命ぜられ、その日から一年を経過しない者

二　この法律に違反して、刑に処せられ、その執行を終わり、又は執行を受けることがなくなつた日から二年を経過しない者

３　厚生労働大臣は、給水装置工事主任技術者免状の交付を受けている者がこの法律に違反したときは、その給水装置工事主任技術者免状の返納を命ずることができる。

４　前三項に規定するもののほか、給水装置工事主任技術者免状の交付、書換え交付、再交付及び返納に関し必要な事項は、厚生労働省令で定める。

〔施行規則〕

（免状の交付申請）

第二十四条　法第二十五条の五第一項の規定により給水装置工事主任技術者免状（以下「免状」という。）の交付を受けようとする者は、様式第四による免状交付申請書に次に掲げる書類を添えて、これを厚生労働大臣に提出しなければならない。

一　戸籍抄本又は住民票の抄本（日本の国籍を有しない者にあつては、これに代わる書面）

二　第三十三条の規定により交付する合格証書の写し

（免状の様式）

第二十五条　法第二十五条の五第一項の規定により交付する免状の様式は、様式第五による。

（免状の書換え交付申請）

第二十六条　免状の交付を受けている者は、免状の記載事項に変更を生じたときは、免状に戸籍抄本又は住民票の抄本

（日本の国籍を有しない者にあつては、これに代わる書面）を添えて、厚生労働大臣に免状の書換え交付を申請することができる。

2　前項の免状の書換え交付の申請書の様式は、様式第六による。

（免状の再交付申請）

第二十七条　免状の交付を受けている者は、免状を破り、汚し、又は失つたときは、厚生労働大臣に免状の再交付を申請することができる。

2　前項の免状の再交付の申請書の様式は、様式第七による。

3　免状を破り、又は汚した者が第一項の申請をする場合には、申請書にその免状を添えなければならない。

4　免状の交付を受けている者は、免状の再交付を受けた後、失つた免状を発見したときは、五日以内に、これを厚生労働大臣に返納するものとする。

（免状の返納）

第二十八条　免状の交付を受けている者が死亡し、又は失そうの宣告を受けたときは、戸籍法（昭和二十二年法律第二百二十四号）に規定する死亡又は失そうの届出義務者は、一月以内に、厚生労働大臣に免状を返納するものとする。

〔要　旨〕

本条は免状の交付、交付を行わない場合、返納を命令する場合その他の免状の交付等に関する手続を規定したものである。

〔解　説〕

一、免状の交付

免状交付は、給水装置工事主任技術者試験の合格者に対して厚生労働大臣が行うものであるが、免状交付を受けるには、規則第二四条の免状の交付申請手続が必要である。

また、免状返納命令を受けた者や水道法に違反して刑に処せられた者等は、免状の交付を受けることができない。

二、免状の返納

㈠　免状の返納命令

免状の交付を受けている者が水道法に違反したときは、厚生労働大臣は免状の返納を命ずることができる。

㈡　罰則

正当な理由がないのに本条第三項の規定による命令に違反して免状を返納しなかった者は、一〇万円以下の過料に処せられる（法五七条）。

三、免状の交付等の手続

免状の記載事項に変更があった場合の書き換えの手続、免状を失った場合等の再交付の手続等について、規則に定めている。

〔法　律〕

（給水装置工事主任技術者試験）

第二十五条の六　給水装置工事主任技術者試験は、給水装置工事主任技術者として必要な知識及び技能について、厚生労働大臣が行う。

2　給水装置工事主任技術者試験は、給水装置工事に関して三年以上の実務の経験を有する者でなければ、受けることができない。

3　給水装置工事主任技術者試験の試験科目、受験手続その他給水装置工事主任技術者試験の実施細目は、厚生労働省令で定める。

〔施行規則〕

（試験の公示）

第二十九条　厚生労働大臣又は法第二十五条の十二第一項に規定する指定試験機関（以下「指定試験機関」という。）は、法第二十五条の六第一項の規定による給水装置工事主任技術者試験（以下「試験」という。）を行う期日及び場所、受験願書の提出期限及び提出先その他試験の施行に関し必要な事項を、あらかじめ、官報に公示するものとする。

（試験科目）

第三十条　試験の科目は、次のとおりとする。

一　公衆衛生概論
二　水道行政
三　給水装置の概要
四　給水装置の構造及び性能
五　給水装置工事法
六　給水装置施工管理法
七　給水装置計画論
八　給水装置工事事務論

（試験科目の一部免除）

第三十一条　建設業法施行令（昭和三十一年政令第二百七十三号）第二十七条の三の表に掲げる検定種目のうち、管工事施工管理の種目に係る一級又は二級の技術検定に合格した者は、試験科目のうち給水装置の概要及び給水装置施工管理法の免除を受けることができる。

（受験の申請）

第三十二条　試験（指定試験機関がその試験事務を行うものを除く。）を受けようとする者は、様式第八による受験願書に次に掲げる書類を添えて、これを厚生労働大臣に提出しなければならない。

一　法第二十五条の六第二項に該当する者であることを証する書類
二　写真（出願前六月以内に脱帽して正面から上半身を写した写真で、縦四・五センチメートル横三・五センチメートルのもので、その裏面には撮影年月日及び氏名を記載すること。）
三　前条の規定により試験科目の一部の免除を受けようとする場合には、様式第九による給水装置工事主任技術者試験一部免除申請書及び前条に該当する者であることを証する書類
2　指定試験機関がその試験事務を行う試験を受けようとする者は、当該指定試験機関が定めるところにより、受験願書に前項各号に掲げる書類を添えて、これを当該指定試験機関に提出しなければならない。

（合格証書の交付）
第三十三条　厚生労働大臣（指定試験機関が合格証書の交付に関する事務を行う場合にあつては、指定試験機関）は、試験に合格した者に合格証書を交付しなければならない。

〔要　旨〕
本条は、給水装置工事主任技術者試験を厚生労働大臣が行うこと、試験の受験資格、受験手続等について規定したものである。

〔解　説〕
一、給水装置工事主任技術者試験
給水装置工事主任技術者試験は、必要な知識及び技能について、規則第三〇条に規定する試験科目により、厚生労働大臣が行うこととしている。
なお、管工事施工管理技士については、規則第三一条の規定により、試験の一部免除を受けることができることとされている。

また、法第二五条の一二の規定により、試験事務について指定試験機関に実施させることができるとされていることから、指定試験機関として公益財団法人給水工事技術振興財団が指定されている。

二、**受験資格**

試験の受験資格とされている「実務の経験」とは、給水装置工事に関する技術上の職務経験をいい、工事の計画の立案、現場における監督、施工管理等指揮監督・管理する職務や、配管その他施工を実地に行う職務に従事した経験を指すものである。なお、現場への物品の搬入等の雑務や庶務系の職務は含まれない。

三、**試験の手続等**

試験の公示、受験の申込み、合格証書の交付等の試験に関する手続は規則第二九条、第三二条及び第三三条に規定されているとおりである。

〔**法　律**〕

（変更の届出等）

第二十五条の七　指定給水装置工事事業者は、事業所の名称及び所在地その他厚生労働省令で定める事項に変更があったとき、又は給水装置工事の事業を廃止し、休止し、若しくは再開したときは、厚生労働省令で定めるところにより、その旨を水道事業者に届け出なければならない。

〔**施行規則**〕

（変更の届出）

第三十四条　法第二十五条の七の厚生労働省令で定める事項は、次の各号に掲げるものとする。

一　氏名又は名称及び住所並びに法人にあつては、その代表者の氏名

二　法人にあつては、役員の氏名
三　給水装置工事主任技術者の氏名又は給水装置工事主任技術者が交付を受けた免状の交付番号
2　法第二十五条の七の規定により変更の届出をしようとする者は、当該変更のあつた日から三十日以内に様式第十による届出書に次に掲げる書類を添えて、水道事業者に提出しなければならない。
一　前項第一号に掲げる事項の変更の場合には、法人にあつては定款及び登記事項証明書、個人にあつては住民票の写し
二　前項第二号に掲げる事項の変更の場合には、様式第二による法第二十五条の三第一項第三号イからへまでのいずれにも該当しない者であることを誓約する書類及び登記事項証明書

（廃止等の届出）
第三十五条　法第二十五条の七の規定により事業の廃止、休止又は再開の届出をしようとする者は、事業を廃止し、又は休止したときは、当該廃止又は休止の日から三十日以内に、事業を再開したときは、当該再開の日から十日以内に、様式第十一による届出書を水道事業者に提出しなければならない。

〔要　旨〕

本条は指定給水装置工事事業者の事業に関して変更があった場合、事業を休止又は廃止する場合の水道事業者に対する届出手続を規定したものである。

〔解　説〕

一、**変更の届出**

事業所の名称及び所在地、氏名又は名称及び住所等、法人の場合の役員の氏名、選任している給水装置工事主任技術者に関する届出内容について、変更があった場合には、規則第三四条に定める様式に添付書類を添えて、変更のあった日から三〇日以内に水道事業者に届け出なければならない。

二、**休廃止等の届出**

給水装置工事の事業を休止又は廃止したとき、事業を再開したときも同様に一定期間内に届出を行わなければならない。なお、これらの届出を行わず、又は虚偽の届出を行った場合には、法第二五条の一一の規定により給水装置工事事業者の指定の取消しを受けることがある。

〔参　考〕

一、給水装置工事事業者の指定制度等の適正な運用について（通知）

（平成二〇年三月二一日　健水発第〇三二一〇〇一号
各厚生労働大臣認可水道事業者あて厚生労働省健康局水道課長通知）

民間活動に係る規制の改善及び行政事務の合理化のための厚生省関係法律の一部を改正する法律（平成八年法律第一〇七号）により改正された水道法（昭和三二年法律第一七七号。以下「水道法」という。）により、給水装置工事主任技術者の国家資格を創設するとともに、統一化、明確化された指定要件の下、給水装置工事事業者を指定する制度を法定する、給水装置工事に関する規制緩和が行われたところである。

改正後の水道法の施行から一〇年を経過したことから、有識者による検討会及び厚生科学審議会生活環境水道部会において、施行の状況について検討、審議を行い、現行制度が水道の適正を確保する上で重要な役割を果たしていると評価された一方、改善を要する課題が示され、その解決の方向が取りまとめられた。

貴職におかれては、下記に示した課題と解決の方向を踏まえて所要の措置を講じ、給水装置工事事業者の指定制度をより適正に運用いただくようお願いする。

記

一．指定給水装置工事事業者に対する講習・研修の実施

給水装置工事の施行に当たっての手続きや工事上の条件、事業に変更等があった場合の水道事業者への届出など、指定給水装置工事事業者の遵守事項に的確な対応がなされていない事例等がみられることから、指定給水装置工事事業者による適正な給水装置工事の施行の確保に資するため、水道事業者においては、必要に応じて水道事業者間の連携を図りつつ、指定を行った指定給水装置工事事業者の代表者（ここでは、自社内の周知や教育を適切に実施できる者をいう。）に対して必要な情報の提供等を行う講習・研修を定期的に実施するよう努め、その実施に合わせ、水道法第二五条の七に基づく指定給水装置工事事業者からの届出に遺漏がないか等の確認にも努められたいこと。こうした講習・研修に含まれるべき内容としては、次の事項が挙げられる。

㈠　水道法令における給水装置に関連する規定の再確認
㈡　給水装置に関連する行政や法令の動向に関する情報
㈢　給水装置に関する事故事例と防止のための留意事項
㈣　需要者への給水装置の維持管理等に関する普及啓発の実施に関する事項
㈤　水道事業者から需要者に提供する指定給水装置工事事業者の情報に関する事項
㈥　水道事業者が定める配水管の分岐から水道メーターまでの工事上の条件の改定情報

なお、社団法人日本水道協会において、水道事業者における円滑な講習・研修の実施に寄与するため、講習・研修用のテキストの作成等が行われているので、必要に応じ活用されたい。

二．**給水装置工事主任技術者等に対する研修の実施**

給水装置工事主任技術者をはじめ給水装置工事に従事する者の技術力の低下を懸念する指摘がみられることから、給水装置工事主任技術者等の給水装置の施行技術の向上を図るため、指定給水装置工事事業者において、水道法第二五条の八及び同法施行規則第三六条第四号の規定に従い、給水装置工事主任技術者等が進展した施行技術等の習得を行える研修の機会が適時確保されることが必要である。水道事業者においては、指定給水装置工事事業者が外部機関の研修会への参加等による給水装置工事主任技術者等の研修の機会を適切に確保するよう、助言、指導に努められたいこと。こうした研修に含まれるべき内容としては、次の事項が挙げられる。

(一)　給水装置及び給水装置工事法に関する最新の技術情報
(二)　給水装置の事故事例と対策技術
(三)　給水装置の故障・異常の原因と修繕工事法
(四)　給水装置工事主任技術者の職務と役割

なお、財団法人給水工事技術振興財団において、給水装置工事主任技術者等に技術情報の提供等のため研修が行われるので、申し添える。

三．需要者のニーズに応じた指定給水装置工事事業者に関する情報の提供

指定給水装置工事事業者に関する情報の不足に起因し、需要者が給水装置の修繕工事を依頼する際等に問題が生じた事例が報告されていることから、水道事業者としての公共性に留意した上で、需要者が工事を依頼する指定給水装置工事事業者を選定する際の参考となる情報を理解しやすい形式、入手しやすい方法で提供するよう努められたいこと。なお、当職においても、こうした情報提供に当たっての参考例について検討を進めており、取りまとまり次第、各水道事業者等に送付することとしている。

四．指定給水装置工事事業者の取消しの処分基準の整備

指定給水装置工事事業者の指定取消しについては、水道事業者においてあらかじめ処分基準を定め、これに従い指定取消しを行うよう求めているところであるが、水道事業者によって処分基準が大きく異なることは適当ではないため、標準的な処分基準例の提示を求める指摘がある。水道事業者等からのこうした指摘を踏まえた標準的な処分基準例が社団法人日本水道協会によって作成されており、これらも参考としつつ、必要に応じ処分基準の見直し等を行い、指定給水装置工事事業者の指定の取消しに当たってはその公平な実施に努められたいこと。

五．各主体からの啓発・広報活動の充実

給水装置の維持管理の責任区分や重要性、指定給水装置工事事業者制度の趣旨や概要など、需要者が知っておくべき情報に関して、水道事業者はじめ、給水装置の工事事業者や製造者における啓発・広報活動の充実、積極的な情報発信が求められるところであり、水道事業者においては、水道法第二四条の二及び同法施行規則第一七条の二第五号に基づき、需要者に対して定期的に情報の提供を行われたいこと。

六．適切な配管技能者の確保

水道法施行規則第三六条第二号に規定する、配水管から分岐して給水管を設ける工事等の施行における「適切に作業を行うことができる技能を有する者」については、平成九年八月一一日付け衛水第二一七号厚生省生活衛生局水道環境部水道整備課長通知の第四の五の㈡により、「配水管への分水栓の取付け、配水管のせん孔、給水管の接合等の配水管から給水管を分岐する工事に係る作業及び当該分岐部から水道メーターまでの配管工事に係る作業について、配水管その他の地下埋設物に変形、破損その他の異常を生じさせることがないよう、適切な資機材、工法、地下埋設物の防護の方法を選択し、正確な作業を実施することができる者」としているところであり、具体的には、水道事業者等によって行われた試験や講習により、資格を与えられた配管工（配管技能者、その他類似の名称のものを含む。）、職業能力開発促進法第四四条に規定する配管技能士及び同法第二四条に規定する都道府県知事の認定を受けた職業訓練校の配管科の課程の修了者、財団法人給水工事技術振興財団が実施する配管技能の習得に係る講習の課程を修了した者等が想定されるが、いずれの場合も、配水管への分水栓の取付け、配水管のせん孔、給水管の接合等の経験を有している必要がある。水道事業者においては、配水管の分岐部から水道メーターまでの工事を施行する場合に「適切に作業を行うことができる技能を有する者」が適切に従事または監督を行うよう、指定を行った指定給水装置工事事業者に対する助言、指導に努められたいこと。

なお、水道事業者が、配水管の分岐部から水道メーターまでの配管作業に従事する者の要件として、上記の内容を供給規程等に盛り込むことについては差し支えないが、特定の資格を有しているか否かではなく、実際に必要な技能を有しているか否かにより判断すべきものであるので、その運用にあたっては、特定の有資格者に限定することのないよう留意されたいこと。

また、「適切に作業を行うことができる技能を有する者」を養成するための機会を引き続き確保し、その養成確保により、配管工事に従事する者全体の技能の確保・向上につなげることが求められることから、水道事業者においては、指定給水装置工事事業者に対し社内でも技能養成の機会の確保に努めるよう助言、指導されたいこと。

二、給水装置工事の適切な施工とトラブルの防止について

（平成二一年六月一七日　各厚生労働大臣認可水道事業者あて厚生労働省健康局水道課）

日頃より、水道行政の推進につきましてはご協力を賜り、厚く御礼申し上げます。

さて、給水装置工事事業者の指定制度等については、厚生労働省健康局水道課長通知「給水装置工事事業者の指定制度等の適正な運用について」（平成二〇年三月二一日付　健水発第〇三二一〇〇一号）により、現行制度において改善を要する課題とその解決の方向を示し、所要の措置を講じるようお願いしたところです。

当該通知においては、給水装置工事事業者に関する情報の不足に起因し、需要者が給水装置の修繕工事を依頼する際に問題が生じた事例が報告されていることから、需要者のニーズに応じた指定給水装置工事事業者に関する情報の提供について、厚生労働省健康局水道課において、その参考例について検討を進めることとしていました。

今般、厚生労働省委託調査「平成二〇年度給水装置関係技術実態調査業務」（社団法人日本水道協会受託）において、関係機関へのヒアリング調査により全国的な実態把握を行うとともに、対策の参考例や解決方策を「給水装置工事の適切な施工とトラブルの防止のために」として取りまとめ、厚生労働省のウェブページに掲載しましたので、お知らせします。

水道事業者においては、近年、給水装置工事に関するトラブルや悪質商法等の被害が増加していることを踏まえ、「給水装置工事の適切な施工とトラブルの防止のために」を参考として、需要者が知っておくべき給水装置に関する情報を整理し、水道法第二四条の二及び水道法施行規則第一七条の二第一項第五号に基づき、需要者が容易に情報を入手できるようホームページ、リーフレット等を活用し、積極的に情報提供されるようお願いします。また、悪質商法等の被害に関しては、消費者保護の観点から、消費生活センター等の機関との連携や情報共有を図るようお願いします。

（参考）「給水装置工事の適切な施工とトラブルの防止のために」掲載ページ
現在のURL:https://www.mhlw.go.jp/topics/bukyoku/kenkou/suido/hourei/jimuren/h21/210615-1.html

三、指定給水装置工事事業者の違反行為に係る事務処理要綱例等

（日本水道協会　平成一九年一一月策定）

（目的）

第一条　この要綱は、○○指定給水装置工事事業者（以下「指定事業者」という。）の違反行為に係る事務処理について、必要な事項を定めることを目的とする。

（用語の定義）

第二条　この要綱における用語の定義は、水道法（昭和三二年法律第一七七号。以下「法」という。）及び○○水道条例の例による。

（違反行為の調査、報告等）

第三条　指定事務の所管部署長（以下、「所管部署長」という）は、指定事業者が違反行為を行った疑いがあるときは、その事実関係の調査を行う。

2　所管部署長は、前項の調査において違反行為の事実が認められたときは、当事者に対し、直ちに違反行為を是正するよう指導する。

3　所管部署長は、当該指定事業者からてん末書の提出を求めるとともに、違反行為調査兼報告書を作成する。

（文書による注意）

第四条　所管部署長は、違反行為の内容を検討し、行政処分は要しないが、違反行為の再発を防止するため注意等を促すことが必要と認めるときは、文書による注意を行うことができる。

（行政処分）

第五条　所管部署長は、違反行為の内容を検討し、行政処分が必要と認められるときには、水道事業管理者（以下「管理者」という。）に報告し、違反行為審査委員会（以下「審査委員会」という。）開催

の要否について、意見を具申することができる。

（意見陳述のための手続）

第六条　管理者は、違反行為の内容が行政処分に相当すると認めるときは、審査委員会の開催前に、当該処分の名あて人になるべき者について、弁明の機会を付与し又は意見陳述のため聴聞の手続を行うものとする。

2　弁明の機会の付与にあっては、弁明書の提出を求めるものとする。

3　聴聞の実施に当たっては、聴聞通知書により通知する。

4　聴聞は、所管部署長が主宰する。

5　聴聞を終結したときは、所管部署長は、速やかに聴聞調書、聴聞報告書及び処分案を作成し、管理者に報告する。

6　その他意見陳述のための手続に関しては、○○行政手続条例（　　年○○条例第　　号）に定めるところによる。

（水道技術管理者等の意見）

第七条　審査委員会の委員長は、必要があると判断したときは審査委員会に水道技術管理者その他委員以外の者の出席を求め、その意見又は説明を求めることができる。

（処分の通知）

第八条　管理者は、処分を決定した場合に、被処分者に対し当該処分の通知を行う。

2　管理者は、○○市指定事業者規程第○○条の指定の取消し又は停止の処分を行う場合には、○○市指定事業者規程第○○条の規程に基づき告示を行う。

（給水装置工事主任技術者に対する措置）

第九条　水道法第二五条の四に定める給水装置工事主任技術者に、法に違反する行為があったと認めるときは、その旨を厚生労働大臣に報告するものとする。

（処分等の基準）

第一〇条　この要綱に定める違反行為に対する処分等の基準は、管理者が別に定める。

附　則

この要領は、　年　月　日から施行する。

指定給水装置工事事業者の違反行為に係る処分基準

＊処分内容は各項目とも全て指定取消し要件となっているが、情状酌量すべき特段の事由があるときの最大の罰則（期間）を示します。

項目	根拠条文	関係法令条文		違反内容	処分内容	指導方法等
件違反	第25条の11	第25条の３				
	第1項第1号	第1項第１号	施行規則第21条	1. 事業所ごとに給水装置工事主任技術者を置かないとき。	指定取消し	○「休止届」又は「廃止届」を提出するよう指導する。（文書で期日を定め警告） この指導に従わない場合は、指定を取消す。
		第1項第2号	施行規則第20条	2. 厚生労働省令で定める機械器具を有しなくなったとき。	指定取消し	○厚生労働省令で定める機械器具を有しないことが判明したときは、指定業者に対し欠けている機械器具を備え付けるように指導する。（文書で期日を定め警告） この指導に従わない場合は、指定を取消す。
		第1項第3号イ		3. 成年被後見人若しくは被補佐人又は破産者の宣告を受けたとき。	指定取消し	○指定業者が個人の場合は「廃止届」を提出するように指導する。 法人の場合は欠格条項に該当した役員を他の者に変更した場合は適用しない。
		第1項第3号ロ		4. 水道法に違反して、刑に処せられ、その執行を終わり、又は刑の執行を受けることがなくなった日から２年を経過しない者であることが判明したとき。	指定取消し	○一律に指定を取消す。
		第1項第3号ハ		5. 指定を取り消され、その取消しの日から２年を経過しない者であることが判明したとき。	指定取消し	○一律に指定を取消す。
		第1項第3号ニ		6. 業務に関し不正又は不誠実な行為をしたとき。		○様々なケースがあり得るが、違反行為の程度 によって文書注意又は指定停止を決定する。 再犯の場合（2年程度）や悪質と判断できるときは欠格要件に該当するとみなし指定を取消す。 （文書で期日を定め警告）
				①無断通水、メーターの不正使用等をしたとき。	指定取消し又は指定停止6月以下	
				②道路掘削許可、道路使用許可を受けずに工事を施行したとき。	指定停止6月以下	
				③施工上の安全管理を怠り、従業員を死傷させたとき。	指定停止3月以下	
				④施工上の安全管理を怠り、公衆に死傷者を出し、又は被害を与えたとき。	指定停止6月以下	
				⑤研修機会の確保をしなかったとき	文書注意	※指定給水装置工事事業者の研修に関する取扱要綱第８条に従わないとき
				⑥文書注意に従わないとき。	文書警告	
				⑦文書警告に従わないとき。	指定停止3月以下	
				⑧その他の違反行為 （主として管理者の承認を受けないで工事を施行したとき又は工事完成後管理者の検査を受けなかったとき。）	指定停止6月以下	

違反項目	根拠条文	関係法令条文		違　反　内　容	処分内容	指　導　方　法　等
給水装置工事主任技術者選任等義務違反	第25条の11 第1項第2号	第25条の4 第1項	施行規則第21条 第1項			
		第1項	第2項			
		第2項		1. 給水装置工事主任技術者の選任又は解任の届出をしないとき。	指定取消し	○選任届、解任届を速やかに するように指導する。（文書 日を定め警告） 　この指導に従わない場合に 指定を取消す。
		第1項		2. 給水装置工事主任技術者が２以上の事業所に選任され、その職務に支障があるとき。	指定停止3月以下	○兼任を解くよう指導し、解 を提出させる。（文書によ 意）
届出義務違反	第25条の11 第1項第3号	第25条の７	施行規則 第３４条・３５条	1. 事業所の名称及び所在地等の変更届を提出しないとき又は虚偽の届出をしたとき。	指定取消し	○変更届を速やかに提出す に指導する。（文書で期日を 警告） 　この指導に従わない場合、 虚偽の届出を行った場合は 取消す。
				2. 休止届、廃止届、再開届を届出しないとき又は虚偽の届出をしたとき。	指定取消し	○廃止届、休止届、再開届 かに提出するよう指導する。 書で期日を定め警告） 　この指導に従わない場合、 虚偽の届出を行った場合は 取消す。

項目	根拠条文	関係法令条文		違反内容	処分内容	指導方法等
運営基 違反	第25条の11 第1項第4号	第25条の8	施行規則第36条 第1号	1. 給水装置工事ごとに給水装置工事主任技術者を指名しなかったとき。		○工事申込みの際の設計書に主任技術者を記入する欄が空白の場合は記入させる。
			第2号	2. 配水管から分岐して給水管を設ける工事及び給水装置の配水管への取付口から水道メーターまでの工事を施行する場合において、当該配水管及び他の地下埋設物に変形、その他の異常を生じさせることがないよう適切に作業を行うことができる技能を有する者を従事させ、又はその者に該当工事に従事する他の者を実施に監督させないとき。	指定停止1月以下	○技能を有する者は、公的な資格、民間の資格あるいはこれらに類するものにより判断することが可能であるが、資格を有していない場合であっても実際に技能を有しているか否かにより最終判断すべきである。（文書による注意）
			第3号	3. 管理者の承認を受けた工法、工期その他の工事上の条件に適合しない工事を施行したとき。	指定停止6月以下	○具体的には、設計施工基準等に従わない場合が該当する。 （水道法施行令第5条を除く。） 工法等に適合させるよう工事のやり直しを指示し、改善後違反行為の程度によって文書注意又は指定停止を決定する。 この指導に従わない場合は、指定を取消す。
			第5号イ	4. 水道法施行令第5条に規定する基準に適合しない給水装置を設置したとき。 （令第5条：給水装置の構造及び材質の基準）	指定停止6月以下	○基準に適合するよう工事のやり直しを指示し、改善後違反行為の程度によって文書注意又は指定停止を決定する。 この指導に従わない場合は、指定を取消す。
			第5号ロ	5. 給水管及び給水用具の切断、加工、接合等に適さない機械器具を使用したとき。	指定停止3月以下	○適正な機械器具を備え付け使用するように指導し　、改善後違反行為の程度によって文書注意又は指定停止を決定する。 この指導に従わない場合は、指定を取消す。
			第6号	6. 指名した給水装置工事主任技術者に、施行した給水装置ごとに工事記録を作成させなかったとき。又は、当該記録をその作成の日から３年間保存しなかったとき。	指定停止3月以下	○記録の作成・保存を指導する。 （文書による注意） この指導に従わない場合は、指定を取消す。

違反項目	根拠条文	関係法令条文		違反内容	処分内容	指導方法等
工事施行に関する義務違反	第25条の１１ 第1項第5号	第25条の９		1. 給水装置の検査の際、管理者の求めに対し、正当な理由なく給水装置工事主任技術者を検査に立ち会わせないとき。	指定停止3月以下	○当該業者から事情を聴取し 導する。（文書による注意） この指導に従わない場合は 定を取消す。
	第1項第6号			2. 給水装置工事に関する報告又は資料の提出の求めに対し、正当な理由なくこれに応じず、又は虚偽の報告若しくは資料の提出をしたとき。	指定停止3月以下	○当該業者から事情を聴取し 導する。（文書による注意） この指導に従わない場合に 定を取消す。
	第1項第7号			3. 施行した給水装置工事が水道施設の機能に障害を与え、又は与えるおそれが大きいとき。	指定停止6月以下	○水道施設を破損した場合に 状復旧を指示し、文書で注意 る。（悪質な場合は即取消し この指導に従わない場合に 定を取消す。 また、水道法違反の事実か であり、かつ重大であるとき 指定を取り消す。
不正申請	第25条の11 第1項第8号			1. 不正の手段により指定業者として指定を受けたとき。	指定取消し	○事実が判明したら、速やか 消しを行う。

違反行為事務処理フロー例

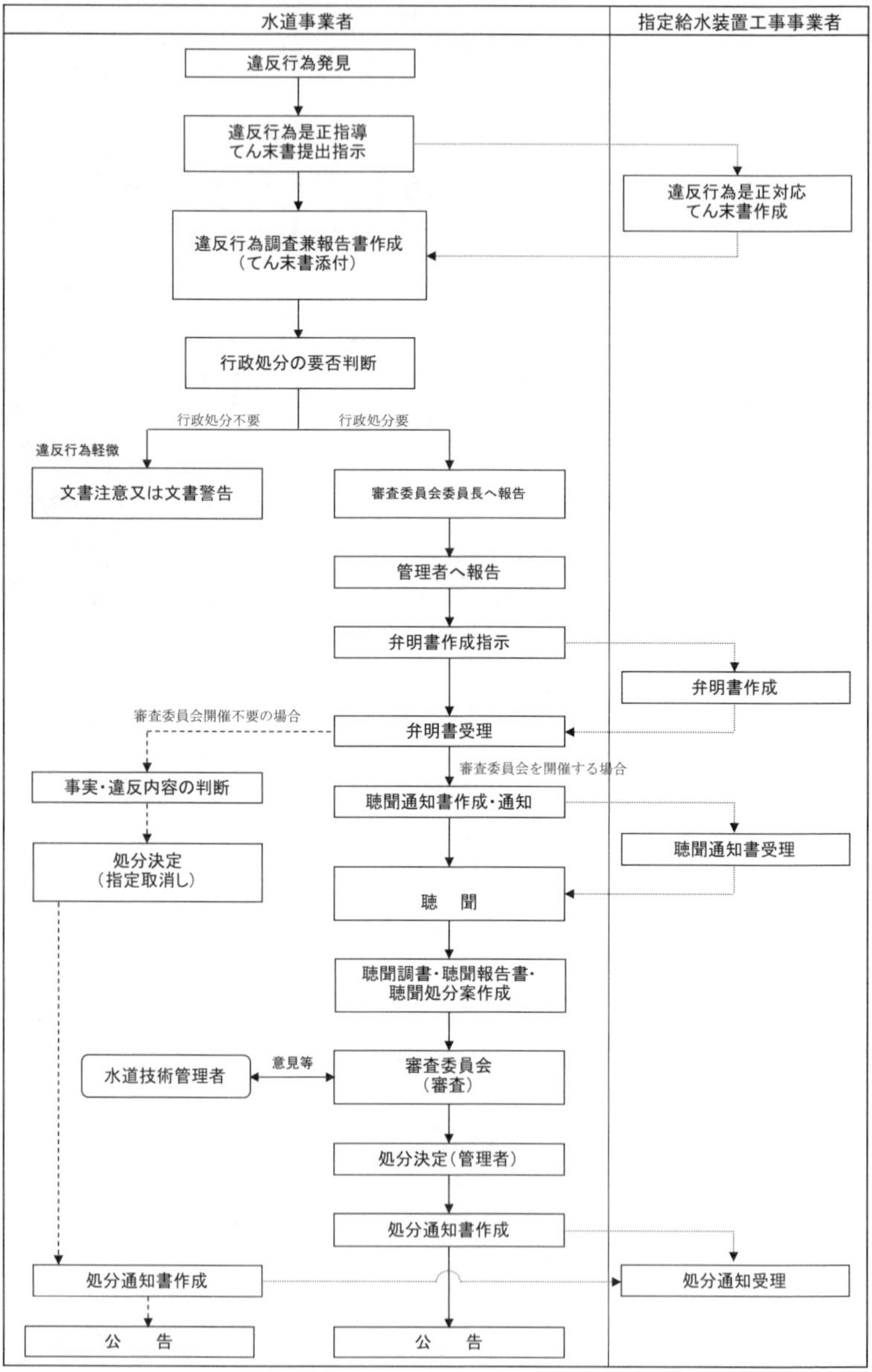

四、出入国管理及び難民認定法及び日本国との平和条約に基づき日本の国籍を離脱した者等の出入国管理に関する特例法の一部を改正する等の法律の施行に伴う厚生労働省関係省令の整備に関する省令の公布について〔水道法〕(通知)

(平成二四年六月二九日　健発〇六二九第四号
各都道府県知事・広島市長・長崎市長あて
厚生労働省健康局長通知)

第一九条　水道技術管理者〔参考〕三を参照のこと。

〔法　律〕

(事業の基準)

第二十五条の八　指定給水装置工事事業者は、厚生労働省令で定める給水装置工事の事業の運営に関する基準に従い、適正な給水装置工事の事業の運営に努めなければならない。

〔施行規則〕

(事業の運営の基準)

第三十六条　法第二十五条の八に規定する厚生労働省令で定める給水装置工事の事業の運営に関する基準は、次に掲げるものとする。

一　給水装置工事(第十三条に規定する給水装置の軽微な変更を除く。)ごとに、法第二十五条の四第一項の規定により選任した給水装置工事主任技術者のうちから、当該工事に関して法第二十五条の四第三項各号に掲げる職務を行う者を指名すること。

二　配水管から分岐して給水管を設ける工事及び給水装置の配水管への取付口から水道メーターまでの工事を施行する場合において、当該配水管及び他の地下埋設物に変形、破損その他の異常を生じさせることがないよう適切に作業を行うことができる技能を有する者を従事させ、又はその者に当該工事に従事する他の者を実施に監督させること。

三　水道事業者の給水区域において前号に掲げる工事を施行するときは、あらかじめ当該水道事業者の承認を受けた工法、工期その他の工事上の条件に適合するように当該工事を施行すること。

四　給水装置工事主任技術者及びその他の給水装置工事に従事する者の給水装置工事の施行技術の向上のために、研修の機会を確保するよう努めること。
五　次に掲げる行為を行わないこと。
イ　令第六条に規定する基準に適合しない給水装置を設置すること。
ロ　給水管及び給水用具の切断、加工、接合等に適さない機械器具を使用すること。
六　施行した給水装置工事（第十三条に規定する給水装置の軽微な変更を除く。）ごとに、第一号の規定により指名した給水装置工事主任技術者に次の各号に掲げる事項に関する記録を作成させ、当該記録をその作成の日から三年間保存すること。
イ　施主の氏名又は名称
ロ　施行の場所
ハ　施行完了年月日
ニ　給水装置工事主任技術者の氏名
ホ　竣工図
ヘ　給水装置工事に使用した給水管及び給水用具に関する事項
ト　法第二十五条の四第三項第三号の確認の方法及びその結果

〔要　旨〕

本条は、指定給水装置工事事業者が指定を受けた者として給水装置工事の事業を行うに当たって遵守すべき事項を事業の運営の基準として規定したものである。指定の基準とこの基準が、給水装置工事事業者の指定制度において適正な工事の施行を確保する観点から中心的なものとなる。

〔解　説〕

一、**事業の運営の基準の性格**

事業の運営の基準は、指定給水装置工事事業者が遵守しなければならない事項を定めたものである。これは、指定給水装置工事事業者が施行する給水装置が給水装置の構造及び材質に関する基準に適合することを確実に担保するため、指定を受けた後の工事実施の職務体制、基準に適合しない資材の使用の禁止等の適正な施工義務、工事に関する記録及びその保存その他の事項について維持すべき一定の水準を定めたものである。具体的な基準の内容は規則第三六条に規定されている。

なお、事業の運営の基準に従った適正な事業の運営ができないと認められるときは、法第二五条の一一の規定により給水装置工事事業者の指定の取消しを受けることがある。

二、**事業の運営の基準の内容**

(一)　工事ごとの給水装置工事主任技術者の指名（規則三六条一号）

個々の給水装置工事ごとに技術上の統括者としての職務を行う者を明らかにし、工事の責任体制を明確化したものである。なお、この指名は、職務の遂行に支障が生じない範囲で、複数工事に一名の者を指名したり、一つの工事で工程ごとや職務ごとに複数の者を指名することができる。なお、指名を受けた給水装置工事主任技術者は、法第二五条の四の規定により、その職務を誠実に遂行することが求められていることから、当該者が誠実に職務を遂行しなかったがために給水装置工事に不適正な施行があったときは、免状の返納命令を受けることがある（法二五条の五第三項）。

(二)　配水管の分岐部から水道メーターまでの工事（同二号）

配水管から分岐して給水管を設ける工事及び給水装置の配水管への取付口から水道メーターまでの工事を施行する場合には、当該工事が水道施設に給水装置を接続する工事であること、通常、道路下に埋設されることとなる部分の工事であること等から、適切に作業を行うことができる技能を有する者に従事又は監督させることとしたものである。

なお、適切に作業を行うことができる技能を有する者とは、配水管への分水栓の取付け、配水管のせん孔、給水管の接合等の一連の配水管から給水管を分岐する工事の作業及び当該分岐部から水道メーターまでの配管工事に係る作業について、配水管その他の地下埋設物に変形等の異常を生じさせることのないよう、適切な資機材、工法、地下埋設物の防護の方法を選択し、かつ正確に作業を実施することができる者をいう。技能を有する者としては、こうした技能に関連する公的な資格、民間の資格あるいはこれらに類するものにより判断することが可能であるが、資格を有していない場合であっても実際に技能を有しているか否かにより最終的に判断すべきものである。

指定給水装置工事事業者は、前記のような工事を実施しようとする場合には、このような技能者をあらかじめ確保していかなければならないこととなる。

㈢　前記㈡の工事を施行するときの水道事業者の承認等（同三号）

配水管の分岐部から水道メーターまでの工事を実施する場合には、あらかじめ水道事業者の承認を受けた工法、工期等の工事上の条件に適合するよう施行しなければならない。これは、配水管の管種等に応じた工法の指定、震災等の災害防止や漏水時、災害時等の緊急工事の円滑化、効率化の観点からの工事材料及び工法の指定、断水防止等の観点からの工期の指定、水道事業者の職員の立会いの下での工事の施行等の条件をいうものである。これらの工事上の条件は、水道施設の機能の保全、配水管の分岐部から水道メーターまでの給水装置に関し防災や緊急工事の円滑な実施等のために必要となる合理的なものに限られ、特定の者への下請けや保証金の積立て等を工事上の条件とすることはできない。

㈣　研修の機会の確保（同四号）

施工技術の進展等に対応するため、指定給水装置工事事業者は、給水装置工事主任技術者その他の工事従事者に対して、外部機関による研修や事業内訓練等の自社内研修の機会を確保するよう努力しなければならない旨規定したものである。

㈤　給水装置の構造及び材質の基準に適合する施工（同五号）

指定給水装置工事事業者が施行する給水装置が給水装置の構造及び材質の基準に適合したものとなるよう、基準に適合した材料の使用並びに基準に適合する給水装置の組立て及びこれに必要な機械器具の使用を求めるものである。

㈥　工事に関する記録及び保管（同六号）

法第二五条の九及び二五条の一〇の規定により、指定給水装置工事事業者は、水道事業者の給水装置の検査への給水装置工事主任技術者の立会いや給水装置工事に関する報告を求められることとなるため、工事に関して記録すべき事項及びその保存期間を定めたものである。

なお、これらの記録については、整理した上で保存すべきことはいうまでもないことであるが、水道事業者に提出した図書等や工事過程で作成した記録等の既存の書類を活用することにより足りる場合には、新たに作成する必要はない。また、確実な保存が行われるよう留意した上で電子媒体により記録、保存することもできる。

〔法　律〕

（給水装置工事主任技術者の立会い）

第二十五条の九　水道事業者は、第十七条第一項の規定による給水装置の検査を行うときは、当該給水装置に係る給水装置工事を施行した指定給水装置工事事業者に対し、当該給水装置工事を施行した事業所に係る給水装置工事主任技術者を検査に立ち会わせることを求めることができる。

〔要　旨〕

本条は、水道事業者が指定給水装置工事事業者に対して、法第一七条第一項による給水装置の検査を行う場合において、給水装置工事主任技術者の立会いを求めることができる旨規定したものである。

〔解　説〕

水道事業者は、日の出から日没までの間に、当該水道によって水の供給を受ける者の給水装置を検査することができる（法一七条）とされている。この検査を的確に行うため、検査を行う需要者の給水装置に係る工事を施行した者の事業所のうち当該工事の施行を担当した事業所におかれている給水装置工事主任技術者の立会いを求めることができるとしたものである。

なお、指定給水装置工事事業者は、正当な理由なく水道事業者の求めに応じないときは、法第二五条の一一の規定により給水装置工事事業者の指定の取消しを受けることがある。

〔法　律〕

（報告又は資料の提出）

第二十五条の十　水道事業者は、指定給水装置工事事業者に対し、当該指定給水装置工事事業者が給水区域において施行した給水装置工事に関し必要な報告又は資料の提出を求めることができる。

〔要　旨〕

本条は、水道事業者は、指定給水装置工事事業者に対して、給水装置工事に関する必要な報告又は資料の提出を求めることができる旨規定したものである。

〔解　説〕

水道事業者は指定給水装置工事事業者に対する指導監督の一つとして、給水装置工事に関して報告又は資料の提出を求めることができる。なお、指定給水装置工事事業者は、正当な理由なくこの求めに応じないとき又は虚偽の報告をしたときは、法第二五条の一一の規定により給水装置工事事業者の指定の取消しを受けることがある。

〔法　律〕

（指定の取消し）

第二十五条の十一　水道事業者は、指定給水装置工事事業者が次の各号のいずれかに該当するときは、第十六条の二第一項の指定を取り消すことができる。

一　第二十五条の三第一項各号のいずれかに適合しなくなつたとき。

二　第二十五条の四第一項又は第二項の規定に違反したとき。

三　第二十五条の七の規定による届出をせず、又は虚偽の届出をしたとき。
四　第二十五条の八に規定する給水装置工事の事業の運営に関する基準に従つた適正な給水装置工事の事業の運営をすることができないと認められるとき。
五　第二十五条の九の規定による水道事業者の求めに対し、正当な理由なくこれに応じないとき。
六　前条の規定による水道事業者の求めに対し、正当な理由なくこれに応じず、又は虚偽の報告若しくは資料の提出をしたとき。
七　その施行する給水装置工事が水道施設の機能に障害を与え、又は与えるおそれが大であるとき。
八　不正の手段により第十六条の二第一項の指定を受けたとき。
2　第二十五条の三第二項の規定は、前項の場合に準用する。

〔要　旨〕

本条は、一定の要件に該当する場合、水道事業者は、指定給水装置工事事業者の指定の取消しをすることができる旨規定したものである。

〔解　説〕

一、指定の取消し要件

給水装置工事事業者の指定制度は、指定給水装置工事事業者が指定の基準や事業運営の基準に適合していることを前提として、給水装置の構造及び材質の基準に適合した適切な給水装置工事の実施を確保しようとするものである。

そこで、指定の基準等に適合していない場合には指定を取り消すことができることとし、指定給水装置工事事業者に対する十分な監督を行い、指定制度本来の効果が発揮されるようにしようとするものである。なお、水道事業者は、指定の取消しをしたときは、指定をしたときと同様、公報等により周知する必要がある。

具体的な指定の取消し要件は次のとおりである。

㈠　指定の基準に適合しなくなったとき（一項一号）

㈡　給水装置工事主任技術者の選任及び届出義務違反（同二号）

指定制度の技術力確保の根幹となる給水装置工事主任技術者に関してその選任及び届出が適正に行われていなければならないから、指定の取消し要件として、これを担保するものである。

㈢　事業の変更等の届出義務違反（同三号）

指定給水装置工事事業者の監督のために必要な届出の適正を確保するため指定の取消し要件とするものである。

㈣　事業運営の基準違反（同四号）

事業運営の基準に従った給水装置工事に関する事業の運営ができないと認められるときは、継続して事業運営の基準に適合することができないと解すべきである。

㈤　給水装置工事主任技術者の立会い応諾義務の違反（同五号）

水道事業者が水道の適正を確保するために行う給水装置の検査に協力することは、給水装置の構造及び材質の基準に適合する給水装置工事を施行できる者として指定を受けた指定給水装置工事事業者の一般的な義務であるから、正当な理由なくこれに応じないときは指定の取消しができるとしたものである。

㈥　報告等の応諾義務違反（同六号）

指定給水装置工事事業者の監督又は給水装置の適正の確保に必要な給水装置工事に関する報告の実効性を確保するため指定の取消し要件とするものである。

㈦　水道施設への機能障害（同七号）

「水道施設の機能に障害を与えて水の供給を妨害した者」には罰則の適用がある（法五一条）。飲用に供する水を安定的に常時供給することは公益上の必要性が高く、不適切な給水装置工事によりこうした公益を損なうことがあってはならないから、指定の取消し要件とするものである。なお、「給水装置工事が水道施設の機能に障害を与え」とは、具体的には、不適正な分岐工事によって、配水管の破損はもとより、水道施設本来の能力に支障を及ぼしたり、給水装置から汚染された水が逆流すること等がこれに該当すると考えられる。

(八)　不正の手段により指定を受けた場合（同八号）

指定の取消しは、水道事業者の裁量に委ねられているが、その判断基準は、公平に運用する必要がある。

なお、水道事業者は、法第二五条の一一各号のいずれかに該当する指定給水装置工事事業者について、情状酌量により、法第一六条の二第一項の指定を取り消すことを留保して行う措置（指定給水装置工事事業者としての業務を一時停止することの指導等）について、その判断基準、手続等を明確にするための規則を設けても差し支えない。ただし、法第二五条の一一の各号に定める事項以外の事項を独自に定めて指定の停止等の新たな規制を行うことはできない。また、指定の停止期間は、法第二五条の三第一項第三号ハの規定から、二年を超えることはできない。

二、**水道事業者の周知**

法第二五条の三第二項の規定において、指定をした給水装置工事事業者について、広報、公示等により一般に周知する措置を講じなければならないとしたのと同様に、指定を取り消した場合にも周知する措置を講じなければならないとしたものである。

〔参　考〕

指定給水装置工事事業者の違反行為に係る事務処理要綱例等

（日本水道協会　平成一九年一一月策定）

第二五条の七　変更の届出等〔参考〕三を参照のこと。

第四節　指定試験機関

〔法　律〕

（指定試験機関の指定）

第二十五条の十二　厚生労働大臣は、その指定する者（以下「指定試験機関」という。）に、給水装置工事主任技術者試験の実施に関する事務（以下「試験事務」という。）を行わせることができる。

2　指定試験機関の指定は、試験事務を行おうとする者の申請により行う。

〔施行規則〕

（指定試験機関の指定の申請）

第三十七条　法第二十五条の十二第二項の規定による申請は、次に掲げる事項を記載した申請書によつて行わなければならない。

一　名称及び主たる事務所の所在地

二　行おうとする試験事務の範囲

三　指定を受けようとする年月日

2　前項の申請書には、次に掲げる書類を添えなければならない。

一　定款及び登記事項証明書

二　申請の日を含む事業年度の直前の事業年度における財産目録及び貸借対照表（申請の日を含む事業年度に設立され

た法人にあつては、その設立時における財産目録）

三　申請の日を含む事業年度の事業計画書及び収支予算書

四　申請に係る意思の決定を証する書類

五　役員の氏名及び略歴を記載した書類

六　現に行つている業務の概要を記載した書類

七　試験事務を行おうとする事務所の名称及び所在地を記載した書類

八　試験事務の実施の方法に関する計画を記載した書類

九　その他参考となる事項を記載した書類

〔水道法第二十五条の十二第一項に規定する指定試験機関を指定する省令〕

（平成九年五月一日厚生省令第四七号）

（最近改正　平成二六年一二月一八日厚生労働省令第一三八号）

水道法（昭和三十二年法律第百七十七号）第二十五条の十二の規定に基づき、水道法第二十五条の十二第一項に規定する指定試験機関を指定する省令を次のように定める。

水道法（昭和三十二年法律第百七十七号）第二十五条の十二第一項に規定する指定試験機関として次の者を指定する。

法人の名称	主たる事務所の所在地	指定の日
公益財団法人給水工事技術振興財団（平成九年三月七日に財団法人給水工事技術振興財団という名称で設立された法人をいう。）	東京都新宿区	平成九年五月二日

附則　略

〔要　旨〕

本条は、法第二五条の六で規定されている給水装置工事主任技術者試験の実施に関する事務について、指定試験機関に行わせることができること及び指定試験機関の指定の方法について定めたものである。

〔解　説〕

一、**指定試験機関**（一項）

法第二五条の一二第一項に規定する指定試験機関を指定する省令（平成九年五月一日厚生省令第四七号）により、公益財団法人給水工事技術振興財団が指定されている。

二、**指定の効果**

規則第三二条（受験の申請）及び第三三条（合格証書の交付）に関する事務のうち、規則第三七条第一項に定める申請書に記載の、行おうとする試験事務の範囲の事務を、指定試験機関が行うこととなる。

公益財団法人給水工事技術振興財団は、規則第三二条及び第三三条に関する事務を行っている。

三、**指定の申請の方法**（二項）

申請書の記載事項及び添付書類は、規則第三七条に規定するとおりである。

四、**不服申立て**

指定試験機関が行う試験事務に係る処分（試験の結果についての処分を除く。）又は不作為については、厚生労働大臣に対し、行政不服審査法による審査請求をすることができる（法四八条の三）。

〔参　考〕

指定試験機関の指定について（通知）

（平成九年五月二日　衛水第一七四号
各都道府県水道行政担当部（局）長
あて厚生省生活衛生局水道環境部水
道整備課長通知）

平成八年六月に公布された民間活動に係る規制の改善及び行政事務の合理化のための厚生省関係の法律の一部を改正する法律（平成八年法律第一〇七号）による水道法（昭和三二年法律第一七七号。以下「法」という。）の一部を改正する規定のうち、給水装置工事主任技術者及び試験に係る規定が平成九年四月一日より施行され、当該規定を施行するための水道法施行規則の一部を改正する省令（平成八年厚生省令第六九号。以下「施行規則」という。）が平成八年一二月二〇日に公布され、平成九年四月一日より施行されたところである。

これらの施行を受け、今般、法第二五条の一二第一項の規定に基づき、水道法第二五条の一二第一項に規定する指定試験機関を指定する省令（平成九年厚生省令第四七号）により指定試験機関を指定したので、左記事項を貴管下水道事業者に周知徹底願いたい。

記

一　法第二五条の一二第一項に規定する指定試験機関として、平成九年五月二日付けで財団法人給水工事技術振興財団（別添参照）を指定したこと。

二　施行規則附則第二条第一項で規定する「地方公共団体の条例又はこれに基づく規定による給水装置工事責任技術者（給水装置技術者その他類似の名称のものを含む。）の資格を有する者」を対象とする経過措置講習会については、現在、財団法人給水工事技術振興財団において実施が検討されているところであるが、すでに給水装置工事事業者に送付されている例が見られる給水装置工事主任技術者資格に係る講習会の案内書については、当省及び指定試験機関とは一切関係ないものであるので留意されたいこと。

別添　略

〔法　律〕

（指定の基準）

第二十五条の十三　厚生労働大臣は、他に指定を受けた者がなく、かつ、前条第二項の規定による申請が次の要件を満たしていると認めるときでなければ、指定試験機関の指定をしてはならない。

一　職員、設備、試験事務の実施の方法その他の事項についての試験事務の実施に関する計画が試験事務の適正かつ確実な実施のために適切なものであること。

二　前号の試験事務の実施に関する計画の適正かつ確実な実施に必要な経理的及び技術的な基礎を有するものであること。

三　申請者が、試験事務以外の業務を行つている場合には、その業務を行うことによつて試験事務が不公正になるおそれがないこと。

2　厚生労働大臣は、前条第二項の規定による申請をした者が、次の各号のいずれかに該当するときは、指定試験機関の指定をしてはならない。

一　一般社団法人又は一般財団法人以外の者であること。

二　第二十五条の二十四第一項又は第二項の規定により指定を取り消され、その取消しの日から起算して二年を経過しない者であること。

三　その役員のうちに、次のいずれかに該当する者があること。

イ　この法律に違反して、刑に処せられ、その執行を終わり、又は執行を受けることがなくなつた日から起算して二年を経過しない者

ロ　第二十五条の十五第二項の規定による命令により解任され、その解任の日から起算して二年を経過しない者

〔要　旨〕

本条は、前条の指定試験機関の指定の申請に対する指定の基準について定めたものである。

〔解　説〕

一、指定の基準（一項）

指定の基準は、試験事務の実施に関する計画が適切なものであること、経理的及び技術的な基礎を有すること、試験事務が不公正になるおそれがないことを定めている。指定試験機関は、一機関のみとなる。

二、欠格要件（二項）

指定の欠格要件として、第二項を定めている。

第一号の規定で、一般社団法人又は一般財団法人であることが要件とされ、その役員に関しても第三号で欠格要件を定めている。

第二号の規定で指定の取消しを受けた者は、二年間は新たな指定を受けることはできない。

〔法　律〕

（指定の公示等）

第二十五条の十四　厚生労働大臣は、第二十五条の十二第一項の規定による指定をしたときは、指定試験機関の名称及び主たる事務所の所在地並びに当該指定をした日を公示しなければならない。

2　指定試験機関は、その名称又は主たる事務所の所在地を変更しようとするときは、変更しようとする日の二週間前までに、その旨を厚生労働大臣に届け出なければならない。

3　厚生労働大臣は、前項の規定による届出があつたときは、その旨を公示しなければならない。

〔施行規則〕

（指定試験機関の名称等の変更の届出）

第三十八条　法第二十五条の十四第二項の規定による指定試験機関の名称又は主たる事務所の所在地の変更の届出は、次に掲げる事項を記載した届出書によつて行わなければならない。

一　変更後の指定試験機関の名称又は主たる事務所の所在地

二　変更しようとする年月日

三　変更の理由

2　指定試験機関は、試験事務を行う事務所を新設し、又は廃止しようとするときは、次に掲げる事項を記載した届出書を厚生労働大臣に提出しなければならない。

一　新設し、又は廃止しようとする事務所の名称及び所在地

二　新設し、又は廃止しようとする事務所において試験事務を開始し、又は廃止しようとする年月日

三　新設又は廃止の理由

〔要　旨〕

本条は、指定試験機関の指定の公示等について定めたものである。

〔解　説〕

一、**指定の公示**（一項）

厚生労働大臣が、指定試験機関を指定したときは、公示しなければならないとしている。

二、**変更の届出**（二項）

指定試験機関は、名称又は主たる事務所の所在地の変更については、二週間前までにその旨を厚生労働大臣に届出

する義務がある。届出は、届出書によって行い、記載事項は、規則第三八条第一項に規定するとおりである。

試験事務を行う事務所の新設又は廃止についても、届出義務がある。届出は、届出書によって行い、記載事項は、規則第三八条第二項に規定するとおりである。

三、変更の公示（三項）

指定試験機関の名称又は主たる事務所の所在地に変更があったときも第一項の規定と同様、公示しなければならないとしている。

四、公示の方法

公示は、厚生労働省令による。

〔参　考〕

法第二五条の一二第一項に規定する指定試験機関については、「水道法第二五条の一二第一項に規定する指定試験機関を指定する省令（平成九年五月一日厚生省令第四七号）」に定められている（法第二五条の一二参照）。

〔法　律〕

（役員の選任及び解任）

第二十五条の十五　指定試験機関の役員の選任及び解任は、厚生労働大臣の認可を受けなければ、その効力を生じない。

２　厚生労働大臣は、指定試験機関の役員が、この法律（これに基づく命令又は処分を含む。）若しくは第二十五条の十八第一項に規定する試験事務規程に違反する行為をしたとき、又は試験事務に関し著しく不適当な行為をしたときは、指定試験機関に対し、当該役員を解任すべきことを命ずることができる。

〔施行規則〕

（役員の選任又は解任の認可の申請）

第三十九条　指定試験機関は、法第二十五条の十五第一項の規定により役員の選任又は解任の認可を受けようとするときは、次に掲げる事項を記載した申請書を厚生労働大臣に提出しなければならない。

一　役員として選任しようとする者の氏名、住所及び略歴又は解任しようとする者の氏名

二　選任し、又は解任しようとする年月日

三　選任又は解任の理由

〔要　旨〕

本条は、指定試験機関の役員の選任及び解任等について定めたものである。

〔解　説〕

一、**役員の選任及び解任**（一項）

試験事務が適正かつ確実、また公正に行われるよう、指定試験機関の役員の選任及び解任を、厚生労働大臣の認可事項としている。

認可の申請は、申請書を厚生労働大臣に提出することによって行い、記載事項は規則第三九条に規定するとおりである。

二、**指定試験機関に対する役員の解任命令**（二項）

解任命令の要件は次のように定められている。

㈠　水道法（これに基づく命令又は処分を含む。）若しくは第二五条の一八第一項に規定する試験事務規程に違反する行為をしたとき

又は、

㈡　試験事務に関し著しく不適当な行為をしたとき

法第二五条の三及び法第二五条の五に定める、給水装置工事事業者及び給水装置工事主任技術者の欠格要件では、「水道法に違反して、刑に処せられること」が一つの要件となっているが、これらに比して、本条では、「水道法等に違反する行為をしたとき」としており、要件が厳格になっている。

「試験事務に関し著しく不適当な行為」は、個別に判断されることとなる。

三、準用

本条第二項の規定は、試験委員の解任について準用する（法二五条の一六第四項）。

〔法　律〕

（試験委員）

第二十五条の十六　指定試験機関は、試験事務のうち、給水装置工事主任技術者として必要な知識及び技能を有するかどうかの判定に関する事務を行う場合には、試験委員にその事務を行わせなければならない。

２　指定試験機関は、試験委員を選任しようとするときは、厚生労働省令で定める要件を備える者のうちから選任しなければならない。

３　指定試験機関は、試験委員を選任したときは、厚生労働省令で定めるところにより、遅滞なく、その旨を厚生労働大臣に届け出なければならない。試験委員に変更があつたときも、同様とする。

４　前条第二項の規定は、試験委員の解任について準用する。

〔施行規則〕

（試験委員の要件）

第四十条　法第二十五条の十六第二項の厚生労働省令で定める要件は、次の各号のいずれかに該当する者であることとする。

一　学校教育法に基づく大学若しくは高等専門学校において水道に関する科目を担当する教授若しくは准教授の職にあり、又はあつた者

二　学校教育法に基づく大学若しくは高等専門学校において理科系統の正規の課程を修めて卒業した者（当該課程を修めて専門職大学前期課程を修了した者を含む。）で、その後十年以上国、地方公共団体、一般社団法人又は一般財団法人その他これらに準ずるものの研究機関において水道に関する研究の業務に従事した経験を有するもの

三　厚生労働大臣が前二号に掲げる者と同等以上の知識及び経験を有すると認める者

（試験委員の選任又は変更の届出）

第四十一条　法第二十五条の十六第三項の規定による試験委員の選任又は変更の届出は、次に掲げる事項を記載した届出書によつて行わなければならない。

一　選任した試験委員の氏名、住所及び略歴又は変更した試験委員の氏名

二　選任し、又は変更した年月日

三　選任又は変更の理由

〔要　旨〕

本条は、試験委員の選任及び解任等について定めたものである。

〔解　説〕

一、**試験委員**（一項）

指定試験機関が、試験事務のうち、給水装置工事主任技術者として必要な知識及び技能を有するかどうかの判定に

関する事務を行う場合には、試験委員に行わせなければならないこととしている。

二、**試験委員の要件**（二項）

試験委員は、規則第四〇条に定める要件を備える者のうちから選任しなければならない。

三、**試験委員の選任及び変更の届出**（三項）

指定試験機関が試験委員を選任したときは、遅滞なく、厚生労働大臣に届け出なければならない。届出は、届出書によって行い、記載事項は規則第四一条に規定するとおりである。

試験委員に変更があったときも同様である。

四、指定試験機関に対する試験委員の解任命令（四項）

法第二五条の一五第二項の規定が準用される。

〔**法　律**〕

（秘密保持義務等）

第二十五条の十七　指定試験機関の役員若しくは職員（試験委員を含む。次項において同じ。）又はこれらの職にあつた者は、試験事務に関して知り得た秘密を漏らしてはならない。

2　試験事務に従事する指定試験機関の役員又は職員は、刑法（明治四十年法律第四十五号）その他の罰則の適用については、法令により公務に従事する職員とみなす。

〔**要　旨**〕

本条は、指定試験機関の役員等の試験事務に関する秘密保持義務等について定めたものである。

〔解　説〕

一、秘密保持義務（一項）

指定試験機関の役員若しくは職員（試験委員を含む。）又はこれらの職にあった者は、試験事務に関して知り得た秘密を漏らしてはならないとされている。

二、公務員とみなされる者（二項）

試験事務に従事する指定試験機関の役員又は職員（試験委員を含む。）は、刑法（明治四〇年法律第四五号）第七条第一項に規定する「法令により公務に従事する職員」に準じた性格を有しているので、刑法その他の罰則の適用については、公務員とみなされる。

三、罰則

第一項の規定に違反した者は、一年以下の懲役又は一〇〇万円以下の罰金に処せられる（法五三条の三）。

〔参　考〕

刑法（抄）　（明治四〇年四月二四日法律第四五号）

（定義）

第七条　この法律において「公務員」とは国又は地方公共団体の職員その他法令により公務に従事する議員、委員その他の職員をいう。

〔法　律〕

（試験事務規程）

第二十五条の十八　指定試験機関は、試験事務の開始前に、試験事務の実施に関する規程（以下「試験事務規程」という。）を定め、厚生労働大臣の認可を受けなければならない。これを変更しようとするときも、同様とする。

2　試験事務規程で定めるべき事項は、厚生労働省令で定める。

3　厚生労働大臣は、第一項の規定により認可をした試験事務規程が試験事務の適正かつ確実な実施上不適当となつたと認めるときは、指定試験機関に対し、これを変更すべきことを命ずることができる。

〔施行規則〕

（試験事務規程の認可の申請）

第四十二条　指定試験機関は、法第二十五条の十八第一項前段の規定により試験事務規程の認可を受けようとするときは、その旨を記載した申請書に当該試験事務規程を添えて、これを厚生労働大臣に提出しなければならない。

2　指定試験機関は、法第二十五条の十八第一項後段の規定により試験事務規程の変更の認可を受けようとするときは、次に掲げる事項を記載した申請書を厚生労働大臣に提出しなければならない。

一　変更の内容

二　変更しようとする年月日

三　変更の理由

（試験事務規程の記載事項）

第四十三条　法第二十五条の十八第二項の厚生労働省令で定める試験事務規程で定めるべき事項は、次のとおりとする。

一　試験事務の実施の方法に関する事項

二　受験手数料の収納に関する事項

三　試験事務に関して知り得た秘密の保持に関する事項

四　試験事務に関する帳簿及び書類の保存に関する事項

五　その他試験事務の実施に関し必要な事項

〔要　旨〕

本条は、試験事務規程について定めたものである。

〔解　説〕

一、**試験事務規程**（一項）

試験事務が適正かつ確実、また公正に行われるよう、指定試験機関は、試験事務の実施に関する規程を定めることとしている。

この規程を定め、又は変更するときは、厚生労働大臣の認可を受けなければならない。

認可の申請は、申請書（第一項前段の場合は試験事務規程を添付）を厚生労働大臣に提出することによって行い、記載事項等は規則第四二条に規定するとおりである。

なお、規則第四二条第二項の規定は、法第二五条の一九第一項後段の規定による事業計画及び収支予算の変更の認可について準用する（規則四四条二項）。

二、**試験事務規程の記載事項**（二項）

試験事務規程で定めるべき事項は、規則第四三条に規定するとおりである。

三、**試験事務規程の変更命令**（三項）

厚生労働大臣から指定試験機関に対する変更命令の要件として、「試験事務規程が試験事務の適正かつ確実な実施上不適当となったと認めるとき」と定めている。

〔法　律〕

（事業計画の認可等）

第二十五条の十九　指定試験機関は、毎事業年度、事業計画及び収支予算を作成し、当該事業年度の開始前に（第二十五条の十二第一項の規定による指定を受けた日の属する事業年度にあつては、その指定を受けた後遅滞なく）、厚生労働大臣の認可を受けなければならない。これを変更しようとするときも、同様とする。

2　指定試験機関は、毎事業年度、事業報告書及び収支決算書を作成し、当該事業年度の終了後三月以内に、厚生労働大臣に提出しなければならない。

〔施行規則〕

（事業計画及び収支予算の認可の申請）

第四十四条　指定試験機関は、法第二十五条の十九第一項前段の規定により事業計画及び収支予算の認可を受けようとするときは、その旨を記載した申請書に事業計画書及び収支予算書を添えて、これを厚生労働大臣に提出しなければならない。

2　第四十二条第二項の規定は、法第二十五条の十九第一項後段の規定による事業計画及び収支予算の変更の認可について準用する。

〔要　旨〕

本条は、指定試験機関の事業計画及び収支予算の認可等について定めたものである。

〔解　説〕

一、**事業計画及び収支予算**（一項）

指定試験機関は、毎事業年度、事業計画及び収支予算を作成し、当該事業年度の開始前に、厚生労働大臣の認可を受けなければならない。

ただし、指定試験機関の指定を受けた当初は、事業年度開始前ではなく、指定を受けた後遅滞なく認可を受けなければならないこととなる。

認可の申請は、申請書に事業計画書及び収支予算書を添付し、厚生労働大臣に提出することによって行い、記載事項等は規則第四四条第一項に規定するとおりである。

事業計画及び収支予算を変更しようとするときも、認可の申請が必要である。認可の申請は、試験事務規程の変更認可申請の規定が準用される（規則四二条二項）。

二、事業報告書及び収支決算書（二項）

指定試験機関は、毎事業年度、事業報告書及び収支決算書を作成し、当該事業年度の終了後三か月以内に、厚生労働大臣に提出しなければならない。

〔**法　律**〕

（帳簿の備付け）

第二十五条の二十　指定試験機関は、厚生労働省令で定めるところにより、試験事務に関する事項で厚生労働省令で定めるものを記載した帳簿を備え、これを保存しなければならない。

〔**施行規則**〕

（帳簿）

第四十五条　法第二十五条の二十の厚生労働省令で定める事項は、次のとおりとする。

一　試験を施行した日

二　試験地

三　受験者の受験番号、氏名、住所、生年月日及び合否の別
2　法第二十五条の二十に規定する帳簿は、試験事務を廃止するまで保存しなければならない。

〔要　旨〕
本条は、試験事務に関する事項を記載した帳簿について定めたものである。

〔解　説〕
一、記載事項及び保存期間
記載事項は、規則第四五条第一項に規定するとおり。保存期間は試験事務を廃止するまでである（同条二項）。
二、罰則
帳簿を備えず、帳簿に記載せず、若しくは帳簿に虚偽の記載をし、又は帳簿を保存しなかった指定試験機関の役員又は職員は、三〇万円以下の罰金に処せられる（法五五条の三第一号）。

〔法　律〕
（監督命令）
第二十五条の二十一　厚生労働大臣は、試験事務の適正な実施を確保するため必要があると認めるときは、指定試験機関に対し、試験事務に関し監督上必要な命令をすることができる。

〔要　旨〕
本条は、指定試験機関に対する厚生労働大臣の監督命令について定めたものである。

〔解　説〕

給水装置工事主任技術者試験は、給水装置工事主任技術者として必要な知識及び技能について、厚生労働大臣が行うこととしている。

厚生労働大臣は、給水装置工事主任技術者試験の実施に関する事務（試験事務）について、厚生労働大臣が指定する者（指定試験機関）に行わせることとし、その試験事務の実施に関する事務に基づいた適正な実施を確保するため必要があると認めたときは、指定試験機関に対し、監督上必要な命令をすることができる旨を定めたものである。

〔法　律〕

（報告、検査等）

第二十五条の二十二　厚生労働大臣は、試験事務の適正な実施を確保するため必要があると認めるときは、指定試験機関に対し、試験事務の状況に関し必要な報告を求め、又はその職員に、指定試験機関の事務所に立ち入り、試験事務の状況若しくは設備、帳簿、書類その他の物件を検査させることができる。

2　前項の規定により立入検査を行う職員は、その身分を示す証明書を携帯し、関係者の請求があつたときは、これを提示しなければならない。

3　第一項の規定による権限は、犯罪捜査のために認められたものと解してはならない。

〔施行規則〕

（試験結果の報告）

第四十六条　指定試験機関は、試験を実施したときは、遅滞なく、次に掲げる事項を記載した報告書を厚生労働大臣に提出しなければならない。

一　試験を施行した日

二　試験地
三　受験申込者数
四　受験者数
五　合格者数

2　前項の報告書には、合格した者の受験番号、氏名、住所及び生年月日を記載した合格者一覧を添えなければならない。

（証明書の様式）

第五十七条　2　法第二十五条の二十二第二項の規定により当該職員の携帯する証明書は、様式第十二の二とする。

〔要　旨〕

本条は指定試験機関に対する試験事務の状況に関する報告、検査等について定めたものである。

〔解　説〕

一、報告及び立入検査

給水装置工事主任技術者試験は、厚生労働大臣が指定試験機関の指定をしたときは、指定試験機関が独占的に行うこととなるので、試験事務の適正な実施を確保しようとするのが、本条の趣旨である（一項）。

立入検査については、指定試験機関の承諾は要件とされていない。また、第二項及び第三項の規定で、立入検査を行う職員は身分証明書を携帯し、請求があったときはこれを提示しなければならないこと（二項）、第一項の規定による権限は行政上のものであって、犯罪捜査のために認められたものではないことが念のため明文化されている（三項）。

二、**試験結果の報告**

指定試験機関は、試験を実施したときは、規則第四六条に規定する報告書を厚生労働大臣に提出しなければならない。

三、**罰則**

報告を求められて、報告をせず、若しくは虚偽の報告をし、又は立入り若しくは検査を拒み、妨げ、若しくは忌避した指定試験機関の役員又は職員は、三〇万円以下の罰金に処せられる（法五五条の三第二号）。

〔**法　律**〕

（試験事務の休廃止）

第二十五条の二十三　指定試験機関は、厚生労働大臣の許可を受けなければ、試験事務の全部又は一部を休止し、又は廃止してはならない。

2　厚生労働大臣は、指定試験機関の試験事務の全部又は一部の休止又は廃止により試験事務の適正かつ確実な実施が損なわれるおそれがないと認めるときでなければ、前項の規定による許可をしてはならない。

3　厚生労働大臣は、第一項の規定による許可をしたときは、その旨を公示しなければならない。

〔**施行規則**〕

（試験事務の休止又は廃止の許可の申請）

第四十七条　指定試験機関は、法第二十五条の二十三第一項の規定により試験事務の休止又は廃止の許可を受けようとするときは、次に掲げる事項を記載した申請書を厚生労働大臣に提出しなければならない。

一　休止し、又は廃止しようとする試験事務の範囲

二　休止しようとする年月日及びその期間又は廃止しようとする年月日

三　休止又は廃止の理由

（試験事務の引継ぎ等）

第四十八条　指定試験機関は、法第二十五条の二十三第一項の規定による許可を受けて試験事務の全部若しくは一部を廃止する場合、法第二十五条の二十四第一項の規定により指定を取り消された場合又は法第二十五条の二十六第二項の規定により厚生労働大臣が試験事務の全部若しくは一部を自ら行う場合には、次に掲げる事項を行わなければならない。

一　試験事務を厚生労働大臣に引き継ぐこと。

二　試験事務に関する帳簿及び書類を厚生労働大臣に引き渡すこと。

三　その他厚生労働大臣が必要と認める事項を行うこと。

〔**要　旨**〕

本条は、試験事務の休廃止について定めたものである。

〔**解　説**〕

一、**試験事務の休廃止**（一項）

法第二五条の二六第一項の規定により、厚生労働大臣が指定試験機関の指定をしたときは、試験事務を行わないので、試験事務の休廃止については、厚生労働大臣の許可を必要としたものである。

二、**休廃止の要件**（二項）

試験事務の休廃止は、試験事務の適正かつ確実な実施が損なわれるおそれがないときのみ許可される。休止又は廃止の許可の申請の方法は、規則第四七条に規定するとおりである。

三、**公示**（三項）

休止又は廃止の許可をしたときは、厚生労働大臣はその旨公示しなければならない。

四、**試験事務の引継ぎ等**

第一項の規定により試験事務の全部若しくは一部を廃止する場合は、指定試験機関は、規則第四八条各号に掲げる事項を行わなければならない。

五、罰則

許可を受けないで試験事務の全部を廃止した指定試験機関の役員又は職員は三〇万円以下の罰金に処せられる（法五五条の三第三号）。

〔法　律〕

（指定の取消し等）

第二十五条の二十四　厚生労働大臣は、指定試験機関が第二十五条の十三第二項第一号又は第三号に該当するに至つたときは、その指定を取り消さなければならない。

2　厚生労働大臣は、指定試験機関が次の各号のいずれかに該当するときは、その指定を取り消し、又は期間を定めて試験事務の全部若しくは一部の停止を命ずることができる。

一　第二十五条の十三第一項各号の要件を満たさなくなつたと認められるとき。

二　第二十五条の十五第二項（第二十五条の十六第四項において準用する場合を含む。）、第二十五条の十八第三項又は第二十五条の二十一の規定による命令に違反したとき。

三　第二十五条の十六第一項、第二十五条の十九、第二十五条の二十又は前条第一項の規定に違反したとき。

四　第二十五条の十八第一項の規定により認可を受けた試験事務規程によらないで試験事務を行つたとき。

五　不正な手段により指定試験機関の指定を受けたとき。

3　厚生労働大臣は、前二項の規定により指定を取り消し、又は前項の規定により試験事務の全部若しくは一部の停止を命じたときは、その旨を公示しなければならない。

〔要　旨〕

本件は、指定試験機関の指定の取消し等について定めたものである。

〔解　説〕

一、指定試験機関の指定の取消し・試験事務の停止

厚生労働大臣は、指定試験機関が第二五条の一三第二項第一号又は第三号の欠格要件に該当する場合は、指定を取り消さなければならない（一項）。

また、第二項各号のいずれかに該当するときは、指定を取り消すか、期間を定めて試験事務の全部若しくは一部の停止を命ずることができる（二項）。

二、公示（三項）

指定を取り消したとき、試験事務の停止を命じたときは、厚生労働大臣はその旨公示しなければならない。

三、試験事務の引継ぎ等

第一項の規定により指定を取り消された場合、指定試験機関は、規則第四八条各号に掲げる事項を行わなければならない。

四、罰則

第二項の規定による試験事務の停止の命令に違反したときは、その違反行為をした指定試験機関の役員又は職員は、一年以下の懲役又は一〇〇万円以下の罰金に処せられる（法五三条の四）。

〔法　律〕

（指定等の条件）

第二十五条の二十五　第二十五条の十二第一項、第二十五条の十五第一項、第二十五条の十八第一項、第二十五条の十九第一項又は第二十五条の二十三第一項の規定による指定、認可又は許可には、条件を付し、及びこれを変更することができる。

2　前項の条件は、当該指定、認可又は許可に係る事項の確実な実施を図るため必要な最小限度のものに限り、かつ、当該指定、認可又は許可を受ける者に不当な義務を課することとなるものであつてはならない。

〔要　旨〕

本条は、指定試験機関に対する指定、認可又は許可に条件を付し、及びこれを変更することができる旨を規定したものである。

〔解　説〕

第一項で列記している指定、認可又は許可に条件を付しうることを認め、第二項でその条件について、当該行為の目的に照らし必要な限度に止めなくてはならないことを明記している。

〔法　律〕

（厚生労働大臣による試験事務の実施）

第二十五条の二十六　厚生労働大臣は、指定試験機関の指定をしたときは、試験事務を行わないものとする。

2　厚生労働大臣は、指定試験機関が第二十五条の二十三第一項の規定による許可を受けて試験事務の全部若しくは一部を休止したとき、第二十五条の二十四第二項の規定により指定試験機関に対し試験事務の全部若しくは一部の停止を命じたとき、又は指定試験機関が天災その他の事由により試験事務の全部若しくは一部を実施することが困難となつた場合において必要があると認めるときは、当該試験事務の全部又は一部を自ら行うものとする。
3　厚生労働大臣は、前項の規定により試験事務の全部若しくは一部を自ら行うこととするとき、又は自ら行つていた試験事務の全部若しくは一部を行わないこととするときは、その旨を公示しなければならない。

〔要　旨〕

本条は、厚生労働大臣による試験事務の実施について定めたものである。

〔解　説〕

一、**指定試験機関実施の原則**（一項）

指定試験機関の指定をしたときは、厚生労働大臣は、試験事務を行わないものとしている。

二、**厚生労働大臣が試験事務を行う場合**（二項）

指定試験機関が許可を受けて試験事務の全部若しくは一部を休止したとき、厚生労働大臣が指定試験機関に対し試験事務の全部若しくは一部の停止を命じたとき、指定試験機関が天災等により試験事務の全部若しくは一部を実施することが困難となった場合において厚生労働大臣が必要があると認めるとき。

三、**公示**（三項）

試験事務の全部若しくは一部を自ら行うこととするとき、又は自ら行っていた試験事務の全部若しくは一部を行わないこととするときは、厚生労働大臣はその旨公示しなければならない。

四、**試験事務の引継ぎ等**

第二項の規定により厚生労働大臣が試験事務の全部若しくは一部を自ら行う場合、指定試験機関は、規則第四八条各号に掲げる事項を行わなければならない。

〔法　律〕

（厚生労働省令への委任）

第二十五条の二十七　この法律に規定するもののほか、指定試験機関及びその行う試験事務並びに試験事務の引継ぎに関し必要な事項は、厚生労働省令で定める。

〔要　旨〕

本条は、指定試験機関及び指定試験機関が行う試験事務並びに試験事務の引継ぎに関し、必要な事項を厚生労働省令で定めることを規定したものである。

〔解　説〕

民間活動に係る規制の改善及び行政事務の合理化のための厚生省関係法律の一部を改正する法律（平成八年法律第一〇七号）による水道法の改正により新設された、指定試験機関及びその行う試験事務並びに試験事務の引継ぎに関し必要な事項について、厚生労働省令で定めることとしたものである。

第四章　水道用水供給事業

本章は、水道用水供給事業の認可から廃止に至るまでの手続、水道施設の適正確保、給水義務、衛生管理等の規定を定めたものであるが、認可に関する事項を除いては、水道事業に関するこれらの規定を準用する形式をとっている。

〔法　律〕

（事業の認可）

第二十六条　水道用水供給事業を経営しようとする者は、厚生労働大臣の認可を受けなければならない。

〔要　旨〕

本条は、水道用水供給事業を経営するに当たり、厚生労働大臣の認可を要することを規定したものである。

〔解　説〕

一、事業の認可

水道事業が一般の需要者に水を供給する事業であるのに対し、「水道用水供給事業」は、水道事業者に水道用水を供給する事業である（法三条四項）。この給水対象の相違から、水道用水供給事業には給水区域、給水人口並びに配水施設、給水装置の概念は成立せず、また、事業の地域的密着性の程度の相違から、水道用水供給事業には市町村経営の原則、地元市町村の同意（法六条二項）及び消火栓の設置義務（法二四条）に関する本法の規定は適用されない。さらに、給水対象が特定の水道事業者であることから、水道用水供給事業者には供給規程設定の義務（法一四条）、給水契約の承諾義務（法一五条一項）は課されず、その供給は給水契約の定めるところに委ねられる。

このような相違はあるが、水道用水供給事業者の供給した用水は水道事業者の送・配水施設を通じて一般の需要者に供給されるものであり、水道用水供給事業は水道事業の機能の一部を代替するものであるから、水道事業と同様に厚生労働大臣の認可に係らしめているのである。

なお、法第四六条第一項で定める政令又は道州制特別区域における広域行政の推進に関する法律施行令第二条第一項に該当する場合においては、本条の厚生労働大臣の権限に属する事務は都道府県知事が行うものとされている。

二、罰　則

本条の規定による認可を受けないで水道用水供給事業を経営した者は、三年以下の懲役又は三〇〇万円以下の罰金に処せられる（法五二条三号）。

〔法　律〕

（認可の申請）

第二十七条　水道用水供給事業経営の認可の申請をするには、申請書に、事業計画書、工事設計書その他厚生労働省令で定める書類（図面を含む。）を添えて、これを厚生労働大臣に提出しなければならない。

2　前項の申請書には、次に掲げる事項を記載しなければならない。

一　申請者の住所及び氏名（法人又は組合にあつては、主たる事務所の所在地及び名称並びに代表者の氏名）

二　水道事務所の所在地

3　水道用水供給事業者は、前項に規定する申請書の記載事項に変更を生じたときは、速やかに、その旨を厚生労働大臣に届け出なければならない。

4　第一項の事業計画書には、次に掲げる事項を記載しなければならない。

一　給水対象及び給水量

二　水道施設の概要
三　給水開始の予定年月日
四　工事費の予定総額及びその予定財源
五　経常収支の概算
六　その他厚生労働省令で定める事項
5　第一項の工事設計書には、次に掲げる事項を記載しなければならない。
一　一日最大給水量及び一日平均給水量
二　水源の種別及び取水地点
三　水源の水量の概算及び水質試験の結果
四　水道施設の位置（標高及び水位を含む。）、規模及び構造
五　浄水方法
六　工事の着手及び完了の予定年月日
七　その他厚生労働省令で定める事項

〔施行規則〕

（認可申請書の添付書類等）
第四十九条　法第二十七条第一項に規定する厚生労働省令で定める書類及び図面は、次の各号に掲げるものとする。
一　地方公共団体以外の者である場合は、水道用水供給事業経営を必要とする理由を記載した書類
二　地方公共団体以外の法人又は組合である場合は、水道用水供給事業経営に関する意思決定を証する書類
三　取水が確実かどうかの事情を明らかにする書類
四　地方公共団体以外の法人又は組合である場合は、定款又は規約
五　水道施設の位置を明らかにする地図
六　水源の周辺の概況を明らかにする地図

七　主要な水道施設（次号に掲げるものを除く。）の構造を明らかにする平面図、立面図、断面図及び構造図
八　導水管きよ及び送水管の配置状況を明らかにする平面図及び縦断面図
2　地方公共団体が申請者である場合であつて、当該申請が他の水道用水供給事業の全部を譲り受けることに伴うものであるときは、法第二十七条第一項に規定する厚生労働省令で定める書類及び図面は、前項の規定にかかわらず、同項第五号に掲げるものとする。
（事業計画書の記載事項）
第五十条　法第二十七条第四項第六号に規定する厚生労働省令で定める事項は、工事費の算出根拠及び借入金の償還方法とする。

〔要　旨〕
本条は、水道用水供給事業の認可申請の手続並びに申請書の添付書類及び記載事項等について規定したものである。

〔解　説〕
一、申請の手続
水道用水供給事業を経営しようとする者は、事業計画書、工事設計書並びに規則第四九条に規定する書類及び図面を添えて、厚生労働大臣宛に申請書を提出しなければならない。
また、申請書の記載事項について変更を生じた場合には、水道用水供給事業者は、速やかにその旨を厚生労働大臣宛に届け出なければならない。
なお、法第四六条第一項で定める政令又は道州制特別区域における広域行政の推進に関する法律施行令第二条第一項に該当する場合においては、本条第一項（準用される場合を含む）の厚生労働大臣の権限に属する事務は都道府県知事が行うものとされている。

二、**申請書の添付書類**（一項）

水道用水供給事業の経営の認可に当たっても、水道事業の場合と同様申請書に事業計画書及び工事設計書のほか規則第四九条に規定する書類及び図面を添付することとされている。これら添付すべき書類及び図面の内容は、水道事業の場合とほぼ同様であるが、水道用水供給事業の場合には市町村経営の原則が適用されないほか、需要者に直接水道用水を供給するものではないために給水区域の概念が成立しないので、水道事業の認可申請の場合に必要とされた市町村の同意を得た旨を証する書類並びに給水区域が重複しないこと等を明らかにする書類、図面等及び給水区域を明らかにする地図の添付は要しないものとされている。

三、**申請書等の記載事項**

(一)　認可申請書（二項・三項）

認可申請書の記載事項は、水道事業の認可申請の場合と同様であり、本条第二項により次の事項とされている。

(1)　申請者の住所及び氏名（法人又は組合にあっては、主たる事務所の所在地及び名称並びに代表者の氏名）

(2)　水道事務所の所在地

また、これらの記載事項について変更を生じたときの届出についても同様である（本条三項）。

(二)　事業計画書（四項）

事業計画書の記載事項についても、水道事業の認可申請の場合とほぼ同様であるが、水道事業の場合に必要な給水人口及び給水量の算出根拠、料金、給水装置工事の費用負担区分その他の供給条件、料金の算出根拠及び給水装置工事の費用の負担区分を定めた根拠及びその額の算出方法については、該当する部分がないため記載を要しない。また、水道事業の認可申請の場合に記載することとされている給水区域、給水人口及び給水量については、「給水対象」及び「給水量」として記載することとされている。ここで「給水対象」とは、当該水道用水供給事業者が水道用水の供給を行う水道事業者をいう。

(三)　工事設計書（五項）

工事設計書の記載事項についても、水道事業の認可申請の場合とほぼ同様であるが、水道用水供給事業は配水施設を有さないから、水道事業の認可申請の場合に必要な配水管における最大静水圧及び最小動水圧についての記載は必要ない。なお、規則第三条（工事設計書に記載すべき水質試験の結果）及び第四条（工事設計書の記載事項）については、水道用水供給事業に準用される（規則五二条）。

〔法　律〕

（認可基準）

第二十八条　水道用水供給事業経営の認可は、その申請が次の各号のいずれにも適合していると認められるときでなければ、与えてはならない。

一　当該水道用水供給事業の計画が確実かつ合理的であること。

二　水道施設の工事の設計が第五条の規定による施設基準に適合すること。

三　地方公共団体以外の者の申請に係る水道用水供給事業にあつては、当該事業を遂行するに足りる経理的基礎があること。

四　その他当該水道用水供給事業の開始が公益上必要であること。

2　前項各号に規定する基準を適用するについて必要な技術的細目は、厚生労働省令で定める。

〔施行規則〕

（法第二十八条第一項各号を適用するについて必要な技術的細目）

第五十一条の二　法第二十八条第二項に規定する技術的細目のうち、同条第一項第一号に関するものは、次に掲げるものとする。

一　給水対象が、当該地域における水系、地形その他の自然的条件及び人口、土地利用その他の社会的条件、水道により供給される水の需要に関する長期的な見通し並びに当該地域における水道の整備の状況を勘案して、合理的に設定されたものであること。
二　給水量が、給水対象の給水量及び水源の水量を基礎として、各年度ごとに合理的に設定されたものであること。
三　給水量及び水道施設の整備の見通しが一定の確実性を有し、かつ、経常収支が適切に設定できるよう期間が設定されたものであること。
四　工事費の調達、借入金の償還、給水収益、水道施設の運転に要する費用等に関する収支の見通しが確実かつ合理的なものであること。
五　水道基盤強化計画が定められている地域にあつては、当該計画と整合性のとれたものであること。
六　取水に当たつて河川法第二十三条の規定に基づく流水の占用の許可を必要とする場合にあつては、当該許可を受けているか、又は許可を受けることが確実であると見込まれること。
七　取水に当たつて河川法第二十三条の規定に基づく流水の占用の許可を必要としない場合にあつては、水源の状況に応じて取水量が確実に得られると見込まれること。
八　ダムの建設等により水源を確保する場合にあつては、特定多目的ダム法第四条第一項に規定する基本計画においてダム使用権の設定予定者とされている等により、当該ダムを使用できることが確実であると見込まれること。
第五十一条の三　法第二十八条第二項に規定する技術的細目のうち、同条第一項第三号に関するものは、当該申請者が当該水道用水供給事業の遂行に必要となる資金の調達及び返済の能力を有することとする。

〔要　旨〕
本条は、水道用水供給事業の認可基準を規定するとともに、認可基準の適用における明確化を図るため、必要な技術的細目を厚生労働省令で定めることとしたものである。

〔解　説〕

認可基準として掲げられている事項の意味するところは、法第八条に規定されている水道事業の場合と同様である。ただし、水道事業とは事業形態が異なるため、水道事業に係る要件のうち、事業の開始が一般の需要に適合すること、給水区域が他の水道事業者の給水区域と重複しないこと及び供給条件が法第一四条第二項各号に規定する要件に適合することは除かれている。

また、本条第二項の趣旨は、法第八条第二項及び第一四条第三項の規定の趣旨と同様である。

〔法　律〕

（附　款）

第二十九条　厚生労働大臣は、地方公共団体以外の者に対して水道用水供給事業経営の認可を与える場合には、これに必要な条件を附することができる。

2　第九条第二項の規定は、前項の条件について準用する。

〔要　旨〕

本条は、地方公共団体以外の者に対して水道用水供給事業の認可をする場合には、厚生労働大臣は条件を付して、認可の効力を制限することができる旨を規定したものである。

〔解　説〕

一、附款の意義

本条の趣旨は、法第九条第一項の規定の趣旨と同様であるが、本条の場合、条件として期限を付すことができるとされていないのは、水道用水供給事業には市町村経営の原則が適用されないので、市町村経営への移行を円滑にする意味での期限を付す必要がないからである。附款の限界については、法第九条第二項の規定が準用されている。

なお、法第四六条第一項で定める政令又は道州制特別区域における広域行政の推進に関する法律施行令第二条第一項に該当する場合においては、本条第一項（準用される場合を含む）の厚生労働大臣の権限に属する事務は都道府県知事が行うものとされている。

二、罰　則

事業認可の際に付された条件に違反した者は、一〇〇万円以下の罰金に処せられる（法五四条六号）。

〔法　律〕

（事業の変更）

第三十条　水道用水供給事業者は、給水対象若しくは給水量を増加させ、又は水源の種別、取水地点若しくは浄水方法を変更しようとするとき（次の各号のいずれかに該当するときを除く。）は、厚生労働大臣の認可を受けなければならない。

一　その変更が厚生労働省令で定める軽微なものであるとき。

二　その変更が他の水道用水供給事業の全部を譲り受けることに伴うものであるとき。

2　前三条の規定は、前項の認可について準用する。

3　水道用水供給事業者は、第一項各号のいずれかに該当する変更を行うときは、あらかじめ、厚生労働省令で定めるところにより、その旨を厚生労働大臣に届け出なければならない。

〔施行規則〕

（変更認可申請書の添付書類等）

第五十一条　第四条の規定は、法第三十条第二項において準用する法第二十七条第五項第七号に規定する厚生労働省令で定める事項について準用する。この場合において、第四条第一号及び第二号中「主要」とあるのは、「新設、増設又は改造される水道施設に関する主要」と読み替えるものとする。

2　第四十九条の規定は、法第三十条第二項において準用する法第二十七条第一項に規定する厚生労働省令で定める書類及び図面について準用する。この場合において、第四十九条第一項中「各号」とあるのは「各号（給水対象を増加させようとする場合にあつては第三号及び第六号を除き、水源の種別又は取水地点を変更しようとする場合にあつては第二号及び第四号を除き、浄水方法を変更しようとする場合にあつては第二号、第三号及び第四号を除く。）」と、同項第七号中「除く。）」とあるのは「除く。）であつて、新設、増設又は改造されるもの」と、同項第八号中「送水管」とあるのは「送水管であつて、新設、増設又は改造されるもの」とそれぞれ読み替えるものとする。

3　前条の規定は、法第三十条第二項において準用する法第二十七条第四項第六号に規定する厚生労働省令で定める事項について準用する。

（事業の変更の認可を要しない軽微な変更）

第五十一条の四　法第三十条第一項第一号の厚生労働省令で定める軽微な変更は、次のいずれかの変更とする。

一　水源の種別、取水地点又は浄水方法の変更を伴わない変更のうち、給水対象又は給水量の増加に係る変更であつて、変更後の給水量と認可給水量（法第二十七条第四項の規定により事業計画書に記載した給水量（法第三十条第一項又は第三項の規定により給水量の変更（同条第一項第一号に該当するものを除く。）を行つたときは、直近の変更後の給水量とする。）をいう。次号において同じ。）との差が認可給水量の十分の一を超えないもの。

二　現在の給水量が認可給水量を超えない事業における、次に掲げるいずれかの浄水施設を用いる浄水方法への変更のうち、給水対象若しくは給水量の増加又は水源の種別若しくは取水地点の変更を伴わないもの。ただし、ヌ又はルに掲げる浄水施設を用いる浄水方法への変更については、変更前の浄水方法に当該浄水施設を用いるものを追加する場合に限る。

イ　普通沈殿池

ロ　薬品沈殿池

ハ　高速凝集沈殿池

ニ　緩速濾《ろ》過池

ホ　急速濾《ろ》過池

へ　膜濾《ろ》過設備
ト　エアレーション設備
チ　除鉄設備
リ　除マンガン設備
ヌ　粉末活性炭処理設備
ル　粒状活性炭処理設備
三　河川の流水を水源とする取水地点の変更のうち、給水対象若しくは給水量の増加又は水源の種別若しくは浄水方法の変更を伴わないものであつて、次に掲げる事由その他の事由により、当該河川の現在の取水地点と変更後の取水地点の間の流域（イ及びロにおいて「特定区間」という。）における原水の水質が大きく変わるおそれがないもの。
イ　特定区間に流入する河川がないとき。
ロ　特定区間に汚染物質を排出する施設がないとき。

（事業の変更の届出）
第五十一条の五　法第三十条第三項の届出をしようとする水道用水供給事業者は、次に掲げる事項を記載した届出書を厚生労働大臣に提出しなければならない。
一　届出者の住所及び氏名（法人又は組合にあつては、主たる事務所の所在地及び名称並びに代表者の氏名）
二　水道事務所の所在地
2　前項の届出書には、次に掲げる書類（図面を含む。）を添えなければならない。
一　次に掲げる事項を記載した事業計画書
イ　変更後の給水対象及び給水量
ロ　水道施設の概要
ハ　給水開始の予定年月日
ニ　法第三十条第一項第二号に該当する場合にあつては、当該譲受けの年月日及び変更後の経常収支の概算

二　次に掲げる事項を記載した工事設計書
イ　工事の着手及び完了の予定年月日
ロ　前条第二号に該当する場合にあつては、変更される浄水施設に係る水源の種別、取水地点、水源の水量の概算、水質試験の結果及び変更後の浄水方法
ハ　前条第三号に該当する場合にあつては、変更される取水施設に係る水源の種別、取水地点、水源の水量の概算、水質試験の結果及び変更後の取水地点
三　水道施設の位置を明らかにする地図
四　前条第一号（水道用水供給事業者が給水対象を増加しようとする場合に限る。次号において同じ。）又は法第三十条第一項第二号に該当し、かつ、水道用水供給事業者が地方公共団体以外の者である場合にあつては、水道用水供給事業経営を必要とする理由を記載した書類
五　前条第一号又は法第三十条第一項第二号に該当し、かつ、水道用水供給事業者が地方公共団体以外の法人又は組合である場合にあつては、水道用水供給事業経営に関する意思決定を証する書類
六　前条第二号に該当する場合にあつては、主要な水道施設であつて、新設、増設又は改造されるものの構造を明らかにする平面図、立面図、断面図及び構造図
七　前条第三号に該当する場合にあつては、主要な水道施設であつて、新設、増設又は改造されるものの構造を明らかにする平面図、立面図、断面図及び構造図並びに変更される水源からの取水が確実かどうかの事情を明らかにする書類

〔要　旨〕
本条は、水道用水供給事業についてその事業内容を変更しようとする場合に、認可を受けなければならない範囲と認可の手続について規定したものである。

〔解　説〕

一、水道用水供給事業の変更

水道用水供給事業者は、①給水対象の増加、②給水量の増加、③水源の種別の変更、④取水地点の変更、⑤浄水方法の変更を行おうとする場合には、厚生労働大臣の認可を受けなければならない（後述する「軽微な変更」に該当する場合を除く。）。

二、申請手続、認可基準等の準用

本条の認可には、新設の場合における法第二七条（認可の申請）、法第二八条（認可基準）及び法第二九条（附款）の規定が準用される。

この場合において、法第二七条第一項に規定する厚生労働省令で定める書類及び図面、同条第四項第六号に規定する厚生労働省令で定める事項並びに同条第五項第七号に規定する厚生労働省令で定める事項についてこれらの規定を準用する場合にあっては、必要な読替えを行うこととされている（規則五一条）。

本条による変更認可に係る申請手続に必要とされる添付書類並びに事業計画書及び工事設計書の記載事項（以下「書類等」という。）については、平成一〇年三月二七日に行われた水道法施行規則の一部改正による申請手続の簡素化に伴い、従来必要とされた書類が不要となるとともに、水道法施行規則の一部改正について（平成一〇年五月一日付生衛発七七五号水道環境部長通知）及び水道法施行規則の一部改正について（平成一〇年五月一日付衛水第三二号水道整備課長通知）により、一部の書類等については省略することができることとなった。変更申請に必要な書類等は、次の各表のとおりである。

(一)　事業の変更認可申請に係る添付書類等

（○は、申請に必要な添付書類）

	創設時	給水対象増加	給水量増加	水源種別変更	取水地点変更	浄水方法変更
地方公共団体以外の者である場合は、水道用水供給事業経営を必要とする理由を記載した書類（一号）	○	○	○	○	○	○
地方公共団体以外の法人又は組合である場合は、水道用水供給事業経営に関する意思決定を証する書類（二号）	○	○	○			
取水が確実かどうかの事情を明らかにする書類（三号）	○		○	○	○	
地方公共団体以外の法人又は組合である場合は、定款又は規約（四号）	○	○	○			
水道施設の位置を明らかにする地図（五号）	○	○	○	○	○	○
水源の周辺の概況を明らかにする地図（六号）	○		○	○	○	○
主要な水道施設（次号に掲げるものを除く。）の構造を明らかにする平面図、立面図、断面図及び構造図（七号）	○	新設、増設又は改造される水道施設、導水管きょ等の図面に限る。				
導水管きょ及び送水管の配置状況を明らかにする平面図及び縦断面図（八号）	○					

㈡　事業の変更認可申請に係る事業計画書の記載事項（法第二七条第四項第六号に掲げる事項）

（○は、申請に必要な事業計画書の記載事項）

規則第五〇条及び規則第五一条第三項で準用する規則第五〇条	創設時	給水対象増加	給水量増加	水源種別変更	取水地点変更	浄水方法変更
工事費の算出根拠	○	○	○	○	○	○
借入金の償還方法	○	○	○	○	○	○

㈢　事業の変更認可申請に係る工事設計書の記載事項（法第二七条第五項第七号に掲げる事項）

（○は、申請に必要な添付書類）

<table>
<tr><th>規則第五二条及び規則第五一条第一項で準用する規則第四条</th><th>創設時</th><th>給水対象増加</th><th>給水量増加</th><th>水源種別変更</th><th>取水地点変更</th><th>浄水方法変更</th></tr>
<tr><td>新設、増設又は改造される水道施設に関する主要な水理計算（一号）</td><td>○</td><td colspan="5" rowspan="2">新設、増設又は改造される水道施設に関する主要な水理計算又は構造計算に限る。</td></tr>
<tr><td>新設、増設又は改造される水道施設に関する主要な構造計算（二号）</td><td>○</td></tr>
</table>

なお、変更認可申請に当たり、右記に掲げた書類等に記載すべき事項のうち、水道台帳中に同じ内容の事項が含まれるものについては、当該事項を記載した部分をそのまま転載することにより添付書類等への記載とすることができるとされている（平成一〇年五月一日付衛水第三二号水道整備課長通知）。

三、**事業の変更認可手続の簡素化**

本条第一項かっこ書及び同項第二号は、第一〇条と同様、平成一三年の水道法改正において、統合による広域的な事業経営を推進するために設けられた、複数の事業の経営を統合する際の水道用水供給事業者における、手続の簡素化に関する規定である。それぞれの事業内容の変更を伴わない単純な統合については、変更認可の例外として、認可に代えて事前届出で足りることとするものである。

また、同項第一号で、厚生労働省令で定める軽微な変更の場合も例外として、事前届出で足りることとしている。厚生労働省令で定める軽微な変更は、左記に掲げるとおりである（一項一号、規則五一条の四）。

㈠　給水対象又は給水量の軽微な増加を行うもの（規則五一条の四第一号）

給水対象又は給水量の増加に係る変更を行う場合で、変更後の給水量と認可給水量との差が認可給水量の一〇分の一以下である場合は届出となる。

認可給水量とは、事業計画書に記載した給水量（法三〇条一項又は三項の規定により給水量の変更（同条一項一号に該当するものを除く。）を行ったときは、直近の変更後の給水量とする。）をいう。

㈡　規定する浄水施設を用いる浄水方法に変更するもの（規則五一条の四第二号）

規則第七条の二第二号と同じ趣旨の規定である。

㈢　河川の流水を水源とする取水地点の変更のうち、原水の水質が大きく変わるおそれがないもの（規則五一条の四第三号）

規則第七条の二第三号と同じ趣旨の規定である。

なお、届出をしようとする水道用水供給事業者は、次に掲げる事項を記載した届出書を、あらかじめ、厚生労働大臣に届け出なければならない（三項、規則五一条の五・八条の二）。記載要領は、変更認可の申請書及びその添付書類等の記載に準じることとされている（平成一四年健水発第〇三二七〇〇四号水道課長通知）。

		該当条項			
		規則第五一条の四第一号	規則第五一条の四第二号	規則第五一条の四第三号	法第三〇条第一項第二号
届出書	届出者の住所及び氏名（法人又は組合にあっては、主たる事務所の所在地及び名称並びに代表者の氏名）	○	○	○	○
	水道事務所の所在地	○	○	○	○
事業計画書	変更後の給水対象及び給水量	○	○	○	○
	水道施設の概要	○	○	○	○
	給水開始の予定年月日	○	○	○	○
	譲受けの年月日				○
	変更後の経常収支の概算				○
工事設計書	工事の着手及び完了の予定年月日	○	○	○	○
	変更される水道施設に係る水源の種別、取水地点、水源の水量の概算及び水質試験の結果		○	○	
	変更後の浄水方法		○		

その他の書類				
水道施設の位置を明らかにする地図	○	○	○	○
地方公共団体以外の者である場合は、水道用水供給事業経営を必要とする理由を記載した書類	○（給水対象の増加の場合のみ）			○
地方公共団体以外の法人又は組合である場合は、水道用水供給事業経営に関する意思決定を証する書類	○（給水対象の増加の場合のみ）			○
主要な水道施設であって、新設、増設又は改造されるものの構造を明らかにする平面図、立面図、断面図及び構造図		○	○	
変更される水源からの取水が確実かどうかの事情を明らかにする書類			○	

なお、水道用水供給事業の認可の申請に当たり、厚生労働大臣に提出する事業計画書では給水量の算出根拠の記載を求めていないが、認可基準の技術的細目として給水量が合理的に設定されたものであること等が要求されており、届出においてもこの趣旨等を踏まえ、給水量の算出根拠の提出が求められている（平成一四年三月二七日付健水発第〇三二七〇〇四号水道課長通知）。

四、都道府県知事による事務処理

法第四六条第一項で定める政令又は道州制特別区域における広域行政の推進に関する法律施行令第二条第一項に該当する場合においては、本条第一項及び第三項の厚生労働大臣の権限に属する事務は都道府県知事が行うものとされている。

五、罰則

本条第一項の規定に違反した者は、一年以下の懲役又は一〇〇万円以下の罰金に処せられる（法五三条九号）。また、本条第三項の規定に違反して、届出をせず、又は虚偽の届出をした者は、三〇万円以下の罰金に処せられる（法五五条二号）。

〔参　考〕

水道法施行規則の一部改正について（通知）

（平成二三年一〇月三日　健水発一〇〇三第一号
各厚生労働大臣認可水道事業者・水道用水供給事業者あて厚生労働省健康局水道課長通知）

第四条　水質基準〔参考〕四を参照のこと。

〔法　律〕

（準　用）

第三十一条　第十一条第一項及び第三項、第十二条、第十三条、第十五条第二項、第十九条（第二項第三号を除く。）、第二十条から第二十三条まで、第二十四条の二、第二十四条の三（第七項を除く。）、第二十四条の四、第二十四条の五、第二十四条の六（第一項第二号を除く。）、第二十四条の七、第二十四条の八（第三項を除く。）、第二十四条の九から第二十四条の十三までの規定は、水道用水供給事業者について準用する。この場合において、次の表の上欄に掲げる規定中同表の中欄に掲げる字句は、それぞれ同表の下欄に掲げる字句に読み替えるものとする。

第十一条第一項	水道事業の全部又は	水道用水供給事業の全部又は
第十一条第一項ただし書	水道事業の	水道用水供給事業の
	水道事業を	水道用水供給事業を
第十五条第二項	給水を受ける者に対し、常時水	水道用水の供給を受ける水道事業者に対し、給水契約の定めるところにより水道用水
第十五条第二項ただし書	給水区域	給水対象
	区域及び	対象及び
	関係者に周知させる	水道用水供給事業者が水道用水を供給する水道事業者に通知する
第十九条第二項	事項	事項（第三号に掲げる事項を除く。）

第二十二条の四第一項	給水区域	水道用水供給事業者が水道用水を供給する水道事業者の給水区域
第二十三条第一項	関係者に周知させる	水道用水供給事業者が水道用水を供給する水道事業者に通知する
第二十四条の二	水道の	水道用水供給事業者が水道用水を供給する水道事業者の水道の
	水道事業に	水道用水供給事業に
第二十四条の三第四項	第十九条第二項各号	第十九条第二項各号（第三号を除く。）
第二十四条の三第六項	第十七条、第二十条	第二十条
	第二十五条の九、第三十六条第二項	第三十六条第二項
第二十四条の三第八項	同項各号	同項各号（第三号を除く。）
第二十四条の四第一項	水道事業の	水道用水供給事業の
第二十四条の四第三項	第六条第一項	第二十六条
	水道事業経営	水道用水供給事業経営
第二十四条の五第三項第六号	水道事業	水道用水供給事業
第二十四条の七第二項	第十九条第二項各号	第十九条第二項各号（第三号を除く。）
第二十四条の八第一項	第十四条第一項、第二項及び第五項、第十五条第二項及び第三項	第十五条第二項
	、第二十四条第三項並びに	並びに

	第十四条第一項中「料金」とあるのは「料金（第二十四条の四第三項に規定する水道施設運営権者（次項、次条第二項及び第二十三条第二項において「水道施設運営権者」という。）が自らの収入として収受する水道施設の利用に係る料金（次項において「水道施設運営権者に係る利用料金」という。）を含む。次項第一号及び第二号、第五項、次条第三項並びに第二十四条第三項において同じ。）」と、同条第二項中「次に」とあるのは「、水道施設運営権者に係る利用料金について、水道施設運営権者は水道の需要者に対して直接にその支払を請求する権利を有する旨が明確に定められているほか、次に」と、第十五条第二項ただし書	第十五条第二項ただし書
	（水道施設運営権者が	（第二十四条の四第三項に規定する水道施設運営権者（第二十三条第二項において「水道施設運営権者」という。）が
	水道事業者（水道施設運営権者を含む。以下この項及び次条第三項	水道用水供給事業者（水道施設運営権者を含む。以下この項
	とする。この場合において、水道施設運営権者は、当然に給水契約の利益（水道施設運営等事業の対象となる水道施設の利用料金の支払を請求する権利に係る部分に限る。）を享受する	とする
第二十四条の八第二項	第十七条、第二十条	第二十条
	第二十三条第一項、第二十五条の九	第二十三条第一項

〔施行規則〕

（準　用）

第五十二条　第三条、第四条、第八条の三（第一項第三号を除く。）から第十一条まで、第十五条から第十七条の三（第三項第一号ロを除く。）まで、第十七条の四及び第十七条の五（第五号を除く。）から第十七条の十二までの規定は、水道用水供給事業について準用する。この場合において、次の表の上欄に掲げる規定中同表の中欄に掲げる字句は、それぞれ同表の下欄に掲げる字句に読み替えるものとする。

第三条第一項	第七条第五項第三号	第二十七条第五項第三号
	第十条第二項	第三十条第二項
第四条	第七条第五項第八号	第二十七条第五項第七号
第八条の三第一項	第十一条第一項	第三十一条において準用する法第十一条第一項
第八条の三第一項第二号	給水区域	給水対象
第八条の三第三項第一号	給水区域	給水対象
第八条の三第三項第五号	給水区域、給水人口	給水対象
第八条の三第三項第六号	給水人口及び給水量	給水量
第八条の四	第十一条第一項	第三十一条において準用する法第十一条第一項
第十条第一項	第十三条第一項	第三十一条において準用する法第十三条第一項
第十一条	第十三条第一項	第三十一条において準用する法第十三条第一項
	水道施設（給水装置を含む。）	水道施設

第十五条第一項	第二十条第一項	第三十一条において準用する法第二十条第一項
第十五条第一項第二号	給水栓	当該水道用水供給事業者が水道用水を水道事業者に供給する場所
第十五条第七項第五号	第二十条第三項	第三十一条において準用する法第二十条第三項
第十五条第八項	第二十条第三項ただし書	第三十一条において準用する法第二十条第三項ただし書
第十五条の二	第二十条の二	第三十一条において準用する法第二十条の二
第十五条の二第三号	第二十条の三各号	第三十一条において準用する法第二十条の三各号
第十五条の二第四号	第二十条の四第一項第一号	第三十一条において準用する法第二十条の四第一項第一号
第十五条の二第五号	第二十条の四第一項第二号	第三十一条において準用する法第二十条の四第一項第二号
第十五条の二第六号	第二十条の四第一項第三号イ	第三十一条において準用する法第二十条の四第一項第三号イ
	同号ハ	法第三十一条において準用する法第二十条の四第一項第三号ハ
第十五条の二第七号	第二十条の四第一項第三号ロ	第三十一条において準用する法第二十条の四第一項第三号ロ
第十五条の二第九号ロ	第二十条の四第一項第三号イ	第三十一条において準用する法第二十条の四第一項第三号イ
第十五条の三	第二十条の五第一項	第三十一条において準用する法第二十条の五第一項

第十五条の四	第二十条の六第二項	第三十一条において準用する法第二十条の六第二項
第十五条の四第四号ハ	第二十条の十四	第三十一条において準用する法第二十条の十四
第十五条の五第一項	第二十条の七	第三十一条において準用する法第二十条の七
第十五条の六第一項	第二十条の八第二項	第三十一条において準用する法第二十条の八第二項
第十五条の六第一項第八号	第二十条の十第二項第二号及び第四号	第三十一条において準用する法第二十条の十第二項第二号及び第四号
第十五条の六第二項	第二十条の八第一項前段	第三十一条において準用する法第二十条の八第一項前段
第十五条の六第三項	第二十条の八第一項後段	第三十一条において準用する法第二十条の八第一項後段
第十五条の七	第二十条の九	第三十一条において準用する法第二十条の九
第十五条の八	第二十条の十第二項第三号	第三十一条において準用する法第二十条の十第二項第三号
第十五条の九	第二十条の十第二項第四号	第三十一条において準用する法第二十条の十第二項第四号
第十五条の十第二項	第二十条の十四	第三十一条において準用する法第二十条の十四
第十六条第一項及び第二項	第二十一条第一項	第三十一条において準用する法第二十一条第一項
第十六条第四項	第二十一条第二項	第三十一条において準用する法第二十一条第二項
第十七条	第二十二条	第三十一条において準用する法第二十二条
第十七条第一項第三号	給水栓	当該水道用水供給事業者が水道用水を水道事業者に供給する場所

第十七条の二第一項	第二十二条の二第一項	第三十一条において準用する法第二十二条の二第一項
第十七条の三第一項	第二十二条の三第一項	第三十一条において準用する法第二十二条の三第一項
第十七条の三第三項第三号ハ	止水栓の位置	当該水道用水供給事業者が水道用水を水道事業者に供給する場所
第十七条の四第一項	第二十二条の四第二項	第三十一条において準用する法第二十二条の四第二項
第十七条の五	第二十四条の二	第三十一条において準用する法第二十四条の二
第十七条の五第二号	第二十四条の三第一項の規定による委託及び法第二十四条の四第一項の規定による水道施設運営権の設定の内容	第三十一条において準用する法第二十四条の三第一項の規定による委託及び法第三十一条において準用する法第二十四条の四第一項の規定による水道施設運営権の設定の内容
第十七条の五第七号	第二十条第一項	第三十一条において準用する法第二十条第一項
第十七条の七	第二十四条の三第二項	第三十一条において準用する法第二十四条の三第二項
第十七条の八	第二十四条の三第六項	第三十一条において準用する法第二十四条の三第六項
	第二十条第三項ただし書	第三十一条において準用する法第二十条第三項ただし書
第十七条の九	第二十四条の五第一項	第三十一条において準用する法第二十四条の五第一項
第十七条の十	第二十四条の五第三項第十号	第三十一条において準用する法第二十四条の五第三項第十号
第十七条の十一第一項	第二十四条の六第二項	第三十一条において準用する法第二十四条の六第二項
	同条第一項第一号	法第三十一条において準用する法第二十四条の六第一項第一号

第十七条の十一第三項	第二十四条の六第二項	第三十一条において準用する法第二十四条の六第二項
	同条第一項第三号	法第三十一条において準用する法第二十四条の六第一項第三号
第十七条の十二	第二十四条の八第二項	第三十一条において準用する法第二十四条の八第二項
	第十四条第三項	第三十一条において準用する法第十四条第三項

〔要　旨〕

本条は、水道事業に関する規定の中から、水道用水供給事業に準用する規定を定めたものである。

〔解　説〕

本条において準用され、読み替えられる規定は次のとおりである。

㈠　事業の休止及び廃止（法一一条、一項、三項）

この場合、法第一一条第一項中「水道事業の全部又は」とあるのは「水道用水供給事業の全部又は」と、法第一一条第一項ただし書中「水道事業の」とあるのは「水道用水供給事業の」と、「水道事業を」とあるのは「水道用水供給事業を」と、読み替えるものとする。

㈡　技術者による布設工事の監督（法一二条）

㈢　給水開始前の届出及び検査（法一三条）

㈣　常時給水義務（法一五条二項）

この場合、法第一五条第二項中「給水を受ける者に対し、常時水」とあるのは「水道用水の供給を受ける水道事業者に対し、給水契約の定めるところにより水道用水」と、法第一五条第二項ただし書中「給水区域」とあるのは「水道用水供給事業者が水道用水を供給する水道事業者に通知する」と、読み替えるものとする。「給水対象」と、「区域及び」とあるのは「対象及び」と、「関係者に周知させる」とあるのは「水道用水供給事業

(五)　水道技術管理者の設置（法一九条（二項三号を除く。））

この場合、法第一九条第二項中「事項」とあるのは「事項（第三号に掲げる事項を除く。）」と、読み替えるものとする。

(六)　水質検査（法二〇条）

(七)　登録水質検査機関における財務諸表等の備付け及び閲覧等（法二〇条の一〇）

(八)　健康診断（法二一条）

(九)　衛生上の措置（法二二条）

(一〇)　水道施設の維持及び修繕（法二二条の二）

(一一)　水道施設台帳（法二二条の三）

(一二)　水道施設の計画的な更新等（法二二条の四）

この場合、法第二二条の四第一項中「給水区域」とあるのは「水道用水供給事業者が水道用水を供給する水道事業者の給水区域」と、読み替えるものとする。

(一〇)～(一二)は、水道用水供給事業は水道施設の老朽化の課題が水道事業と同様であることから、水道用水供給事業を持続可能なものとするため、平成三〇年の水道法改正において追加された。

(一三)　給水の緊急停止（法二三条）

この場合、法第二三条第一項中「関係者に周知させる」とあるのは「水道用水供給事業者が水道用水を供給する水道事業者に通知する」と、読み替えるものとする。

㈣　情報提供（法二四条の二）

この場合、法第二四条の二中「水道の」とあるのは「水道用水供給事業者が水道用水を供給する水道事業者の水道の」と、「水道事業に」とあるのは「水道用水供給事業に」と、読み替えるものとする。

㈤　業務の委託（法二四条の三）

法第二四条の三第四項、第六項及び第八項について、これらの規定を準用する場合にあっては必要な読み替えを行うものとされている。

㈥　水道施設運営権の設定の許可等（法二四条の四〜二四条の一三）

法第二四条の四から法第二四条の一三までの規定については、法第二四条の六第一項第二号の規定（水道施設運営権の設定の許可基準として、法一四条第二項に掲げる供給規程に係る要件に適合しなければならないこと）及び法第二四条の八第三項の規定（法二五条の九の規定の適用に係る特例）を除き、水道用水供給事業者に準用する。

この場合、水道用水供給事業者に適用されない規定（法一四条、法一五条三項、法一七条、法一九条二項三号、法二四条三項、法二五条の九）に関する文言を削除する等の趣旨から、必要な読替えを行うものとされている。

なお、法第四六条第一項で定める政令又は道州制特別区域における広域行政の推進に関する法律施行令第二条第一項に該当する場合においては、厚生労働大臣の権限に属する事務は都道府県知事が行うものとされている。

第五章　専用水道

本章は、専用水道の布設に当たっての水道施設の適正確保、衛生管理等に必要な規定を定めたものである。ただし、専用水道について特別に規定する必要のある事項以外は、水道事業に係る関係規定を準用する形式をとっている。

〔法　律〕

（確　認）

第三十二条　専用水道の布設工事をしようとする者は、その工事に着手する前に、当該工事の設計が第五条の規定による施設基準に適合するものであることについて、都道府県知事の確認を受けなければならない。

〔要　旨〕

本条は、専用水道の布設工事着手前に、その設計について都道府県知事の確認を受けなければならないことを規定したものである。

〔解　説〕

一、**布設工事の確認**

「専用水道」の設置者がその居住者に対して水を供給する関係は、設置者が当該居住者に対し使用者、看護者、家主、補償者あるいは施設の管理者等の立場にあることから派生する法律関係その他特別の関係に基づくものであって、居住者との給水契約に基づいて給水するものではない。したがって、居住者は、設置者の当該居住者に対する立場から派生する法律関係その他特別の関係から特定されるので、専用水道には地域的独占性はなく、給水区域の概念は成立せず、地元市町村の同意及び消火栓設置の義務の規定は適用されない。水の供給関係も設置者と居住者の法律関係その他特別の関係に包含され、その内部関係の一つとして処理されるのが適当であるので、水道事業のように一般の需要者を対象とすることを前提とした給水義務、供給規程設定の義務及び給水装置に係る規定は適用されない。したがって、専用水道には水道料金の概念は成立せず、また、独立した事業的性格を有さないので、事業認可、事業の休止、廃止の許可は必要ない。

しかし、専用水道は水道事業と同様多数の人にその居住に必要な水を供給するものであるから、安全な水を安定して給水する必要があることは水道事業の場合と変わらない。そのため、専用水道の布設工事をしようとする者は、着工前にその設計について都道府県知事（市又は特別区の区域においては市長又は区長（法四八条の二第一項））の確認を受けなければならないこととされたものである。

本条の確認は、専用水道の布設工事の設計の確認であって、工事を伴わない場合には本条の適用はない。例えば、当初居住人員が常時一〇〇人以下であったがその後常時一〇〇人を超えるようになり専用水道に該当するに至った場合には、工事を伴わないので本条の適用はない。しかし、この場合においても、法第一三条及び第一九条（二項三号及び七号を除く。）、第二〇条から第二二条の二まで、第二三条及び第二四条の三（七項を除く。）の規定の適用を受けることとなる（法三四条）。

本条の確認は、当該工事の設計が法第五条の施設基準に適合するか否かに限定され、工事に着手できるのは、当該工事の設計が法第五条の施設基準に適合することが確認されたときである。専用水道の布設工事は、法第三条第一〇項の「水道の布設工事」に含まれるので、確認を受けるべき布設工事の範囲についても法第三条第一〇項に規定するところに準拠して考えるべきものである。

なお、国の行う専用水道の布設工事については、あらかじめ厚生労働大臣にその工事の設計を届け出て、厚生労働大臣からその設計が施設基準に適合する旨の通知を受けたときには、本条の規定にかかわらず工事に着手することができるものとされている（法五〇条二項）。

二、罰　則

本条に基づく確認を受けないで布設工事に着手した者は、一〇〇万円以下の罰金に処せられる（法五四条七項）。

〔参　考〕

分譲住宅等の水道の取り扱いについて（通知）

（昭和四一年五月二八日　環水第五〇五四号各都道府県衛生部（局）長あて厚生省環境衛生局水道課長通知）

専用水道については、水道法第三条第六項において定義されているほか、専用水道と水道事業の区別については、「水道法の施行について」（昭和三二年一二月二七日発衛第五二〇号）、「水道法施行上の留意事項について」（昭和三三年五月一三日衛水第二六号）、「水道法の疑義応答について」（昭和三三年九月二五日衛水第四四号）によつて示されているところであるが、最近とくに都会地及びその近郊において分譲住宅、分譲地等が造成され、地元市町村等の水道をただちに拡張し、布設することが困難な場合には、当該分譲住宅等に水道を布設する事例が多いが、これらの水道のうち、左記の一に該当するものは専用水道として取り扱うこととするので御了知ありたい。

また、これらの水道については、左記の二に御配意のうえ、よろしく御指導ありたい。

記

一　分譲住宅等の水道のうち、次のすべてに該当する自家用水道の集合体であるとみなされるものであること。

㈠　当該水道により給水を受ける者が、当該分譲住宅等に居住するものに限られる等明確に特定されうること。

㈡　当該水道の大部分が同時に完成するものであり、いわゆるニュー・タウン等の事例にみられるように、分譲の状況に応じ施設を漸次拡張してゆくようなものでないこと。

(三)　当該水道の布設費が、分譲代金に含まれている場合やあらかじめ別途に徴収される場合等当該水道が給水を受ける者が共同で設置した共有の水道であるとみなされうること。
(四)　当該水道の管理は、給水を受ける者が共同で行なうことをたてまえとしていること。
(五)　当該水道の運営については、原価に照らしたいわゆる水道料金として徴収され経営されるものでなく、必要な維持管理費（電気料金、修理費、薬品費、技術管理者の人件費等）のみを徴収するものであること。

二　これらの専用水道については次により指導すること。
(一)　すでに、しばしば通達されているところであるが、これらの水道については、水道法にのっとって確認を受け、管理されるよう十分指導されたいこと。また、これらの水道を設置する者には事前に指導する措置を講ずるようつとめられたいこと。
(二)　これらの水道は、多分に管理上問題を生ずるおそれがあるので、分譲住宅等の設置と水道計画の調整が図られるよう各般の配慮をするとともに、これらの水道の設置の前後にわたり、地元市町村等の水道が布設、拡張される場合にはこれに統合編入させるよう、当該水道事業者及び専用水道の設置者等に対して強力に指導されたいこと。

〔法　律〕
（確認の申請）
第三十三条　前条の確認の申請をするには、申請書に、工事設計書その他厚生労働省令で定める書類（図面を含む。）を添えて、これを都道府県知事に提出しなければならない。
2　前項の申請書には、次に掲げる事項を記載しなければならない。
一　申請者の住所及び氏名（法人又は組合にあつては、主たる事務所の所在地及び名称並びに代表者の氏名）
二　水道事務所の所在地
3　専用水道の設置者は、前項に規定する申請書の記載事項に変更を生じたときは、速やかに、その旨を都道府県知事に届け出なければならない。

4　第一項の工事設計書には、次に掲げる事項を記載しなければならない。
一　一日最大給水量及び一日平均給水量
二　水源の種別及び取水地点
三　水源の水量の概算及び水質試験の結果
四　水道施設の概要
五　水道施設の位置（標高及び水位を含む。）、規模及び構造
六　浄水方法
七　工事の着手及び完了の予定年月日
八　その他厚生労働省令で定める事項
5　都道府県知事は、第一項の申請を受理した場合において、当該工事の設計が第五条の規定による施設基準に適合することを確認したときは、申請者にその旨を通知し、適合しないと認めたとき、又は申請書の添附書類によつては適合するかしないかを判断することができないときは、その適合しない点を指摘し、又はその判断することができない理由を附して、申請者にその旨を通知しなければならない。
6　前項の通知は、第一項の申請を受理した日から起算して三十日以内に、書面をもつてしなければならない。

〔施行規則〕

（確認申請書の添付書類等）

第五十三条　法第三十三条第一項に規定する厚生労働省令で定める書類及び図面は、次の各号に掲げるものとする。
一　水の供給を受ける者の数を記載した書類
二　水の供給が行われる地域を記載した書類及び図面
三　水道施設の位置を明らかにする地図
四　水源及び浄水場の周辺の概況を明らかにする地図
五　主要な水道施設（次号に掲げるものを除く。）の構造を明らかにする平面図、立面図、断面図及び構造図
六　導水管きよ、送水管並びに配水及び給水に使用する主要な導管の配置状況を明らかにする平面図及び縦断面図

〔要　旨〕

本条は、専用水道の布設工事の設計の確認の申請手続及び確認の結果の通知について規定したものである。

〔解　説〕

一、申請の手続（一項）

専用水道の布設工事をしようとする者は、確認申請書に工事設計書その他厚生労働省令で定める書類を添付して都道府県知事（市又は特別区の区域においては市長又は区長（法四八条の二第一項））に提出しなければならない。

二、申請書の添付書類（一項）

専用水道の布設に当たっては、申請書に工事設計書のほか規則第五三条で定める書類及び図面を添付することとされている。

三、申請書の記載事項（二項・三項）

(一)　確認申請書

確認申請書の記載事項は、水道事業の認可申請及び水道用水供給事業の認可申請の場合と同様であり、本条第二項により次の事項とされている。

(1)　申請書の住所及び氏名（法人又は組合にあっては、主たる事務所の所在地及び名称並びに代表者の氏名）

(2)　水道事務所の所在地

なお、これらの記載事項に変更を生じたときは速やかにその旨を都道府県知事（市又は特別区の区域においては市長又は区長（法四八条の二第一項））に届け出なければならない（本条三項）。

㈡　工事設計書（四項）

工事設計書の記載事項についても、水道事業の認可申請の場合とほぼ同様であるが、水道事業の場合に必要な配水管における最大静水圧及び最小動水圧についての記載は不要である。また、専用水道の場合は、水道事業及び水道用水供給事業において事業計画書の記載事項とされる水道施設の概要が、本条第四項第四号により記載事項とされている。

なお、確認の申請に当たっては、規則第三条（工事設計書に記載すべき水質試験の結果）の規定が準用される（規則五四条）。

四、確認の手続（五項・六項）

都道府県知事（市又は特別区の区域においては市長又は区長（法四八条の二第一項））は、確認の結果を、申請者に対して、受理の日から起算して三〇日以内に書面をもって通知しなければならないと定められている。通知する事項は、当該工事の設計が法第五条に規定する施設基準に適合することを認めたときはその旨、適合しないと認めたときはその適合しない点、また、申請書の添付書類によっては適合するかしないかを判断することができないときはその判断のできない理由である。なお、この三〇日の期限は、通知書の到達期限であり（民法九七条）、到達とは、例えば、郵便受けに配達される等客観的に相手方が通知内容を知ることができる状態になることをいう。また、この期限は、都道府県知事、市長及び特別区の区長の職務執行に対する制約であるので、期限の経過は直ちに申請者に特別の法律上の地位や効果を与えるものではない。したがって、期限経過後になされた確認通知であっても有効であるし、期限が経過しても申請者は確認の通知を得るまでは工事に着手してはならない。

〔法　律〕

（準用）

第三十四条　第十三条、第十九条（第二項第三号及び第七号を除く。）、第二十条から第二十二条の二まで、第二十三条及び第二十四条の三（第七項を除く。）の規定は、専用水道の設置者について準用する。この場合において、次の表の上欄に掲げる規定中同表の中欄に掲げる字句は、それぞれ同表の下欄に掲げる字句に読み替えるものとする。

第十三条第一項	厚生労働大臣	都道府県知事
第十九条第二項	事項	事項（第三号及び第七号に掲げる事項を除く。）
第二十四条の三第二項	厚生労働大臣	都道府県知事
第二十四条の三第四項	第十九条第二項各号	第十九条第二項各号（第三号及び第七号を除く。）
第二十四条の三第六項	第十七条、第二十条から第二十二条の三	第二十条から第二十二条の二
	第二十五条の九、第三十六条第二項並びに第三十九条（第二項	第三十六条第二項並びに第三十九条（第一項
第二十四条の三第八項	同項各号	同項各号（第三号及び第七号を除く。）

２　一日最大給水量が千立方メートル以下である専用水道については、当該水道が消毒設備以外の浄水施設を必要とせず、かつ、自然流下のみによつて給水することができるものであるときは、前項の規定にかかわらず、第十九条第三項の規定を準用しない。

〔施行規則〕

（準用）

第五十四条　第三条、第十条、第十一条、第十五条から第十七条の二まで、第十七条の六及び第十七条の七の規定は、専用水道について準用する。この場合において、次の表の上欄に掲げる規定中同表の中欄に掲げる字句は、それぞれ同表の下欄に掲げる字句に読み替えるものとする。

第三条	第七条第五項第三号（法第十条第二項において準用する場合を含む。）	第三十三条第四項第三号
第十条第一項	第十三条第一項	第三十四条第一項において準用する法第十三条第一項
第十一条	第十三条第一項	第三十四条第一項において準用する法第十三条第一項
	給水装置	給水の施設
第十五条第一項及び第二項	第二十条第一項	第三十四条第一項において準用する法第二十条第一項
第十五条第七項第五号	第二十条第三項	第三十四条第一項において準用する法第二十条第三項
第十五条第八項	第二十条第三項ただし書	第三十四条第一項において準用する法第二十条第三項ただし書
第十五条の二	第二十条の二	第三十四条第一項において準用する法第二十条の二

第十五条の二第三号	第二十条の三各号	第三十四条第一項において準用する法第二十条の三各号
第十五条の二第四号	第二十条の四第一項第一号	第三十四条第一項において準用する法第二十条の四第一項第一号
第十五条の二第五号	第二十条の四第一項第二号	第三十四条第一項において準用する法第二十条の四第一項第二号
第十五条の二第六号	第二十条の四第一項第三号イ	第三十四条第一項において準用する法第二十条の四第一項第三号イ
	同号ハ	法第三十四条第一項において準用する法第二十条の四第一項第三号ハ
第十五条の二第七号	第二十条の四第一項第三号ロ	第三十四条第一項において準用する法第二十条の四第一項第三号ロ
第十五条の二第九号ロ	第二十条の四第一項第三号イ	第三十四条第一項において準用する法第二十条の四第一項第三号イ
第十五条の三	第二十条の五第一項	第三十四条第一項において準用する法第二十条の五第一項
第十五条の四	第二十条の六第二項	第三十四条第一項において準用する法第二十条の六第二項
第十五条の四第四号ハ	第二十条の十四	第三十四条第一項において準用する法第二十条の十四
第十五条の五第一項	第二十条の七	第三十四条第一項において準用する法第二十条の七
第十五条の六第一項	第二十条の八第二項	第三十四条第一項において準用する法第二十条の八第二項

第十五条の六第一項第八号	第二十条の十第二項第二号及び第四号	第三十四条第一項において準用する法第二十条の十第二項第二号及び第四号
第十五条の六第二項	第二十条の八第一項前段	第三十四条第一項において準用する法第二十条の八第一項前段
第十五条の六第三項	第二十条の八第一項後段	第三十四条第一項において準用する法第二十条の八第一項後段
第十五条の七	第二十条の九	第三十四条第一項において準用する法第二十条の九
第十五条の八	第二十条の十第二項第三号	第三十四条第一項において準用する法第二十条の十第二項第三号
第十五条の九	第二十条の十第二項第四号	第三十四条第一項において準用する法第二十条の十第二項第四号
第十五条の十第二項	第二十条の十四	第三十四条第一項において準用する法第二十条の十四
第十六条第一項及び第二項	第二十一条第一項	第三十四条第一項において準用する法第二十一条第一項
第十六条第四項	第二十一条第二項	第三十四条第一項において準用する法第二十一条第二項
第十七条	第二十二条	第三十四条第一項において準用する法第二十二条
第十七条の二第一項	第二十二条の二第一項	第三十四条第一項において準用する法第二十二条の二第一項
第十七条の七	第二十四条の三第二項	第三十四条第一項において準用する法第二十四条の三第二項

〔要　旨〕

本条は、水道事業に関する規定の中から、専用水道について必要な規定を準用すること及び小規模専用水道に関する特例を定めたものである。

〔解　説〕

専用水道は、水道事業及び水道用水供給事業と異なり事業経営という側面を全く持っていないので、本条においては、水道事業に関する規定の中から維持管理に関する規定のみを専用水道についても準用することとされている。本条において準用され、読み替えられる規定は次のとおりである。

㈠　給水開始前の届出及び検査（法一三条）

この場合、法第一三条第一項中「厚生労働大臣」とあるのは「都道府県知事（市又は特別区の区域においては市長又は区長（法四八条の二））」と読み替えて、届出は都道府県知事又は市長若しくは区長に行う。また、規則第一一条中「給水装置」とあるのは「給水の施設」と読み替える。

㈡　水道技術管理者（法一九条（二項三号及び七号を除く））

この場合、一日最大給水量が千立方メートル以下である専用水道（本条二項に該当するものを除く。）に置く水道技術管理者の資格については、令第七条第一項第一号中「簡易水道以外の水道」とあるのは「簡易水道」と読み替え、必要な経験年数は水道事業の場合の二分の一とされている（法一九条三項、令七条二項、規則一四条）。

なお、一日最大給水量が千立方メートル以下であって、消毒設備以外の浄水施設を必要とせず、かつ、自然流下のみによって給水できる専用水道の水道技術管理者については、法第一九条第三項の政令で定める資格を必要としない（本条二項）。

㈢　水質検査（法二〇条）
㈣　登録水質検査機関における財務諸表等の備付け及び閲覧等（法二〇条の一〇）
㈤　健康診断（法二一条）
㈥　衛生上の措置（法二二条）
㈦　水道施設の維持及び修繕（法二二条の二）
専用水道は、法第三条第八項に定義される「水道施設」に該当することから、法第五条に規定する施設基準を守るに当たって必要な水道施設の維持及び修繕の規定を準用する。一方、自家用の水道であり、規模が小さく、その維持管理が比較的容易であることから、水道施設台帳（法二二条の三）の規定は準用しない。また、事業経営の側面を有しないことから、水道施設の計画的な更新等（法二二条の四）は準用しない。
㈧　給水の緊急停止（法二三条）
㈨　業務の委託（法二四条の三）
この場合、法第二四条の三第二項中「厚生労働大臣」とあるのは「都道府県知事（市又は特別区の区域においては市長又は区長（法四八条の二））」と読み替えて、届出は都道府県知事又は市長若しくは区長に行う。また、同条第四項、第六項及び第八項についてこれらの規定を準用する場合にあっては、必要な読替えを行うこととされている（本条一項）。
なお、国の設置する専用水道に係る法第一三条第一項及び第二四条の三第二項並びに第七章に定める都道府県知事、市長又は特別区の区長の権限に属する事務は、厚生労働大臣が行う（法五〇条四項）。

第六章　簡易専用水道

〔法　律〕

第三十四条の二　簡易専用水道の設置者は、厚生労働省令で定める基準に従い、その水道を管理しなければならない。

2　簡易専用水道の設置者は、当該簡易専用水道の管理について、厚生労働省令の定めるところにより、定期に、地方公共団体の機関又は厚生労働大臣の登録を受けた者の検査を受けなければならない。

〔施行規則〕

（管理基準）

第五十五条　法第三十四条の二第一項に規定する厚生労働省令で定める基準は、次に掲げるものとする。

一　水槽の掃除を毎年一回以上定期に行うこと。

二　水槽の点検等有害物、汚水等によつて水が汚染されるのを防止するために必要な措置を講ずること。

三　給水栓における水の色、濁り、臭い、味その他の状態により供給する水に異常を認めたときは、水質基準に関する省令の表の上欄に掲げる事項のうち必要なものについて検査を行うこと。

四　供給する水が人の健康を害するおそれがあることを知つたときは、直ちに給水を停止し、かつ、その水を使用することが危険である旨を関係者に周知させる措置を講ずること。

（検　査）

第五十六条　法第三十四条の二第二項の規定による検査は、毎年一回以上定期に行うものとする。

2　検査の方法その他必要な事項については、厚生労働大臣が定めるところによるものとする。

〔要　旨〕

本条は、簡易専用水道の設置者に、その水道を管理し、及び定期に検査を受ける義務を課したものである。

〔解　説〕

一、規定の趣旨

「簡易専用水道」は、水道事業者から供給を受ける水のみを水源とするものであり、水道事業者が適正な運営を行っている限り、当該簡易専用水道の水源として供給される水は、法第四条の水質基準に適合した清浄な水と考えられる。しかし、簡易専用水道の利用者は、当該水道事業によって供給される水を直接飲用等に使用するのではなく、一旦貯水槽に受けた後、当該簡易専用水道の施設を経て給水されるものであるから、その管理が適正に行われない場合には、給水される水の水質が水質基準に適合しないものとなるおそれがある。そのため、本条において、簡易専用水道の設置者に対して一定の管理を行わせるとともに、定期に地方公共団体の機関又は厚生労働大臣の登録を受けた者の検査を受けなければならないとの義務付けが行われているものである。

なお、簡易専用水道は、水道事業者から供給を受ける水のみを水源とする水道（法三条七項）であるが、その施設の構成は給水の施設のみからなり、水道施設（法三条八項）又は給水装置（同九項）に該当しないものであるため、施設基準（法五条）及び給水装置の構造及び材質（法一六条）についての規定は適用されない。ただし、建築物に設ける給水の配管設備については、建築基準法第三六条の規定に基づいて、同法施行令第一二九条の二の四（給水、排水その他の配管設備の設置及び構造）及び建設省告示（建築物に設ける飲料水の配管設備及び排水のための配管設備の構造方法昭和五〇年建設省告示一五九七号）の規定が適用される。

二、簡易専用水道の管理

㈠　管理を行う者（一項）

簡易専用水道の設置者は、厚生労働省令で定める基準に従ってその水道を管理すべきものとされている。ここで

「簡易専用水道の設置者」とは、簡易専用水道を設置している者をいい、一般には当該簡易専用水道の設けられている建築物等を所有している者をいう。したがって、当該建築物の管理について第三者に委託している場合であっても、簡易専用水道の管理義務は当該設置者に課せられるものである。なお、事実上簡易専用水道の管理を第三者に委託して行うことは差し支えない。

(二)　管理基準（規則五五条）

簡易専用水道の管理基準については、規則第五五条において次のとおり定められている。

1　水槽の掃除（一号）

水槽の掃除は、毎年一回以上定期に行うものとされている。ここで掃除の対象とする水槽は、受水槽に限らない。「毎年一回以上定期に」とは、定期的なタイミングを定めて行い、その回数が少なくとも一年に一回という意味である。具体的な運用としては、一年の中で水槽の掃除を行うこととする月を特定し、毎年、当該特定した月に掃除を行う方法が考えられる。また、特定した月よりも前の月に掃除を行った場合、その翌年は当初特定した月ではなく、実際に掃除を行った月と同じ月に行う必要がある。もちろん、毎年一回以上掃除を行えばよいことから、複数回掃除を行うことを妨げるものではない。

本号における掃除の頻度は、水道法施行規則の一部を改正する省令（令和元年厚生労働省令第五七号）により、「一年以内ごとに一回、定期に」から「毎年一回以上定期に」に改められた。これは、施設運営上、掃除の実施日に制約がある場合などを考慮し、掃除の実施日と実施日の間の期間が厳密に一年を超えないことは求めないこととしたものである。これにより、例えば、毎年、特定の月の第一日曜日に掃除を行うなどと決めて、定期的に掃除を行うという運用も可能となる。

2　水槽の点検等（二号）

水槽を点検するほか、給水する水が有害物、汚水等によって汚染されることのないよう必要な措置を講じるものとされている。「水槽の点検」の内容としては、貯水槽等の周囲の状態、亀裂、漏水箇所の有無、内部の状態、マンホールの状態、オーバーフロー管、通気管、水抜管の状態等についての検査を含むものである。また、「必要な措置」とは、施設の補修、誤接合（クロスコネクション等）の防止等が含まれる。

3　水質検査（三号）

給水栓における水の水質に異常を認めたときは、水質基準の項目のうち必要なものについて検査を行うものとされている。簡易専用水道の設置者には、その供給する水について定期に水質検査を行う義務は課せられていないが、水に異常を生じた場合には、その通常の使用において、水の色、濁り、臭気等に異常が感じられることが多いものであり、そのようなときは、必要な水質検査を実施して、水の異常の有無を正確に判断することが必要である。水槽の点検等の際に水槽等の内部の水について異常を認めたときも、同様の措置をとることはいうまでもない。検査項目として「必要なもの」は、感覚的に認めた異常の内容によって異なるが、水質基準に関する省令の表の上欄に掲げる事項のうち、異常な内容と関連するものの検査を行う必要がある。具体的には、色や臭気の種類から判断することとなろう。

4　給水停止及び関係者への周知（四号）

簡易専用水道の設置者は、その「供給する水が人の健康を害するおそれがあることを知ったときは、直ちに給水を停止」するとともに、「その水を使用することが危険である旨を関係者に周知させる措置を講ずること」とされている。この規定の内容は、法第二三条第一項の規定により水道事業者に課せられた義務と同様のものである。この場合の「関係者」とは、当該簡易専用水道を利用する可能性のある人をいうものである。

なお、簡易専用水道については、水道事業の場合について定められている第三者の通報義務（法二三条二項）はないが、これは、簡易専用水道の給水する範囲が狭く、水の異常を知り得る者が当該簡易専用水道の設置者と特定の関係にあるため、あえて通報義務を設ける必要がないと考えられるからである。

三、地方公共団体の機関又は厚生労働大臣の登録を受けた者の検査

(一)　検査の実施者（二項）

簡易専用水道の設置者は、当該簡易専用水道の管理について、定期に地方公共団体の機関又は厚生労働大臣の登録を受けた者の検査を受けなければならないものとされている。本条第一項の管理義務と同様に、第二項の受検義務も簡易専用水道の設置者に課せられているものである。一方、本条第二項の検査は「地方公共団体の機関又は厚生労働大臣の登録を受けた者」が行うものとされているが、これは、一般に簡易専用水道の設置者は水道の管理に関する専門的知識が十分でないことを考慮して、専門的機関による検査を受けることによって管理の適正化を図るためである。なお、検査機関の登録は、平成一六年の法改正によって施行されている。

「地方公共団体の機関」には、都道府県又は市町村の衛生部局、保健所、研究所、試験所等のほか水道部局も含まれる。

(二)　検査の方法等（規則五六条）

検査の方法等については、「厚生労働省令の定めるところによる」ものとされており、規則第五六条において、「検査は、毎年一回以上定期に行うものとする。」（一項）ことと、「検査の方法その他必要な事項については、厚生労働大臣が定めるところによるものとする。」（二項）ことが定められ、これに基づき具体的な方法等が厚生労働省告

示（平成一五年七月二三日厚生労働省告示第二六二号）で定められている。

なお、検査の頻度については、水道法施行規則第五五条第一号の管理基準における掃除の頻度と同様の趣旨で改正が行われたところである。

四、罰　則

本条第二項の規定に違反した者は、一〇〇万円以下の罰金に処せられる（法五四条八号）。

〔参　考〕

一、共同住宅における水道について（通知）

（昭和三八年一〇月二六日　衛水第三六号各都道府県水道主管部（局）長あて厚生省環境衛生局水道課長通知）

地方公共団体、日本住宅公団等の共同住宅においては、一般に共同住宅の設置者が、水道の施設を設置し、市町村の水道事業者から分水を受けて、共同住宅の各居住者に給水しているが、この場合、市町村の水道事業者の料金徴収については、

(イ)　共同住宅の水道の親メーターの水量に応じた料金を徴収する。

(ロ)　各居住者の子メーターを個別的に点検し、各居住者から料金を徴収するとともに子メーターの水量の合計と親メーターの水量との差に応じた料金を共同住宅の設置者から徴収する。

(ハ)　各居住者の子メーターを個別的に点検し、各居住者からのみ徴収し、子メーターの水量の合計と、親メーターの水量との差に応じた料金を徴収しない。

の各方法が行なわれている。

しかし、これらの共同住宅は、一般の事務所関係のビル等と異なり、実質的には、一般の個別住宅と変るところがなく、また、水道事業と同一性格の公益事業である電気、ガス事業も同一事業として個別的に供給、料金徴収を行なつているので、

共同住宅の設置者または、管理者から要望があった場合においては、当事者間の契約により次の便宜的措置をとることが実態に即して望ましいと考えられるので、この旨関係市町村に対し、周知指導を図られたい。

一　市町村の水道事業者は、共同住宅の水道についても、その個々の居住者を供給対象とみなして、一般水道事業の受給者に対すると同様の取扱をすること。

すなわち、メーターの検針、料金の徴収は、共同住宅の設置者を対象とせず、個々の居住者を対象とすること。

二　共同住宅の設置者が設ける加圧（装置）設置等の特別の管理を要する施設がある場合には、その管理は、従来どおり設置者の管理としてよいこと。

三　一の取扱を行なう共同住宅については、共同住宅の設置者がその水道施設および給水装置を施工する際に水道事業者が、設計、施工の監督を行ないうるものとするほか、給水装置の立ち入り検査が行ないうる等、一般の給水装置に準じた取扱いができるよう当事者間において契約することが望ましい。

二、水道法施行規則の一部改正について（簡易専用水道関係）（通知）

（令和元年九月三〇日薬生水発〇九三〇第六号各都道府県水道主管部（局）長、各厚生労働大臣認可水道事業者及び各登録簡易専用水道検査機関の長あて厚生労働省医薬・生活衛生局水道課長通知）

今般、水道法施行規則の一部を改正する省令（令和元年厚生労働省令第五七号。以下「改正規則」という。）が令和元年九月三〇日に公布され、同年一〇月一日より施行されることとなったが、改正規則による改正後の水道法施行規則（昭和三二年厚生省令第四五号。以下「規則」という。）第五五条の簡易専用水道の管理基準及び第五六条の簡易専用水道の検査に係る改正の趣旨及び内容は下記のとおりであるので、遺憾なきよう適切な対応を願いたい。

また、都道府県におかれては、貴管下の市、特別区及び都道府県知事認可の水道事業者へ周知願いたい。

なお、本通知は、地方自治法（昭和二二年法律第六七号）第二四五条の四第一項に基づく技術的助言である旨申し添える。

記

第一　簡易専用水道の管理基準（規則第五五条第一号関係）

一　改正の趣旨

簡易専用水道の設置者は、水道法（昭和三二年法律第一七七号。以下「法」という。）第三四条の二第一項の規定に基づき、厚生労働省令で定める基準に従い、その水道を管理することとされており、規則第五五条に管理基準が定められている。

管理基準のうち、水槽の掃除は「一年以内ごとに一回」行うこととされているが、施設運営上、掃除の実施日に制約がある場合などを考慮し、掃除の頻度に係る記載を改める。

二　改正内容

別紙のとおり、水槽の掃除の頻度を「一年以内ごとに一回」から「毎年一回以上」に改める。

三　留意事項

改正規則の施行後における水槽の掃除の実施については、掃除の実施日と実施日の間の期間が厳密に一年を超えないことが求められるものではなく、定期の期間を定めて行えばよい。具体的な運用としては、例えば、一年の中で水槽の掃除を行う月を特定し、毎年、当該月に掃除を行う方法が考えられる。

また、毎年、複数回掃除を実施することを妨げるものではない。

第二　簡易専用水道の検査（規則第五六条第一項関係）

一　改正の趣旨

簡易専用水道の設置者は、法第三四条の二第二項の規定に基づき、当該簡易専用水道の管理について、厚生労働省令の定めるところにより、定期に検査を受けなければならないとされており、規則第五六条に検査の頻度等が定められている。

このうち、検査は「一年以内ごとに一回」とされているが、施設運営上、検査の実施日に制約がある場合などを考慮し、検査の頻度に係る記載を改める。

二　改正の内容

別紙のとおり、検査の頻度を「一年以内ごとに一回」から「毎年一回以上定期に行うもの」に改める。

三　留意事項

改正規則の施行後における検査の実施については、検査の実施日と実施日の間の期間が厳密に一年を超えないことが求められるものではなく、定期の期間を定めて行えばよい。具体的な運用としては、例えば、一年の中で検査を受ける月を特定し、毎年、当該月に検査を受けることが考えられる。

また、毎年、複数回検査を受けることを妨げるものではない。

別紙　略

三、ビル管理法が適用される簡易専用水道

水道法により簡易専用水道の設置者は、定期に地方公共団体の機関又は厚生労働大臣の登録を受けた者の検査を受けなければならないこととされている。

一方、相当程度の規模を有する店舗、事務所等の特定建築物に設置され、建築物における衛生的環境の確保に関する法律（昭和四五年法律第二〇号、いわゆる「ビル管理法」）の適用を受ける簡易専用水道については、当該特定建築物の所有者、占有者その他当該建築物の維持管理について権限を有する者（特定建築物維持管理権限者）は、給水の管理等について政令で定める基準（建築物環境衛生管理基準）に従って当該建築物の維持管理を行うことを義務付けられている。同基準では、給水の管理の内容として、水道法第三条第九項に規定する給水装置以外に給水に関する設備を設けて飲料水を供給する場合は、同法第四条の規定による水質基準に適合する水を供給することとされており（ビル管理法施行令二条二号イ）、また給水に関する衛生上必要な措置の具体的内容として、水道法施行規則第五五条及び第五六条に相当する規定が設けられている（ビル管理法施行規則四条）。

このため、簡易専用水道に対する水道法上の検査の一部とビルの貯水槽に対するビル管理法上の検査が、重複する観を呈する。また、両法による検査義務を負うビル等の維持管理権限者と簡易専用水道の設置者は多くの場合同一であると考えられ、ほぼ同様の検査を重ねて行うことの負担は決して無視し得ないものである。さらに、ビル管理法に基づき適正な管理が行われている場合には、水道法に定める簡易専用水道の管理基準を満足するものと考えられる。このような事情を考慮して、ビル管理法の適用がある簡易専用水道については、水道法第三四条の二第二項に基づく定期検査について、従来簡易専用水

道の設置者の依頼により設置場所において行われていた検査（現場検査）に替えて、設置者が地方公共団体の機関又は厚生労働大臣の登録を受けた検査機関に管理の状況についての書類を提出することにより検査を受けることができることとされている。また、水道法上の検査を行うに当たっては、建築物衛生管理技術者（ビル管理法六条）の意見を参考にするよう指導されているほか、一般に簡易専用水道の規制の実施に際しては、地方自治体における水道法担当部局とビル管理法担当部局間において所要の連絡調整を行うよう指導されている（水道法第三四条の二第二項の検査の方法等について昭和五三年六月五日環水六三号水道環境部長通知、改正昭和六一年一〇月三〇日衛水二〇五号）。さらに、報告の徴収、立入検査、改善の指示等もビル管理法の規定により行うこととし、水道法による規制を重複させないよう調整が図られている（水道法の一部改正に伴う簡易専用水道の規制等について昭和五三年環水四九号水道環境部長通知）。

ビル管理法及び水道法に基づく検査等の比較

区分		ビル管理法	水道法
水質検査	残留塩素効果	七日以内ごとに一回	毎年一回以上
	水質基準に関する省令に定める検査項目の検査	六か月以内ごとに一回	毎年一回以上（色、濁り、臭気、味のみ）
水槽の清掃		一年以内ごとに一回	毎年一回以上

〔法　律〕

（検査の義務）

第三十四条の三　前条第二項の登録を受けた者は、簡易専用水道の管理の検査を行うことを求められたときは、正当な理由がある場合を除き、遅滞なく、簡易専用水道の管理の検査を行わなければならない。

〔要　旨〕

本条は、登録検査機関の検査実施義務について定めたものである。

〔解　説〕

検査機関の登録について、簡易専用水道の管理の状況検査の重要性に鑑み、登録検査機関は、正当な理由がある場合を除き、依頼された検査の実施義務が課されることとされている。

〔法　律〕

（準用）

第三十四条の四　第二十条の二から第二十条の五までの規定は第三十四条の二第二項の登録について、第二十条の六第二項の規定は簡易専用水道の管理の検査について、第二十条の七から第二十条の十六までの規定は第三十四条の二第二項の登録を受けた者について、それぞれ準用する。この場合において、次の表の上欄に掲げる規定中同表の中欄に掲げる字句は、それぞれ同表の下欄に掲げる字句に読み替えるものとする。

第二十条の二	水質検査	簡易専用水道の管理の検査
第二十条の四第一項第一号	第二十条第一項に規定する水質検査	簡易専用水道の管理の検査

第二十条の四第一項第二号	検査施設	検査設備
	用いて水質検査	用いて簡易専用水道の管理の検査
	別表第一	別表第二
	水質検査	簡易専用水道の管理の検査
	五名	三名
第二十条の四第一項第三号	水質検査	簡易専用水道の管理の検査
第二十条の四第二項	水質検査機関登録簿	簡易専用水道検査機関登録簿
第二十条の四第二項第三号	水質検査	簡易専用水道の管理の検査
第二十条の六第二項	登録水質検査機関	第三十四条の二第二項の登録を受けた者
第二十条の七	水質検査を	簡易専用水道の管理の検査を
第二十条の八第一項	水質検査の	簡易専用水道の管理の検査の
	水質検査業務規程	簡易専用水道検査業務規程
第二十条の八第二項	水質検査業務規程	簡易専用水道検査業務規程
	水質検査の	簡易専用水道の管理の検査の
	水質検査に	簡易専用水道の管理の検査に
第二十条の九	水質検査の	簡易専用水道の管理の検査の
第二十条の十第二項	水道事業者	簡易専用水道の設置者
第二十条の十二	第二十条の六第一項又は第二項	第二十条の六第二項又は第三十四条の三
	水質検査を受託すべき	簡易専用水道の管理の検査を行うべき
	水質検査の	簡易専用水道の管理の検査の
第二十条の十三	水質検査の	簡易専用水道の管理の検査の
第二十条の十三第五号	第二十条第三項	第三十四条の二第二項
第二十条の十四	水質検査に	簡易専用水道の管理の検査に

第二十条の十五第一項	水質検査の	簡易専用水道の管理の検査の
	検査施設	検査設備
第二十条の十六第一号	第二十条第三項	第三十四条の二第二項
第二十条の十六第四号	第二十条第三項	第三十四条の二第二項
	水質検査	簡易専用水道の管理の検査

〔施行規則〕

（登録の申請）

第五十六条の二　法第三十四条の四において読み替えて準用する法第二十条の二の登録の申請をしようとする者は、様式第十七による申請書に次の書類を添えて、厚生労働大臣に提出しなければならない。

一　申請者が個人である場合は、その住民票の写し

二　申請者が法人である場合は、その定款及び登記事項証明書

三　申請者が法第三十四条の四において読み替えて準用する法第二十条の三各号の規定に該当しないことを説明した書類

四　法第三十四条の四において読み替えて準用する法第二十条の四第一項第一号の必要な検査設備を有していることを示す書類

五　法第三十四条の四において読み替えて準用する法第二十条の四第一項第二号の簡易専用水道の管理の検査を実施する者（以下「簡易専用水道検査員」という。）の氏名及び略歴

六　法第三十四条の四において読み替えて準用する法第二十条の四第一項第三号イに規定する部門（以下「簡易専用水道検査部門」という。）及び同号ハに規定する専任の部門（以下「簡易専用水道検査信頼性確保部門」という。）が置かれていることを説明した書類

七　法第三十四条の四において読み替えて準用する法第二十条の四第一項第三号ロに規定する文書として、第五十六条の四第四号に規定する標準作業書及び同条第五号イからルに掲げる文書

八　次に掲げる事項を記載した書面
イ　法第三十四条の四において読み替えて準用する法第二十条の四第一項第三号イの管理者（以下「簡易専用水道検査部門管理者」という。）の氏名
ロ　第五十六条の四第二号に規定する簡易専用水道検査信頼性確保部門管理者の氏名
ハ　現に行つている事業の概要

（登録の更新）
第五十六条の三　法第三十四条の四において読み替えて準用する法第二十条の五第一項の登録の更新を申請しようとする者は、様式第十八による申請書に前条各号に掲げる書類を添えて、厚生労働大臣に提出しなければならない。

（検査の方法）
第五十六条の四　法第三十四条の四において読み替えて準用する法第二十条の六第二項の厚生労働省令で定める方法は、次のとおりとする。
一　簡易専用水道検査部門管理者は、次に掲げる業務を行うこと。ただし、ハについては、あらかじめ簡易専用水道検査員の中から指定した者に行わせることができるものとする。
イ　簡易専用水道検査部門の業務を統括すること。
ロ　第二号ハの規定により報告を受けた文書に従い、当該業務について速やかに是正処置を講ずること。
ハ　簡易専用水道の管理の検査について第四号に規定する標準作業書に基づき、適切に実施されていることを確認し、標準作業書から逸脱した方法により簡易専用水道の管理の検査が行われた場合には、その内容を評価し、必要な措置を講ずること。
ニ　その他必要な業務
二　簡易専用水道検査信頼性確保部門につき、次に掲げる業務を自ら行い、又は業務の内容に応じてあらかじめ指定した者に行わせる者（以下「簡易専用水道検査信頼性確保部門管理者」という。）が置かれていること。
イ　第五号への文書に基づき、簡易専用水道の管理の検査の業務の管理について内部監査を定期的に行うこと。

ロ　第五号トの文書に基づき、精度管理及び外部精度管理調査を定期的に受けるための事務を行うこと。
ハ　イの内部監査並びにロの精度管理及び外部精度管理調査の結果（是正処置が必要な場合にあつては、当該是正処置の内容を含む。）を簡易専用水道検査部門管理者に対して文書により報告するとともに、その記録を法第三十四条の四において読み替えて準用する法第二十条の十四の帳簿に記載すること。
ニ　その他必要な業務
三　簡易専用水道検査部門管理者及び簡易専用水道検査信頼性確保部門管理者が法第三十四条の二第二項の登録を受けた者の役員又は当該部門を管理する上で必要な権限を有する者であること。
四　次に掲げる事項を記載した標準作業書を作成すること。
イ　簡易専用水道の管理の検査の項目ごとの検査の手順及び判定基準
ロ　簡易専用水道の管理の検査に用いる設備の操作及び保守点検の方法
ハ　検査中の当該施設への部外者の立入制限その他の検査に当たつての注意事項
ニ　簡易専用水道の管理の検査の結果の処理方法
ホ　作成及び改定年月日
五　次に掲げる文書を作成すること。
イ　組織内の各部門の権限、責任及び相互関係等について記載した文書
ロ　文書の管理について記載した文書
ハ　記録の管理について記載した文書
ニ　教育訓練について記載した文書
ホ　不適合業務及び是正処置等について記載した文書
ヘ　内部監査の方法を記載した文書
ト　精度管理の方法及び外部精度管理調査を定期的に受けるための計画を記載した文書
チ　簡易専用水道検査結果書の発行の方法を記載した文書

リ　依頼を受ける方法を記載した文書
ヌ　物品の購入の方法を記載した文書
ル　その他簡易専用水道の管理の検査の業務の管理及び精度の確保に関する事項を記載した文書

（変更の届出）
第五十六条の五　法第三十四条の四において読み替えて準用する法第二十条の七の規定により変更の届出をしようとする者は、様式第十九による届出書を厚生労働大臣に提出しなければならない。

（簡易専用水道検査業務規程）
第五十六条の六　法第三十四条の四において読み替えて準用する法第二十条の八第二項の厚生労働省令で定める事項は、次のとおりとする。
一　簡易専用水道の管理の検査の業務の実施及び管理の方法に関する事項
二　簡易専用水道の管理の検査の業務を行う時間及び休日に関する事項
三　簡易専用水道の管理の検査の依頼を受けることができる件数の上限に関する事項
四　簡易専用水道の管理の検査の業務を行う事業所の場所に関する事項
五　簡易専用水道の管理の検査に関する料金及びその収納の方法に関する事項
六　簡易専用水道検査部門管理者及び簡易専用水道検査信頼性確保部門管理者の氏名並びに簡易専用水道検査員の名簿
七　簡易専用水道検査部門管理者及び簡易専用水道検査信頼性確保部門管理者の選任及び解任に関する事項
八　法第三十四条の四において読み替えて準用する法第二十条の十第二項第二号及び第四号の請求に係る費用に関する事項
九　前各号に掲げるもののほか、簡易専用水道の管理の検査の業務に関し必要な事項

2　法第三十四条の二第二項の登録を受けた者は、法第三十四条の四において読み替えて準用する法第二十条の八第一項前段の規定により簡易専用水道検査業務規程の届出をしようとするときは、様式第二十による届出書に次に掲げる書類を添えて、厚生労働大臣に提出しなければならない。
一　前項第三号の規定により定める簡易専用水道の管理の検査の依頼を受けることができる件数の上限の設定根拠を明

らかにする書類

二　前項第五号の規定により定める簡易専用水道の管理の検査に関する料金の算出根拠を明らかにする書類

3　法第三十四条の二第二項の登録を受けた者は、法第三十四条の四において読み替えて準用する法第二十条の八第一項後段の規定により簡易専用水道検査業務規程の変更の届出をしようとするときは、様式第二十の二による届出書に前項各号に掲げる書類を添えて、厚生労働大臣に提出しなければならない。ただし、第一項第三号及び第五号に定める事項（簡易専用水道の管理の検査に関する料金の収納の方法に関する事項を除く。）の変更を行わない場合には、前項各号に掲げる書類を添えることを要しない。

（業務の休廃止の届出）

第五十六条の七　法第三十四条の二第二項の登録を受けた者は、法第三十四条の四において読み替えて準用する法第二十条の九の規定により簡易専用水道の管理の検査の業務の全部又は一部の休止又は廃止の届出をしようとするときは、様式第二十の三による届出書を厚生労働大臣に提出しなければならない。

（準用）

第五十六条の八　第十五条の八及び第十五条の九の規定は法第三十四条の二第二項の登録を受けた者について準用する。この場合において、第十五条の八中「法第二十条の十第二項第三号」とあるのは「法第三十四条の四において読み替えて準用する法第二十条の十第二項第三号」と、第十五条の九中「法第二十条の十第二項第四号」とあるのは「法第三十四条の四において読み替えて準用する法第二十条の十第二項第四号」と読み替えるものとする。

（帳簿の備付け）

第五十六条の九　法第三十四条の二第二項の登録を受けた者は、書面又は電磁的記録によつて簡易専用水道の管理の検査に関する事項で次項に掲げるものを記載した帳簿を備え、簡易専用水道の管理の検査を実施した日から起算して五年間、これを保存しなければならない。

2　法第三十四条の四において読み替えて準用する法第二十条の十四の厚生労働省令で定める事項は次のとおりとする。

一　簡易専用水道の管理の検査を依頼した者の氏名及び住所（法人にあつては、主たる事務所の所在地及び名称並びに

代表者の氏名）
二　簡易専用水道の管理の検査の依頼を受けた年月日
三　簡易専用水道の管理の検査を行った施設の名称
四　簡易専用水道の管理の検査を行った年月日
五　簡易専用水道の管理の検査を行った簡易専用水道検査員の氏名
六　簡易専用水道の管理の検査の結果
七　第五十六条の四第二号ハにより帳簿に記載すべきこととされている事項
八　第五十六条の四第五号ハの文書において帳簿に記載すべきこととされている事項
九　第五十六条の四第五号ニの教育訓練に関する記録

〔要　旨〕

本条は、水質検査機関の登録等に係る諸規定に関し、簡易専用水道の管理の状況の検査を行う機関に係る登録等への準用について定めたものである。

〔解　説〕

一、準用

登録水質検査機関の登録等に係る諸規定については、第三四条の三において検査の実施義務が規定されている第二〇条の六第一項の規定を除き、簡易専用水道の管理の状況の検査を行う機関に係る登録等についても、同様の規定が適用される。

ただし、検査実施のため知識経験を有する者に関する規定に関しては、その要件は別表第二に定めるとおりとされ、登録に際し各機関が要すべき人数については、三名とされている（別表第二については、左記参照）。

別表第二（第三四条の四関係）

㈠　第一九条（第三一条及び第三四条第一項において準用する場合を含む。）の規定による水道技術管理者たる資格を有する者であること。

㈡　建築物における衛生的環境の確保に関する法律（昭和四五年法律第二〇号）第七条の規定による建築物環境衛生管理技術者の免状を有する者であること。

㈢　第三四条の二第二項に規定する簡易専用水道の管理の検査の補助に一年以上従事した経験を有する者であること。

㈣　前三号に掲げる者と同等以上の知識経験を有する者であること。

二、**罰則**

本条において準用する法第二〇条の一三の規定による業務の停止の命令に違反した者は、一年以下の懲役又は一〇〇万円以下の罰金に処される（法五三条の二）。

また、本条において準用する、法第二〇条の九の規定による届出をせず、又は虚偽の届出をした者、法第二〇条の一四の規定に違反して帳簿を備えず、帳簿に記載せず、若しくは帳簿に虚偽の記載をし、又は帳簿を保存しなかった者、法第二〇条の一五第一項の規定による報告をせず、若しくは虚偽の報告をし、又は当該職員の検査を拒み、妨げ、若しくは忌避した者は、三〇万円以下の罰金に処される（法五五条の二）。

第七章　監　督

本章は、水道事業、水道用水供給事業、専用水道及び簡易専用水道が適正に運営されることを確保するため、これらの事業者又は設置者等に対する監督の内容及び手段等を規定したものである。

〔法　律〕

（認可の取消し）

第三十五条　厚生労働大臣は、水道事業者又は水道用水供給事業者が、正当な理由がなくて、事業認可の申請書に添附した工事設計書に記載した工事着手の予定年月日の経過後一年以内に工事に着手せず、若しくは工事完了の予定年月日の経過後一年以内に工事を完了せず、又は事業計画書に記載した給水開始の予定年月日の経過後一年以内に給水を開始しないときは、事業の認可を取り消すことができる。この場合において、工事完了の予定年月日の経過後一年を経過した時に一部の工事を完了していたときは、その工事を完了していない部分について事業の認可を取り消すこともできる。

2　地方公共団体以外の水道事業者について前項に規定する理由があるときは、当該水道事業の給水区域をその区域に含む市町村は、厚生労働大臣に同項の処分をなすべきことを求めることができる。

3　厚生労働大臣は、地方公共団体である水道事業者又は水道用水供給事業者に対して第一項の処分をするには、当該水道事業者又は水道用水供給事業者に対して弁明の機会を与えなければならない。この場合においては、あらかじめ、書面をもつて弁明をなすべき日時、場所及び当該処分をなすべき理由を通知しなければならない。

〔要　旨〕

本条は、水道事業又は水道用水供給事業の認可を取り消すことができる場合を規定したほか、地方公共団体以外の水道事業者の場合には地元市町村による取消し請求ができること及びこれらの取消処分の手続を規定したものである。

〔解　説〕

一、認可の取消し（一項）

　水道事業者及び水道用水供給事業者は、当該地域において事業経営の認可を受けた事業者として、事業を開始する義務がある。認可を受けた事業者が、長期間にわたって工事に着手せず、工事を完了せず、又は給水を開始しないと、住民生活に与える支障は極めて大きい。そのため、正当な理由なく、認可申請書に添付した事業計画書又は工事設計書に記載した予定年月日の経過後一年以内に工事に着手せず、工事を完了せず、又は給水を開始しないときは、事業認可の全部を取り消すことができるものと定めたものである。

　なお、この場合一部の工事を完了していたときは、完了しない部分のみについて事業の認可を取り消すこともできる。しかし、一部分のみを取り消したのでは、その取り消した部分における水道事業の成立が困難であり、これを放置することが公衆衛生の確保その他公共の福祉の上から支障があると認めるときは、全部の認可を取り消して、新たに第三者に対して当該水道事業を認可すべきものである。

　この場合の認可の取消しは、将来に向ってのみ効力を有し、既往の料金徴収等の行為をも無効にするものではない。すなわち、この場合の取消しは、撤回の性格を有するものである。

　取消しができない「正当な理由」としては、災害、社会経済状勢の変動、関連する許認可の遅延等が考えられる。すなわち、災害の発生により工事が遅れたほか、需要の発生を見込んだ団地開発が遅れたり、経済状勢の急変によって所要の資金や資材の調達が困難となり、あるいは工事を進める上で必要な行政庁の許認可が事業者の正当な手続にもかかわらず遅延している場合等、工事の遅れの責任を当該事業者に帰すことが適当でないと判断される場合がこれである。

なお、法第四六条第一項で定める政令又は道州制特別区域における広域行政の推進に関する法律施行令第二条第一項に該当する場合においては、本条の厚生労働大臣の権限に属する事務は都道府県知事が行うものとされている。

二、市町村による取消請求（二項）

地方公共団体以外の水道事業者が、本条第一項の認可の取消しの理由に該当している場合には、その水道事業の給水区域をその区域に含む市町村は、取消権者（厚生労働大臣又は都道府県知事）に対して認可の取消しを求めることができる。水道事業は原則として市町村が経営するものとし、地方公共団体以外の者が経営する場合には地元市町村の同意を要するものとしていることから（法六条）、この請求権を規定しているものである。取消しの請求をしてこれが容れられ、認可が取消しになれば、地元市町村は自らこれらの事業を経営し、あるいは第三者に事業経営の同意を与えて給水を確保することとなる。

三、取消し手続（三項）

地方公共団体たる水道事業者又は水道用水供給事業者に対して本条第一項の取消処分をするには、取消権者（厚生労働大臣又は都道府県知事）は当該事業者に弁明の機会を与えなければならない。この場合には、あらかじめ十分な時間的余裕をみた上で弁明をすべき日時、場所及び取消処分を行う理由を書面によって通知しなければならない。これは、事業者の利益を保護し、処分の公正を期すためである。

なお、地方公共団体以外の水道事業者又は水道用水供給事業者については、行政手続法に規定が設けられたことから、本条第三項の規定から除外されているものである。

〔参　考〕

瑕疵等による行政行為の取消し

監督上の認可の取消しのほかに行政行為の瑕疵に基づく取消しの問題がある。法第六条第二項の地元市町村の同意がないにもかかわらず与えられた水道事業の認可、法第八条若しくは第二八条の認可基準に適合しないにもかかわらず与えられた事業の認可、法第九条第二項若しくは法第二九条第二項の規定に違反した附款及びその附款の付いた事業の認可、法第一四条第二項の認可基準に違反して認可された供給条件、法第三五条第三項の弁明の機会を与えずになされた認可の取消し、又は詐欺、強迫その他の不正手段によって行われた認可、許可等の行政処分の効力の問題に関連して起きる取消しがこれである。

一般に行政行為に瑕疵がある場合すなわち行政行為が違法である場合には、その行政行為は無効であるか、又は取り消し得るものとされ、行政行為の違法が重大かつ明白である場合には法律上当然無効であり、そうでない場合には取り消し得べきものとされている。このように、一応有効に成立している行政行為について、その成立に瑕疵があることを理由として、その効力を既往に遡って、その行為が当初よりなされなかったと同様の状態に復させることを、本来の意味における取消しという。しかし、本来無効の行政行為について、行政庁がその無効を確認して外観上存在する認可、許可等の行政行為をなくすることもやはり取消しと呼んでいる。瑕疵に基づく行政行為は、正当な権限のある行政庁により自発的に、又は裁判により取り消され得るものである。行政行為に内在する瑕疵は、特別の明文の規定を要せずして全て取消しの原因となり得るものとされている。行政庁は、その取消しを必要とする公益上の理由がある場合には、適当の期限内において自らその処分を取り消し、又は変更することができるものである。

以上のほか、認可の附款として取消権の留保があり得る。水道事業又は水道用水供給事業の認可の条件として無条件の取消権を留保することは、法第九条第二項又は法第二九条第二項の規定に違反するものであるのでなし得ないが、一定の制限のもとに公共の福祉のために必要であり、かつ、合理的であると認められる場合においては、取消権の留保も適法であるといわなければならない。

〔法　律〕

（改善の指示等）

第三十六条　厚生労働大臣は水道事業又は水道用水供給事業について、都道府県知事は専用水道について、当該水道施設が第五条の規定による施設基準に適合しなくなつたと認め、かつ、国民の健康を守るため緊急に必要があると認めるときは、当該水道事業者若しくは水道用水供給事業者又は専用水道の設置者に対して、期間を定めて、当該施設を改善すべき旨を指示することができる。

2　厚生労働大臣は水道事業又は水道用水供給事業について、都道府県知事は専用水道について、水道技術管理者がその職務を怠り、警告を発したにもかかわらずなお継続して職務を怠つたときは、当該水道事業者若しくは水道用水供給事業者又は専用水道の設置者に対して、水道技術管理者を変更すべきことを勧告することができる。

3　都道府県知事は、簡易専用水道の管理が第三十四条の二第一項の厚生労働省令で定める基準に適合していないと認めるときは、当該簡易専用水道の設置者に対して、期間を定めて、当該簡易専用水道の管理に関し、清掃その他の必要な措置を採るべき旨を指示することができる。

〔要　旨〕

本条は、水道施設が第五条の施設基準に適合しなくなった場合の改善の指示及び水道技術管理者が継続して職務を怠った場合の水道技術管理者の変更勧告並びに簡易専用水道の管理が厚生労働省令に定める管理基準に適合しなくなった場合の措置について規定したものである。

〔解　説〕

一、**施設の改善の指示**（一項）

水道事業者、水道用水供給事業者又は専用水道の設置者は、その水道施設を常に法第五条の施設基準に適合するよう管理しなければならない。そのため、これを怠っている場合は、水道事業者又は水道用水供給事業者に対しては厚生労働大臣が、専用水道の設置者に対しては都道府県知事（市又は特別区の区域においては市長又は区長（法四八条の二第一項））が当該水道施設の改善の指示を行うことができることとされたのである。改善に要すべき「期間」については、改善すべき施設の範囲、工事の規模等に応じた調査、設計、資金調達、所要手続等の準備及び工事の施行に必要な期間等を勘案して定めるものである。

二、**水道技術管理者の変更の勧告**（二項）

本項は、水道技術管理者がその職務（法一九条二項）を行わず、又は行っても著しく不十分であって、水道事業者又は水道用水供給事業者に対しては厚生労働大臣が、専用水道の設置者に対しては都道府県知事（市又は特別区の区域においては市長又は区長（法四八条の二第一項））が警告を発してもなお改めないときは、それぞれ水道技術管理者の変更を勧告することができることを規定したものである。前項の改善指示が法律上の義務として強制力があるのに対して、本項の勧告は強制力を伴わないものである。これは、人事に関するものであるので強制力の行使が不適当と判断されたからである。

三、**簡易専用水道に対する措置の指示**（三項）

本項は、簡易専用水道の管理が法第三九条第三項に規定する報告の徴収、立入検査等の結果、規則第五五条の管理基準に適合していないと認めるときは、その簡易専用水道の設置者に対し都道府県知事（市又は特別区の区域においては市長又は区長（法四八条の二第一項）は、期間を定めて清掃その他の必要な措置を採るべきことを指示することができることを規定したものである。ここでその他必要な措置とは、施設の補修、水質検査の実施等が考えられる。

なお、国の設置する専用水道及び簡易専用水道については、本条に定める都道府県知事、市長又は特別区の区長の権限に属する事務は厚生労働大臣が行うものとされている（法五〇条四項・五〇条の二第二項）。

四、都道府県知事による事務処理

法第四六条第一項で定める政令又は道州制特別区域における広域行政の推進に関する法律施行令第二条第一項に該当する場合においては、本条第一項及び第二項の厚生労働大臣の権限に属する事務は都道府県知事が行うものとされている。

〔法　律〕

（給水停止命令）

第三十七条　厚生労働大臣は水道事業者又は水道用水供給事業者が、都道府県知事は専用水道又は簡易専用水道の設置者が、前条第一項又は第三項の規定に基づく指示に従わない場合において、給水を継続させることが当該水道の利用者の利益を阻害すると認めるときは、その指示に係る事項を履行するまでの間、当該水道による給水を停止すべきことを命ずることができる。同条第二項の規定に基づく勧告に従わない場合において、給水を継続させることが当該水道の利用者の利益を阻害すると認めるときも、同様とする。

〔要　旨〕

本条は、水道事業者、水道用水供給事業者又は専用水道若しくは簡易専用水道の設置者が、前条の改善の指示等に従わない場合の給水停止命令について規定したものである。

〔解　説〕

一、給水停止命令

本条は、法第三六条に定める水道施設の改善の指示又は水道技術管理者の変更の勧告若しくは簡易専用水道の管理に関する措置を採るべき旨の指示に従わない場合において、給水をそのまま継続させることが感染症の発生その他当該水道の利用者の利益を阻害するおそれがある場合には、その水道の監督行政庁は、その指示又は勧告に係る事項を履行するまでの間、給水の停止を命ずることができることを定めたものである。

給水停止命令は、水道事業又は水道用水供給事業の場合にあっては厚生労働大臣が、専用水道又は簡易専用水道の場合にあっては都道府県知事（市又は特別区の区域においては市長又は区長（法四八条の二第一項））が行う。なお、国の設置する専用水道、簡易専用水道については厚生労働大臣（法五〇条四項・五〇条の二第二項）が行うこととされている。

法第三六条第二項の水道技術管理者の変更の勧告に係る給水停止命令を発するには、単にその変更の勧告に従わないだけでは足りず、併せて給水を継続させることが当該水道の利用者の利益を阻害するような状態であることが必要である。

なお、法第四六条第一項で定める政令又は道州制特別区域における広域行政の推進に関する法律施行令第二条第一項に該当する場合においては、本条の厚生労働大臣の権限に属する事務は都道府県知事が行うものとされている。

二、罰　則

法第三六条の改善の指示に従わない場合における罰則はないが、本条の給水停止命令違反には国の設置する専用水道及び簡易専用水道の場合を除き（法五〇条一項・五〇条の二第一項）罰則の適用があり、一年以下の懲役又は一〇

○万円以下の罰金に処せられる（法五三条一〇号）。

〔法　律〕

（供給条件の変更）

第三十八条　厚生労働大臣は、地方公共団体以外の水道事業者の料金、給水装置工事の費用の負担区分その他の供給条件が、社会的経済的事情の変動等により著しく不適当となり、公共の利益の増進に支障があると認めるときは、当該水道事業者に対し、相当の期間を定めて、供給条件の変更の認可を申請すべきことを命ずることができる。

2　厚生労働大臣は、水道事業者が前項の期間内に同項の申請をしないときは、供給条件を変更することができる。

〔要　旨〕

本条は、地方公共団体以外の水道事業者の供給条件の変更認可申請の命令及びその強制変更について規定したものである。

〔解　説〕

一、**供給条件の変更認可申請の命令**（一項）

本条第一項は、地方公共団体以外の水道事業者の供給条件が、賃金、物価の大幅な変動、需要者構成の急変、借入金の完済等社会的経済的事情の変動その他によって、認可の基準となっている諸要素に変動があったために著しく不適当なものとなり、その結果、公共の利益の増進に支障が生じて水道事業の公益性が保持されなくなったと認めるときは、相当の期間を付して、供給条件の変更の認可申請をすべきことを命ずることができることを規定している。これは、水道事業が地域的独占事業であることから、利用者の利益を保護するために設けられたものである。

「社会的経済的事情の変動等」とは、賃金、物価等の一般的変動のほか、当該事業のみの変化、すなわち水源の変更による浄水費、電力費の増減、借入金利子の増減、需要者構成と料金体系との不均衡等が含まれるものである。「著しく不適当」とは、適正な原価に比べ相当大幅な格差が生じている場合をいう。「公共の利益の増進に支障がある」とは、例えば、料金が需要者にとって不当に高くなった場合のほか、水道事業者にとって不当に安くなったため水道施設の必要な整備改善が不可能となり、これを放置することが公衆衛生を確保する上において支障をきたす場合等が考えられる。

なお、地方公共団体が水道事業者である場合には、供給条件の変更はその自治機能に委ねられているので本条の規定から除外されているが、もし同様の事態が生じた場合には、他の法律（地方自治法二四五条以下）に基づく勧告等が発せられることになる。

二、**職権による変更**（二項）

本条第二項は、変更認可申請の命令を発したにもかかわらず期限内に水道事業者が供給条件の変更申請をしない場合には、職権により供給条件を変更することができることを規定したものである。この監督行政庁の変更措置によって、供給条件は、水道事業者の意思、手続等と関係なく変更されることとなり、変更後の条件によらないで料金又は給水装置工事の費用を徴収した者は、三〇万円以下の罰金に処せられる（法五五条一号）。

三、**都道府県による事務処理**

法第四六条第一項で定める政令又は道州制特別区域における広域行政の推進に関する法律施行令第二条第一項に該当する場合においては、本条の厚生労働大臣の権限に属する事務は都道府県知事が行うものとされている。

〔法　律〕

（報告の徴収及び立入検査）

第三十九条　厚生労働大臣は、水道（水道事業等の用に供するものに限る。以下この項において同じ。）の布設若しくは管理又は水道事業若しくは水道用水供給事業の適正を確保するために必要があると認めるときは、水道事業者若しくは水道用水供給事業者から工事の施行状況若しくは事業の実施状況について必要な報告を徴し、又は当該職員をして水道の工事現場、事務所若しくは水道施設のある場所に立ち入らせ、工事の施行状況、水道施設、水質、水圧、水量若しくは必要な帳簿書類（その作成又は保存に代えて電磁的記録の作成又は保存がされている場合における当該電磁的記録を含む。次項及び第四十条第八項において同じ。）を検査させることができる。

2　都道府県知事は、水道（水道事業等の用に供するものを除く。以下この項において同じ。）の布設又は管理の適正を確保するために必要があると認めるときは、専用水道の設置者から工事の施行状況若しくは専用水道の管理について必要な報告を徴し、又は当該職員をして水道の工事現場、事務所若しくは水道施設のある場所に立ち入らせ、工事の施行状況、水道施設、水質、水圧、水量若しくは必要な帳簿書類を検査させることができる。

3　都道府県知事は、簡易専用水道の管理の適正を確保するために必要があると認めるときは、簡易専用水道の設置者から簡易専用水道の管理について必要な報告を徴し、又は当該職員をして簡易専用水道の用に供する施設の在る場所若しくは設置者の事務所に立ち入らせ、その施設、水質若しくは必要な帳簿書類を検査させることができる。

4　前三項の規定により立入検査を行う場合には、当該職員は、その身分を示す証明書を携帯し、かつ、関係者の請求があつたときは、これを提示しなければならない。

5　第一項、第二項又は第三項の規定による立入検査の権限は、犯罪捜査のために認められたものと解釈してはならない。

〔施行規則〕

（証明書の様式）

第五十七条　３　法第三十九条第四項（法第四十条第九項において準用する場合を含む。）の規定により当該職員の携帯する証明書は、様式第十二の三とする。

〔要　旨〕

本条は、厚生労働大臣又は都道府県知事の報告徴収並びに立入検査の権限及び立入検査の手続について規定したものである。

〔解　説〕

一、**水道事業等に係る報告の徴収等**（一項）

本条第一項は、水道（水道事業等の用に供するものに限る。以下この項において同じ。）の布設及び管理又は水道事業若しくは水道用水供給事業の適正を確保するために、必要な報告の徴収及び立入検査の権限を厚生労働大臣に付与したものである。

水道事業者又は水道用水供給事業者から報告を徴収することができるのは、工事の施行状況及び水道事業又は水道用水供給事業における事業の実施状況についてであり、職員をして立入検査ができる立入場所は、水道の工事現場、事務所又は水道施設のある場所であって、立ち入って検査することができるものは、工事の施行状況、水道施設、水質、水圧、水量又は必要な帳簿書類である。この場合の「必要な帳簿書類」の範囲は、立入検査の対象とされる事項に関するものに止まらず、工事の施行状況、事業の実施状況に関する帳簿書類も含まれる。

なお、法第四六条第一項で定める政令又は道州制特別区域における広域行政の推進に関する法律施行令第二条第一項に該当する場合においては、本条第一項の厚生労働大臣の権限に属する事務は都道府県知事が行うものとされている。

ただし、水道の利用者の利益を保護するため緊急の必要があると厚生労働大臣が認めるときは、厚生労働大臣又は都道府県知事が行うこととされ、相互に密接な連携が必要となる（令一四条六項、七項）。

二、**専用水道に係る報告の徴収等**（二項）

本条第二項は、水道（水道事業等の用に供するものを除く。以下この項において同じ。）の布設又は管理の適正を確保するために、必要な報告の徴収及び立入検査の権限を都道府県知事に付与したものである。

専用水道の設置者から報告を徴収することができるのは、工事の施行状況又は水道の管理についてであり、職員をして立入検査ができる立入場所は、水道の工事現場、事務所又は水道施設のある場所であり、立ち入って検査できるものは、工事の施行状況、水道施設、水質、水圧、水量又は必要な帳簿書類である。この場合の「必要な帳簿書類」の範囲は、立入検査の対象とされる事項に関するものにとどまらず、工事の施行状況、事業の実施状況に関する帳簿書類も含まれる。

なお、市の区域においては市長が、特別区の区域においては区長が報告の徴収及び立入検査の事務を行うものとされている（法四八条の二第一項）。

また、国の設置する専用水道については、厚生労働大臣が報告の徴収及び立入検査を行う（法五〇条四項）。

三、**簡易専用水道に係る報告の徴収等**（三項）

本条第三項は、簡易専用水道の管理の適正を確保するために、必要な報告の徴収及び立入検査の権限を都道府県知事に付与したものである。

簡易専用水道の設置者から徴収することができる報告は、水道の管理についての内容のものであり、職員をして立入検査ができる立入場所は、水道の用に供する施設のある場所及び設置者の事務所であって、立ち入って検査することができる対象は、水道の施設、水質又は必要な帳簿書類である。この場合の「必要な帳簿書類」の範囲は、立入検査の対象とされる事項に関するものにとどまらず、工事の施行状況、事業の実施状況に関する帳簿書類も含まれる。

なお、市の区域においては市長が、特別区の区域においては区長が、報告の徴収及び立入検査の事務を行うものとされている（法四八条の二第一項）。

また、国の設置する簡易専用水道については、厚生労働大臣が報告の徴収及び立入検査を行う（法五〇条の二第二項）。

四、立入検査の委託

水道事業にあっては当該給水区域が、水道用水供給事業にあっては当該事業から用水の供給を受ける水道事業の給水区域が、専用水道及び簡易専用水道にあっては当該水道により居住に必要な水の供給が行われる区域が二以上の都道府県の区域にまたがる場合の他の都道府県の区域における立入検査は、都道府県知事の土地管轄からくる制約（本条については法四八条により令一六条の規定が適用されない。）のため当該都道府県知事に委託して行う（地方自治法二五二条の一四）。

なお、立入検査を伴わない報告の徴収、書類の検査等についてはこのような問題はない。

五、立入検査職員の身分証（四項）

本条第四項は、立入検査の職員は身分証明書を携行し、請求があったときはこれを提示すべきことを定めたものである。身分を示す証明書の様式は、規則第五七条第三項に規定されている。

六、立入検査の性格（五項）

本条第五項は、立入検査の権限は行政上のものであって、刑事上に利用されてはならないことの入念規定である。刑事上の場合は、当然に司法官憲が発する令状によることを要するのであって（憲法三五条）、本条の立入検査が代用されることがあってはならないからである。

七、罰　則

本条第一項、第二項又は第三項の規定による報告をせず、若しくは虚偽の報告をし、又は当該職員の検査を拒み、妨げ、若しくは忌避した水道事業者等は、三〇万円以下の罰金に処せられる（法五五条三号）。

第八章　雑　則

本章は、前各章及び罰則のいずれの分類にも属さない事項について規定したものである。

〔法　律〕

（災害その他非常の場合における連携及び協力の確保）

第三十九条の二　国、都道府県、市町村及び水道事業者等並びにその他の関係者は、災害その他非常の場合における応急の給水及び速やかな水道施設の復旧を図るため、相互に連携を図りながら協力するよう努めなければならない。

〔要　旨〕

本条は、災害その他非常の場合において、水道の需要者に対して応急の給水を行うため、また、速やかな水道施設の復旧を図るため、国、都道府県、市町村及び水道事業者等並びにその他の関係者は、相互に連携を図りながら協力するよう努めなければならないことを規定したものである。

〔解　説〕

東日本大震災等の自然災害の教訓を踏まえ、災害時の連携に関する責務を規定したものである。法第四〇条が水道事業者又は水道用水供給事業者相互間の水の緊急応援命令について定めたものであることに対し、本条は水の需要者に対する応急の給水等について定めたものである。

生活用水の供給は、災害その他非常の場合にあっても行われる必要があるものであり、応急給水の実施または水道施設の速やかな復旧により、その適切な供給を維持する必要がある。そのため、災害その他非常の場合において、水道の需要者に対して応急の給水を行うため、また、応急復旧に関して人的・物的資源の不足に備えるため、国、都道府県、市町村及び水道事業者等並びにその他の関係者は、相互に連携を図りながら協力するよう努めなければならないこととしたものである。

「災害その他非常の場合」とは、法第四〇条の水道用水の緊急応援の規定と同様、自然災害のほか、水源に毒物が混入したことによる給水不能、大火等の場合が考えられる。「その他の関係者」とは、水道施設及び給水装置の工事を行う事業者等が考えられる。

〔法　律〕

（水道用水の緊急応援）

第四十条　都道府県知事は、災害その他非常の場合において、緊急に水道用水を補給することが公共の利益を保護するために必要であり、かつ、適切であると認めるときは、水道事業者又は水道用水供給事業者に対して、期間、水量及び方法を定めて、水道施設内に取り入れた水を他の水道事業者又は水道用水供給事業者に供給すべきことを命ずることができる。

2　厚生労働大臣は、前項に規定する都道府県知事の権限に属する事務について、国民の生命及び健康に重大な影響を与えるおそれがあると認めるときは、都道府県知事に対し同項の事務を行うことを指示することができる。

3　第一項の場合において、都道府県知事が同項に規定する権限に属する事務を行うことができないと厚生労働大臣が認めるときは、同項の規定にかかわらず、当該事務は厚生労働大臣が行う。

4　第一項及び前項の場合において、供給の対価は、当事者間の協議によつて定める。協議が調わないとき、又は協議をすることができないときは、都道府県知事が供給に要した実費の額を基準として裁定する。

5　第一項及び前項に規定する都道府県知事の権限に属する事務は、需要者たる水道事業者又は水道用水供給事業者に係る第四十八条の規定による管轄都道府県知事と、供給者たる水道事業者又は水道用水供給事業者に係る同条の規定による管轄都道府県知事とが異なるときは、第一項及び前項の規定にかかわらず、厚生労働大臣が行う。
6　第四項の規定による裁定に不服がある者は、その裁定を受けた日から六箇月以内に、訴えをもつて供給の対価の増減を請求することができる。
7　前項の訴においては、供給の他の当事者をもつて被告とする。
8　都道府県知事は、第一項及び第四項の事務を行うために必要があると認めるときは、水道事業者若しくは水道用水供給事業者から、事業の実施状況について必要な報告を徴し、又は当該職員をして、事務所若しくは水道施設のある場所に立ち入らせ、水道施設、水質、水圧、水量若しくは必要な帳簿書類を検査させることができる。
9　第三十九条第四項及び第五項の規定は、前項の規定による都道府県知事の行う事務について準用する。この場合において、同条第四項中「前三項」とあり、及び同条第五項中「第一項、第二項又は第三項」とあるのは、「第四十条第八項」と読み替えるものとする。

〔要　旨〕

本条は、災害その他非常の場合における水道事業者又は水道用水供給事業者相互間の水の緊急応援命令及び供給の対価の決定手続等を規定したものである。

〔解　説〕

一、**緊急応援命令**（一項・五項）

㈠　緊急応援命令の内容

都道府県知事は、災害その他非常の場合において、特定の水道事業者又は水道用水供給事業者に対し、水道用水の緊急補給が公益上必要であり、かつ、適切であると認めるときは、補給の期間、水量及び方法を定めて、他の事業者の水道施設内に取り入れた水を当該事業者に供給すべきことを命ずることができる。ただし、両事業者の管轄都道府県知事がそれぞれ異なる場合の命令は、厚生労働大臣が行う。命令権者を都道府県知事としているのは、現場の事情に精通しており、また、迅速な判断が可能な立場にあるからである。

「災害その他非常の場合」とは、災害による水道施設の破損等のほか異常渇水や水源に毒物が混入したことによる給水不能、大火等の場合が考えられる。補給する水道用水は、水道施設内に取り入れられた水であり、原水、浄水のいずれをも含むものである。命令は、補給する期間、水量及び方法を定めて行うものであり、対価は命令の内容とはならない。この命令は緊急事態に対処するものであるから、水の補給の実施を先決とするものである。水道用水の補給は、事業者相互間において行われるものであって、一の事業者が他の事業者の需要者に対して直接水を供給するものではない。

なお、本条による水の応援供給命令を受けたため、当該水道事業者が、その給水区域の全部又は一部につき、その間やむを得ず給水を停止するようなことがあっても、常時給水の義務に違反するものではない（法一五条二項）。

㈡　罰則

厚生労働大臣又は都道府県知事の緊急応援命令に違反した者は、一年以下の懲役又は一〇〇万円以下の罰金に処せられる（法五三条一一号）。

二、**厚生労働大臣の関与**（二項・三項）

厚生労働大臣は、都道府県知事が行う水道用水の緊急応援命令について、国民の生命及び健康に重大な影響を与えるおそれがあると認めるときは、都道府県知事に対し当該命令を出すべきことを指示することができる。本条第二項は、本条第一項の規定による「災害その他非常の場合において、緊急に水道用水を補給すること」が必要な場合であって、さらに緊急の度合いが高い場合に厚生労働大臣の関与を限定するため、「国民の生命及び健康に重大な影響を与えるおそれがある」という条件を加えたものである。

厚生労働大臣は、都道府県知事が水道用水の緊急応援命令を行うことができないと認めるときは、直接当該命令を行うことができる。本条第三項に規定する「都道府県知事が同項に規定する権限に属する事務を行うことができないと厚生労働大臣が認めるとき」とは、地震、水害等により都道府県において事務を行うことができないと厚生労働大臣が認める場合をいうものである。

三、供給の対価（**四項・五項**）

供給の対価は、両当事者間の協議によって定めることとし、協議が調わないとき又は協議ができないときは、都道府県知事が供給に要した実費の額を基準として裁定する。ただし、両事業者の管轄都道府県知事がそれぞれ異なる場合の裁定は、厚生労働大臣が行う。実費の額とは、補給のために実際に要した費用であり、水の原価と補給のために要した臨時の施設費、人件費、電力等の動力費、管理費等の費用の合計額である。

四、対価の増減請求（**六項・七項**）

都道府県知事又は厚生労働大臣が行った対価の裁定に不服がある当事者は、裁定を受けた日から六か月以内に他の当事者を被告として裁判所に訴えて、供給の対価の増減を請求できる。裁定者である厚生労働大臣又は都道府県知事を、被告として訴えることはできない。

五、報告の徴収及び立入検査（**八項**）

(一)　都道府県知事による報告の徴収及び立入検査

都道府県知事は、水道用水の緊急応援命令及びこれに伴う供給の対価の裁定を行うために必要があると認めるときは、当該事業者から報告の徴収をし、又は当該事業者に対して立入検査を行うことができる。

都道府県知事による水道用水の緊急応援命令は、厚生労働大臣の認可に係る事業者も対象となることからこの報告の徴収及び立入検査は、都道府県知事の認可に係る事業者だけでなく、厚生労働大臣の認可に係る事業者に対しても行うことができるものである。

㈡　罰則

本条第八項の規程による報告をせず、若しくは虚偽の報告をし、又は当該職員の検査を拒み、妨げ、若しくは忌避し者は、三〇万円以下の罰金に処せられる（法五五条三項）。

六、準用規定（九項）

都道府県知事が水道用水の緊急応援命令及びこれに伴う供給の対価の裁定を行うために必要があると認めるときに行う立入検査における立入検査職員の身分証と検査の性格については、法第三九条第四項及び第五項の規定が準用される。

〔**法　律**〕

（合理化の勧告）

第四十一条　厚生労働大臣は、二以上の水道事業者間若しくは二以上の水道用水供給事業者間又は水道事業者と水道用水供給事業者との間において、その事業を一体として経営し、又はその給水区域の調整を図ることが、給水区域、給水人口、給水量、水源等に照らし合理的であり、かつ、著しく公共の利益を増進すると認めるときは、関係者に対しその旨の勧告をすることができる。

〔**要　旨**〕

本条は、水道事業者間若しくは水道用水供給事業者間又はこれら相互間における事業の運営に関する厚生労働大臣の合理化の勧告を規定したものである。

〔解　説〕

一、勧告の趣旨

厚生労働大臣の勧告は、事業の合併又は給水区域の調整を行うことが当該事業の給水区域、給水人口、給水量、水源等の現状及び将来の趨勢等から判断して、合理的であり、かつ、清浄、豊富、低廉な水の供給の確保等著しく公共の利益を増進すると認めるときに行うことができるものである。

例えば、市街化の拡大に伴い、社会的にも経済的にも一体となった地域社会が形成され、その地域に存在する複数の水道事業の給水区域が相互に隣接するに至り、その地域を一体として事業を経営することにより著しく公共の利益の増進が図られる場合、あるいは水需要の増大に伴う水源の確保等個々の水道事業者がばらばらであっては解決困難な問題が存在する場合等において、勧告を行うことができる。

同様の趣旨で、水道用水供給事業者相互間又は水道事業者と水道用水供給事業者との間における合併について、勧告を行うことができるものとされている。

本条の合理化は、事業の経営主体そのものに関するものであるだけに単に法律に規定があるというだけではなかなか実現が困難なものである。公共の福祉の増進という見地から関係者の自主的な協力によってのみ実施可能なものであり、本条が厚生労働大臣の勧告を規定したゆえんである。

ここに「勧告」とは、上部機関が下部機関に対しある事項の処置を促す意思表示であり、「助言」より強い権限であるが法的拘束力はない。本条は、合併又は給水区域を調整すべき当事者の自主性を尊重しつつ厚生労働大臣の勧告内容を実現させようとするものである。

二、都道府県が処理する事務

法第四六条第一項で定める政令又は道州制特別区域における広域行政の推進に関する法律施行令第二条第一項に該当する場合においては、本条の厚生労働大臣の権限に属する事務は都道府県知事が行うものとされている。ただし、当該水道事業者又は水道用水供給事業者に係る管轄都道府県知事が異なる場合においては、厚生労働大臣が行う。なお、水道の利用者の利益を保護するため緊急の必要があると厚生労働大臣が認めるときは、厚生労働大臣又は都道府県知事が行うこととされ、相互に密接な連携が必要となる（法四六条、令一四条六項・七項）。

〔法　律〕

（地方公共団体による買収）

第四十二条　地方公共団体は、地方公共団体以外の者がその区域内に給水区域を設けて水道事業を経営している場合において、当該水道事業者が第三十六条第一項の規定による施設の改善の指示に従わないとき、又は公益の必要上当該給水区域をその区域に含む市町村から給水区域を拡張すべき旨の要求があつたにもかかわらずこれに応じないとき、その他その区域内において自ら水道事業を経営することが公益の増進のために適正かつ合理的であると認めるときは、厚生労働大臣の認可を受けて、当該水道事業者から当該水道の水道施設及びこれに付随する土地、建物その他の物件並びに水道事業を経営するために必要な権利を買収することができる。

2　地方公共団体は、前項の規定により水道施設等を買収しようとするときは、買収の範囲、価額及びその他の買収条件について、当該水道事業者と協議しなければならない。

3　前項の協議が調わないとき、又は協議をすることができないときは、厚生労働大臣が裁定する。この場合において、買収価額については、時価を基準とするものとする。

4　前項の規定による裁定があつたときは、裁定の効果については、土地収用法（昭和二十六年法律第二百十九号）に定める収用の効果の例による。

5　第三項の規定による裁定のうち買収価額に不服がある者は、その裁定を受けた日から六箇月以内に、訴えをもつてその増減を請求することができる。

6　前項の訴においては、買収の他の当事者をもつて被告とする。
7　第三項の規定による裁定についての審査請求においては、買収価額についての不服をその裁定についての不服の理由とすることができない。

〔要　旨〕

本条は、水道事業の経営が市町村経営を原則としているため、地方公共団体以外の者の経営する水道事業に対して地方公共団体が買収することができる場合を認め、その手続等を規定したものである。

〔解　説〕

一、買収の認可（一項）

水道事業の市町村経営を原則として定める（法六条二項）とともに、地方公共団体以外の者が経営する水道事業の認可には期限又は条件を付すことができることとし（法九条一項）、市町村経営への移行に考慮を払っているが、さらに、本条において一定の場合における地方公共団体による水道施設等の買収について定めている。

地方公共団体が、厚生労働大臣の認可を受けて地方公共団体以外の者の経営する水道の施設等を買収することができるのは、次の場合である。

㈠　水道事業者が施設の改善の指示（法三六条一項）に従わないとき
㈡　公益上の必要から当該水道事業の給水区域に係る市町村が給水区域の拡張要求をしたにもかかわらず、水道事業者がこれに応じないとき
㈢　当該給水区域内において、地方公共団体が自ら水道事業を経営することが公益の増進のために適正かつ合理的であると認めるとき

「公益の増進のために適正かつ合理的であると認めるとき」とは、当該水道事業者の水道の管理状況が常習的に悪いとか、給水義務を満足に履行しない等水道法が需要者保護のために設けた規定を十分に履行しない場合等が考えられる。なお、自ら水道事業を経営しようとする地方公共団体は、地元市町村に限らず都道府県も含まれる。

本条の認可を受けて水道事業者から買収できる範囲は、水道施設及びこれに付随する土地、建物その他の物件並びにダム使用権、水利権等事業経営に必要な一切の権利である。このように、買収することができる範囲を広く定めたのは、水道事業の性格からして一時の中断もなく経営を継承させる必要があるためである。

買収の認可は、買収しようとする地方公共団体が、当該買収水道施設等をもって自ら水道事業を経営することに対する認可であるので、新たに法第六条の事業経営の認可を受ける必要はなく、従前の事業認可が継承されるものである（法一〇条一項二号）。また、売却した水道事業者は、その意思いかんにかかわらず水道施設等を失って当然その事業は譲渡されるのであるから、別に法第一一条の事業の廃止の許可の申請は不要である（法一一条一項ただし書）。

しかし、地方公共団体以外の者が事業認可の際に付せられた期限経過後、その水道施設等を買い取って引き続き地方公共団体が経営する場合は、本条による買収ではないので、新たな水道事業の経営としての法第六条の認可を受けなければならない。

二、**買収条件**（二項〜七項）

具体的な買収の範囲、価額及びその他の買収条件については、買収する地方公共団体と当該水道事業者とが協議して定めるものとされている。しかし、両当事者の協議が調わないとき、又は協議をすることができないときは、厚生労働大臣が裁定する。この場合、買収価額については、時価（現在時の価値）を基準として行う。裁定があったときは、土地収用法（昭和二六年法律第二一九号）に定める収用の効果の例による。

両当事者の協議によって成立した買収の効果は、両当事者間の協議によって定めるところにより直接両当事者間で履行されるものであり、その履行に関して争いが生じた場合は訴えによるほかはないが、裁定によって決定した場合は、もともと両当事者間で話し合いの余地がない場合であるので、裁定に土地収用法の効果をもたしめているのである。土地収用法に定める収用の効果の例によるとは、①地方公共団体は、裁定により定められた権利取得の時期までに買収代金を払渡し又は供託すること、②水道事業者は、当該水道施設等を裁定により定められた権利譲渡の時期までに地方公共団体に引渡し又は移転しなければならないこと、③地方公共団体は、裁定により定められた権利取得の時期において、当該水道施設等に係る所有権その他の権利を取得すること等である（土地収用法九五条・一〇一条）。

裁定による買収価額に不服がある者は、その裁定を受けた日から六か月以内に裁判所へ訴えて、その増減を請求することができる。この訴えは、裁定者を被告とするのではなく、買収の他の当事者を被告とする。なお、裁定についての審査請求は、買収価額についての不服を申立理由とすることはできない。

三、**都道府県が処理する事務**

法第四六条第一項で定める政令又は道州制特別区域における広域行政の推進に関する法律施行令第二条第一項に該当する場合においては、本条第一項及び第三項の厚生労働大臣の権限に属する事務は都道府県知事が行うものとされている。ただし、都道府県知事が当事者である場合を除く。

〔**法　律**〕

（水源の汚濁防止のための要請等）

第四十三条　水道事業者又は水道用水供給事業者は、水源の水質を保全するため必要があると認めるときは、関係行政機関の長又は関係地方公共団体の長に対して、水源の水質の汚濁の防止に関し、意見を述べ、又は適当な措置を講ずべきことを要請することができる。

〔要　旨〕

本条は、水道事業者等が、水源の汚濁の防止に関して関係行政機関の長等に対し意見を述べ、又は適当な措置の要請をすることができることを定めたものである。

〔解　説〕

水道により供給される水は、安全で、また、生活用水としての使用に支障のあるものであってはならない。水道水質の安全性等の確保は、水道事業者の責務であり、原水の質及び量に応じて必要な浄水施設を設けなければならないこととされている（法五条一項四号）。しかし、都市化、工業化に伴って水道水源の汚濁が進むとともに、その汚濁の内容も多様化し、通常の管理体制における通常の浄水操作において、水道事業者等がその責任を全うすることが次第に困難な状況となってきている。そのため、水道事業者等は、水源の水質状況の監視体制を整備し、浄水過程における水質管理を強化するとともに、場合によっては高度な浄水操作で対応する等の措置を余儀なくされ、それが結果的に水道水の給水原価を上昇させる要因ともなっている。

水道事業者等は、いかなる水源から取水するものであろうと、その供給する水を常に水質基準に適合させる等、その安全性等を確保する責務がある。しかし、水道事業者等の通常の管理体制、浄水操作において対応し得ない程度の汚濁まで受忍させることは適当でないので、昭和五二年の法改正に伴い、新たに本条の規定を設け、水質汚濁防止に責任と権限を有する者に対して、水源の汚濁防止のための要請等が行えることとされたものである。

ここで、要請等を行うことができるのは、「水道事業者又は水道用水供給事業者」であり、要請等の相手方は、水質汚濁防止に責任と権限を有する「関係行政機関の長又は関係地方公共団体の長」である。「水源」とは、原水の取水地点に限定されず、取水する水に影響を及ぼす範囲を含むものである。また、「意見」又は「要請」の具体的内容としては、環境基本法（平成五年法律第九一号）第一六条の水質汚濁に係る環境基準の設定、水質汚濁防止法（昭和四五年法律第一三八号）に基づく排水基準違反の是正、条例の制定その他水質環境基準を達成するために必要な措置、制度の改善等、水道原水水質保全事業の実施の促進に関する法律（平成六年法律第八号）に基づく都道府県計画等に定められた水道原水水質保全事業の実施、特定水道利水障害の防止のための水道水源水域の水質の保全に関する特別措置法（平成六年法律第九号）に基づく特定排水基準等違反の是正等が考えられる。

〔法　律〕

（国庫補助）

第四十四条　国は、水道事業又は水道用水供給事業を経営する地方公共団体に対し、その事業に要する費用のうち政令で定めるものについて、予算の範囲内において、政令の定めるところにより、その一部を補助することができる。

〔施行令〕

（国庫補助）

第十二条　法第四十四条に規定する政令で定める費用は、別表の中欄に掲げる費用とし、同条の規定による補助は、その費用につき厚生労働大臣が定める基準によつて算出した額（同表の中欄に掲げる施設の新設又は増設に関して寄附金その他の収入金があるときは、その額からその収入金の額を限度として厚生労働大臣が定める額を控除した額）に、それぞれ同表の下欄に掲げる割合を乗じて得た額について行うものとする。

2　前項の費用には、事務所、倉庫、門、さく、へい、植樹その他別表の中欄に掲げる施設の維持管理に必要な施設の新設又は増設に要する費用は、含まれないものとする。

別　表（第十二条関係）

一	水源開発施設（水道の水源の開発の用に供するダム、堰《せき》、水路及び海水淡水化施設並びにこれらの施設と密接な関連を有する施設をいう。以下同じ。）であつて、用水単価及び資本単価が厚生労働大臣が定める額以上の水道事業又は水道用水供給事業の用に供するものの新設又は増設に要する費用	三分の一（用水単価及び資本単価が厚生労働大臣が定める額以上の水道事業又は水道用水供給事業にあつては二分の一）
二	法第五条の三第一項に規定する水道基盤強化計画において定められた同条第二項第七号に掲げる事項に係る水道施設（水源開発施設及び基幹的な配水施設以外の配水施設を除く。）であつて、用水単価及び資本単価が厚生労働大臣が定める額以上の水道事業又は水道用水供給事業の用に供するものの新設又は増設に要する費用	三分の一
三	簡易水道事業の用に供する水道施設の新設又は増設に要する費用	財政力指数が厚生労働大臣が定める数値を超える市町村にあつては、四分の一（単位管延長が厚生労働大臣が定める数値以上の水道施設にあつては十分の四、単位管延長が当該数値未満であつて厚生労働大臣が別に定める数値以上の水道施設にあつては三分の一）、その他の市町村にあつては、三分の一（単位管延長が厚生労働大臣が定める数値以上の水道施設にあつては十分の四）

備考　この表における「用水単価」、「資本単価」、「財政力指数」及び「単位管延長」については、厚生労働大臣の定めるところによる。

〔要　旨〕

本条は、国が、水道事業又は水道用水供給事業を経営する地方公共団体に対し、その事業費の一部を補助することができる旨を規定したものである。

〔解　説〕

一、本条の趣旨

法第一条において、「公衆衛生の向上と生活環境の改善とに寄与する」という法の目的を達成するための手段として、「水道の布設及び管理を適正かつ合理的ならしめる」こと、「水道の基盤を強化すること」が掲げられている。また、この趣旨を受けて、法第二条の二第一項において、国は「都道府県及び市町村並びに水道事業者及び水道用水供給事業者に対し、必要な技術的及び財政的な援助を行うよう努めなければならない」ことが規定されている。本条は、法第四五条と併せて、水道事業者及び水道用水供給事業者に対する国の財政的援助を具体的に規定したものである。

本条の規定は、昭和五二年の法改正の際に、「簡易水道事業を経営しようとする市町村に対し」と規定されていたものを「水道事業又は水道用水供給事業を経営する地方公共団体に対し、その事業に要する費用のうち政令で定めるものについて」と改められたものである。

水道事業等に対する国庫補助は、昭和二七年度から簡易水道事業の新設に対するものに限り予算措置されていたが、昭和三二年の法制定の際その根拠が明定されたのである。この簡易水道事業に対する国庫補助は、昭和三七年度から一部の拡張事業に対しても行われることとなった。その後、水道の普及が進むとともに都市化の進展、生活水準の向上に伴い水需要が著しく増大したほか、一方で、水源の水質汚濁の進行に伴い水資源の利用が制約されるほどの状況となってきたことを背景に、水資源の確保、水の効率的利用等の観点から、昭和四二年度に、水道水源開発施設及び水道広域化施設の整備に対する補助が予算措置された。また、水質汚濁防止法（昭和四五年法律第一三八号）の施行に伴い、浄水場から排出される排水の処理施設の整備についても昭和四七年度から補助が行われることとなった。

このように、予算上の措置として国庫補助が行われていた事情を踏まえ、また、昭和五二年の法改正において法第二条の二が新たに設けられ、技術的財政的援助が国の責務として明定されたことに伴い、本条を改正し、従来から本条に補助根拠が規定されていた簡易水道事業に加えて、簡易水道事業以外の水道事業及び水道用水供給事業に対しても、予算の範囲内で補助することができる旨明定されたものである。

二、国庫補助の範囲

国庫補助の範囲については、令第一二条及び別表において、その補助対象となる費用及び補助率が次のとおり定められている。

㈠　水源開発施設（水道水源を開発するためのダム、堰《せき》等の施設及びこれらと密接な関連を有する導水路）の新設又は増設に要する費用　三分の一又は二分の一

㈡　法第五条の三第一項に規定する水道基盤強化計画において定められた同条第二項第七号に掲げた事項に係る施設の新設又は増設に要する費用　三分の一

㈢　簡易水道事業に係る施設の新設又は増設に要する費用　四分の一、三分の一又は一〇分の四

しかし、補助対象経費の中には、事務所、倉庫、門、柵、塀等の新設又は増設に要する費用は含まれないものとされている（令一二条二項）。これらの施設は、専ら維持管理のための施設であって、水道の給水義務には直接の関係を有さないものであるからである。国庫補助の対象となる費用の内容、補助対象経費の算出基準等に関し、別途「交付要綱」が定められている。

なお、本条に規定されたもののほか、次の費用について予算措置として国庫補助が行われている。

㈠　特定多目的ダム法（昭和三二年法律第三五号）に基づく多目的ダムの建設費に対する水道事業者又は水道用水供給事業者の負担金　二分の一又は三分の一

㈡　各種化学物質や湖沼の富栄養化等による水道水源の汚染に対処するための高度浄水施設の整備に要する費用　三分の一又は四分の一

㈢　飲料水供給施設（給水人口五〇人以上一〇〇人以下である水道のための施設）の新設に要する費用　一〇分の四

㈣　石炭鉱業の廃止等に伴い当該鉱業経営者から市町村に管理が移管された水道施設の改良又は更新に要する費用　三分の一

㈤　水道未普及地域の解消を図るための水道施設の新設又は改良等に要する費用　四分の一、三分の一又は一〇分の四

㈥　災害により被害を受けた水道事業又は水道用水供給事業のための施設の復旧に要する費用　一〇分の八、三分の二又は二分の一

㈦　配水池の容量を一二時間程度に確保するなど、緊急時における給水の確保及び浄水時の配水調整の容易化を図るための施設の整備に要する費用　四分の一又は三分の一

㈧　導水管及び送水管、配水管において老朽化した鋳鉄管等の更新に要する費用　三分の一

㈨　水道基盤強化計画等に基づく圏域における水道事業等の事業統合又は経営の一体化を契機に実施する施設の整備に要する費用　三分の一

このほか、他の法令により、特定の地域において整備される水道施設等の建設費に対する補助又は補助率の嵩上げ

が規定されている。

〔参　考〕

一、独立行政法人水資源機構法

㈠　独立行政法人水資源機構法（抄）

（平成一四年一二月一八日　法律第一八二号）

（補助金）

第三十五条　政府は、予算の範囲内において、政令で定めるところにより、機構に対し、第十二条第一項第一号又は第三号の業務に要する経費の一部を補助することができる。

㈡　独立行政法人水資源機構法施行令（抄）

（平成一五年七月二四日　政令第三二九号）

第五十三条　水道に係る法第三十五条の規定による補助金の額は、当該水資源開発施設を利用して流水を水道の用に供し、又は供しようとしていた者について第三十条第一項から第三項まで又は第三十二条第一項の規定により算出した額（第三十条第二項又は第三十二条第一項の規定により算出した額にあっては、厚生労働大臣が財務大臣と協議して定める額に限る。）から当該補助金の交付の決定の日までに本工事費、附帯工事費、用地費及び補償費につき生ずる第二十九条の利息以外の利息の額を控除した額を基礎とし、厚生労働大臣が財務大臣と協議して定める基準により算定した額を合算した額の三分の一の額とする。ただし、当該水資源開発施設を利用して流水を水道の用に供する者につき、その者の負担すべき同項の負担金を減ずる必要があると認められる特別の事情がある場合は、二分の一の額とする。

二、離島振興法

(一) 離島振興法（抄）

（昭和二八年七月二二日　法律第七二号）

（国の負担又は補助の割合の特例等）

第七条　（略）

5　国は、離島振興計画に基づき簡易水道の用に供する水道施設の新設又は増設をする地方公共団体に対し、予算の範囲内において、政令の定めるところにより、その新設又は増設に要する費用の二分の一以内を補助することができる。

(二) 離島振興法施行令（抄）

（昭和四三年三月五日　政令第二七号）

（法第七条第五項の規定による簡易水道事業の用に供する水道施設の新設等に要する費用の範囲）

第三条　法第七条第五項の規定により国が補助する場合の簡易水道事業の用に供する水道施設の新設又は増設に要する費用の範囲は、次のとおりとする。

一　水道施設（水道法（昭和三十二年法律第百七十七号）第三条第八項に規定する水道施設をいう。以下同じ。）の工事に要する費用

二　水道施設に必要な最少限度の用地の取得に要する費用

2　前項の費用には、事務所、倉庫、門、さく、へい、植樹その他当該水道施設の維持管理に必要な施設の工事に要する費用は、含まれないものとする。

三、奄美群島振興開発特別措置法

㈠ 奄美群島振興開発特別措置法（抄）

（昭和二九年六月二一日　法律第一八九号）

（特別の助成）

第六条　振興開発計画に基づく事業のうち、別表に掲げるもので政令で定めるものに要する経費に対する国の負担又は補助の割合は、他の法令の規定にかかわらず、同表に掲げる割合の範囲内で政令で定める割合とする。

別　表（第六条関係）

事業の区分		国の負担又は補助の割合の範囲
水道	水道法（昭和三十二年法律第百七十七号）第三条第三項に規定する簡易水道事業の用に供する水道施設の新設又は増設	十分の五以内

㈡ 奄美群島振興開発特別措置法施行令（抄）

（昭和二九年八月一三日　政令第二三九号）

（特別の助成）

第一条　奄美群島振興開発特別措置法（以下「法」という。）第六条第一項に規定する政令で定める事業は、別表第一に掲げる事業とし、同項に規定する政令で定める割合は、当該事業につきそれぞれ同表に掲げる割合とする。

別表第一（第一条関係）

事業の区分		国の負担又は補助の割合の範囲
水道	水道法（昭和三十二年法律第百七十七号）第三条第三項に規定する簡易水道事業の用に供する水道施設の新設又は増設	十分の五

四、小笠原諸島振興開発特別措置法

㈠　小笠原諸島振興開発特別措置法（抄）

（昭和四四年一二月八日　法律第七九号）

（特別の助成）

第七条　国は、振興開発計画に基づく事業で政令で定めるものに要する経費については、当該経費に関する法令の規定にかかわらず、政令で定めるところにより、予算の範囲内で、関係地方公共団体その他の者に対して、当該法令に定める国庫の負担割合又は補助割合を超えて、その全部又は一部を負担し、又は補助することができる。

㈡　小笠原諸島振興開発特別措置法施行令（抄）

（昭和四五年三月九日　政令第一三号）

（特別の助成）

第一条　小笠原諸島振興開発特別措置法（以下「法」という。）第七条第一項に規定する政令で定める事業は、別表第一に掲げる事業で国土交通大臣が当該事業に関する主務大臣と協議して指定するものとし、当該事業に要する経費に対する国の負担又は補助の割合は、それぞれ同表に掲げる割合とする。

別表第一（第一条関係）

事業の区分		国の負担又は補助の割合の範囲
簡易水道	水道法（昭和三十二年法律第百七十七号）第三条第三項に規定する簡易水道事業の用に供する水道施設の新設又は増設	二分の一

五、沖縄振興特別措置法

㈠　沖縄振興特別措置法（抄）

（平成一四年三月三一日　法律第一四号）

（国の負担又は補助の割合の特例等）

第百五条　沖縄振興計画に基づく事業のうち、別表に掲げるもので政令で定めるものに要する経費について国が負担し、又は補助する割合は、当該事業に関する法令の規定にかかわらず、同表に掲げる割合の範囲内で政令で定める割合とする。この場合において、当該事業に要する経費に係る地方公共団体その他の者の負担又は補助の割合については、他の法令の規定にかかわらず、政令で特別の定めをすることができる。

2　国は、沖縄振興計画に基づく事業のうち、別表に掲げるもので政令で定めるものに要する経費に充てるため政令で定める交付金を交付する場合においては、政令で定めるところにより、当該経費について前項の規定を適用したとするならば国が負担し、又は補助することとなる割合を参酌して、当該交付金の額を算定するものとする。

3　国は、前二項に規定する事業のほか、沖縄振興計画に基づく事業で政令で定めるものに要する経費については、地方公共団体その他の者に対して、予算の範囲内で、その全部又は一部を補助することができる。

7　沖縄における水道施設の災害の復旧に要する費用につき水道法（昭和三十二年法律第百七十七号）第四十四条の規定により地方公共団体に対して国が補助する場合における補助の割合は、同条に基づく政令の規定にかかわらず、政令で定めるところにより、十分の十以内とする。

別　表（第百五条関係）

事業の区分		国の負担又は補助の割合の範囲
水道	水道法第三条第二項に規定する水道事業及び同条第四項に規定する水道用水供給事業	十分の九以内

(二)　沖縄振興特別措置法施行令（抄）

（平成一四年三月三一日　政令第一〇二号）

（国の負担又は補助の割合の特例等）

第三十二条　法第百五条第一項に規定する政令で定める事業は、別表第一に掲げる事業とし、同項に規定する政令で定める割合は、当該事業につきそれぞれ同表に掲げる割合とする。この場合において、これらの事業のうち別表第二に掲げるもの（沖縄県が行うものを除く。）に要する経費に係る沖縄県の負担又は補助の割合は、それぞれ同表に掲げる割合とする。

4　法第百五条第三項に規定する政令で定める事業は、別表第四に掲げる事業で、沖縄の地理的及び自然的特性その他の特殊事情により、沖縄において国の補助を受けて行う必要があると認められるものとする。

別表第一（第三十二条関係）

事業の区分		国庫の負担又は補助の割合
水道	水道法第三条第二項に規定する水道事業及び同条第四項に規定する水道用水供給事業	(一)　水源開発施設（水道の水源の開発の用に供するダム、堰、水路及び海水淡水化施設並びにこれらの施設と密接な関連を有する施設をいう。以下同じ。）であつて、用水単価及び資本単価（水道法施行令（昭和三十二年政令第三百三十六号）別表に規定する用水単価及び資本単価をいう。以下同じ。）が厚生労働大臣が定める額以上の水道用水供給事業の用に供するものの新設又は増設	十分の八・五（水路（これと密接な関連を有する施設を含む。）のうち(二)に規定する水道用水供給事業の用に供する水道施設としても用いられるものにあつては、当該水道施設の新設又は増設に要する経費についての国庫の補助の割合等を参酌して内閣総理大臣が厚生労働大臣と協議して定める割合）

(二) 水道法第五条の三第一項に規定する水道基盤強化において定められた同条第二項第七号に掲げる事項に係る水道施設（水源開発施設を除く。）であつて、用水単価及び資本単価が厚生労働大臣が定める額以上の水道用水供給事業のように供するものの新設又は増設	十分の七・五（基幹的な水道施設として内閣総理大臣が厚生労働大臣と協議して定める施設にあっては、十分の九）
(三) 簡易水道事業の用に供する水道施設の新設又は増設	三分の二

別表第四（第三十二条関係）

九　水道法第三条第二項に規定する水道事業の用に供する水道施設の新設又は増設に関する事業

六、水源地域対策特別措置法

(一) 水源地域対策特別措置法（抄）

（昭和四八年一〇月一七日　法律第一一八号）

（国の負担又は補助の割合の特例）

第九条　次の各号の一に該当する指定ダムで政令で指定するものの建設に対応する整備事業のうち、別表第一に掲げる事業で都道府県知事又は地方公共団体が実施するものに係る経費に対する国の負担又は補助の割合（以下「国の負担割合」という。）は、他の法令の規定にかかわらず、同表に定める割合の範囲内で政令で定める割合とする。

一　その建設により水没する住宅の数が特に多いダム

二　その建設により水没する農地の面積が特に大きいダム

三　前二号に掲げるもののほか、その建設により水源地域の基礎条件が特に著しく変化し、かつ、当該水源地域をその区域に含まない都府県が著しく利益を受けるダム

別表第一（第九条関係）

事業の区分		国の負担割合の範囲
水道	水道法第三条第三項に規定する簡易水道事業の用に供する水道施設の新設又は増設	十分の四以内

(二) 水源地域対策特別措置法施行令（抄）

（昭和四九年二月二一日　政令第二七号）

（国の負担又は補助の割合の特例）

第六条　法第九条第一項の政令で定める割合は、次の表の上欄に掲げる事業の区分に応じ、それぞれ同表の下欄に定める割合とする。

事業の区分	国の負担又は補助の割合
水道法（昭和三十二年法律第百七十七号）第三条第三項に規定する簡易水道事業の用に供する水道施設の新設又は増設	十分の四

七、北方領土問題等の解決の促進のための特別措置に関する法律（抄）

（昭和五七年八月三一日　法律第八五号）

（特別の助成）

第七条　振興計画に基づいて、北方領土隣接地域の市又は町が国又は北海道から負担金、補助金又は交付金の交付を受けて行う事業（北海道から負担金、補助金又は交付金の交付を受けて行うものにあつては、北海道が負担し、若しくは補助し、又は交付金を交付するために要する費用の一部について国が負担し、若しくは補助し、又は交付金を交付するものに限る。）のうち、次に掲げる事業（災害復旧に係るもの、当該事業に係る経費の全額を国又は北海道が負担するもの及び当該事業に係る経費を北方領土隣接地域の市又は町が負担しないものを除く。）で政令で定めるもの（以下「特定事業」という。）に係る経費に対する国の負担又は補助の割合（北方領土隣接地域の市又は町に対する負担又は補助のために北海道が要する費用の一部を国が負担し、又は補助している場合にあつては、国の負担金又は補助金の当該特定事業に係る経費に対する割合。以下「国の負担割合」という。）は、次条に定めるところにより算定するものとする。

一　次の施設の整備に関する事業

ヲ　水道

〔法　律〕

（国の特別な助成）

第四十五条　国は、地方公共団体が水道施設の新設、増設若しくは改造又は災害の復旧を行う場合には、これに必要な資金の融通又はそのあつせんにつとめなければならない。

〔要　旨〕

本条は、国が、地方公共団体が行う水道施設の新設、増設、改造又は災害の復旧に必要な資金の融通又はそのあっせんに努めなければならない旨を規定したものである。

〔解　説〕

本条は、前条の国庫補助とともに、地方公共団体に対する財政援助に関する規定である。昭和五二年の法改正により、地方公共団体に対する財政援助が国の責務と定められたこと（法二条の二第一項）に伴い、国の役割は従前にも増して重要となったといえる。清浄にして豊富低廉な水の供給を図るために、国は、地方公共団体が行う水道施設の新設等に要する資金の融通又はそのあっせんを行う責務があるのである。

地方公共団体が地方債を起こすことについては、起債並びに起債の方法、利率及び償還の方法の変更について、当分の間、自治大臣（現総務大臣）又は都道府県知事の許可を要するものとされていたが、地方分権一括法により地方債許可制度が廃止され、地方債を起こし、又は起債の方法、利率若しくは償還の方法を変更しようとする場合は、総務大臣又は都道府県知事に協議するものとされている（地方財政法五条の三第一項、第二項）。

〔参　考〕

一、他の法令に基づく国の特別な助成

(一)　離島振興法（抄）

（昭和二八年七月二二日　法律第七二号）

（地方債についての配慮）

第八条　地方公共団体が離島振興計画を達成するために行う事業に要する経費に充てるために起こす地方債については、法令の範囲内において、資金事情及び当該地方公共団体の財政状況が許す限り、特別の配慮をするものとする。

(二)　沖縄振興特別措置法（抄）

（平成一四年三月三一日　法律第一四号）

（地方債についての配慮）

第百十条　地方公共団体が沖縄振興計画に基づいて行う事業に要する経費に充てるため起こす地方債については、国は、地方公共団体の財政状況が許す限り起債ができるよう、及び資金事情が許す限り財政融資資金をもつて引き受けるよう特別の配慮をするものとする。

(三)　水源地域対策特別措置法（抄）

（国の財政上及び金融上の援助）

第十一条　国は、前二条に定めるもののほか、水源地域整備計画を達成するために必要があると認めるときは、整備事業を実施する者に対し、財政上及び金融上の援助を与えるものとする。

（昭和四八年一〇月一七日　法律第一一八号）

(四)　過疎地域の持続的発展の支援に関する特別措置法

(1)　過疎地域の持続的発展の支援に関する特別措置法（抄）

（令和三年三月三一日　法律第一九号）

（過疎地域の持続的発展のための地方債）

第十四条　過疎地域の市町村が市町村計画に基づいて行う地場産業に係る事業又は観光若しくはレクリエーションに関する事業を行う者で政令で定めるものに対する出資及び次に掲げる施設の整備につき当該市町村が必要とする経費については、地方財政法（昭和二十三年法律第百九号）第五条各号に掲げる経費に該当しないものについても、地方債をもってその財源とすることができる。

二十四　前各号に掲げるもののほか、政令で定める施設

(2)　過疎地域の持続的発展の支援に関する特別措置法施行令（抄）

（令和三年三月三一日　政令第一三七号）

（地方債の対象となる施設等で政令で定めるもの）

第七条　6　法第十四条第一項第二十四号の政令で定める施設は、次に掲げるものとする。

八　簡易水道施設及び簡易水道施設であった水道施設（平成一九年四月一日以後の当該水道施設に係る簡易水道事業の廃止又は変更（他の簡易水道事業を譲り受けることに伴い、簡易水道事業以外の水道事業となったものに限る。）により簡易水道施設でなくなったものに限る。）

㈤　辺地に係る公共的施設の総合整備のための財政上の特別措置等に関する法律（抄）

（昭和三七年四月二五日　法律第八八号）

（定義）

第二条　2　この法律において「公共的施設」とは、次に掲げる施設で、辺地とその他の地域との間における住民の生活文化水準の著しい格差の是正を図るため最低限度必要なものをいう。

五　飲用水供給施設

（地方債）

第五条　第三条第五項の規定により市町村が総務大臣に提出した総合整備計画に基づいて実施する公共的施設の整備につき当該市町村が必要とする経費については、地方財政法（昭和二十三年法律第百九号）第五条各号に規定する経費に該当しないものについても、地方債をもつてその財源とすることができる。

（元利償還金の基準財政需要額への算入）

第六条　総合整備計画に基づいて実施する公共的施設の整備につき当該市町村が必要とする経費の財源に充てるため起こした地方債（当該地方債を財源として設置した施設に関する事業の経営に伴う収入を当該地方債の元利償還に充てることができるものを除く。）で、総務大臣が指定したものに係る元利償還に要する経費は、地方交付税法（昭和二十五年法律第二百十一号）の定めるところにより、当該市町村に交付すべき地方交付税の額の算定に用いる基準財政需要額に算入するものとする。

㈥　財政融資資金法（抄）

（昭和二六年三月三一日　法律第一〇〇号）

（財政融資資金の運用）

第十条　財政融資資金は、次に掲げるものに運用することができる。

五　地方債

(七) 北方領土問題等の解決の促進のための特別措置に関する法律（抄）

（昭和五七年八月三一日 法律第八五号）

（地方債についての配慮）

第八条 北海道又は北方領土隣接地域の市若しくは町が振興計画に基づいて行う事業に要する経費に充てるために起こす地方債については、国は、北海道又は当該市若しくは町の財政状況が許す限り起債できるよう、及び資金事情が許す限り財政融資資金をもつて引き受けるよう特別の配慮をするものとする。

（財政上の配慮等）

第九条 国は、第七条から前条までに定めるもののほか、北方領土隣接地域の振興及び住民の生活の安定を図るために必要な財政上、金融上及び技術上の配慮をしなければならない。

二、災害復旧費に対する助成

上水道施設災害復旧費及び簡易水道施設災害復旧費の国庫補助について

（昭和四九年二月二七日 環第一二一号 各都道府県知事あて
厚生事務次官通知
最近改正 令和三年三月二四日厚生労働省発生食〇三二四第四号）

標記の国庫補助金の交付については、昭和四九年二月二七日厚生省環第一二一号厚生事務次官通知の別紙「上水道施設災害復旧費及び簡易水道施設災害復旧費補助金交付要綱」（以下「交付要綱」という。）により行われているところであるが、今般、交付要綱の一部が別紙新旧対照表のとおり改正され、令和三年四月一日から適用することとされたので、貴管内市町村に対し周知されたく通知する。

別 紙

上水道施設災害復旧費及び簡易水道施設災害復旧費補助金交付要綱

（通則）

一　上水道施設災害復旧費及び簡易水道施設災害復旧費補助金については、予算の範囲内において交付するものとし、補助金等に係る予算の執行の適正化に関する法律（昭和三〇年法律第一七九号）、補助金等に係る予算の執行の適正化に関する法律施行令（昭和三〇年政令第二五五号）及び厚生労働省所管補助金等交付規則（平成一二年厚生労働省令第六号）の規定によるほか、この要綱の定めるところによる。

（交付の対象）

二　この補助金は、次の事業を交付の対象とするものである。

㈠　この補助金の交付の対象となる事業は、別に定める災害により被害を受けた上水道施設（給水人口が五、〇〇〇人をこえる水道施設をいう。）並びに簡易水道施設（一〇一人以上五、〇〇〇人以下を給水人口とする水道施設をいう。）及び飲料水供給施設（五〇人以上一〇〇人以下を給水人口とする水道施設をいう。）を原形に復旧する事業（原形に復旧することが著しく困難な場合においては、当該施設の従前の効用を復旧するための施設を設置する事業を含む。）並びに応急的に施設を設置する事業（応急的に共同給水装置を設置する事業を含む。）であって、次の各号に掲げるものを除外した事業とする。

ア　水道事業または水道用水供給事業ごとの復旧費の額（応急仮工事の額を除く。）が次に掲げる限度額又は当該事業による現在給水人口に一三〇円（簡易水道については一一〇円）を乗じて得た額以下の場合。

(ア)　上水道事業または水道用水供給事業

県	七、二〇〇千円
市	一、九〇〇千円
町村	一、〇〇〇千円

(イ)　簡易水道事業

市	一、〇〇〇千円
町村	五〇〇千円

イ　明らかに設計の不備又は工事施工の粗漏に起因して生じたものと認められる災害に係るもの。

ウ　著しく維持管理の義務を怠ったことに起因して生じたものと認められる災害に係るもの。

エ　災害復旧事業以外の事業の工事施工中に生じた災害に係るもの。

この場合の工事施工中に生じた災害とは、着工の日（請負工事にあっては工事請負契約書記載の着工の日、直営工事にあっては、着工届等に記載の着工の日）から竣工検査完了の日までの間に生じた災害をいう。

(二)　災害復旧事業の対象となる施設は、水道法（昭和三二年法律第一七七号）第六条または第二六条に基づく厚生労働大臣の事業認可を受けた水道事業または水道用水供給事業経営者のうち、地方公共団体（地方自治法（昭和二二年法律第六七号）第二八四条第一項に規定する一部事務組合を含む。以下同じ。）が管理する水道事業または水道用水供給事業のための施設であって、かつ、次の施設にかかる建物、建物以外の工作物、土地、土地造成施設及び設備とする。

取水施設（井戸、集水埋きよ、取水ポンプその他取水に必要な施設）

貯水施設（貯水池、その他貯水に必要な施設）

導水施設（導水管、専用道路、その他導水に必要な施設）

浄水施設（浄水池、沈澱池、濾《ろ》過池、滅菌室、ポンプ室、その他浄水に必要な施設）

送水施設（送水管、送水ポンプ、専用道路、その他送水に必要な施設）

配水施設（配水池、配水管、配水ポンプ、専用道路、その他配水に必要な施設）

ただし、需要者に水を供給するため地方公共団体が設置した配水管から分岐して設けられた給水管及びこれに直結する給水用具（消火栓、給水栓を含み、以下「給水装置」という。）並びに事務所、門、さく、へい、植樹その他維持管理のための施設は災害復旧事業の対象としない。

(三)　飲料水供給施設の災害復旧事業は、当分の間簡易水道事業に準じて取扱うものとする。

（交付額の算定方法）

三　この補助金の交付額は、別に定める「水道施設災害復旧費市町村別国庫補助対象事業限度額表」に定める額の範囲内において、補助対象事業に係る実支出額と総事業費から当該事業のための寄付金その他の収入額を控除した額とを比較していずれか少ない方の額に二分の一を乗じて得た額とする。ただし、別添に掲げる対象となる事業については、別添の補助率によるものとする。

なお、算出された補助金額に千円未満の端数が生じた場合は、当該千円未満の端数額は切り捨てるものとする。

（事務手続き等）

四　この補助金の交付細目については、昭和四四年五月八日厚生省環第四〇五号厚生事務次官通知「簡易水道等施設整備費の国庫補助について」の別紙（甲）簡易水道等施設整備費国庫補助金交付要綱（以下「交付要綱」という。）の別表第二㈠、㈡及び別紙（乙）簡易水道等施設整備費国庫補助金取扱要領（以下「取扱要領」という。）（第二、第三、第四及び第七を除く。）を準用するものとし、補助申請書及び事業実績報告書の様式については、別紙㈠「水道施設災害復旧費国庫補助金交付申請書等作成要領」、別紙㈡「水道施設災害復旧費国庫補助事業実績報告書等作成要領」による。ただし、都道府県事業の申請書及び実績報告書については、これを厚生労働大臣に提出するものとする。

（消費税相当額の取扱）

五　この補助金に係る消費税等の取扱については、次のとおりとする。

㈠　地方公共団体は、四の申請書を提出するに当たって、当該補助金に係る仕入れに係る消費税等相当額（補助対象経費に含まれる消費税及び地方消費税に相当する額のうち、消費税法（昭和六三年法律第一〇八号）に規定する仕入れに係る消費税額として控除できる部分の金額と当該金額に地方税法（昭和二五年法律第二二六号）に規定する地方消費税率を乗じて得た金額との合計額に補助率を乗じて得た金額をいう。以下同じ。）があり、かつ、その金額が明らかな場合には、これを減額して申請しなければならない。ただし、申請時において当該補助金に係る仕入れに係る消費税等相当額が明らかでない場合については、この限りではない。

㈡　地方公共団体は、五㈠のただし書きに定めるところにより交付の申請を行った場合において、四の実績報告書を提出するに当たって当該補助金に係る仕入れに係る消費税等相当額が明らかになったときには、これを補助金から減額して報告しなければならない。

㈢　地方公共団体は、五㈠のただし書きに定めるところにより交付の申請を行った場合において、四の実績報告書を提出した後に、消費税及び地方消費税の申告により当該補助金に係る仕入れに係る消費税等相当額が確定した場合（仕入れに係る消費税等相当額が0円の場合を含む。）は、別紙㈢により速やかに、遅くとも事業完了日の属する年度の翌々年度六月三十日までに厚生労働大臣に報告しなければならない。

なお、補助金に係る仕入れに係る消費税等相当額があることが確定した場合には、当該仕入れに係る消費税等相当額を国庫に返還しなければならない。

㈣　厚生労働大臣は五㈢の報告があった場合には、仕入れに係る消費税等相当額の返還を命ずる。

（申請期日）
六　この補助金の交付の申請は、毎年度別途指示する期日までに厚生労働大臣に対して行うものとする。
（交付決定までの標準的期間）
七　厚生労働大臣は、交付申請書が到達した日から起算して原則として一ヵ月以内に交付決定を行うものとする。
（その他）
八　四により難い特別の事情にある場合には、あらかじめ厚生労働大臣の承認を受けてその定めるところによるものとする。
別添・別紙　略

〔法　律〕
（研究等の推進）
第四十五条の二　国は、水道に係る施設及び技術の研究、水質の試験及び研究、日常生活の用に供する水の適正かつ合理的な供給及び利用に関する調査及び研究その他水道に関する研究及び試験並びに調査の推進に努めるものとする。

〔要　旨〕
本条は、国が、水道技術等に関する研究、水質の試験及び水の利用に関する調査等の推進に努めることを定めたものである。

〔解　説〕

本条は、法第二条第一項及び第二条の二第一項に規定する国の責務を達成するために、国が、必要な調査研究等を行うよう努めることとしたものであり、昭和五二年の法改正の際に新たに設けられた規定である。研究等の内容は、水道施設の構造等に関する研究、水道技術（施工技術、運転技術等を含む。）に関する研究、原水、給水栓水等の水質の試験、水質の分析方法、安全性等に関する研究、生活用水の節水、雑用水道等水の適正かつ合理的な供給と利用に関する調査、研究等が含まれる。

〔法　律〕

（手数料）

第四十五条の三　給水装置工事主任技術者免状の交付、書換え交付又は再交付を受けようとする者は、国に、実費を勘案して政令で定める額の手数料を納付しなければならない。

2　給水装置工事主任技術者試験を受けようとする者は、国（指定試験機関が試験事務を行う場合にあつては、指定試験機関）に、実費を勘案して政令で定める額の受験手数料を納付しなければならない。

3　前項の規定により指定試験機関に納められた受験手数料は、指定試験機関の収入とする。

〔施行令〕

（手数料）

第十三条　法第四十五条の三第一項の政令で定める手数料の額は、次の各号に掲げる者の区分に応じ、それぞれ当該各号に定める額とする。

一　給水装置工事主任技術者免状（以下この項において「免状」という。）の交付を受けようとする者　二千五百円（情報通信技術を活用した行政の推進等に関する法律（平成十四年法律第百五十一号）第六条第一項の規定により同項に規定する電子情報処理組織を使用する者（以下「電子情報処理組織を使用する者」という。）にあつては、二千四百五十円）

二　免状の書換え交付を受けようとする者　二千百五十円（電子情報処理組織を使用する者にあつては、二千五十円）
三　免状の再交付を受けようとする者　二千百五十円（電子情報処理組織を使用する者にあつては、二千五十円）
2　法第四十五条の三第二項の政令で定める受験手数料の額は、一万六千八百円とする。

〔要　旨〕

本条は、給水装置工事主任技術者免状の交付等及び給水装置工事主任技術者試験の受験手数料等について定めたものである。

〔解　説〕

給水装置工事主任技術者試験及び関係手続については国又は指定試験機関が行うことになっていることから、費用負担に関する公平性と透明性のため、実費を勘案して政令で定める額の手数料を納付することとしたものである。

〔法　律〕

（都道府県が処理する事務）
第四十六条　この法律に規定する厚生労働大臣の権限に属する事務の一部は、政令で定めるところにより、都道府県知事が行うこととすることができる。
2　この法律（第三十二条、第三十三条第一項、第三項及び第五項、第三十四条第一項において準用する第十三条第一項及び第二十四条の三第二項、第三十六条、第三十七条並びに第三十九条第二項及び第三項に限る。）の規定により都道府県知事の権限に属する事務の一部は、地方自治法（昭和二十二年法律第六十七号）で定めるところにより、町村長が行うこととすることができる。

〔施行令〕

（都道府県の処理する事務）

第十四条　水道事業（河川法（昭和三十九年法律第百六十七号）第三条第一項に規定する河川（以下この条及び次条第一項において「河川」という。）の流水を水源とする水道事業及び河川の流水を水源とする水道用水供給事業を経営する者から供給を受ける水を水源とする水道事業（以下この条及び次条第一項において「特定水源水道事業」という。）であつて、給水人口が五万人を超えるものを除く。以下この項において同じ。）に関する法第六条第一項、第九条第一項（法第十条第二項において準用する場合を含む。）、第十条第一項及び第三項、第十一条第一項及び第三項、第十三条第一項、第十四条第五項及び第六項、第二十四条の三第二項、第三十五条、第三十六条第一項及び第二項、第三十七条、第三十八条並びに第三十九条第一項の規定による厚生労働大臣の権限に属する事務並びに水道事業に関する法第四十二条第一項及び第三項（都道府県が当事者である場合を除く。）の規定による厚生労働大臣の権限に属する事務は、都道府県知事が行うものとする。

2　一日最大給水量が二万五千立方メートル以下である水道用水供給事業に関する法第二十六条、第二十九条第一項（法第三十条第二項において準用する場合を含む。）並びに第三十条第一項及び第三項、法第三十一条において準用する法第十一条第一項及び第三項、第十三条第一項及び第二十四条の三第二項並びに法第三十五条、第三十六条第一項及び第二項、第三十七条並びに第三十九条第一項の規定による厚生労働大臣の権限に属する事務は、都道府県知事が行うものとする。

3　給水人口が五万人を超える水道事業（特定水源水道事業に限る。）又は一日最大給水量が二万五千立方メートルを超える水道用水供給事業の水源の種別、取水地点又は浄水方法の変更であつて、当該変更に要する工事費の総額が一億円以下であるものに係る法第十条第一項又は第三十条第一項の規定による厚生労働大臣の権限に属する事務は、都道府県知事が行うものとする。

4　次の各号のいずれかに掲げる水道事業者間、水道用水供給事業者間又は水道事業者と水道用水供給事業者との間における合理化に関する法第四十一条の規定による厚生労働大臣の権限に属する事務は、都道府県知事が行うものとする。

ただし、当該水道事業者が経営する水道事業の給水区域又は当該水道用水供給事業者が経営する水道用水供給事業から用水の供給を受ける水道事業の給水区域をその区域に含む都道府県が二以上であるときは、この限りでない。

一　給水人口の合計が五万人以下である二以上の水道事業者間

二　給水人口の合計が五万人を超える二以上の水道事業者（特定水源水道事業を経営する者を除く。）の間

三　一日最大給水量の合計が二万五千立方メートル以下である二以上の水道用水供給事業者間

四　給水人口が五万人以下である水道事業者と一日最大給水量が二万五千立方メートル以下である水道用水供給事業者との間

五　給水人口が五万人を超える水道事業者（特定水源水道事業を経営する者を除く。）と一日最大給水量が二万五千立方メートル以下である水道用水供給事業者（河川の流水を水源とする水道用水供給事業を経営する者を除く。）との間

5　前各項の場合においては、法の規定中前各項の規定により都道府県知事が行う事務に係る厚生労働大臣に関する規定は、都道府県知事に関する規定として都道府県知事に適用があるものとする。

6　法第三十六条第一項及び第二項、第三十七条、第三十九条第一項並びに第四十一条に規定する厚生労働大臣の権限に属する事務のうち、第一項、第二項及び第四項の規定により都道府県知事が行うものとされる事務は、水道の利用者の利益を保護するため緊急の必要があると厚生労働大臣が認めるときは、厚生労働大臣又は都道府県知事が行うものとする。

7　前項の場合において、厚生労働大臣又は都道府県知事が当該事務を行うときは、相互に密接な連携の下に行うものとする。

（指定都道府県の処理する事務）

第十五条　次に掲げる厚生労働大臣の権限に属する事務は、指定都道府県（水道事業又は水道用水供給事業に係る公衆衛生の向上と生活環境の改善に関し特に専門的な知識を必要とする事務が適切に実施されるものとして厚生労働大臣が指定する都道府県をいう。以下この条において同じ。）の知事が行うものとする。

一　特定水源水道事業であつて、給水人口が五万人を超えるもの（特定給水区域水道事業（給水区域の全部が当該指定都道府県の区域に含まれる水道事業をいう。以下この項において同じ。）であるものに限り、特定河川（河川法第六条第一項に規定する河川区域の全部が当該指定都道府県の区域に含まれる河川をいう。以下この項において同じ。）

以外の河川の流水を水源とするもの及び当該指定都道府県が経営するものを除く。）に関する法第六条第一項、第九条第一項（法第十条第二項において準用する場合を含む。）、第十条第一項及び第三項、第十一条第一項及び第三項、第十三条第一項、第十四条第五項及び第六項、第二十四条の三第二項、第三十五条、第三十六条第一項及び第二項、第三十七条、第三十八条並びに第三十九条第一項の規定による厚生労働大臣の権限に属する事務（法第十条第一項の規定による厚生労働大臣の権限に属する事務については、前条第三項に規定する水道事業に係るものを除く。）

二　特定水源水道事業であつて、給水人口が五万人を超えるもの（特定給水区域水道事業であるものに限り、特定河川以外の河川の流水を水源とするものを除く。）に関する法第四十二条第一項及び第三項（当該指定都道府県が当事者である場合を除く。）の規定による厚生労働大臣の権限に属する事務

三　一日最大給水量が二万五千立方メートルを超える水道用水供給事業（特定給水区域水道用水供給事業（特定給水区域水道事業を経営する者に対してのみその用水を供給する水道用水供給事業をいう。次号ロ及びハにおいて同じ。）であるものに限り、特定河川以外の河川の流水を水源とするもの及び当該指定都道府県が経営するものを除く。）に関する法第二十六条、第二十九条第一項（法第三十条第二項において準用する場合を含む。）並びに第三十条第一項及び第三項、法第三十一条において準用する法第十一条第一項及び第三項並びに法第三十五条、第三十六条第一項及び第二項、第三十七条並びに第三十九条第一項の規定による厚生労働大臣の権限に属する事務（法第三十条第一項の規定による厚生労働大臣の権限に属する事務については、前条第三項に規定する水道用水供給事業に係るものを除く。）

四　次のいずれかに掲げる水道事業者間、水道用水供給事業者間又は水道事業者と水道用水供給事業者との間における合理化に関する法第四十一条の規定による厚生労働大臣の権限に属する事務

イ　特定給水区域水道事業である水道事業（特定河川以外の河川の流水を水源とするものを除く。）を経営する者である二以上の水道事業者（当該指定都道府県を除く。）の間（給水人口の合計が五万人以下である二以上の水道事業者間及び給水人口の合計が五万人を超える二以上の水道事業者（特定水源水道事業を経営する者を除く。）の間を除く。）

ロ　特定給水区域水道用水供給事業である水道用水供給事業（特定河川以外の河川の流水を水源とするものを除く。）を経営する者である二以上の水道用水供給事業者（当該指定都道府県を除く。）の間（一日最大給水量の合計が二万五千立方メートル以下である二以上の水道用水供給事業者間を除く。）

ハ　特定給水区域水道事業である水道事業（特定河川以外の河川の流水を水源とするものを除く。）を経営する者である水道事業者（当該指定都道府県を除く。）と特定給水区域水道用水供給事業である水道用水供給事業（特定河川以外の河川の流水を水源とするものを除く。）を経営する者である水道用水供給事業者（当該指定都道府県を除く。）との間（次に掲げる水道事業者と水道用水供給事業者との間を除く。）

（一）給水人口が五万人以下である水道事業者と一日最大給水量が二万五千立方メートル以下である水道用水供給事業者との間

（二）給水人口が五万人を超える水道事業者（特定水源水道事業を経営する者を除く。）と一日最大給水量が二万五千立方メートル以下である水道用水供給事業者（河川の流水を水源とする水道用水供給事業を経営する者を除く。）との間

2　厚生労働大臣は、前項の規定による指定都道府県の指定をしたときは、その旨を公示しなければならない。

3　第一項の規定による指定都道府県の指定があつた場合においては、その指定の際現に効力を有する厚生労働大臣が行つた認可等の処分その他の行為又は現に厚生労働大臣に対して行つている認可等の申請その他の行為で、当該指定の日以後同項の規定により当該指定都道府県の知事が行うこととなる事務に係るものは、当該指定の日以後においては、当該指定都道府県の知事が行つた認可等の処分その他の行為又は当該指定都道府県の知事に対して行つた認可等の申請その他の行為とみなす。

4　厚生労働大臣は、指定都道府県について第一項の規定による指定の事由がなくなつたと認めるときは、当該指定を取り消すものとする。

5　第二項及び第三項の規定は、前項の規定による指定の取消しについて準用する。この場合において、第三項中「厚生労働大臣」とあるのは「指定都道府県の知事」と、「当該指定都道府県の知事」とあるのは「厚生労働大臣」と読み替

えるものとする。
6　第一項の場合においては、法の規定中同項の規定により指定都道府県の知事が行う事務に係る厚生労働大臣に関する規定は、指定都道府県の知事に関する規定として指定都道府県の知事に適用があるものとする。
7　法第三十六条第一項及び第二項、第三十七条、第三十九条第一項並びに第四十一条に規定する厚生労働大臣の権限に属する事務のうち、第一項の規定により指定都道府県の知事が行うものとされる事務は、水道の利用者の利益を保護するため緊急の必要があると厚生労働大臣が認めるときは、厚生労働大臣又は指定都道府県の知事が行うものとする。
8　前項の場合において、厚生労働大臣又は指定都道府県の知事が当該事務を行うときは、相互に密接な連携の下に行うものとする。

〔要　旨〕

本条は、厚生労働大臣の権限に属する事務の一部は、政令で定めるところにより都道府県知事が行うこととすることができ、また、都道府県知事の権限に属する事務の一部は町村長が行うこととすることができる旨を規定したものである。

〔解　説〕

一、都道府県知事が行うこととすることができる事務（一項・令一四条・令一五条）

㈠　経　緯

水道事業及び水道用水供給事業に関する行政事務の簡素化及び地方分権による地方公共団体の権限の拡大を図るため、政令により厚生労働大臣の権限に属する事務を都道府県知事が行うこととすることができることとしたものである。

従来、水道事業の認可等に関し都道府県知事が行うことができるのは、給水人口が五万人以下の水道事業についての事務に限られていたが、平成一〇年の施行令改正により、給水人口が五万人を超える水道事業であっても、河川の流水を水源としないもの及び河川の流水を水源とする水道用水供給事業者から供給される水を水源としないものについては、都道府県知事が認可等の事務を行うこととなった（令一四条）。さらに、平成二八年の水道法施行令の改正において、水道事業又は水道用水供給事業に係る公衆衛生の向上と生活環境の改善に関し、特に専門的な知識を必要とする事務が適切に実施されるものとして厚生労働大臣が指定する都道府県を「指定都道府県」とし、指定都道府県知事はより広範囲の事務を行うことができることが規定された（令一五条）。

また、平成一一年の地方分権関係の法改正に伴い、従来都道府県の機関委任事務として整理されていた事務を廃止し、法制上厚生労働大臣が行うこととされている事務の一部を政令で定めることにより都道府県知事が行うこととされ、自治事務として整理されることとなった。

加えて、北海道においては、道州制特別区域における広域行政の推進に関する法律施行令の一部を改正する政令（平成二一年政令第三号）の施行に伴い、道州制特別区域における広域行政の推進に関する法律（平成一八年法律第一一六号）第七条の規定に基づく道州制特別区域計画に水道事業及び水道用水供給事業に関する事務が盛り込まれたことを踏まえ、平成二一年四月一日より道内の厚生労働大臣認可水道事業者及び水道用水供給事業者に対する事業認可、指導監督に関する事務は北海道知事が行うこととなった。

㈡　都道府県知事が行うことができる事務の概要（令一四条）

前段の場合を除き、都道府県知事が行うことができる事務の概要は、次のとおりである。

1　水道事業のうち、河川の流水を水源とする水道事業及び河川の流水を水源とする水道用水供給事業を経営する者から供給を受ける水を水源とする水道事業（以下「特定水源水道事業」という。）であって、給水人口が五万人を超えるもの以外のものに関する事業の認可（法六条一項）、附款（法九条一項・一〇条二項）、事業の変更（法一〇条一項・三項）、事業の休止及び廃止（法一一条一項・三項）、給水開始前の届出（法一三条一項）、料金変更の届出及び供給条件の変更認可（法一四条五項・六項）、業務委託の届出（法二四条の三第二項）、認可の取消し（法三五条）、改善の指示等（法三六条一項・二項）、給水停止命令（法三七条）、供給条件の変更申請命令（法三八条）、報告の徴収及び立入検査（法三九条一項）、地方公共団体による買収認可及び裁定（法四二条一項・三項。ただし、都道府県が当事者である場合を除く。）に関する厚生労働大臣の権限に属する事務

2　一日最大給水量が二万五千立方メートル以下である水道用水供給事業に関する事業の認可（法二六条）、附款（法二九条一項・三〇条二項）、事業の変更（法三〇条一項・三項）、事業の休止及び廃止（法三一条・一一条一項・二項）、給水開始前の届出（法三一条・一三条一項）、業務委託の届出（法三一条・二四条の三第二項）、認可の取消し（法三五条）、改善の指示等（法三六条一項・二項）、給水停止命令（法三七条）、報告の徴収及び立入検査（法三九条一項）に関する厚生労働大臣の権限に属する事務

3　給水人口が五万人を超える水道事業（特定水源水道事業に限る。）又は一日最大給水量が二万五千立方メートルを超える水道用水供給事業の水源の種別、取水地点又は浄水方法の変更であって、当該変更に要する工事費の総額が一億円以下であるものに係る水道事業又は水道用水供給事業の変更認可（法一〇条一項・三〇条一項）に関する厚生労働大臣の権限に属する事務

4　次に掲げる水道事業者間、水道用水供給事業者間又は水道事業者と水道用水供給事業者との間における合理化の勧告（法四一条）に関する厚生労働大臣の権限に属する事務。ただし、当該水道事業者又は水道用水供給事業者に係る管轄都道府県知事が二以上であるときは除かれる。

① 給水人口の合計が五万人以下である二以上の水道事業者間
② 給水人口の合計が五万人を超える二以上の水道事業者（特定水源水道事業を経営する者を除く。）間
③ 一日最大給水量の合計が二万五千立方メートル以下である二以上の水道用水供給事業者間
④ 給水人口が五万人以下である水道事業者と一日最大給水量が二万五千立方メートル以下である水道用水供給事業者との間
⑤ 給水人口が五万人を超える水道事業者（特定水源水道事業を経営する者を除く。）と一日最大給水量が二万五千立方メートル以下である水道用水供給事業者（河川の流水を水源とする水道用水供給事業を経営する者を除く。）との間

㈢ 指定都道府県知事が行うことができる事務の概要（令一五条一項）

施行令第一五条に基づき指定都道府県知事が行うことができる事務の概要は、次のとおりである。

1　特定水源水道事業であって、給水人口が五万人を超えるもの（特定給水区域水道事業（給水区域の全部が当該指定都道府県の区域に含まれる水道事業をいう。以下同じ。）であるものに限り、特定河川（河川法第六条第一項に規定する河川区域の全部が当該指定都道府県の区域に含まれる河川をいう。以下同じ。）以外の河川の流水を水源とするもの及び当該指定都道府県が経営するものを除く。）に関する事業の認可（法六条一項）、附款（法九条一項・一〇条二項）、事業の変更（法一〇条一項・三項）、事業の休止及び廃止（法一一条一項・三項）、給水開始前の届出（法一三条一項）、料金変更の届出及び供給条件の変更認可（法一四条五項・六項）、業務委託の届出（法二四条の三第二項）、認可の取消し（法三五条）、改善の指示等（法三六条一項・二項）、給水停止命令（法三七条）、供給条件の変更申請命令（法三八条）、報告の徴収及び立入検査（法三九条一項）

の規定による厚生労働大臣の権限に属する事務（法第十条第一項の規定による厚生労働大臣の権限に属する事務については、前条第三項に規定する水道事業に係るものを除く。）。

2　特定水源水道事業であって、給水人口が五万人を超えるもの（特定給水区域水道事業であるものに限り、特定河川以外の河川の流水を水源とするものを除く。）に関する地方公共団体による買収認可及び裁定（法四二条一項・三項。ただし、当該指定都道府県が当事者である場合を除く。）の規定による厚生労働大臣の権限に属する事務

3　一日最大給水量が二万五千立方メートルを超える水道用水供給事業（特定給水区域水道用水供給事業（特定給水区域水道事業を経営する者に対してのみその用水を供給する水道用水供給事業をいう。次の㈣ロ及びハにおいて同じ。）であるものに限り、特定河川以外の河川の流水を水源とするもの及び当該指定都道府県が経営するものを除く。）に関する事業の認可（法二六条）、附款（法二九条一項・三〇条二項）、事業の変更（法三〇条一項・三項）、事業の休止及び廃止（法三一条・一一条一項・三項）、給水開始前の届出（法三一条・一三条一項）、業務委託の届出（法三一条・二四条の三第二項）、認可の取消し（法三五条）、改善の指示等（法三六条一項・二項）、給水停止命令（法三七条）、報告の徴収及び立入検査（法三九条一項）の規定による厚生労働大臣の権限に属する事務（法第三十条第一項の規定による厚生労働大臣の権限に属する事務については、前条第三項に規定する水道用水供給事業に係るものを除く。）。

4　次のいずれかに掲げる水道事業者間、水道用水供給事業者間又は水道事業者と水道用水供給事業者との間における合理化の勧告（法四一条）の規定による厚生労働大臣の権限に属する事務

イ　特定給水区域水道事業である水道事業（特定河川以外の河川の流水を水源とするものを除く。）を経営す

る者である二以上の水道事業者（当該指定都道府県を除く。）の間

ロ　特定給水区域水道用水供給事業である水道用水供給事業（特定河川以外の河川の流水を水源とするものを除く。）を経営する者である二以上の水道用水供給事業者（当該指定都道府県を除く。）の間

ハ　特定給水区域水道事業である水道事業（特定河川以外の河川の流水を水源とするものを除く。）を経営する者である水道事業者（当該指定都道府県を除く。）と特定給水区域水道用水供給事業である水道用水供給事業（特定河川以外の河川の流水を水源とするものを除く。）を経営する者である水道用水供給事業者（当該指定都道府県を除く。）との間

(四)　指定都道府県について（令一五条）

指定都道府県については、水道事業又は水道用水供給事業に係る公衆衛生の向上と生活環境の改善に関し特に専門的な知識を必要とする事務が適切に実施される都道府県を指定することとしている。指定都道府県として指定し得るかどうかは、個別の実情に照らして個々に判断されるが、例えば、

・水道に関する技術上の実務に従事した経験並びに水道事業及び水道用水供給事業の認可及び指導監督に従事した経験のある者を含めて認可等の事務に従事することとなる専任の職員が複数置かれていること。

・都道府県内における水道事業等が一般の需要に適合し、確実かつ合理的に運営されるとともに、水道施設が施設基準に適合した状態であること等を確保するための取組について、具体的かつ合理的な業務計画を策定し、公表していること。当該計画には、その適切な実施が確保されるよう、水質検査・水質監視の取組、水道施設の更新・耐震化の取組並びに広域連携の検討など都道府県内における水道事業及び水道用水供給事業の経営基盤強化に向けた取組についても、各地域の実情を踏まえ、必要に応じて記載されていること。

等がその判断材料となる。

都道府県において指定を希望する場合は、認可等の事務の実施体制を証する書類及び業務計画を申請書に添えて、国に指定の申請を行う必要がある。国が指定都道府県の指定をした場合には、その旨を当該都道府県の知事に通知するとともに、令第一五条第二項に基づき公示することとされている。また、指定都道府県が、水道事業又は水道用水供給事業に係る公衆衛生の向上と生活環境の改善に関し、特に専門的な知識を必要とする事務が適切に実施される都道府県でなくなったと認められるときは、第四項に基づき当該指定は取り消される。

なお、都道府県知事が厚生労働大臣の権限に属する事務の一部を行うことに伴って二〇大市（指定都市）の特例の問題がある。地方自治法第二五二条の一九第二項に、指定都市がその事務を処理し、又は執行するに当たって、都道府県知事の許可、認可等の処分を要し、又は都道府県知事の改善、停止、制限、禁止等の命令を受けるものとされている事項で政令で定めるものについては、政令で定めるところにより、これらの処分を要せず、若しくはこれらの命令に関する法令の規定を適用せず、又はこれらの処分若しくは命令に代えて主務大臣の処分を要し、若しくは命令を受けるものとする旨の規定がある。

これにより、同法施行令第一七四条の四一において、水道法施行令第一四条第一項の規定により都道府県知事が行うこととされる給水人口が五万人を超える特定水源水道事業以外の水道事業についての水道法第三六条の規定による改善の指示等及び同法施行令第一四条第三項の規定による水道事業に関する事業変更の認可（水源の種別、取水地点又は浄水方法の変更であって、工事費の総額が一億円以下のものに係る都道府県知事の認可）が規定されているので、これらに該当する二〇大市に対する事業変更の認可は要せず、改善の指示等の規定は適用されない。

他方、水道法施行令第一五条に基づき指定都道府県が行う事務については、指定都道府県が一般的な都道府県としてではなく、より国に近い立場で権限を行使するものであることから、地方自治法施行令で定める事務とはされていない。

二、町村長が行うこととすることができる事務（二項）

本条第二項は、地方自治法の条例による事務処理の特例に関する規定に基づき、都道府県知事の権限に属する事務の一部を町村に再配分することができることを定めたものである。昭和五二年の法改正で本項が追加されたときは、都道府県知事の権限の一部を市町村長に委任する旨の内容であったが、平成一一年に地方分権関連の法改正が行われ、また、平成二五年四月一日より施行された「地域の自主性及び自立性を高めるための改革の推進を図るための関係法律の整備に関する法律」（平成二三年法律第一〇五号）により、現行の内容となった。

再配分できる都道府県知事の権限に属する事務は、専用水道に係る確認（法三二条）、確認の申請、変更の届出及び通知（法三三条一項・三項・五項）、給水開始前の届出（法三四条一項・一三条一項）業務委託の届出（法三四条一項・二四条の三第二項）、専用水道及び簡易専用水道に係る改善の指示等（法三六条）、給水停止命令（法三七条）、報告の徴収及び立入検査（法三九条二項・三項）である。ただし、市又は特別区の区域における専用水道及び簡易専用水道に対する都道府県知事の権限は、市長又は区長が直接行い（法四八条の二第一項）、また、国の設置する専用水道、簡易専用水道に対する都道府県知事（市長又は特別区の区長）の権限に属する事務の一部は、厚生労働大臣が行う（法五〇条四項・五〇条の二第二項）。

〔参　考〕

一、地域の自主性及び自立性を高めるための改革の推進を図るための関係法律の整備に関する法律の留意事項等について（通知）

第一二条　技術者による布設工事の監督〔参考〕五を参照のこと。

（平成二三年一二月一八日　健水発一二一八第一号 厚生労働大臣認可水道事業者・水道用水供給事業者あて厚生労働省健康局水道課長通知）

二、水道事業及び水道用水供給事業の事務・権限の移譲に係る都道府県の指定に関する取扱いについて（補足事項）

（平成二八年三月三一日）

水道法施行令（昭和三二年政令第三三六号）第一五条第一項に基づく指定都道府県の指定の取扱いについては、「水道事業及び水道用水供給事業の事務・権限の移譲に係る都道府県の指定に関する取扱いについて」（平成二八年三月三一日付け生食発〇三三一第四号厚生労働省医薬・生活衛生局生活衛生・食品安全部長通知）により示したところであるが、その運用は下記のとおりとするので、遺漏なきを期されたい。

記

第一　認可等の事務の実施体制を証する書類指定の申請に際して提出する認可等の事務の実施体制を証する書類には次に掲げる事項を記載すること。

㈠　水道事業及び水道用水供給事業（以下「水道事業等」という。）の認可等の事務を実施するための組織体制

㈡　水道事業等の認可等の事務に関わる職員の氏名、役職、業務の内容、水道に関する技術上の実務に従事した経験年数、水道事業等の認可及び指導監督に従事した経験年数、最終学歴及び最終学歴において修めた課程又は学科目、業務に係る専任又は併任の別並びに水道技術管理者（水道法施行令第六条及び水道法施行規則（昭和三二年厚生省令第四五号）第一四条に定める資格を有する者をいう。以下同じ。）の資格の有無

第二　認可等の事務の実施に係る業務計画指定の申請に際して提出する認可等の事務の実施に係る業務計画（以下「業務計画」という。）には、以下の事項について、各地域の実情を踏まえ、必要に応じて記載することが考えられること。また、都道府県水道ビジョン等都道府県が策定する他の計画の内容を転記又は引用することも可能であること。

一　水質検査の体制及び広域的な水質監視の体制の確保に向けた取組
㈠　水質検査体制の確保に向けた取組
水道事業者等が自ら又は登録水質検査機関等への委託により適切な水質の検査が行えるようになることを目的とした、水質検査体制及び検査の精度の確保に向けた取組など。
（例）
○　登録水質検査機関に水道水質検査を委託している水道事業者等に対し、日常業務確認調査や、財務諸表の確認等の実施を促す。
○　外部精度管理調査、研修等の実施により登録水質検査機関等の分析精度を確保する。等
㈡　広域的な水質監視体制の確保に向けた取組
同一水系の河川の流水を水源としている水道事業者等の間で、上流域での水質検査結果や油流出事故などの事故情報を下流域の事業者と共有するなどの広域的な水質監視の体制を築くために、水道事業者等が体系的かつ組織的に水質検査及び水質監視を行うための取組など。
（例）
○　△水系の関係者（都道府県、水道事業者等）で連絡協議会を設置し、広域的な水質の監視体制及び連絡体制を整備する。
二　老朽化した水道施設の更新及び水道施設の耐震化を促進する取組
㈠　取組内容更新及び耐震化に向けて地域の実情に応じた具体的な取組。高度経済成長期に布設した水道施設等は、老朽化が進行しているとともに、耐震性能が十分でない場合があることを踏まえ、経年化、耐震化及び更新率等に関する現状（水道統計等のデータ等）を示した上で、具体的な取組を記載するなど。
㈡　アセットマネジメント（資産管理）の推進管下の水道事業等に対し、アセットマネジメント（更新需要等の試算及び試算結果を活用した更新計画の策定、施設の更新）の実施を推進する方策など。
老朽化施設の計画的な更新及び耐震化を進めるためには、まずは水道事業者等ごとに資産の更新需要等を把握するこ

とが不可欠であることから、「水道事業におけるアセットマネジメント（資産管理）に関する手引き」を参考にしながら、アセットマネジメントを推進するための取組など。

（例）

○　□年度までに基幹管路の耐震適合率／（浄水施設・配水池・管路）の耐震化率を×％とする。

○　□年度までにアセットマネジメントにおける更新需要等の試算実施率を×％を目指すとともに、当該試算結果を活用した更新計画の策定を推進するため、圏域毎に水道事業担当者会議を開き、××を行う。等

三　水道事業等の経営基盤強化に向けた取組

㈠　取組内容事業統合や経営統合（経営主体の統合にとどめ、事業は統合しない。水道料金は異なる設定が可能。）、水道用水供給事業及び当該水道用水供給事業から受水する水道事業の統合、浄水場や配水池などの施設の共同設置、維持管理業務の共同実施や共同委託、各種システムの共同化、事務的な協力の実施、職員の派遣、水道事業者等の間における調整や助言等を行う場の設定など、様々な広域連携方策のうち、地域の実情に応じて取り組む広域連携策の取組。地域の実情に応じて水道事業等の広域連携を図る圏域（地域の実情に応じて都道府県内を一～数ブロック程度）を設定することが考えられる。その際、連携中枢都市圏や定住自立圏など市町村間の広域連携の仕組みの活用や、市町村間の広域連携が困難地域における都道府県の補完についても検討が必要。具体的な取組については、可能な範囲で、目標年度や工程・スケジュールを記載することが望ましい。また、目標年度は業務の計画を適切に立てうるようあまりに長期に亘らないようにすることが望ましい。

（例）

○　A市・B市・C町を×圏域、D市・E市・F村を△圏域とする。

○　平成△年までにA水道用水供給事業と受水団体であるB水道事業及びC水道事業の事業統合／経営統合を行うことを目標とする。

○　水道事業者等による定期懇談会を設置し、水道事業者等がお互いに助言等を行える取組を開始する。

○　□年度までに×圏域（D水道用水供給事業、E水道事業、F水道事業及びG水道事業）において共同調達及び施設の共同利用を開始する。
○　H水道事業者の経営戦略策定にあたり、I用水供給事業者から短期の職員派遣を行う。
○　□年度までにJ水道用水供給事業とK水道事業の協議会を設置し、統合効果等の検証を行う等、統合に向けた具体的な検討を開始する。

四　一～三の取組の実効性を確保するための事項水道事業者等に対する立入検査の方法やその実施頻度、水道事業者等における基盤強化の取組状況を把握するための会議や、各種研修会の開催など、業務計画に記載された取組を推進するための取組
○　～を構成員とした△会議を年×回程度開催する
○　国が示している立入検査における指摘基準等を参考に適切な立入検査を×年に一回開催する　等

第三　認可等の事務の実施状況の報告等について業務計画に記載した取組の進捗状況及び今後の取組の予定についての報告は、毎年八月頃とすることとしている。また、報告に際しては、意見を聴取する機会を設けることとしている。

〔法　律〕
第四十七条　削　除

〔解　説〕
従前は、厚生労働大臣に対してなすべき事業者等の認可又は許可の申請及び届出は、都道府県知事を経由して行い、都道府県知事は、これに意見を付して厚生労働大臣に進達すべきものとされていたが、平成一一年の地方分権関連の

法改正の際削除された。これにより、水道事業者等は、厚生労働大臣に対してなすべき認可又は許可の申請及び届出について、都道府県知事を経由することなく直接厚生労働大臣に対して行うこととなった。

〔法　律〕

（管轄都道府県知事）

第四十八条　この法律又はこの法律に基づく政令の規定により都道府県知事の権限に属する事務は、第三十九条（立入検査に関する部分に限る。）及び第四十条に定めるものを除き、水道事業、専用水道及び簡易専用水道について当該事業又は水道により水が供給される区域が二以上の都道府県の区域にまたがる場合及び水道用水供給事業について当該事業から用水の供給を受ける水道事業により水が供給される区域が二以上の都道府県の区域にまたがる場合は、政令で定めるところにより関係都道府県知事が行う。

〔施行令〕

（管轄都道府県知事）

第十六条　法第四十八条に規定する関係都道府県知事は、次の各号に掲げる事業又は水道について、それぞれ当該各号に定める区域をその区域に含むすべての都道府県の知事とする。この場合において、当該都道府県知事は、共同して同条に規定する事務を行うものとする。

一　水道事業　当該事業の給水区域
二　水道用水供給事業　当該事業から用水の供給を受ける水道事業の給水区域
三　専用水道　当該水道により居住に必要な水の供給が行われる区域
四　簡易専用水道　当該水道により水の供給が行われる区域

〔要　旨〕

本条は、水道事業、専用水道若しくは簡易専用水道により水の供給を受ける区域又は水道用水供給事業により用水の供給を受ける水道事業の給水区域が二以上の都道府県の区域にまたがる場合の当該水道を管轄する関係都道府県知事について規定したものである。

〔解　説〕

水道事業、専用水道又は簡易専用水道により水の供給を受ける区域が二以上の都道府県の区域にまたがる場合の管轄都道府県知事について、令第一六条は、水道事業にあっては給水区域を含むすべての都道府県、水道用水供給事業にあってはその用水の供給を受ける水道事業の給水区域を含むすべての都道府県、専用水道にあっては居住に必要な水の供給の行われる地域を含むすべての都道府県、簡易専用水道にあっては水の供給の行われる地域を含むすべての都道府県を統轄する都道府県知事が共同して管轄する旨を規定している。

法第三九条（報告の徴収及び立入検査。ただし、本条においては立入検査に関する部分に限る。）及び第四〇条（水道用水の緊急応援）が本条から除かれているのは、前者にあっては都道府県知事の土地管轄によっておのずから明瞭であるからであり、後者にあっては既に同条第五項において本条を援用して都道府県知事の管轄を明らかにしているからである。

なお、次条の規定により、同一の都道府県内であっても、水道事業、専用水道又は簡易専用水道により水が供給される区域が二以上の市域、又は市域と町村域にまたがって設置されている場合は、本条が適用される。

〔法　律〕

（市又は特別区に関する読替え等）

第四十八条の二　市又は特別区の区域においては、第三十二条、第三十三条第一項、第三項及び第五項、第三十四条第一項において準用する第十三条第一項及び第二十四条の三第二項、第三十六条、第三十七条並びに第三十九条第二項及び第三項中「都道府県知事」とあるのは、「市長」又は「区長」と読み替えるものとする。

2　前項の規定により読み替えられた場合における前条の規定の適用については、市長又は特別区の区長を都道府県知事と、市又は特別区を都道府県とみなす。

〔要　旨〕

本条は、専用水道及び簡易専用水道に関する都道府県知事の権限を市長又は特別区の区長に委譲することを規定したものである。

〔解　説〕

都道府県知事の権限に属する事務の一部は、町村長が行うこととすることができる（法四六条二項）が、本条により、専用水道及び簡易専用水道に関する都道府県知事の権限の一部が市長又は特別区の区長に委譲され、市又は特別区の事務能力の向上に対応した事務配分の適正化が図られるとともに、専用水道及び簡易専用水道に関する行政が、住民により身近な地方公共団体において処理されることとなっている。

具体的には、専用水道については、布設工事の設計の確認（法三二条）、確認の申請、変更の届出及び通知（法三三条一項・三項・五項）、給水開始前の届出（法三四条一項・一三条一項）、業務委託の届出（法三四条一項・二四条の三第二項）、改善の指示等（法三六条一項及び二項）、給水停止命令（法三七条）並びに報告の徴収及び立入検査（法三九条二項）に関する権限が、また、簡易専用水道については、措置の指示（法三六条三項）、給水停止命令（法三七条）並びに報告の徴収及び立入検査（法三九条三項）に関する権限が市長又は特別区の区長に委譲されている。

本条は、昭和六〇年七月に臨時行政改革推進審議会から、国・地方を通じた許認可権限等の整理合理化として、簡易専用水道の事務を都道府県知事から保健所設置の市の市長へ委譲することなど機関委任事務整理についての「行政改革の推進方策に関する答申」が出されたのを受けて制定された「地方公共団体の執行機関が国の機関として行う事務の整理及び合理化に関する法律」（昭和六一年法律第一〇九号）により簡易専用水道に関する本条が追加され、昭和六二年四月一日から施行されたものである。さらに、専用水道については、平成元年一二月に出された第二次臨時行政改革推進審議会の「国と地方の関係等に関する答申」に基づき制定された「行政事務に関する国と地方の関係等の整理及び合理化に関する法律」（平成三年法律第七九号）により専用水道に関する本条の改正が行われ、平成三年一〇月一日より施行されたものである。また、特別区の区長への権限の委譲については、「地域保健対策強化のための関係法律の整備に関する法律」（平成六年法律第八四号）により特別区の区長へも権限を委譲することができるよう本条の改正が行われ、即日施行された。

その後、「地域の自主性及び自立性を高めるための改革の推進を図るための関係法律の整備に関する法律」（平成二三年法律第一〇五号）により、これまで保健所を設置する市の市長又は特別区の区長に専用水道及び簡易専用水道に関する都道府県知事の権限を移譲することとした水道法の規定が改正され、全ての市の市長又は特別区の区長に移譲されることになり、平成二五年四月一日より施行されたものである。

〔参　考〕

地域の自主性及び自立性を高めるための改革の推進を図るための関係法律の整備に関する法律の留意事項等について（通知）

（平成二三年一二月一八日　健水発一二一八第一号　厚生労働大臣認可水道事業者・水道用水供給事業者あて厚生労働省健康局水道課長通知）

第一二条　技術者による布設工事の監督　〔参考〕五を参照のこと。

〔法　律〕

（審査請求）

第四十八条の三　指定試験機関が行う試験事務に係る処分又はその不作為については、厚生労働大臣に対し、審査請求をすることができる。この場合において、厚生労働大臣は、行政不服審査法（平成二十六年法律第六十八号）第二十五条第二項及び第三項、第四十六条第一項及び第二項、第四十七条並びに第四十九条第三項の規定の適用については、指定試験機関の上級行政庁とみなす。

〔要　旨〕

本条は、指定試験機関が行う試験事務に係る処分又は不作為について審査請求をすることができることを定めたものである。

〔解　説〕

行政庁の違法又は不当な処分等に関し、国民が行政庁に対する不服申立てを行うことについては、行政不服審査法により定めるところである。

本条は、平成八年改正で指定給水装置工事事業者制度が法制化された際、給水装置工事主任技術者に係る試験事務に関し指定試験機関が行う試験の結果についての処分以外の処分又は不作為について、厚生労働大臣に対して行政不服審査法による審査請求をすることができる旨を定めるため、本条の第一項として追加されたものである。従前は第二項として専用水道及び簡易専用水道に係る保健所設置の市の市長又は特別区の区長が行う処分について再審査請求をすることができる旨の規定があったが、地方分権により当該処分に関する事務は自治事務となり、上級庁という概念がなくなったため削られた。

行政不服審査法は平成二六年に大幅な改正が行われ、平成二八年四月一日に施行された。これに伴い、本条では指定試験機関の上級行政庁は厚生労働大臣であることが明記された。

〔法　律〕

（特別区に関する読替）

第四十九条　特別区の存する区域においては、この法律中「市町村」とあるのは、「都」と読み替えるものとする。

〔要　旨〕

本条は、都の特別区の存する区域においては、都を市町村と同様に取り扱うことを規定したものである。

〔解　説〕

「特別区」とは、地方自治法上の特別地方公共団体の一種で、都に置かれる区のことである（地方自治法二八一条）。特別区については、地方自治法上原則として市に関する規定が適用され、市と同様の取扱いを受けることとされているが、本条はその例外として「都」を「市町村」と同様に取り扱うこととしたものである。

〔法　律〕

（国の設置する専用水道に関する特例）

第五十条　この法律中専用水道に関する規定は、第五十二条、第五十三条、第五十四条、第五十五条及び第五十六条の規定を除き、国の設置する専用水道についても適用されるものとする。

2　国の行う専用水道の布設工事については、あらかじめ厚生労働大臣に当該工事の設計を届け出で、厚生労働大臣からその設計が第五条の規定による施設基準に適合する旨の通知を受けたときは、第三十二条の規定にかかわらず、その工事に着手することができる。

3　第三十三条の規定は、前項の規定による届出及び厚生労働大臣がその届出を受けた場合における手続について準用する。この場合において、同条第二項及び第三項中「申請書」とあるのは、「届出書」と読み替えるものとする。

4　国の設置する専用水道については、第三十四条第一項において準用する第十三条第一項及び第二十四条の三第二項並びに前章に定める都道府県知事（第四十八条の二第一項の規定により読み替えられる場合にあつては、市長又は特別区の区長）の権限に属する事務は、厚生労働大臣が行う。

〔要　旨〕

本条は、国の設置する専用水道について、その取扱いの特例を定めたものである。

〔解　説〕

国の設置する専用水道に関する特例は、次のとおりである。

㈠　国の設置する専用水道については、本法の専用水道に関する規定のうち法第五二条、第五三条、第五四条、第五五条及び第五六条の規定（罰則関係規定）は適用しない。

(二)　国の行う専用水道の布設工事については、あらかじめその設計を届け出て、厚生労働大臣から法第五条の施設基準に適合することの通知を受けたときは、法第三二条の都道府県知事の確認を受けなくても工事に着手することができる。

なお、厚生労働大臣に届出をする場合は、法第三三条第二項及び第三項中「申請書」とあるのは「届出書」に読み替えられる（本条三項後段）。

(三)　厚生労働大臣への届出及び厚生労働大臣が届出を受けた場合における手続は、法第三三条に定める都道府県知事への申請及び受理の場合の手続を準用する。

(四)　国の設置する専用水道については、給水開始前の届出及び検査（法三四条一項・一三条）、業務委託の届出（法三四条一項・二四条の三第二項）、改善の指示等（法三六条）、給水停止命令（法三七条）、供給条件の変更（法三八条）並びに報告の徴収及び立入検査（法三九条）に関する権限は、都道府県知事（法四八条の二第一項の規定により読み替えられる場合にあっては、市長又は特別区の区長）ではなく厚生労働大臣が行う。

なお、国の設置する専用水道とは、国家そのものが設置する専用水道であって、各省大臣又はその委任を受けた国の機関が国の費用をもって布設し、管理するものをいう。したがって、公団、公庫その他これに準ずる機関がその費用をもって設置する専用水道は、国の設置する専用水道ではない。

また、水道法附則第一〇条は、「新法の規定は、日本国とアメリカ合衆国との間の相互協力及び安全保障条約第六条に基づく施設及び区域並びに日本国における合衆国軍隊の地位に関する協定第二条第一項の施設又は区域内における専用水道については適用しない。」と規定し、米軍の施設又は区域内における専用水道は本法の適用外であることを明らかにしている。

〔法　律〕

（国の設置する簡易専用水道に関する特例）

第五十条の二　この法律中簡易専用水道に関する規定は、第五十三条、第五十四条、第五十五条及び第五十六条の規定を除き、国の設置する簡易専用水道についても適用されるものとする。

2　国の設置する簡易専用水道については、第三十六条第三項、第三十七条及び第三十九条第三項に定める都道府県知事（第四十八条の二第一項の規定により読み替えられる場合にあつては、市長又は特別区の区長）の権限に属する事務は、厚生労働大臣が行う。

〔要　旨〕

本条は、国の設置する簡易専用水道について、その取扱いの特例を定めたものである。

〔解　説〕

国の設置する簡易専用水道に関する特例は、次のとおりである。

㈠　国の設置する簡易専用水道については、本法の簡易専用水道に関する規定のうち第五三条、第五四条、第五五条及び第五六条の規定（罰則関係規定）は適用しない。

㈡　国の設置する簡易専用水道については、清掃その他の必要な措置をとるべき命令（法三六条三項）、給水停止命令（法三七条）及び報告の徴収及び立入検査（法三九条三項）の権限に属する事務は、都道府県知事（法四八条の二第一項の規定により読み替えられる場合にあっては、市長又は特別区の区長）ではなく厚生労働大臣が行う。

〔法　律〕

（経過措置）

第五十条の三　この法律の規定に基づき命令を制定し、又は改廃する場合においては、その命令で、その制定又は改廃に伴い合理的に必要と判断される範囲内において、所要の経過措置（罰則に関する経過措置を含む。）を定めることができる。

〔要　旨〕

本条は、水道法に基づく命令の制定又は改廃にあたっての経過措置の制定に関して定めたものである。

〔解　説〕

本条は、水道法に基づき政令、省令等を制定又は改廃する場合において、合理的に必要と判断される範囲で経過措置を定めることができる法的根拠を定めたものである。

第九章　罰　則

本章は、水道施設の損壊等によって水の供給を妨害した者及び本法に定める義務規定に違反した者に対する罰則等を規定したものである。

〔法　律〕

第五十一条　水道施設を損壊し、その他水道施設の機能に障害を与えて水の供給を妨害した者は、五年以下の懲役又は百万円以下の罰金に処する。

2　みだりに水道施設を操作して水の供給を妨害した者は、二年以下の懲役又は五十万円以下の罰金に処する。

3　前二項の規定にあたる行為が、刑法の罪に触れるときは、その行為者は、同法の罪と比較して、重きに従つて処断する。

〔要　旨〕

本条は、水道施設を損壊する等の行為により水の供給を妨害した者に対し刑罰を科する旨を定めるとともに、当該行為が刑法の罪に触れるときは重い方によって処罰する旨を定めたものである。

〔解　説〕

一、本条第一項に規定する罪は、故意に水道施設を損壊し、その他水道施設の機能に障害を与え、これによって水の供給を妨害するという結果が発生することによって成立する。単に危険があるという状態では、本罪は成立しない。電気・ガス事業法では、供給妨害については未遂罪も処罰する旨の規定（電気事業法一一五条四項、ガス事業法一九二条四項）がおかれているが、本法においてはそのような定めはなく、未遂は処罰されない。

本罪を構成する行為は、「水道施設」を「損壊」し、又は「機能に障害を与え」ることである。「水道施設」とは、法第三条第八項に定める施設である。「損壊」とは、物の実質又は効用を侵害する行為をいい、一部の破損をもって足り、必ずしも水道施設の効用を全く不能ならしめる程度の破損であることは必要としない。また、その破損部分が水道施設の主要部分であることを要しない。「機能に障害を与え」とは、損壊に至らないが水道施設の本来の能力に支障を及ぼすことをいう。例えば、導水、送水、配水等の導管を土石等でつまらせ、ポンプ、モーター等の機械類のネジをゆるめ、又は取り外す等して正常な運転を不能ならしめることで、修復が可能か否かは問わない。

水の供給を妨害する意思をもって水道施設を損壊し、又は水道施設の機能に障害を与え、その結果、需要者に対する水の供給を遮断した事実が発生すれば、本罪に該当する。行為者は、一般人であると水道事業、水道用水供給事業又は専用水道の従事者であるとを問わない。

二、本条第二項に規定する罪は、みだりに水道施設を操作し、これによって水の供給を妨害するという結果が発生することによって成立する。電気・ガス事業と異なり、未遂が処罰されないことは前項の罪と同様である。「みだりに」とは、「正当な理由がなく」と同趣旨であって、操作の目的、方法が法規に違反する場合は勿論、公序良俗、条理に反する場合も含まれる。「操作」とは、水道施設本来の作動方法に従って運転ないし運用することをいう。

例えば、水門を開いて貯水池の水を放流したり、バルブを開閉して水の流通を阻害する等の行為である。水の供給を妨害する意思で水道制水弁を操作し、送水を遮断することは本項の構成要件に該当する（大阪高裁昭和四一年六月一八日判決）。行為者は、一般人であると水道関係者であるとを問わない。

三、一個の行為が、本条の罪と刑法の罪とに触れる場合、いわゆる観念的競合に当たる場合は、重い刑によって処断される。したがって、例えば、浄水に係る送・配水管の損壊については、本条の罪と刑法第一四七条の水道損壊罪との両罪に触れることとなるので、重い刑を定めた刑法が適用されることとなる。

なお、本条の罪と刑法の水道損壊罪との客体はその概念を異にしている。本条の罪の客体は、前述のとおり法第三条第八項に定める「水道施設」であり、刑法第一四七条の客体は、「浄水の水道」である。「浄水の水道」とは、直接公衆に浄水を供給する水路の部分をいい、貯水施設等に原水を引水する導水路等は含まれないと解されている。判例は、河川の水を貯水池に導くための引水路は公衆の飲用に供する「浄水の水道」には当たらないとしている（大審院昭和一二年一二月二四日判決）。したがって、取水、貯水、導水等の原水の段階における施設の損壊は、本条の罪のみに該当し、浄水に係る施設、例えば配水池、配水管等の水道施設の損壊は、本条の罪及び刑法第一四七条の水道損壊罪の双方に該当することとなる。

また、住民に対する飲料水の供給用のものであれば、たとえそれが一世帯の専用又は数世帯の共用のために引用布設されたものであっても、浄水の水道に当たり、その鉛管を切り取って窃取するのは、刑法の水道損壊罪に当たるとされている（福岡高裁昭和二六年一二月一二日判決）。

〔参　考〕

刑　法（抄）

（明治四〇年四月二四日法律第四五号）

（水道損壊及び閉塞）

第一四七条　公衆の飲料に供する浄水の水道を損壊し、又は閉塞した者は、一年以上十年以下の懲役に処する。

〔判　例〕

一、水道の制水弁を操作して閉鎖することにより送水を遮断する行為は水道法第五一条第二項の給水妨害罪に当たるとされた事例

（大阪高裁昭和四一年六月一八日判決（理由要旨））

本件の如く、単に水道の制水弁を操作して閉鎖することにより送水を遮断しただけでは、刑法第一四七条（水道損壊）に規定する水道の壅塞に未だ該らないというべきである。因みに、本件後に制定され、したがって本件には適用されないが、水道法第五一条第二項は水道施設自体の操作による給水の妨害に対し、刑法上の水道壅塞罪よりはるかに軽い刑をもって処罰しているのであり、本件の如き水道制水弁の操作による送水の遮断は右水道法第五一条第二項に該るものと解せられる。

二、故意に送水管を破壊し、その修理工事に藉口して制水弁を閉鎖し、破壊送水管の撤去取替工事を行い、長時間断水したことが、全体として、水道損壊罪に当たるとされた事例（前掲事件の差戻後控訴審判決）

（大阪高裁昭和四九年六月一二日判決（理由要旨））

刑法第一四七条の水道損壊罪は、水道の損壊、壅塞によって公衆に対する飲料水の供給を妨害する行為を罰するものである。損壊とは、水道による浄水の供給を不可能または困難にする程度に破壊を加えることをいい、壅塞とは、有形の障害物で水道を遮断し、浄水の供給を不能または著しく困難にすることをいう（水道施設自体の操作により送水を遮断することを含まないとされる）。損壊は物理的破壊による浄水の給水不能、壅塞は有形の遮断物をおいてそれを遮断することをいい、ともに、相当な時間に亘ってその状態を継続させることを要するものと解する。

本件は、水道供給事業の責任者が、その職責を利用して、一種の公憤といえなくもないような動機で、罪のない他町の一般多数町民を長時間の断水の憂目にあわした稀有の事犯であって、当初の水道破壊の程度がどのようなものであれ、修理工事に藉口した長時間断水をはじめから計画予定されておって、本来故意の破壊がなければする必要のなかった修理工事のために、断水（制水弁閉鎖）のうえ、破壊送水管の撤去取替工事をしたことが明らかであるから、本件の場合は、送水管の故意の穴あけ行為は修理行為（制水弁閉鎖、断水、破壊給水管掘り起し撤去取替）の前提となっている行為で、それ自身、水道損壊罪の損壊に該るかは別問題として、修理行為と密接、一体となっており、水道供給事業の責任者による違法の給水管破壊、取替工事そのものが、全体として、水道損壊罪に該ると評価すべきであると考える。

〔法　律〕

第五十二条　次の各号のいずれかに該当する者は、三年以下の懲役又は三百万円以下の罰金に処する。

一　第六条第一項の規定による認可を受けないで水道事業を経営した者

二　第二十三条第一項（第三十一条及び第三十四条第一項において準用する場合を含む。）の規定に違反した者

三　第二十六条の規定による認可を受けないで水道用水供給事業を経営した者

〔要　旨〕

本条は、三年以下の懲役又は三〇〇万円以下の罰金に処する場合について規定したものである。

〔解　説〕

次に該当する者は、三年以下の懲役又は三〇〇万円以下の罰金に処せられる。

㈠　厚生労働大臣又は都道府県知事の認可を受けないで水道事業を経営した者

㈡　その供給する水が人の健康を害するおそれがあることを知りながら直ちに給水を停止せず、又はその水を使用することが危険である旨を関係者に周知（水道用水供給事業にあっては水道用水の供給を受ける水道事業者に通知）させることを怠った水道事業者、水道用水供給事業者、水道施設運営権者及び専用水道の設置者

㈢　厚生労働大臣又は都道府県知事の認可を受けないで水道用水供給事業を経営した者

〔法　律〕

第五十三条　次の各号のいずれかに該当する者は、一年以下の懲役又は百万円以下の罰金に処する。

一　第十条第一項前段の規定に違反した者

二　第十一条第一項（第三十一条において準用する場合を含む。）の規定に違反した者

三　第十五条第一項の規定に違反した者

四　第十五条第二項（第二十四条の八第一項（第三十一条において準用する場合を含む。）の規定により読み替えて適用する場合を含む。）（第三十一条において準用する場合を含む。）の規定に違反して水を供給しなかつた者

五　第十九条第一項（第三十一条及び第三十四条第一項において準用する場合を含む。）の規定に違反した者

六　第二十四条の三第一項（第三十一条及び第三十四条第一項において準用する場合を含む。）の規定に違反して、業務を委託した者

七　第二十四条の三第三項（第三十一条及び第三十四条第一項において準用する場合を含む。）の規定に違反した者

八　第二十四条の七第一項（第三十一条において準用する場合を含む。）の規定に違反した者

九　第三十条第一項の規定に違反した者

十　第三十七条の規定による給水停止命令に違反した者

十一　第四十条第一項（第二十四条の八第一項（第三十一条において準用する場合を含む。）の規定により読み替えて適用する場合を含む。）及び第三項の規定による命令に違反した者

〔要　旨〕

本条は、一年以下の懲役又は一〇〇万円以下の罰金に処する場合について規定したものである。

〔解　説〕

次に該当する者は、一年以下の懲役又は一〇〇万円以下の罰金に処せられる。

(一)　厚生労働大臣又は都道府県知事の認可を受けないで、給水区域を拡張し、給水人口若しくは給水量を増加させ、又は水源の種別、取水地点若しくは浄水方法を変更した水道事業者

(二)　給水開始後、厚生労働大臣又は都道府県知事の許可を受けないでその事業の全部又は一部を休止し、又は廃止した水道事業者及び水道用水供給事業者

(三)　事業計画に定める給水区域内の需要者から給水契約の申込みを受けたにもかかわらず正当な理由なくこれを拒否した水道事業者

(四)　当該水道により給水を受ける者に対し正当な理由なく常時水を供給しなかった水道事業者及び水道用水供給事業者

(五)　水道の管理について技術上の業務を担当する水道技術管理者を置かなかった水道事業者、水道用水供給事業者及び専用水道の設置者

(六)　法施行令で定める委託の基準及び委託対象者の要件に違反して水道の管理に関する技術上の業務を委託した水道事業者、水道用水供給事業者及び専用水道の設置者

(七)　水道の管理について技術上の業務を担当する受託水道業務技術管理者を置かないで水道の管理に関する技術上の業務を受託した水道事業者、水道用水供給事業者及び専用水道の設置者

(八)　水道施設運営等事業について技術上の業務を担当する水道施設運営等事業技術管理者を置かなかった水道施設

運営権者

(九)　厚生労働大臣又は都道府県知事の認可を受けないで給水対象若しくは給水量を増加させ、又は水源の種別、取水地点若しくは浄水方法を変更した水道用水供給事業者

(一〇)　厚生労働大臣又は都道府県知事が発した給水停止命令に従わなかった水道事業者、水道用水供給事業者若しくは水道施設運営権者、又は都道府県知事（市又は特別区の区域においては、市長又は区長）が発した給水停止命令に従わなかった専用水道若しくは簡易専用水道の設置者

(二)　災害その他非常の場合において都道府県知事（都道府県知事が行うことができないと厚生労働大臣が認めるときは厚生労働大臣）が発した水道用水の緊急応援命令に従わなかった水道事業者若しくは水道用水供給事業者又は水道施設運営権者

〔法　律〕

第五十三条の二　第二十条の十三（第三十四条の四において準用する場合を含む。）の規定による業務の停止の命令に違反した者は、一年以下の懲役又は百万円以下の罰金に処する。

〔要　旨〕

本条は、業務の停止命令に違反した登録検査機関の役員等に対し刑罰を科す旨を定めたものである。

〔解　説〕

登録検査機関の役員等が業務の停止命令に違反した場合は、一年以下の懲役又は一〇〇万円以下の罰金に処せられる。

〔法　律〕

第五十三条の三　第二十五条の十七第一項の規定に違反した者は、一年以下の懲役又は百万円以下の罰金に処する。

〔要　旨〕

本条は、その守秘義務に違反した指定試験機関の役員等に対し刑罰を科する旨を定めたものである。

〔解　説〕

指定試験機関の役員若しくは職員（試験委員を含む。）で、給水装置工事主任技術者試験の事務に関して知り得た秘密を漏らした者は、一年以下の懲役又は一〇〇万円以下の罰金に処せられる。現にこれらの職にある者だけでなく、以前これらの職にあった者についても同様である。

〔法　律〕

第五十三条の四　第二十五条の二十四第二項の規定による試験事務の停止の命令に違反したときは、その違反行為をした指定試験機関の役員又は職員は、一年以下の懲役又は百万円以下の罰金に処する。

〔要　旨〕

本条は、試験事務の停止命令に違反した指定試験機関の役員等に対し刑罰を科す旨を定めたものである。

〔解　説〕

指定試験機関の役員等が厚生労働大臣の試験事務の停止命令に違反した場合は、一年以下の懲役又は一〇〇万円以下の罰金に処せられる。

〔法　律〕

第五十四条　次の各号のいずれかに該当する者は、百万円以下の罰金に処する。

一　第九条第一項（第十条第二項において準用する場合を含む。）の規定により認可に附せられた条件に違反した者

二　第十三条第一項（第三十一条及び第三十四条第一項において準用する場合を含む。）の規定に違反して水質検査又は施設検査を行わなかつた者

三　第二十条第一項（第三十一条及び第三十四条第一項において準用する場合を含む。）の規定に違反した者

四　第二十一条第一項（第三十一条及び第三十四条第一項において準用する場合を含む。）の規定に違反した者

五　第二十二条（第三十一条及び第三十四条第一項において準用する場合を含む。）の規定に違反した者

六　第二十九条第一項（第三十条第二項において準用する場合を含む。）の規定により認可に附せられた条件に違反した者

七　第三十二条の規定による確認を受けないで専用水道の布設工事に着手した者

八　第三十四条の二第二項の規定に違反した者

〔要　旨〕

本条は、一〇〇万円以下の罰金に処する場合について規定したものである。

〔解　説〕

次に該当する者は、一〇〇万円以下の罰金に処せられる。

㈠　水道事業の認可又は変更の認可に付された条件に違反した水道事業者

㈡　新設、増設又は改造に係る施設を使用して給水を開始する前に行うべき水質検査及び施設検査を行わなかった

水道事業者、水道用水供給事業者、水道施設運営権者及び専用水道の設置者

(三)　厚生労働省令の定めるところにより行うべき定期及び臨時の水質検査を行わなかった水道事業者、水道用水供給事業者、水道施設運営権者及び専用水道の設置者

(四)　水道の取水場、浄水場又は配水池において業務に従事している者及びこれらの施設の設置場所の構内に居住している者について、厚生労働省令の定めるところにより行うべき定期及び臨時の健康診断を行わなかった水道事業者、水道用水供給事業者、水道施設運営権者及び専用水道の設置者

(五)　厚生労働省令の定めるところにより行うべき水道施設の管理及び運営に関し消毒その他衛生上必要な措置を講じなかった水道事業者、水道用水供給事業者、水道施設運営権者及び専用水道の設置者

(六)　水道用水供給事業の経営又は変更の認可に付された条件に違反した水道用水供給事業者

(七)　布設工事の設計が施設基準に適合するものであることについての都道府県知事（市長又は特別区の区長）の確認を受けないで専用水道の布設工事に着手した者

(八)　水道の管理について厚生労働省令の定めるところにより定期に地方公共団体の機関又は厚生労働大臣の登録する者の検査を受けなかった簡易専用水道の設置者

〔法　律〕

第五十五条　次の各号のいずれかに該当する者は、三十万円以下の罰金に処する。

一　地方公共団体以外の水道事業者であつて、第七条第四項第七号の規定により事業計画書に記載した供給条件（第十四条第六項の規定による認可があつたときは、認可後の供給条件、第三十八条第二項の規定による変更があつたときは、変更後の供給条件）によらないで、料金又は給水装置工事の費用を受け取つたもの

二　第十条第三項、第十一条第三項（第三十一条において準用する場合を含む。）、第二十四条の三第二項（第三十一条及び第三十四条第一項において準用する場合を含む。）又は第三十条第三項の規定による届出をせず、又は虚偽の届出をした者
三　第三十九条第一項、第二項、第三項又は第四十条第八項（第二十四条の八第一項（第三十一条において準用する場合を含む。）の規定により読み替えて適用する場合を含む。）の規定による報告をせず、若しくは虚偽の報告をし、又は当該職員の検査を拒み、妨げ、若しくは忌避した者

〔要　旨〕
本条は、三〇万円以下の罰金に処せられる場合について規定したものである。

〔解　説〕
次に該当する者は、三〇万円以下の罰金に処せられる。
㈠　事業経営の認可を受けた供給条件（厚生労働大臣又は都道府県知事の認可を受けて供給条件を変更したときはその供給条件、厚生労働大臣又は都道府県知事によって供給条件を変更させられたときはその供給条件）によらないで、料金又は給水装置工事の費用を受け取った地方公共団体以外の水道事業者
㈡　厚生労働省令で定める軽微な事業の変更又は他の水道事業の全部を譲り受けることに伴う事業の変更、給水を開始した後に水道事業の全部を他の水道事業者に譲り渡すことにより、事業を廃止する旨を厚生労働大臣又は都道府県知事に届け出ず、又は虚偽の届出をした水道事業者及び水道用水供給事業者
　水道の管理に関する技術上の業務を委託した旨又は委託に係る契約の効力を失った旨を厚生労働大臣又は都道府県知事（市長又は特別区の区長）に届け出ず、又は虚偽の届出をした水道事業者、水道用水供給事業者及び専

用水道の設置者

厚生労働省令で定める軽微な事業の変更又は他の水道用水供給事業の全部を譲り受けることに伴う事業の変更を厚生労働大臣に届け出ず、又は虚偽の届出をした水道用水供給事業者

㈢　厚生労働大臣又は都道府県知事（市長又は特別区の区長）の報告の徴収又は立入検査に対して、報告をせず、若しくは虚偽の報告をし、又は検査を拒み、妨げ、若しくは忌避した水道事業者、水道用水供給事業者、水道施設運営権者又は専用水道若しくは簡易専用水道の設置者

〔法　律〕

第五十五条の二　次の各号のいずれかに該当する者は、三十万円以下の罰金に処する。

一　第二十条の九（第三十四条の四において準用する場合を含む。）の規定による届出をせず、又は虚偽の届出をした者

二　第二十条の十四（第三十四条の四において準用する場合を含む。）の規定に違反して帳簿を備えず、帳簿に記載せず、若しくは帳簿に虚偽の記載をし、又は帳簿を保存しなかつた者

三　第二十条の十五第一項（第三十四条の四において準用する場合を含む。）の規定による報告をせず、若しくは虚偽の報告をし、又は当該職員の検査を拒み、妨げ、若しくは忌避した者

〔要　旨〕

本条は、登録検査機関の役員又は職員が一定の行為により三〇万円以下の罰金に処せられる場合について規定したものである。

〔解　説〕

登録検査機関が次に掲げる違反行為をしたときは、その登録検査機関の役員又は職員が三〇万円以下の罰金に処せられる。

㈠　検査機関が、検査業務の全部又は一部を休止し、又は廃止する際の届出を怠ったとき、又は虚偽の届出をしたとき。

㈡　厚生労働省令で定められた事項を記載した帳簿を備えなかったとき、これらの事項を帳簿に記載しなかったとき、又は帳簿を保存しなかったとき。

㈢　厚生労働大臣が検査の適正な実施を確保するために検査業務の状況に関する報告の要求に対し、報告をせず、若しくは虚偽の報告をし、又は厚生労働省の職員による登録検査機関の事務所又は事業所への立入り若しくは検査を拒み、妨げ、若しくは忌避したとき。

〔法　律〕

第五十五条の三　次の各号のいずれかに該当するときは、その違反行為をした指定試験機関の役員又は職員は、三十万円以下の罰金に処する。

一　第二十五条の二十の規定に違反して帳簿を備えず、帳簿に記載せず、若しくは帳簿に虚偽の記載をし、又は帳簿を保存しなかつたとき。

二　第二十五条の二十二第一項の規定による報告を求められて、報告をせず、若しくは虚偽の報告をし、又は同項の規定による立入り若しくは検査を拒み、妨げ、若しくは忌避したとき。

三　第二十五条の二十三第一項の規定による許可を受けないで、試験事務の全部を廃止したとき。

〔要　旨〕

本条は、指定試験機関の役員又は職員が一定の違反行為により三〇万円以下の罰金に処せられる場合について規定したものである。

〔解　説〕

指定試験機関が次に掲げる違反行為をしたときは、その指定試験機関の役員又は職員が三〇万円以下の罰金に処せられる。

㈠　試験を施行した日、試験地並びに受験者の受験番号、氏名、住所、生年月日及び合否の別を記載した帳簿を備えなかったとき、これらの事項を帳簿に記載しなかったとき、若しくはこれらの事項を記載すべき帳簿に虚偽の記載をしたとき、又は帳簿を保存しなかったとき。

㈡　厚生労働大臣が試験事務の適正な実施の確保のために行った試験事務の状況に関する報告の要求に対し、報告をせず、若しくは虚偽の報告をし、又は厚生労働省の職員による指定試験機関の事務所への立入り若しくは検査を拒み、妨げ、若しくは忌避したとき。

㈢　厚生労働大臣の許可を受けないで試験事務の全部を廃止したとき。

〔法　律〕

第五十六条　法人の代表者又は法人若しくは人の代理人、使用人その他の従業者が、その法人又は人の業務に関して第五十二条から第五十三条の二まで又は第五十四条から第五十五条の二までの違反行為をしたときは、行為者を罰するほか、その法人又は人に対しても、各本条の罰金刑を科する。

〔要　旨〕

本条は、法第五二条から第五三条の二まで、第五四条から第五五条の二までの違反行為について両罰規定を定めたものである。

〔解　説〕

本条は、この法律の実効性を担保するため、行為者本人のみでなく、行為者によって代表される法人、雇主である人等をも処罰することとしているものである。法人とは、自然人以外で法律上権利義務の主体となることを認められた者であり、都道府県や市町村等の公法人であると私法人であるとを問わない。

本条によって法人又は人が罰せられるのは、法人の代表者、人の使用人等が、その法人又は人の業務に関し法第五二条から第五三条の二まで、第五四条から第五五条の二までの違反行為をした場合に限られ、法人又は人の業務とは無関係に個人として行った行為は含まれない。

〔法　律〕

第五十七条　正当な理由がないのに第二十五条の五第三項の規定による命令に違反して給水装置工事主任技術者免状を返納しなかつた者は、十万円以下の過料に処する。

〔要　旨〕

本条は、給水装置工事主任技術者免状の返納義務に違反した者に対し過料を科す旨を定めたものである。

〔解　説〕

給水装置工事主任技術者が水道法の規定に違反して給水装置工事主任技術者免状の返納を命ぜられた場合に、その命令に違反して当該免状を返納しなかったときは、一〇万円以下の過料に処される。

附則

〔法律附則〕

（施行期日）

第一条　この法律は、公布の日から起算して六箇月をこえない範囲内において政令で定める日から施行する。

〔施行令附則〕

（施行期日）

1　この政令は、昭和三十二年十二月十四日から施行する。

〔施行規則附則〕

（施行期日）

1　この省令は、公布の日から施行する。

〔解　説〕

本条は、本法（新法）の施行の日を定める規定である。新法は、公布の日から起算して六か月を超えない範囲内において政令で定める日から施行することとされたが、昭和三二年一二月一二日に「水道法の施行期日を定める政令」（昭和三二年政令第三三五号）が次のとおり制定され、施行の日は昭和三二年一二月一四日とされた。

水道法の施行期日を定める政令（昭和三二年一二月一二日政令第三三五号）

内閣は、水道法（昭和三二年法律第一七七号）附則第一条の規定に基づき、この政令を制定する。

水道法の施行期日は、昭和三二年一二月一四日とする。なお、施行令及び施行規則も同日より施行されている。

〔法律附則〕
（水道条例の廃止）
第二条　水道条例（明治二十三年法律第九号。以下「旧法」という。）は、廃止する。
〔施行令附則〕
（水道条例第二十一条ノ二の規定に依る職権委任に関する件の廃止）
3　水道条例第二十一条ノ二の規定による職権委任に関する件（大正十年勅令第三百三十一号）は、廃止する。
〔施行規則附則〕
（水道条例第三条及第十一条但書の規定に依る命令に関する件の廃止）
4　水道条例第三条及第十一条但書の規定に依る命令に関する件（大正十年内務省令第二十二号）は、廃止する。

〔解　説〕
本条は、新法の前身たる水道条例の廃止に関する規定である。明治二三年の制定以来六七年余の永きにわたって日本の水道行政を規律してきた水道条例は、ここに廃止された。
なお、水道条例（旧法）の廃止に伴って根拠を失う「水道条例第二一条ノ二の規定に依る職権委任に関する件」（大正一〇年勅令第三三一号）は、施行令附則により廃止された。また、「水道条例第三条及び第一一条但書の規定に依る命令に関する件」（大正一〇年内務省令第二二号）も同様に施行規則附則により廃止された。

〔法律附則〕

（旧法に基く認可又は許可を受けた水道事業に関する経過措置）

第三条　この法律の施行前に旧法第二条の規定によつてなされた水道の布設の許可及び旧法第三条の規定によつてなされた水道の布設の認可は、この法律（以下「新法」という。）第六条第一項の規定によつてなされた水道事業経営の認可（旧法による当該処分が旧法第三条に規定する事項の変更に係るものであるときは、新法第十条第一項の規定によつてなされた事業変更の認可）とみなす。

2　地方公共団体以外の者について、旧法第三条第二項の規定によつて附された許可年限又は旧法第四条第二項の規定によつて許可書に附された事項は、新法第九条第一項（新法第十条第二項において準用する場合を含む。）の規定によつて認可に附された期限又は条件とみなす。

〔解　説〕

本条は、経過措置に関する規定であり、旧法によってなされた水道の布設の許可及び認可並びに旧法によって付された許可年限又は許可書に付された事項は、それぞれ新法の相当条項によってなされたものとみなし、新たな申請等の手続は必要ないこととされた。

〔法律附則〕

（許可又は認可の申請に関する経過措置）

第四条　この法律の施行前に旧法の規定によつてなされた許可又は認可の申請は、新法の相当規定によつてなされたものとみなす。

〔解　説〕

本条は、新法の施行前に旧法に基づいてなされた許可又は認可の申請は、そのまま新法の相当規定に基づいてなされたものとみなし、手続の簡素化を図ったものである。

〔法律附則〕

（旧法に基く認可又は許可によらない水道事業に関する経過措置）

第五条　この法律の施行の際現に水道事業を経営している者（旧法第二条の規定による許可又は旧法第三条の規定による認可を受けて経営している者を除く。）は、現に給水を行つている区域を給水区域とし、かつ、現に実施している供給条件に関する定を供給規程とする新法第六条第一項の規定による水道事業経営の認可を受けたものとみなす。

2　この法律の施行の際現に水道用水供給事業を経営している者は、新法第二十六条の規定による水道用水供給事業経営の認可を受けたものとみなす。

3　厚生大臣は、前二項に規定する者のうち地方公共団体以外の者については、新法第九条第二項の例により、前二項の規定による認可に必要な期限又は条件を附することができる。

4　前項の規定により認可に附された条件は、新法第五十四条第一号又は第六号の規定の適用については、新法第九条第一項又は第二十九条第一項の規定により附された条件とみなす。

〔施行令附則〕

（権限の委任）

2　給水人口が二万人以下である水道事業又は一日最大給水量が六千立方メートル以下である水道用水供給事業に関する法附則第五条第三項及び第六条第一項の規定による厚生大臣の権限は、都道府県知事に委任するものとする。

〔解説〕

本条により、新法施行の際現に旧法に基づく許可又は認可によらない水道事業又は水道用水供給事業を経営している者は、現在の条件により、新法の相当規定による認可を得た者とみなされることとされた。この場合、事業者が地方公共団体以外の者であるときは、厚生大臣は当該認可に必要な期限又は条件を付すことができ、この条件の違反については新法の罰則の適用があることとされた。ただし、給水人口が二万人以下である水道事業又は一日最大給水量が六千立方メートル以下である水道用水供給事業に関しては、この権限は都道府県知事に委任されることとされた。

〔法律附則〕

（届出及び書類の提出）

第六条 この法律の施行の際現に水道事業若しくは水道用水供給事業を経営し、又は専用水道を設置している者（旧法第二条の規定による許可又は旧法第三条の規定による認可を受けて水道事業を経営している者を除く。）は、この法律の施行後六箇月以内に、水道事業又は水道用水供給事業を経営している者にあつては厚生大臣に、専用水道を設置している者にあつては都道府県知事に、水道施設の概要その他厚生省令で定める事項を届け出で、かつ厚生省令で定める事項を記載した書類（図面を含む。以下同じ。）を提出しなければならない。

2 前項の規定に違反して、同項に規定する事項を届け出ず、若しくは虚偽の届出をし、又は同項に規定する書類を提出せず、若しくは虚偽の事項を記載した書類を提出した者は、五万円以下の罰金に処する。

3 法人の代表者又は法人若しくは人の代理人、使用人その他の従業者が、その法人又は人の業務に関して前項の違反行為をしたときは、行為者を罰するほか、その法人又は人に対しても、同項の刑を科する。

4 国の設置する専用水道については、第一項中「都道府県知事」とあるのは、「厚生大臣」と読み替え、前二項の規定は、適用しないものとする。この場合には、新法第五十条第五項の規定を準用する。

〔施行規則附則〕
（届出事項）
2　法附則第六条第一項に規定する厚生省令で定める事項は、次の各号に掲げるものとする。
一　水道事業
イ　水道事業者の住所及び氏名（法人又は組合にあつては、主たる事務所の所在地及び名称並びに代表者の氏名）
ロ　水道事務所の所在地
ハ　給水区域、給水人口及び給水量
ニ　水道施設の概要
ホ　給水を開始した年月日
ヘ　経常収支の概算
ト　料金、給水装置工事の費用の負担区分その他の供給条件
チ　料金の算出根拠
リ　給水装置工事の費用の負担区分を定めた根拠及びその額の算出方法
二　水道用水供給事業
イ　水道用水供給事業者の住所及び氏名（法人又は組合にあつては、主たる事務所の所在地及び名称並びに代表者の氏名）
ロ　給水対象及び給水量
ハ　前号ロ及びニからヘまでに掲げる事項
三　専用水道
イ　専用水道の設置者の住所及び氏名（法人又は組合にあつては、主たる事務所の所在地及び名称並びに代表者の氏名）
ロ　一日最大給水量及び一日平均給水量
ハ　第一号ロ、ニ及びホに掲げる事項
（提出書類の記載事項）

3　法附則第六条第一項に規定する厚生省令で定める事項を記載した書類及び図面は、次の各号に掲げるものとする。
一　水道事業
イ　地方公共団体以外の法人又は組合である場合は、定款、寄付行為又は規約
ロ　給水区域内の他の水道事業又は専用水道の状況を明らかにする書類及び図面
ハ　給水区域を明らかにする地図
ニ　水道施設の位置を明らかにする地図
ホ　水源及び浄水場の周辺の状況を明らかにする地図
ヘ　主要な水道施設（次号に掲げるものを除く。）の構造を明らかにする図面
ト　導水管きよ、送水管及び主要な配水管の配置状況を明らかにする図面
二　水道用水供給事業
イ　導水管きよ及び送水管の配置状況を明らかにする図面
ロ　前号イ及びニからヘまでに掲げる事項
三　専用水道
イ　居住に必要な水の供給を受ける者の数を記載した書類
ロ　居住に必要な水の供給が行われる地域を記載した書類及び図面
ハ　導水管きよ、送水管並びに配水及び給水に使用する主要な導管の配置状況を明らかにする図面
ニ　第一号ニからヘまでに掲げる事項

〔解　説〕

新法施行の際現に旧法に基づく許可又は認可によらない水道事業を経営している者若しくは水道用水供給事業を経営している者又は専用水道を設置している者は、新法施行後六か月以内に前二者については厚生大臣（給水人口が二

万人以下である水道事業又は一日最大給水量が六千立方メートル以下である水道用水供給事業にあっては都道府県知事）に、後者については都道府県知事に規則附則所定の事項を届け出で、かつ、規則附則所定の事項を記載した書類を提出することとされた。旧法から新法への円滑な移行を確保するための規定である。

本条第一項の違反等に対しては、五万円以下の罰金刑が規定された。

なお、国の設置する専用水道については特例が認められている。

〔**法律附則**〕

（水道の布設工事に関する経過措置）

第七条　新法第十二条の規定は、この法律の施行の際現に施行中の水道の布設工事については、適用しない。

〔**解　説**〕

新法の施行の際現に施行中の水道の布設工事については、新法第一二条（技術者による布設工事の監督）の規定は適用しないこととされた。

〔**法律附則**〕

（水道技術管理者に関する経過措置）

第八条　この法律の施行の際現に水道において新法第十九条第二項に規定する事務に従事し、又はその事務に従事する他の職員を監督している者については、その者が当該水道における水道技術管理者である場合に限り、この法律の施行後三年間は、同法第三項（新法第三十一条及び新法第三十四条第一項において準用する場合を含む。）の規定を適用しない。

〔解　説〕

本条は、水道技術管理者の資格に関する経過措置を定めたものである。新法施行の際現に新法第一九条第二項に規定する水道技術管理者に相当する職務を当該水道について行っている者については、本法施行後三年間に限って水道法施行令第六条の求める資格を満たさなくてもよいものとされた。

〔法律附則〕

（消火せんの設置に伴う費用に関する経過措置）

第九条　新法第二十四条第二項の規定は、この法律の施行前に消火せんを設置した水道事業者についても、適用されるものとする。ただし、この法律の施行前に要した費用については、この限りでない。

〔解　説〕

本条は、新法施行前に消火せんを設置した水道事業者に、本法第二四条第二項を遡及適用させるものである。ただし、遡及の範囲は、新法施行前に消火せんを設置した水道事業者が、当該消火せんの設置及び管理に既に出費した費用、その他水道が消防用に使用されることに伴い増加した水道施設の設置及び管理に既に出費した費用には及ばない。

〔法律附則〕

（施設又は区域内の専用水道）

第十条　新法の規定は、日本国とアメリカ合衆国との間の相互協力及び安全保障条約第六条に基づく施設及び区域並びに日本国における合衆国軍隊の地位に関する協定第二条第一項の施設又は区域内における専用水道については、適用しない。

〔解　説〕

本条は、在日米軍の使用する施設及び区域内における専用水道に関する適用除外規定である。

なお、本条は、昭和三五年の日米安全保障条約の改正に伴い一部改正されている。

〔参　考〕

日本国とアメリカ合衆国との間の相互協力及び安全保障条約第六条に基づく施設及び区域並びに日本国における合衆国軍隊の地位に関する協定（抄）

（昭和三五年六月二三日条約第七号）

第二条

1(a)　合衆国は、相互協力及び安全保障条約第六条の規定に基づき、日本国内の施設及び区域の使用を許される。個々の施設及び区域に関する協定は、第二十五条に定める合同委員会を通じて両政府が締結しなければならない。「施設及び区域」には、当該施設及び区域の運営に必要な現存の設備、備品及び定着物を含む。

(b)　合衆国が日本国とアメリカ合衆国との間の安全保障条約第三条に基く行政協定の終了の時に使用している施設及び区域は、両政府が(a)の規定に従つて合意した施設及び区域とみなす。

〔法律附則〕

（国の無利子貸付け等）

第十一条　国は、当分の間、地方公共団体に対し、第四十四条の規定により国がその費用について補助することができる水道事業又は水道用水供給事業の用に供する施設の新設又は増設で日本電信電話株式会社の株式の売払収入の活用による社会資本の整備の促進に関する特別措置法（昭和六十二年法律第八十六号。以下「社会資本整備特別措置法」という。）第二条第一項第二号に該当するものに要する費用に充てる資金について、予算の範囲内において、第四十四条の規定

（この規定による国の補助の割合について、この規定と異なる定めをした法令の規定がある場合には、当該異なる定めをした法令の規定を含む。以下同じ。）により国が補助することができる金額に相当する金額を無利子で貸し付けることができる。

2　国は、当分の間、地方公共団体に対し、前項の規定による場合のほか、水道の整備で社会資本整備特別措置法第二条第一項第二号に該当するものに要する費用に充てる資金の一部を、予算の範囲内において、無利子で貸し付けることができる。

3　前二項の国の貸付金の償還期間は、五年（二年以内の据置期間を含む。）以内で政令で定める期間とする。

4　前項に定めるもののほか、第一項及び第二項の規定による貸付金の償還方法、償還期限の繰上げその他償還に関し必要な事項は、政令で定める。

5　国は、第一項の規定により、地方公共団体に対し貸付けを行つた場合には、当該貸付けの対象である事業について、第四十四条の規定による当該貸付金に相当する金額の補助を行うものとし、当該補助については、当該貸付金の償還時において、当該貸付金の償還金に相当する金額を交付することにより行うものとする。

6　国は、第二項の規定により、地方公共団体に対し貸付けを行つた場合には、当該貸付けの対象である事業について、当該貸付金に相当する金額の補助を行うものとし、当該補助については、当該貸付金の償還時において、当該貸付金の償還金に相当する金額を交付することにより行うものとする。

7　地方公共団体が、第一項又は第二項の規定による貸付けを受けた無利子貸付金について、第三項及び第四項の規定に基づき定められる償還期限を繰り上げて償還を行つた場合（政令で定める場合を除く。）における前二項の規定の適用については、当該償還は、当該償還期限の到来時に行われたものとみなす。

〔施行令附則〕

（国の貸付金の償還期間等）

4　法附則第十一条第三項に規定する政令で定める期間は、五年（二年の据置期間を含む。）とする。

5　前項の期間は、日本電信電話株式会社の株式の売払収入の活用による社会資本の整備の促進に関する特別措置法（昭和六十二年法律第八十六号）第五条第一項の規定により読み替えて準用される補助金等に係る予算の執行の適正化に関する法律（昭和三十年法律第百七十九号）第六条第一項の規定による貸付けの決定（以下「貸付決定」という。）ごとに、当該貸付決定に係る法附則第十一条第一項及び第二項の規定による国の貸付金（以下「国の貸付金」という。）の交付を完了した日（その日が当該貸付決定があった日の属する年度の末日の前日以後の日である場合には、当該年度の末日の前々日）の翌日から起算する。

6　国の貸付金の償還は、均等年賦償還の方法によるものとする。

7　国は、国の財政状況を勘案し、相当と認めるときは、国の貸付金の全部又は一部について、前三項の規定により定められた償還期限を繰り上げて償還させることができる。

8　法附則第十一条第七項に規定する政令で定める場合は、前項の規定により償還期限を繰り上げて償還を行った場合とする。

〔解　説〕

本条は、日本電信電話株式会社の株式の売払収入を活用した無利子貸付制度による水道水源開発施設及び特定広域水道施設の整備の円滑な促進を図るための規定を設けたものであり、第五項においては、当該貸付金の償還時において、これに相当する金額を補助することとしている。

なお、貸付金の償還期間は、法施行令附則第四項において五年（二年の据置期間を含む。）としている。

改正法附則

〔日本国とアメリカ合衆国との間の相互協力及び安全保障条約等の締結に伴う関係法令の整理に関する法律附則〕（昭和三五年六月二三日法律第一〇二号）（抄）

（施行期日）

第一条　この法律は、日本国とアメリカ合衆国との間の相互協力及び安全保障条約の効力発生の日から施行する。

〔解　説〕

日本国とアメリカ合衆国との間の相互協力及び安全保障条約等の締結に伴う関係法令の整理に関する法律（昭和三五年法律第一〇二号）第二五条で水道法附則第一〇条を改正したことに伴い、その改正規定の施行期日を定めたものである。条約の効力発生の日は昭和三五年六月二三日である。（付録三、㈢、1参照）

〔行政不服審査法の施行に伴う関係法律の整理等に関する法律附則〕（昭和三七年九月一五日法律第一六一号）（抄）

1　この法律は、昭和三十七年十月一日から施行する。

2　この法律による改正後の規定は、この附則に特別の定めがある場合を除き、この法律の施行前にされた行政庁の処分、この法律の施行前にされた申請に係る行政庁の不作為その他この法律の施行前に生じた事項についても適用する。ただし、この法律による改正前の規定によつて生じた効力を妨げない。

3　この法律の施行前に提起された訴願、審査の請求、異議の申立てその他の不服申立て（以下「訴願等」という。）については、この法律の施行後も、なお従前の例による。この法律の施行前にされた訴願等の裁決、決定その他の処分（以下「裁決等」という。）又はこの法律の施行前に提起された訴願等につきこの法律の施行後にされる裁決等にさらに不服がある場合の訴願等についても、同様とする。

4　前項に規定する訴願等で、この法律の施行後は行政不服審査法による不服申立てをすることができることとなる処分に係るものは、同法以外の法律の適用については、行政不服審査法による不服申立てとみなす。

5　第三項の規定によりこの法律の施行後にされる審査の請求、異議の申立てその他の不服申立ての裁決等については、行政不服審査法による不服申立てをすることができない。

6　この法律の施行前にされた行政庁の処分で、この法律による改正前の規定により訴願等をすることができるものとされ、かつ、その提起期間が定められていなかつたものについて、行政不服審査法による不服申立てをすることができる期間は、この法律の施行の日から起算する。

8　この法律の施行前にした行為に対する罰則の適用については、なお従前の例による。

9　前八項に定めるもののほか、この法律の施行に関して必要な経過措置は、政令で定める。

〔解　説〕

行政不服審査法の施行に伴う関係法律の整理等に関する法律（昭和三七年法律第一六一号）第九二条で水道法を改正したことに伴い、その改正規定の施行期日、経過措置等を定めたものである。（付録三、㈢、2参照）

〔水道法の一部を改正する法律附則〕（昭和五二年六月二三日法律第七三号）（抄）

（施行期日）

1　この法律は、公布の日から施行する。ただし、目次の改正規定（「第四章　専用水道（第三十二条—第三十四条）」を「第四章　専用水道（第三十二条—第三十四条）／第四章の二　簡易専用水道（第三十四条の二）」に改める部分及び「第五十条」を「第五十条の二」に改める部分に限る。）、第三条及び第二十条の改正規定、第四章の次に一章を加える改正規定、第三十六条、第三十七条、第三十九条、第四十六条及び第四十八条の改正規定、第五十条の次に一条を加える改正規定並びに第五十四条及び第五十五条の改正規定は、この法律の公布の日から起算して一年を経過した日から施行する。

（罰則に関する経過措置）

2　この法律の施行前にした行為に対する罰則の適用については、なお従前の例による。

〔解　説〕

水道法の一部を改正する法律（昭和五二年法律第七三号）により水道法を改正したことに伴い、その改正規定の施行期日及び経過措置を定めたものである。

同改正法中、簡易専用水道制度の新設に係る規定等については、公布後一年を経過した日から施行され、その他の規定は、公布の日から施行された。また、改正法施行前の行為に対する罰則の適用については、改正前の例によることとされた。（付録三、㈢、3参照）

〔地方公共団体の執行機関が国の機関として行う事務の整理及び合理化に関する法律附則〕（昭和六一年一二月二六日法律第一〇九号）（抄）

（施行期日）

第一条　この法律は、公布の日から施行する。ただし、次の各号に掲げる規定は、それぞれ当該各号に定める日から施行する。

一　略

二　第四条、第六条及び第九条から第十二条までの規定、第十五条中身体障害者福祉法第十九条第四項及び第十九条の二の改正規定、第十七条中児童福祉法第二十条第四項の改正規定、第三十四条の規定並びに附則第二条、第四条、第七条第一項及び第九条の規定並びに附則第十条中厚生省設置法（昭和二十四年法律第百五十一号）第六条第五十六号の改正規定　昭和六十二年四月一日

（その他の処分、申請等に係る経過措置）

第六条　この法律（附則第一条各号に掲げる規定については、当該各規定。以下この条及び附則第八条において同じ。）の施行前に改正前のそれぞれの法律の規定によりされた許可等の処分その他の行為（以下この条において「処分等の行為」という。）又はこの法律の施行の際現に改正前のそれぞれの法律の規定によりされている許可等の申請その他の行為（以下この条において「申請等の行為」という。）でこの法律の施行の日においてこれらの行為に係る行政事務を行うべき者が異なることとなるものは、附則第二条から前条までの規定又は改正後のそれぞれの法律（これに基づく命令を含む。）の経過措置に関する規定に定めるものを除き、この法律の施行の日以後における改正後のそれぞれの法律の適用については、改正後のそれぞれの法律の相当規定によりされた処分等の行為又は申請等の行為とみなす。

（罰則に関する経過措置）

第八条　この法律の施行前にした行為及び附則第二条第一項の規定により従前の例によることとされる場合における第四条の規定の施行後にした行為に対する罰則の適用については、なお従前の例による。

〔解　説〕

地方公共団体の執行機関が国の機関として行う事務の整理及び合理化に関する法律（昭和六一年法律第一〇九号）第一一条で水道法を改正したことに伴い、その改正規定の施行期日、経過措置を定めたものである。

この改正により、簡易専用水道に関する都道府県知事の権限が、保健所設置市については市長に委譲されることとなった。（付録三、㈢、5参照）

〔日本電信電話株式会社の株式の売払収入の活用による社会資本の整備の促進に関する特別措置法の実施のための関係法律の整備に関する法律附則〕（昭和六二年九月四日法律第八七号）

この法律は、公布の日から施行し、第六条及び第八条から第十二条までの規定による改正後の国有林野事業特別会計法、道路整備特別会計法、治水特別会計法、港湾整備特別会計法、都市開発資金融通特別会計法及び空港整備特別会計法の規定は、昭和六十二年度の予算から適用する。

〔解　説〕

日本電信電話株式会社の株式の売払収入の活用による社会資本の整備の促進に関する特別措置法の実施のための関係法律の整備に関する法律（昭和六二年法律第八七号）第一三条で水道法を改正したことに伴い、その改正規定の施行期日を定めたものである。

この改正により、水道施設整備に対して、ＮＴＴ株式の売払収入の一部を活用した無利子貸付制度が適用されることとなった。（付録三、㈢、6参照）

〔行政事務に関する国と地方の関係等の整理及び合理化に関する法律附則〕（平成三年五月二一日法律第七九号）（抄）

（施行期日）

第一条　この法律は、公布の日から施行する。ただし、次の各号に掲げる規定は、それぞれ当該各号に定める日から施行する。

一　第三条の規定　平成三年十月一日

（その他の処分、申請等に係る経過措置）

第六条　この法律（附則第一条各号に掲げる規定については、当該各規定。以下この条及び次条において同じ。）の施行前に改正前のそれぞれの法律の規定によりされた許可等の処分その他の行為（以下この条において「処分等の行為」という。）又はこの法律の施行の際現に改正前のそれぞれの法律の規定によりされている許可等の申請その他の行為（以下この条において「申請等の行為」という。）でこの法律の施行の日においてこれらの行為に係る行政事務を行うべき者が異なることとなるものは、附則第二条から前条までの規定又は改正後のそれぞれの法律（これに基づく命令を含む。）の経過措置に関する規定に定めるものを除き、この法律の施行の日以後における改正後のそれぞれの法律の適用については、改正後のそれぞれの法律の相当規定によりされた処分等の行為又は申請等の行為とみなす。

（罰則に関する経過措置）

第七条　この法律の施行前にした行為及び附則第二条第一項の規定により従前の例によることとされる場合における第四条の規定の施行後にした行為に対する罰則の適用については、なお従前の例による。

〔解　説〕

行政事務に関する国と地方の関係等の整理及び合理化に関する法律（平成三年法律第七九号）第三条で水道法を改正したことに伴い、その改正規定の施行期日及び経過措置を定めたものである。

この改正により、専用水道に関する都道府県知事の権限が、保健所設置市については市長に委譲されることとなった。（付録三、㈢、7参照）

〔行政手続法の施行に伴う関係法律の整備に関する法律附則〕（平成五年一一月一二日法律第八九号）（抄）

（施行期日）

第一条　この法律は、行政手続法（平成五年法律第八十八号）の施行の日から施行する。

（施行の日＝平成六年一〇月一日）

（諮問等がされた不利益処分に関する経過措置）

第二条　この法律の施行前に法令に基づき審議会その他の合議制の機関に対し行政手続法第十三条に規定する聴聞又は弁明の機会の付与の手続その他の意見陳述のための手続に相当する手続を執るべきことの諮問その他の求めがされた場合においては、当該諮問その他の求めに係る不利益処分の手続に関しては、この法律による改正後の関係法律の規定にかかわらず、なお従前の例による。

（罰則に関する経過措置）
第十三条　この法律の施行前にした行為に対する罰則の適用については、なお従前の例による。
（聴聞に関する規定の整理に伴う経過措置）
第十四条　この法律の施行前に法律の規定により行われた聴聞、聴問若しくは聴聞会（不利益処分に係るものを除く。）又はこれらのための手続は、この法律による改正後の関係法律の相当規定により行われたものとみなす。
（政令への委任）
第十五条　附則第二条から前条までに定めるもののほか、この法律の施行に関して必要な経過措置は、政令で定める。

〔解　説〕
行政手続法の施行に伴う関係法律の整備に関する法律（平成五年法律第八九号）により、行政手続法の規定と重複する手続規定を削除することに伴い、その改正規定の施行期日、経過措置等を定めたものである。（付録三、㈢、8参照）

〔地域保健対策強化のための関係法律の整備に関する法律附則〕（平成六年七月一日法律第八四号）（抄）
（施行期日）
第一条　この法律は、公布の日から施行する。〔後略〕
（その他の処分、申請等に係る経過措置）
第十三条　この法律（附則第一条ただし書に規定する規定については、当該規定。以下この条及び次条において同じ。）の施行前に改正前のそれぞれの法律の規定によりされた許可等の処分その他の行為（以下この条において「処分等の行為」という。）又はこの法律の施行の際現に改正前のそれぞれの法律の規定によりされている許可等の申請その他の行為（以下この条において「申請等の行為」という。）に対するこの法律の施行の日以後における改正後のそれぞれの法律の適用については、附則第五条から第十条までの規定又は改正後のそれぞれの法律（これに基づく命令を含む。）の経過措置に関する規定に定めるものを除き、改正後のそれぞれの法律の相当規定によりされた処分等の行為又は申請等の行為とみなす。

（罰則に関する経過措置）

第十四条　この法律の施行前にした行為及びこの法律の附則において従前の例によることとされる場合におけるこの法律の施行後にした行為に対する罰則の適用については、なお従前の例による。

（その他の経過措置の政令への委任）

第十五条　この附則に規定するもののほか、この法律の施行に伴い必要な経過措置は政令で定める。

〔解　説〕

地域保健対策強化のための関係法律の整備に関する法律（平成六年法律第八四号）第三六条で水道法を改正したことに伴い、その改正規定の施行期日、経過措置を定めたものである。（付録三、㈢、9参照）

〔民間活動に係る規制の改善及び行政事務の合理化のための厚生省関係法律の一部を改正する法律附則〕（平成八年六月二六日法律第一〇七号）（抄）

（施行期日）

第一条　この法律は、公布の日から施行する。ただし、次の各号に掲げる規定は、当該各号に定める日から施行する。

一から三まで　略

四　第六条（同条中水道法第十六条の次に一条を加える改正規定及び同法第二章中第二十五条の次に二節を加える改正規定（同法第二十五条の二から第二十五条の四まで及び第二十五条の七から第二十五条の十一までに係る部分に限る。）を除く。）及び附則第十二条の規定

公布の日から起算して一年を超えない範囲内において政令で定める日

（平成八年政令第三四二号で平成九年四月一日から施行）

五　第六条（同条中水道法第十六条の次に一条を加える改正規定及び同法第二章中第二十五条の次に二節を加える改正規定（同法第二十五条の二から第二十五条の四まで及び第二十五条の七から第二十五条の十一までに係る部分に限る。）に限る。）及び次条の規定

公布の日から起算して二年を超えない範囲内において政令で定める日

（平成九年政令第二三〇号で平成一〇年四月一日から施行）

（水道法の一部改正に伴う経過措置）

第二条　前条第五号に掲げる改正規定の施行の際現に第六条の規定による改正前の水道法第十四条第一項に規定する供給規程に基づき第六条の規定による改正後の水道法（以下この条において「改正後の法」という。）第十六条の二第一項の指定に相当する水道事業者の指定を受けている者（次項において「旧指定給水装置工事事業者」という。）は、同条第三項の規定の適用については、前条第五号に掲げる改正規定の施行の日から九十日間（次項の規定による届出があったときは、その届出があった時までの間）は、改正後の法第十六条の二第一項の指定を受けた者とみなす。

2　旧指定給水装置工事事業者が、前条第五号に掲げる改正規定の施行の日から九十日以内に、厚生省令で定める事項を水道事業者に届け出たときは、改正後の法第十六条の二第一項の指定を受けた者とみなす。

3　前項の規定により改正後の法第十六条の二第一項の指定を受けた者とみなされた者についての改正後の法第二十五条の十一第一項の規定の適用については、前条第五号に掲げる改正規定の施行の日から一年間は、同項中「次の各号」とあるのは「第一号又は第三号から第八号まで」と、同項第一号中「第二十五条の三第一項各号」とあるのは「第二十五条の三第一項第二号又は第三号」とする。

（罰則に関する経過措置）

第五条　この法律の施行前にした行為に対する罰則の適用については、なお従前の例による。

（検討）

第六条　政府は、附則第一条第四号に掲げる規定の施行後十年を経過した場合において、第六条の規定による改正後の水

道法第十六条の二及び第二章第三節の規定の施行の状況について検討を加え、その結果に基づいて必要な措置を講ずるものとする。

（政令への委任）

第十四条　この附則に規定するもののほか、この法律の施行に伴い必要な経過措置は、政令で定める。

〔解　説〕

第一条は、改正水道法の施行の日を定める規定である。給水装置工事主任技術者の資格に係る規定については、平成九年四月一日から施行、指定給水装置工事事業者に係る規定については、平成一〇年四月一日から施行としたものである。なお、それぞれの規定において施行令及び省令に委任されている事項についても、法律と同じ施行日とされている。

第二条において規定する経過措置の内容は次のとおりである。

旧指定給水装置工事事業者に対する経過措置（「法律附則第二条」、「民間活動に係る規制の改善及び行政事務の合理化のための厚生省関係法律の一部を改正する法律附則第二条第二項の届出に関する省令」関係）

改正水道法の指定給水装置工事事業者に係る規定が施行される平成一〇年四月一日の際に、水道事業者の指定を受けている従来の水道指定工事店（「旧指定給水装置工事事業者」という。）については、法律附則第二条第一項の規定により、施行日から最大九〇日以内は、当該旧指定給水装置工事事業者が施行した給水装置工事に係る給水装置は、指定給水装置工事事業者が施行した工事に係るものとみなすこととし、また、同条第二項の規定により、従前の指定を受けている水道事業者に対して、九〇日以内に厚生省令で定める事項の届出をした者については、指定給水装置工事事業者とみなすこととしたものである。

同条第二項の厚生省令で定める事項は、法第二五条の二に規定する指定の申請時の申請書類を基本としつつ、従来の水道事業者による指定から、本法に基づく水道事業者による指定に移行するための事務手続上必要なものを内容としたものである。したがって、指定要件に適合するか否かを審査するものではなく、届出事項に不備のない届出については、水道事業者は、これを受理しなければならないものである。

また、九〇日以内の届出をした旧指定給水装置工事事業者については、同条第三項の規定により、施行日から一年間は、給水装置工事主任技術者を事業所におかなくても、そのことによって指定の取消しを受けることはないとされている。従来の水道事業者による指定制度において、給水装置工事主任技術者に相当する技術者の資格が水道条例又はこれに基づく規定により設けられ、指定の要件とされていた場合には、この経過規定により、施行日から一年間までの間に、こうした水道事業者等の指定に係る技術者の資格を有する者について次に述べるように改正水道法の給水装置工事主任技術者に移行することができることとなる。

第六条は、新設された規制について、一定期間経過後に見直しを行うこととするいわゆる「見直し条項」である。これは、「今後における行政改革の推進方策について（平成六年六月閣議決定）」において、「法律により新たな制度を創設して規制の新設を行うものについては、各省庁は、その趣旨・目的等に照らして適当としないものを除き、当該法律に一定期間経過後、その規制について見直しを行う旨の条項を盛り込むものとする。」とされていることに基づいて規定されたものである。（付録三、㈢、10参照）

〔地方分権の推進を図るための関係法律の整備等に関する法律附則〕（平成一一年七月一六日法律第八七号）（抄）

（施行期日）

第一条　この法律は、平成十二年四月一日から施行する。ただし、次の各号に掲げる規定は、当該各号に定める日から施行する。

一　第一条中地方自治法第二百五十条の次に五条、節名並びに二款及び款名を加える改正規定（同法第二百五十条の九第一項に係る部分（両議院の同意を得ることに係る部分に限る。）に限る。）、第四十条中自然公園法附則第九項及び第十項の改正規定（同法附則第十項に係る部分に限る。）、第二百四十四条の規定（農業改良助長法第十四条の三の改正規定に係る部分を除く。）並びに第四百七十二条の規定（市町村の合併の特例に関する法律第六条、第八条及び第十七条の改正規定に係る部分を除く。）並びに附則第七条、第十条、第十二条、第五十九条ただし書、第六十条第四項及び第五項、第七十三条、第七十七条、第百五十七条第四項から第六項まで、第百六十条、第百六十三条、第百六十四条並びに第二百二条の規定　公布の日

二から六まで　略

（水道法の一部改正に伴う経過措置）

第六十八条　施行日前に第百九十四条の規定による改正前の水道法第三十六条第一項及び第三項の規定によってなされた命令は、第百九十四条の規定による改正後の同法第三十六条第一項及び第三項の規定によってなされた指示とみなす。

（厚生大臣又は都道府県知事その他の地方公共団体の機関がした事業の停止命令その他の処分に関する経過措置）

第七十五条　この法律による改正前の児童福祉法第四十六条第四項若しくは第五十九条第一項若しくは第三項、あん摩マツサージ指圧師、はり師、きゆう師等に関する法律第八条第一項（同法第十二条の二第二項において準用する場合を含む。）、食品衛生法第二十二条、医療法第五条第二項若しくは第二十五条第一項、毒物及び劇物取締法第十七条第一項（同法第二十二条第四項及び第五項で準用する場合を含む。）、厚生年金保険法第百条第一項、水道法第三十九条第一項、国民年金法第百六条第一項、薬事法第六十九条第一項若しくは第七十二条又は柔道整復師法第十八条第一項の規定により

厚生大臣又は都道府県知事その他の地方公共団体の機関がした事業の停止命令その他の処分は、それぞれ、この法律による改正後の児童福祉法第四十六条第四項若しくは第五十九条第一項若しくは第三項、あん摩マッサージ指圧師、はり師、きゆう師等に関する法律第八条第一項（同法第十二条の二第二項において準用する場合を含む。）、食品衛生法第二十二条若しくは第二十三条、医療法第五条第二項若しくは第二十五条第一項、毒物及び劇物取締法第十七条第一項若しくは第二項（同法第二十二条第四項及び第五項で準用する場合を含む。）、厚生年金保険法第百条第一項、水道法第三十九条第一項若しくは第二項、国民年金法第百六条第一項、薬事法第六十九条第一項若しくは第二項若しくは第七十二条第二項又は柔道整復師法第十八条第一項の規定により厚生大臣又は地方公共団体がした事業の停止命令その他の処分とみなす。

（国等の事務）

第百五十九条　この法律による改正前のそれぞれの法律に規定するもののほか、この法律の施行前において、地方公共団体の機関が法律又はこれに基づく政令により管理し又は執行する国、他の地方公共団体その他公共団体の事務（附則第百六十一条において「国等の事務」という。）は、この法律の施行後は、地方公共団体が法律又はこれに基づく政令により当該地方公共団体の事務として処理するものとする。

（処分、申請等に関する経過措置）

第百六十条　この法律（附則第一条各号に掲げる規定については、当該各規定。以下この条及び附則第百六十三条において同じ。）の施行前に改正前のそれぞれの法律の規定によりされた許可等の処分その他の行為（以下この条において「処分等の行為」という。）又はこの法律の施行の際現に改正前のそれぞれの法律の規定によりされている許可等の申請その他の行為（以下この条において「申請等の行為」という。）で、この法律の施行の日においてこれらの行為に係る行政事務を行うべき者が異なることとなるものは、附則第二条から前条までの規定又は改正後のそれぞれの法律（これに基づく命令を含む。）の経過措置に関する規定に定めるものを除き、この法律の施行の日以後における改正後のそれぞれの法律の適用については、改正後のそれぞれの法律の相当規定によりされた処分等の行為又は申請等の行為とみなす。

2　この法律の施行前に改正前のそれぞれの法律の規定により国又は地方公共団体の機関に対し報告、届出、提出その他の手続をしなければならない事項で、この法律の施行の日前にその手続がされていないものについては、この法律及びこれに基づく政令に別段の定めがあるもののほか、これを、改正後のそれぞれの法律の相当規定により国又は地方公共団体の相当の機関に対して報告、届出、提出その他の手続をしなければならない事項についてその手続がされていないものとみなして、この法律による改正後のそれぞれの法律の規定を適用する。

（不服申立てに関する経過措置）

第百六十一条　施行日前にされた国等の事務に係る処分であって、当該処分をした行政庁（以下この条において「処分庁」という。）に施行日前に行政不服審査法に規定する上級行政庁（以下この条において「上級行政庁」という。）があったものについての同法による不服申立てについては、施行日以後においても、当該処分庁に引き続き上級行政庁があるものとみなして、行政不服審査法の規定を適用する。この場合において、当該処分庁の上級行政庁とみなされる行政庁は、施行日前に当該処分庁の上級行政庁であった行政庁とする。

2　前項の場合において、上級行政庁とみなされる行政庁が地方公共団体の機関であるときは、当該機関が行政不服審査法の規定により処理することとされる事務は、新地方自治法第二条第九項第一号に規定する第一号法定受託事務とする。

（手数料に関する経過措置）

第百六十二条　施行日前においてこの法律による改正前のそれぞれの法律（これに基づく命令を含む。）の規定により納付すべきであった手数料については、この法律及びこれに基づく政令に別段の定めがあるもののほか、なお従前の例による。

（罰則に関する経過措置）

第百六十三条　この法律の施行前にした行為に対する罰則の適用については、なお従前の例による。

（その他の経過措置の政令への委任）

第百六十四条　この附則に規定するもののほか、この法律の施行に伴い必要な経過措置（罰則に関する経過措置を含む。）は、政令で定める。

2　附則第十八条、第五十一条及び第百八十四条の規定の適用に関して必要な事項は政令で定める。

（検討）

第二百五十条　新地方自治法第二条第九項第一号に規定する第一号法定受託事務については、できる限り新たに設けることのないようにするとともに、新地方自治法別表第一に掲げるもの及び新地方自治法に基づく政令に示すものについては、地方分権を推進する観点から検討を加え、適宜、適切な見直しを行うものとする。

附　則（平成一一年一二月八日法律第一五一号）

（施行期日）

第一条　この法律は、平成十二年四月一日から施行する。

（経過措置）

第三条　民法の一部を改正する法律（平成十一年法律第百四十九号）附則第三条第三項の規定により従前の例によることとされる準禁治産者及びその保佐人に関する改正規定の適用については、この法律による改正規定の適用については、次に掲げる改正規定を除き、なお従前の例による。

一から二十五まで略

第四条　この法律の施行前にした行為に対する罰則の適用については、なお従前の例による。

〔解　説〕

地方分権の推進を図るための関係法律の整備等に関する法律（平成一一年法律第八七号）第一九四条で施行期日、経過措置等を定めたものである。（付録三、㈢、11参照）

○民法の一部を改正する法律の施行に伴う関係法律の整備等に関する法律附則（平成一一年一二月八日法律第一五一号）（抄）

（施行期日）

第一条　この法律は、平成十二年四月一日から施行する。〔後略〕

（経過措置）

第三条 民法の一部を改正する法律（平成十一年法律第百四十九号）附則第三条第三項の規定により従前の例によることとされる準禁治産者及びその保佐人に関するこの法律による改正規定の適用については、〔中略〕なお従前の例による。

〔以下略〕

第四条 この法律の施行前にした行為に対する罰則の適用については、なお従前の例による。

〔解　説〕

民法の一部を改正する法律の施行に伴う関係法律の整備等に関する法律（平成一一年法律第一五一号）第八条で水道法第二五条の三第一項第三号イを改めることに伴い、その改正規定の施行期日、経過措置を定めたものである。（付録三、㈢、12参照）

○中央省庁等改革関係法施行法（平成一一年一二月二二日法律第一六〇号）（抄）

（処分、申請等に関する経過措置）

第千三百一条 中央省庁等改革関係法及びこの法律（以下「改革関係法等」と総称する。）の施行前に法令の規定により従前の国の機関がした免許、許可、認可、承認、指定その他の処分又は通知その他の行為は、法令に別段の定めがあるもののほか、改革関係法等の施行後は、改革関係法等の施行後の法令の相当規定に基づいて、相当の国の機関がした免許、許可、認可、承認、指定その他の処分又は通知その他の行為とみなす。

2　改革関係法等の施行の際現に法令の規定により従前の国の機関に対してされている申請、届出その他の行為は、法令に別段の定めがあるもののほか、改革関係法等の施行後は、改革関係法等の施行後の法令の相当規定に基づいて、相当の国の機関に対してされた申請、届出その他の行為とみなす。

3　改革関係法等の施行前に法令の規定により従前の国の機関に対し報告、届出、提出その他の手続をしなければならないとされている事項で、改革関係法等の施行の日前にその手続がされていないものについては、法令に別段の定めがあるもののほか、改革関係法等の施行後は、これを、改革関係法等の施行後の法令の相当規定により相当の国の機関に対して報告、届出、提出その他の手続をしなければならないとされた事項についてその手続がされていないものとみなして、改革関係法等の施行後の法令の規定を適用する。

（従前の例による処分等に関する経過措置）

第千三百二条　なお従前の例によることとする法令の規定により、従前の国の機関がすべき免許、許可、認可、承認、指定その他の処分若しくは通知その他の行為又は従前の国の機関に対してすべき申請、届出その他の行為については、法令に別段の定めがあるもののほか、改革関係法等の施行後は、改革関係法等の施行後の法令の規定に基づくその任務及び所掌事務の区分に応じ、それぞれ、相当の国の機関がすべきものとし、又は相当の国の機関に対してすべきものとする。

（罰則に関する経過措置）

第千三百三条　改革関係法等の施行前にした行為に対する罰則の適用については、なお従前の例による。

（政令への委任）

第千三百四十四条　第七十一条から第七十六条まで及び第千三百一条から前条まで並びに中央省庁等改革関係法に定めるもののほか、改革関係法等の施行に関し必要な経過措置（罰則に関する経過措置を含む。）は、政令で定める。

附　則（平成一一年一二月二二日法律第一六〇号）（抄）

（施行期日）

第一条　この法律（第二条及び第三条を除く。）は、平成十三年一月六日から施行する。ただし、次の各号に掲げる規定は、当該各号に定める日から施行する。

一　第九百九十五条（核原料物質、核燃料物質及び原子炉の規制に関する法律の一部を改正する法律附則の改正規定に係る部分に限る。）、第千三百五条、第千三百六条、第千三百二十四条第二項、第千三百二十六条第二項及び第千三百四十四条の規定　公布の日

二　略

〔解　説〕

中央省庁等改革関係法施行法（平成一一年法律第一六〇号）第六五三条で水道法を改正したことに伴い、その施行期日を定めたものである。（付録三、㈢、13参照）

〔水道法の一部を改正する法律附則〕（平成一三年七月四日法律第一〇〇号）

（施行期日）

第一条　この法律は、公布の日から起算して一年を超えない範囲内において政令で定める日から施行する。

（専用水道に関する経過措置）

第二条　この法律の施行の際現にこの法律による改正後の水道法（以下「新法」という。）第三条第六項の規定により新たに専用水道となるもの（以下この条において「新規専用水道」という。）を設置している者は、この法律の施行後六月以内に、都道府県知事に、水道施設の概要その他厚生労働省令で定める事項を届け出なければならない。

2　前項の規定に違反して、同項に規定する事項を届け出ず、又は虚偽の届出をした者は、三十万円以下の罰金に処する。

3　法人の代表者又は法人若しくは人の代理人、使用人その他の従業者が、その法人又は人の業務に関して前項の違反行為をしたときは、行為者を罰するほか、その法人又は人に対しても、同項の刑を科する。

4　第一項の届出をした者は、当該届出に係る事項について、新法第三十二条の確認を受けたものとみなす。

5　この法律の施行の際現に新規専用水道において新法第十九条第二項各号に掲げる事項に関する事務に従事し、又はその事務に従事する他の職員を監督している者については、この法律の施行後三年間は、当該新規専用水道について、新法第三十四条第一項において準用する新法第十九条第三項の規定は、適用しない。

6　新規専用水道については、この法律の施行後一年間は、新法第五条の規定は、適用しない。

（供給規程に関する経過措置）

第三条　この法律の施行の際現に水道事業を経営している地方公共団体の新法第十四条第一項に規定する供給規程が、この法律の施行の日において同条第二項第五号に掲げる要件に適合していないときは、当該地方公共団体は、この法律の施行後一年以内に当該供給規程の変更を行い、厚生労働大臣に届け出なければならない。

2　この法律の施行の際現に水道事業を経営している地方公共団体以外の者の新法第十四条第一項に規定する供給規程が、この法律の施行の日において同条第二項第五号に掲げる要件に適合していないときは、その者は、この法律の施行後一年以内に当該供給規程の変更を行い、厚生労働大臣の認可を受けなければならない。

（罰則に関する経過措置）

第四条　この法律の施行前にした行為に対する罰則の適用については、なお従前の例による。

〔解　説〕

水道法の一部を改正する法律（平成一三年法律第一〇〇号）により水道法を改正したことに伴い、その改正規定の施行期日及び経過措置を定めたものである。（付録三、㈢、14参照）

〔日本電信電話株式会社の株式の売払収入の活用による社会資本の整備の促進に関する特別措置法等の一部を改正する法律附則〕（平成一四年二月八日法律第一号）（抄）

（施行期日）

第一条　この法律は、公布の日から施行する。

〔解　説〕

日本電信電話株式会社の株式の売払収入の活用による社会資本の整備の促進に関する特別措置法の一部改正（平成一四年法律第一号）第四〇条で水道法を改正したことに伴い、その改正規定の施行期日を定めたものである。（付録三、㈢、15参照）

〔公益法人に係る改革を推進するための厚生労働省関係法律の整備に関する法律附則〕（平成一五年七月二日法律第一〇二号）（抄）

（施行期日）

第一条　この法律は、平成十六年三月三十一日までの間において政令で定める日から施行する。ただし、第六条の規定は平成十六年四月一日から、附則第二条第一項、第三条第一項、第四条第一項、第五条第一項及び第六条第一項の規定は公布の日から施行する。

（水道法の一部改正に伴う経過措置）

第三条　この法律による改正後の水道法（以下「新水道法」という。）第二十条第三項又は第三十四条の二第二項の登録を受けようとする者は、この法律の施行前においても、その申請を行うことができる。新水道法第二十条の八の規定による水質検査業務規程の届出及び新水道法第三十四条の四において準用する新水道法第二十条の八の規定による簡易専用水道検査業務規程の届出についても、同様とする。

2　この法律の施行の際現にこの法律による改正前の水道法第二十条第三項及び第三十四条の二第二項の指定を受けている者は、それぞれ、この法律の施行の日に新水道法第二十条第三項及び第三十四条の二第二項の登録を受けた者とみなす。

（罰則の適用に関する経過措置）

第七条　この法律の施行前にした行為及びこの附則の規定によりなお従前の例によることとされる場合におけるこの法律の施行後にした行為に対する罰則の適用については、なお従前の例による。

（その他の経過措置の政令への委任）

第八条　附則第二条から前条までに定めるもののほか、この法律の施行に関し必要となる経過措置（罰則に関する経過措置を含む。）は、政令で定める。

（検討）

第九条　政府は、この法律の施行後五年を経過した場合において、この法律の施行の状況を勘案し、必要があると認めるときは、この法律の規定について検討を加え、その結果に基づいて必要な措置を講ずるものとする。

〔解　説〕

公益法人に係る改革を推進するための厚生労働省関係法律の整備に関する法律（平成一五年法律第一〇二号）第二条で水道法を改正したことに伴い、その改正規定の施行期日及び経過措置等を定めたものである。（付録三、㈢、16参照）

〔行政事件訴訟法の一部を改正する法律附則〕（平成一六年六月九日法律第八四号）（抄）

（施行期日）

第一条　この法律は、公布の日から起算して一年を超えない範囲内において政令で定める日から施行する。〔後略〕

（検討）

第五十条　政府は、この法律の施行後五年を経過した場合において、新法の施行の状況について検討を加え、必要があると認めるときは、その結果に基づいて所要の措置を講ずるものとする。

〔解　説〕

行政事件訴訟法の一部を改正する法律（平成一六年六月九日法律第八四号）附則第三三条で水道法を改正したことに伴い、その改正規定の施行期日及び見直し条項を定めたものである。（付録三、㈢、17参照）

〔民間事業者等が行う書面の保存等における情報通信の技術の利用に関する法律の施行に伴う関係法律の整備等に関する法律附則〕（平成一六年一二月一日法律第一五〇号）（抄）

（施行期日）

第一条　この法律は、平成十七年四月一日から施行する。

（罰則に関する経過措置）
第四条　この法律の施行前にした行為に対する罰則の適用については、なお従前の例による。

〔解　説〕
民間事業者等が行う書面の保存等における情報通信の技術の利用に関する法律の施行に伴う関係法律の整備等に関する法律（平成一六年一二月一日法律第一五〇号）第一七条で水道法を改正したことに伴い、その改正規定の施行期日及び経過措置を定めたものである。（付録三、㈢、18参照）

〔臨床検査技師、衛生検査技師等に関する法律の一部を改正する法律附則〕（平成一七年五月二日法律第三九号）（抄）

（施行期日）
第一条　この法律は、公布の日から起算して一年を超えない範囲内において政令で定める日から施行する。

（水道法の一部改正に伴う経過措置）
第十一条　附則第三条第一項に規定する者については、前条の規定による改正前の水道法別表第一第三号の規定は、なおその効力を有する。この場合において、同号中「同条第二項の規定による衛生検査技師の免許を有する者」とあるのは、「臨床検査技師、衛生検査技師等に関する法律の一部を改正する法律（平成十七年法律第三十九号）附則第三条第一項に規定する者」とする。

〔解　説〕
臨床検査技師、衛生検査技師等に関する法律の一部を改正する法律（平成一七年五月二日法律第三九号）附則第一〇条で水道法を改正したことに伴い、その改正規定の施行期日及び経過措置を定めたものである。（付録三、㈢、19参照）

〔会社法の施行に伴う関係法律の整備等に関する法律附則〕（平成一七年七月二六日法律第八七号）（抄）

（罰則に関する経過措置）

第五百二十七条　施行日前にした行為及びこの法律の規定によりなお従前の例によることとされる場合における施行日以後にした行為に対する罰則の適用については、なお従前の例による。

（政令への委任）

第五百二十八条　この法律に定めるもののほか、この法律の規定による法律の廃止又は改正に伴い必要な経過措置は、政令で定める。

附　則（平成一七年七月二六日法律第八七号）（抄）

この法律は、会社法（平成一七年七月法律第八六号）の施行の日から施行する。〔後略〕

（施行の日＝平成一八年五月一日）

〔解　説〕

会社法の施行に伴う関係法律の整備等に関する法律（平成一七年七月二六日法律第八七号）第三一五条で水道法を改正したことに伴い、その改正規定の施行期日及び経過措置を定めたものである。（付録三、㈢、20参照）

〔一般社団法人及び一般財団法人に関する法律及び公益社団法人及び公益財団法人の認定等に関する法律の施行に伴う関係法律の整備等に関する法律附則〕（平成一八年六月二日法律第五〇号）（抄）

（罰則に関する経過措置）

第四百五十七条　施行日前にした行為及びこの法律の規定によりなお従前の例によることとされる場合における施行日以後にした行為に対する罰則の適用については、なお従前の例による。

（政令への委任）

第四百五十八条　この法律に定めるもののほか、この法律の規定による法律の廃止又は改正に伴い必要な経過措置は、政令で定める。

附　則（平成一八年六月二日法律第五〇号）（抄）

この法律は、一般社団・財団法人法（一般社団法人及び一般財団法人に関する法律＝平成一八年六月法律第四八号）の施行の日から施行する。〔後略〕

（施行の日＝平成二〇年一二月一日）

〔解　説〕

一般社団法人及び一般財団法人に関する法律及び公益社団法人及び公益財団法人の認定等に関する法律の施行に伴う関係法律の整備等に関する法律（平成一八年六月二日法律第五〇号）第二八〇条で水道法を改正したことに伴い、その改正規定の施行期日及び経過措置を定めたものである。（付録三、㈢、21参照）

〔**情報処理の高度化等に対処するための刑法等の一部を改正する法律附則**〕（平成二三年六月二四日法律第七四号）（抄）

（施行期日）

第一条　この法律は、公布の日から起算して二十日を経過した日から施行する。〔後略〕

〔解　説〕

情報処理の高度化等に対処するための刑法等の一部を改正する法律（平成二三年六月二四日法律第七四号）附則第三五条で水道法を改正したことに伴い、その改正規定の施行期日を定めたものである。（付録三、㈢、22参照）

〔地域の自主性及び自立性を高めるための改革の推進を図るための関係法律の整備に関する法律附則〕（平成二三年八月三〇日法律第一〇五号）（抄）

（施行期日）

第一条　この法律は、公布の日から施行する。ただし、次の各号に掲げる規定は、当該各号に定める日から施行する。

一　略

二　〔前略〕第三十八条（水道法第四十六条、第四十八条の二、第五十条及び第五十条の二の改正規定を除く。）〔中略〕の規定並びに附則第十三条、第十五条から第二十四条まで、第二十五条第一項、第二十六条、第二十七条第一項から第三項まで〔中略〕の規定　平成二十四年四月一日

三　〔前略〕第三十八条（水道法第四十六条、第四十八条の二、第五十条及び第五十条の二の改正規定に限る。）、第四十条及び第四十二条の規定並びに附則第二十五条第二項及び第三項、第二十七条第四項及び第五項、第二十八条、第二十九条並びに第八十八条の規定　平成二十五年四月一日

四から六まで　略

（水道法の一部改正に伴う経過措置）

第二十七条　第三十八条の規定（水道法第十二条及び第十九条の改正規定に限る。以下この項から第三項までにおいて同じ。）の施行の日から起算して一年を超えない期間内において、第三十八条の規定による改正後の水道法（以下この項から第三項までにおいて「新水道法」という。）第十二条第一項（新水道法第三十一条において準用する場合を含む。以下この項において同じ。）に規定する地方公共団体の条例が制定施行されるまでの間における当該地方公共団体である水道事業者又は水道用水供給事業者に対する新水道法第十二条第一項の規定の適用については、同項中「水道の布設工事（当該水道事業者が地方公共団体である場合にあつては、当該地方公共団体の条例で定める水道の布設工事に限る。）」とあるのは、「水道の布設工事」とする。

2　第三十八条の規定の施行の日から起算して一年を超えない期間内において、新水道法第十二条第二項（新水道法第三

十一条において準用する場合を含む。以下この項において同じ。）に規定する地方公共団体の条例が制定施行されるまでの間は、新水道法第十二条第二項に規定する政令で定める資格は、当該地方公共団体の条例で定める資格とみなす。

3　第三十八条の規定の施行の日から起算して一年を超えない期間内において、新水道法第十九条第三項（新水道法第三十一条及び第三十四条第一項において準用する場合を含む。以下この項において同じ。）に規定する地方公共団体の条例が制定施行されるまでの間は、新水道法第十九条第三項に規定する政令で定める資格は、当該地方公共団体の条例で定める資格とみなす。

4　第三十八条の規定（水道法第四十八条の二、第五十条及び第五十条の二の改正規定に限る。以下この条において同じ。）の施行前に第三十八条の規定による改正前の水道法（以下この条において「旧水道法」という。）の規定によりされた確認等の処分その他の行為（以下この項において「処分等の行為」という。）又は第三十八条の規定の施行の際現に旧水道法の規定によりされている確認の申請その他の行為（以下この項において「申請等の行為」という。）で、第三十八条の規定の施行の日においてこれらの行為に係る行政事務を行うべき者が異なることとなるものは、同日以後における第三十八条の規定による改正後の水道法（以下この条において「新水道法」という。）の適用については、新水道法の相当規定によりされた処分等の行為又は申請等の行為とみなす。

5　第三十八条の規定の施行前に旧水道法の規定により都道府県知事に対し報告をしなければならない事項で、第三十八条の規定の施行の日前にその報告がされていないものについては、これを、新水道法の相当規定により市長に対して報告をしなければならない事項についてその報告がされていないものとみなして、新水道法の規定を適用する。

（罰則に関する経過措置）

第八十一条　この法律（附則第一条各号に掲げる規定にあっては、当該規定。以下この条において同じ。）の施行前にした行為及びこの附則の規定によりなお従前の例によることとされる場合におけるこの法律の施行後にした行為に対する罰則の適用については、なお従前の例による。

（政令への委任）

第八十二条　この附則に規定するもののほか、この法律の施行に関し必要な経過措置（罰則に関する経過措置を含む。）

は、政令で定める。

〔解　説〕

地域の自主性及び自立性を高めるための改革の推進を図るための関係法律の整備に関する法律（平成二三年八月三〇日法律第一〇五号）第三八条で水道法を改正したことに伴い、その改正規定の施行期日及び経過措置等を定めたものである。（付録三、㈢、23参照）

〔行政不服審査法の施行に伴う関係法律の整備等に関する法律附則〕（平成二六年六月一三日法律第六九号）（抄）

（施行期日）

第一条　この法律は、行政不服審査法（平成二十六年法律第六十八号）の施行の日から施行する。

（経過措置の原則）

第五条　行政庁の処分その他の行為又は不作為についての不服申立てであってこの法律の施行前にされた行政庁の処分その他の行為又はこの法律の施行前にされた申請に係る行政庁の不作為に係るものについては、この附則に特別の定めがある場合を除き、なお従前の例による。

（訴訟に関する経過措置）

第六条　この法律による改正前の法律の規定により不服申立てに対する行政庁の裁決、決定その他の行為を経た後でなければ訴えを提起できないこととされる事項であって、当該不服申立てを提起しないでこの法律の施行前にこれを提起すべき期間を経過したもの（当該不服申立てが他の不服申立てに対する行政庁の裁決、決定その他の行為を経た後でなければ提起できないとされる場合にあっては、当該他の不服申立てを提起しないでこの法律の施行前にこれを提起すべき期間を経過したものを含む。）の訴えの提起については、なお従前の例による。

2　この法律の規定による改正前の法律の規定（前条の規定によりなお従前の例によることとされる場合を含む。）により異議申立てが提起された処分その他の行為であって、この法律の規定による改正後の法律の規定により審査請求に対する裁決を経た後でなければ取消しの訴えを提起することができないこととされるものの取消しの訴えの提起については、なお従前の例による。

3　不服申立てに対する行政庁の裁決、決定その他の行為の取消しの訴えであって、この法律の施行前に提起されたものについては、なお従前の例による。

（罰則に関する経過措置）

第九条　この法律の施行前にした行為並びに附則第五条及び前二条の規定によりなお従前の例によることとされる場合におけるこの法律の施行後にした行為に対する罰則の適用については、なお従前の例による。

（その他の経過措置の政令への委任）

第十条　附則第五条から前条までに定めるもののほか、この法律の施行に関し必要な経過措置（罰則に関する経過措置を含む。）は、政令で定める。

〔解　説〕

行政不服審査法の施行に伴う関係法律の整備等に関する法律（平成二六年六月一三日法律第六九号）第一四二条で水道法を改正したことに伴い、その改正規定の施行期日及び経過措置等を定めたものである。（付録三、㈢、24参照）

〔学校教育法の一部を改正する法律附則〕（平成二九年五月三一日法律第四一号）（抄）

（施行期日）

第一条　この法律は、平成三十一年四月一日から施行する。ただし、次条及び附則第四十八条の規定は、公布の日から施行する。

（政令への委任）

第四十八条　この附則に規定するもののほか、この法律の施行に関し必要な経過措置は、政令で定める。

〔解　説〕

学校教育法の一部を改正する法律（平成二九年五月三一日法律四一号）附則二六条で水道法を改正したことに伴い、その改正規定の施行期日及び経過措置を定めたものである。（付録三、㈢、25参照）

〔水道法の一部を改正する法律附則〕（平成三〇年一二月一二日法律第九二号）

（施行期日）

第一条　この法律は、公布の日から起算して一年を超えない範囲内において政令で定める日から施行する。ただし、附則第五条の規定は、公布の日から施行する。

（水道施設台帳に関する経過措置）

第二条　この法律による改正後の水道法（以下「新法」という。）第十九条第二項（第七号に係る部分に限り、新法第三十一条において準用する場合を含む。）及び第二十二条の三（新法第三十一条において準用する場合を含む。）の規定は、この法律の施行の日（以下「施行日」という。）から起算して三年を超えない範囲内において政令で定める日までは、適用しない。

（指定給水装置工事事業者の指定の更新に関する経過措置）

第三条　この法律の施行の際現に水道法第十六条の二第一項の指定を受けている同条第二項に規定する指定給水装置工事事業者の施行日後の最初の新法第二十五条の三の二第一項の更新については、同項中「五年ごと」とあるのは、「水道法の一部を改正する法律（平成三十年法律第九十二号）の施行の日（以下この項において「改正法施行日」という。）の前日から起算して五年（当該指定を受けた日が改正法施行日の前日の五年前の日以前である場合にあつては、五年を超えない範囲内において政令で定める期間）を経過する日まで」とする。

（罰則に関する経過措置）

第四条　施行日前にした行為に対する罰則の適用については、なお従前の例による。

（政令への委任）

第五条　前三条に規定するもののほか、この法律の施行に関し必要な経過措置（罰則に関する経過措置を含む。）は、政令で定める。

（検討）

第六条　政府は、この法律の施行後五年を目途として、この法律による改正後の規定の実施状況を勘案し、必要があると認めるときは、当該規定について検討を加え、その結果に基づいて所要の措置を講ずるものとする。

〔解　説〕

水道法の一部を改正する法律（平成三〇年一二月一二日法律第九二号）により水道法を改正したことに伴い、その改正規定の施行期日及び経過措置等を定めたものである。（付録三、㈢、26参照）

第二条は、水道施設台帳の作成及び保管を水道事業者等に義務づけるにあたり、小規模な事業者の実情を踏まえ、台帳未整備の事業者に台帳の整備に係る準備期間を設けることとしたものである。

第三条は、指定給水装置工事事業者制度の指定に5年間の有効期間を設けるにあたり、現に指定給水装置工事事業者の受けている指定の有効期間の取扱いを明確にするものである。

第四条は、改正後の第五五条において、罰則規定の根拠となる号がずれることから、罰則に関する経過措置を設けるものである。

〔成年被後見人等の権利の制限に係る措置の適正化等を図るための関係法律の整備に関する法律附則〕（令和元年六月一四日法律第三七号）（抄）

（施行期日）

第一条　この法律は、公布の日から起算して三月を経過した日から施行する。〔後略〕

〔解　説〕

成年被後見人等の権利の制限に係る措置の適正化等を図るための関係法律の整備に関する法律（令和元年六月一四日法律三七号）第八六条で水道法を改正したことに伴い、その改正規定の施行期日等を定めたものである。（付録三、㈢、27参照）

改正施行令附則、改正施行規則附則

〔改正施行令附則〕

附　則（昭和三六年一二月二六日政令第四二七号）

この政令は、公布の日から施行する。

附　則（昭和五二年七月一日政令第二二六号）

この政令は、公布の日から施行する。

附　則（昭和五三年四月七日政令第一二三号）（抄）

（施行期日）

1　この政令は、昭和五十三年六月二十三日から施行する。ただし、第七条の改正規定は、同年五月一日から施行する。

附　則（昭和六〇年五月二一日政令第一四一号）（抄）

（施行期日）

第一条　この政令は、公布の日から施行する。

（経過措置）

第二条　昭和五十九年度の国庫債務負担行為に基づき昭和六十年度に支出すべきものとされた国の補助及び昭和五十九年度の歳出予算に係る国の補助で昭和六十年度以降の年度に繰り越されたものにより実施される水源開発施設又は水道施設の新設又は増設については、なお従前の例による。

2　水源開発施設又は水道施設の新設又は増設に要する費用につき昭和五十九年度以前の年度の予算に係る国の補助が行われた当該施設の新設又は増設についての水道法第四十四条に規定する政令で定める費用については、なお従前の例による。

附　則（昭和六〇年一一月六日政令第二九三号）

この政令は、昭和六十一年十一月一日から施行する。

附　則（昭和六二年九月四日政令第二九二号）

この政令は、公布の日から施行する。

附　則（平成二年一二月二七日政令第三六九号）

（施行期日）

1　この政令は、平成三年四月一日から施行する。

（経過措置）

2　この政令の施行前に食品衛生法、栄養士法、水道法若しくは製菓衛生師法（これらの法律に基づく政令を含む。）の規定によりされた許可等の処分その他の行為（以下「処分等の行為」という。）又はこの政令の施行の際現にこれらの法律（これらの法律に基づくこの政令による改正前の政令を含む。）の規定によりされている許可等の申請その他の行為（以下「申請等の行為」という。）で、この政令の施行の日においてこれらの行為に係る行政事務を行うべき者が異なることとなるものは、この政令の施行の日以後においては、この政令の施行の日において新たに当該行政事務を行うこととなる者（以下「新事務執行者」という。）のした処分等の行為又は新事務執行者に対して行った申請等の行為とみなす。

3　この政令の施行前にした行為に対する罰則の適用については、なお従前の例による。

附　則（平成四年四月一〇日政令第一二一号）

この政令は、公布の日から施行する。

附　則（平成九年三月一九日政令第三六号）

この政令は、平成九年四月一日から施行する。ただし、第四条に一項を加える改正規定は、平成九年十月一日から施行する。

附　則（平成九年一二月二五日政令第三八〇号）

（施行期日）

1　この政令は、平成十年四月一日から施行する。

（経過措置）

2　この政令の施行前に水道法の規定によりされた認可等の処分その他の行為（以下「処分等の行為」という。）又はこの政令の施行の際現に同法の規定によりされている認可等の申請その他の行為（以下「申請等の行為」という。）で、この政令の施行の日においてこれらの行為に係る行政事務を行うべき者が異なることとなるものは、この政令の施行の日以後においては、この政令の施行の日において新たに当該行政事務を行うこととなる者（以下「新事務執行者」という。）のした処分等の行為又は新事務執行者に対して行った申請等の行為とみなす。

3　この政令の施行前にした行為に対する罰則の適用については、なお従前の例による。

附　則（平成一〇年一〇月三〇日政令第三五一号）（抄）

（施行期日）

1　この政令は、平成十一年四月一日から施行する。

附　則（平成一一年一二月八日政令第三九三号）（抄）

（施行期日）

第一条　この政令は、平成十二年四月一日から施行する。

附　則（平成一二年三月一七日政令第六五号）

この政令は、平成十二年四月一日から施行する。

附　則（平成一二年六月七日政令第三〇九号）（抄）

（施行期日）

1　この政令は、内閣法の一部を改正する法律（平成十一年法律第八十八号）の施行の日から施行する。

（施行の日＝平成一三年一月六日）

附　則（平成一三年一二月一九日政令第四一三号）（抄）

（施行期日）

第一条　この政令は、水道法の一部を改正する法律の施行の日から施行する。

（施行の日＝平成一四年四月一日）

（地方自治法施行令の一部改正）

附　則（平成一四年二月八日政令第二七号）（抄）

（施行期日）

第一条　この政令は、公布の日から施行する。

附　則（平成一五年一二月一九日政令第五三三号）（抄）

（施行期日）

第一条　この政令は、公益法人に係る改革を推進するための厚生労働省関係法律の整備に関する法律（平成一五年七月法律第一〇二号）（以下「法」という。）の施行の日から施行する。

（施行の日＝平成一六年三月三一日）

附　則（平成一六年三月一九日政令第四六号）

この政令は、平成十六年三月二十九日から施行する。

附　則（平成二八年三月三一日政令第一〇二号）（抄）

（施行期日）

第一条　この政令は、平成二十八年四月一日から施行する。

（罰則に関する経過措置）

第二条　この政令の施行前にした行為に対する罰則の適用については、なお従前の例による。

附　則（平成二九年九月一日政令第二三二号）（抄）

（施行期日）

1　この政令は、平成三十一年四月一日から施行する。

附　則（平成三一年四月一七日政令第一五四号）（抄）

（施行期日）

1　この政令は、水道法の一部を改正する法律（次項において「改正法」という。）の施行の日（平成三十一年十月一日）

から施行する。

（水道法施行令の一部改正に伴う経過措置）

2　この政令の施行の際現にこの政令による改正前の水道法施行令別表の二の項の中欄に掲げる費用について国の補助を受けている地方公共団体に対する同項の規定の適用については、なお従前の例による。ただし、改正法による改正後の水道法（次項において「新水道法」という。）第五条の三第一項に規定する水道基盤強化計画（次項おいて「水道基盤強化計画」という。）において、当該補助に係る事業が同条第二項第七号に掲げる事項として定められたときは、この限りでない。

附　則（令和元年一二月一三日政令第一八三号）（抄）

（施行期日）

第一条　この政令は、情報通信技術の活用による行政手続等に係る関係者の利便性の向上並びに行政運営の簡素化及び効率化を図るための行政手続等における情報通信の技術の利用に関する法律等の一部を改正する法律（次条において「改正法」という。）の施行の日（令和元年一二月一六日）から施行する。

〔改正施行規則附則〕

附　則（昭和三五年六月一日厚生省令第二〇号）（抄）

1　この省令は、公布の日から施行する。

附　則（昭和四一年五月六日厚生省令第一二号）

この省令は、昭和四十一年五月二十日から施行する。

附　則（昭和五三年四月二五日厚生省令第二三号）

この省令は、昭和五十三年六月二十三日から施行する。

附　則（昭和六二年一月三一日厚生省令第八号）（抄）

1　この省令は、昭和六十二年四月一日から施行する。

附　則（平成元年三月二四日厚生省令第一〇号）（抄）

1　この省令は、公布の日から施行する。
2　この省令の施行の際この省令による改正前の様式（以下「旧様式」という。）により使用されている書類は、この省令による改正後の様式によるものとみなす。
3　この省令の施行の際現にある旧様式による用紙及び板については、当分の間、これを取り繕つて使用することができる。
4　この省令による改正後の省令の規定にかかわらず、この省令により改正された規定であつて改正後の様式により記載することが適当でないものについては、当分の間、なお従前の例による。

附　則（平成三年九月二五日厚生省令第四七号）

1　この省令は、平成三年十月一日から施行する。
2　この省令の施行の際この省令による改正前の様式により使用されている書類は、この省令による改正後の様式によるものとみなす。

附　則（平成四年一二月二一日厚生省令第七〇号）

この省令は、平成五年十二月一日から施行する。

附　則（平成六年七月一日厚生省令第四七号）（抄）

1　この省令は、公布の日から施行する。
4　この省令の施行の際現にあるこの省令による改正前の様式（以下「旧様式」という。）により使用されている書類は、この省令による改正後の様式によるものとみなす。
5　この省令の施行の際現にある旧様式による用紙については、当分の間、これを取り繕って使用することができる。

附　則（平成六年一二月一四日厚生省令第七七号）（抄）

（施行期日）
第一条　この省令は、公布の日から施行する。

（水道法施行規則の一部改正に伴う経過措置）

第六条　第十四条の規定の施行前三月間に係る水道法第二十一条第一項に規定する健康診断については、第十四条の規定による改正後の水道法施行規則第十五条第一項の規定にかかわらず、なお従前の例による。

附　則（平成八年一二月二〇日厚生省令第六九号）

（施行期日）

第一条　この省令は、民間活動に係る規制の改善及び行政事務の合理化のための厚生省関係法律の一部を改正する法律（平成八年法律第百七号）の一部の施行の日から施行する。

（施行の日＝平成九年四月一日）

（経過措置）

第二条　地方公共団体の水道条例又はこれに基づく規程による給水装置工事責任技術者（給水装置技術者その他類似の名称のものを含む。）の資格を有する者であって、厚生労働大臣が指定する講習会の課程を修了したものは、試験の全部の免除を受けることができる。

2　前項の規定により試験の全部の免除を受けようとする者は、様式第五による受験願書に次に掲げる書類を添えて、これを厚生労働大臣（指定試験機関が受験手続に関する事務を行う場合にあっては、指定試験機関）に提出しなければならない。

一　法第二十五条の六第二項に該当する者であることを証する書類

二　写真（出願前六月以内に脱帽して正面から上半身を写した写真で、縦六センチメートル横四センチメートルのもので、その裏面には撮影年月日及び氏名を記載すること。）

三　附則様式第一による給水装置工事主任技術者試験全部免除申請書

四　前項の規定に該当する者であることを証する書類

附　則（平成九年八月一一日厚生省令第五九号）

（施行期日）

第一条　この省令は、民間活動に係る規制の改善及び行政事務の合理化のための厚生省関係法律の一部を改正する法律

（平成八年法律第百七号。以下「改正法」という。）の一部の施行の日（平成十年四月一日）から施行する。

（旧指定給水装置工事事業者に関する経過措置）

第二条　改正法附則第二条第二項の規定により指定給水装置工事事業者の指定を受けた者とみなされたものについて、この省令による改正後の水道法施行規則第三十六条の規定を適用する場合においては、平成十一年三月三十一日までの間、同条第一号中「給水装置工事主任技術者」とあるのは「給水装置工事主任技術者又は地方公共団体の水道条例若しくはこれに基づく規程による給水装置工事責任技術者（給水装置工事技術者その他類似の名称のものを含む。）の資格を有する者（以下「給水装置工事責任技術者等」という。）」と、同条第四号及び第六号中「給水装置工事主任技術者」とあるのは「給水装置工事主任技術者又は給水装置工事責任技術者等」とする。

附　則（平成一〇年三月二七日厚生省令第三四号）

この省令は、公布の日から施行する。

附　則（平成一〇年一一月二日厚生省令第八七号）

1　この省令は、公布の日から施行する。

2　この省令の施行の際現にあるこの省令による改正前の様式による用紙については、当分の間、これを取り繕って使用することができる。

附　則（平成一一年一二月二八日厚生省令第一〇〇号）

この省令は、平成十二年四月一日から施行する。

附　則（平成一二年六月一三日厚生省令第一〇一号）（抄）

（施行期日）

1　この省令は、平成十二年十月一日から施行する。

附　則（平成一二年一〇月二〇日厚生省令第一二七号）（抄）

（施行期日）

1　この省令は、内閣法の一部を改正する法律（平成十一年法律第八十八号）の施行の日から施行する。

（施行の日＝平成一三年一月六日）

（様式に関する経過措置）

3　この省令の施行の際現にあるこの省令による改正前の様式（次項において「旧様式」という。）により使用されている書類は、この省令による改正後の様式によるものとみなす。

4　この省令の施行の際現にある旧様式による用紙については、当分の間、これを取り繕って使用することができる。

附　則（平成一三年三月三〇日厚生労働省令第九九号）

（施行期日）

1　この省令は、平成十三年四月一日から施行する。

（経過措置）

2　この省令の施行の際現にこの省令による改正前の水道法施行規則第十四条第三号（同規則第五十二条及び第五十四条において準用する場合を含む。）に規定する講習を修了した者については、この省令による改正後の同号に規定する者とみなす。

附　則（平成一四年三月二七日厚生労働省令第四一号）

この省令は、公布の日から施行する。

附　則（平成一四年三月二七日厚生労働省令第四二号）

（施行期日）

第一条　この省令は、平成十四年四月一日から施行する。

（新規専用水道に関する届出）

第二条　水道法の一部を改正する法律（平成十三年法律第百号）附則第二条第一項の厚生労働省令で定める事項は、次のとおりとする。

一　設置者の住所及び氏名（法人又は組合にあっては、主たる事務所の所在地及び名称並びに代表者の氏名）

二　水道事務所の所在地

三　水の供給を受ける者の数及び地域に関する事項
四　一日最大給水量及び一日平均給水量
五　水源の種別及び取水地点
六　水源の水量の概算及び水質試験の結果
七　水道施設の概要
八　水道施設の位置（標高及び水位を含む。）、規模及び構造
九　浄水方法

附　則（平成一五年九月二九日厚生労働省令第一四二号）

（施行期日）
1　この省令は、平成十六年四月一日から施行する。ただし、第七条の二の改正規定及び次項の規定は、公布の日から施行する。

（罰則の適用に関する経過措置）
2　この省令の施行前にした行為に対する罰則の適用については、なお従前の例による。

附　則（平成一六年三月二四日厚生労働省令第三六号）

（施行期日）
第一条　この省令は、平成十六年三月三十一日から施行する。

（経過措置）
第二条　この省令による改正後の第十四条第三号の登録を受けようとする者は、この省令の施行前においても、その申請を行うことができる。この省令による改正後の第十四条の六第二項の規定による登録講習の実施に関する計画の届出及び第十四条の八の規定による登録講習の業務に関する規程の届出についても、同様とする。
第三条　この省令の施行の際現にこの省令による改正前の水道法施行規則第十四条第三号の指定を受けている者は、この省令の施行の日にこの省令による改正後の同号に規定する登録を受けた者とみなす。

第四条　この省令の施行の際現にこの省令による改正前の水道法施行規則第十四条第三号の指定を受けている者が行う水道の管理に関する講習の課程を修了した者は、この省令による改正後の同号に規定する者とみなす。

附　則（平成一六年一二月二四日厚生労働省令第一七六号）

この省令は、公布の日から施行する。

附　則（平成一七年三月七日厚生労働省令第二五号）（抄）

（施行期日）

第一条　この省令は、不動産登記法（平成一六年六月法律第一二三号）の施行の日から施行する。

（施行の日＝平成一七年三月七日）

附　則（平成一八年四月二八日厚生労働省令第一一六号）（抄）

（施行期日）

第一条　この省令は、平成十八年五月一日から施行する。

附　則（平成一九年三月三〇日厚生労働省令第四三号）（抄）

（施行期日）

第一条　この省令は、平成十九年四月一日から施行する。

（助教授の在職に関する経過措置）

第二条　この省令による改正後の次に掲げる省令の規定の適用については、この省令の施行前における助教授としての在職は、准教授としての在職とみなす。

一・二　略

三　水道法施行規則第十四条の四第一項第二号イ及び第四十条第一号

四から二十一まで　略

附　則（平成一九年三月三〇日厚生労働省令第五三号）

（施行期日）

第一条　この省令は、平成十九年四月一日から施行する。

（経過措置）

第二条　この省令の施行の際現にあるこの省令による改正前の様式（以下「旧様式」という。）により使用されている書類は、この省令による改正後の様式によるものとみなす。

2　この省令の施行の際現にある旧様式による用紙については、当分の間、これを取り繕って使用することができる。

附　則（平成一九年一一月一四日厚生労働省令第一三六号）

（施行期日）

第一条　この省令は、公布の日から施行する。ただし、第十五条の改正規定は、平成二十年四月一日から施行する。

（経過措置）

第二条　この省令の施行の際現にあるこの省令による改正前の様式（以下「旧様式」という。）により使用されている書類は、この省令による改正後の様式によるものとみなす。

2　この省令の施行の際現にある旧様式による用紙については、当分の間、これを取り繕って使用することができる。

附　則（平成二〇年一一月二八日厚生労働省令第一六三号）（抄）

（施行期日）

第一条　この省令は、一般社団法人及び一般財団法人に関する法律（平成一八年六月法律第四八号）の施行の日から施行する。

（施行の日＝平成二〇年一二月一日）

附　則（平成二〇年一二月二二日厚生労働省令第一七五号）

この省令は、平成二十一年四月一日から施行する。

附　則（平成二二年三月二五日厚生労働省令第三〇号）

この省令は、公布の日から施行する。

附　則（平成二三年一〇月三日厚生労働省令第一二五号）

（施行期日）

第一条　この省令は、公布の日から施行する。ただし、第十五条から第十五条の六まで、第十五条の十、第五十二条、第五十四条並びに様式第十六及び様式第十六条の二の改正規定は、平成二十四年四月一日から施行する。

（経過措置）

第二条　この省令の施行前にした水道法第二十条第三項の規定による水質検査の委託については、なお従前の例による。

第三条　この省令の施行の際現にあるこの省令による改正前の様式により使用されている書類は、この省令による改正後の様式によるものとみなす。

附　則（平成二四年六月二九日厚生労働省令第九七号）（抄）

（施行期日）

第一条　この省令は、平成二十四年七月九日から施行する。

附　則（平成二四年九月六日厚生労働省令第一二四号）

この省令は、平成二十五年四月一日から施行する。

附　則（平成二六年二月二八日厚生労働省令第一五号）（抄）

（施行期日）

第一条　この省令は、平成二十六年四月一日から施行する。

附　則（平成三〇年二月一六日厚生労働省令第一五号）

この省令は、平成三十一年四月一日から施行する。

附　則（平成三〇年一二月二六日厚生労働省令第一四八号）

（施行期日）

1　この省令は、平成三十一年四月一日から施行する。

（経過措置）

2　この省令の施行前に行われた技術士法（昭和五十八年法律第二十五号）第四条第一項の規定による第二次試験のうち上下水道部門に係るものに合格した者であって、選択科目として水道環境を選択したものは、この省令による改正後の水道法施行規則第九条第三号の適用については、同法第四条第一項の規定による第二次試験のうち上下水道部門に係るものに合格した者であって、選択科目として上水道及び工業用水道を選択したものとみなす。

附　則（令和元年五月七日厚生労働省令第一号）（抄）

（施行期日）

第一条　この省令は、公布の日から施行する。

（経過措置）

第二条　この省令による改正前のそれぞれの省令で定める様式（次項において「旧様式」という。）により使用されている書類は、この省令による改正後のそれぞれの省令で定める様式によるものとみなす。

2　旧様式による用紙については、合理的に必要と認められる範囲内で、当分の間、これを取り繕って使用することができる。

附　則（令和元年六月二八日厚生労働省令第二〇号）（抄）

（施行期日）

第一条　この省令は、不正競争防止法等の一部を改正する法律の施行の日（令和元年七月一日）から施行する。

（様式に関する経過措置）

第二条　この省令の施行の際現にあるこの省令による改正前の様式（次項において「旧様式」という。）により使用されている書類は、この省令による改正後の様式によるものとみなす。

2　この省令の施行の際現にある旧様式による用紙については、当分の間、これを取り繕って使用することができる。

附　則（令和元年九月一三日厚生労働省令第四六号）（抄）

（施行期日）

第一条　この省令は、成年被後見人等の権利の制限に係る措置の適正化等を図るための関係法律の整備に関する法律（令和元年法律第三十七号）の施行の日（令和元年九月十四日）から施行する。

（経過措置）

第二条　この省令の施行の際現にあるこの省令による改正前の様式により使用されている書類は、この省令による改正後の様式によるものとみなす。
2　この省令の施行の際現にある旧様式による用紙については、当分の間、これを取り繕って使用することができる。

附　則（令和元年九月三〇日厚生労働省令第五七号）（抄）

（施行期日）
1　この省令は、水道法の一部を改正する法律の施行の日（令和元年十月一日）から施行する。ただし、この省令による改正後の水道法施行規則第十七条の三（同令第五十二条において準用する場合を含む。）の規定は、令和四年九月三十日までは、適用しない。

附　則（令和二年六月一〇日厚生省令第一二〇号）

この省令は、公布の日から施行する。

附　則（令和二年一二月二五日厚生労働省令第二〇八号）（抄）

（施行期日）
第一条　この省令は、公布の日から施行する。

（経過措置）
第二条　この省令の施行の際現にあるこの省令による改正前の様式（次項において「旧様式」という。）により使用されている書類は、この省令による改正後の様式によるものとみなす。
2　この省令の施行の際現にある旧様式による用紙については、当分の間、これを取り繕って使用することができる。

附　則（令和三年三月二二日厚生労働省令第五三号）（抄）

（施行期日）
第一条　この省令は、公布の日から施行する。

附　則（令和三年四月二〇日厚生労働省令第八八号）

この省令は、公布の日から施行する。

〔解　説〕

一、水道法施行令の改正

㈠　昭和三六年一二月二六日の改正

学校教育法の一部を改正する法律の施行に伴う関係政令の整理に関する政令（昭和三六年政令第四二七号）第一二条で水道法施行令の一部が改正したことに伴い、その改正規定の施行期日を定める同政令の附則である。

㈡　昭和五二年七月一日の改正

水道法の一部を改正する法律（昭和五二年法律第七三号）の施行に伴い、水道法施行令等関係政令を一括して整理するための水道法の一部を改正する法律の施行に伴う関係政令の整備に関する政令（昭和五二年政令第二二六号）の施行期日を定める同政令の附則である。

㈢　昭和五三年四月七日の改正

水道法の一部を改正する法律（昭和五二年法律第七三号）の施行に伴い、水道法施行令の一部を改正する政令（昭和五三年政令第一二三号）の施行期日を定める同政令の附則である。

㈣　昭和六〇年五月二一日の改正

水道法施行令の一部を改正する政令（昭和六〇年政令第一四一号）の施行期日、経過措置を定める同政令の附則である。

㈤　昭和六〇年一一月六日の改正

水道法施行令の一部を改正する政令（昭和六〇年政令第二九三号）の施行期日を定める同政令の附則である。

㈥　昭和六二年九月四日の改正

水道法施行令及び廃棄物の処理及び清掃に関する法律施行令の一部を改正する政令（昭和六二年政令第二九二号）の施行期日を定める同政令の附則である。

㈦　平成二年一二月二七日の改正

食品衛生法施行令等の一部を改正する政令（平成二年政令第三六九号）第三条で水道法施行令の一部が改正したことに伴い、その改正規定の施行期日を定める同政令の附則である。

㈧　平成四年四月一〇日の改正

水道法施行令の一部を改正する政令（平成四年政令第一二一号）の施行期日を定める同政令の附則である。

㈨　平成九年三月一九日の改正

水道法施行令の一部を改正する政令（平成九年政令第三六号）の施行期日を定める同政令の附則である。

㈩　平成九年一二月二五日の改正

水道法施行令の一部を改正する政令（平成九年政令第三八〇号）の施行期日、経過措置を定める同政令の附則である。

(二)　平成一〇年一〇月三〇日の改正

学校教育法等の一部を改正する法律の施行に伴う関係政令の整備に関する政令（平成一〇年政令第三五一号）第三七条で水道法施行令の一部が改正したことに伴い、その改正規定の施行期日を定める同政令の附則である。

(三)　平成一一年一二月八日の改正

地方分権の推進を図るための関係法律の整備等に関する法律の施行に伴う厚生省関係政令の整備等に関する政令（平成一一年政令第三九三号）第三六条で水道法施行令の一部が改正したことに伴い、その施行期日を定める同政令の附則である。

㈢　平成一二年三月一七日の改正

検疫法施行令等の一部を改正する政令（平成一二年政令第六五号）第六条で水道法施行令の一部が改正したことに伴い、その改正規定の施行日を定める同政令の附則である。

㈣　平成一二年六月七日の改正

中央省庁等改革のための厚生労働省関係政令等の整備に関する政令（平成一二年政令第三〇九号）第五〇条で水道法施行令の一部が改正したことに伴い、その施行期日を定める同政令の附則である。

㈤　平成一三年一二月一九日の改正

水道法施行令の一部を改正する政令（平成一三年政令第四一三号）の施行期日及び地方自治法施行令の一部改正を定める同政令の附則である。

㈥　平成一四年二月八日の改正

日本電信電話株式会社の株式の売払収入の活用による社会資本の整備の促進に関する特別措置法等の一部を改正する法律の施行に伴う関係政令の整備に関する政令（平成一四年政令第二七号）第二条で水道法施行令の一部が改正したことに伴い、その改正規定の施行期日を定める同政令の附則である。

㈦　平成一五年一二月一九日の改正

公益法人に係る改革を推進するための厚生労働省関係法律の整備に関する法律の施行に伴う関係政令の整備に関する政令（平成一五年政令第五三三号）第一条で水道法施行令の一部を改正したことに伴い、その改正規定の施行期日を定める同政令の附則である。

㈧　平成一六年三月一九日の改正

検疫法施行令等の一部を改正する政令（平成一六年政令第四六号）第五条で水道法施行令の一部を改正したことに伴い、その改正規定の施行期日を定める附則である。

㈨　平成二八年三月三一日の改正

水道法施行令の一部を改正する政令（平成二八年政令第一〇二号）の施行期日、経過措置等を定める同政令の附則である。

㈩　平成二九年九月一日の改正

学校教育法の一部を改正する法律の施行に伴う関係政令の整備に関する政令（平成二九年政令第二三二号）第一二条で水道法施行令の一部を改正したことに伴い、その改正規定の施行期日等を定める同政令の附則である。

㈪　平成三一年四月一七日の改正

水道法の一部を改正する法律の施行に伴う関係政令の整備及び経過措置に関する政令（平成三一年政令第一五四号）の施行期日、経過措置等を定める同政令の附則である。

㈫　令和元年一二月一三日の改正

情報通信技術の活用による行政手続等に係る関係者の利便性の向上並びに行政運営の簡素化及び効率化を図るための行政手続等における情報通信の技術の利用に関する法律等の一部を改正する法律の施行に伴う関係政令の整備等に関する政令（令和元年政令第一八三号）第一一条で水道法施行令の一部を改正したことに伴い、その改正規定の施行期日等を定める同政令の附則である。

二、**水道法施行規則の改正**

㈠　昭和三五年六月一日の改正

水質基準に関する省令の一部を改正する省令（昭和三五年厚生省令第二〇号）の施行期日を定める同省令の附則である。同省令の附則第二項により、水道法施行規則の一部が改正された。

㈡　昭和四一年五月六日の改正

水道法施行規則の一部を改正する省令（昭和四一年厚生省令第一二号）の施行期日を定める同省令の附則である。

㈢　昭和五三年四月二五日の改正

水道法の一部を改正する法律（昭和五二年法律第七三号）の施行に伴い、水道法施行規則及び建築物における衛生的環境の確保に関する法律施行規則の一部を改正する省令（昭和五三年厚生省令第二三号）の施行期日を定める同省令の附則である。

㈣　昭和六二年一月三一日の改正

児童福祉法施行規則等の一部を改正する省令（昭和六二年厚生省令第八号）第七条で水道法施行規則が改正したことに伴い、その施行期日を定める同省令の附則である。

㈤　平成元年三月二四日の改正

人口動態調査令施行細則等の一部を改正する省令（平成元年厚生省令第一〇号）第四〇条で水道法施行規則の一部様式第一（裏面）が改正したことに伴い、その施行期日等を定める同省令の附則である。

㈥　平成三年九月二五日の改正

行政事務に関する国と地方との関係等の整理及び合理化に関する法律（平成三年法律第七九号）の施行に伴い、

水道法施行規則の一部を改正する省令（平成三年厚生省令第四七号）の施行期日等を定める同省令の附則である。

(七)　平成四年一二月二一日の改正

水道法施行規則等の一部を改正する省令（平成四年厚生省令第七〇号）の施行期日を定める同省令の附則である。

(八)　平成六年七月一日の改正

保健所法施行規則等の一部を改正する省令（平成六年厚生省令第四七号）第一九条で水道法施行規則の一部様式第一が改正したことに伴い、その施行期日等を定める同省令の附則である。

(九)　平成六年一二月一四日の改正

厚生大臣の所管に属する公益法人の設立及び監督に関する規則等の一部を改正する省令（平成六年厚生省令第七七号）第一四条で水道法施行規則の一部が改正したことに伴い、その施行期日、経過措置を定める同省令の附則である。

(一〇)　平成八年一二月二〇日の改正

民間活動に係る規制の改善及び行政事務の合理化のための厚生省関係法律の一部を改正する法律（平成八年法律第一〇七号）の一部の施行に伴い、水道法施行規則の一部を改正する省令（平成八年厚生省令第六九号）の施行期日、経過措置を定める同省令の附則である。

(一一)　平成九年八月一一日の改正

民間活動に係る規制の改善及び行政事務の合理化のための厚生省関係法律の一部を改正する法律（平成八年法律第一〇七号）の一部の施行に伴い、水道法施行規則の一部を改正する省令（平成九年厚生省令第五九号）の施行期日、経過措置を定める同省令の附則である。

(一二)　平成一〇年三月二七日の改正

水道法施行規則の一部を改正する省令（平成一〇年厚生省令第三四号）の施行期日を定める同省令の附則である。

㈢　平成一〇年一一月二日の改正

水道法施行規則等の一部を改正する省令（平成一〇年厚生省令第八七号）の施行期日等を定める同省令の附則である。

㈣　平成一一年一二月二八日の改正

地方分権の推進を図るための関係法律の整備等に関する法律（平成一一年法律第八七号）の施行に伴い、水道法第八条第二項、第一四条第五項及び第二八条第二項の規定に基づき、並びに同法を実施するため、水道法施行規則の一部を改正する省令（平成一一年厚生省令第一〇〇号）の施行期日を定める同省令の附則である。

㈤　平成一二年六月一三日の改正

廃棄物の処理及び清掃に関する法律施行規則の一部を改正する省令（平成一二年厚生省令第一〇一号）の施行期日を定める同省令の附則である。

㈥　平成一二年一〇月二〇日の改正

中央省庁等改革のための健康保険法施行規則等の一部を改正する等の省令（平成一二年厚生省令第一二七号）第五七条で水道法施行規則の一部が改正されたため、その施行期日、経過措置を定める同省令の附則である。

㈦　平成一三年三月三〇日の改正

水道法施行規則の一部を改正する省令（平成一三年厚生労働省令第九九号）の施行期日、経過措置を定める同省令の附則である。

㈧　平成一四年三月二七日の改正

水道法施行規則の一部を改正する省令（平成一四年厚生労働省令第四一号）の施行期日を定める同省令の附則である。

(一九)　平成一四年三月二七日の改正
水道法施行規則の一部を改正する省令（平成一四年厚生労働省令第四二号）の施行期日等を定める同省令の附則である。

(二〇)　平成一五年九月二九日の改正
水道法施行規則の一部を改正する省令（平成一五年厚生労働省令第一四二号）の施行期日及び経過措置を定める同省令の附則である。

(二一)　平成一六年三月二四日の改正
水道法施行規則の一部を改正する省令（平成一六年厚生労働省令第三六号）の施行期日及び経過措置を定める同省令の附則である。

(二二)　平成一六年一二月一四日の改正
水道法施行規則の一部を改正する省令(平成一六年厚生労働省令第一七六号)の施行期日を定める同省令の附則である。

(二三)　平成一七年三月七日の改正
健康保険法施行規則等の一部を改正する省令（平成一七年厚生労働省令第二五号）第二条で水道法施行規則の一部が改正されたため、その施行期日を定める同省令の附則である。

(二四)　平成一八年四月二八日の改正
会社法及び会社法の施行に伴う関係法律の整備等に関する法律の施行に伴う厚生労働省関係省令の整備等に関する省令（平成一八年厚生労働省令第一一六号）第二〇条で水道法施行規則の一部が改正されたため、その施行期日を定める同省令の附則である。

㈢五　平成一九年三月三〇日の改正

学校教育法の一部を改正する法律等の施行に伴う厚生労働省関係省令の整備等に関する省令（平成一九年厚生労働省令第四三号）第三条で水道法施行規則の一部が改正されたため、その施行期日及び経過措置を定める同省令の附則である。

㈢六　平成一九年三月三〇日の改正

水道法施行規則の一部を改正する省令（平成一九年厚生労働省令第五三号）の施行期日及び経過措置を定める同省令の附則である。

㈢七　平成一九年一一月一四日の改正

水道法施行規則の一部を改正する省令（平成一九年厚生労働省令第一三六号）の施行期日及び経過措置を定める同省令の附則である。

㈢八　平成二〇年一一月二八日の改正

一般社団法人及び一般財団法人に関する法律等の施行に伴う厚生労働省関係省令の整備に関する省令（平成二〇年厚生労働省令第一六三号）第八条で水道法施行規則の一部が改正されたため、その施行期日を定める同省令の附則である。

㈢九　平成二〇年一二月二二日の改正

水道法施行規則の一部を改正する省令（平成二〇年厚生労働省令第一七五号）の施行期日を定める同省令の附則である。

㈢〇　平成二二年三月二五日の改正

水道法施行規則の一部を改正する省令（平成二二年厚生労働省令第三〇号）の施行期日を定める同省令の附則である。

㉑　平成二三年一〇月三日の改正
　水道法施行規則の一部を改正する省令（平成二三年厚生労働省令第一二五号）の施行期日及び経過措置を定める同省令の附則である。
㉒　平成二四年六月二九日の改正
　出入国管理及び難民認定法及び日本国との平和条約に基づき日本の国籍を離脱した者等の出入国管理に関する特例法の一部を改正する等の法律の施行に伴う厚生労働省関係省令の整備に関する省令（平成二四年厚生労働省令第九七号）第七条で水道法施行規則の一部が改正されたため、その施行期日を定める同省令の附則である。
㉓　平成二四年九月六日の改正
　水道法施行規則の一部を改正する省令（平成二四年厚生労働省令第一二四号）の施行期日を定める同省令の附則である。
㉔　平成二六年二月二八日の改正
　水質基準に関する省令等の一部を改正する省令（平成二六年厚生労働省令第一五号）第二条で水道法施行規則の一部が改正されたため、その施行期日を定める同省令の附則である。
㉕　平成三〇年二月一六日の改正
　学校教育法の一部を改正する法律の施行に伴う厚生労働省関係省令の整理等に関する省令（平成三〇年厚生労働省令第一五号）第五条で水道法施行規則の一部が改正されたため、その施行期日を定める同省令の附則である。
㉖　平成三〇年一二月二六日の改正
　水道法施行規則の一部を改正する省令（平成三〇年厚生労働省令第一四八号）の施行期日及び経過措置を定める

同省令の附則である。

（三七）　令和元年五月七日の改正

元号の表記の整理のための厚生労働省関係省令の一部を改正する省令（令和元年厚生労働省令第一号）第七条で水道法施行規則の一部が改正されたため、その施行期日及び経過措置等を定める同省令の附則である。

（三八）　令和元年六月二八日の改正

不正競争防止法等の一部を改正する法律の施行に伴う厚生労働省関係省令の整備に関する省令（令和元年厚生労働省令第二〇号）第一条で水道法施行規則の一部様式が改正されたため、その施行期日及び経過措置等を定める同省令の附則である。

（三九）　令和元年九月一三日の改正

成年被後見人等の権利の制限に係る措置の適正化等を図るための関係法律の整備に関する法律の施行に伴う厚生労働省関係省令の整備等に関する省令（令和元年厚生労働省令第四六号）第九条で水道法施行規則の一部が改正されたため、その施行期日及び経過措置等を定める同省令の附則である。

（四〇）　令和元年九月三〇日の改正

水道法施行規則の一部を改正する省令（令和元年厚生労働省令第五七号）の施行期日等を定める同省令の附則である。

（四一）　令和二年六月一〇日の改正

水道法施行規則の一部を改正する省令（令和二年厚生労働省令第一一〇号）の施行期日を定める同省令の附則である。

㈣　令和二年一二月二五日の改正

押印を求める手続の見直し等のための厚生労働省関係省令の一部を改正する省令（令和二年厚生労働省令第二〇八号）第二七条及び第九〇条で水道法施行規則の一部が改正されたため、その施行期日及び経過措置等を定める同省令の附則である。

㈢　令和三年三月二二日の改正

水道法施行規則等の一部を改正する省令（令和三年厚生労働省令第五三号）の施行期日を定める同省令の附則である。

㈣　令和三年四月二〇日の改正

水道法施行規則の一部を改正する省令（令和三年厚生労働省令第八八号）の施行期日を定める同省令の附則である。

付録

一、基本法令

(一) 水道法

（昭和三二年六月一五日法律第一七七号）

改正　昭和三五・六・二三法律一〇二、昭和三七・九・一五法律一六一、昭和五二・六・二三法律七三、昭和六一・一二・二六法律一〇九、昭和六二・九・四法律八七、平成三・五・二一法律七九、平成五・一一・一二法律八九、平成六・七・一法律八四、平成八・六・二六法律一〇七、平成一一・七・一六法律八七、平成一一・一二・八法律一五一、平成一一・一二・二二法律一六〇、平成一三・七・四法律一〇〇、平成一四・二・八法律一、平成一五・七・二法律一〇二、平成一六・六・九法律八四、平成一六・一二・一法律一五〇、平成一七・五・二法律三九、平成一七・七・二六法律八七、平成一八・六・二法律五〇、平成二三・六・二四法律七四、平成二三・八・三〇法律一〇五、平成二三・一二・一四法律一二二、平成二六・六・一三法律六九、平成二九・五・三一法律四一、平成三〇・一二・一二法律九二

第一章　総則

（この法律の目的）

第一条　この法律は、水道の布設及び管理を適正かつ合理的ならしめるとともに、水道の基盤を強化することによつて、清浄にして豊富低廉な水の供給を図り、もつて公衆衛生の向上と生活環境の改善とに寄与することを目的とする。

（責務）

第二条　国及び地方公共団体は、水道が国民の日常生活に直結し、その健康を守るために欠くことのできないものであり、かつ、水が貴重な資源であることにかんがみ、水源及び水道施設並びにこれらの周辺の清潔保持並びに水の適正かつ合理的な使用に関し必要な施策を講じなければならない。

2　国民は、前項の国及び地方公共団体の施策に協力するとともに、自らも、水源及び水道施設並びにこれらの周辺の清潔保持並びに水の適正かつ合理的な使用に努めなければならない。

第二条の二　国は、水道の基盤の強化に関する基本的かつ総合的な施策を策定し、及びこれを推進するとともに、都道府県及び市町村並びに水道事業者及び水道用水供給事業者（以下「水道事業者等」という。）に対し、必要な技術的及び財政的な援助を行うよう努めなければならない。

2　都道府県は、その区域の自然的社会的諸条件に応じて、その区域内における市町村の区域を超えた広域的な水道事業者等の間の連携等（水道事業者等の間の連携及び二以上の水道事業又は水道用水供給事業の一体的な経営をいう。以下同じ。）の推進その他の水道の基盤の強化に関する施策を策定し、及びこれを実施するよう努めなければならない。

3　市町村は、その区域の自然的社会的諸条件に応じて、その区域内における水道事業者等の間の連携等の推進その他の水道の基盤の強化に関する施策を策定し、及びこれを実施するよう努めなければならない。

4　水道事業者等は、その経営する事業を適正かつ能率的に運営するとともに、その事業の基盤の強化に努めなければならない。

（用語の定義）

第三条　この法律において「水道」とは、導管及びその他の工作物により、水を人の飲用に適する水として供給する施設の総体をいう。ただし、臨時に施設されたものを除く。

2　この法律において「水道事業」とは、一般の需要に応じて、水道により水を供給する事業をいう。ただし、給水人口が百人以下である水道によるものを除く。

3　この法律において「簡易水道事業」とは、給水人口が五千人以下である水道により、水を供給する水道事業をいう。

4　この法律において「水道用水供給事業」とは、水道により、水道事業者に対してその用水を供給する事業をいう。ただし、水道事業者又は専用水道の設置者が他の水道事業者に分水する場合を除く。

5　この法律において「水道事業者」とは、第六条第一項の規定による認可を受けて水道事業を経営する者をいい、「水道用水供給事業者」とは、第二十六条の規定による認可を受けて水道用水供給事業を経営する者をいう。

6　この法律において「専用水道」とは、寄宿

舎、社宅、療養所等における自家用の水道その他水道事業の用に供する水道以外の水道であつて、次の各号のいずれかに該当するものをいう。ただし、他の水道から供給を受ける水のみを水源とし、かつ、その水道施設のうち地中又は地表に施設されている部分の規模が政令で定める基準以下である水道を除く。
一　百人を超える者にその居住に必要な水を供給するもの
二　その水道施設の一日最大給水量（一日に給水することができる最大の水量をいう。以下同じ。）が政令で定める基準を超えるもの
7　この法律において「簡易専用水道」とは、水道事業の用に供する水道及び専用水道以外の水道であつて、水道事業の用に供する水道から供給を受ける水のみを水源とするものをいう。ただし、その用に供する施設の規模が政令で定める基準以下のものを除く。
8　この法律において「水道施設」とは、水道のための取水施設、貯水施設、導水施設、浄水施設、送水施設及び配水施設（専用水道にあつては、給水の施設を含むものとし、建築物に設けられたものを除く。以下同じ。）であつて、当該水道事業者、水道用水供給事業者又は専用水道の設置者の管理に属するものをいう。
9　この法律において「給水装置」とは、需要者に水を供給するために水道事業者の施設した配水管から分岐して設けられた給水管及びこれに直結する給水用具をいう。
10　この法律において「水道の布設工事」とは、水道施設の新設又は政令で定めるその増設若しくは改造の工事をいう。
11　この法律において「給水装置工事」とは、給水装置の設置又は変更の工事をいう。
12　この法律において「給水区域」、「給水人口」及び「給水量」とは、それぞれ事業計画において定める給水区域、給水人口及び給水量をいう。

（水質基準）
第四条　水道により供給される水は、次の各号に掲げる要件を備えるものでなければならない。
一　病原生物に汚染され、又は病原生物に汚染されたことを疑わせるような生物若しくは物質を含むものでないこと。
二　シアン、水銀その他の有毒物質を含まないこと。
三　銅、鉄、弗《ふっ》素、フェノールその他の物質をその許容量をこえて含まないこと。
四　異常な酸性又はアルカリ性を呈しないこと。
五　異常な臭味がないこと。ただし、消毒による臭味を除く。
六　外観は、ほとんど無色透明であること。
2　前項各号の基準に関して必要な事項は、厚生労働省令で定める。

（施設基準）
第五条　水道は、原水の質及び量、地理的条件、当該水道の形態等に応じ、取水施設、貯水施設、導水施設、浄水施設、送水施設及び配水施設の全部又は一部を有すべきものとし、その各施設は、次の各号に掲げる要件を備えるものでなければならない。
一　取水施設は、できるだけ良質の原水を必要量取り入れることができるものであること。
二　貯水施設は、渇水時においても必要量の原水を供給するのに必要な貯水能力を有するものであること。
三　導水施設は、必要量の原水を送るのに必要なポンプ、導水管その他の設備を有すること。
四　浄水施設は、原水の質及び量に応じて、前条の規定による水質基準に適合する必要量の浄水を得るのに必要なちんでん池、濾《ろ》過池その他の設備を有し、かつ、消毒設備を備えていること。
五　送水施設は、必要量の浄水を送るのに必要なポンプ、送水管その他の設備を有すること。
六　配水施設は、必要量の浄水を一定以上の圧力で連続して供給するのに必要な配水池、ポンプ、配水管その他の設備を有すること。
2　水道施設の位置及び配列を定めるにあたつては、その布設及び維持管理ができるだけ経済的で、かつ、容易になるようにするとともに、給水の確実性をも考慮しなければならない。
3　水道施設の構造及び材質は、水圧、土圧、地震力その他の荷重に対して充分な耐力を有し、かつ、水が汚染され、又は漏れるおそれがないものでなければならない。
4　前三項に規定するもののほか、水道施設に関して必要な技術的基準は、厚生労働省令で

定める。

第二章　水道の基盤の強化

（基本方針）

第五条の二　厚生労働大臣は、水道の基盤を強化するための基本的な方針（以下「基本方針」という。）を定めるものとする。

2　基本方針においては、次に掲げる事項を定めるものとする。

一　水道の基盤の強化に関する基本的事項

二　水道施設の維持管理及び計画的な更新に関する事項

三　水道事業及び水道用水供給事業（以下「水道事業等」という。）の健全な経営の確保に関する事項

四　水道事業等の運営に必要な人材の確保及び育成に関する事項

五　水道事業者等の間の連携等の推進に関する事項

六　その他水道の基盤の強化に関する重要事項

3　厚生労働大臣は、基本方針を定め、又はこれを変更したときは、遅滞なく、これを公表しなければならない。

（水道基盤強化計画）

第五条の三　都道府県は、水道の基盤の強化のため必要があると認めるときは、水道の基盤の強化に関する計画（以下この条において「水道基盤強化計画」という。）を定めることができる。

2　水道基盤強化計画においては、その区域（以下この条において「計画区域」という。）を定めるほか、おおむね次に掲げる事項を定めるものとする。

一　水道の基盤の強化に関する基本的事項

二　水道基盤強化計画の期間

三　計画区域における水道の現況及び基盤の強化の目標

四　計画区域における水道の基盤の強化のために都道府県及び市町村が講ずべき施策並びに水道事業者等が講ずべき措置に関する事項

五　都道府県及び市町村による水道事業者等の間の連携等の推進の対象となる区域（市町村の区域を超えた広域的なものに限る。次号及び第七号において「連携等推進対象区域」という。）

六　連携等推進対象区域における水道事業者等の間の連携等に関する事項

七　連携等推進対象区域において水道事業者等の間の連携等を行うに当たり必要な施設整備に関する事項

3　水道基盤強化計画は、基本方針に基づいて定めるものとする。

4　都道府県は、水道基盤強化計画を定めようとするときは、あらかじめ計画区域内の市町村並びに計画区域を給水区域に含む水道事業者及び当該水道事業者が水道用水の供給を受ける水道用水供給事業者の同意を得なければならない。

5　市町村の区域を超えた広域的な水道事業者等の間の連携等を推進しようとする二以上の市町村は、あらかじめその区域を給水区域に含む水道事業者及び当該水道事業者が水道用水の供給を受ける水道用水供給事業者の同意を得て、共同して、都道府県に対し、厚生労働省令で定めるところにより、水道基盤強化計画を定めることを要請することができる。

6　都道府県は、前項の規定による要請があった場合において、水道の基盤の強化のため必要があると認めるときは、水道基盤強化計画を定めるものとする。

7　都道府県は、水道基盤強化計画を定めようとするときは、計画区域に次条第一項に規定する協議会の区域の全部又は一部が含まれる場合には、あらかじめ当該協議会の意見を聴かなければならない。

8　都道府県は、水道基盤強化計画を定めたときは、遅滞なく、厚生労働大臣に報告するとともに、計画区域内の市町村並びに計画区域を給水区域に含む水道事業者及び当該水道事業者が水道用水の供給を受ける水道用水供給事業者に通知しなければならない。

9　都道府県は、水道基盤強化計画を定めたときは、これを公表するよう努めなければならない。

10　第四項から前項までの規定は、水道基盤強化計画の変更について準用する。

（広域的連携等推進協議会）

第五条の四　都道府県は、市町村の区域を超えた広域的な水道事業者等の間の連携等の推進に関し必要な協議を行うため、当該都道府県が定める区域において広域的連携等推進協議会（以下この条において「協議会」という。）

を組織することができる。
2　協議会は、次に掲げる構成員をもつて構成する。
一　前項の都道府県
二　協議会の区域をその区域に含む市町村
三　協議会の区域を給水区域に含む水道事業者及び当該水道事業者が水道用水の供給を受ける水道用水供給事業者
四　学識経験を有する者その他の都道府県が必要と認める者
3　協議会において協議が調つた事項については、協議会の構成員は、その協議の結果を尊重しなければならない。
4　前三項に定めるもののほか、協議会の運営に関し必要な事項は、協議会が定める。

第三章　水道事業

第一節　事業の認可等

（事業の認可及び経営主体）
第六条　水道事業を経営しようとする者は、厚生労働大臣の認可を受けなければならない。
2　水道事業は、原則として市町村が経営するものとし、市町村以外の者は、給水しようとする区域をその区域に含む市町村の同意を得た場合に限り、水道事業を経営することができるものとする。

（認可の申請）
第七条　水道事業経営の認可の申請をするには、申請書に、事業計画書、工事設計書その他厚生労働省令で定める書類（図面を含む。）を添えて、これを厚生労働大臣に提出しなければならない。
2　前項の申請書には、次に掲げる事項を記載しなければならない。
一　申請者の住所及び氏名（法人又は組合にあつては、主たる事務所の所在地及び名称並びに代表者の氏名）
二　水道事務所の所在地
3　水道事業者は、前項に規定する申請書の記載事項に変更を生じたときは、速やかに、その旨を厚生労働大臣に届け出なければならない。
4　第一項の事業計画書には、次に掲げる事項を記載しなければならない。
一　給水区域、給水人口及び給水量
二　水道施設の概要
三　給水開始の予定年月日
四　工事費の予定総額及びその予定財源
五　給水人口及び給水量の算出根拠
六　経常収支の概算
七　料金、給水装置工事の費用の負担区分その他の供給条件
八　その他厚生労働省令で定める事項
5　第一項の工事設計書には、次に掲げる事項を記載しなければならない。
一　一日最大給水量及び一日平均給水量
二　水源の種別及び取水地点
三　水源の水量の概算及び水質試験の結果
四　水道施設の位置（標高及び水位を含む。）、規模及び構造
五　浄水方法
六　配水管における最大静水圧及び最小動水圧
七　工事の着手及び完了の予定年月日
八　その他厚生労働省令で定める事項

（認可基準）
第八条　水道事業経営の認可は、その申請が次の各号のいずれにも適合していると認められるときでなければ、与えてはならない。
一　当該水道事業の開始が一般の需要に適合すること。
二　当該水道事業の計画が確実かつ合理的であること。
三　水道施設の工事の設計が第五条の規定による施設基準に適合すること。
四　給水区域が他の水道事業の給水区域と重複しないこと。
五　供給条件が第十四条第二項各号に掲げる要件に適合すること。
六　地方公共団体以外の者の申請に係る水道事業にあつては、当該事業を遂行するに足りる経理的基礎があること。
七　その他当該水道事業の開始が公益上必要であること。
2　前項各号に規定する基準を適用するについて必要な技術的細目は、厚生労働省令で定める。

（附款）
第九条　厚生労働大臣は、地方公共団体以外の者に対して水道事業経営の認可を与える場合には、これに必要な期限又は条件を附することができる。
2　前項の期限又は条件は、公共の利益を増進し、又は当該水道事業の確実な遂行を図るために必要な最少限度のものに限り、かつ、当該水道事業者に不当な義務を課することとなるものであつてはならない。

（事業の変更）

第十条　水道事業者は、給水区域を拡張し、給水人口若しくは給水量を増加させ、又は水源の種別、取水地点若しくは浄水方法を変更しようとするとき（次の各号のいずれかに該当するときを除く。）は、厚生労働大臣の認可を受けなければならない。この場合において、給水区域の拡張により新たに他の市町村の区域が給水区域に含まれることとなるときは、当該他の市町村の同意を得なければ、当該認可を受けることができない。

一　その変更が厚生労働省令で定める軽微なものであるとき。

二　その変更が他の水道事業の全部を譲り受けることに伴うものであるとき。

2　第七条から前条までの規定は、前項の認可について準用する。

3　水道事業者は、第一項各号のいずれかに該当する変更を行うときは、あらかじめ、厚生労働省令で定めるところにより、その旨を厚生労働大臣に届け出なければならない。

（事業の休止及び廃止）

第十一条　水道事業者は、給水を開始した後においては、厚生労働省令で定めるところにより、厚生労働大臣の許可を受けなければ、その水道事業の全部又は一部を休止し、又は廃止してはならない。ただし、その水道事業者が水道事業の全部を他の水道事業を行う水道事業者に譲り渡すことにより、その水道事業の全部を廃止することとなるときは、この限りでない。

2　地方公共団体以外の水道事業者（給水人口が政令で定める基準を超えるものに限る。）が、前項の許可の申請をしようとするときは、あらかじめ、当該水道事業の給水区域をその区域に含む市町村に協議しなければならない。

3　第一項ただし書の場合においては、水道事業者は、あらかじめ、その旨を厚生労働大臣に届け出なければならない。

（技術者による布設工事の監督）

第十二条　水道事業者は、水道の布設工事（当該水道事業者が地方公共団体である場合にあつては、当該地方公共団体の条例で定める水道の布設工事に限る。）を自ら施行し、又は他人に施行させる場合においては、その職員を指名し、又は第三者に委嘱して、その工事の施行に関する技術上の監督業務を行わせなければならない。

2　前項の業務を行う者は、政令で定める資格（当該水道事業者が地方公共団体である場合にあつては、当該資格を参酌して当該地方公共団体の条例で定める資格）を有する者でなければならない。

（給水開始前の届出及び検査）

第十三条　水道事業者は、配水施設以外の水道施設又は配水池を新設し、増設し、又は改造した場合において、その新設、増設又は改造に係る施設を使用して給水を開始しようとするときは、あらかじめ、厚生労働大臣にその旨を届け出で、かつ、厚生労働省令の定めるところにより、水質検査及び施設検査を行わなければならない。

2　水道事業者は、前項の規定による水質検査及び施設検査を行つたときは、これに関する記録を作成し、その検査を行つた日から起算して五年間、これを保存しなければならない。

第二節　業務

（供給規程）

第十四条　水道事業者は、料金、給水装置工事の費用の負担区分その他の供給条件について、供給規程を定めなければならない。

2　前項の供給規程は、次に掲げる要件に適合するものでなければならない。

一　料金が、能率的な経営の下における適正な原価に照らし、健全な経営を確保することができる公正妥当なものであること。

二　料金が、定率又は定額をもつて明確に定められていること。

三　水道事業者及び水道の需要者の責任に関する事項並びに給水装置工事の費用の負担区分及びその額の算出方法が、適正かつ明確に定められていること。

四　特定の者に対して不当な差別的取扱いをするものでないこと。

五　貯水槽水道（水道事業の用に供する水道及び専用水道以外の水道であつて、水道事業の用に供する水道から供給を受ける水のみを水源とするものをいう。以下この号において同じ。）が設置される場合においては、貯水槽水道に関し、水道事業者及び当該貯水槽水道の設置者の責任に関する事項が、適正かつ明確に定められていること。

3　前項各号に規定する基準を適用するについて必要な技術的細目は、厚生労働省令で定める。

4 水道事業者は、供給規程を、その実施の日までに一般に周知させる措置をとらなければならない。

5 水道事業者が地方公共団体である場合にあつては、供給規程に定められた事項のうち料金を変更したときは、厚生労働省令で定めるところにより、その旨を厚生労働大臣に届け出なければならない。

6 水道事業者が地方公共団体以外の者である場合にあつては、供給規程に定められた供給条件を変更しようとするときは、厚生労働大臣の認可を受けなければならない。

7 厚生労働大臣は、前項の認可の申請が第二項各号に掲げる要件に適合していると認めるときは、その認可を与えなければならない。

（給水義務）

第十五条 水道事業者は、事業計画に定める給水区域内の需要者から給水契約の申込みを受けたときは、正当の理由がなければ、これを拒んではならない。

2 水道事業者は、当該水道により給水を受ける者に対し、常時水を供給しなければならない。ただし、第四十条第一項の規定による水の供給命令を受けた場合又は災害その他正当な理由があつてやむを得ない場合には、給水区域の全部又は一部につきその間給水を停止することができる。この場合には、やむを得ない事情がある場合を除き、給水を停止しようとする区域及び期間をあらかじめ関係者に周知させる措置をとらなければならない。

3 水道事業者は、当該水道により給水を受ける者が料金を支払わないとき、正当な理由なしに給水装置の検査を拒んだとき、その他正当な理由があるときは、前項本文の規定にかかわらず、その理由が継続する間、供給規程の定めるところにより、その者に対する給水を停止することができる。

（給水装置の構造及び材質）

第十六条 水道事業者は、当該水道によつて水の供給を受ける者の給水装置の構造及び材質が、政令で定める基準に適合していないときは、供給規程の定めるところにより、その者の給水契約の申込を拒み、又はその者が給水装置をその基準に適合させるまでの間その者に対する給水を停止することができる。

（給水装置工事）

第十六条の二 水道事業者は、当該水道によつて水の供給を受ける者の給水装置の構造及び材質が前条の規定に基づく政令で定める基準に適合することを確保するため、当該水道事業者の給水区域において給水装置工事を適正に施行することができると認められる者の指定をすることができる。

2 水道事業者は、前項の指定をしたときは、供給規程の定めるところにより、当該水道によつて水の供給を受ける者の給水装置が当該水道事業者又は当該指定を受けた者（以下「指定給水装置工事事業者」という。）の施行した給水装置工事に係るものであることを供給条件とすることができる。

3 前項の場合において、水道事業者は、当該水道によつて水の供給を受ける者の給水装置が当該水道事業者又は指定給水装置工事事業者の施行した給水装置工事に係るものでないときは、供給規程の定めるところにより、その者の給水契約の申込みを拒み、又はその者に対する給水を停止することができる。ただし、厚生労働省令で定める給水装置の軽微な変更であるとき、又は当該給水装置の構造及び材質が前条の規定に基づく政令で定める基準に適合していることが確認されたときは、この限りでない。

（給水装置の検査）

第十七条 水道事業者は、日出後日没前に限り、その職員をして、当該水道によつて水の供給を受ける者の土地又は建物に立ち入り、給水装置を検査させることができる。ただし、人の看守し、若しくは人の住居に使用する建物又は閉鎖された門内に立ち入るときは、その看守者、居住者又はこれらに代るべき者の同意を得なければならない。

2 前項の規定により給水装置の検査に従事する職員は、その身分を示す証明書を携帯し、関係者の請求があつたときは、これを提示しなければならない。

（検査の請求）

第十八条 水道事業によつて水の供給を受ける者は、当該水道事業者に対して、給水装置の検査及び供給を受ける水の水質検査を請求することができる。

2 水道事業者は、前項の規定による請求を受けたときは、すみやかに検査を行い、その結果を請求者に通知しなければならない。

（水道技術管理者）

第十九条　水道事業者は、水道の管理について技術上の業務を担当させるため、水道技術管理者一人を置かなければならない。ただし、自ら水道技術管理者となることを妨げない。

2　水道技術管理者は、次に掲げる事項に関する事務に従事し、及びこれらの事務に従事する他の職員を監督しなければならない。

一　水道施設が第五条の規定による施設基準に適合しているかどうかの検査（第二十二条の二第二項に規定する点検を含む。）

二　第十三条第一項の規定による水質検査及び施設検査

三　給水装置の構造及び材質が第十六条の政令で定める基準に適合しているかどうかの検査

四　次条第一項の規定による水質検査

五　第二十一条第一項の規定による健康診断

六　第二十二条の規定による衛生上の措置

七　第二十二条の三第一項の台帳の作成

八　第二十三条第一項の規定による給水の緊急停止

九　第三十七条前段の規定による給水停止

3　水道技術管理者は、政令で定める資格（当該水道事業者が地方公共団体である場合にあつては、当該資格を参酌して当該地方公共団体の条例で定める資格）を有する者でなければならない。

（水質検査）

第二十条　水道事業者は、厚生労働省令の定めるところにより、定期及び臨時の水質検査を行わなければならない。

2　水道事業者は、前項の規定による水質検査を行つたときは、これに関する記録を作成し、水質検査を行つた日から起算して五年間、これを保存しなければならない。

3　水道事業者は、第一項の規定による水質検査を行うため、必要な検査施設を設けなければならない。ただし、当該水質検査を、厚生労働省令の定めるところにより、地方公共団体の機関又は厚生労働大臣の登録を受けた者に委託して行うときは、この限りでない。

（登録）

第二十条の二　前条第三項の登録は、厚生労働省令で定めるところにより、水質検査を行おうとする者の申請により行う。

（欠格条項）

第二十条の三　次の各号のいずれかに該当する者は、第二十条第三項の登録を受けることができない。

一　この法律又はこの法律に基づく命令に違反し、罰金以上の刑に処せられ、その執行を終わり、又は執行を受けることがなくなつた日から二年を経過しない者

二　第二十条の十三の規定により登録を取り消され、その取消しの日から二年を経過しない者

三　法人であつて、その業務を行う役員のうちに前二号のいずれかに該当する者があるもの

（登録基準）

第二十条の四　厚生労働大臣は、第二十条の二の規定により登録を申請した者が次に掲げる要件のすべてに適合しているときは、その登録をしなければならない。

一　第二十条第一項に規定する水質検査を行うために必要な検査施設を有し、これを用いて水質検査を行うものであること。

二　別表第一に掲げるいずれかの条件に適合する知識経験を有する者が水質検査を実施し、その人数が五名以上であること。

三　次に掲げる水質検査の信頼性の確保のための措置がとられていること。

イ　水質検査を行う部門に専任の管理者が置かれていること。

ロ　水質検査の業務の管理及び精度の確保に関する文書が作成されていること。

ハ　ロに掲げる文書に記載されたところに従い、専ら水質検査の業務の管理及び精度の確保を行う部門が置かれていること。

2　登録は、水質検査機関登録簿に次に掲げる事項を記載してするものとする。

一　登録年月日及び登録番号

二　登録を受けた者の氏名又は名称及び住所並びに法人にあつては、その代表者の氏名

三　登録を受けた者が水質検査を行う区域及び登録を受けた者が水質検査を行う事業所の所在地

（登録の更新）

第二十条の五　第二十条第三項の登録は、三年を下らない政令で定める期間ごとにその更新を受けなければ、その期間の経過によつて、その効力を失う。

2　前三条の規定は、前項の登録の更新について準用する。

（受託義務等）

第二十条の六　第二十条第三項の登録を受けた者（以下「登録水質検査機関」という。）は、同項の水質検査の委託の申込みがあつたときは、正当な理由がある場合を除き、その受託を拒んではならない。

2　登録水質検査機関は、公正に、かつ、厚生労働省令で定める方法により水質検査を行わなければならない。

（変更の届出）

第二十条の七　登録水質検査機関は、氏名若しくは名称、住所、水質検査を行う区域又は水質検査を行う事業所の所在地を変更しようとするときは、変更しようとする日の二週間前までに、その旨を厚生労働大臣に届け出なければならない。

（業務規程）

第二十条の八　登録水質検査機関は、水質検査の業務に関する規程（以下「水質検査業務規程」という。）を定め、水質検査の業務の開始前に、厚生労働大臣に届け出なければならない。これを変更しようとするときも、同様とする。

2　水質検査業務規程には、水質検査の実施方法、水質検査に関する料金その他の厚生労働省令で定める事項を定めておかなければならない。

（業務の休廃止）

第二十条の九　登録水質検査機関は、水質検査の業務の全部又は一部を休止し、又は廃止しようとするときは、休止又は廃止しようとする日の二週間前までに、その旨を厚生労働大臣に届け出なければならない。

（財務諸表等の備付け及び閲覧等）

第二十条の十　登録水質検査機関は、毎事業年度経過後三月以内に、その事業年度の財産目録、貸借対照表及び損益計算書又は収支計算書並びに事業報告書（その作成に代えて電磁的記録（電子的方式、磁気的方式その他の人の知覚によつては認識することができない方式で作られる記録であつて、電子計算機による情報処理の用に供されるものをいう。以下同じ。）の作成がされている場合における当該電磁的記録を含む。次項において「財務諸表等」という。）を作成し、五年間事業所に備えて置かなければならない。

2　水道事業者その他の利害関係人は、登録水質検査機関の業務時間内は、いつでも、次に掲げる請求をすることができる。ただし、第二号又は第四号の請求をするには、登録水質検査機関の定めた費用を支払わなければならない。

一　財務諸表等が書面をもつて作成されているときは、当該書面の閲覧又は謄写の請求

二　前号の書面の謄本又は抄本の請求

三　財務諸表等が電磁的記録をもつて作成されているときは、当該電磁的記録に記録された事項を厚生労働省令で定める方法により表示したものの閲覧又は謄写の請求

四　前号の電磁的記録に記録された事項を電磁的方法であつて厚生労働省令で定めるものにより提供することの請求又は当該事項を記載した書面の交付の請求

（適合命令）

第二十条の十一　厚生労働大臣は、登録水質検査機関が第二十条の四第一項各号のいずれかに適合しなくなつたと認めるときは、その登録水質検査機関に対し、これらの規定に適合するため必要な措置をとるべきことを命ずることができる。

（改善命令）

第二十条の十二　厚生労働大臣は、登録水質検査機関が第二十条の六第一項又は第二項の規定に違反していると認めるときは、その登録水質検査機関に対し、水質検査を受託すべきこと又は水質検査の方法その他の業務の方法の改善に関し必要な措置をとるべきことを命ずることができる。

（登録の取消し等）

第二十条の十三　厚生労働大臣は、登録水質検査機関が次の各号のいずれかに該当するときは、その登録を取り消し、又は期間を定めて水質検査の業務の全部若しくは一部の停止を命ずることができる。

一　第二十条の三第一号又は第三号に該当するに至つたとき。

二　第二十条の七から第二十条の九まで、第二十条の十第一項又は次条の規定に違反したとき。

三　正当な理由がないのに第二十条の十第二項各号の規定による請求を拒んだとき。

四　第二十条の十一又は前条の規定による命令に違反したとき。
五　不正の手段により第二十条第三項の登録を受けたとき。

（帳簿の備付け）
第二十条の十四　登録水質検査機関は、厚生労働省令で定めるところにより、水質検査に関する事項で厚生労働省令で定めるものを記載した帳簿を備え、これを保存しなければならない。

（報告の徴収及び立入検査）
第二十条の十五　厚生労働大臣は、水質検査の適正な実施を確保するため必要があると認めるときは、登録水質検査機関に対し、業務の状況に関し必要な報告を求め、又は当該職員に、登録水質検査機関の事務所又は事業所に立ち入り、業務の状況若しくは検査施設、帳簿、書類その他の物件を検査させることができる。
2　前項の規定により立入検査を行う職員は、その身分を示す証明書を携帯し、関係者の請求があつたときは、これを提示しなければならない。
3　第一項の規定による権限は、犯罪捜査のために認められたものと解釈してはならない。

（公示）
第二十条の十六　厚生労働大臣は、次の場合には、その旨を公示しなければならない。
一　第二十条第三項の登録をしたとき。
二　第二十条の七の規定による届出があつたとき。
三　第二十条の九の規定による届出があつたとき。
四　第二十条の十三の規定により第二十条第三項の登録を取り消し、又は水質検査の業務の停止を命じたとき。

（健康診断）
第二十一条　水道事業者は、水道の取水場、浄水場又は配水池において業務に従事している者及びこれらの施設の設置場所の構内に居住している者について、厚生労働省令の定めるところにより、定期及び臨時の健康診断を行わなければならない。
2　水道事業者は、前項の規定による健康診断を行つたときは、これに関する記録を作成し、健康診断を行つた日から起算して一年間、これを保存しなければならない。

（衛生上の措置）
第二十二条　水道事業者は、厚生労働省令の定めるところにより、水道施設の管理及び運営に関し、消毒その他衛生上必要な措置を講じなければならない。

（水道施設の維持及び修繕）
第二十二条の二　水道事業者は、厚生労働省令で定める基準に従い、水道施設を良好な状態に保つため、その維持及び修繕を行わなければならない。
2　前項の基準は、水道施設の修繕を能率的に行うための点検に関する基準を含むものとする。

（水道施設台帳）
第二十二条の三　水道事業者は、水道施設の台帳を作成し、これを保管しなければならない。
2　前項の台帳の記載事項その他その作成及び保管に関し必要な事項は、厚生労働省令で定める。

（水道施設の計画的な更新等）
第二十二条の四　水道事業者は、長期的な観点から、給水区域における一般の水の需要に鑑み、水道施設の計画的な更新に努めなければならない。
2　水道事業者は、厚生労働省令で定めるところにより、水道施設の更新に要する費用を含むその事業に係る収支の見通しを作成し、これを公表するよう努めなければならない。

（給水の緊急停止）
第二十三条　水道事業者は、その供給する水が人の健康を害するおそれがあることを知つたときは、直ちに給水を停止し、かつ、その水を使用することが危険である旨を関係者に周知させる措置を講じなければならない。
2　水道事業者の供給する水が人の健康を害するおそれがあることを知つた者は、直ちにその旨を当該水道事業者に通報しなければならない。

（消火栓）
第二十四条　水道事業者は、当該水道に公共の消防のための消火栓を設置しなければならない。
2　市町村は、その区域内に消火栓を設置した水道事業者に対し、その消火栓の設置及び管理に要する費用その他その水道が消防用に使用されることに伴い増加した水道施設の設置及び管理に要する費用につき、当該水道事業者との協議により、相当額の補償をしなければならない。

3　水道事業者は、公共の消防用として使用された水の料金を徴収することができない。

（情報提供）

第二十四条の二　水道事業者は、水道の需要者に対し、厚生労働省令で定めるところにより、第二十条第一項の規定による水質検査の結果その他水道事業に関する情報を提供しなければならない。

（業務の委託）

第二十四条の三　水道事業者は、政令で定めるところにより、水道の管理に関する技術上の業務の全部又は一部を他の水道事業者若しくは水道用水供給事業者又は当該業務を適正かつ確実に実施することができる者として政令で定める要件に該当するものに委託することができる。

2　水道事業者は、前項の規定により業務を委託したときは、遅滞なく、厚生労働省令で定める事項を厚生労働大臣に届け出なければならない。委託に係る契約が効力を失つたときも、同様とする。

3　第一項の規定により業務の委託を受ける者（以下「水道管理業務受託者」という。）は、水道の管理について技術上の業務を担当させるため、受託水道業務技術管理者一人を置かなければならない。

4　受託水道業務技術管理者は、第一項の規定により委託された業務の範囲内において第十九条第二項各号に掲げる事項に関する事務に従事し、及びこれらの事務に従事する他の職員を監督しなければならない。

5　受託水道業務技術管理者は、政令で定める資格を有する者でなければならない。

6　第一項の規定により水道の管理に関する技術上の業務を委託する場合においては、当該委託された業務の範囲内において、水道管理業務受託者を水道事業者と、受託水道業務技術管理者を水道技術管理者とみなして、第十三条第一項（水質検査及び施設検査の実施に係る部分に限る。）及び第二項、第十七条、第二十条から第二十二条の三まで、第二十三条第一項、第二十五条の九、第三十六条第二項並びに第三十九条（第二項及び第三項を除く。）の規定（これらの規定に係る罰則を含む。）を適用する。この場合において、当該委託された業務の範囲内において、水道事業者及び水道技術管理者については、これらの規定は、適用しない。

7　前項の規定により水道管理業務受託者を水道事業者とみなして第二十五条の九の規定を適用する場合における第二十五条の十一第一項の規定の適用については、同項第五号中「水道事業者」とあるのは、「水道管理業務受託者」とする。

8　第一項の規定により水道の管理に関する技術上の業務を委託する場合においては、当該委託された業務の範囲内において、水道技術管理者については第十九条第二項の規定は適用せず、受託水道業務技術管理者が同項各号に掲げる事項に関する全ての事務に従事し、及びこれらの事務に従事する他の職員を監督する場合においては、水道事業者については、同条第一項の規定は、適用しない。

（水道施設運営権の設定の許可）

第二十四条の四　地方公共団体である水道事業者は、民間資金等の活用による公共施設等の整備等の促進に関する法律（平成十一年法律第百十七号。以下「民間資金法」という。）第十九条第一項の規定により水道施設運営等事業（水道施設の全部又は一部の運営等（民間資金法第二条第六項に規定する運営等をいう。）であつて、当該水道施設の利用に係る料金（以下「利用料金」という。）を当該運営等を行う者が自らの収入として収受する事業をいう。以下同じ。）に係る民間資金法第二条第七項に規定する公共施設等運営権（以下「水道施設運営権」という。）を設定しようとするときは、あらかじめ、厚生労働大臣の許可を受けなければならない。この場合において、当該水道事業者は、第十一条第一項の規定にかかわらず、同項の許可（水道事業の休止に係るものに限る。）を受けることを要しない。

2　水道施設運営等事業は、地方公共団体である水道事業者が、民間資金法第十九条第一項の規定により水道施設運営権を設定した場合に限り、実施することができるものとする。

3　水道施設運営権を有する者（以下「水道施設運営権者」という。）が水道施設運営等事業を実施する場合には、第六条第一項の規定にかかわらず、水道事業経営の認可を受けることを要しない。

（許可の申請）

第二十四条の五　前条第一項前段の許可の申請をするには、申請書に、水道施設運営等事業実施計画書その他厚生労働省令で定める書類（図面を含む。）を添えて、これを厚生労働大臣に提出しなければならない。

2　前項の申請書には、次に掲げる事項を記載しなければならない。

一　申請者の主たる事務所の所在地及び名称並びに代表者の氏名

二　申請者が水道施設運営権を設定しようとする民間資金法第二条第五項に規定する選定事業者（以下この条及び次条第一項において単に「選定事業者」という。）の主たる事務所の所在地及び名称並びに代表者の氏名

三　選定事業者の水道事務所の所在地

3　第一項の水道施設運営等事業実施計画書には、次に掲げる事項を記載しなければならない。

一　水道施設運営等事業の対象となる水道施設の名称及び立地

二　水道施設運営等事業の内容

三　水道施設運営権の存続期間

四　水道施設運営等事業の開始の予定年月日

五　水道事業者が、選定事業者が実施することとなる水道施設運営等事業の適正を期するために講ずる措置

六　災害その他非常の場合における水道事業の継続のための措置

七　水道施設運営等事業の継続が困難となった場合における措置

八　選定事業者の経常収支の概算

九　選定事業者が自らの収入として収受しようとする水道施設運営等事業の対象となる水道施設の利用料金

十　その他厚生労働省令で定める事項

（許可基準）

第二十四条の六　第二十四条の四第一項前段の許可は、その申請が次の各号のいずれにも適合していると認められるときでなければ、与えてはならない。

一　当該水道施設運営等事業の計画が確実かつ合理的であること。

二　当該水道施設運営等事業の対象となる水道施設の利用料金が、選定事業者を水道施設運営権者とみなして第二十四条の八第一項の規定により読み替えられた第十四条第二項（第一号、第二号及び第四号に係る部分に限る。以下この号において同じ。）の規定を適用するとしたならば同項に掲げる要件に適合すること。

三　当該水道施設運営等事業の実施により水道の基盤の強化が見込まれること。

2　前項各号に規定する基準を適用するについて必要な技術的細目は、厚生労働省令で定める。

（水道施設運営等事業技術管理者）

第二十四条の七　水道施設運営権者は、水道施設運営等事業について技術上の業務を担当させるため、水道施設運営等事業技術管理者一人を置かなければならない。

2　水道施設運営等事業技術管理者は、水道施設運営等事業に係る業務の範囲内において、第十九条第二項各号に掲げる事項に関する事務に従事し、及びこれらの事務に従事する他の職員を監督しなければならない。

3　水道施設運営等事業技術管理者は、第二十四条の三第五項の政令で定める資格を有する者でなければならない。

（水道施設運営等事業に関する特例）

第二十四条の八　水道施設運営権者が水道施設運営等事業を実施する場合における第十四条第一項、第二項及び第五項、第十五条第二項及び第三項、第二十三条第二項、第二十四条第三項並びに第四十条第一項、第五項及び第八項の規定の適用については、第十四条第一項中「料金」とあるのは「料金（第二十四条の四第三項に規定する水道施設運営権者（次項、次条第二項及び第二十三条第二項において「水道施設運営権者」という。）が自らの収入として収受する水道施設の利用に係る料金（次項において「水道施設運営権者に係る利用料金」という。）を含む。次項第一号及び第二号、第五項、次条第三項並びに第二十四条第三項において同じ。）」と、同条第二項中「次に」とあるのは「水道施設運営権者に係る利用料金について、水道施設運営権者は水道の需要者に対して直接にその支払を請求する権利を有する旨が明確に定められていることのほか、次に」と、第十五条第二項ただ

し書中「受けた場合」とあるのは「受けた場合（水道施設運営権者が当該供給命令を受けた場合を含む。）」と、第二十三条第二項中「水道事業者の」とあるのは「水道事業者（水道施設運営権者を含む。以下この項及び次条第三項において同じ。）の」と、第四十条第一項及び第五項中「又は水道用水供給事業者」とあるのは「若しくは水道用水供給事業者又は水道施設運営権者」と、同条第八項中「水道用水供給事業者」とあるのは「水道用水供給事業者若しくは水道施設運営権者」とする。この場合において、水道施設運営権者は、当然に給水契約の利益（水道施設運営等事業の対象となる水道施設の利用料金の支払を請求する権利に係る部分に限る。）を享受する。

2　水道施設運営権者が水道施設運営等事業を実施する場合においては、当該水道施設運営等事業に係る業務の範囲内において、水道施設運営権者を水道事業者と、水道施設運営等事業技術管理者を水道技術管理者とみなして、第十二条、第十三条第一項（水質検査及び施設検査の実施に係る部分に限る。）及び第二項、第十七条、第二十条から第二十二条の四まで、第二十三条第一項、第二十五条の九、第三十六条第一項及び第二項、第三十七条並びに第三十九条（第二項及び第三項を除く。）の規定（これらの規定に係る罰則を含む。）を適用する。この場合において、当該水道施設運営等事業に係る業務の範囲内において、水道事業者及び水道技術管理者については、これらの規定は適用せず、第二十二条の四第一項中「更新」とあるのは、「更新（民間資金等の活用による公共施設等の整備等の促進に関する法律（平成十一年法律第百十七号）第二条第六項に規定する運営等として行うものに限る。次項において同じ。）」とする。

3　前項の規定により水道施設運営権者を水道事業者とみなして第二十五条の九の規定を適用する場合における第二十五条の十一第一項の規定の適用については、同項第五号中「水道事業者」とあるのは、「水道施設運営権者」とする。

4　水道施設運営権者が水道施設運営等事業を実施する場合においては、当該水道施設運営等事業に係る業務の範囲内において、水道技術管理者については第十九条第二項の規定は適用せず、水道施設運営等事業技術管理者が同項各号に掲げる事項に関する全ての事務に従事し、及びこれらの事務に従事する他の職員を監督する場合においては、水道事業者については、同条第一項の規定は、適用しない。

（水道施設運営等事業の開始の通知）

第二十四条の九　地方公共団体である水道事業者は、水道施設運営権者から水道施設運営等事業の開始に係る民間資金法第二十一条第三項の規定による届出を受けたときは、遅滞なく、その旨を厚生労働大臣に通知するものとする。

（水道施設運営権者に係る変更の届出）

第二十四条の十　水道施設運営権者は、次に掲げる事項に変更を生じたときは、遅滞なく、その旨を水道施設運営権を設定した地方公共団体である水道事業者及び厚生労働大臣に届け出なければならない。

一　水道施設運営権者の主たる事務所の所在地及び名称並びに代表者の氏名

二　水道施設運営権者の水道事務所の所在地

（水道施設運営権の移転の協議）

第二十四条の十一　地方公共団体である水道事業者は、水道施設運営等事業に係る民間資金法第二十六条第二項の許可をしようとするときは、あらかじめ、厚生労働大臣に協議しなければならない。

（水道施設運営権の取消し等の要求）

第二十四条の十二　厚生労働大臣は、水道施設運営権者がこの法律又はこの法律に基づく命令の規定に違反した場合には、民間資金法第二十九条第一項第一号（トに係る部分に限る。）に掲げる場合に該当するとして、水道施設運営権を設定した地方公共団体である水道事業者に対して、同項の規定による処分をなすべきことを求めることができる。

（水道施設運営権の取消し等の通知）

第二十四条の十三　地方公共団体である水道事業者は、次に掲げる場合には、遅滞なく、その旨を厚生労働大臣に通知するものとする。

一　民間資金法第二十九条第一項の規定により水道施設運営権を取り消し、若しくはその行使の停止を命じたとき、又はその停止を解除したとき。

二　水道施設運営権の存続期間の満了に伴

い、民間資金法第二十九条第四項の規定により、又は水道施設運営権者が水道施設運営権を放棄したことにより、水道施設運営権が消滅したとき。

（簡易水道事業に関する特例）

第二十五条　簡易水道事業については、当該水道が、消毒設備以外の浄水施設を必要とせず、かつ、自然流下のみによつて給水することができるものであるときは、第十九条第三項の規定を適用しない。

2　給水人口が二千人以下である簡易水道事業を経営する水道事業者は、第二十四条第一項の規定にかかわらず、消防組織法（昭和二十二年法律第二百二十六号）第七条に規定する市町村長との協議により、当該水道に消火栓を設置しないことができる。

第三節　指定給水装置工事事業者

（指定の申請）

第二十五条の二　第十六条の二第一項の指定は、給水装置工事の事業を行う者の申請により行う。

2　第十六条の二第一項の指定を受けようとする者は、厚生労働省令で定めるところにより、次に掲げる事項を記載した申請書を水道事業者に提出しなければならない。

一　氏名又は名称及び住所並びに法人にあつては、その代表者の氏名

二　当該水道事業者の給水区域について給水装置工事の事業を行う事業所（以下この節において単に「事業所」という。）の名称及び所在地並びに第二十五条の四第一項の規定によりそれぞれの事業所において選任されることとなる給水装置工事主任技術者の氏名

三　給水装置工事を行うための機械器具の名称、性能及び数

四　その他厚生労働省令で定める事項

（指定の基準）

第二十五条の三　水道事業者は、第十六条の二第一項の指定の申請をした者が次の各号のいずれにも適合していると認めるときは、同項の指定をしなければならない。

一　事業所ごとに、第二十五条の四第一項の規定により給水装置工事主任技術者として選任されることとなる者を置く者であること。

二　厚生労働省令で定める機械器具を有する者であること。

三　次のいずれにも該当しない者であること。

イ　心身の故障により給水装置工事の事業を適正に行うことができない者として厚生労働省令で定めるもの

ロ　破産手続開始の決定を受けて復権を得ない者

ハ　この法律に違反して、刑に処せられ、その執行を終わり、又は執行を受けることがなくなつた日から二年を経過しない者

ニ　第二十五条の十一第一項の規定により指定を取り消され、その取消しの日から二年を経過しない者

ホ　その業務に関し不正又は不誠実な行為をするおそれがあると認めるに足りる相当の理由がある者

ヘ　法人であつて、その役員のうちにイからホまでのいずれかに該当する者があるもの

2　水道事業者は、第十六条の二第一項の指定をしたときは、遅滞なく、その旨を一般に周知させる措置をとらなければならない。

（指定の更新）

第二十五条の三の二　第十六条の二第一項の指定は、五年ごとにその更新を受けなければ、その期間の経過によつて、その効力を失う。

2　前項の更新の申請があつた場合において、同項の期間（以下この項及び次項において「指定の有効期間」という。）の満了の日までにその申請に対する決定がされないときは、従前の指定は、指定の有効期間の満了後もその決定がされるまでの間は、なおその効力を有する。

3　前項の場合において、指定の更新がされたときは、その指定の有効期間は、従前の指定の有効期間の満了の日の翌日から起算するものとする。

4　前二条の規定は、第一項の指定の更新について準用する。

（給水装置工事主任技術者）

第二十五条の四　指定給水装置工事事業者は、事業所ごとに、第三項各号に掲げる職務をさせるため、厚生労働省令で定めるところにより、給水装置工事主任技術者免状の交付を受けている者のうちから、給水装置工事主任技術者を選任しなければならない。

2　指定給水装置工事事業者は、給水装置工事

主任技術者を選任したときは、遅滞なく、その旨を水道事業者に届け出なければならない。これを解任したときも、同様とする。

3　給水装置工事主任技術者は、次に掲げる職務を誠実に行わなければならない。

一　給水装置工事に関する技術上の管理

二　給水装置工事に従事する者の技術上の指導監督

三　給水装置工事に係る給水装置の構造及び材質が第十六条の規定に基づく政令で定める基準に適合していることの確認

四　その他厚生労働省令で定める職務

4　給水装置工事に従事する者は、給水装置工事主任技術者がその職務として行う指導に従わなければならない。

（給水装置工事主任技術者免状）

第二十五条の五　給水装置工事主任技術者免状は、給水装置工事主任技術者試験に合格した者に対し、厚生労働大臣が交付する。

2　厚生労働大臣は、次の各号のいずれかに該当する者に対しては、給水装置工事主任技術者免状の交付を行わないことができる。

一　次項の規定により給水装置工事主任技術者免状の返納を命ぜられ、その日から一年を経過しない者

二　この法律に違反して、刑に処せられ、その執行を終わり、又は執行を受けることがなくなつた日から二年を経過しない者

3　厚生労働大臣は、給水装置工事主任技術者免状の交付を受けている者がこの法律に違反したときは、その給水装置工事主任技術者免状の返納を命ずることができる。

4　前三項に規定するもののほか、給水装置工事主任技術者免状の交付、書換え交付、再交付及び返納に関し必要な事項は、厚生労働省令で定める。

（給水装置工事主任技術者試験）

第二十五条の六　給水装置工事主任技術者試験は、給水装置工事主任技術者として必要な知識及び技能について、厚生労働大臣が行う。

2　給水装置工事主任技術者試験は、給水装置工事に関して三年以上の実務の経験を有する者でなければ、受けることができない。

3　給水装置工事主任技術者試験の試験科目、受験手続その他給水装置工事主任技術者試験の実施細目は、厚生労働省令で定める。

（変更の届出等）

第二十五条の七　指定給水装置工事事業者は、事業所の名称及び所在地その他厚生労働省令で定める事項に変更があつたとき、又は給水装置工事の事業を廃止し、休止し、若しくは再開したときは、厚生労働省令で定めるところにより、その旨を水道事業者に届け出なければならない。

（事業の基準）

第二十五条の八　指定給水装置工事事業者は、厚生労働省令で定める給水装置工事の事業の運営に関する基準に従い、適正な給水装置工事の事業の運営に努めなければならない。

（給水装置工事主任技術者の立会い）

第二十五条の九　水道事業者は、第十七条第一項の規定による給水装置の検査を行うときは、当該給水装置に係る給水装置工事を施行した指定給水装置工事事業者に対し、当該給水装置工事を施行した事業所に係る給水装置工事主任技術者を検査に立ち会わせることを求めることができる。

（報告又は資料の提出）

第二十五条の十　水道事業者は、指定給水装置工事事業者に対し、当該指定給水装置工事事業者が給水区域において施行した給水装置工事に関し必要な報告又は資料の提出を求めることができる。

（指定の取消し）

第二十五条の十一　水道事業者は、指定給水装置工事事業者が次の各号のいずれかに該当するときは、第十六条の二第一項の指定を取り消すことができる。

一　第二十五条の三第一項各号のいずれかに適合しなくなつたとき。

二　第二十五条の四第一項又は第二項の規定に違反したとき。

三　第二十五条の七の規定による届出をせず、又は虚偽の届出をしたとき。

四　第二十五条の八に規定する給水装置工事の事業の運営に関する基準に従つた適正な給水装置工事の事業の運営をすることができないと認められるとき。

五　第二十五条の九の規定による水道事業者の求めに対し、正当な理由なくこれに応じないとき。

六　前条の規定による水道事業者の求めに対し、正当な理由なくこれに応じず、又は虚

偽の報告若しくは資料の提出をしたとき。
七　その施行する給水装置工事が水道施設の機能に障害を与え、又は与えるおそれが大であるとき。
八　不正の手段により第十六条の二第一項の指定を受けたとき。
2　第二十五条の三第二項の規定は、前項の場合に準用する。

第四節　指定試験機関

（指定試験機関の指定）
第二十五条の十二　厚生労働大臣は、その指定する者（以下「指定試験機関」という。）に、給水装置工事主任技術者試験の実施に関する事務（以下「試験事務」という。）を行わせることができる。
2　指定試験機関の指定は、試験事務を行おうとする者の申請により行う。

（指定の基準）
第二十五条の十三　厚生労働大臣は、他に指定を受けた者がなく、かつ、前条第二項の規定による申請が次の要件を満たしていると認めるときでなければ、指定試験機関の指定をしてはならない。
一　職員、設備、試験事務の実施の方法その他の事項についての試験事務の実施に関する計画が試験事務の適正かつ確実な実施のために適切なものであること。
二　前号の試験事務の実施に関する計画の適正かつ確実な実施に必要な経理的及び技術的な基礎を有するものであること。
三　申請者が、試験事務以外の業務を行つている場合には、その業務を行うことによつて試験事務が不公正になるおそれがないこと。
2　厚生労働大臣は、前条第二項の規定による申請をした者が、次の各号のいずれかに該当するときは、指定試験機関の指定をしてはならない。
一　一般社団法人又は一般財団法人以外の者であること。
二　第二十五条の二十四第一項又は第二項の規定により指定を取り消され、その取消しの日から起算して二年を経過しない者であること。
三　その役員のうちに、次のいずれかに該当する者があること。
イ　この法律に違反して、刑に処せられ、その執行を終わり、又は執行を受けることがなくなつた日から起算して二年を経過しない者
ロ　第二十五条の十五第二項の規定による命令により解任され、その解任の日から起算して二年を経過しない者

（指定の公示等）
第二十五条の十四　厚生労働大臣は、第二十五条の十二第一項の規定による指定をしたときは、指定試験機関の名称及び主たる事務所の所在地並びに当該指定をした日を公示しなければならない。
2　指定試験機関は、その名称又は主たる事務所の所在地を変更しようとするときは、変更しようとする日の二週間前までに、その旨を厚生労働大臣に届け出なければならない。
3　厚生労働大臣は、前項の規定による届出があつたときは、その旨を公示しなければならない。

（役員の選任及び解任）
第二十五条の十五　指定試験機関の役員の選任及び解任は、厚生労働大臣の認可を受けなければ、その効力を生じない。
2　厚生労働大臣は、指定試験機関の役員が、この法律（これに基づく命令又は処分を含む。）若しくは第二十五条の十八第一項に規定する試験事務規程に違反する行為をしたとき、又は試験事務に関し著しく不適当な行為をしたときは、指定試験機関に対し、当該役員を解任すべきことを命ずることができる。

（試験委員）
第二十五条の十六　指定試験機関は、試験事務のうち、給水装置工事主任技術者として必要な知識及び技能を有するかどうかの判定に関する事務を行う場合には、試験委員にその事務を行わせなければならない。
2　指定試験機関は、試験委員を選任しようとするときは、厚生労働省令で定める要件を備える者のうちから選任しなければならない。
3　指定試験機関は、試験委員を選任したときは、厚生労働省令で定めるところにより、遅滞なく、その旨を厚生労働大臣に届け出なければならない。試験委員に変更があつたときも、同様とする。
4　前条第二項の規定は、試験委員の解任について準用する。

（秘密保持義務等）
第二十五条の十七　指定試験機関の役員若しくは

は職員（試験委員を含む。次項において同じ。）又はこれらの職にあつた者は、試験事務に関して知り得た秘密を漏らしてはならない。

2　試験事務に従事する指定試験機関の役員又は職員は、刑法（明治四十年法律第四十五号）その他の罰則の適用については、法令により公務に従事する職員とみなす。

（試験事務規程）

第二十五条の十八　指定試験機関は、試験事務の開始前に、試験事務の実施に関する規程（以下「試験事務規程」という。）を定め、厚生労働大臣の認可を受けなければならない。これを変更しようとするときも、同様とする。

2　試験事務規程で定めるべき事項は、厚生労働省令で定める。

3　厚生労働大臣は、第一項の規定により認可をした試験事務規程が試験事務の適正かつ確実な実施上不適当となつたと認めるときは、指定試験機関に対し、これを変更すべきことを命ずることができる。

（事業計画の認可等）

第二十五条の十九　指定試験機関は、毎事業年度、事業計画及び収支予算を作成し、当該事業年度の開始前に（第二十五条の十二第一項の規定による指定を受けた日の属する事業年度にあつては、その指定を受けた後遅滞なく）、厚生労働大臣の認可を受けなければならない。これを変更しようとするときも、同様とする。

2　指定試験機関は、毎事業年度、事業報告書及び収支決算書を作成し、当該事業年度の終了後三月以内に、厚生労働大臣に提出しなければならない。

（帳簿の備付け）

第二十五条の二十　指定試験機関は、厚生労働省令で定めるところにより、試験事務に関する事項で厚生労働省令で定めるものを記載した帳簿を備え、これを保存しなければならない。

（監督命令）

第二十五条の二十一　厚生労働大臣は、試験事務の適正な実施を確保するため必要があると認めるときは、指定試験機関に対し、試験事務に関し監督上必要な命令をすることができる。

（報告、検査等）

第二十五条の二十二　厚生労働大臣は、試験事務の適正な実施を確保するため必要があると認めるときは、指定試験機関に対し、試験事務の状況に関し必要な報告を求め、又はその職員に、指定試験機関の事務所に立ち入り、試験事務の状況若しくは設備、帳簿、書類その他の物件を検査させることができる。

2　前項の規定により立入検査を行う職員は、その身分を示す証明書を携帯し、関係者の請求があつたときは、これを提示しなければならない。

3　第一項の規定による権限は、犯罪捜査のために認められたものと解してはならない。

（試験事務の休廃止）

第二十五条の二十三　指定試験機関は、厚生労働大臣の許可を受けなければ、試験事務の全部又は一部を休止し、又は廃止してはならない。

2　厚生労働大臣は、指定試験機関の試験事務の全部又は一部の休止又は廃止により試験事務の適正かつ確実な実施が損なわれるおそれがないと認めるときでなければ、前項の規定による許可をしてはならない。

3　厚生労働大臣は、第一項の規定による許可をしたときは、その旨を公示しなければならない。

（指定の取消し等）

第二十五条の二十四　厚生労働大臣は、指定試験機関が第二十五条の十三第二項第一号又は第三号に該当するに至つたときは、その指定を取り消さなければならない。

2　厚生労働大臣は、指定試験機関が次の各号のいずれかに該当するときは、その指定を取り消し、又は期間を定めて試験事務の全部若しくは一部の停止を命ずることができる。

一　第二十五条の十三第一項各号の要件を満たさなくなつたと認められるとき。

二　第二十五条の十五第二項（第二十五条の十六第四項において準用する場合を含む。）、第二十五条の十八第三項又は第二十五条の二十一の規定による命令に違反したとき。

三　第二十五条の十六第一項、第二十五条の十九、第二十五条の二十又は前条第一項の規定に違反したとき。

四　第二十五条の十八第一項の規定により認可を受けた試験事務規程によらないで試験事務を行つたとき。

五　不正な手段により指定試験機関の指定を受けたとき。

3　厚生労働大臣は、前二項の規定により指定を取り消し、又は前項の規定により試験事務の全部若しくは一部の停止を命じたときは、その旨を公示しなければならない。

（指定等の条件）

第二十五条の二十五　第二十五条の十二第一項、第二十五条の十五第一項、第二十五条の十八第一項、第二十五条の十九第一項又は第二十五条の二十三第一項の規定による指定、認可又は許可には、条件を付し、及びこれを変更することができる。

2　前項の条件は、当該指定、認可又は許可に係る事項の確実な実施を図るため必要な最小限度のものに限り、かつ、当該指定、認可又は許可を受ける者に不当な義務を課することとなるものであつてはならない。

（厚生労働大臣による試験事務の実施）

第二十五条の二十六　厚生労働大臣は、指定試験機関の指定をしたときは、試験事務を行わないものとする。

2　厚生労働大臣は、指定試験機関が第二十五条の二十三第一項の規定による許可を受けて試験事務の全部若しくは一部を休止したとき、第二十五条の二十四第二項の規定により指定試験機関に対し試験事務の全部若しくは一部の停止を命じたとき、又は指定試験機関が天災その他の事由により試験事務の全部若しくは一部を実施することが困難となつた場合において必要があると認めるときは、当該試験事務の全部又は一部を自ら行うものとする。

3　厚生労働大臣は、前項の規定により試験事務の全部若しくは一部を自ら行うこととするとき、又は自ら行つていた試験事務の全部若しくは一部を行わないこととするときは、その旨を公示しなければならない。

（厚生労働省令への委任）

第二十五条の二十七　この法律に規定するもののほか、指定試験機関及びその行う試験事務並びに試験事務の引継ぎに関し必要な事項は、厚生労働省令で定める。

第四章　水道用水供給事業

（事業の認可）

第二十六条　水道用水供給事業を経営しようとする者は、厚生労働大臣の認可を受けなければならない。

（認可の申請）

第二十七条　水道用水供給事業経営の認可の申請をするには、申請書に、事業計画書、工事設計書その他厚生労働省令で定める書類（図面を含む。）を添えて、これを厚生労働大臣に提出しなければならない。

2　前項の申請書には、次に掲げる事項を記載しなければならない。

一　申請者の住所及び氏名（法人又は組合にあつては、主たる事務所の所在地及び名称並びに代表者の氏名）

二　水道事務所の所在地

3　水道用水供給事業者は、前項に規定する申請書の記載事項に変更を生じたときは、速やかに、その旨を厚生労働大臣に届け出なければならない。

4　第一項の事業計画書には、次に掲げる事項を記載しなければならない。

一　給水対象及び給水量

二　水道施設の概要

三　給水開始の予定年月日

四　工事費の予定総額及びその予定財源

五　経常収支の概算

六　その他厚生労働省令で定める事項

5　第一項の工事設計書には、次に掲げる事項を記載しなければならない。

一　一日最大給水量及び一日平均給水量

二　水源の種別及び取水地点

三　水源の水量の概算及び水質試験の結果

四　水道施設の位置（標高及び水位を含む。）、規模及び構造

五　浄水方法

六　工事の着手及び完了の予定年月日

七　その他厚生労働省令で定める事項

（認可基準）

第二十八条　水道用水供給事業経営の認可は、その申請が次の各号のいずれにも適合していると認められるときでなければ、与えてはならない。

一　当該水道用水供給事業の計画が確実かつ合理的であること。

二　水道施設の工事の設計が第五条の規定による施設基準に適合すること。

三　地方公共団体以外の者の申請に係る水道用水供給事業にあつては、当該事業を遂行するに足りる経理的基礎があること。

四　その他当該水道用水供給事業の開始が公益上必要であること。

2　前項各号に規定する基準を適用するについ

て必要な技術的細目は、厚生労働省令で定める。

（附款）

第二十九条　厚生労働大臣は、地方公共団体以外の者に対して水道用水供給事業経営の認可を与える場合には、これに必要な条件を附することができる。

2　第九条第二項の規定は、前項の条件について準用する。

（事業の変更）

第三十条　水道用水供給事業者は、給水対象若しくは給水量を増加させ、又は水源の種別、取水地点若しくは浄水方法を変更しようとするとき（次の各号のいずれかに該当するときを除く。）は、厚生労働大臣の認可を受けなければならない。

一　その変更が厚生労働省令で定める軽微なものであるとき。

二　その変更が他の水道用水供給事業の全部を譲り受けることに伴うものであるとき。

2　前三条の規定は、前項の認可について準用する。

3　水道用水供給事業者は、第一項各号のいずれかに該当する変更を行うときは、あらかじめ、厚生労働省令で定めるところにより、その旨を厚生労働大臣に届け出なければならない。

（準用）

第三十一条　第十一条第一項及び第三項、第十二条、第十三条、第十五条第二項、第十九条（第二項第三号を除く。）、第二十条から第二十三条まで、第二十四条の二、第二十四条の三（第七項を除く。）、第二十四条の四、第二十四条の五、第二十四条の六（第一項第二号を除く。）、第二十四条の七、第二十四条の八（第三項を除く。）、第二十四条の九から第二十四条の十三までの規定は、水道用水供給事業者について準用する。この場合において、次の表の上欄に掲げる規定中同表の中欄に掲げる字句は、それぞれ同表の下欄に掲げる字句に読み替えるものとする。

第十一条第一項	水道事業の全部又は	水道用水供給事業の全部又は
第十一条第一項ただし書	水道事業の	水道用水供給事業の
	水道事業を	水道用水供給事業を
第十五条第二項	給水を受ける者に対し、常時水	水道用水の供給を受ける水道事業者に対し、給水契約の定めるところにより水道用水
第十五条第二項ただし書	給水区域	給水対象
	区域及び	対象及び
	関係者に周知させる	水道用水供給事業者が水道用水を供給する水道事業者に通知する
第十九条第二項	事項	事項（第三号に掲げる事項を除く。）
第二十二条の四第一項	給水区域	水道用水供給事業者が水道用水を供給する水道事業者の給水区域
第二十三条第一項	関係者に周知させる	水道用水供給事業者が水道用水を供給する水道事業者に通知する
第二十四条の二	水道の	水道用水供給事業者が水道用水を供給する水道事業者の水道の
	水道事業に	水道用水供給事業に
第二十四条の三第四項	第十九条第二項各号	第十九条第二項各号（第三号を除く。）
第二十四条の三第六項	第十七条、第二十条	第二十条
	第二十五条の九、第三十六条第二項	第三十六条第二項
第二十四条の三第八項	同項各号	同項各号（第三号を除く。）
第二十四条の四第一項	水道事業の	水道用水供給事業の
第二十四条の四第三項	第六条第一項	第二十六条
	水道事業経営	水道用水供給事業経営

第二十四条の五第三項第六号	水道事業	水道用水供給事業
第二十四条の七第二項	第十九条第二項各号	第十九条第二項各号（第三号を除く。）
第二十四条の八第一項	第十四条第一項、第二項及び第五項、第十五条第二項及び第三項	第十五条第二項
	、第二十四条第三項並びに	並びに
	第十四条第一項中「料金」とあるのは「料金（第二十四条の四第三項に規定する水道施設運営権者（次項、次条第二項及び第二十三条第二項において「水道施設運営権者」という。）が自らの収入として収受する水道施設の利用に係る料金（次項において「水道施設運営権者に係る利用料金」という。）を含む。次項第一号及び第二号、第五項、次条第三項並びに第二十四条第三項において同じ。）」と、同条第二項中「次に」とあるのは「水道施設運営権者に係る利用料金について、水道施設運営権者は水道の需要者に対して直接にその支払を請求する権利を有する旨が明確に定められていることのほか、次に」と、第十五条第二項ただし書	第十五条第二項ただし書
	（水道施設運営権者が	（第二十四条の四第三項に規定する水道施設運営権者（第二十三条第二項において「水道施設運営権者」という。）が
	水道事業者（水道施設運営権者を含む。以下この項及び次条第三項	水道用水供給事業者（水道施設運営権者を含む。以下この項
	とする。この場合において、水道施設運営権者は、当然に給水契約の利益（水道施設運営権者等事業の対象となる水道施設の利用料金の支払を請求する権利に係る部分に限る。）を享受する	とする
第二十四条の八第二項	第十七条、第二十条	第二十条
	第二十三条第一項、第二十五条の九	第二十三条第一項

第五章　専用水道

（確認）

第三十二条　専用水道の布設工事をしようとする者は、その工事に着手する前に、当該工事の設計が第五条の規定による施設基準に適合するものであることについて、都道府県知事の確認を受けなければならない。

（確認の申請）

第三十三条　前条の確認の申請をするには、申請書に、工事設計書その他厚生労働省令で定める書類（図面を含む。）を添えて、これを都道府県知事に提出しなければならない。

2　前項の申請書には、次に掲げる事項を記載しなければならない。

一　申請者の住所及び氏名（法人又は組合にあつては、主たる事務所の所在地及び名称並びに代表者の氏名）

二　水道事務所の所在地

3　専用水道の設置者は、前項に規定する申請書の記載事項に変更を生じたときは、速やかに、その旨を都道府県知事に届け出なければならない。

4　第一項の工事設計書には、次に掲げる事項を記載しなければならない。

一　一日最大給水量及び一日平均給水量

二　水源の種別及び取水地点
三　水源の水量の概算及び水質試験の結果
四　水道施設の概要
五　水道施設の位置（標高及び水位を含む。）、規模及び構造
六　浄水方法
七　工事の着手及び完了の予定年月日
八　その他厚生労働省令で定める事項

5　都道府県知事は、第一項の申請を受理した場合において、当該工事の設計が第五条の規定による施設基準に適合することを確認したときは、申請者にその旨を通知し、適合しないと認めたとき、又は申請書の添附書類によつては適合するかしないかを判断することができないときは、その適合しない点を指摘し、又はその判断することができない理由を附して、申請者にその旨を通知しなければならない。

6　前項の通知は、第一項の申請を受理した日から起算して三十日以内に、書面をもつてしなければならない。

（準用）

第三十四条　第十三条、第十九条（第二項第三号及び第七号を除く。）、第二十条から第二十二条の二まで、第二十三条及び第二十四条の三（第七項を除く。）の規定は、専用水道の設置者について準用する。この場合において、次の表の上欄に掲げる規定中同表の中欄に掲げる字句は、それぞれ同表の下欄に掲げる字句に読み替えるものとする。

第十三条第一項	厚生労働大臣	都道府県知事
第十九条第二項	事項	事項（第三号及び第七号に掲げる事項を除く。）
第二十四条の三第二項	厚生労働大臣	都道府県知事
第二十四条の三第四項	第十九条第二項各号	第十九条第二項各号（第三号及び第七号を除く。）
第二十四条の三第六項	第十七条、第二十条から第二十二条の三	第二十条から第二十二条の二
	第二十五条の九、第三十六条第二項並びに第三十九条（第二項	第三十六条第二項並びに第三十九条（第一項
第二十四条の三第八項	同項各号	同項各号（第三号及び第七号を除く。）

2　一日最大給水量が千立方メートル以下である専用水道については、当該水道が消毒設備以外の浄水施設を必要とせず、かつ、自然流下のみによつて給水することができるものであるときは、前項の規定にかかわらず、第十九条第三項の規定を準用しない。

第六章　簡易専用水道

第三十四条の二　簡易専用水道の設置者は、厚生労働省令で定める基準に従い、その水道を管理しなければならない。

2　簡易専用水道の設置者は、当該簡易専用水道の管理について、厚生労働省令の定めるところにより、定期に、地方公共団体の機関又は厚生労働大臣の登録を受けた者の検査を受けなければならない。

（検査の義務）

第三十四条の三　前条第二項の登録を受けた者は、簡易専用水道の管理の検査を行うことを求められたときは、正当な理由がある場合を除き、遅滞なく、簡易専用水道の管理の検査を行わなければならない。

（準用）

第三十四条の四　第二十条の二から第二十条の五までの規定は第三十四条の二第二項の登録について、第二十条の六第二項の規定は簡易専用水道の管理の検査について、第二十条の七から第二十条の十六までの規定は第三十四条の二第二項の登録を受けた者について、それぞれ準用する。この場合において、次の表の上欄に掲げる規定中同表の中欄に掲げる字句は、それぞれ同表の下欄に掲げる字句に読み替えるものとする。

第二十条の二	水質検査	簡易専用水道の管理の検査
第二十条の四第一項第一号	第二十条第一項に規定する水質検査	簡易専用水道の管理の検査
	検査施設	検査設備
	用いて水質検査	用いて簡易専用水道の管理の検査

第二十条の四第一項第二号	別表第一	別表第二
	水質検査	簡易専用水道の管理の検査
	五名	三名
第二十条の四第一項第三号	水質検査	簡易専用水道の管理の検査
第二十条の四第二項	水質検査機関登録簿	簡易専用水道検査機関登録簿
第二十条の四第二項第三号	水質検査	簡易専用水道の管理の検査
第二十条の六第二項	登録水質検査機関	第三十四条の二第二項の登録を受けた者
第二十条の七	水質検査を	簡易専用水道の管理の検査を
第二十条の八第一項	水質検査の	簡易専用水道の管理の検査の
	水質検査業務規程	簡易専用水道検査業務規程
第二十条の八第二項	水質検査業務規程	簡易専用水道検査業務規程
	水質検査の	簡易専用水道の管理の検査の
	水質検査に	簡易専用水道の管理の検査に
第二十条の九	水質検査の	簡易専用水道の管理の検査の
第二十条の十第二項	水道事業者	簡易専用水道の設置者
第二十条の十二	第二十条の六第一項又は第二項	第二十条の六第二項又は第三十四条の三
	水質検査を受託すべき	簡易専用水道の管理の検査を行うべき
	水質検査の	簡易専用水道の管理の検査の
第二十条の十三	水質検査の	簡易専用水道の管理の検査の
第二十条の十三第五号	第二十条第三項	第三十四条の二第二項
第二十条の十四	水質検査に	簡易専用水道の管理の検査に
第二十条の十五第一項	水質検査の	簡易専用水道の管理の検査の
	検査施設	検査設備
第二十条の十六第一号	第二十条第三項	第三十四条の二第二項
第二十条の十六第四号	第二十条第三項	第三十四条の二第二項
	水質検査	簡易専用水道の管理の検査

第七章　監督

（認可の取消し）

第三十五条　厚生労働大臣は、水道事業者又は水道用水供給事業者が、正当な理由がなくて、事業認可の申請書に添附した工事設計書に記載した工事着手の予定年月日の経過後一年以内に工事に着手せず、若しくは工事完了の予定年月日の経過後一年以内に工事を完了せず、又は事業計画書に記載した給水開始の予定年月日の経過後一年以内に給水を開始しないときは、事業の認可を取り消すことができる。この場合において、工事完了の予定年月日の経過後一年を経過した時に一部の工事を完了していたときは、その工事を完了していない部分について事業の認可を取り消すこともできる。

2　地方公共団体以外の水道事業者について前項に規定する理由があるときは、当該水道事業の給水区域をその区域に含む市町村は、厚生労働大臣に同項の処分をなすべきことを求めることができる。

3　厚生労働大臣は、地方公共団体である水道事業者又は水道用水供給事業者に対して第一項の処分をするには、当該水道事業者又は水道用水供給事業者に対して弁明の機会を与えなければならない。この場合においては、あらかじめ、書面をもつて弁明をなすべき日時、場所及び当該処分をなすべき理由を通知しなければならない。

（改善の指示等）

第三十六条　厚生労働大臣は水道事業又は水道用水供給事業について、都道府県知事は専用水道について、当該水道施設が第五条の規定による施設基準に適合しなくなつたと認め、かつ、国民の健康を守るため緊急に必要があると認めるときは、当該水道事業者若しくは水道用水供給事業者又は専用水道の設置者に対して、期間を定めて、当該施設を改善すべき旨を指示することができる。

2　厚生労働大臣は水道事業又は水道用水供給事業について、都道府県知事は専用水道について、水道技術管理者がその職務を怠り、警告を発したにもかかわらずなお継続して職務を怠つたときは、当該水道事業者若しくは水道用水供給事業者又は専用水道の設置者に対して、水道技術管理者を変更すべきことを勧告することができる。

3　都道府県知事は、簡易専用水道の管理が第三十四条の二第一項の厚生労働省令で定める基準に適合していないと認めるときは、当該簡易専用水道の設置者に対して、期間を定めて、当該簡易専用水道の管理に関し、清掃その他の必要な措置を採るべき旨を指示することができる。

（給水停止命令）

第三十七条　厚生労働大臣は水道事業者又は水道用水供給事業者が、都道府県知事は専用水道又は簡易専用水道の設置者が、前条第一項又は第三項の規定に基づく指示に従わない場合において、給水を継続させることが当該水道の利用者の利益を阻害すると認めるときは、その指示に係る事項を履行するまでの間、当該水道による給水を停止すべきことを命ずることができる。同条第二項の規定に基づく勧告に従わない場合において、給水を継続させることが当該水道の利用者の利益を阻害すると認めるときも、同様とする。

（供給条件の変更）

第三十八条　厚生労働大臣は、地方公共団体以外の水道事業者の料金、給水装置工事の費用の負担区分その他の供給条件が、社会的経済的事情の変動等により著しく不適当となり、公共の利益の増進に支障があると認めるときは、当該水道事業者に対し、相当の期間を定めて、供給条件の変更の認可を申請すべきことを命ずることができる。

2　厚生労働大臣は、水道事業者が前項の期間内に同項の申請をしないときは、供給条件を変更することができる。

（報告の徴収及び立入検査）

第三十九条　厚生労働大臣は、水道（水道事業等の用に供するものに限る。以下この項において同じ。）の布設若しくは管理又は水道事業若しくは水道用水供給事業の適正を確保するために必要があると認めるときは、水道事業者若しくは水道用水供給事業者から工事の施行状況若しくは事業の実施状況について必要な報告を徴し、又は当該職員をして水道の工事現場、事務所若しくは水道施設のある場所に立ち入らせ、工事の施行状況、水道施設、水質、水圧、水量若しくは必要な帳簿書類（その作成又は保存に代えて電磁的記録の作成又は保存がされている場合における当該電磁的記録を含む。次項及び第四十条第八項において同じ。）を検査させることができる。

2　都道府県知事は、水道（水道事業等の用に供するものを除く。以下この項において同じ。）の布設又は管理の適正を確保するために必要があると認めるときは、専用水道の設置者から工事の施行状況若しくは専用水道の管理について必要な報告を徴し、又は当該職員をして水道の工事現場、事務所若しくは水道施設のある場所に立ち入らせ、工事の施行状況、水道施設、水質、水圧、水量若しくは必要な帳簿書類を検査させることができる。

3　都道府県知事は、簡易専用水道の管理の適正を確保するために必要があると認めるときは、簡易専用水道の設置者から簡易専用水道の管理について必要な報告を徴し、又は当該職員をして簡易専用水道の用に供する施設の在る場所若しくは設置者の事務所に立ち入らせ、その施設、水質若しくは必要な帳簿書類を検査させることができる。

4　前三項の規定により立入検査を行う場合には、当該職員は、その身分を示す証明書を携帯し、かつ、関係者の請求があつたときは、これを提示しなければならない。

5　第一項、第二項又は第三項の規定による立入検査の権限は、犯罪捜査のために認められたものと解釈してはならない。

第八章　雑則

（災害その他非常の場合における連携及び協力の確保）

第三十九条の二　国、都道府県、市町村及び水道事業者等並びにその他の関係者は、災害その他非常の場合における応急の給水及び速やかな水道施設の復旧を図るため、相互に連携を図りながら協力するよう努めなければならない。

（水道用水の緊急応援）

第四十条　都道府県知事は、災害その他非常の場合において、緊急に水道用水を補給することが公共の利益を保護するために必要であり、かつ、適切であると認めるときは、水道事業者又は水道用水供給事業者に対して、期間、水量及び方法を定めて、水道施設内に取り入れた水を他の水道事業者又は水道用水供給事業者に供給すべきことを命ずることができる。

2　厚生労働大臣は、前項に規定する都道府県知事の権限に属する事務について、国民の生命及び健康に重大な影響を与えるおそれがあると認めるときは、都道府県知事に対し同項の事務を行うことを指示することができる。

3　第一項の場合において、都道府県知事が同項に規定する権限に属する事務を行うことができないと厚生労働大臣が認めるときは、同項の規定にかかわらず、当該事務は厚生労働大臣が行う。

4　第一項及び前項の場合において、供給の対価は、当事者間の協議によつて定める。協議が調わないとき、又は協議をすることができないときは、都道府県知事が供給に要した実費の額を基準として裁定する。

5　第一項及び前項に規定する都道府県知事の権限に属する事務は、需要者たる水道事業者又は水道用水供給事業者に係る第四十八条の規定による管轄都道府県知事と、供給者たる水道事業者又は水道用水供給事業者に係る同条の規定による管轄都道府県知事とが異なるときは、第一項及び前項の規定にかかわらず、厚生労働大臣が行う。

6　第四項の規定による裁定に不服がある者は、その裁定を受けた日から六箇月以内に、訴えをもつて供給の対価の増減を請求することができる。

7　前項の訴においては、供給の他の当事者をもつて被告とする。

8　都道府県知事は、第一項及び第四項の事務を行うために必要があると認めるときは、水道事業者若しくは水道用水供給事業者から、事業の実施状況について必要な報告を徴し、又は当該職員をして、事務所若しくは水道施設のある場所に立ち入らせ、水道施設、水質、水圧、水量若しくは必要な帳簿書類を検査させることができる。

9　第三十九条第四項及び第五項の規定は、前項の規定による都道府県知事の行う事務について準用する。この場合において、同条第四項中「前三項」とあり、及び同条第五項中「第一項、第二項又は第三項」とあるのは、「第四十条第八項」と読み替えるものとする。

（合理化の勧告）

第四十一条　厚生労働大臣は、二以上の水道事業者間若しくは二以上の水道用水供給事業者間又は水道事業者と水道用水供給事業者との間において、その事業を一体として経営し、又はその給水区域の調整を図ることが、給水区域、給水人口、給水量、水源等に照らし合理的であり、かつ、著しく公共の利益を増進すると認めるときは、関係者に対しその旨の勧告をすることができる。

（地方公共団体による買収）

第四十二条　地方公共団体は、地方公共団体以外の者がその区域内に給水区域を設けて水道事業を経営している場合において、当該水道事業者が第三十六条第一項の規定による施設の改善の指示に従わないとき、又は公益の必要上当該給水区域をその区域に含む市町村から給水区域を拡張すべき旨の要求があつたにもかかわらずこれに応じないとき、その他その区域内において自ら水道事業を経営することが公益の増進のために適正かつ合理的であると認めるときは、厚生労働大臣の認可を受けて、当該水道事業者から当該水道の水道施設及びこれに付随する土地、建物その他の物件並びに水道事業を経営するために必要な権利を買収することができる。

2　地方公共団体は、前項の規定により水道施設等を買収しようとするときは、買収の範囲、価額及びその他の買収条件について、当該水道事業者と協議しなければならない。

3　前項の協議が調わないとき、又は協議をすることができないときは、厚生労働大臣が裁定する。この場合において、買収価額については、時価を基準とするものとする。

4　前項の規定による裁定があつたときは、裁定の効果については、土地収用法（昭和二十六年法律第二百十九号）に定める収用の効果の例による。

5　第三項の規定による裁定のうち買収価額に不服がある者は、その裁定を受けた日から六箇月以内に、訴えをもつてその増減を請求することができる。

6　前項の訴においては、買収の他の当事者をもつて被告とする。

7　第三項の規定による裁定についての審査請求においては、買収価額についての不服をその裁定についての不服の理由とすることができない。

（水源の汚濁防止のための要請等）

第四十三条　水道事業者又は水道用水供給事業者は、水源の水質を保全するため必要があると認めるときは、関係行政機関の長又は関係地方公共団体の長に対して、水源の水質の汚濁の防止に関し、意見を述べ、又は適当な措置を講ずべきことを要請することができる。

（国庫補助）

第四十四条　国は、水道事業又は水道用水供給事業を経営する地方公共団体に対し、その事業に要する費用のうち政令で定めるものについて、予算の範囲内において、政令の定めるところにより、その一部を補助することができる。

（国の特別な助成）

第四十五条　国は、地方公共団体が水道施設の新設、増設若しくは改造又は災害の復旧を行う場合には、これに必要な資金の融通又はそのあつせんにつとめなければならない。

（研究等の推進）

第四十五条の二　国は、水道に係る施設及び技術の研究、水質の試験及び研究、日常生活の用に供する水の適正かつ合理的な供給及び利用に関する調査及び研究その他水道に関する研究及び試験並びに調査の推進に努めるものとする。

（手数料）

第四十五条の三　給水装置工事主任技術者免状の交付、書換え交付又は再交付を受けようとする者は、国に、実費を勘案して政令で定める額の手数料を納付しなければならない。

2　給水装置工事主任技術者試験を受けようとする者は、国（指定試験機関が試験事務を行う場合にあつては、指定試験機関）に、実費を勘案して政令で定める額の受験手数料を納付しなければならない。

3　前項の規定により指定試験機関に納められた受験手数料は、指定試験機関の収入とする。

（都道府県が処理する事務）

第四十六条　この法律に規定する厚生労働大臣の権限に属する事務の一部は、政令で定めるところにより、都道府県知事が行うこととすることができる。

2　この法律（第三十二条、第三十三条第一項、第三項及び第五項、第三十四条第一項において準用する第十三条第一項及び第二十四条の三第二項、第三十六条、第三十七条並びに第三十九条第二項及び第三項に限る。）の規定により都道府県知事の権限に属する事務の一部は、地方自治法（昭和二十二年法律第六十七号）で定めるところにより、町村長が行うこととすることができる。

（管轄都道府県知事）

第四十七条　削除

第四十八条　この法律又はこの法律に基づく政令の規定により都道府県知事の権限に属する事務は、第三十九条（立入検査に関する部分に限る。）及び第四十条に定めるものを除き、水道事業、専用水道及び簡易専用水道について当該事業又は水道により水が供給される区域が二以上の都道府県の区域にまたがる場合及び水道用水供給事業について当該事業から用水の供給を受ける水道事業により水が供給される区域が二以上の都道府県の区域にまたがる場合は、政令で定めるところにより関係都道府県知事が行う。

（市又は特別区に関する読替え等）

第四十八条の二　市又は特別区の区域においては、第三十二条、第三十三条第一項、第三項及び第五項、第三十四条第一項において準用する第十三条第一項及び第二十四条の三第二項、第三十六条、第三十七条並びに第三十九条第二項及び第三項中「都道府県知事」とあるのは、「市長」又は「区長」と読み替えるものとする。

2　前項の規定により読み替えられた場合における前条の規定の適用については、市長又は特別区の区長を都道府県知事と、市又は特別区を都道府県とみなす。

（審査請求）

第四十八条の三　指定試験機関が行う試験事務に係る処分又はその不作為については、厚生労働大臣に対し、審査請求をすることができる。この場合において、厚生労働大臣は、行政不服審査法（平成二十六年法律第六十八号）第二十五条第二項及び第三項、第四十六条第一項及び第二項、第四十七条並びに第四十九条第三項の規定の適用については、指定試験機関の上級行政庁とみなす。

（特別区に関する読替）

第四十九条　特別区の存する区域においては、この法律中「市町村」とあるのは、「都」と読み替えるものとする。

（国の設置する専用水道に関する特例）

第五十条　この法律中専用水道に関する規定は、第五十二条、第五十三条、第五十四条、第五十五条及び第五十六条の規定を除き、国の設置する専用水道についても適用されるものとする。

2　国の行う専用水道の布設工事については、あらかじめ厚生労働大臣に当該工事の設計を届け出で、厚生労働大臣からその設計が第五条の規定による施設基準に適合する旨の通知を受けたときは、第三十二条の規定にかかわらず、その工事に着手することができる。

3　第三十三条の規定は、前項の規定による届出及び厚生労働大臣がその届出を受けた場合における手続について準用する。この場合において、同条第二項及び第三項中「申請書」とあるのは、「届出書」と読み替えるものとする。

4　国の設置する専用水道については、第三十四条第一項において準用する第十三条第一項及び第二十四条の三第二項並びに前章に定める都道府県知事（第四十八条の二第一項の規定により読み替えられる場合にあつては、市長又は特別区の区長）の権限に属する事務は、厚生労働大臣が行う。

（国の設置する簡易専用水道に関する特例）

第五十条の二　この法律中簡易専用水道に関する規定は、第五十三条、第五十四条、第五十五条及び第五十六条の規定を除き、国の設置する簡易専用水道についても適用されるものとする。

2　国の設置する簡易専用水道については、第三十六条第三項、第三十七条及び第三十九条第三項に定める都道府県知事（第四十八条の二第一項の規定により読み替えられる場合にあつては、市長又は特別区の区長）の権限に属する事務は、厚生労働大臣が行う。

（経過措置）

第五十条の三　この法律の規定に基づき命令を制定し、又は改廃する場合においては、その命令で、その制定又は改廃に伴い合理的に必要と判断される範囲内において、所要の経過措置（罰則に関する経過措置を含む。）を定めることができる。

第九章　罰則

第五十一条　水道施設を損壊し、その他水道施設の機能に障害を与えて水の供給を妨害した者は、五年以下の懲役又は百万円以下の罰金に処する。

2　みだりに水道施設を操作して水の供給を妨害した者は、二年以下の懲役又は五十万円以下の罰金に処する。

3　前二項の規定にあたる行為が、刑法の罪に触れるときは、その行為者は、同法の罪と比較して、重きに従つて処断する。

第五十二条　次の各号のいずれかに該当する者は、三年以下の懲役又は三百万円以下の罰金に処する。

一　第六条第一項の規定による認可を受けないで水道事業を経営した者

二　第二十三条第一項（第三十一条及び第三十四条第一項において準用する場合を含む。）の規定に違反した者

三　第二十六条の規定による認可を受けないで水道用水供給事業を経営した者

第五十三条　次の各号のいずれかに該当する者は、一年以下の懲役又は百万円以下の罰金に処する。

一　第十条第一項前段の規定に違反した者

二　第十一条第一項（第三十一条において準用する場合を含む。）の規定に違反した者

三　第十五条第一項の規定に違反した者

四　第十五条第二項（第二十四条の八第一項（第三十一条において準用する場合を含む。）の規定により読み替えて適用する場合を含む。）（第三十一条において準用する場合を含む。）の規定に違反して水を供給しなかつた者

五　第十九条第一項（第三十一条及び第三十四条第一項において準用する場合を含む。）の規定に違反した者

六　第二十四条の三第一項（第三十一条及び第三十四条第一項において準用する場合を含む。）の規定に違反して、業務を委託した者

七　第二十四条の三第三項（第三十一条及び第三十四条第一項において準用する場合を含む。）の規定に違反した者
八　第二十四条の七第一項（第三十一条において準用する場合を含む。）の規定に違反した者
九　第三十条第一項の規定に違反した者
十　第三十七条の規定による給水停止命令に違反した者
十一　第四十条第一項（第二十四条の八第一項（第三十一条において準用する場合を含む。）の規定により読み替えて適用する場合を含む。）及び第三項の規定による命令に違反した者

第五十三条の二　第二十条の十三（第三十四条の四において準用する場合を含む。）の規定による業務の停止の命令に違反した者は、一年以下の懲役又は百万円以下の罰金に処する。

第五十三条の三　第二十五条の十七第一項の規定に違反した者は、一年以下の懲役又は百万円以下の罰金に処する。

第五十三条の四　第二十五条の二十四第二項の規定による試験事務の停止の命令に違反したときは、その違反行為をした指定試験機関の役員又は職員は、一年以下の懲役又は百万円以下の罰金に処する。

第五十四条　次の各号のいずれかに該当する者は、百万円以下の罰金に処する。
一　第九条第一項（第十条第二項において準用する場合を含む。）の規定により認可に附せられた条件に違反した者
二　第十三条第一項（第三十一条及び第三十四条第一項において準用する場合を含む。）の規定に違反して水質検査又は施設検査を行わなかつた者
三　第二十条第一項（第三十一条及び第三十四条第一項において準用する場合を含む。）の規定に違反した者
四　第二十一条第一項（第三十一条及び第三十四条第一項において準用する場合を含む。）の規定に違反した者
五　第二十二条（第三十一条及び第三十四条第一項において準用する場合を含む。）の規定に違反した者
六　第二十九条第一項（第三十条第二項において準用する場合を含む。）の規定により認可に附せられた条件に違反した者
七　第三十二条の規定による確認を受けないで専用水道の布設工事に着手した者
八　第三十四条の二第二項の規定に違反した者

第五十五条　次の各号のいずれかに該当する者は、三十万円以下の罰金に処する。
一　地方公共団体以外の水道事業者であつて、第七条第四項第七号の規定により事業計画書に記載した供給条件（第十四条第六項の規定による認可があつたときは、認可後の供給条件、第三十八条第二項の規定による変更があつたときは、変更後の供給条件）によらないで、料金又は給水装置工事の費用を受け取つたもの
二　第十条第三項、第十一条第三項（第三十一条において準用する場合を含む。）、第二十四条の三第二項（第三十一条及び第三十四条第一項において準用する場合を含む。）又は第三十条第三項の規定による届出をせず、又は虚偽の届出をした者
三　第三十九条第一項、第二項、第三項又は第四十条第八項（第二十四条の八第一項（第三十一条において準用する場合を含む。）の規定により読み替えて適用する場合を含む。）の規定による報告をせず、若しくは虚偽の報告をし、又は当該職員の検査を拒み、妨げ、若しくは忌避した者

第五十五条の二　次の各号のいずれかに該当する者は、三十万円以下の罰金に処する。
一　第二十条の九（第三十四条の四において準用する場合を含む。）の規定による届出をせず、又は虚偽の届出をした者
二　第二十条の十四（第三十四条の四において準用する場合を含む。）の規定に違反して帳簿を備えず、帳簿に記載せず、若しくは帳簿に虚偽の記載をし、又は帳簿を保存しなかつた者
三　第二十条の十五第一項（第三十四条の四において準用する場合を含む。）の規定による報告をせず、若しくは虚偽の報告をし、又は当該職員の検査を拒み、妨げ、若しくは忌避した者

第五十五条の三　次の各号のいずれかに該当するときは、その違反行為をした指定試験機関の役員又は職員は、三十万円以下の罰金に処する。
一　第二十五条の二十の規定に違反して帳簿

を備えず、帳簿に記載せず、若しくは帳簿に虚偽の記載をし、又は帳簿を保存しなかつたとき。

二　第二十五条の二十二第一項の規定による報告を求められて、報告をせず、若しくは虚偽の報告をし、又は同項の規定による立入り若しくは検査を拒み、妨げ、若しくは忌避したとき。

三　第二十五条の二十三第一項の規定による許可を受けないで、試験事務の全部を廃止したとき。

第五十六条　法人の代表者又は法人若しくは人の代理人、使用人その他の従業者が、その法人又は人の業務に関して第五十二条から第五十三条の二まで又は第五十四条から第五十五条の二までの違反行為をしたときは、行為者を罰するほか、その法人又は人に対しても、各本条の罰金刑を科する。

第五十七条　正当な理由がないのに第二十五条の五第三項の規定による命令に違反して給水装置工事主任技術者免状を返納しなかつた者は、十万円以下の過料に処する。

附　則（抄）

（施行期日）

第一条　この法律は、公布の日から起算して六箇月をこえない範囲内において政令で定める日から施行する。

（水道条例の廃止）

第二条　水道条例（明治二十三年法律第九号。以下「旧法」という。）は、廃止する。

（旧法に基く認可又は許可を受けた水道事業に関する経過措置）

第三条　この法律の施行前に旧法第二条の規定によつてなされた水道の布設の許可及び旧法第三条の規定によつてなされた水道の布設の認可は、この法律（以下「新法」という。）第六条第一項の規定によつてなされた水道事業経営の認可（旧法による当該処分が旧法第三条に規定する事項の変更に係るものであるときは、新法第十条第一項の規定によつてなされた事業変更の認可）とみなす。

2　地方公共団体以外の者について、旧法第三条第二項の規定によつて附された許可年限又は旧法第四条第二項の規定によつて許可書に附された事項は、新法第九条第一項（新法第十条第二項において準用する場合を含む。）の規定によつて認可に附された期限又は条件とみなす。

（許可又は認可の申請に関する経過措置）

第四条　この法律の施行前に旧法の規定によつてなされた許可又は認可の申請は、新法の相当規定によつてなされたものとみなす。

（旧法に基く認可又は許可によらない水道事業に関する経過措置）

第五条　この法律の施行の際現に水道事業を経営している者（旧法第二条の規定による許可又は旧法第三条の規定による認可を受けて経営している者を除く。）は、現に給水を行つている区域を給水区域とし、かつ、現に実施している供給条件に関する定を供給規程とする新法第六条第一項の規定による水道事業経営の認可を受けたものとみなす。

2　この法律の施行の際現に水道用水供給事業を経営している者は、新法第二十六条の規定による水道用水供給事業経営の認可を受けたものとみなす。

3　厚生大臣は、前二項に規定する者のうち地方公共団体以外の者については、新法第九条第二項の例により、前二項の規定による認可に必要な期限又は条件を附することができる。

4　前項の規定により認可に附された条件は、新法第五十四条第一号又は第六号の規定の適用については、新法第九条第一項又は第二十九条第一項の規定により附された条件とみなす。

（届出及び書類の提出）

第六条　この法律の施行の際現に水道事業若しくは水道用水供給事業を経営し、又は専用水道を設置している者（旧法第二条の規定による許可又は旧法第三条の規定による認可を受けて水道事業を経営している者を除く。）は、この法律の施行後六箇月以内に、水道事業又は水道用水供給事業を経営している者にあつては厚生大臣に、専用水道を設置している者にあつては都道府県知事に、水道施設の概要その他厚生省令で定める事項を届け出で、かつ、厚生省令で定める事項を記載した書類（図面を含む。以下同じ。）を提出しなければならない。

2　前項の規定に違反して、同項に規定する事項を届け出ず、若しくは虚偽の届出をし、又は同項に規定する書類を提出せず、若しくは虚偽の事項を記載した書類を提出した者は、五万円以下の罰金に処する。

3　法人の代表者又は法人若しくは人の代理人、使用人その他の従業者が、その法人又は人の業務に関して前項の違反行為をしたときは、行為者を罰するほか、その法人又は人に対しても、同項の刑を科する。

4　国の設置する専用水道については、第一項中「都道府県知事」とあるのは、「厚生大臣」と読み替え、前二項の規定は、適用しないものとする。この場合には、新法第五十条第五項の規定を準用する。

（水道の布設工事に関する経過措置）

第七条　新法第十二条の規定は、この法律の施行の際現に施行中の水道の布設工事については、適用しない。

（水道技術管理者に関する経過措置）

第八条　この法律の施行の際現に水道において新法第十九条第二項に規定する事務に従事し、又はその事務に従事する他の職員を監督している者については、その者が当該水道における水道技術管理者である場合に限り、この法律の施行後三年間は、同条第三項（新法第三十一条及び新法第三十四条第一項において準用する場合を含む。）の規定を適用しない。

（消火せんの設置に伴う費用に関する経過措置）

第九条　新法第二十四条第二項の規定は、この法律の施行前に消火せんを設置した水道事業者についても、適用されるものとする。ただし、この法律の施行前に要した費用については、この限りでない。

（施設又は区域内の専用水道）

第十条　新法の規定は、日本国とアメリカ合衆国との間の相互協力及び安全保障条約第六条に基づく施設及び区域並びに日本国における合衆国軍隊の地位に関する協定第二条第一項の施設又は区域内における専用水道については、適用しない。

（国の無利子貸付け等）

第十一条　国は、当分の間、地方公共団体に対し、第四十四条の規定により国がその費用について補助することができる水道事業又は水道用水供給事業の用に供する施設の新設又は増設で日本電信電話株式会社の株式の売払収入の活用による社会資本の整備の促進に関する特別措置法（昭和六十二年法律第八十六号。以下「社会資本整備特別措置法」という。）第二条第一項第二号に該当するものに要する費用に充てる資金について、予算の範囲内において、第四十四条の規定（この規定による国の補助の割合について、この規定と異なる定めをした法令の規定がある場合には、当該異なる定めをした法令の規定を含む。以下同じ。）により国が補助することができる金額に相当する金額を無利子で貸し付けることができる。

2　国は、当分の間、地方公共団体に対し、前項の規定による場合のほか、水道の整備で社会資本整備特別措置法第二条第一項第二号に該当するものに要する費用に充てる資金の一部を、予算の範囲内において、無利子で貸し付けることができる。

3　前二項の国の貸付金の償還期間は、五年（二年以内の据置期間を含む。）以内で政令で定める期間とする。

4　前項に定めるもののほか、第一項及び第二項の規定による貸付金の償還方法、償還期限の繰上げその他償還に関し必要な事項は、政令で定める。

5　国は、第一項の規定により、地方公共団体に対し貸付けを行った場合には、当該貸付けの対象である事業について、第四十四条の規定による当該貸付金に相当する金額の補助を行うものとし、当該補助については、当該貸付金の償還時において、当該貸付金の償還金に相当する金額を交付することにより行うものとする。

6　国は、第二項の規定により、地方公共団体に対し貸付けを行った場合には、当該貸付けの対象である事業について、当該貸付金に相当する金額の補助を行うものとし、当該補助については、当該貸付金の償還時において、当該貸付金の償還金に相当する金額を交付することにより行うものとする。

7　地方公共団体が、第一項又は第二項の規定による貸付けを受けた無利子貸付金について、第三項及び第四項の規定に基づき定められる償還期限を繰り上げて償還を行った場合（政令で定める場合を除く。）における前二項の規定の適用については、当該償還は、当該償還期限の到来時に行われたものとみなす。

附　則（抄）

（昭和三五年六月二三日法律第一〇二号）

（施行期日）

第一条　この法律は、日本国とアメリカ合衆国との間の相互協力及び安全保障条約の効力発生の日から施行する。

（効力発生の日＝昭和三五年六月二三日）

附　則（抄）

（昭和三七年九月一五日法律第一六一号）

1　この法律は、昭和三十七年十月一日から施行する。

2　この法律による改正後の規定は、この附則に特別の定めがある場合を除き、この法律の施行前にされた行政庁の処分、この法律の施行前にされた申請に係る行政庁の不作為その他この法律の施行前に生じた事項についても適用する。ただし、この法律による改正前の規定によつて生じた効力を妨げない。

3　この法律の施行前に提起された訴願、審査の請求、異議の申立てその他の不服申立て（以下「訴願等」という。）については、この法律の施行後も、なお従前の例による。この法律の施行前にされた訴願等の裁決、決定その他の処分（以下「裁決等」という。）又はこの法律の施行前に提起された訴願等につきこの法律の施行後にされる裁決等にさらに不服がある場合の訴願等についても、同様とする。

4　前項に規定する訴願等で、この法律の施行後は行政不服審査法による不服申立てをすることができることとなる処分に係るものは、同法以外の法律の適用については、行政不服審査法による不服申立てとみなす。

5　第三項の規定によりこの法律の施行後にされる審査の請求、異議の申立てその他の不服申立ての裁決等については、行政不服審査法による不服申立てをすることができない。

6　この法律の施行前にされた行政庁の処分で、この法律による改正前の規定により訴願等をすることができるものとされ、かつ、その提起期間が定められていなかつたものについて、行政不服審査法による不服申立てをすることができる期間は、この法律の施行の日から起算する。

8　この法律の施行前にした行為に対する罰則の適用については、なお従前の例による。

9　前八項に定めるもののほか、この法律の施行に関して必要な経過措置は、政令で定める。

附　則（抄）

（昭和五二年六月二三日法律第七三号）

（施行期日）

1　この法律は、公布の日から施行する。ただし、目次の改正規定（「第四章　専用水道（第三十二条―第三十四条）」を「／第四章　専用水道（第三十二条―第三十四条）／第四章の二　簡易専用水道（第三十四条の二）／」に改める部分及び「第五十条」を「第五十条の二」に改める部分に限る。）、第三条及び第二十条の改正規定、第四章の次に一章を加える改正規定、第三十六条、第三十七条、第三十九条、第四十六条及び第四十八条の改正規定、第五十条の次に一条を加える改正規定並びに第五十四条及び第五十五条の改正規定は、この法律の公布の日から起算して一年を経過した日から施行する。

（罰則に関する経過措置）

2　この法律の施行前にした行為に対する罰則の適用については、なお従前の例による。

附　則（抄）

（昭和六一年一二月二六日法律第一〇九号）

（施行期日）

第一条　この法律は、公布の日から施行する。ただし、次の各号に掲げる規定は、それぞれ当該各号に定める日から施行する。

一　略

二　第四条、第六条及び第九条から第十二条までの規定、第十五条中身体障害者福祉法第十九条第四項及び第十九条の二の改正規定、第十七条中児童福祉法第二十条第四項の改正規定、第三十四条の規定並びに附則第二条、第四条、第七条第一項及び第九条の規定並びに附則第十条中厚生省設置法（昭和二十四年法律第百五十一号）第六条第五十六号の改正規定　昭和六十二年四月一日

（その他の処分、申請等に係る経過措置）

第六条　この法律（附則第一条各号に掲げる規定については、当該各規定。以下この条及び附則第八条において同じ。）の施行前に改正前のそれぞれの法律の規定によりされた許可等の処分その他の行為（以下この条において「処分等の行為」という。）又はこの法律の施行の際現に改正前のそれぞれの法律の規定によりされている許可等の申請その他の行為（以下この条において「申請等の行為」という。）でこの法律の施行の日においてこれらの行為に係る行政事務を行うべき者が異なることとなるものは、附則第二条から前条まで

の規定又は改正後のそれぞれの法律（これに基づく命令を含む。）の経過措置に関する規定に定めるものを除き、この法律の施行の日以後における改正後のそれぞれの法律の適用については、改正後のそれぞれの法律の相当規定によりされた処分等の行為又は申請等の行為とみなす。

（罰則に関する経過措置）

第八条　この法律の施行前にした行為及び附則第二条第一項の規定により従前の例によることとされる場合における第四条の規定の施行後にした行為に対する罰則の適用については、なお従前の例による。

附　則（抄）

（昭和六二年九月四日法律第八七号）

この法律は、公布の日から施行し、第六条及び第八条から第十二条までの規定による改正後の国有林野事業特別会計法、道路整備特別会計法、治水特別会計法、港湾整備特別会計法、都市開発資金融通特別会計法及び空港整備特別会計法の規定は、昭和六十二年度の予算から適用する。

附　則（抄）

（平成三年五月二一日法律第七九号）

（施行期日）

第一条　この法律は、公布の日から施行する。ただし、次の各号に掲げる規定は、それぞれ当該各号に定める日から施行する。

一　第三条の規定　平成三年十月一日

（その他の処分、申請等に係る経過措置）

第六条　この法律（附則第一条各号に掲げる規定については、当該各規定。以下この条及び次条において同じ。）の施行前に改正前のそれぞれの法律の規定によりされた許可等の処分その他の行為（以下この条において「処分等の行為」という。）又はこの法律の施行の際現に改正前のそれぞれの法律の規定によりされている許可等の申請その他の行為（以下この条において「申請等の行為」という。）でこの法律の施行の日においてこれらの行為に係る行政事務を行うべき者が異なることとなるものは、附則第二条から前条までの規定又は改正後のそれぞれの法律（これに基づく命令を含む。）の経過措置に関する規定に定めるものを除き、この法律の施行の日以後における改正後のそれぞれの法律の適用については、改正後のそれぞれの法律の相当規定によりされた処分等の行為又は申請等の行為とみなす。

（罰則に関する経過措置）

第七条　この法律の施行前にした行為及び附則第二条第一項の規定により従前の例によることとされる場合における第四条の規定の施行後にした行為に対する罰則の適用については、なお従前の例による。

附　則（抄）

（平成五年一一月一二日法律第八九号）

（施行期日）

第一条　この法律は、行政手続法（平成五年法律第八十八号）の施行の日から施行する。

（施行の日＝平成六年一〇月一日）

（諮問等がされた不利益処分に関する経過措置）

第二条　この法律の施行前に法令に基づき審議会その他の合議制の機関に対し行政手続法第十三条に規定する聴聞又は弁明の機会の付与の手続その他の意見陳述のための手続に相当する手続を執るべきことの諮問その他の求めがされた場合においては、当該諮問その他の求めに係る不利益処分の手続に関しては、この法律による改正後の関係法律の規定にかかわらず、なお従前の例による。

（罰則に関する経過措置）

第十三条　この法律の施行前にした行為に対する罰則の適用については、なお従前の例による。

（聴聞に関する規定の整理に伴う経過措置）

第十四条　この法律の施行前に法律の規定により行われた聴聞、聴問若しくは聴聞会（不利益処分に係るものを除く。）又はこれらのための手続は、この法律による改正後の関係法律の相当規定により行われたものとみなす。

（政令への委任）

第十五条　附則第二条から前条までに定めるもののほか、この法律の施行に関して必要な経過措置は、政令で定める。

附　則（抄）

（平成六年七月一日法律第八四号）

（施行期日）

第一条　この法律は、公布の日から施行する。

〔後略〕

（その他の処分、申請等に係る経過措置）

第十三条　この法律（附則第一条ただし書に規定する規定については、当該規定。以下この条及び次条において同じ。）の施行前に改正前のそれぞれの法律の規定によりされた許可等の処分その他の行為（以下この条において「処分等の行為」という。）又はこの法律の施行の際現に改正前のそれぞれの法律の規定によりされている許可等の申請その他の行為（以下この条において「申請等の行為」という。）に対するこの法律の施行の日以後における改正後のそれぞれの法律の適用については、附則第五条から第十条までの規定又は改正後のそれぞれの法律（これに基づく命令を含む。）の経過措置に関する規定に定めるものを除き、改正後のそれぞれの法律の相当規定によりされた処分等の行為又は申請等の行為とみなす。

（罰則に関する経過措置）

第十四条　この法律の施行前にした行為及びこの法律の附則において従前の例によることとされる場合におけるこの法律の施行後にした行為に対する罰則の適用については、なお従前の例による。

（その他の経過措置の政令への委任）

第十五条　この附則に規定するもののほか、この法律の施行に伴い必要な経過措置は政令で定める。

附　則（抄）（平成八年六月二六日法律第一〇七号）

（施行期日）

第一条　この法律は、公布の日から施行する。ただし、次の各号に掲げる規定は、当該各号に定める日から施行する。

一から三まで　略

四　第六条（同条中水道法第十六条の次に一条を加える改正規定及び同法第二章中第二十五条の次に二節を加える改正規定（同法第二十五条の二から第二十五条の四まで及び第二十五条の七から第二十五条の十一までに係る部分に限る。）を除く。）及び附則第十二条の規定　公布の日から起算して一年を超えない範囲内において政令で定める日

（平成八年政令第三四二号で平成九年四月一日から施行）

五　第六条（同条中水道法第十六条の次に一条を加える改正規定及び同法第二章中第二十五条の次に二節を加える改正規定（同法第二十五条の二から第二十五条の四まで及び第二十五条の七から第二十五条の十一までに係る部分に限る。）に限る。）及び次条の規定　公布の日から起算して二年を超えない範囲内において政令で定める日

（平成九年政令第二三〇号で平成一〇年四月一日から施行）

（水道法の一部改正に伴う経過措置）

第二条　前条第五号に掲げる改正規定の施行の際現に第六条の規定による改正前の水道法第十四条第一項に規定する供給規程に基づき第六条の規定による改正後の水道法（以下この条において「改正後の法」という。）第十六条の二第一項の指定に相当する水道事業者の指定を受けている者（次項において「旧指定給水装置工事事業者」という。）は、同条第三項の規定の適用については、前条第五号に掲げる改正規定の施行の日から九十日間（次項の規定による届出があったときは、その届出があった時までの間）は、改正後の法第十六条の二第一項の指定を受けた者とみなす。

2　旧指定給水装置工事事業者が、前条第五号に掲げる改正規定の施行の日から九十日以内に、厚生省令で定める事項を水道事業者に届け出たときは、改正後の法第十六条の二第一項の指定を受けた者とみなす。

3　前項の規定により改正後の法第十六条の二第一項の指定を受けた者とみなされた者についての改正後の法第二十五条の十一第一項の規定の適用については、前条第五号に掲げる改正規定の施行の日から一年間は、同項中「次の各号」とあるのは「第一号又は第三号から第八号まで」と、同項第一号中「第二十五条の三第一項各号」とあるのは「第二十五条の三第一項第二号又は第三号」とする。

（罰則に関する経過措置）

第五条　この法律の施行前にした行為に対する罰則の適用については、なお従前の例による。

（検討）

第六条　政府は、附則第一条第四号に掲げる規定の施行後十年を経過した場合において、第六条の規定による改正後の水道法第十六条の二及び第二章第三節の規定の施行の状況について検討を加え、その結果に基づいて必要な措置を講ずるものとする。

（政令への委任）

第十四条　この附則に規定するもののほか、この法律の施行に伴い必要な経過措置は、政令で定める。

附　則（抄）

（平成一一年七月一六日法律第八七号）

（施行期日）

第一条　この法律は、平成十二年四月一日から施行する。ただし、次の各号に掲げる規定は、当該各号に定める日から施行する。

一　第一条中地方自治法第二百五十条の次に五条、節名並びに二款及び款名を加える改正規定（同法第二百五十条の九第一項に係る部分（両議院の同意を得ることに係る部分に限る。）に限る。）、第四十条中自然公園法附則第九項及び第十項の改正規定（同法附則第十項に係る部分に限る。）、第二百四十四条の規定（農業改良助長法第十四条の三の改正規定に係る部分を除く。）並びに第四百七十二条の規定（市町村の合併の特例に関する法律第六条、第八条及び第十七条の改正規定に係る部分を除く。）並びに附則第七条、第十条、第十二条、第五十九条ただし書、第六十条第四項及び第五項、第七十三条、第七十七条、第百五十七条第四項から第六項まで、第百六十条、第百六十三条、第百六十四条並びに第二百二条の規定　公布の日

二から六まで　略

（水道法の一部改正に伴う経過措置）

第六十八条　施行日前に第百九十四条の規定による改正前の水道法第三十六条第一項及び第三項の規定によってなされた命令は、第百九十四条の規定による改正後の同法第三十六条第一項及び第三項の規定によってなされた指示とみなす。

（厚生大臣又は都道府県知事その他の地方公共団体の機関がした事業の停止命令その他の処分に関する経過措置）

第七十五条　この法律による改正前の児童福祉法第四十六条第四項若しくは第五十九条第一項若しくは第三項、あん摩マツサージ指圧師、はり師、きゆう師等に関する法律第八条第一項（同法第十二条の二第二項において準用する場合を含む。）、食品衛生法第二十二条、医療法第五条第二項若しくは第二十五条第一項、毒物及び劇物取締法第十七条第一項（同法第二十二条第四項及び第五項で準用する場合を含む。）、厚生年金保険法第百条第一項、水道法第三十九条第一項、国民年金法第百六条第一項、薬事法第六十九条第一項若しくは第七十二条又は柔道整復師法第十八条第一項の規定により厚生大臣又は都道府県知事その他の地方公共団体の機関がした事業の停止命令その他の処分は、それぞれ、この法律による改正後の児童福祉法第四十六条第四項若しくは第五十九条第一項若しくは第三項、あん摩マツサージ指圧師、はり師、きゆう師等に関する法律第八条第一項（同法第十二条の二第二項において準用する場合を含む。）、食品衛生法第二十二条若しくは第二十三条、医療法第五条第二項若しくは第二十五条第一項、毒物及び劇物取締法第十七条第一項若しくは第二項（同法第二十二条第四項及び第五項で準用する場合を含む。）、厚生年金保険法第百条第一項、水道法第三十九条第一項若しくは第二項、国民年金法第百六条第一項、薬事法第六十九条第一項若しくは第二項又は柔道整復師法第十八条第一項の規定により厚生大臣又は地方公共団体がした事業の停止命令その他の処分とみなす。

（国等の事務）

第百五十九条　この法律による改正前のそれぞれの法律に規定するもののほか、この法律の施行前において、地方公共団体の機関が法律又はこれに基づく政令により管理し又は執行する国、他の地方公共団体その他公共団体の事務（附則第百六十一条において「国等の事務」という。）は、この法律の施行後は、地方公共団体が法律又はこれに基づく政令により当該地方公共団体の事務として処理するものとする。

（処分、申請等に関する経過措置）

第百六十条　この法律（附則第一条各号に掲げる規定については、当該各規定。以下この条及び附則第百六十三条において同じ。）の施行前に改正前のそれぞれの法律の規定によりされた許可等の処分その他の行為（以下この条において「処分等の行為」という。）又はこの法律の施行の際現に改正前のそれぞれの法律の規定によりされている許可等の申請その他の行為（以下この条において「申請等の行為」という。）で、この法律の施行の日においてこれらの行為に係る行政事務を行うべき者が異なることとなるものは、附則第二条から前条までの規定又は改正後のそれぞれの

法律（これに基づく命令を含む。）の経過措置に関する規定に定めるものを除き、この法律の施行の日以後における改正後のそれぞれの法律の適用については、改正後のそれぞれの法律の相当規定によりされた処分等の行為又は申請等の行為とみなす。

2　この法律の施行前に改正前のそれぞれの法律の規定により国又は地方公共団体の機関に対し報告、届出、提出その他の手続をしなければならない事項で、この法律の施行の日前にその手続がされていないものについては、この法律及びこれに基づく政令に別段の定めがあるもののほか、これを、改正後のそれぞれの法律の相当規定により国又は地方公共団体の相当の機関に対して報告、届出、提出その他の手続をしなければならない事項についてその手続がされていないものとみなして、この法律による改正後のそれぞれの法律の規定を適用する。

（不服申立てに関する経過措置）

第百六十一条　施行日前にされた国等の事務に係る処分であって、当該処分をした行政庁（以下この条において「処分庁」という。）に施行日前に行政不服審査法に規定する上級行政庁（以下この条において「上級行政庁」という。）があったものについての同法による不服申立てについては、施行日以後においても、当該処分庁に引き続き上級行政庁があるものとみなして、行政不服審査法の規定を適用する。この場合において、当該処分庁の上級行政庁とみなされる行政庁は、施行日前に当該処分庁の上級行政庁であった行政庁とする。

2　前項の場合において、上級行政庁とみなされる行政庁が地方公共団体の機関であるときは、当該機関が行政不服審査法の規定により処理することとされる事務は、新地方自治法第二条第九項第一号に規定する第一号法定受託事務とする。

（手数料に関する経過措置）

第百六十二条　施行日前においてこの法律による改正前のそれぞれの法律（これに基づく命令を含む。）の規定により納付すべきであった手数料については、この法律及びこれに基づく政令に別段の定めがあるもののほか、なお従前の例による。

（罰則に関する経過措置）

第百六十三条　この法律の施行前にした行為に対する罰則の適用については、なお従前の例による。

（その他の経過措置の政令への委任）

第百六十四条　この附則に規定するもののほか、この法律の施行に伴い必要な経過措置（罰則に関する経過措置を含む。）は、政令で定める。

2　附則第十八条、第五十一条及び第百八十四条の規定の適用に関して必要な事項は、政令で定める。

（検討）

第二百五十条　新地方自治法第二条第九項第一号に規定する第一号法定受託事務については、できる限り新たに設けることのないようにするとともに、新地方自治法別表第一に掲げるもの及び新地方自治法に基づく政令に示すものについては、地方分権を推進する観点から検討を加え、適宜、適切な見直しを行うものとする。

附　則（抄）

（平成一一年一二月八日法律第一五一号）

（施行期日）

第一条　この法律は、平成十二年四月一日から施行する。〔後略〕

（経過措置）

第三条　民法の一部を改正する法律（平成十一年法律第百四十九号）附則第三条第三項の規定により従前の例によることとされる準禁治産者及びその保佐人に関するこの法律による改正規定の適用については、次に掲げる改正規定を除き、なお従前の例による。

一から二十五まで　略

第四条　この法律の施行前にした行為に対する罰則の適用については、なお従前の例による。

中央省庁等改革関係法施行法（抄）

（平成一一年一二月二二日法律第一六〇号）

（処分、申請等に関する経過措置）

第千三百一条　中央省庁等改革関係法及びこの法律（以下「改革関係法等」と総称する。）の施行前に法令の規定により従前の国の機関がした免許、許可、認可、承認、指定その他の処分又は通知その他の行為は、法令に別段の定めがあるもののほか、改革関係法等の施行後は、改革関係法等の施行後の法令の相当規定に基づいて、相当の国の機関がした免許、許可、認可、承認、指定その他の処分又は通知その他の行為とみなす。

2　改革関係法等の施行の際現に法令の規定により従前の国の機関に対してされている申請、届出その他の行為は、法令に別段の定めがあるもののほか、改革関係法等の施行後は、改革関係法等の施行後の法令の相当規定に基づいて、相当の国の機関に対してされた申請、届出その他の行為とみなす。

3　改革関係法等の施行前に法令の規定により従前の国の機関に対し報告、届出、提出その他の手続をしなければならないとされている事項で、改革関係法等の施行の日前にその手続がされていないものについては、法令に別段の定めがあるもののほか、改革関係法等の施行後は、これを、改革関係法等の施行後の法令の相当規定により相当の国の機関に対して報告、届出、提出その他の手続をしなければならないとされた事項についてその手続がされていないものとみなして、改革関係法等の施行後の法令の規定を適用する。

（従前の例による処分等に関する経過措置）

第千三百二条　なお従前の例によることとする法令の規定により、従前の国の機関がすべき免許、許可、認可、承認、指定その他の処分若しくは通知その他の行為又は従前の国の機関に対してすべき申請、届出その他の行為については、法令に別段の定めがあるもののほか、改革関係法等の施行後は、改革関係法等の施行後の法令の規定に基づくその任務及び所掌事務の区分に応じ、それぞれ、相当の国の機関がすべきものとし、又は相当の国の機関に対してすべきものとする。

（罰則に関する経過措置）

第千三百三条　改革関係法等の施行前にした行為に対する罰則の適用については、なお従前の例による。

（政令への委任）

第千三百四十四条　第七十一条から第七十六条まで及び第千三百一条から前条まで並びに中央省庁等改革関係法に定めるもののほか、改革関係法等の施行に関し必要な経過措置（罰則に関する経過措置を含む。）は、政令で定める。

附　則（抄）

（平成一一年一二月二二日法律第一六〇号）

（施行期日）

第一条　この法律（第二条及び第三条を除く。）は、平成十三年一月六日から施行する。ただし、次の各号に掲げる規定は、当該各号に定める日から施行する。

一　第九百九十五条（核原料物質、核燃料物質及び原子炉の規制に関する法律の一部を改正する法律附則の改正規定に係る部分に限る。）、第千三百五条、第千三百六条、第千三百二十四条第二項、第千三百二十六条第二項及び第千三百四十四条の規定　公布の日

二　略

附　則

（平成一三年七月四日法律第一〇〇号）

（施行期日）

第一条　この法律は、公布の日から起算して一年を超えない範囲内において政令で定める日から施行する。

（平成一三年一二月政令第四一二号で平成一四年四月一日から施行）

（専用水道に関する経過措置）

第二条　この法律の施行の際現にこの法律による改正後の水道法（以下「新法」という。）第三条第六項の規定により新たに専用水道となるもの（以下この条において「新規専用水道」という。）を設置している者は、この法律の施行後六月以内に、都道府県知事に、水道施設の概要その他厚生労働省令で定める事項を届け出なければならない。

2　前項の規定に違反して、同項に規定する事項を届け出ず、又は虚偽の届出をした者は、三十万円以下の罰金に処する。

3　法人の代表者又は法人若しくは人の代理人、使用人その他の従業者が、その法人又は人の業務に関して前項の違反行為をしたときは、行為者を罰するほか、その法人又は人に対しても、同項の刑を科する。

4　第一項の届出をした者は、当該届出に係る事項について、新法第三十二条の確認を受けたものとみなす。

5　この法律の施行の際現に新規専用水道において新法第十九条第二項各号に掲げる事項に関する事務に従事し、又はその事務に従事する他の職員を監督している者については、この法律の施行後三年間は、当該新規専用水道について、新法第三十四条第一項において準用する新法第十九条第三項の規定は、適用し

ない。

6　新規専用水道については、この法律の施行後一年間は、新法第五条の規定は、適用しない。

（供給規程に関する経過措置）

第三条　この法律の施行の際現に水道事業を経営している地方公共団体の新法第十四条第一項に規定する供給規程が、この法律の施行の日において同条第二項第五号に掲げる要件に適合していないときは、当該地方公共団体は、この法律の施行後一年以内に当該供給規程の変更を行い、厚生労働大臣に届け出なければならない。

2　この法律の施行の際現に水道事業を経営している地方公共団体以外の者の新法第十四条第一項に規定する供給規程が、この法律の施行の日において同条第二項第五号に掲げる要件に適合していないときは、その者は、この法律の施行後一年以内に当該供給規程の変更を行い、厚生労働大臣の認可を受けなければならない。

（罰則に関する経過措置）

第四条　この法律の施行前にした行為に対する罰則の適用については、なお従前の例による。

附　則（抄）（平成一四年二月八日法律第一号）

（施行期日）

第一条　この法律は、公布の日から施行する。

附　則（抄）（平成一五年七月二日法律第一〇二号）

（施行期日）

第一条　この法律は、平成十六年三月三十一日までの間において政令で定める日から施行する。ただし、第六条の規定は平成十六年四月一日から、附則第二条第一項、第三条第一項、第四条第一項、第五条第一項及び第六条第一項の規定は公布の日から施行する。

（平成一五年一二月政令第五三二号で平成一六年三月三一日から施行）

（水道法の一部改正に伴う経過措置）

第三条　この法律による改正後の水道法（以下「新水道法」という。）第二十条第三項又は第三十四条の二第二項の登録を受けようとする者は、この法律の施行前においても、その申請を行うことができる。新水道法第二十条の八の規定による水質検査業務規程の届出及び新水道法第三十四条の四において準用する新水道法第二十条の八の規定による簡易専用水道検査業務規程の届出についても、同様とする。

2　この法律の施行の際現にこの法律による改正前の水道法第二十条第三項及び第三十四条の二第二項の指定を受けている者は、それぞれ、この法律の施行の日に新水道法第二十条第三項及び第三十四条の二第二項の登録を受けた者とみなす。

（罰則の適用に関する経過措置）

第七条　この法律の施行前にした行為及びこの附則の規定によりなお従前の例によることとされる場合におけるこの法律の施行後にした行為に対する罰則の適用については、なお従前の例による。

（その他の経過措置の政令への委任）

第八条　附則第二条から前条までに定めるもののほか、この法律の施行に関し必要となる経過措置（罰則に関する経過措置を含む。）は、政令で定める。

（検討）

第九条　政府は、この法律の施行後五年を経過した場合において、この法律の施行の状況を勘案し、必要があると認めるときは、この法律の規定について検討を加え、その結果に基づいて必要な措置を講ずるものとする。

附　則（抄）（平成一六年六月九日法律第八四号）

（施行期日）

第一条　この法律は、公布の日から起算して一年を超えない範囲内において政令で定める日から施行する。〔後略〕

（平成一六年一〇月政令第三一一号で平成一七年四月一日から施行）

（検討）

第五十条　政府は、この法律の施行後五年を経過した場合において、新法の施行の状況について検討を加え、必要があると認めるときは、その結果に基づいて所要の措置を講ずるものとする。

附　則（抄）（平成一六年一二月一日法律第一五〇号）

（施行期日）

第一条　この法律は、平成十七年四月一日から施行する。

（罰則に関する経過措置）

第四条　この法律の施行前にした行為に対する罰則の適用については、なお従前の例による。

附　則（抄）

（平成一七年五月二日法律第三九号）

（施行期日）

第一条　この法律は、公布の日から起算して一年を超えない範囲内において政令で定める日から施行する。

（平成一八年三月政令第六九号で平成一八年四月一日から施行）

（水道法の一部改正に伴う経過措置）

第十一条　附則第三条第一項に規定する者については、前条の規定による改正前の水道法別表第一第三号の規定は、なおその効力を有する。この場合において、同号中「同条第二項の規定による衛生検査技師の免許を有する者」とあるのは、「臨床検査技師、衛生検査技師等に関する法律の一部を改正する法律（平成十七年法律第三十九号）附則第三条第一項に規定する者」とする。

会社法の施行に伴う関係法律の整備等に関する法律（抄）

（平成一七年七月二六日法律第八七号）

（罰則に関する経過措置）

第五百二十七条　施行日前にした行為及びこの法律の規定によりなお従前の例によることとされる場合における施行日以後にした行為に対する罰則の適用については、なお従前の例による。

（政令への委任）

第五百二十八条　この法律に定めるもののほか、この法律の規定による法律の廃止又は改正に伴い必要な経過措置は、政令で定める。

附　則（抄）

（平成一七年七月二六日法律第八七号）

この法律は、会社法（平成一七年七月法律第八六号）の施行の日から施行する。〔後略〕

（施行の日＝平成一八年五月一日）

一般社団法人及び一般財団法人に関する法律及び公益社団法人及び公益財団法人の認定等に関する法律の施行に伴う関係法律の整備等に関する法律（抄）

（平成一八年六月二日法律第五〇号）

（罰則に関する経過措置）

第四百五十七条　施行日前にした行為及びこの法律の規定によりなお従前の例によることとされる場合における施行日以後にした行為に対する罰則の適用については、なお従前の例による。

（政令への委任）

第四百五十八条　この法律に定めるもののほか、この法律の規定による法律の廃止又は改正に伴い必要な経過措置は、政令で定める。

附　則（抄）

（平成一八年六月二日法律第五〇号）

この法律は、一般社団・財団法人法（一般社団法人及び一般財団法人に関する法律＝平成一八年六月法律第四八号）の施行の日から施行する。〔後略〕

（施行の日＝平成二〇年一二月一日）

附　則（抄）

（平成二三年六月二四日法律第七四号）

（施行期日）

第一条　この法律は、公布の日から起算して二十日を経過した日から施行する。〔後略〕

附　則（抄）

（平成二三年八月三〇日法律第一〇五号）

（施行期日）

第一条　この法律は、公布の日から施行する。ただし、次の各号に掲げる規定は、当該各号に定める日から施行する。

一　略

二　〔前略〕第三十八条（水道法第四十六条、第四十八条の二、第五十条及び第五十条の二の改正規定を除く。）〔中略〕の規定並びに附則第十三条、第十五条から第二十四条まで、第二十五条第一項、第二十六条、第二十七条第一項から第三項まで〔中略〕の規定　平成二十四年四月一日

三　〔前略〕第三十八条（水道法第四十六条、第四十八条の二、第五十条及び第五十条の二の改正規定に限る。）、第四十条及び第四十二条の規定並びに附則第二十五条第二項及び第三項、第二十七条第四項及び第五項、第二十八条、第二十九条並びに第八十八条の規定　平成二十五年四月一日

四から六まで　略

（水道法の一部改正に伴う経過措置）

第二十七条　第三十八条の規定（水道法第十二条及び第十九条の改正規定に限る。以下この項から第三項までにおいて同じ。）の施行の日から起算して一年を超えない期間内において、第三十八条の規定による改正後の水道法（以下この項から第三項までにおいて「新水道法」という。）第十二条第一項（新水道法

第三十一条において準用する場合を含む。以下この項において同じ。）に規定する地方公共団体の条例が制定施行されるまでの間における当該地方公共団体である水道事業者又は水道用水供給事業者に対する新水道法第十二条第一項の規定の適用については、同項中「水道の布設工事（当該水道事業者が地方公共団体である場合にあつては、当該地方公共団体の条例で定める水道の布設工事に限る。）」とあるのは、「水道の布設工事」とする。

2　第三十八条の規定の施行の日から起算して一年を超えない期間内において、新水道法第十二条第二項（新水道法第三十一条において準用する場合を含む。以下この項において同じ。）に規定する地方公共団体の条例が制定施行されるまでの間は、新水道法第十二条第二項に規定する政令で定める資格は、当該地方公共団体の条例で定める資格とみなす。

3　第三十八条の規定の施行の日から起算して一年を超えない期間内において、新水道法第十九条第三項（新水道法第三十一条及び第三十四条第一項において準用する場合を含む。以下この項において同じ。）に規定する地方公共団体の条例が制定施行されるまでの間は、新水道法第十九条第三項に規定する政令で定める資格は、当該地方公共団体の条例で定める資格とみなす。

4　第三十八条の規定（水道法第四十八条の二、第五十条及び第五十条の二の改正規定に限る。以下この条において同じ。）の施行前に第三十八条の規定による改正前の水道法（以下この条において「旧水道法」という。）の規定によりされた確認等の処分その他の行為（以下この項において「処分等の行為」という。）又は第三十八条の規定の施行の際現に旧水道法の規定によりされている確認の申請その他の行為（以下この項において「申請等の行為」という。）で、第三十八条の規定の施行の日においてこれらの行為に係る行政事務を行うべき者が異なることとなるものは、同日以後における第三十八条の規定による改正後の水道法（以下この条において「新水道法」という。）の適用については、新水道法の相当規定によりされた処分等の行為又は申請等の行為とみなす。

5　第三十八条の規定の施行前に旧水道法の規定により都道府県知事に対し報告をしなければならない事項で、第三十八条の規定の施行の日前にその報告がされていないものについては、これを、新水道法の相当規定により市長に対して報告をしなければならない事項についてその報告がされていないものとみなして、新水道法の規定を適用する。

（罰則に関する経過措置）

第八十一条　この法律（附則第一条各号に掲げる規定にあっては、当該規定。以下この条において同じ。）の施行前にした行為及びこの附則の規定によりなお従前の例によることとされる場合におけるこの法律の施行後にした行為に対する罰則の適用については、なお従前の例による。

（政令への委任）

第八十二条　この附則に規定するもののほか、この法律の施行に関し必要な経過措置（罰則に関する経過措置を含む。）は、政令で定める。

附　則（抄）

（平成二三年一二月一四日法律第一二二号）

（施行期日）

第一条　この法律は、公布の日から起算して二月を超えない範囲内において政令で定める日から施行する。〔後略〕

附　則（抄）

（平成二六年六月一三日法律第六九号）

（施行期日）

第一条　この法律は、行政不服審査法（平成二十六年法律第六十八号）の施行の日から施行する。

（経過措置の原則）

第五条　行政庁の処分その他の行為又は不作為についての不服申立てであってこの法律の施行前にされた行政庁の処分その他の行為又はこの法律の施行前にされた申請に係る行政庁の不作為に係るものについては、この附則に特別の定めがある場合を除き、なお従前の例による。

（訴訟に関する経過措置）

第六条　この法律による改正前の法律の規定により不服申立てに対する行政庁の裁決、決定その他の行為を経た後でなければ訴えを提起できないこととされる事項であって、当該不服申立てを提起しないでこの法律の施行前にこれを提起すべき期間を経過したもの（当該不服申立てが他の不服申立てに対する行政庁の裁決、決定その他の行為を経た後でなければ提起できないとされる場合にあっては、当該他の不服申立てを提起しないでこの法律の施行前にこれを提起すべき期間を経過したものを含む。）の訴えの提起については、なお従前の例による。

2　この法律の規定による改正前の法律の規定（前条の規定によりなお従前の例によることとされる場合を含む。）により異議申立てが提起された処分その他の行為であって、この法律の規定による改正後の法律の規定により審査請求に対する裁決を経た後でなければ取消しの訴えを提起することができないこととされるものの取消しの訴えの提起については、なお従前の例による。

3　不服申立てに対する行政庁の裁決、決定その他の行為の取消しの訴えであって、この法律の施行前に提起されたものについては、なお従前の例による。

（罰則に関する経過措置）

第九条　この法律の施行前にした行為並びに附則第五条及び前二条の規定によりなお従前の例によることとされる場合におけるこの法律の施行後にした行為に対する罰則の適用については、なお従前の例による。

（その他の経過措置の政令への委任）

第十条　附則第五条から前条までに定めるもののほか、この法律の施行に関し必要な経過措置（罰則に関する経過措置を含む。）は、政令で定める。

学校教育法の一部を改正する法律（抄）

（平成二九年五月三一日法律第四一号）

（施行期日）

第一条　この法律は、平成三十一年四月一日から施行する。ただし、次条及び附則第四十八条の規定は、公布の日から施行する。

（政令への委任）

第四十八条　この附則に規定するもののほか、この法律の施行に関し必要な経過措置は、政令で定める。

附　則（抄）

（平成三〇年一二月一二日法律第九二号）

（施行期日）

第一条　この法律は、公布の日から起算して一年を超えない範囲内において政令で定める日から施行する。ただし、附則第五条の規定は、公布の日から施行する。

（水道施設台帳に関する経過措置）

第二条　この法律による改正後の水道法（以下「新法」という。）第十九条第二項（第七号に係る部分に限り、新法第三十一条において準用する場合を含む。）及び第二十二条の三（新法第三十一条において準用する場合を含む。）の規定は、この法律の施行の日（以下「施行日」という。）から起算して三年を超えない範囲内において政令で定める日までは、適用しない。

（平成三一年四月政令第一五四号で
平成三四年九月三〇日から適用）

（指定給水装置工事事業者の指定の更新に関する経過措置）

第三条　この法律の施行の際現に水道法第十六条の二第一項の指定を受けている同条第二項に規定する指定給水装置工事事業者の施行日後の最初の新法第二十五条の三の二第一項の更新については、同項中「五年ごと」とあるのは、「水道法の一部を改正する法律（平成三十年法律第九十二号）の施行の日（以下この項において「改正法施行日」という。）の前日から起算して五年（当該指定を受けた日が改正法施行日の前日の五年前の日以前である場合にあっては、五年を超えない範囲内において政令で定める期間）を経過する日まで」とする。

（平成三一年四月政令第一五四号で次の各号に掲げる場合の区分に応じ、当該各号に定める期間を適用）

一　水道法第十六条の二第一項の指定を受けた日（以下この条において「指定を受けた日」という。）が平成十年四月一日から平成十一年三月三十一日までの間である場合　一年

二　指定を受けた日が平成十一年四月一日から平成十五年三月三十一日までの間である場合　二年

三　指定を受けた日が平成十五年四月一日から平成十九年三月三十一日までの間である場合　三年

四　指定を受けた日が平成十九年四月一日から平成二十五年三月三十一日までの間である場合　四年

五　指定を受けた日が平成二十五年四月一日から平成二十六年九月三十日までの間であ

る場合　五年

（罰則に関する経過措置）

第四条　施行日前にした行為に対する罰則の適用については、なお従前の例による。

（政令への委任）

第五条　前三条に規定するもののほか、この法律の施行に関し必要な経過措置（罰則に関する経過措置を含む。）は、政令で定める。

（検討）

第六条　政府は、この法律の施行後五年を目途として、この法律による改正後の規定の実施状況を勘案し、必要があると認めるときは、当該規定について検討を加え、その結果に基づいて所要の措置を講ずるものとする。

附　則（抄）

（令和元年六月一四日法律第三七号）

（施行期日）

第一条　この法律は、公布の日から起算して三月を経過した日から施行する。〔後略〕

別表第一（第二十条の四関係）

一　学校教育法（昭和二十二年法律第二十六号）に基づく大学（短期大学を除く。）、旧大学令（大正七年勅令第三百八十八号）に基づく大学又は旧専門学校令（明治三十六年勅令第六十一号）に基づく専門学校において、理学、医学、歯学、薬学、保健学、衛生学、工学、農学若しくは獣医学の課程又はこれらに相当する課程を修めて卒業した後、一年以上水質検査の実務に従事した経験を有する者であること。

二　学校教育法に基づく短期大学（同法に基づく専門職大学の前期課程を含む。）又は高等専門学校において、生物学若しくは工業化学の課程又はこれらに相当する課程を修めて卒業した後（同法に基づく専門職大学の前期課程にあつては、修了した後）、二年以上水質検査の実務に従事した経験を有する者であること。

三　臨床検査技師等に関する法律（昭和三十三年法律第七十六号）第三条の規定による臨床検査技師の免許を有する者であつて、一年以上水質検査の実務に従事した経験を有するものであること。

四　前三号に掲げる者と同等以上の知識経験を有する者であること。

別表第二（第三十四条の四関係）

一　第十九条（第三十一条及び第三十四条第一項において準用する場合を含む。）の規定による水道技術管理者たる資格を有する者であること。

二　建築物における衛生的環境の確保に関する法律（昭和四十五年法律第二十号）第七条の規定による建築物環境衛生管理技術者の免状を有する者であること。

三　第三十四条の二第二項に規定する簡易専用水道の管理の検査の補助に一年以上従事した経験を有する者であること。

四　前三号に掲げる者と同等以上の知識経験を有する者であること。

(二) 水道法施行令

（昭和三二年一二月一二日　政令第三三六号）

改正　昭和三六・一二・二六政令四二七、昭和五二・七・一政令二二六、昭和五三・四・七政令一二三、昭和六〇・五・二一政令一四一、昭和六〇・一一・六政令二九三、昭和六二・九・四政令二九二、平成二・一二・二七政令三六九、平成四・四・一〇政令一二一、平成九・三・一九政令三六、平成九・一二・二五政令三八〇、平成一〇・一〇・三〇政令三五一、平成一一・一二・八政令三九三、平成一二・三・一七政令六五、平成一二・六・七政令三〇九、平成一三・一二・一九政令四一三、平成一四・二・八政令二七、平成一五・一二・一九政令五三三、平成一六・三・一九政令四六、政令五三三、平成一六・三・一九政令四六、平成二八・三・三一政令一〇二、平成二九・九・一政令二三二、平成三一・四・一七政令一五四、令和元・一二・一三政令一八三

（専用水道の基準）

第一条　水道法（以下「法」という。）第三条第六項ただし書に規定する政令で定める基準は、次のとおりとする。

一　口径二十五ミリメートル以上の導管の全長　千五百メートル

二　水槽の有効容量の合計　百立方メートル

2　法第三条第六項第二号に規定する政令で定める基準は、人の飲用その他の厚生労働省令で定める目的のために使用する水量が二十立方メートルであることとする。

（簡易専用水道の適用除外の基準）

第二条　法第三条第七項ただし書に規定する政令で定める基準は、水道事業の用に供する水道から水の供給を受けるために設けられる水槽の有効容量の合計が十立方メートルであることとする。

（水道施設の増設及び改造の工事）

第三条　法第三条第十項に規定する政令で定める水道施設の増設又は改造の工事は、次の各号に掲げるものとする。

一　一日最大給水量、水源の種別、取水地点又は浄水方法の変更に係る工事

二　沈でん池、濾《ろ》過池、浄水池、消毒設備又は配水池の新設、増設又は大規模の改造に係る工事

（法第十一条第二項に規定する給水人口の基準）

第四条　法第十一条第二項に規定する政令で定める基準は、給水人口が五千人であることとする。

（布設工事監督者の資格）

第五条　法第十二条第二項（法第三十一条において準用する場合を含む。）に規定する政令で定める資格は、次のとおりとする。

一　学校教育法（昭和二十二年法律第二十六号）による大学（短期大学を除く。以下同じ。）の土木工学科若しくはこれに相当する課程において衛生工学若しくは水道工学に関する学科目を修めて卒業した後、又は旧大学令（大正七年勅令第三百八十八号）による大学において土木工学科若しくはこれに相当する課程を修めて卒業した後、二年以上水道に関する技術上の実務に従事した経験を有する者

二　学校教育法による大学の土木工学科又はこれに相当する課程において衛生工学及び水道工学に関する学科目以外の学科目を修めて卒業した後、三年以上水道に関する技術上の実務に従事した経験を有する者

三　学校教育法による短期大学（同法による専門職大学の前期課程を含む。）若しくは高等専門学校又は旧専門学校令（明治三十六年勅令第六十一号）による専門学校において土木科又はこれに相当する課程を修めて卒業した後（同法による専門職大学の前期課程にあつては、修了した後）、五年以上水道に関する技術上の実務に従事した経験を有する者

四　学校教育法による高等学校若しくは中等教育学校又は旧中等学校令（昭和十八年勅令第三十六号）による中等学校において土木科又はこれに相当する課程を修めて卒業した後、七年以上水道に関する技術上の実務に従事した経験を有する者

五　十年以上水道の工事に関する技術上の実務に従事した経験を有する者

六　厚生労働省令の定めるところにより、前各号に掲げる者と同等以上の技能を有すると認められる者

2　簡易水道事業の用に供する水道（以下「簡易水道」という。）については、前項第一号中「二年以上」とあるのは「一年以上」と、同項第二号中「三年以上」とあるのは「一年六箇月以上」と、同項第三号中「五年以上」とあるのは「二年六箇月以上」と、同項第四

号中「七年以上」とあるのは「三年六箇月以上」と、同項第五号中「十年以上」とあるのは「五年以上」とそれぞれ読み替えるものとする。

（給水装置の構造及び材質の基準）

第六条　法第十六条の規定による給水装置の構造及び材質は、次のとおりとする。

一　配水管への取付口の位置は、他の給水装置の取付口から三十センチメートル以上離れていること。

二　配水管への取付口における給水管の口径は、当該給水装置による水の使用量に比し、著しく過大でないこと。

三　配水管の水圧に影響を及ぼすおそれのあるポンプに直接連結されていないこと。

四　水圧、土圧その他の荷重に対して充分な耐力を有し、かつ、水が汚染され、又は漏れるおそれがないものであること。

五　凍結、破壊、侵食等を防止するための適当な措置が講ぜられていること。

六　当該給水装置以外の水管その他の設備に直接連結されていないこと。

七　水槽、プール、流しその他水を入れ、又は受ける器具、施設等に給水する給水装置にあつては、水の逆流を防止するための適当な措置が講ぜられていること。

2　前項各号に規定する基準を適用するについて必要な技術的細目は、厚生労働省令で定める。

（水道技術管理者の資格）

第七条　法第十九条第三項（法第三十一条及び第三十四条第一項において準用する場合を含む。）に規定する政令で定める資格は、次のとおりとする。

一　第五条の規定により簡易水道以外の水道の布設工事監督者たる資格を有する者

二　第五条第一項第一号、第三号及び第四号に規定する学校において土木工学以外の工学、理学、農学、医学若しくは薬学に関する学科目又はこれらに相当する学科目を修めて卒業した後（学校教育法による専門職大学の前期課程にあつては、修了した後）、同項第一号に規定する学校を卒業した者については四年以上、同項第三号に規定する学校を卒業した者（同法による専門職大学の前期課程にあつては、修了した者）については六年以上、同項第四号に規定する学校を卒業した者については八年以上水道に関する技術上の実務に従事した経験を有する者

三　十年以上水道に関する技術上の実務に従事した経験を有する者

四　厚生労働省令の定めるところにより、前二号に掲げる者と同等以上の技能を有すると認められる者

2　簡易水道又は一日最大給水量が千立方メートル以下である専用水道については、前項第一号中「簡易水道以外の水道」とあるのは「簡易水道」と、同項第二号中「四年以上」とあるのは「二年以上」と、「六年以上」とあるのは「三年以上」と、「八年以上」とあるのは「四年以上」と、同項第三号中「十年以上」とあるのは「五年以上」とそれぞれ読み替えるものとする。

（登録水質検査機関等の登録の有効期間）

第八条　法第二十条の五第一項（法第三十四条の四において準用する場合を含む。）の政令で定める期間は、三年とする。

（業務の委託）

第九条　法第二十四条の三第一項（法第三十一条及び第三十四条第一項において準用する場合を含む。）の規定による水道の管理に関する技術上の業務の委託は、次に定めるところにより行うものとする。

一　水道施設の全部又は一部の管理に関する技術上の業務を委託する場合にあつては、技術上の観点から一体として行わなければならない業務の全部を一の者に委託するものであること。

二　給水装置の管理に関する技術上の業務を委託する場合にあつては、当該水道事業者の給水区域内に存する給水装置の管理に関する技術上の業務の全部を委託するものであること。

三　次に掲げる事項についての条項を含む委託契約書を作成すること。

イ　委託に係る業務の内容に関する事項

ロ　委託契約の期間及びその解除に関する事項

ハ　その他厚生労働省令で定める事項

第十条　法第二十四条の三第一項（法第三十一条及び第三十四条第一項において準用する場合を含む。）に規定する政令で定める要件は、法第二十四条の三第一項の規定により委託を

受けて行う業務を適正かつ確実に遂行するに足りる経理的及び技術的な基礎を有するものであることとする。

（受託水道業務技術管理者の資格）

第十一条　法第二十四条の三第五項（法第三十一条及び第三十四条第一項において準用する場合を含む。）に規定する政令で定める資格は、第七条の規定により水道技術管理者たる資格を有する者とする。

（国庫補助）

第十二条　法第四十四条に規定する政令で定める費用は、別表の中欄に掲げる費用とし、同条の規定による補助は、その費用につき厚生労働大臣が定める基準によつて算出した額（同表の中欄に掲げる施設の新設又は増設に関して寄附金その他の収入金があるときは、その額からその収入金の額を限度として厚生労働大臣が定める額を控除した額）に、それぞれ同表の下欄に掲げる割合を乗じて得た額について行うものとする。

2　前項の費用には、事務所、倉庫、門、さく、へい、植樹その他別表の中欄に掲げる施設の維持管理に必要な施設の新設又は増設に要する費用は、含まれないものとする。

（手数料）

第十三条　法第四十五条の三第一項の政令で定める手数料の額は、次の各号に掲げる者の区分に応じ、それぞれ当該各号に定める額とする。

一　給水装置工事主任技術者免状（以下この項において「免状」という。）の交付を受けようとする者　二千五百円（情報通信技術を活用した行政の推進等に関する法律（平成十四年法律第百五十一号）第六条第一項の規定により同項に規定する電子情報処理組織を使用する者（以下「電子情報処理組織を使用する者」という。）にあつては、二千四百五十円）

二　免状の書換え交付を受けようとする者　二千百五十円（電子情報処理組織を使用する者にあつては、二千五十円）

三　免状の再交付を受けようとする者　二千百五十円（電子情報処理組織を使用する者にあつては、二千五十円）

2　法第四十五条の三第二項の政令で定める受験手数料の額は、一万六千八百円とする。

（都道府県の処理する事務）

第十四条　水道事業（河川法（昭和三十九年法律第百六十七号）第三条第一項に規定する河川（以下この条及び次条第一項において「河川」という。）の流水を水源とする水道事業及び河川の流水を水源とする水道用水供給事業を経営する者から供給を受ける水を水源とする水道事業（以下この条及び次条第一項において「特定水源水道事業」という。）であつて、給水人口が五万人を超えるものを除く。以下この項において同じ。）に関する法第六条第一項、第九条第一項（法第十条第二項において準用する場合を含む。）、第十条第一項及び第三項、第十一条第一項及び第三項、第十三条第一項、第十四条第五項及び第六項、第二十四条の三第二項、第三十五条、第三十六条第一項及び第二項、第三十七条、第三十八条並びに第三十九条第一項の規定による厚生労働大臣の権限に属する事務並びに水道事業に関する法第四十二条第一項及び第三項（都道府県が当事者である場合を除く。）の規定による厚生労働大臣の権限に属する事務は、都道府県知事が行うものとする。

2　一日最大給水量が二万五千立方メートル以下である水道用水供給事業に関する法第二十六条、第二十九条第一項（法第三十条第二項において準用する場合を含む。）並びに第三十条第一項及び第三項、法第三十一条において準用する法第十一条第一項及び第三項、第十三条第一項及び第二十四条の三第二項並びに法第三十五条、第三十六条第一項及び第二項、第三十七条並びに第三十九条第一項の規定による厚生労働大臣の権限に属する事務は、都道府県知事が行うものとする。

3　給水人口が五万人を超える水道事業（特定水源水道事業に限る。）又は一日最大給水量が二万五千立方メートルを超える水道用水供給事業の水源の種別、取水地点又は浄水方法の変更であつて、当該変更に要する工事費の総額が一億円以下であるものに係る法第十条第一項又は第三十条第一項の規定による厚生労働大臣の権限に属する事務は、都道府県知事が行うものとする。

4　次の各号のいずれかに掲げる水道事業者間、水道用水供給事業者間又は水道事業者と水道用水供給事業者との間における合理化に関する法第四十一条の規定による厚生労働大臣の権限に属する事務は、都道府県知事が行うものとする。ただし、当該水道事業者が経営する水道事業の給水区域又は当該水道用水供給事業者が経営する水道用水供給事業から用水の供給を受ける水道事業の給水区域をその区域に含む都道府県が二以上であるときは、この限りでない。
一　給水人口の合計が五万人以下である二以上の水道事業者間
二　給水人口の合計が五万人を超える二以上の水道事業者（特定水源水道事業を経営する者を除く。）の間
三　一日最大給水量の合計が二万五千立方メートル以下である二以上の水道用水供給事業者間
四　給水人口が五万人以下である水道事業者と一日最大給水量が二万五千立方メートル以下である水道用水供給事業者との間
五　給水人口が五万人を超える水道事業者（特定水源水道事業を経営する者を除く。）と一日最大給水量が二万五千立方メートル以下である水道用水供給事業者（河川の流水を水源とする水道用水供給事業を経営する者を除く。）との間
5　前各項の場合においては、法の規定中前各項の規定により都道府県知事が行う事務に係る厚生労働大臣に関する規定は、都道府県知事に関する規定として都道府県知事に適用があるものとする。
6　法第三十六条第一項及び第二項、第三十七条、第三十九条第一項並びに第四十一条に規定する厚生労働大臣の権限に属する事務のうち、第一項、第二項及び第四項の規定により都道府県知事が行うものとされる事務は、水道の利用者の利益を保護するため緊急の必要があると厚生労働大臣が認めるときは、厚生労働大臣又は都道府県知事が行うものとする。
7　前項の場合において、厚生労働大臣又は都道府県知事が当該事務を行うときは、相互に密接な連携の下に行うものとする。

（指定都道府県の処理する事務）
第十五条　次に掲げる厚生労働大臣の権限に属する事務は、指定都道府県（水道事業又は水道用水供給事業に係る公衆衛生の向上と生活環境の改善に関し特に専門的な知識を必要とする事務が適切に実施されるものとして厚生労働大臣が指定する都道府県をいう。以下この条において同じ。）の知事が行うものとする。
一　特定水源水道事業であつて、給水人口が五万人を超えるもの（特定給水区域水道事業（給水区域の全部が当該指定都道府県の区域に含まれる水道事業をいう。以下この項において同じ。）であるものに限り、特定河川（河川法第六条第一項に規定する河川区域の全部が当該指定都道府県の区域に含まれる河川をいう。以下この項において同じ。）以外の河川の流水を水源とするもの及び当該指定都道府県が経営するものを除く。）に関する法第六条第一項、第九条第一項（法第十条第二項において準用する場合を含む。）、第十条第一項及び第三項、第十一条第一項及び第三項、第十三条第一項、第十四条第五項及び第六項、第二十四条の三第二項、第三十五条、第三十六条第一項及び第二項、第三十七条、第三十八条並びに第三十九条第一項の規定による厚生労働大臣の権限に属する事務（法第十条第一項の規定による厚生労働大臣の権限に属する事務については、前条第三項に規定する水道事業に係るものを除く。）
二　特定水源水道事業であつて、給水人口が五万人を超えるもの（特定給水区域水道事業であるものに限り、特定河川以外の河川の流水を水源とするものを除く。）に関する法第四十二条第一項及び第三項（当該指定都道府県が当事者である場合を除く。）の規定による厚生労働大臣の権限に属する事務
三　一日最大給水量が二万五千立方メートルを超える水道用水供給事業（特定給水区域水道事業を経営する者に対してのみその用水を供給する水道用水供給事業をいう。次号ロ及びハにおいて同じ。）であるものに限り、特定河川以外の河川の流水を水源とするもの及び当該指定都道府県が経営するものを除く。）に関する法第二十六条、第二十九条第一項（法第三十条第二項において準用する場合を含む。）並びに第三十条第一項及び第三項、法第三十一条において準用する法第十一条第一項及び第三項、第十三条第一項及び第二十四条の三第二項並びに法第三十五条、第三十六条第一項及び第二項、

第三十七条並びに第三十九条第一項の規定による厚生労働大臣の権限に属する事務（法第三十条第一項の規定による厚生労働大臣の権限に属する事務については、前条第三項に規定する水道用水供給事業に係るものを除く。）

四　次のいずれかに掲げる水道事業者間、水道用水供給事業者間又は水道事業者と水道用水供給事業者との間における合理化に関する法第四十一条の規定による厚生労働大臣の権限に属する事務

イ　特定給水区域水道事業である水道事業（特定河川以外の河川の流水を水源とするものを除く。）を経営する者である二以上の水道事業者（当該指定都道府県を除く。）の間（給水人口の合計が五万人以下である二以上の水道事業者間及び給水人口の合計が五万人を超える二以上の水道事業者（特定水源水道事業を経営する者を除く。）の間を除く。）

ロ　特定給水区域水道用水供給事業である水道用水供給事業（特定河川以外の河川の流水を水源とするものを除く。）を経営する者である二以上の水道用水供給事業者（当該指定都道府県を除く。）の間（一日最大給水量の合計が二万五千立方メートル以下である二以上の水道用水供給事業者間を除く。）

ハ　特定給水区域水道事業である水道事業（特定河川以外の河川の流水を水源とするものを除く。）を経営する者である水道事業者（当該指定都道府県を除く。）と特定給水区域水道用水供給事業である水道用水供給事業（特定河川以外の河川の流水を水源とするものを除く。）を経営する者である水道用水供給事業者（当該指定都道府県を除く。）との間（次に掲げる水道事業者と水道用水供給事業者との間を除く。）

(一)　給水人口が五万人以下である水道事業者と一日最大給水量が二万五千立方メートル以下である水道用水供給事業者との間

(二)　給水人口が五万人を超える水道事業者（特定水源水道事業を経営する者を除く。）と一日最大給水量が二万五千立方メートル以下である水道用水供給事業者（河川の流水を水源とする水道用水供給事業を経営する者を除く。）との間

2　厚生労働大臣は、前項の規定による指定都道府県の指定をしたときは、その旨を公示しなければならない。

3　第一項の規定による指定都道府県の指定があつた場合においては、その指定の際現に効力を有する厚生労働大臣が行つた認可等の処分その他の行為又は現に厚生労働大臣に対して行つている認可等の申請その他の行為で、当該指定の日以後同項の規定により当該指定都道府県の知事が行うこととなる事務に係るものは、当該指定の日以後においては、当該指定都道府県の知事が行つた認可等の処分その他の行為又は当該指定都道府県の知事に対して行つた認可等の申請その他の行為とみなす。

4　厚生労働大臣は、指定都道府県について第一項の規定による指定の事由がなくなつたと認めるときは、当該指定を取り消すものとする。

5　第二項及び第三項の規定は、前項の規定による指定の取消しについて準用する。この場合において、第三項中「厚生労働大臣」とあるのは「指定都道府県の知事」と、「当該指定都道府県の知事」とあるのは「厚生労働大臣」と読み替えるものとする。

6　第一項の場合においては、法の規定中同項の規定により指定都道府県の知事が行う事務に係る厚生労働大臣に関する規定は、指定都道府県の知事に関する規定として指定都道府県の知事に適用があるものとする。

7　法第三十六条第一項及び第二項、第三十七条、第三十九条第一項並びに第四十一条に規定する厚生労働大臣の権限に属する事務のうち、第一項の規定により指定都道府県の知事が行うものとされる事務は、水道の利用者の利益を保護するため緊急の必要があると厚生労働大臣が認めるときは、厚生労働大臣又は指定都道府県の知事が行うものとする。

8　前項の場合において、厚生労働大臣又は指定都道府県の知事が当該事務を行うときは、相互に密接な連携の下に行うものとする。

（管轄都道府県知事）

第十六条　法第四十八条に規定する関係都道府県知事は、次の各号に掲げる事業又は水道に

ついて、それぞれ当該各号に定める区域をその区域に含むすべての都道府県の知事とする。この場合において、当該都道府県知事は、共同して同条に規定する事務を行うものとする。

一　水道事業　当該事業の給水区域

二　水道用水供給事業　当該事業から用水の供給を受ける水道事業の給水区域

三　専用水道　当該水道により居住に必要な水の供給が行われる区域

四　簡易専用水道　当該水道により水の供給が行われる区域

附　則

（施行期日）

1　この政令は、昭和三十二年十二月十四日から施行する。

（権限の委任）

2　給水人口が二万人以下である水道事業又は一日最大給水量が六千立方メートル以下である水道用水供給事業に関する法附則第五条第三項及び第六条第一項の規定による厚生大臣の権限は、都道府県知事に委任するものとする。

（水道条例第二十一条ノ二の規定に依る職権委任に関する件の廃止）

3　水道条例第二十一条ノ二の規定による職権委任に関する件（大正十年勅令第三百三十一号）は、廃止する。

（国の貸付金の償還期間等）

4　法附則第十一条第三項に規定する政令で定める期間は、五年（二年の据置期間を含む。）とする。

5　前項の期間は、日本電信電話株式会社の株式の売払収入の活用による社会資本の整備の促進に関する特別措置法（昭和六十二年法律第八十六号）第五条第一項の規定により読み替えて準用される補助金等に係る予算の執行の適正化に関する法律（昭和三十年法律第百七十九号）第六条第一項の規定による貸付けの決定（以下「貸付決定」という。）ごとに、当該貸付決定に係る法附則第十一条第一項及び第二項の規定による国の貸付金（以下「国の貸付金」という。）の交付を完了した日（その日が当該貸付決定があつた日の属する年度の末日の前日以後の日である場合には、当該年度の末日の前々日）の翌日から起算する。

6　国の貸付金の償還は、均等年賦償還の方法によるものとする。

7　国は、国の財政状況を勘案し、相当と認めるときは、国の貸付金の全部又は一部について、前三項の規定により定められた償還期限を繰り上げて償還させることができる。

8　法附則第十一条第七項に規定する政令で定める場合は、前項の規定により償還期限を繰り上げて償還を行つた場合とする。

附　則（昭和三六年一二月二六日政令第四二七号）

この政令は、公布の日から施行する。

附　則（昭和五二年七月一日政令第二二六号）

この政令は、公布の日から施行する。

附　則（抄）（昭和五三年四月七日政令第一一三号）

（施行期日）

1　この政令は、昭和五十三年六月二十三日から施行する。ただし、第七条の改正規定は、同年五月一日から施行する。

附　則（抄）（昭和六〇年五月二一日政令第一四一号）

（施行期日）

第一条　この政令は、公布の日から施行する。

（経過措置）

第二条　昭和五十九年度の国庫債務負担行為に基づき昭和六十年度に支出すべきものとされた国の補助及び昭和五十九年度の歳出予算に係る国の補助で昭和六十年度以降の年度に繰り越されたものにより実施される水源開発施設又は水道施設の新設又は増設については、なお従前の例による。

2　水源開発施設又は水道施設の新設又は増設に要する費用につき昭和五十九年度以前の年度の予算に係る国の補助が行われた当該施設の新設又は増設についての水道法第四十四条に規定する政令で定める費用については、なお従前の例による。

附　則（昭和六〇年一二月六日政令第二九三号）

この政令は、昭和六十一年十一月一日から施行する。

附　則（昭和六二年九月四日政令第二九二号）

この政令は、公布の日から施行する。

附　則（平成二年一二月二七日政令第三六九号）

（施行期日）

1　この政令は、平成三年四月一日から施行する。

（経過措置）

2　この政令の施行前に食品衛生法、栄養士法、水道法若しくは製菓衛生師法（これらの法律に基づく政令を含む。）の規定によりされた許可等の処分その他の行為（以下「処分等の行為」という。）又はこの政令の施行の際現にこれらの法律（これらの法律に基づくこの政令による改正前の政令を含む。）の規定によりされている許可等の申請その他の行為（以下「申請等の行為」という。）で、この政令の施行の日においてこれらの行為に係る行政事務を行うべき者が異なることとなるものは、この政令の施行の日以後においては、この政令の施行の日において新たに当該行政事務を行うこととなる者（以下「新事務執行者」という。）のした処分等の行為又は新事務執行者に対して行った申請等の行為とみなす。

3　この政令の施行前にした行為に対する罰則の適用については、なお従前の例による。

附　則（平成四年四月一〇日政令第一一二号）

この政令は、公布の日から施行する。

附　則（平成九年三月一九日政令第三六号）

この政令は、平成九年四月一日から施行する。ただし、第四条に一項を加える改正規定は、平成九年十月一日から施行する。

附　則（平成九年一二月二五日政令第三八〇号）

（施行期日）

1　この政令は、平成十年四月一日から施行する。

（経過措置）

2　この政令の施行前に水道法の規定によりされた認可等の処分その他の行為（以下「処分等の行為」という。）又はこの政令の施行の際現に同法の規定によりされている認可等の申請その他の行為（以下「申請等の行為」という。）で、この政令の施行の日においてこれらの行為に係る行政事務を行うべき者が異なることとなるものは、この政令の施行の日以後においては、この政令の施行の日において新たに当該行政事務を行うこととなる者（以下「新事務執行者」という。）のした処分等の行為又は新事務執行者に対して行った申請等の行為とみなす。

3　この政令の施行前にした行為に対する罰則の適用については、なお従前の例による。

附　則（抄）（平成一〇年一〇月三〇日政令第三五一号）

（施行期日）

1　この政令は、平成十一年四月一日から施行する。

附　則（抄）（平成一一年一二月八日政令第三九三号）

（施行期日）

第一条　この政令は、平成十二年四月一日から施行する。〔後略〕

附　則（平成一二年三月一七日政令第六五号）

この政令は、平成十二年四月一日から施行する。

附　則（抄）（平成一二年六月七日政令第三〇九号）

（施行期日）

1　この政令は、内閣法の一部を改正する法律（平成十一年法律第八十八号）の施行の日から施行する。〔後略〕

（施行の日＝平成一三年一月六日）

附　則（抄）（平成一三年一二月一九日政令第四一三号）

（施行期日）

第一条　この政令は、水道法の一部を改正する法律（平成一三年七月法律第一〇〇号）の施行の日から施行する。

（施行の日＝平成一四年四月一日）

附　則（抄）（平成一四年二月八日政令第二七号）

（施行期日）

第一条　この政令は、公布の日から施行する。

附　則（抄）（平成一五年一二月一九日政令第五三三号）

（施行期日）

第一条　この政令は、公益法人に係る改革を推進するための厚生労働省関係法律の整備に関する法律（平成一五年七月法律第一〇二号）（以下「法」という。）の施行の日から施行する。

（施行の日＝平成一六年三月三一日）

附　則（平成一六年三月一九日政令第四六号）

この政令は、平成十六年三月二十九日から施行する。

附　則　（平成二八年三月三一日政令第一〇二号）

（施行期日）

第一条　この政令は、平成二十八年四月一日から施行する。

（罰則に関する経過措置）

第二条　この政令の施行前にした行為に対する罰則の適用については、なお従前の例による。

附　則　（平成二九年九月一日政令第二三二号）

（施行期日）

1　この政令は、平成三十一年四月一日から施行する。

附　則　（平成三一年四月一七日政令第一五四号）

（施行期日）

1　この政令は、水道法の一部を改正する法律（次項において「改正法」という。）の施行の日（平成三十一年十月一日）から施行する。

（水道法施行令の一部改正に伴う経過措置）

2　この政令の施行の際現にこの政令による改正前の水道法施行令別表の二の項の中欄に掲げる費用について国の補助を受けている地方公共団体に対する同項の規定の適用については、なお従前の例による。ただし、改正法による改正後の水道法（次項において「新水道法」という。）第五条の三第一項に規定する水道基盤強化計画（次項おいて「水道基盤強化計画」という。）において、当該補助に係る事業が同条第二項第七号に掲げる事項として定められたときは、この限りでない。

附　則　（令和元年一二月一三日政令第一八三号）

（施行期日）

第一条　この政令は、情報通信技術の活用による行政手続等に係る関係者の利便性の向上並びに行政運営の簡素化及び効率化を図るための行政手続等における情報通信の技術の利用に関する法律等の一部を改正する法律（次条において「改正法」という。）の施行の日（令和元年一二月一六日）から施行する。

別表（第十二条関係）

一	水源開発施設（水道の水源の開発の用に供するダム、堰《せき》、水路及び海水淡水化施設並びにこれらの施設と密接な関連を有する施設をいう。以下同じ。）であつて、用水単価及び資本単価が厚生労働大臣が定める額以上の水道事業又は水道用水供給事業の用に供するものの新設又は増設に要する費用	三分の一（用水単価及び資本単価が厚生労働大臣が定める額以上の水道事業又は水道用水供給事業にあつては二分の一）
二	法第五条の三第一項に規定する水道基盤強化計画において定められた同条第二項第七号に掲げる事項に係る水道施設（水源開発施設及び基幹的な配水施設以外の配水施設を除く。）であつて、用水単価及び資本単価が厚生労働大臣が定める額以上の水道事業又は水道用水供給事業の用に供するものの新設又は増設に要する費用	三分の一
三	簡易水道事業の用に供する水道施設の新設又は増設に要する費用	財政力指数が厚生労働大臣が定める数値を超える市町村にあつては、四分の一（単位管延長が厚生労働大臣が定める数値以上の水道施設にあつては十分の四、単位管延長が当該数値未満であつて厚生労働大臣が別に定める数値以上の水道施設にあつては三分の一）、その他の市町村にあつては、三分の一（単位管延長が厚生労働大臣が定める数値以上の水道施設にあつては十分の四）
備考　この表における「用水単価」、「資本単価」、「財政力指数」及び「単位管延長」については、厚生労働大臣の定めるところによる。		

(三) 水道法施行規則（昭和三二年一二月一四日 厚生省令第四五号）

改正　昭和三五・六・一厚生省令二〇、昭和四一・五・六厚生省令一二、昭和五三・四・二五厚生省令二三、昭和六二・一・三一厚生省令八、平成元・三・二四厚生省令一〇、平成三・九・二五厚生省令四七、平成四・一二・二一厚生省令七〇、平成六・七・一厚生省令四七、平成六・一二・一四厚生省令七七、平成八・一二・二〇厚生省令六九、平成九・八・二二厚生省令五九、平成一〇・三・二七厚生省令三四、平成一〇・一一・二厚生省令八七、平成一一・一二・二八厚生省令一〇八、平成一二・六・一三厚生省令一〇一、平成一二・一〇・二〇厚生省令一二七、平成一三・三・三〇厚生労働省令九九、平成一四・三・二七厚生労働省令四一、平成一四・三・二七厚生労働省令四二、平成一五・九・二九厚生労働省令一四一、平成一六・三・二四厚生労働省令三六、平成一六・一二・一四厚生労働省令一七六、平成一七・三・七厚生労働省令二五、平成一八・四・二八厚生労働省令一一六、平成一九・三・三〇厚生労働省令四三、平成一九・三・三〇厚生労働省令五三、平成一九・一一・一四厚生労働省令一三六、平成二〇・一一・二八厚生労働省令一六三、平成二〇・一二・二二厚生労働省令一七五、平成二二・三・二五厚生労働省令三〇、平成二三・一〇・三厚生労働省令一二五、平成二四・六・二九厚生労働省令九七号、平成二四・九・六厚生労働省令一二四、平成二六・二・二八厚生労働省令一五、平成三〇・二・一六厚生労働省令一五、平成三〇・一二・二六厚生労働省令一四八、令和元・五・七厚生労働省令一、令和元・六・二八厚生労働省令二〇、令和元・九・一三厚生労働省令四六、令和元・九・三〇厚生労働省令五七、令和二・六・一〇厚生労働省令一二〇、令和二・三・二五厚生労働省令二〇八、令和三・三・二二厚生労働省令五三、令和三・四・二〇厚生労働省令八八

第一章　水道事業

第一節　事業の認可等

（令第一条第二項の厚生労働省令で定める目的）

第一条　水道法施行令（昭和三十二年政令第三百三十六号。以下「令」という。）第一条第二項に規定する厚生労働省令で定める目的は、人の飲用、炊事用、浴用その他人の生活の用に供することとする。

（水道基盤強化計画の作成の要請）

第一条の二　市町村の区域を超えた広域的な水道事業者等（水道法（昭和三十二年法律第百七十七号。以下「法」という。）第二条の二第一項に規定する水道事業者等をいう。）の間の連携等（同条第二項に規定する連携等をいう。）を推進しようとする二以上の市町村は、法第五条の三第五項の規定により都道府県に対し同条第一項に規定する水道基盤強化計画（以下「水道基盤強化計画」という。）を定めることを要請する場合においては、法第五条の二第一項に規定する基本方針に基づいて当該要請に係る水道基盤強化計画の素案を作成して、これを提示しなければならない。

（認可申請書の添付書類等）

第一条の三　法第七条第一項に規定する厚生労働省令で定める書類及び図面は、次に掲げるものとする。

一　地方公共団体以外の者である場合は、水道事業経営を必要とする理由を記載した書類

二　地方公共団体以外の法人又は組合である場合は、水道事業経営に関する意思決定を証する書類

三　市町村以外の者である場合は、法第六条第二項の同意を得た旨を証する書類

四　取水が確実かどうかの事情を明らかにする書類

五　地方公共団体以外の法人又は組合である場合は、定款又は規約

六　給水区域が他の水道事業の給水区域と重複しないこと及び給水区域内における専用水道の状況を明らかにする書類及びこれらを示した給水区域を明らかにする地図

七　水道施設の位置を明らかにする地図

八　水源の周辺の概況を明らかにする地図

九　主要な水道施設（次号に掲げるものを除く。）の構造を明らかにする平面図、立面図、断面図及び構造図

十　導水管きよ、送水管及び主要な配水管の配置状況を明らかにする平面図及び縦断面図

2　地方公共団体が申請者である場合であつて、当該申請が他の水道事業の全部を譲り受けることに伴うものであるときは、法第七条第一項に規定する厚生労働省令で定める書類及び図面は、前項の規定にかかわらず、同項第三号、第六号及び第七号に掲げるものとする。

（事業計画書の記載事項）

第二条　法第七条第四項第八号に規定する厚生労働省令で定める事項は、次の各号に掲げる

ものとする。

一　工事費の算出根拠

二　借入金の償還方法

三　料金の算出根拠

四　給水装置工事の費用の負担区分を定めた根拠及びその額の算出方法

（工事設計書に記載すべき水質試験の結果）

第三条　法第七条第五項第三号（法第十条第二項において準用する場合を含む。）に規定する水質試験の結果は、水質基準に関する省令（平成十五年厚生労働省令第百一号）の表の上欄に掲げる事項に関して水質が最も低下する時期における試験の結果とする。

2　前項の試験は、水質基準に関する省令に規定する厚生労働大臣が定める方法によつて行うものとする。

（工事設計書の記載事項）

第四条　法第七条第五項第八号に規定する厚生労働省令で定める事項は、次の各号に掲げるものとする。

一　主要な水理計算

二　主要な構造計算

（法第八条第一項各号を適用するについて必要な技術的細目）

第五条　法第八条第二項に規定する技術的細目のうち、同条第一項第一号に関するものは、次に掲げるものとする。

一　当該水道事業の開始が、当該水道事業に係る区域における不特定多数の者の需要に対応するものであること。

二　当該水道事業の開始が、需要者の意向を勘案したものであること。

第六条　法第八条第二項に規定する技術的細目のうち、同条第一項第二号に関するものは、次に掲げるものとする。

一　給水区域が、当該地域における水系、地形その他の自然的条件及び人口、土地利用その他の社会的条件、水道により供給される水の需要に関する長期的な見通し並びに当該地域における水道の整備の状況を勘案して、合理的に設定されたものであること。

二　給水区域が、水道の整備が行われていない区域の解消及び同一の市町村の既存の水道事業との統合について配慮して設定されたものであること。

三　給水人口が、人口、土地利用、水道の普及率その他の社会的条件を基礎として、各年度ごとに合理的に設定されたものであること。

四　給水量が、過去の用途別の給水量を基礎として、各年度ごとに合理的に設定されたものであること。

五　給水人口、給水量及び水道施設の整備の見通しが一定の確実性を有し、かつ、経常収支が適切に設定できるよう期間が設定されたものであること。

六　工事費の調達、借入金の償還、給水収益、水道施設の運転に要する費用等に関する収支の見通しが確実かつ合理的なものであること。

七　水質検査、点検等の維持管理の共同化について配慮されたものであること。

八　水道基盤強化計画が定められている地域にあつては、当該計画と整合性のとれたものであること。

九　水道用水供給事業者から用水の供給を受ける水道事業者にあつては、水道用水供給事業者との契約により必要量の用水の確実な供給が確保されていること。

十　取水に当たつて河川法（昭和三十九年法律第百六十七号）第二十三条の規定に基づく流水の占用の許可を必要とする場合にあつては、当該許可を受けているか、又は許可を受けることが確実であると見込まれること。

十一　取水に当たつて河川法第二十三条の規定に基づく流水の占用の許可を必要としない場合にあつては、水源の状況に応じて取水量が確実に得られると見込まれること。

十二　ダムの建設等により水源を確保する場合にあつては、特定多目的ダム法（昭和三十二年法律第三十五号）第四条第一項に規定する基本計画においてダム使用権の設定予定者とされている等により、当該ダムを使用できることが確実であると見込まれること。

第七条　法第八条第二項に規定する技術的細目のうち、同条第一項第六号に関するものは、当該申請者が当該水道事業の遂行に必要となる資金の調達及び返済の能力を有することとする。

（事業の変更の認可を要しない軽微な変更）

第七条の二　法第十条第一項第一号の厚生労働省令で定める軽微な変更は、次のいずれかの変更とする。

一　水道施設（送水施設（内径が二百五十ミリメートル以下の送水管及びその附属設備（ポンプを含む。）に限る。）並びに配水施設を除く。以下この号において同じ。）の整備を伴わない変更のうち、給水区域の拡張又は給水人口若しくは給水量の増加に係る変更であつて次のいずれにも該当しないもの（ただし、水道施設の整備を伴わない変更のうち、給水人口のみが増加する場合においては、ロの規定は適用しない。）。

イ　変更後の給水区域が他の水道事業の給水区域と重複するものであること。

ロ　変更後の給水人口と認可給水人口（法第七条第四項の規定により事業計画書に記載した給水人口（法第十条第一項又は第三項の規定により給水人口の変更（同条第一項第一号に該当するものを除く。）を行つたときは、直近の変更後の給水人口とする。）をいう。）との差が当該認可給水人口の十分の一を超えるものであること。

ハ　変更後の給水量と認可給水量（法第七条第四項の規定により事業計画書に記載した給水量（法第十条第一項又は第三項の規定により給水量の変更（同条第一項第一号に該当するものを除く。）を行つたときは、直近の変更後の給水量とする。）をいう。次号において同じ。）との差が当該認可給水量の十分の一を超えるものであること。

二　現在の給水量が認可給水量を超えない事業における、次に掲げるいずれかの浄水施設を用いる浄水方法への変更のうち、給水区域の拡張、給水人口若しくは給水量の増加又は水源の種別若しくは取水地点の変更を伴わないもの。ただし、ヌ又はルに掲げる浄水施設を用いる浄水方法への変更については、変更前の浄水方法に当該浄水施設を用いるものを追加する場合に限る。

イ　普通沈殿池

ロ　薬品沈殿池

ハ　高速凝集沈殿池

ニ　緩速濾《ろ》過池

ホ　急速濾《ろ》過池

ヘ　膜濾《ろ》過設備

ト　エアレーション設備

チ　除鉄設備

リ　除マンガン設備

ヌ　粉末活性炭処理設備

ル　粒状活性炭処理設備

三　河川の流水を水源とする取水地点の変更のうち、給水区域の拡張、給水人口若しくは給水量の増加又は水源の種別若しくは浄水方法の変更を伴わないものであつて、次に掲げる事由その他の事由により、当該河川の現在の取水地点から変更後の取水地点までの区間（イ及びロにおいて「特定区間」という。）における原水の水質が大きく変わるおそれがないもの。

イ　特定区間に流入する河川がないとき。

ロ　特定区間に汚染物質を排出する施設がないとき。

（変更認可申請書の添付書類等）

第八条　第一条の三第一項の規定は、法第十条第二項において準用する法第七条第一項に規定する厚生労働省令で定める書類及び図面について準用する。この場合において、第一条の三第一項中「次に」とあるのは「次の各号（給水区域を拡張しようとする場合にあつては第四号及び第八号を除き、給水人口を増加させようとする場合にあつては第三号、第四号及び第八号を除き、給水量を増加させようとする場合にあつては第三号を除き、水源の種別又は取水地点を変更しようとする場合にあつては第二号、第三号、第五号及び第六号を除き、浄水方法を変更しようとする場合にあつては第二号から第六号までを除く。）に」と、同項第九号中「除く。）」とあるのは「除く。）であつて、新設、増設又は改造されるもの」と、同項第十号中「配水管」とあるのは「配水管であつて、新設、増設又は改造されるもの」とそれぞれ読み替えるものとする。

2　第二条の規定は、法第十条第二項において準用する法第七条第四項第八号に規定する厚生労働省令で定める事項について準用する。この場合において、第二条中「各号」とあるのは、「各号（水源の種別、取水地点又は浄水方法の変更以外の変更を伴わない場合にあつては、第四号を除く。）」と読み替えるものとする。

とする。

3　第四条の規定は、法第十条第二項において準用する法第七条第五項第八号に規定する厚生労働省令で定める事項について準用する。この場合において、第四条第一号及び第二号中「主要」とあるのは、「新設、増設又は改造される水道施設に関する主要」と読み替えるものとする。

（事業の変更の届出）

第八条の二　法第十条第三項の届出をしようとする水道事業者は、次に掲げる事項を記載した届出書を厚生労働大臣に提出しなければならない。

一　届出者の住所及び氏名（法人又は組合にあつては、主たる事務所の所在地及び名称並びに代表者の氏名）

二　水道事務所の所在地

2　前項の届出書には、次に掲げる書類（図面を含む。）を添えなければならない。

一　次に掲げる事項を記載した事業計画書

イ　変更後の給水区域、給水人口及び給水量

ロ　水道施設の概要

ハ　給水開始の予定年月日

ニ　変更後の給水人口及び給水量の算出根拠

ホ　法第十条第一項第二号に該当する場合にあつては、当該譲受けの年月日、変更後の経常収支の概算及び料金並びに給水装置工事の費用の負担区分その他の供給条件

二　次に掲げる事項を記載した工事設計書

イ　工事の着手及び完了の予定年月日

ロ　第七条の二第一号又は法第十条第一項第二号に該当する場合にあつては、配水管における最大静水圧及び最小動水圧

ハ　第七条の二第二号に該当する場合にあつては、変更される浄水施設に係る水源の種別、取水地点、水源の水量の概算、水質試験の結果及び変更後の浄水方法

ニ　第七条の二第三号に該当する場合にあつては、変更される取水施設に係る水源の種別、水源の水量の概算、水質試験の結果及び変更後の取水地点

三　水道施設の位置を明らかにする地図

四　第七条の二第一号（水道事業者が給水区域を拡張しようとする場合に限る。次号及び第六号において同じ。）又は法第十条第一項第二号に該当し、かつ、水道事業者が地方公共団体以外の者である場合にあつては、水道事業経営を必要とする理由を記載した書類

五　第七条の二第一号又は法第十条第一項第二号に該当し、かつ、水道事業者が地方公共団体以外の法人又は組合である場合にあつては、水道事業経営に関する意思決定を証する書類

六　第七条の二第一号又は法第十条第一項第二号に該当し、かつ、水道事業者が市町村以外の者である場合にあつては、法第六条第二項の同意を得た旨を証する書類

七　第七条の二第一号又は法第十条第一項第二号に該当する場合にあつては、給水区域が他の水道事業の給水区域と重複しないこと及び給水区域内における専用水道の状況を明らかにする書類及びこれらを示した給水区域を明らかにする地図

八　第七条の二第二号に該当する場合にあつては、主要な水道施設であつて、新設、増設又は改造されるものの構造を明らかにする平面図、立面図、断面図及び構造図

九　第七条の二第三号に該当する場合にあつては、主要な水道施設であつて、新設、増設又は改造されるものの構造を明らかにする平面図、立面図、断面図及び構造図並びに変更される水源からの取水が確実かどうかの事情を明らかにする書類

（事業の休廃止の許可の申請）

第八条の三　法第十一条第一項の許可を申請する水道事業者は、申請書に、休廃止計画書及び次に掲げる書類（図面を含む。）を添えて、厚生労働大臣に提出しなければならない。

一　水道事業の休止又は廃止により公共の利益が阻害されるおそれがないことを証する書類

二　休止又は廃止する給水区域を明らかにする地図

三　地方公共団体以外の水道事業者（給水人口が令第四条で定める基準を超えるものに限る。）である場合は、当該水道事業の給水区域をその区域に含む市町村に協議したことを証する書類

2　前項の申請書には、次に掲げる事項を記載

しなければならない。
一　申請者の住所及び氏名（法人又は組合にあつては、主たる事務所の所在地及び名称並びに代表者の氏名）
二　水道事務所の所在地
3　第一項の休廃止計画書には、次に掲げる事項を記載しなければならない。
一　休止又は廃止する給水区域
二　休止又は廃止の予定年月日
三　休止又は廃止する理由
四　水道事業の全部又は一部を休止する場合にあつては、事業の全部又は一部の再開の予定年月日
五　水道事業の一部を廃止する場合にあつては、当該廃止後の給水区域、給水人口及び給水量
六　水道事業の一部を廃止する場合にあつては、当該廃止後の給水人口及び給水量の算出根拠

（事業の休廃止の許可の基準）
第八条の四　厚生労働大臣は、水道事業の全部又は一部の休止又は廃止により公共の利益が阻害されるおそれがないと認められるときでなければ、法第十一条第一項の許可をしてはならない。

（布設工事監督者の資格）
第九条　令第五条第一項第六号の規定により同項第一号から第五号までに掲げる者と同等以上の技能を有すると認められる者は、次のとおりとする。
一　令第五条第一項第一号又は第二号の卒業者であつて、学校教育法（昭和二十二年法律第二十六号）に基づく大学院研究科において一年以上衛生工学若しくは水道工学に関する課程を専攻した後、又は大学の専攻科において衛生工学若しくは水道工学に関する専攻を修了した後、同項第一号の卒業者にあつては一年（簡易水道の場合は、六箇月）以上、同項第二号の卒業者にあつては二年（簡易水道の場合は、一年）以上水道に関する技術上の実務に従事した経験を有する者
二　外国の学校において、令第五条第一項第一号若しくは第二号に規定する課程及び学科目又は第三号若しくは第四号に規定する課程に相当する課程又は学科目を、それぞれ当該各号に規定する学校において修得する程度と同等以上に修得した後、それぞれ当該各号に規定する最低経験年数（簡易水道の場合は、それぞれ当該各号に規定する最低経験年数の二分の一）以上水道に関する技術上の実務に従事した経験を有する者
三　技術士法（昭和五十八年法律第二十五号）第四条第一項の規定による第二次試験のうち上下水道部門に合格した者（選択科目として上水道及び工業用水道を選択したものに限る。）であつて、一年（簡易水道の場合は、六箇月）以上水道に関する技術上の実務に従事した経験を有する者

（給水開始前の水質検査）
第十条　法第十三条第一項の規定により行う水質検査は、当該水道により供給される水が水質基準に適合するかしないかを判断することができる場所において、水質基準に関する省令の表の上欄に掲げる事項及び消毒の残留効果について行うものとする。
2　前項の検査のうち水質基準に関する省令の表の上欄に掲げる事項の検査は、同令に規定する厚生労働大臣が定める方法によつて行うものとする。

（給水開始前の施設検査）
第十一条　法第十三条第一項の規定により行う施設検査は、浄水及び消毒の能力、流量、圧力、耐力、汚染並びに漏水のうち、施設の新設、増設又は改造による影響のある事項に関し、新設、増設又は改造に係る施設及び当該影響に関係があると認められる水道施設（給水装置を含む。）について行うものとする。

（法第十四条第二項各号を適用するについて必要な技術的細目）
第十二条　法第十四条第三項に規定する技術的細目のうち、地方公共団体が水道事業を経営する場合に係る同条第二項第一号に関するものは、次に掲げるものとする。
一　料金が、イに掲げる額とロに掲げる額の合算額からハに掲げる額を控除して算定された額を基礎として、合理的かつ明確な根拠に基づき設定されたものであること。
イ　人件費、薬品費、動力費、修繕費、受水費、減価償却費、資産減耗費その他営業費用の合算額
ロ　支払利息と資産維持費（水道施設の計画的な更新等の原資として内部留保すべ

き額をいう。）との合算額

ハ　営業収益の額から給水収益を控除した額

二　第十七条の四第一項の試算を行つた場合にあつては、前号イからハまでに掲げる額が、当該試算に基づき、算定時からおおむね三年後から五年後までの期間について算定されたものであること。

三　前号に規定する場合にあつては、料金が、同号の期間ごとの適切な時期に見直しを行うこととされていること。

四　第二号に規定する場合以外の場合にあつては、料金が、おおむね三年を通じ財政の均衡を保つことができるよう設定されたものであること。

五　料金が、水道の需要者相互の間の負担の公平性、水利用の合理性及び水道事業の安定性を勘案して設定されたものであること。

第十二条の二　法第十四条第三項に規定する技術的細目のうち、地方公共団体以外の者が水道事業を経営する場合に係る同条第二項第一号に関するものは、次に掲げるものとする。

一　料金が、イに掲げる額とロに掲げる額の合算額からハに掲げる額を控除して算定された額を基礎として、合理的かつ明確な根拠に基づき設定されたものであること。

イ　人件費、薬品費、動力費、修繕費、受水費、減価償却費、資産減耗費、公租公課、その他営業費用の合算額

ロ　事業報酬の額

ハ　営業収益の額から給水収益を控除した額

二　第十七条の四第一項の試算を行つた場合にあつては、前号イ及びハに掲げる額が、当該試算に基づき、算定時からおおむね三年後から五年後までの期間について算定されたものであること。

三　前号に規定する場合にあつては、料金が、同号の期間ごとの適切な時期に見直しを行うこととされていること。

四　第二号に規定する場合以外の場合にあつては、料金が、おおむね三年を通じ財政の均衡を保つことができるよう設定されたものであること。

五　料金が、水道の需要者相互の間の負担の公平性、水利用の合理性及び水道事業の安定性を勘案して設定されたものであること。

第十二条の三　法第十四条第三項に規定する技術的細目のうち、同条第二項第三号に関するものは、次に掲げるものとする。

一　水道事業者の責任に関する事項として、必要に応じて、次に掲げる事項が定められていること。

イ　給水区域

ロ　料金、給水装置工事の費用等の徴収方法

ハ　給水装置工事の施行方法

ニ　給水装置の検査及び水質検査の方法

ホ　給水の原則及び給水を制限し、又は停止する場合の手続

二　水道の需要者の責任に関する事項として、必要に応じて、次に掲げる事項が定められていること。

イ　給水契約の申込みの手続

ロ　料金、給水装置工事の費用等の支払義務及びその支払遅延又は不払の場合の措置

ハ　水道メーターの設置場所の提供及び保管責任

ニ　水道メーターの賃貸料等の特別の費用負担を課する場合にあつては、その事項及び金額

ホ　給水装置の設置又は変更の手続

ヘ　給水装置の構造及び材質が法第十六条の規定により定める基準に適合していない場合の措置

ト　給水装置の検査を拒んだ場合の措置

チ　給水装置の管理責任

リ　水の不正使用の禁止及び違反した場合の措置

第十二条の四　法第十四条第三項に規定する技術的細目のうち、同条第二項第四号に関するものは、次に掲げるものとする。

一　料金に区分を設定する場合にあつては、給水管の口径、水道の使用形態等の合理的な区分に基づき設定されたものであること。

二　料金及び給水装置工事の費用のほか、水道の需要者が負担すべき費用がある場合にあつては、その金額が、合理的かつ明確な根拠に基づき設定されたものであること。

第十二条の五　法第十四条第三項に規定する技術的細目のうち、同条第二項第五号に関するものは、次に掲げるものとする。
一　水道事業者の責任に関する事項として、必要に応じて、次に掲げる事項が定められていること。
イ　貯水槽水道の設置者に対する指導、助言及び勧告
ロ　貯水槽水道の利用者に対する情報提供
二　貯水槽水道の設置者の責任に関する事項として、必要に応じて、次に掲げる事項が定められていること。
イ　貯水槽水道の管理責任及び管理の基準
ロ　貯水槽水道の管理の状況に関する検査

（料金の変更の届出）
第十二条の六　法第十四条第五項の規定による料金の変更の届出は、届出書に、料金の算出根拠及び経常収支の概算を記載した書類を添えて、速やかに行うものとする。

（給水装置の軽微な変更）
第十三条　法第十六条の二第三項の厚生労働省令で定める給水装置の軽微な変更は、単独水栓の取替え及び補修並びにこま、パッキン等給水装置の末端に設置される給水用具の部品の取替え（配管を伴わないものに限る。）とする。

（水道技術管理者の資格）
第十四条　令第七条第一項第四号の規定により同項第二号及び第三号に掲げる者と同等以上の技能を有すると認められる者は、次のとおりとする。
一　令第五条第一項第一号、第三号及び第四号に規定する学校において、工学、理学、農学、医学及び薬学に関する学科目並びにこれらに相当する学科目以外の学科目を修めて卒業した（当該学科目を修めて学校教育法に基づく専門職大学の前期課程（以下この号及び第四十条第二号において「専門職大学前期課程」という。）を修了した場合を含む。）後、同項第一号に規定する学校の卒業者については五年（簡易水道及び一日最大給水量が千立方メートル以下である専用水道（以下この号及び次号において「簡易水道等」という。）の場合は、二年六箇月）以上、同項第三号に規定する学校の卒業者（専門職大学前期課程の修了者を含む。次号において同じ。）については七年（簡易水道等の場合は、三年六箇月）以上、同項第四号に規定する学校の卒業者については九年（簡易水道等の場合は、四年六箇月）以上水道に関する技術上の実務に従事した経験を有する者
二　外国の学校において、令第七条第一項第二号に規定する学科目又は前号に規定する学科目に相当する学科目を、それぞれ当該各号に規定する学校において修得する程度と同等以上に修得した後、それぞれ当該各号の卒業者ごとに規定する最低経験年数（簡易水道等の場合は、それぞれ当該各号の卒業者ごとに規定する最低経験年数の二分の一）以上水道に関する技術上の実務に従事した経験を有する者
三　厚生労働大臣の登録を受けた者が行う水道の管理に関する講習（以下「登録講習」という。）の課程を修了した者

（登録）
第十四条の二　前条第三号の登録は、登録講習を行おうとする者の申請により行う。
2　前条第三号の登録を受けようとする者は、次に掲げる事項を記載した申請書を厚生労働大臣に提出しなければならない。
一　申請者の氏名又は名称並びに法人にあつては、その代表者の氏名
二　登録講習を行おうとする主たる事務所の名称及び所在地
三　登録講習を開始しようとする年月日
3　前項の申請書には、次に掲げる書類を添付しなければならない。
一　申請者が個人である場合は、その住民票の写し
二　申請者が法人である場合は、その定款及び登記事項証明書
三　申請者が次条各号の規定に該当しないことを説明した書類
四　講師の氏名、職業及び略歴
五　学科講習の科目及び時間数
六　実務講習の実施方法及び期間
七　登録講習の業務以外の業務を行つている場合には、その業務の種類及び概要を記載した書類
八　その他参考となる事項を記載した書類

（欠格条項）
第十四条の三　次の各号のいずれかに該当する

者は、第十四条第三号の登録を受けることができない。

一　法又は法に基づく命令に違反し、罰金以上の刑に処せられ、その執行を終わり、又は執行を受けることがなくなつた日から二年を経過しない者

二　第十四条の十三の規定により第十四条第三号の登録を取り消され、その取消しの日から二年を経過しない者

三　法人であつて、その業務を行う役員のうちに前二号のいずれかに該当する者がある者

（登録基準）

第十四条の四　厚生労働大臣は、第十四条の二の規定により登録を申請した者が次に掲げる要件のすべてに適合しているときは、その登録をしなければならない。

一　学科講習の科目及び時間数は、次のとおりであること。

イ	水道行政	二時間以上
ロ	公衆衛生・衛生管理	二時間以上
ハ	水道経営	三時間以上
ニ	水道基礎工学概論	二十一時間以上
ホ	水質管理	十二時間以上
ヘ	水道施設管理	三十三時間以上

二　学科講習の講師が次のいずれかに該当するものであること。

イ　学校教育法に基づく大学若しくは高等専門学校において前号に掲げる科目に相当する学科を担当する教授、准教授若しくは講師の職にある者又はこれらの職にあつた者

ロ　法第三条第二項に規定する水道事業又は同条第四項に規定する水道用水供給事業に関する実務に十年以上従事した経験を有する者

ハ　イ又はロに掲げる者と同等以上の知識及び経験を有すると認められる者

三　水道施設の技術的基準を定める省令（平成十二年厚生省令第十五号）第五条に適合する濾《ろ》過設備を有する水道施設において、十五日間以上の実務講習（一日につき五時間以上実施されるものに限る。）が行われること。

2　登録は、登録講習機関登録簿に次に掲げる事項を記載してするものとする。

一　登録年月日及び登録番号

二　登録を受けた者の氏名又は名称及び住所並びに法人にあつては、その代表者の氏名

三　登録を受けた者が登録講習を行う主たる事業所の名称及び所在地

（登録の更新）

第十四条の五　第十四条第三号の登録は、五年ごとにその更新を受けなければ、その期間の経過によつて、その効力を失う。

2　前三条の規定は、前項の登録の更新について準用する。

（実施義務）

第十四条の六　第十四条第三号の登録を受けた者（以下「登録講習機関」という。）は、正当な理由がある場合を除き、毎事業年度、次に掲げる事項を記載した登録講習の実施に関する計画を作成し、これに従つて公正に登録講習を行わなければならない。

一　学科講習の実施時期、実施場所、科目、時間及び受講定員に関する事項

二　実務講習の実施時期、実施場所及び受講定員に関する事項

2　登録講習機関は、毎事業年度の開始前に、前項の規定により作成した計画を厚生労働大臣に届け出なければならない。これを変更しようとするときも、同様とする。

（変更の届出）

第十四条の七　登録講習機関は、その氏名若しくは名称又は住所の変更をしようとするときは、変更しようとする日の二週間前までに、その旨を厚生労働大臣に届け出なければならない。

（業務規程）

第十四条の八　登録講習機関は、登録講習の業務の開始前に、次に掲げる事項を記載した登録講習の業務に関する規程を定め、厚生労働大臣に届け出なければならない。これを変更しようとするときも、同様とする。

一　登録講習の受講申請に関する事項

二　登録講習の受講手数料に関する事項

三　前号の手数料の収納の方法に関する事項

四　登録講習の講師の選任及び解任に関する事項

五　登録講習の修了証書の交付及び再交付に関する事項

六　登録講習の業務に関する帳簿及び書類の保存に関する事項

七　第十四条の十第二項第二号及び第四号の請求に係る費用に関する事項
八　前各号に掲げるもののほか、登録講習の実施に関し必要な事項

（業務の休廃止）
第十四条の九　登録講習機関は、登録講習の業務の全部又は一部を休止し、又は廃止しようとするときは、あらかじめ、次に掲げる事項を厚生労働大臣に届け出なければならない。
一　休止又は廃止の理由及びその予定期日
二　休止しようとする場合にあつては、休止の予定期間

（財務諸表等の備付け及び閲覧等）
第十四条の十　登録講習機関は、毎事業年度経過後三月以内に、その事業年度の財産目録、貸借対照表及び損益計算書又は収支計算書並びに事業報告書（その作成に代えて電磁的記録（電子的方式、磁気的方式その他の人の知覚によつては認識することができない方式で作られる記録であつて、電子計算機による情報処理の用に供されるものをいう。以下同じ。）の作成がされている場合における当該電磁的記録を含む。次項において「財務諸表等」という。）を作成し、五年間事務所に備えて置かなければならない。

2　登録講習を受験しようとする者その他の利害関係人は、登録講習機関の業務時間内は、いつでも、次に掲げる請求をすることができる。ただし、第二号又は第四号の請求をするには、登録講習機関の定めた費用を支払わなければならない。
一　財務諸表等が書面をもつて作成されているときは、当該書面の閲覧又は謄写の請求
二　前号の書面の謄本又は抄本の請求
三　財務諸表等が電磁的記録をもつて作成されているときは、当該電磁的記録に記録された事項を紙面又は出力装置の映像面に表示する方法により表示したものの閲覧又は謄写の請求
四　前号の電磁的記録に記録された事項を電磁的方法であつて次のいずれかのものにより提供することの請求又は当該事項を記載した書面の交付の請求
イ　送信者の使用に係る電子計算機と受信者の使用に係る電子計算機とを電気通信回線で接続した電子情報処理組織を使用する方法であつて、当該電気通信回線を通じて情報が送信され、受信者の使用に係る電子計算機に備えられたファイルに当該情報が記録されるもの
ロ　磁気ディスクその他これに準ずる方法により一定の情報を確実に記録しておくことができる物をもつて調製するファイルに情報を記録したものを交付する方法

（適合命令）
第十四条の十一　厚生労働大臣は、登録講習機関が第十四条の四第一項各号のいずれかに適合しなくなつたと認めるときは、その登録講習機関に対し、これらの規定に適合するため必要な措置をとるべきことを命ずることができる。

（改善命令）
第十四条の十二　厚生労働大臣は、登録講習機関が第十四条の六第一項の規定に違反していると認めるときは、その登録講習機関に対し、登録講習を行うべきこと又は登録講習の実施方法その他の業務の方法の改善に関し必要な措置をとるべきことを命ずることができる。

（登録の取消し等）
第十四条の十三　厚生労働大臣は、登録講習機関が次の各号のいずれかに該当するときは、その登録を取り消し、又は期間を定めて登録講習の業務の全部若しくは一部の停止を命ずることができる。
一　第十四条の三第一号又は第三号に該当するに至つたとき。
二　第十四条の六第二項、第十四条の七から第十四条の九まで、第十四条の十第一項又は次条の規定に違反したとき。
三　正当な理由がないのに第十四条の十第二項各号の規定による請求を拒んだとき。
四　第十四条の十一又は前条の規定による命令に違反したとき。
五　不正の手段により第十四条第三号の登録を受けたとき。

（帳簿の備付け）
第十四条の十四　登録講習機関は、次に掲げる事項を記載した帳簿を備え、登録講習の業務を廃止するまでこれを保存しなければならない。
一　学科講習、実務講習ごとの講習実施年月日、実施場所、参加者氏名及び住所

二　学科講習の講師の氏名

三　講習修了者の氏名、生年月日及び修了年月日

（報告の徴収）

第十四条の十五　厚生労働大臣は、登録講習の実施のため必要な限度において、登録講習機関に対し、登録講習事務又は経理の状況に関し報告させることができる。

（公示）

第十四条の十六　厚生労働大臣は、次の場合には、その旨を公示しなければならない。

一　第十四条第三号の登録をしたとき。

二　第十四条の七の規定による届出があったとき。

三　第十四条の九の規定による届出があったとき。

四　第十四条の十三の規定により第十四条第三号の登録を取り消し、又は登録講習の業務の停止を命じたとき。

（定期及び臨時の水質検査）

第十五条　法第二十条第一項の規定により行う定期の水質検査は、次に掲げるところにより行うものとする。

一　次に掲げる検査を行うこと。

イ　一日一回以上行う色及び濁り並びに消毒の残留効果に関する検査

ロ　第三号に定める回数以上行う水質基準に関する省令の表（以下この項及び次項において「基準の表」という。）の上欄に掲げる事項についての検査

二　検査に供する水（以下「試料」という。）の採取の場所は、給水栓を原則とし、水道施設の構造等を考慮して、当該水道により供給される水が水質基準に適合するかどうかを判断することができる場所を選定すること。ただし、基準の表中三の項から五の項まで、七の項、九の項、十一の項から二十の項まで、三十六の項、三十九の項から四十一の項まで、四十四の項及び四十五の項の上欄に掲げる事項については、送水施設及び配水施設内で濃度が上昇しないことが明らかであると認められる場合にあっては、給水栓のほか、浄水施設の出口、送水施設又は配水施設のいずれかの場所を採取の場所として選定することができる。

三　第一号ロの検査の回数は、次に掲げるところによること。

イ　基準の表中一の項、二の項、三十八の項及び四十六の項から五十一の項までの上欄に掲げる事項に関する検査については、おおむね一箇月に一回以上とすること。ただし、同表中三十八の項及び四十六の項から五十一の項までの上欄に掲げる事項に関する検査については、水道により供給される水に係る当該事項について連続的に計測及び記録がなされている場合にあっては、おおむね三箇月に一回以上とすることができる。

ロ　基準の表中四十二の項及び四十三の項の上欄に掲げる事項に関する検査については、水源における当該事項を産出する藻類の発生が少ないものとして、当該事項について検査を行う必要がないことが明らかであると認められる期間を除き、おおむね一箇月に一回以上とすること。

ハ　基準の表中三の項から三十七の項まで、三十九の項から四十一の項まで、四十四の項及び四十五の項の上欄に掲げる事項に関する検査については、おおむね三箇月に一回以上とすること。ただし、同表中三の項から九の項まで、十一の項から二十の項まで、三十二の項から三十七の項まで、三十九の項から四十一の項まで、四十四の項及び四十五の項の上欄に掲げる事項に関する検査については、水源に水又は汚染物質を排出する施設の設置の状況等から原水の水質が大きく変わるおそれが少ないと認められる場合（過去三年間において水源の種別、取水地点又は浄水方法を変更した場合を除く。）であって、過去三年間における当該事項についての検査の結果がすべて当該事項に係る水質基準値（基準の表の下欄に掲げる許容限度の値をいう。以下この項において「基準値」という。）の五分の一以下であるときは、おおむね一年に一回以上と、過去三年間における当該事項についての検査の結果がすべて基準値の十分の一以下であるときは、おおむね三年に一回以上とすることができる。

四　次の表の上欄に掲げる事項に関する検査は、当該事項についての過去の検査の結果が基準値の二分の一を超えたことがなく、

かつ、同表の下欄に掲げる事項を勘案してその全部又は一部を行う必要がないことが明らかであると認められる場合は、第一号及び前号の規定にかかわらず、省略することができること。

基準の表中三の項から五の項まで、七の項、十二の項、十三の項（海水を原水とする場合を除く。）、二十六の項（浄水処理にオゾン処理を用いる場合及び消毒に次亜塩素酸を用いる場合を除く。）、三十六の項、三十七の項、三十九の項から四十一の項まで、四十四の項及び四十五の項の上欄に掲げる事項	原水並びに水源及びその周辺の状況
基準の表中六の項、八の項及び三十二の項から三十五の項までの上欄に掲げる事項	原水、水源及びその周辺の状況並びに水道施設の技術的基準を定める省令（平成十二年厚生省令第十五号）第一条第十四号の薬品等及び同条第十七号の資機材等の使用状況
基準の表中十四の項から二十の項までの上欄に掲げる事項	原水並びに水源及びその周辺の状況（地下水を水源とする場合は、近傍の地域における地下水の状況を含む。）
基準の表中四十二の項及び四十三の項の上欄に掲げる事項	原水並びに水源及びその周辺の状況（湖沼等水が停滞しやすい水域を水源とする場合は、上欄に掲げる事項を産出する藻類の発生状況を含む。）

2　法第二十条第一項の規定により行う臨時の水質検査は、次に掲げるところにより行うものとする。

一　水道により供給される水が水質基準に適合しないおそれがある場合に基準の表の上欄に掲げる事項について検査を行うこと。

二　試料の採取の場所に関しては、前項第二号の規定の例によること。

三　基準の表中一の項、二の項、三十八の項及び四十六の項から五十一の項までの上欄に掲げる事項以外の事項に関する検査は、その全部又は一部を行う必要がないことが明らかであると認められる場合は、第一号の規定にかかわらず、省略することができること。

3　第一項第一号ロの検査及び第二項の検査は、水質基準に関する省令に規定する厚生労働大臣が定める方法によつて行うものとする。

4　第一項第一号イの検査のうち色及び濁りに関する検査は、同号ロの規定により色度及び濁度に関する検査を行つた日においては、行うことを要しない。

5　第一項第一号ロの検査は、第二項の検査を行つた月においては、行うことを要しない。

6　水道事業者は、毎事業年度の開始前に第一項及び第二項の検査の計画（以下「水質検査計画」という。）を策定しなければならない。

7　水質検査計画には、次に掲げる事項を記載しなければならない。

一　水質管理において留意すべき事項のうち水質検査計画に係るもの

二　第一項の検査を行う項目については、当該項目、採水の場所、検査の回数及びその理由

三　第一項の検査を省略する項目については、当該項目及びその理由

四　第二項の検査に関する事項

五　法第二十条第三項の規定により水質検査を委託する場合における当該委託の内容

六　その他水質検査の実施に際し配慮すべき事項

8　法第二十条第三項ただし書の規定により、水道事業者が第一項及び第二項の検査を地方公共団体の機関又は登録水質検査機関（以下この項において「水質検査機関」という。）に委託して行うときは、次に掲げるところに

より行うものとする。
一　委託契約は、書面により行い、当該委託契約書には、次に掲げる事項（第二項の検査のみを委託する場合にあつては、ロ及びへを除く。）を含むこと。
イ　委託する水質検査の項目
ロ　第一項の検査の時期及び回数
ハ　委託に係る料金（以下この項において「委託料」という。）
ニ　試料の採取又は運搬を委託するときは、その採取又は運搬の方法
ホ　水質検査の結果の根拠となる書類
ヘ　第二項の検査の実施の有無
二　委託契約書をその契約の終了の日から五年間保存すること。
三　委託料が受託業務を遂行するに足りる額であること。
四　試料の採取又は運搬を水質検査機関に委託するときは、その委託を受ける水質検査機関は、試料の採取又は運搬及び水質検査を速やかに行うことができる水質検査機関であること。
五　試料の採取又は運搬を水道事業者が自ら行うときは、当該水道事業者は、採取した試料を水質検査機関に速やかに引き渡すこと。
六　水質検査の実施状況を第一号ホに規定する書類又は調査その他の方法により確認すること。

（登録の申請）
第十五条の二　法第二十条の二の登録の申請をしようとする者は、様式第十三による申請書に次に掲げる書類を添えて、厚生労働大臣に提出しなければならない。
一　申請者が個人である場合は、その住民票の写し
二　申請者が法人である場合は、その定款及び登記事項証明書
三　申請者が法第二十条の三各号の規定に該当しないことを説明した書類
四　法第二十条の四第一項第一号の必要な検査施設を有していることを示す次に掲げる書類
イ　試料及び水質検査に用いる機械器具の汚染を防止するために必要な設備並びに適切に区分されている検査室を有していることを説明した書類（検査室を撮影した写真並びに縮尺及び寸法を記載した平面図を含む。）
ロ　次に掲げる水質検査を行うための機械器具に関する書類
(1)　前条第一項第一号の水質検査の項目ごとに水質検査に用いる機械器具の名称及びその数を記載した書類
(2)　水質検査に用いる機械器具ごとの性能を記載した書類
(3)　水質検査に用いる機械器具ごとの所有又は借入れの別について説明した書類（借り入れている場合は、当該機械器具に係る借入れの期限を記載すること。）
(4)　水質検査に用いる機械器具ごとに撮影した写真
五　法第二十条の四第一項第二号の水質検査を実施する者（以下「検査員」という。）の氏名及び略歴
六　法第二十条の四第一項第三号イに規定する部門（以下「水質検査部門」という。）及び同号ハに規定する専任の部門（以下「信頼性確保部門」という。）が置かれていることを説明した書類
七　法第二十条の四第一項第三号ロに規定する文書として、第十五条の四第六号に規定する標準作業書及び同条第七号イからルまでに掲げる文書
八　水質検査を行う区域内の場所と水質検査を行う事業所との間の試料の運搬の経路及び方法並びにその運搬に要する時間を説明した書類
九　次に掲げる事項を記載した書面
イ　検査員の氏名及び担当する水質検査の区分
ロ　法第二十条の四第一項第三号イの管理者（以下「水質検査部門管理者」という。）の氏名及び第十五条の四第三号に規定する検査区分責任者の氏名
ハ　第十五条の四第四号に規定する信頼性確保部門管理者の氏名
ニ　水質検査を行う項目ごとの定量下限値
ホ　現に行つている事業の概要

（登録の更新）
第十五条の三　法第二十条の五第一項の登録の更新を申請しようとする者は、様式第十四による申請書に次に掲げる書類を添えて、厚生

労働大臣に提出しなければならない。

一　前条各号に掲げる書類（同条第七号に掲げる文書にあつては、変更がある事項に係る新旧の対照を明示すること。）

二　直近の三事業年度の各事業年度における水質検査を受託した実績を記載した書類

（検査の方法）

第十五条の四　法第二十条の六第二項の厚生労働省令で定める方法は、次のとおりとする。

一　水質基準に関する省令の表の上欄に掲げる事項の検査は、同令に規定する厚生労働大臣が定める方法により行うこと。

二　精度管理（検査に従事する者の技能水準の確保その他の方法により検査の精度を適正に保つことをいう。以下同じ。）を定期的に実施するとともに、外部精度管理調査（国又は都道府県その他の適当と認められる者が行う精度管理に関する調査をいう。以下同じ。）を定期的に受けること。

三　水質検査部門管理者は、次に掲げる業務を行うこと。ただし、ハについては、あらかじめ検査員の中から理化学的検査及び生物学的検査の区分ごとに指定した者（以下「検査区分責任者」という。）に行わせることができるものとする。

イ　水質検査部門の業務を統括すること。

ロ　次号ハの規定により報告を受けた文書に従い、当該業務について速やかに是正処置を講ずること。

ハ　水質検査について第六号に規定する標準作業書に基づき、適切に実施されていることを確認し、標準作業書から逸脱した方法により水質検査が行われた場合には、その内容を評価し、必要な措置を講ずること。

ニ　その他必要な業務

四　信頼性確保部門につき、次に掲げる業務を自ら行い、又は業務の内容に応じてあらかじめ指定した者に行わせる者（以下「信頼性確保部門管理者」という。）が置かれていること。

イ　第七号ヘの文書に基づき、水質検査の業務の管理について内部監査を定期的に行うこと。

ロ　第七号トの文書に基づく精度管理を定期的に実施するための事務、外部精度管理調査を定期的に受けるための事務及び日常業務確認調査（国、水道事業者、水道用水供給事業者及び専用水道の設置者が行う水質検査の業務の確認に関する調査をいう。以下同じ。）を受けるための事務を行うこと。

ハ　イの内部監査並びにロの精度管理、外部精度管理調査及び日常業務確認調査の結果（是正処置が必要な場合にあつては、当該是正処置の内容を含む。）を水質検査部門管理者に対して文書により報告するとともに、その記録を法第二十条の十四の帳簿に記載すること。

ニ　その他必要な業務

五　水質検査部門管理者及び信頼性確保部門管理者が登録水質検査機関の役員又は当該部門を管理する上で必要な権限を有する者であること。

六　次の表に定めるところにより、標準作業書を作成し、これに基づき検査を実施すること。

作成すべき標準作業書の種類	記載すべき事項
検査実施標準作業書	一　水質検査の項目及び項目ごとの分析方法の名称 二　水質検査の項目ごとに記載した試薬、試液、培地、標準品及び標準液（以下「試薬等」という。）の選択並びに調製の方法、試料の調製の方法並びに水質検査に用いる機械器具の操作の方法 三　水質検査に当たつての注意事項 四　水質検査により得られた値の処理の方法 五　水質検査に関する記録の作成要領 六　作成及び改定年月日
試料取扱標準作業書	一　試料の採取の方法 二　試料の運搬の方法 三　試料の受領の方法

	四　試料の管理の方法 五　試料の管理に関する記録の作成要領 六　作成及び改定年月日
試薬等管理標準作業書	一　試薬等の容器にすべき表示の方法 二　試薬等の管理に関する注意事項 三　試薬等の管理に関する記録の作成要領 四　作成及び改定年月日
機械器具保守管理標準作業書	一　機械器具の名称 二　常時行うべき保守点検の方法 三　定期的な保守点検に関する計画 四　故障が起こつた場合の対応の方法 五　機械器具の保守管理に関する記録の作成要領 六　作成及び改定年月日

七　次に掲げる文書を作成すること。
イ　組織内の各部門の権限、責任及び相互関係等について記載した文書
ロ　文書の管理について記載した文書
ハ　記録の管理について記載した文書
ニ　教育訓練について記載した文書
ホ　不適合業務及び是正処置等について記載した文書
ヘ　内部監査の方法を記載した文書
ト　精度管理の方法及び外部精度管理調査を定期的に受けるための計画を記載した文書
チ　水質検査結果書の発行の方法を記載した文書
リ　受託の方法を記載した文書
ヌ　物品の購入の方法を記載した文書
ル　その他水質検査の業務の管理及び精度の確保に関する事項を記載した文書

（変更の届出）
第十五条の五　法第二十条の七の規定により変更の届出をしようとする者は、様式第十五による届出書を厚生労働大臣に提出しなければならない。
2　水質検査を行う区域又は水質検査を行う事業所の所在地の変更を行う場合に提出する前項の届出書には、第十五条の二第八号に掲げる書類を添えなければならない。

（水質検査業務規程）
第十五条の六　法第二十条の八第二項の厚生労働省令で定める事項は、次のとおりとする。
一　水質検査の業務の実施及び管理の方法に関する事項
二　水質検査の業務を行う時間及び休日に関する事項
三　水質検査の委託を受けることができる件数の上限に関する事項
四　水質検査の業務を行う事業所の場所に関する事項
五　水質検査に関する料金及びその収納の方法に関する事項
六　水質検査部門管理者及び信頼性確保部門管理者の氏名並びに検査員の名簿
七　水質検査部門管理者及び信頼性確保部門管理者の選任及び解任に関する事項
八　法第二十条の十第二項第二号及び第四号の請求に係る費用に関する事項
九　前各号に掲げるもののほか、水質検査の業務に関し必要な事項
2　登録水質検査機関は、法第二十条の八第一項前段の規定により水質検査業務規程の届出をしようとするときは、様式第十六による届出書に次に掲げる書類を添えて、厚生労働大臣に提出しなければならない。
一　前項第三号の規定により定める水質検査の委託を受けることができる件数の上限の設定根拠を明らかにする書類
二　前項第五号の規定により定める水質検査に関する料金の算出根拠を明らかにする書類
3　登録水質検査機関は、法第二十条の八第一項後段の規定により水質検査業務規程の変更の届出をしようとするときは、様式第十六の二による届出書に前項各号に掲げる書類を添えて、厚生労働大臣に提出しなければならない。ただし、第一項第三号及び第五号に定める事項（水質検査に関する料金の収納の方法に関する事項を除く。）の変更を行わない場合には、前項各号に掲げる書類を添えることを要しない。

（業務の休廃止の届出）

第十五条の七　登録水質検査機関は、法第二十条の九の規定により水質検査の業務の全部又は一部の休止又は廃止の届出をしようとするときは、様式第十六の三による届出書を厚生労働大臣に提出しなければならない。

（電磁的記録に記録された情報の内容を表示する方法）

第十五条の八　法第二十条の十第二項第三号の厚生労働省令で定める方法は、当該電磁的記録に記録された事項を紙面又は出力装置の映像面に表示する方法とする。

（情報通信の技術を利用する方法）

第十五条の九　法第二十条の十第二項第四号に規定する厚生労働省令で定める電磁的方法は、次の各号に掲げるもののうちいずれかの方法とする。

一　送信者の使用に係る電子計算機と受信者の使用に係る電子計算機とを電気通信回線で接続した電子情報処理組織を使用する方法であつて、当該電気通信回線を通じて情報が送信され、受信者の使用に係る電子計算機に備えられたファイルに当該情報が記録されるもの

二　磁気ディスクその他これに準ずる方法により一定の情報を確実に記録しておくことができる物をもつて調製するファイルに情報を記録したものを交付する方法

（帳簿の備付け）

第十五条の十　登録水質検査機関は、書面又は電磁的記録によつて水質検査に関する事項であつて次項に掲げるものを記載した帳簿を備え、水質検査を実施した日から起算して五年間、これを保存しなければならない。

2　法第二十条の十四の厚生労働省令で定める事項は次のとおりとする。

一　水質検査を委託した者の氏名及び住所（法人にあつては、主たる事務所の所在地及び名称並びに代表者の氏名）

二　水質検査の委託を受けた年月日

三　試料を採取した場所

四　試料の運搬の方法

五　水質検査の開始及び終了の年月日時

六　水質検査の項目

七　水質検査を行つた検査員の氏名

八　水質検査の結果及びその根拠となる書類

九　第十五条の四第四号ハにより帳簿に記載すべきこととされている事項

十　第十五条の四第七号ハの文書において帳簿に記載すべきこととされている事項

十一　第十五条の四第七号ニの教育訓練に関する記録

（健康診断）

第十六条　法第二十一条第一項の規定により行う定期の健康診断は、おおむね六箇月ごとに、病原体がし尿に排せつされる感染症の患者（病原体の保有者を含む。）の有無に関して、行うものとする。

2　法第二十一条第一項の規定により行う臨時の健康診断は、同項に掲げる者に前項の感染症が発生した場合又は発生するおそれがある場合に、発生した感染症又は発生するおそれがある感染症について、前項の例により行うものとする。

3　第一項の検査は、前項の検査を行つた月においては、同項の規定により行つた検査に係る感染症に関しては、行うことを要しない。

4　他の法令（地方公共団体の条例及び規則を含む。以下本項において同じ。）に基いて行われた健康診断の内容が、第一項に規定する感染症の全部又は一部に関する健康診断の内容に相当するものであるときは、その健康診断の相当する部分は、同項に規定するその部分に相当する健康診断とみなす。この場合において、法第二十一条第二項の規定に基いて作成し、保管すべき記録は、他の法令に基いて行われた健康診断の記録をもつて代えるものとする。

（衛生上必要な措置）

第十七条　法第二十二条の規定により水道事業者が講じなければならない衛生上必要な措置は、次の各号に掲げるものとする。

一　取水場、貯水池、導水きよ、浄水場、配水池及びポンプせいは、常に清潔にし、水の汚染の防止を充分にすること。

二　前号の施設には、かぎを掛け、さくを設ける等みだりに人畜が施設に立ち入つて水が汚染されるのを防止するのに必要な措置を講ずること。

三　給水栓における水が、遊離残留塩素を〇・一（結合残留塩素の場合は、〇・四）以上保持するように塩素消毒をすること。ただし、供給する水が病原生物に著しく汚染されるおそれがある場合又は病原生物に

汚染されたことを疑わせるような生物若しくは物質を多量に含むおそれがある場合の給水栓における水の遊離残留塩素は、〇・二（結合残留塩素の場合は、一・五）以上とする。

2　前項第三号の遊離残留塩素及び結合残留塩素の検査方法は、厚生労働大臣が定める。

（水道施設の維持及び修繕）

第十七条の二　法第二十二条の二第一項の厚生労働省令で定める基準は、次のとおりとする。

一　水道施設の構造、位置、維持又は修繕の状況その他の水道施設の状況（次号において「水道施設の状況」という。）を勘案して、流量、水圧、水質その他の水道施設の運転状態を監視し、及び適切な時期に、水道施設の巡視を行い、並びに清掃その他の当該水道施設を維持するために必要な措置を講ずること。

二　水道施設の状況を勘案して、適切な時期に、目視その他適切な方法により点検を行うこと。

三　前号の点検は、コンクリート構造物（水密性を有し、水道施設の運転に影響を与えない範囲において目視が可能なものに限る。次項及び第三項において同じ。）にあつては、おおむね五年に一回以上の適切な頻度で行うこと。

四　第二号の点検その他の方法により水道施設の損傷、腐食その他の劣化その他の異状があることを把握したときは、水道施設を良好な状態に保つように、修繕その他の必要な措置を講ずること。

2　水道事業者は、前項第二号の点検（コンクリート構造物に係るものに限る。）を行つた場合に、次に掲げる事項を記録し、これを次に点検を行うまでの期間保存しなければならない。

一　点検の年月日

二　点検を実施した者の氏名

三　点検の結果

3　水道事業者は、第一項第二号の点検その他の方法によりコンクリート構造物の損傷、腐食その他の劣化その他の異状があることを把握し、同項第四号の措置（修繕に限る。）を講じた場合には、その内容を記録し、当該コンクリート構造物を利用している期間保存しなければならない。

（水道施設台帳）

第十七条の三　法第二十二条の三第一項に規定する水道施設の台帳は、調書及び図面をもつて組成するものとする。

2　調書には、少なくとも次に掲げる事項を記載するものとする。

一　導水管きよ、送水管及び配水管（次号及び次項において「管路等」という。）にあつては、その区分、設置年度、口径、材質及び継手形式（以下この号において「区分等」という。）並びに区分等ごとの延長

二　水道施設（管路等を除く。）にあつては、その名称、設置年度、数量、構造又は形式及び能力

3　図面は、一般図及び施設平面図を作成するほか、必要に応じ、その他の図面を作成するものとし、水道施設につき、少なくとも次に掲げるところにより記載するものとする。

一　一般図は、次に掲げる事項を記載した地形図とすること。

イ　市町村名及びその境界線

ロ　給水区域の境界線

ハ　主要な水道施設の位置及び名称

ニ　主要な管路等の位置

ホ　方位、縮尺、凡例及び作成の年月日

二　施設平面図は、次に掲げる事項を記載したものとすること。

イ　前号（ロを除く。）に掲げる事項

ロ　管路等の位置、口径及び材質

ハ　制水弁、空気弁、消火栓、減圧弁及び排水設備の位置及び種類

ニ　管路等以外の施設の名称、位置及び敷地の境界線

ホ　付近の道路、河川、鉄道等の位置

三　一般図、施設平面図又はその他の図面のいずれかにおいて、次に掲げる事項を記載すること。

イ　管路等の設置年度、継手形式及び土かぶり

ロ　制水弁、空気弁、消火栓、減圧弁及び排水設備の形式及び口径

ハ　止水栓の位置

ニ　道路、河川、鉄道等を架空横断する管路等の構造形式、条数及び延長

4　調書及び図面の記載事項に変更があつたと

きは、速やかに、これを訂正しなければならない。

（水道事業に係る収支の見通しの作成及び公表）

第十七条の四　水道事業者は、法第二十二条の四第二項の収支の見通しを作成するに当たり、三十年以上の期間（次項において「算定期間」という。）を定めて、その事業に係る長期的な収支を試算するものとする。

2　前項の試算は、算定期間における給水収益を適切に予測するとともに、水道施設の損傷、腐食その他の劣化の状況を適切に把握又は予測した上で水道施設の新設、増設又は改造（当該状況により必要となる水道施設の更新に係るものに限る。）の需要を算出するものとする。

3　前項の需要の算出に当たつては、水道施設の規模及び配置の適正化、費用の平準化並びに災害その他非常の場合における給水能力を考慮するものとする。

4　水道事業者は、第一項の試算に基づき、十年以上を基準とした合理的な期間について収支の見通しを作成し、これを公表するよう努めなければならない。

5　水道事業者は、収支の見通しを作成したときは、おおむね三年から五年ごとに見直すよう努めなければならない。

（情報提供）

第十七条の五　法第二十四条の二の規定による情報の提供は、第一号から第六号までに掲げるものにあつては毎年一回以上定期に（第一号の水質検査計画にあつては、毎事業年度の開始前に）、第七号及び第八号に掲げるものにあつては必要が生じたときに速やかに、水道の需要者の閲覧に供する等水道の需要者が当該情報を容易に入手することができるような方法で行うものとする。

一　水質検査計画及び法第二十条第一項の規定により行う定期の水質検査の結果その他水道により供給される水の安全に関する事項

二　水道事業の実施体制に関する事項（法第二十四条の三第一項の規定による委託及び法第二十四条の四第一項の規定による水道施設運営権の設定の内容を含む。）

三　水道施設の整備その他水道事業に要する費用に関する事項

四　水道料金その他需要者の負担に関する事項

五　給水装置及び貯水槽水道の管理等に関する事項

六　水道施設の耐震性能、耐震性の向上に関する取組等の状況に関する事項

七　法第二十条第一項の規定により行う臨時の水質検査の結果

八　災害、水質事故等の非常時における水道の危機管理に関する事項

（委託契約書の記載事項）

第十七条の六　令第九条第三号ハに規定する厚生労働省令で定める事項は、委託に係る業務の実施体制に関する事項とする。

（業務の委託の届出）

第十七条の七　法第二十四条の三第二項の規定による業務の委託の届出に係る厚生労働省令で定める事項は、次のとおりとする。

一　水道事業者の氏名又は名称

二　水道管理業務受託者の住所及び氏名（法人又は組合（二以上の法人が、一の場所において行われる業務を共同連帯して請け負つた場合を含む。）にあつては、主たる事務所の所在地及び名称並びに代表者の氏名）

三　受託水道業務技術管理者の氏名

四　委託した業務の範囲

五　契約期間

2　法第二十四条の三第二項の規定による委託に係る契約が効力を失つたときの届出に係る厚生労働省令で定める事項は、前項各号に掲げるもののほか、当該契約が効力を失つた理由とする。

（業務の委託に関する特例）

第十七条の八　法第二十四条の三第六項の規定により水道管理業務受託者を水道事業者とみなして法第二十条第三項ただし書、第二十二条及び第二十二条の二第一項の規定を適用する場合における第十五条第八項、第十七条第一項並びに第十七条の二第二項及び第三項の規定の適用については、これらの規定中「水道事業者」とあるのは、「水道管理業務受託者」とする。

（水道施設運営権の設定の許可の申請）

第十七条の九　法第二十四条の五第一項に規定する厚生労働省令で定める書類（図面を含

む。）は、次に掲げるものとする。
一　申請者が水道施設運営権を設定しようとする民間資金等の活用による公共施設等の整備等の促進に関する法律（平成十一年法律第百十七号）第二条第五項に規定する選定事業者（以下「選定事業者」という。）の定款又は規約
二　水道施設運営等事業の対象となる水道施設の位置を明らかにする地図

（水道施設運営等事業実施計画書）
第十七条の十　法第二十四条の五第三項第十号の厚生労働省令で定める事項は、次に掲げるものとする。
一　選定事業者が水道施設運営等事業を適正に遂行するに足りる専門的能力及び経理的基礎を有するものであることを証する書類
二　水道施設運営等事業の対象となる水道施設の維持管理及び計画的な更新に要する費用の予定総額及びその算出根拠並びにその調達方法並びに借入金の償還方法
三　水道施設運営等事業の対象となる水道施設の利用料金の算出根拠
四　水道施設運営等事業の実施による水道の基盤の強化の効果
五　契約終了時の措置

（水道施設運営権の設定の許可基準）
第十七条の十一　法第二十四条の六第二項に規定する技術的細目のうち、同条第一項第一号に関するものは、次に掲げるものとする。
一　水道施設運営等事業の対象となる水道施設及び当該水道施設に係る業務の範囲が、技術上の観点から合理的に設定され、かつ、選定事業者を水道施設運営権者とみなした場合の当該選定事業者と水道事業者の責任分担が明確にされていること。
二　水道施設運営権の存続期間が水道により供給される水の需要、水道施設の維持管理及び更新に関する長期的な見通しを踏まえたものであり、かつ、経常収支が適切に設定できるよう当該期間が設定されたものであること。
三　水道施設運営等事業の適正を期するために、水道事業者が選定事業者を水道施設運営権者とみなした場合の当該選定事業者の業務及び経理の状況を確認する適切な体制が確保され、かつ、当該確認すべき事項及び頻度が具体的に定められていること。
四　災害その他非常の場合における水道事業者及び選定事業者による水道事業を継続するための措置が、水道事業の適正かつ確実な実施のために適切なものであること。
五　水道施設運営等事業の継続が困難となった場合における水道事業者が行う措置が、水道事業の適正かつ確実な実施のために適切なものであること。
六　選定事業者の工事費の調達、借入金の償還、給水収益及び水道施設の運営に要する費用等に関する収支の見通しが、水道施設運営等事業の適正かつ確実な実施のために適切なものであること。
七　水道施設運営等事業に関する契約終了時の措置が、水道事業の適正かつ確実な実施のために適切なものであること。
八　選定事業者が水道施設運営等事業を適正に遂行するに足りる専門的能力及び経理的基礎を有するものであること。
2　法第二十四条の六第二項に規定する技術的細目のうち、同条第一項第二号に関するものは、選定事業者を水道施設運営権者とみなして次条の規定により第十二条の二各号及び第十二条の四各号の規定を適用することとしたならばこれに掲げる要件に適合することとする。
3　法第二十四条の六第二項に規定する技術的細目のうち、同条第一項第三号に関するものは、水道事業における水道施設運営等事業の実施により、当該水道事業における水道施設の維持管理及び計画的な更新、健全な経営の確保並びに運営に必要な人材の確保が図られることとする。

（水道施設運営等事業に関する特例）
第十七条の十二　法第二十四条の八第二項の規定により水道施設運営権者を水道事業者とみなして法第十四条第三項及び第五項、第二十条第三項ただし書、第二十二条、第二十二条の二第一項並びに第二十二条の四第二項の規定を適用する場合における第十二条から第十二条の四まで、第十二条の六、第十五条、第十七条、第十七条の二及び第十七条の四の規定の適用については、第十二条第一号中「料金」とあるのは「料金（水道施設運営権者が自らの収入として収受する水道施設の利用に係る料金を含む。第三号から第五号まで、次条から第十二条の四まで及び第十二条の六に

おいて同じ。）」と、第十五条第八項、第十七条第一項、第十七条の二第二項及び第三項並びに第十七条の四第一項中「水道事業者」とあるのは「水道施設運営権者」と、同条第二項中「更新」とあるのは「更新（民間資金等の活用による公共施設等の整備等の促進に関する法律（平成十一年法律第百十七号）第二条第六項に規定する運営等として行うものに限る。）」とする。

第二節　指定給水装置工事事業者

（指定の申請）

第十八条　法第二十五条の二第二項の申請書は、様式第一によるものとする。

2　前項の申請書には、次に掲げる書類を添えなければならない。

一　法第二十五条の三第一項第三号イからへまでのいずれにも該当しない者であることを誓約する書類

二　法人にあつては定款及び登記事項証明書、個人にあつてはその住民票の写し

3　前項第一号の書類は、様式第二によるものとする。

第十九条　法第二十五条の二第二項第四号の厚生労働省令で定める事項は、次の各号に掲げるものとする。

一　法人にあつては、役員の氏名

二　指定を受けようとする水道事業者の給水区域について給水装置工事の事業を行う事業所（第二十一条第三項において単に「事業所」という。）において給水装置工事主任技術者として選任されることとなる者が法第二十五条の五第一項の規定により交付を受けている給水装置工事主任技術者免状（以下「免状」という。）の交付番号

三　事業の範囲

（厚生労働省令で定める機械器具）

第二十条　法第二十五条の三第一項第二号の厚生労働省令で定める機械器具は、次の各号に掲げるものとする。

一　金切りのこその他の管の切断用の機械器具

二　やすり、パイプねじ切り器その他の管の加工用の機械器具

三　トーチランプ、パイプレンチその他の接合用の機械器具

四　水圧テストポンプ

（厚生労働省令で定める者）

第二十条の二　法第二十五条の三第一項第三号イの厚生労働省令で定める者は、精神の機能の障害により給水装置工事の事業を適正に行うに当たつて必要な認知、判断及び意思疎通を適切に行うことができない者とする。

（給水装置工事主任技術者の選任）

第二十一条　指定給水装置工事事業者は、法第二十五条の四第一項の指定を受けた日から二週間以内に給水装置工事主任技術者を選任しなければならない。

2　指定給水装置工事事業者は、その選任した給水装置工事主任技術者が欠けるに至つたときは、当該事由が発生した日から二週間以内に新たに給水装置工事主任技術者を選任しなければならない。

3　指定給水装置工事事業者は、前二項の選任を行うに当たつては、一の事業所の給水装置工事主任技術者が、同時に他の事業所の給水装置工事主任技術者とならないようにしなければならない。ただし、一の給水装置工事主任技術者が当該二以上の事業所の給水装置工事主任技術者となつてもその職務を行うに当たつて特に支障がないときは、この限りでない。

第二十二条　法第二十五条の四第二項の規定による給水装置工事主任技術者の選任又は解任の届出は、様式第三によるものとする。

（給水装置工事主任技術者の職務）

第二十三条　法第二十五条の四第三項第四号の厚生労働省令で定める給水装置工事主任技術者の職務は、水道事業者の給水区域において施行する給水装置工事に関し、当該水道事業者と次の各号に掲げる連絡又は調整を行うこととする。

一　配水管から分岐して給水管を設ける工事を施行しようとする場合における配水管の位置の確認に関する連絡調整

二　第三十六条第一項第二号に掲げる工事に係る工法、工期その他の工事上の条件に関する連絡調整

三　給水装置工事（第十三条に規定する給水装置の軽微な変更を除く。）を完了した旨の連絡

（免状の交付申請）

第二十四条　法第二十五条の五第一項の規定により給水装置工事主任技術者免状（以下「免

状」という。）の交付を受けようとする者は、様式第四による免状交付申請書に次に掲げる書類を添えて、これを厚生労働大臣に提出しなければならない。

一　戸籍抄本又は住民票の抄本（日本の国籍を有しない者にあつては、これに代わる書面）

二　第三十三条の規定により交付する合格証書の写し

（免状の様式）

第二十五条　法第二十五条の五第一項の規定により交付する免状の様式は、様式第五による。

（免状の書換え交付申請）

第二十六条　免状の交付を受けている者は、免状の記載事項に変更を生じたときは、免状に戸籍抄本又は住民票の抄本（日本の国籍を有しない者にあつては、これに代わる書面）を添えて、厚生労働大臣に免状の書換え交付を申請することができる。

2　前項の免状の書換え交付の申請書の様式は、様式第六による。

（免状の再交付申請）

第二十七条　免状の交付を受けている者は、免状を破り、汚し、又は失つたときは、厚生労働大臣に免状の再交付を申請することができる。

2　前項の免状の再交付の申請書の様式は、様式第七による。

3　免状を破り、又は汚した者が第一項の申請をする場合には、申請書にその免状を添えなければならない。

4　免状の交付を受けている者は、免状の再交付を受けた後、失つた免状を発見したときは、五日以内に、これを厚生労働大臣に返納するものとする。

（免状の返納）

第二十八条　免状の交付を受けている者が死亡し、又は失そうの宣告を受けたときは、戸籍法（昭和二十二年法律第二百二十四号）に規定する死亡又は失そうの届出義務者は、一月以内に、厚生労働大臣に免状を返納するものとする。

（試験の公示）

第二十九条　厚生労働大臣又は法第二十五条の十二第一項に規定する指定試験機関（以下「指定試験機関」という。）は、法第二十五条の六第一項の規定による給水装置工事主任技術者試験（以下「試験」という。）を行う期日及び場所、受験願書の提出期限及び提出先その他試験の施行に関し必要な事項を、あらかじめ、官報に公示するものとする。

（試験科目）

第三十条　試験の科目は、次のとおりとする。

一　公衆衛生概論

二　水道行政

三　給水装置の概要

四　給水装置の構造及び性能

五　給水装置工事法

六　給水装置施工管理法

七　給水装置計画論

八　給水装置工事事務論

（試験科目の一部免除）

第三十一条　建設業法施行令（昭和三十一年政令第二百七十三号）第二十七条の三の表に掲げる検定種目のうち、管工事施工管理の種目に係る一級又は二級の技術検定に合格した者は、試験科目のうち給水装置の概要及び給水装置施工管理法の免除を受けることができる。

（受験の申請）

第三十二条　試験（指定試験機関がその試験事務を行うものを除く。）を受けようとする者は、様式第八による受験願書に次に掲げる書類を添えて、これを厚生労働大臣に提出しなければならない。

一　法第二十五条の六第二項に該当する者であることを証する書類

二　写真（出願前六月以内に脱帽して正面から上半身を写した写真で、縦四・五センチメートル横三・五センチメートルのもので、その裏面には撮影年月日及び氏名を記載すること。）

三　前条の規定により試験科目の一部の免除を受けようとする場合には、様式第九による給水装置工事主任技術者試験一部免除申請書及び前条に該当する者であることを証する書類

2　指定試験機関がその試験事務を行う試験を受けようとする者は、当該指定試験機関が定めるところにより、受験願書に前項各号に掲げる書類を添えて、これを当該指定試験機関に提出しなければならない。

（合格証書の交付）

第三十三条　厚生労働大臣（指定試験機関が合格証書の交付に関する事務を行う場合にあつては、指定試験機関）は、試験に合格した者に合格証書を交付しなければならない。

（変更の届出）

第三十四条　法第二十五条の七の厚生労働省令で定める事項は、次の各号に掲げるものとする。

一　氏名又は名称及び住所並びに法人にあつては、その代表者の氏名

二　法人にあつては、役員の氏名

三　給水装置工事主任技術者の氏名又は給水装置工事主任技術者が交付を受けた免状の交付番号

2　法第二十五条の七の規定により変更の届出をしようとする者は、当該変更のあつた日から三十日以内に様式第十による届出書に次に掲げる書類を添えて、水道事業者に提出しなければならない。

一　前項第一号に掲げる事項の変更の場合には、法人にあつては定款及び登記事項証明書、個人にあつては住民票の写し

二　前項第二号に掲げる事項の変更の場合には、様式第二による法第二十五条の三第一項第三号イからへまでのいずれにも該当しない者であることを誓約する書類及び登記事項証明書

（廃止等の届出）

第三十五条　法第二十五条の七の規定により事業の廃止、休止又は再開の届出をしようとする者は、事業を廃止し、又は休止したときは、当該廃止又は休止の日から三十日以内に、事業を再開したときは、当該再開の日から十日以内に、様式第十一による届出書を水道事業者に提出しなければならない。

（事業の運営の基準）

第三十六条　法第二十五条の八に規定する厚生労働省令で定める給水装置工事の事業の運営に関する基準は、次に掲げるものとする。

一　給水装置工事（第十三条に規定する給水装置の軽微な変更を除く。）ごとに、法第二十五条の四第一項の規定により選任した給水装置工事主任技術者のうちから、当該工事に関して法第二十五条の四第三項各号に掲げる職務を行う者を指名すること。

二　配水管から分岐して給水管を設ける工事及び給水装置の配水管への取付口から水道メーターまでの工事を施行する場合において、当該配水管及び他の地下埋設物に変形、破損その他の異常を生じさせることがないよう適切に作業を行うことができる技能を有する者を従事させ、又はその者に当該工事に従事する他の者を実施に監督させること。

三　水道事業者の給水区域において前号に掲げる工事を施行するときは、あらかじめ当該水道事業者の承認を受けた工法、工期その他の工事上の条件に適合するように当該工事を施行すること。

四　給水装置工事主任技術者及びその他の給水装置工事に従事する者の給水装置工事の施行技術の向上のために、研修の機会を確保するよう努めること。

五　次に掲げる行為を行わないこと。

イ　令第六条に規定する基準に適合しない給水装置を設置すること。

ロ　給水管及び給水用具の切断、加工、接合等に適さない機械器具を使用すること。

六　施行した給水装置工事（第十三条に規定する給水装置の軽微な変更を除く。）ごとに、第一号の規定により指名した給水装置工事主任技術者に次の各号に掲げる事項に関する記録を作成させ、当該記録をその作成の日から三年間保存すること。

イ　施主の氏名又は名称

ロ　施行の場所

ハ　施行完了年月日

ニ　給水装置工事主任技術者の氏名

ホ　竣工図

ヘ　給水装置工事に使用した給水管及び給水用具に関する事項

ト　法第二十五条の四第三項第三号の確認の方法及びその結果

第三節　指定試験機関

（指定試験機関の指定の申請）

第三十七条　法第二十五条の十二第二項の規定による申請は、次に掲げる事項を記載した申請書によつて行わなければならない。

一　名称及び主たる事務所の所在地

二　行おうとする試験事務の範囲

三　指定を受けようとする年月日

2　前項の申請書には、次に掲げる書類を添えなければならない。
一　定款及び登記事項証明書
二　申請の日を含む事業年度の直前の事業年度における財産目録及び貸借対照表（申請の日を含む事業年度に設立された法人にあつては、その設立時における財産目録）
三　申請の日を含む事業年度の事業計画書及び収支予算書
四　申請に係る意思の決定を証する書類
五　役員の氏名及び略歴を記載した書類
六　現に行つている業務の概要を記載した書類
七　試験事務を行おうとする事務所の名称及び所在地を記載した書類
八　試験事務の実施の方法に関する計画を記載した書類
九　その他参考となる事項を記載した書類

（指定試験機関の名称等の変更の届出）
第三十八条　法第二十五条の十四第二項の規定による指定試験機関の名称又は主たる事務所の所在地の変更の届出は、次に掲げる事項を記載した届出書によつて行わなければならない。
一　変更後の指定試験機関の名称又は主たる事務所の所在地
二　変更しようとする年月日
三　変更の理由
2　指定試験機関は、試験事務を行う事務所を新設し、又は廃止しようとするときは、次に掲げる事項を記載した届出書を厚生労働大臣に提出しなければならない。
一　新設し、又は廃止しようとする事務所の名称及び所在地
二　新設し、又は廃止しようとする事務所において試験事務を開始し、又は廃止しようとする年月日
三　新設又は廃止の理由

（役員の選任又は解任の認可の申請）
第三十九条　指定試験機関は、法第二十五条の十五第一項の規定により役員の選任又は解任の認可を受けようとするときは、次に掲げる事項を記載した申請書を厚生労働大臣に提出しなければならない。
一　役員として選任しようとする者の氏名、住所及び略歴又は解任しようとする者の氏名
二　選任し、又は解任しようとする年月日
三　選任又は解任の理由

（試験委員の要件）
第四十条　法第二十五条の十六第二項の厚生労働省令で定める要件は、次の各号のいずれかに該当する者であることとする。
一　学校教育法に基づく大学若しくは高等専門学校において水道に関する科目を担当する教授若しくは准教授の職にあり、又はあつた者
二　学校教育法に基づく大学若しくは高等専門学校において理科系統の正規の課程を修めて卒業した者（当該課程を修めて専門職大学前期課程を修了した者を含む。）で、その後十年以上国、地方公共団体、一般社団法人又は一般財団法人その他これらに準ずるものの研究機関において水道に関する研究の業務に従事した経験を有するもの
三　厚生労働大臣が前二号に掲げる者と同等以上の知識及び経験を有すると認める者

（試験委員の選任又は変更の届出）
第四十一条　法第二十五条の十六第三項の規定による試験委員の選任又は変更の届出は、次に掲げる事項を記載した届出書によつて行わなければならない。
一　選任した試験委員の氏名、住所及び略歴又は変更した試験委員の氏名
二　選任し、又は変更した年月日
三　選任又は変更の理由

（試験事務規程の認可の申請）
第四十二条　指定試験機関は、法第二十五条の十八第一項前段の規定により試験事務規程の認可を受けようとするときは、その旨を記載した申請書に当該試験事務規程を添えて、これを厚生労働大臣に提出しなければならない。
2　指定試験機関は、法第二十五条の十八第一項後段の規定により試験事務規程の変更の認可を受けようとするときは、次に掲げる事項を記載した申請書を厚生労働大臣に提出しなければならない。
一　変更の内容
二　変更しようとする年月日
三　変更の理由

（試験事務規程の記載事項）
第四十三条　法第二十五条の十八第二項の厚生

労働省令で定める試験事務規程で定めるべき事項は、次のとおりとする。
一　試験事務の実施の方法に関する事項
二　受験手数料の収納に関する事項
三　試験事務に関して知り得た秘密の保持に関する事項
四　試験事務に関する帳簿及び書類の保存に関する事項
五　その他試験事務の実施に関し必要な事項

（事業計画及び収支予算の認可の申請）
第四十四条　指定試験機関は、法第二十五条の十九第一項前段の規定により事業計画及び収支予算の認可を受けようとするときは、その旨を記載した申請書に事業計画書及び収支予算書を添えて、これを厚生労働大臣に提出しなければならない。
2　第四十二条第二項の規定は、法第二十五条の十九第一項後段の規定による事業計画及び収支予算の変更の認可について準用する。

（帳簿）
第四十五条　法第二十五条の二十の厚生労働省令で定める事項は、次のとおりとする。
一　試験を施行した日
二　試験地
三　受験者の受験番号、氏名、住所、生年月日及び合否の別
2　法第二十五条の二十に規定する帳簿は、試験事務を廃止するまで保存しなければならない。

（試験結果の報告）
第四十六条　指定試験機関は、試験を実施したときは、遅滞なく、次に掲げる事項を記載した報告書を厚生労働大臣に提出しなければならない。
一　試験を施行した日
二　試験地
三　受験申込者数
四　受験者数
五　合格者数
2　前項の報告書には、合格した者の受験番号、氏名、住所及び生年月日を記載した合格者一覧を添えなければならない。

（試験事務の休止又は廃止の許可の申請）
第四十七条　指定試験機関は、法第二十五条の二十三第一項の規定により試験事務の休止又は廃止の許可を受けようとするときは、次に掲げる事項を記載した申請書を厚生労働大臣に提出しなければならない。
一　休止し、又は廃止しようとする試験事務の範囲
二　休止しようとする年月日及びその期間又は廃止しようとする年月日
三　休止又は廃止の理由

（試験事務の引継ぎ等）
第四十八条　指定試験機関は、法第二十五条の二十三第一項の規定による許可を受けて試験事務の全部若しくは一部を廃止する場合、法第二十五条の二十四第一項の規定により指定を取り消された場合又は法第二十五条の二十六第二項の規定により厚生労働大臣が試験事務の全部若しくは一部を自ら行う場合には、次に掲げる事項を行わなければならない。
一　試験事務を厚生労働大臣に引き継ぐこと。
二　試験事務に関する帳簿及び書類を厚生労働大臣に引き渡すこと。
三　その他厚生労働大臣が必要と認める事項を行うこと。

第二章　水道用水供給事業

（認可申請書の添付書類等）
第四十九条　法第二十七条第一項に規定する厚生労働省令で定める書類及び図面は、次の各号に掲げるものとする。
一　地方公共団体以外の者である場合は、水道用水供給事業経営を必要とする理由を記載した書類
二　地方公共団体以外の法人又は組合である場合は、水道用水供給事業経営に関する意思決定を証する書類
三　取水が確実かどうかの事情を明らかにする書類
四　地方公共団体以外の法人又は組合である場合は、定款又は規約
五　水道施設の位置を明らかにする地図
六　水源の周辺の概況を明らかにする地図
七　主要な水道施設（次号に掲げるものを除く。）の構造を明らかにする平面図、立面図、断面図及び構造図
八　導水管きよ及び送水管の配置状況を明らかにする平面図及び縦断面図
2　地方公共団体が申請者である場合であって、当該申請が他の水道用水供給事業の全部を譲り受けることに伴うものであるときは、

法第二十七条第一項に規定する厚生労働省令で定める書類及び図面は、前項の規定にかかわらず、同項第五号に掲げるものとする。

（事業計画書の記載事項）

第五十条　法第二十七条第四項第六号に規定する厚生労働省令で定める事項は、工事費の算出根拠及び借入金の償還方法とする。

（変更認可申請書の添付書類等）

第五十一条　第四条の規定は、法第三十条第二項において準用する法第二十七条第五項第七号に規定する厚生労働省令で定める事項について準用する。この場合において、第四条第一号及び第二号中「主要」とあるのは、「新設、増設又は改造される水道施設に関する主要」と読み替えるものとする。

2　第四十九条の規定は、法第三十条第二項において準用する法第二十七条第一項に規定する厚生労働省令で定める書類及び図面について準用する。この場合において、第四十九条第一項中「各号」とあるのは「各号（給水対象を増加させようとする場合にあつては第三号及び第六号を除き、水源の種別又は取水地点を変更しようとする場合にあつては第二号及び第四号を除き、浄水方法を変更しようとする場合にあつては第二号、第三号及び第四号を除く。）」と、同項第七号中「除く。）」とあるのは「除く。）であつて、新設、増設又は改造されるもの」と、同項第八号中「送水管」とあるのは「送水管であつて、新設、増設又は改造されるもの」とそれぞれ読み替えるものとする。

3　前条の規定は、法第三十条第二項において準用する法第二十七条第四項第六号に規定する厚生労働省令で定める事項について準用する。

（法第二十八条第一項各号を適用するについて必要な技術的細目）

第五十一条の二　法第二十八条第二項に規定する技術的細目のうち、同条第一項第一号に関するものは、次に掲げるものとする。

一　給水対象が、当該地域における水系、地形その他の自然的条件及び人口、土地利用その他の社会的条件、水道により供給される水の需要に関する長期的な見通し並びに当該地域における水道の整備の状況を勘案して、合理的に設定されたものであること。

二　給水量が、給水対象の給水量及び水源の水量を基礎として、各年度ごとに合理的に設定されたものであること。

三　給水量及び水道施設の整備の見通しが一定の確実性を有し、かつ、経常収支が適切に設定できるよう期間が設定されたものであること。

四　工事費の調達、借入金の償還、給水収益、水道施設の運転に要する費用等に関する収支の見通しが確実かつ合理的なものであること。

五　水道基盤強化計画が定められている地域にあつては、当該計画と整合性のとれたものであること。

六　取水に当たつて河川法第二十三条の規定に基づく流水の占用の許可を必要とする場合にあつては、当該許可を受けているか、又は許可を受けることが確実であると見込まれること。

七　取水に当たつて河川法第二十三条の規定に基づく流水の占用の許可を必要としない場合にあつては、水源の状況に応じて取水量が確実に得られると見込まれること。

八　ダムの建設等により水源を確保する場合にあつては、特定多目的ダム法第四条第一項に規定する基本計画においてダム使用権の設定予定者とされている等により、当該ダムを使用できることが確実であると見込まれること。

第五十一条の三　法第二十八条第二項に規定する技術的細目のうち、同条第一項第三号に関するものは、当該申請者が当該水道用水供給事業の遂行に必要となる資金の調達及び返済の能力を有することとする。

（事業の変更の認可を要しない軽微な変更）

第五十一条の四　法第三十条第一項第一号の厚生労働省令で定める軽微な変更は、次のいずれかの変更とする。

一　水源の種別、取水地点又は浄水方法の変更を伴わない変更のうち、給水対象又は給水量の増加に係る変更であつて、変更後の給水量と認可給水量（法第二十七条第四項の規定により事業計画書に記載した給水量（法第三十条第一項又は第三項の規定により給水量の変更（同条第一項第一号に該当するものを除く。）を行つたときは、直近の変更後の給水量とする。）をいう。次号において同じ。）との差が認可給水量の十分の一を超えないもの。

二　現在の給水量が認可給水量を超えない事業における、次に掲げるいずれかの浄水施設を用いる浄水方法への変更のうち、給水対象若しくは給水量の増加又は水源の種別若しくは取水地点の変更を伴わないもの。ただし、ヌ又はルに掲げる浄水施設を用いる浄水方法への変更については、変更前の浄水方法に当該浄水施設を用いるものを追加する場合に限る。

イ　普通沈殿池

ロ　薬品沈殿池

ハ　高速凝集沈殿池

ニ　緩速濾《ろ》過池

ホ　急速濾《ろ》過池

ヘ　膜濾《ろ》過設備

ト　エアレーション設備

チ　除鉄設備

リ　除マンガン設備

ヌ　粉末活性炭処理設備

ル　粒状活性炭処理設備

三　河川の流水を水源とする取水地点の変更のうち、給水対象若しくは給水量の増加又は水源の種別若しくは浄水方法の変更を伴わないものであつて、次に掲げる事由その他の事由により、当該河川の現在の取水地点と変更後の取水地点の間の流域（イ及びロにおいて「特定区間」という。）における原水の水質が大きく変わるおそれがないもの。

イ　特定区間に流入する河川がないとき。

ロ　特定区間に汚染物質を排出する施設がないとき。

（事業の変更の届出）

第五十一条の五　法第三十条第三項の届出をしようとする水道用水供給事業者は、次に掲げる事項を記載した届出書を厚生労働大臣に提出しなければならない。

一　届出者の住所及び氏名（法人又は組合にあつては、主たる事務所の所在地及び名称並びに代表者の氏名）

二　水道事務所の所在地

2　前項の届出書には、次に掲げる書類（図面を含む。）を添えなければならない。

一　次に掲げる事項を記載した事業計画書

イ　変更後の給水対象及び給水量

ロ　水道施設の概要

ハ　給水開始の予定年月日

ニ　法第三十条第一項第二号に該当する場合にあつては、当該譲受けの年月日及び変更後の経常収支の概算

二　次に掲げる事項を記載した工事設計書

イ　工事の着手及び完了の予定年月日

ロ　前条第二号に該当する場合にあつては、変更される浄水施設に係る水源の種別、取水地点、水源の水量の概算、水質試験の結果及び変更後の浄水方法

ハ　前条第三号に該当する場合にあつては、変更される取水施設に係る水源の種別、取水地点、水源の水量の概算、水質試験の結果及び変更後の取水地点

三　水道施設の位置を明らかにする地図

四　前条第一号（水道用水供給事業者が給水対象を増加しようとする場合に限る。次号において同じ。）又は法第三十条第一項第二号に該当し、かつ、水道用水供給事業者が地方公共団体以外の者である場合にあつては、水道用水供給事業経営を必要とする理由を記載した書類

五　前条第一号又は法第三十条第一項第二号に該当し、かつ、水道用水供給事業者が地方公共団体以外の法人又は組合である場合にあつては、水道用水供給事業経営に関する意思決定を証する書類

六　前条第二号に該当する場合にあつては、主要な水道施設であつて、新設、増設又は改造されるものの構造を明らかにする平面図、立面図、断面図及び構造図

七　前条第三号に該当する場合にあつては、主要な水道施設であつて、新設、増設又は改造されるものの構造を明らかにする平面図、立面図、断面図及び構造図並びに変更される水源からの取水が確実かどうかの事情を明らかにする書類

（準用）

第五十二条　第三条、第四条、第八条の三（第一項第三号を除く。）から第十一条まで、第十五条から第十七条の三（第三項第一号ロを除く。）まで、第十七条の四及び第十七条の五（第五号を除く。）から第十七条の十二までの規定は、水道用水供給事業について準用

する。この場合において、次の表の上欄に掲げる規定中同表の中欄に掲げる字句は、それぞれ同表の下欄に掲げる字句に読み替えるものとする。

第三章　専用水道

（確認申請書の添付書類等）

第五十三条　法第三十三条第一項に規定する厚生労働省令で定める書類及び図面は、次の各号に掲げるものとする。

一　水の供給を受ける者の数を記載した書類

二　水の供給が行われる地域を記載した書類及び図面

三　水道施設の位置を明らかにする地図

四　水源及び浄水場の周辺の概況を明らかにする地図

五　主要な水道施設（次号に掲げるものを除く。）の構造を明らかにする平面図、立面図、断面図及び構造図

六　導水管きよ、送水管並びに配水及び給水に使用する主要な導管の配置状況を明らかにする平面図及び縦断面図

（準用）

第五十四条　第三条、第十条、第十一条、第十五条から第十七条の二まで、第十七条の六及び第十七条の七の規定は、専用水道について準用する。この場合において、次の表の上欄に掲げる規定中同表の中欄に掲げる字句は、それぞれ同表の下欄に掲げる字句に読み替えるものとする。

第四章　簡易専用水道

（管理基準）

第五十五条　法第三十四条の二第一項に規定する厚生労働省令で定める基準は、次に掲げるものとする。

一　水槽の掃除を毎年一回以上定期に行うこと。

二　水槽の点検等有害物、汚水等によつて水が汚染されるのを防止するために必要な措置を講ずること。

三　給水栓における水の色、濁り、臭い、味その他の状態により供給する水に異常を認めたときは、水質基準に関する省令の表の上欄に掲げる事項のうち必要なものについて検査を行うこと。

四　供給する水が人の健康を害するおそれがあることを知つたときは、直ちに給水を停止し、かつ、その水を使用することが危険である旨を関係者に周知させる措置を講ずること。

（検査）

第五十六条　法第三十四条の二第二項の規定による検査は、毎年一回以上定期に行うものとする。

2　検査の方法その他必要な事項については、厚生労働大臣が定めるところによるものとする。

（登録の申請）

第五十六条の二　法第三十四条の四において読み替えて準用する法第二十条の二の登録の申請をしようとする者は、様式第十七による申請書に次の書類を添えて、厚生労働大臣に提出しなければならない。

一　申請者が個人である場合は、その住民票の写し

二　申請者が法人である場合は、その定款及び登記事項証明書

三　申請者が法第三十四条の四において読み替えて準用する法第二十条の三各号の規定に該当しないことを説明した書類

四　法第三十四条の四において読み替えて準用する法第二十条の四第一項第一号の必要な検査設備を有していることを示す書類

五　法第三十四条の四において読み替えて準用する法第二十条の四第一項第二号の簡易専用水道の管理の検査を実施する者（以下「簡易専用水道検査員」という。）の氏名及び略歴

六　法第三十四条の四において読み替えて準用する法第二十条の四第一項第三号イに規定する部門（以下「簡易専用水道検査部門」という。）及び同号ハに規定する専任の部門（以下「簡易専用水道検査信頼性確保部門」という。）が置かれていることを説明した書類

七　法第三十四条の四において読み替えて準用する法第二十条の四第一項第三号ロに規定する文書として、第五十六条の四第四号に規定する標準作業書及び同条第五号イからルに掲げる文書

八　次に掲げる事項を記載した書面

イ　法第三十四条の四において読み替えて準用する法第二十条の四第一項第三号イの管理者（以下「簡易専用水道検査部門

管理者」という。）の氏名
ロ　第五十六条の四第二号に規定する簡易専用水道検査信頼性確保部門管理者の氏名
ハ　現に行つている事業の概要

（登録の更新）
第五十六条の三　法第三十四条の四において読み替えて準用する法第二十条の五第一項の登録の更新を申請しようとする者は、様式第十八による申請書に前条各号に掲げる書類を添えて、厚生労働大臣に提出しなければならない。

（検査の方法）
第五十六条の四　法第三十四条の四において読み替えて準用する法第二十条の六第二項の厚生労働省令で定める方法は、次のとおりとする。
一　簡易専用水道検査部門管理者は、次に掲げる業務を行うこと。ただし、ハについては、あらかじめ簡易専用水道検査員の中から指定した者に行わせることができるものとする。
イ　簡易専用水道検査部門の業務を統括すること。
ロ　第二号ハの規定により報告を受けた文書に従い、当該業務について速やかに是正処置を講ずること。
ハ　簡易専用水道の管理の検査について第四号に規定する標準作業書に基づき、適切に実施されていることを確認し、標準作業書から逸脱した方法により簡易専用水道の管理の検査が行われた場合には、その内容を評価し、必要な措置を講ずること。
ニ　その他必要な業務
二　簡易専用水道検査信頼性確保部門につき、次に掲げる業務を自ら行い、又は業務の内容に応じてあらかじめ指定した者に行わせる者（以下「簡易専用水道検査信頼性確保部門管理者」という。）が置かれていること。
イ　第五号への文書に基づき、簡易専用水道の管理の検査の業務の管理について内部監査を定期的に行うこと。
ロ　第五号トの文書に基づき、精度管理及び外部精度管理調査を定期的に受けるための事務を行うこと。
ハ　イの内部監査並びにロの精度管理及び外部精度管理調査の結果（是正処置が必要な場合にあつては、当該是正処置の内容を含む。）を簡易専用水道検査部門管理者に対して文書により報告するとともに、その記録を法第三十四条の四において読み替えて準用する法第二十条の十四の帳簿に記載すること。
ニ　その他必要な業務
三　簡易専用水道検査部門管理者及び簡易専用水道検査信頼性確保部門管理者が法第三十四条の二第二項の登録を受けた者の役員又は当該部門を管理する上で必要な権限を有する者であること。
四　次に掲げる事項を記載した標準作業書を作成すること。
イ　簡易専用水道の管理の検査の項目ごとの検査の手順及び判定基準
ロ　簡易専用水道の管理の検査に用いる設備の操作及び保守点検の方法
ハ　検査中の当該施設への部外者の立入制限その他の検査に当たつての注意事項
ニ　簡易専用水道の管理の検査の結果の処理方法
ホ　作成及び改定年月日
五　次に掲げる文書を作成すること。
イ　組織内の各部門の権限、責任及び相互関係等について記載した文書
ロ　文書の管理について記載した文書
ハ　記録の管理について記載した文書
ニ　教育訓練について記載した文書
ホ　不適合業務及び是正処置等について記載した文書
ヘ　内部監査の方法を記載した文書
ト　精度管理の方法及び外部精度管理調査を定期的に受けるための計画を記載した文書
チ　簡易専用水道検査結果書の発行の方法を記載した文書
リ　依頼を受ける方法を記載した文書
ヌ　物品の購入の方法を記載した文書
ル　その他簡易専用水道の管理の検査の業務の管理及び精度の確保に関する事項を記載した文書

（変更の届出）
第五十六条の五　法第三十四条の四において読

み替えて準用する法第二十条の七の規定により変更の届出をしようとする者は、様式第十九による届出書を厚生労働大臣に提出しなければならない。

（簡易専用水道検査業務規程）

第五十六条の六　法第三十四条の四において読み替えて準用する法第二十条の八第二項の厚生労働省令で定める事項は、次のとおりとする。

一　簡易専用水道の管理の検査の業務の実施及び管理の方法に関する事項

二　簡易専用水道の管理の検査の業務を行う時間及び休日に関する事項

三　簡易専用水道の管理の検査の依頼を受けることができる件数の上限に関する事項

四　簡易専用水道の管理の検査の業務を行う事業所の場所に関する事項

五　簡易専用水道の管理の検査に関する料金及びその収納の方法に関する事項

六　簡易専用水道検査部門管理者及び簡易専用水道検査信頼性確保部門管理者の氏名並びに簡易専用水道検査員の名簿

七　簡易専用水道検査部門管理者及び簡易専用水道検査信頼性確保部門管理者の選任及び解任に関する事項

八　法第三十四条の四において読み替えて準用する法第二十条の十第二項第二号及び第四号の請求に係る費用に関する事項

九　前各号に掲げるもののほか、簡易専用水道の管理の検査の業務に関し必要な事項

2　法第三十四条の二第二項の登録を受けた者は、法第三十四条の四において読み替えて準用する法第二十条の八第一項前段の規定により簡易専用水道検査業務規程の届出をしようとするときは、様式第二十による届出書に次に掲げる書類を添えて、厚生労働大臣に提出しなければならない。

一　前項第三号の規定により定める簡易専用水道の管理の検査の依頼を受けることができる件数の上限の設定根拠を明らかにする書類

二　前項第五号の規定により定める簡易専用水道の管理の検査に関する料金の算出根拠を明らかにする書類

3　法第三十四条の二第二項の登録を受けた者は、法第三十四条の四において読み替えて準用する法第二十条の八第一項後段の規定により簡易専用水道検査業務規程の変更の届出をしようとするときは、様式第二十の二による届出書に前項各号に掲げる書類を添えて、厚生労働大臣に提出しなければならない。ただし、第一項第三号及び第五号に定める事項（簡易専用水道の管理の検査に関する料金の収納の方法に関する事項を除く。）の変更を行わない場合には、前項各号に掲げる書類を添えることを要しない。

（業務の休廃止の届出）

第五十六条の七　法第三十四条の二第二項の登録を受けた者は、法第三十四条の四において読み替えて準用する法第二十条の九の規定により簡易専用水道の管理の検査の業務の全部又は一部の休止又は廃止の届出をしようとするときは、様式第二十の三による届出書を厚生労働大臣に提出しなければならない。

（準用）

第五十六条の八　第十五条の八及び第十五条の九の規定は法第三十四条の二第二項の登録を受けた者について準用する。この場合において、第十五条の八中「法第二十条の十第二項第三号」とあるのは「法第三十四条の四において読み替えて準用する法第二十条の十第二項第三号」と、第十五条の九中「法第二十条の十第二項第四号」とあるのは「法第三十四条の四において読み替えて準用する法第二十条の十第二項第四号」と読み替えるものとする。

（帳簿の備付け）

第五十六条の九　法第三十四条の二第二項の登録を受けた者は、書面又は電磁的記録によつて簡易専用水道の管理の検査に関する事項であつて次項に掲げるものを記載した帳簿を備え、簡易専用水道の管理の検査を実施した日から起算して五年間、これを保存しなければならない。

2　法第三十四条の四において読み替えて準用する法第二十条の十四の厚生労働省令で定める事項は次のとおりとする。

一　簡易専用水道の管理の検査を依頼した者の氏名及び住所（法人にあつては、主たる事務所の所在地及び名称並びに代表者の氏名）

二　簡易専用水道の管理の検査の依頼を受けた年月日

三　簡易専用水道の管理の検査を行つた施設の名称

四　簡易専用水道の管理の検査を行つた年月日
五　簡易専用水道の管理の検査を行つた簡易専用水道検査員の氏名
六　簡易専用水道の管理の検査の結果
七　第五十六条の四第二号ハにより帳簿に記載すべきこととされている事項
八　第五十六条の四第五号ハの文書において帳簿に記載すべきこととされている事項
九　第五十六条の四第五号ニの教育訓練に関する記録

第五章　雑則

（証明書の様式）

第五十七条　法第二十条の十五第二項（法第三十四条の四において準用する場合を含む。）の規定により当該職員の携帯する証明書は、様式第十二とする。

2　法第二十五条の二十二第二項の規定により当該職員の携帯する証明書は、様式第十二の二とする。

3　法第三十九条第四項（法第四十条第九項において準用する場合を含む。）の規定により当該職員の携帯する証明書は、様式第十二の三とする。

附　則

（施行期日）

1　この省令は、公布の日から施行する。

（水道条例第三条及第十一条但書の規定に依る命令に関する件の廃止）

4　水道条例第三条及第十一条但書の規定に依る命令に関する件（大正十年内務省令第二十二号）は、廃止する。

附　則（昭和三五年六月一日厚生省令第二〇号）抄

1　この省令は、公布の日から施行する。

附　則（昭和四一年五月六日厚生省令第一二号）

この省令は、昭和四十一年五月二十日から施行する。

附　則（昭和五三年四月二五日厚生省令第二三号）

この省令は、昭和五十三年六月二十三日から施行する。

附　則（昭和六二年一月三一日厚生省令第八号）抄

1　この省令は、昭和六十二年四月一日から施行する。

附　則（平成元年三月二四日厚生省令第一〇号）抄

1　この省令は、公布の日から施行する。

2　この省令の施行の際この省令による改正前の様式（以下「旧様式」という。）により使用されている書類は、この省令による改正後の様式によるものとみなす。

3　この省令の施行の際現にある旧様式による用紙及び板については、当分の間、これを取り繕って使用することができる。

4　この省令による改正後の省令の規定にかかわらず、この省令により改正された規定であって改正後の様式により記載することが適当でないものについては、当分の間、なお従前の例による。

附　則（平成三年九月二五日厚生省令第四七号）

1　この省令は、平成三年十月一日から施行する。

2　この省令の施行の際この省令による改正前の様式により使用されている書類は、この省令による改正後の様式によるものとみなす。

附　則（平成四年一二月二一日厚生省令第七〇号）

この省令は、平成五年十二月一日から施行する。

附　則（平成六年七月一日厚生省令第四七号）抄

1　この省令は、公布の日から施行する。

4　この省令の施行の際現にあるこの省令による改正前の様式（以下「旧様式」という。）により使用されている書類は、この省令による改正後の様式によるものとみなす。

5　この省令の施行の際現にある旧様式による用紙については、当分の間、これを取り繕って使用することができる。

附　則（平成六年一二月一四日厚生省令第七七号）抄

（施行期日）

第一条　この省令は、公布の日から施行する。

（水道法施行規則の一部改正に伴う経過措置）

第六条　第十四条の規定の施行前三月間に係る水道法第二十一条第一項に規定する健康診断については、第十四条の規定による改正後の水道法施行規則第十五条第一項の規定にかかわらず、なお従前の例による。

附　則（平成八年一二月二〇日厚生省令第六九号）

（施行期日）

第一条　この省令は、民間活動に係る規制の改善及び行政事務の合理化のための厚生省関係法律の一部を改正する法律（平成八年法律第百七号）の一部の施行の日（平成九年四月一日）から施行する。

（経過措置）

第二条　地方公共団体の水道条例又はこれに基づく規程による給水装置工事責任技術者（給水装置技術者その他類似の名称のものを含む。）の資格を有する者であって、厚生労働大臣が指定する講習会の課程を修了したものは、試験の全部の免除を受けることができる。

2　前項の規定により試験の全部の免除を受けようとする者は、様式第五による受験願書に次に掲げる書類を添えて、これを厚生労働大臣（指定試験機関が受験手続に関する事務を行う場合にあっては、指定試験機関）に提出しなければならない。

一　法第二十五条の六第二項に該当する者であることを証する書類

二　写真（出願前六月以内に脱帽して正面から上半身を写した写真で、縦六センチメートル横四センチメートルのもので、その裏面には撮影年月日及び氏名を記載すること。）

三　附則様式第一による給水装置工事主任技術者試験全部免除申請書

四　前項の規定に該当する者であることを証する書類

附則様式第一

給水装置工事主任技術者試験全部免除申請書

ふりがな 氏　　名		生年 月日	年　　月　　日生
上記により、給水装置工事主任技術者試験の全部の免除を受けたいので、関係書類を添付して申し込みます。 年　　月　　日 氏　名 殿			

備考　1．記名押印に代えて、署名することができる。
2．用紙の大きさは、A列４番とする。

附　則（平成九年八月一一日厚生省令第五九号）

（施行期日）

第一条　この省令は、民間活動に係る規制の改善及び行政事務の合理化のための厚生省関係法律の一部を改正する法律（平成八年法律第百七号。以下「改正法」という。）の一部の施行の日（平成十年四月一日）から施行する。

（旧指定給水装置工事事業者に関する経過措置）

第二条　改正法附則第二条第二項の規定により指定給水装置工事事業者の指定を受けた者とみなされたものについて、この省令による改正後の水道法施行規則第三十六条の規定を適用する場合においては、平成十一年三月三十一日までの間、同条第一号中「給水装置工事主任技術者」とあるのは「給水装置工事主任技術者又は地方公共団体の水道条例若しくはこれに基づく規程による給水装置工事責任技術者（給水装置工事技術者その他類似の名称のものを含む。）の資格を有する者（以下「給水装置工事責任技術者等」という。）」と、同条第四号及び第六号中「給水装置工事主任技術者」とあるのは「給水装置工事主任技術者又は給水装置工事責任技術者等」とする。

附　則（平成一〇年三月二七日厚生省令第三四号）

この省令は、公布の日から施行する。

附　則（平成一〇年一一月二日厚生省令第八七号）

1　この省令は、公布の日から施行する。

２　この省令の施行の際現にあるこの省令による改正前の様式による用紙については、当分の間、これを取り繕って使用することができる。

附　則（平成一一年一二月二八日厚生省令第一〇〇号）

この省令は、平成十二年四月一日から施行する。

附　則（平成一二年六月一三日厚生省令第一〇一号）　抄

（施行期日）

１　この省令は、平成十二年十月一日から施行する。

附　則（平成一二年一〇月二〇日厚生省令第一二七号）　抄

（施行期日）

１　この省令は、内閣法の一部を改正する法律（平成十一年法律第八十八号）の施行の日（平成十三年一月六日）から施行する。

（様式に関する経過措置）

３　この省令の施行の際現にあるこの省令による改正前の様式（次項において「旧様式」という。）により使用されている書類は、この省令による改正後の様式によるものとみなす。

４　この省令の施行の際現にある旧様式による用紙については、当分の間、これを取り繕って使用することができる。

附　則（平成一三年三月三〇日厚生労働省令第九九号）

（施行期日）

１　この省令は、公布の日から施行する。

（経過措置）

２　この省令の施行の際現にこの省令による改正前の水道法施行規則第十四条第三号（同令第五十二条及び第五十四条において準用する場合を含む。）に規定する講習を修了している者については、この省令による改正後の同号に規定する者とみなす。

附　則（平成一四年三月二七日厚生労働省令第四一号）

この省令は、公布の日から施行する。

附　則（平成一四年三月二七日厚生労働省令第四二号）

（施行期日）

第一条　この省令は、平成十四年四月一日から施行する。

（新規専用水道に関する届出）

第二条　水道法の一部を改正する法律（平成十三年法律第百号）附則第二条第一項の厚生労働省令で定める事項は、次のとおりとする。

一　設置者の住所及び氏名（法人又は組合にあっては、主たる事務所の所在地及び名称並びに代表者の氏名）

二　水道事務所の所在地

三　水の供給を受ける者の数及び地域に関する事項

四　一日最大給水量及び一日平均給水量

五　水源の種別及び取水地点

六　水源の水量の概算及び水質試験の結果

七　水道施設の概要

八　水道施設の位置（標高及び水位を含む。）、規模及び構造

九　浄水方法

附　則（平成一五年九月二九日厚生労働省令第一四二号）

（施行期日）

１　この省令は、平成十六年四月一日から施行する。ただし、第七条の二の改正規定及び次項の規定は、公布の日から施行する。

（罰則の適用に関する経過措置）

２　この省令の施行前にした行為に対する罰則の適用については、なお従前の例による。

附　則（平成一六年三月二四日厚生労働省令第三六号）

（施行期日）

第一条　この省令は、平成十六年三月三十一日から施行する。

（経過措置）

第二条　この省令による改正後の第十四条第三号の登録を受けようとする者は、この省令の施行前においても、その申請を行うことができる。この省令による改正後の第十四条の六第二項の規定による登録講習の実施に関する計画の届出及び第十四条の八の規定による登録講習の業務に関する規程の届出についても、同様とする。

第三条　この省令の施行の際現にこの省令による改正前の水道法施行規則第十四条第三号の指定を受けている者は、この省令の施行の日にこの省令による改正後の同号に規定する登録を受けた者とみなす。

第四条　この省令の施行の際現にこの省令によ

る改正前の水道法施行規則第十四条第三号の指定を受けている者が行う水道の管理に関する講習の課程を修了した者は、この省令による改正後の同号に規定する者とみなす。

附　則（平成一六年一二月二四日厚生労働省令第一七六号）

この省令は、公布の日から施行する。

附　則（平成一七年三月七日厚生労働省令第二五号）　抄

（施行期日）

第一条　この省令は、不動産登記法の施行の日（平成十七年三月七日）から施行する。

附　則（平成一八年四月二八日厚生労働省令第一一六号）　抄

（施行期日）

第一条　この省令は、平成十八年五月一日から施行する。

附　則（平成一九年三月三〇日厚生労働省令第四三号）　抄

（施行期日）

第一条　この省令は、平成十九年四月一日から施行する。

（助教授の在職に関する経過措置）

第二条　この省令による改正後の次に掲げる省令の規定の適用については、この省令の施行前における助教授としての在職は、准教授としての在職とみなす。

一及び二　略

三　水道法施行規則第十四条の四第一項第二号イ及び第四十条第一号

附　則（平成一九年三月三〇日厚生労働省令第五三号）

（施行期日）

第一条　この省令は、平成十九年四月一日から施行する。

（経過措置）

第二条　この省令の施行の際現にあるこの省令による改正前の様式（以下「旧様式」という。）により使用されている書類は、この省令による改正後の様式によるものとみなす。

2　この省令の施行の際現にある旧様式による用紙については、当分の間、これを取り繕って使用することができる。

附　則（平成一九年一一月一四日厚生労働省令第一三六号）

（施行期日）

第一条　この省令は、公布の日から施行する。ただし、第十五条の改正規定は、平成二十年四月一日から施行する。

（経過措置）

第二条　この省令の施行の際現にあるこの省令による改正前の様式（以下「旧様式」という。）により使用されている書類は、この省令による改正後の様式によるものとみなす。

2　この省令の施行の際現にある旧様式による用紙については、当分の間、これを取り繕って使用することができる。

附　則（平成二〇年一一月二八日厚生労働省令第一六三号）　抄

（施行期日）

第一条　この省令は、一般社団法人及び一般財団法人に関する法律の施行の日（平成二十年十二月一日）から施行する。

附　則（平成二〇年一二月二二日厚生労働省令第一七五号）

この省令は、平成二十一年四月一日から施行する。

附　則（平成二二年三月二五日厚生労働省令第三〇号）

この省令は、公布の日から施行する。

附　則（平成二三年一〇月三日厚生労働省令第一二五号）

（施行期日）

第一条　この省令は、公布の日から施行する。ただし、第十五条から第十五条の六まで、第十五条の十、第五十二条、第五十四条並びに様式第十六及び様式第十六の二の改正規定は、平成二十四年四月一日から施行する。

（経過措置）

第二条　この省令の施行前にした水道法第二十条第三項の規定による水質検査の委託については、なお従前の例による。

第三条　この省令の施行の際現にあるこの省令による改正前の様式により使用されている書類は、この省令による改正後の様式によるものとみなす。

附　則（平成二四年六月二九日厚生労働省令第九七号）　抄

（施行期日）

第一条　この省令は、平成二十四年七月九日から施行する。

附　則（平成二四年九月六日厚生労働省令第一二四号）

この省令は、平成二十五年四月一日から施行する。

附　則（平成二六年二月二八日厚生労働省令第一五号）　抄

（施行期日）

第一条　この省令は、平成二十六年四月一日から施行する。

附　則（平成三〇年二月一六日厚生労働省令第一五号）

この省令は、平成三十一年四月一日から施行する。

附　則（平成三〇年一二月二六日厚生労働省令第一四八号）

（施行期日）

1　この省令は、平成三十一年四月一日から施行する。

（経過措置）

2　この省令の施行前に行われた技術士法（昭和五十八年法律第二十五号）第四条第一項の規定による第二次試験のうち上下水道部門に係るものに合格した者であって、選択科目として水道環境を選択したものは、この省令による改正後の水道法施行規則第九条第三号の適用については、同法第四条第一項の規定による第二次試験のうち上下水道部門に係るものに合格した者であって、選択科目として上水道及び工業用水道を選択したものとみなす。

附　則（令和元年五月七日厚生労働省令第一号）　抄

（施行期日）

第一条　この省令は、公布の日から施行する。

（経過措置）

第二条　この省令による改正前のそれぞれの省令で定める様式（次項において「旧様式」という。）により使用されている書類は、この省令による改正後のそれぞれの省令で定める様式によるものとみなす。

2　旧様式による用紙については、合理的に必要と認められる範囲内で、当分の間、これを取り繕って使用することができる。

附　則（令和元年六月二八日厚生労働省令第二〇号）　抄

（施行期日）

第一条　この省令は、不正競争防止法等の一部を改正する法律の施行の日（令和元年七月一日）から施行する。

（様式に関する経過措置）

第二条　この省令の施行の際現にあるこの省令による改正前の様式（次項において「旧様式」という。）により使用されている書類は、この省令による改正後の様式によるものとみなす。

2　この省令の施行の際現にある旧様式による用紙については、当分の間、これを取り繕って使用することができる。

附　則（令和元年九月一三日厚生労働省令第四六号）　抄

（施行期日）

第一条　この省令は、成年被後見人等の権利の制限に係る措置の適正化等を図るための関係法律の整備に関する法律（令和元年法律第三十七号）の施行の日（令和元年九月十四日）から施行する。

（経過措置）

第二条　この省令の施行の際現にあるこの省令による改正前の様式により使用されている書類は、この省令による改正後の様式によるものとみなす。

2　この省令の施行の際現にある旧様式による用紙については、当分の間、これを取り繕って使用することができる。

附　則（令和元年九月三〇日厚生労働省令第五七号）　抄

（施行期日）

1　この省令は、水道法の一部を改正する法律の施行の日（令和元年十月一日）から施行する。ただし、この省令による改正後の水道法施行規則第十七条の三（同令第五十二条において準用する場合を含む。）の規定は、令和四年九月三十日までは、適用しない。

附　則（令和二年六月一〇日厚生省令第一二〇号）

この省令は、公布の日から施行する。

附　則（令和二年一二月二五日厚生労働省令第二〇八号）　抄

（施行期日）

第一条　この省令は、公布の日から施行する。

（経過措置）

第二条　この省令の施行の際現にあるこの省令による改正前の様式（次項において「旧様式」という。）により使用されている書類は、この省令による改正後の様式によるものとみなす。

2　この省令の施行の際現にある旧様式による用紙については、当分の間、これを取り繕って使用することができる。

附　則（令和三年三月二二日厚生労働省令第五三号）　抄

（施行期日）

第一条　この省令は、公布の日から施行する。

附　則（令和三年四月二〇日厚生労働省令第八八号）

この省令は、公布の日から施行する。

第五十二条

第三条第一項	第七条第五項第三号	第二十七条第五項第三号
	第十条第二項	第三十条第二項
第四条	第七条第五項第八号	第二十七条第五項第七号
第八条の三第一項	第十一条第一項	第三十一条において準用する法第十一条第一項
第八条の三第一項第二号	給水区域	給水対象
第八条の三第三項第一号	給水区域	給水対象
第八条の三第三項第五号	給水区域、給水人口	給水対象
第八条の三第三項第六号	給水人口及び給水量	給水量
第八条の四	第十一条第一項	第三十一条において準用する法第十一条第一項
第十条第一項	第十三条第一項	第三十一条において準用する法第十三条第一項
第十一条	第十三条第一項	第三十一条において準用する法第十三条第一項
	（給水装置を含む。）	水道施設
第十五条第一項	第二十条第一項	第三十一条において準用する法第二十条第一項
第十五条第一項第二号	給水栓	当該水道用水供給事業者が水道用水を水道事業者に供給する場所
第十五条第七項第五号	第二十条第三項	第三十一条において準用する法第二十条第三項
第十五条第八項	第二十条第三項ただし書	第三十一条において準用する法第二十条第三項ただし書
第十五条の二	第二十条の二	第三十一条において準用する法第二十条の二
第十五条の二第三号	第二十条の三各号	第三十一条において準用する法第二十条の三各号
第十五条の二第四号	第二十条の四第一項第一号	第三十一条において準用する法第二十条の四第一項第一号
第十五条の二第五号	第二十条の四第一項第二号	第三十一条において準用する法第二十条の四第一項第二号

第十五条の二第六号	第二十条の四第一項第三号イ	第三十一条において準用する法第二十条の四第一項第三号イ
	同号ハ	法第三十一条において準用する法第二十条の四第一項第三号ハ
第十五条の二第七号	第二十条の四第一項第三号ロ	第三十一条において準用する法第二十条の四第一項第三号ロ
第十五条の二第九号ロ	第二十条の四第一項第三号イ	第三十一条において準用する法第二十条の四第一項第三号イ
第十五条の三	第二十条の五第一項	第三十一条において準用する法第二十条の五第一項
第十五条の四	第二十条の六第二項	第三十一条において準用する法第二十条の六第二項
第十五条の四第四号ハ	第二十条の十四	第三十一条において準用する法第二十条の十四
第十五条の五第一項	第二十条の七	第三十一条において準用する法第二十条の七
第十五条の六第一項	第二十条の八第二項	第三十一条において準用する法第二十条の八第二項
第十五条の六第一項第八号	第二十条の十第二項第二号及び第四号	第三十一条において準用する法第二十条の十第二項第二号及び第四号
第十五条の六第二項	第二十条の八第一項前段	第三十一条において準用する法第二十条の八第一項前段
第十五条の六第三項	第二十条の八第一項後段	第三十一条において準用する法第二十条の八第一項後段
第十五条の七	第二十条の九	第三十一条において準用する法第二十条の九
第十五条の八	第二十条の十第二項第三号	第三十一条において準用する法第二十条の十第二項第三号
第十五条の九	第二十条の十第二項第四号	第三十一条において準用する法第二十条の十第二項第四号
第十五条の十第二項	第二十条の十四	第三十一条において準用する法第二十条の十四
第十六条第一項及び第二項	第二十一条第一項	第三十一条において準用する法第二十一条第一項
第十六条第四項	第二十一条第二項	第三十一条において準用する法第二十一条第二項
第十七条	第二十二条	第三十一条において準用する法第二十二条
第十七条第一項第三号	給水栓	当該水道用水供給事業者が水道用水を水道事業者に供給する場所
第十七条の二第一項	第二十二条の二第一項	第三十一条において準用する法第二十二条の二第一項

第十七条の三第一項	第二十二条の三第一項	第三十一条において準用する法第二十二条の三第一項
第十七条の三第三項第三号ハ	止水栓の位置	当該水道用水供給事業者が水道用水を水道事業者に供給する場所
第十七条の四第一項	第二十二条の四第二項	第三十一条において準用する法第二十二条の四第二項
第十七条の五	第二十四条の二	第三十一条において準用する法第二十四条の二
第十七条の五第二号	第二十四条の三第一項の規定による委託及び法第二十四条の四第一項の規定による水道施設運営権の設定の内容	第三十一条において準用する法第二十四条の三第一項の規定による委託及び法第三十一条において準用する法第二十四条の四第一項の規定による水道施設運営権の設定の内容
第十七条の五第七号	第二十条第一項	第三十一条において準用する法第二十条第一項
第十七条の七	第二十四条の三第二項	第三十一条において準用する法第二十四条の三第二項
第十七条の八	第二十四条の三第六項	第三十一条において準用する法第二十四条の三第六項
	第二十条第三項ただし書	第三十一条において準用する法第二十条第三項ただし書
第十七条の九	第二十四条の五第一項	第三十一条において準用する法第二十四条の五第一項
第十七条の十	第二十四条の五第三項第十号	第三十一条において準用する法第二十四条の五第三項第十号
第十七条の十一第一項	第二十四条の六第二項	第三十一条において準用する法第二十四条の六第二項
	同条第一項第一号	法第三十一条において準用する法第二十四条の六第一項第一号
第十七条の十一第三項	第二十四条の六第二項	第三十一条において準用する法第二十四条の六第二項
	同条第一項第三号	法第三十一条において準用する法第二十四条の六第一項第三号
第十七条の十二	第二十四条の八第二項	第三十一条において準用する法第二十四条の八第二項
	第十四条第三項	第三十一条において準用する法第十四条第三項

第五十四条

第三条	第七条第五項第三号（法第十条第二項において準用する場合を含む。）	第三十三条第四項第三号
第十条第一項	第十三条第一項	第三十四条第一項において準用する法第十三条第一項
第十一条	第十三条第一項	第三十四条第一項において準用する法第十三条第一項
	給水装置	給水の施設
第十五条第一項及び第二項	第二十条第一項	第三十四条第一項において準用する法第二十条第一項
第十五条第七項第五号	第二十条第三項	第三十四条第一項において準用する法第二十条第三項
第十五条第八項	第二十条第三項ただし書	第三十四条第一項において準用する法第二十条第三項ただし書
第十五条の二	第二十条の二	第三十四条第一項において準用する法第二十条の二
第十五条の二第三号	第二十条の三各号	第三十四条第一項において準用する法第二十条の三各号
第十五条の二第四号	第二十条の四第一項第一号	第三十四条第一項において準用する法第二十条の四第一項第一号
第十五条の二第五号	第二十条の四第一項第二号	第三十四条第一項において準用する法第二十条の四第一項第二号
第十五条の二第六号	第二十条の四第一項第三号イ	第三十四条第一項において準用する法第二十条の四第一項第三号イ
	同号ハ	法第三十四条第一項において準用する法第二十条の四第一項第三号ハ
第十五条の二第七号	第二十条の四第一項第三号ロ	第三十四条第一項において準用する法第二十条の四第一項第三号ロ
第十五条の二第九号ロ	第二十条の四第一項第三号イ	第三十四条第一項において準用する法第二十条の四第一項第三号イ
第十五条の三	第二十条の五第一項	第三十四条第一項において準用する法第二十条の五第一項
第十五条の四	第二十条の六第二項	第三十四条第一項において準用する法第二十条の六第二項
第十五条の四第四号ハ	第二十条の十四	第三十四条第一項において準用する法第二十条の十四
第十五条の五第一項	第二十条の七	第三十四条第一項において準用する法第二十条の七

第十五条の六第一項	第二十条の八第二項	第三十四条第一項において準用する法第二十条の八第二項
第十五条の六第一項第八号	第二十条の十第二項第二号及び第四号	第三十四条第一項において準用する法第二十条の十第二項第二号及び第四号
第十五条の六第二項	第二十条の八第一項前段	第三十四条第一項において準用する法第二十条の八第一項前段
第十五条の六第三項	第二十条の八第一項後段	第三十四条第一項において準用する法第二十条の八第一項後段
第十五条の七	第二十条の九	第三十四条第一項において準用する法第二十条の九
第十五条の八	第二十条の十第二項第三号	第三十四条第一項において準用する法第二十条の十第二項第三号
第十五条の九	第二十条の十第二項第四号	第三十四条第一項において準用する法第二十条の十第二項第四号
第十五条の十第二項	第二十条の十四	第三十四条第一項において準用する法第二十条の十四
第十六条第一項及び第二項	第二十一条第一項	第三十四条第一項において準用する法第二十一条第一項
第十六条第四項	第二十一条第二項	第三十四条第一項において準用する法第二十一条第二項
第十七条	第二十二条	第三十四条第一項において準用する法第二十二条
第十七条の二第一項	第二十二条の二第一項	第三十四条第一項において準用する法第二十二条の二第一項
第十七条の七	第二十四条の三第二項	第三十四条第一項において準用する法第二十四条の三第二項

（表面）

指定給水装置工事事業者指定申請書

殿

年　　月　　日

申請者　氏名又は名称
住所
代表者氏名

水道法第16条の２第１項の規定による指定給水装置工事事業者の指定を受けたいので、同法第25条の２第１項の規定に基づき次のとおり申請します。

役員（業務を執行する社員、取締役又はこれらに準ずる者）の氏名		
フリガナ 氏名		フリガナ 氏名
事業の範囲		
機械器具の名称、性能及び数	別表のとおり	

（備考）この用紙の大きさは、Ａ列４番とすること。

（裏面）

当該給水区域で給水装置工事の事業を行う事業所の名称	
上記事業所の所在地	
上記事業所で選任されることとなる給水装置工事主任技術者の氏名	給水装置工事主任技術者免状の交付番号

当該給水区域で給水装置工事の事業を行う事業所の名称	
上記事業所の所在地	
上記事業所で選任されることとなる給水装置工事主任技術者の氏名	給水装置工事主任技術者免状の交付番号

（備考）この用紙の大きさは、A列４番とすること。

機　械　器　具　調　書

年　　月　　日現在

種　　　別	名　　　称	型 式、性 能	数量	備　　考

（注）種別の欄には「管の切断用の機械器具」、「管の加工用の機械器具」、「接合用の機械器具」、「水圧テストポンプ」の別を記入すること。

（備考）この用紙の大きさは、A列４番とすること。

様式第二（第十八条及び第三十四条関係）

誓　　約　　書

指定給水装置工事事業者申請者及びその役員は、水道法第25条の３第１項第３号イからへまでのいずれにも該当しない者であることを誓約します。

年　　月　　日

申請者
　氏名又は名称
　住所
　代表者氏名

殿

（備考）この用紙の大きさは、A列４番とすること。

給水装置工事主任技術者選任・解任届出書

殿

年　　月　　日

届出者

水道法第25条の４の規定に基づき、次のとおり給水装置工事主任技術者の
選任
解任　の届出をします。

給水区域で給水装置工事の事業を行う事業所の名称		
上記事業所で選任・解任する給水装置工事主任技術者の氏名	給水装置工事主任技術者免状の交付番号	選任・解任の年月日

（備考）この用紙の大きさは、A列４番とすること。

（表　面）

収　入　印　紙
（消印しては ならない）

給水装置工事主任技術者免状交付申請書

		※番　号	
フリガナ 氏　　名		生年月日	年　　月　　日生
本　　籍			
住　　所	郵便番号　　　　　電話番号　　－　　－		

（裏　面）

私は、表面の各事項について虚偽の記載をせず、かつ、次の欠格事由に該当しないことを誓約します。

1　水道法第25条の5第3項の規定により給水装置工事主任技術者免状の返納を命ぜられ、その日から起算して1年を経過しない者

2　水道法に違反して刑に処せられ、その執行を終わり、又は執行を受けることがなくなつた日から起算して2年を経過しない者

上記により、給水装置工事主任技術者免状の交付を受けたいので申請します。

年　　月　　日

氏　名

厚生労働大臣　　　　殿

備考

1　※印の欄には、記入しないこと。

2　「本籍」の欄には、都道府県名を記入すること。ただし、日本の国籍を有しない者にあつては、その者の有する国籍を記入すること。

3　用紙の大きさは、A列4番とする。

様式第五（第二十五条関係）

第　　　　号

給水装置工事主任技術者免状

本　籍　都道府県名（国籍）

氏　名

年　　月　　日生

水道法（昭和三十二年法律第百七十七号）の規定により給水装置工事主任技術者免状を交付する。

年　　月　　日

厚生労働大臣　　　　㊞

収入印紙 （消印してはならない）

給水装置工事主任技術者免状書換え交付申請書

		※番号	
給水装置工事主任技術者免状番号及び交付年月日	第　　　号 （　年　月　日）		
フリガナ 氏名		生年月日	年　月　日生
本籍			
住所	郵便番号　　電話番号　－　－		
書換え交付申請の理由			

上記により、給水装置工事主任技術者免状の書換え交付を受けたいので申請します。

年　月　日

氏名

厚生労働大臣　　殿

備考

1　※印の欄には、記入しないこと。

2　「本籍」の欄には、都道府県名を記入すること。ただし、日本の国籍を有しない者にあつては、その者の有する国籍を記入すること。

3　用紙の大きさは、Ａ列４番とする。

収入印紙
（消印してはならない）

給水装置工事主任技術者免状再交付申請書

		※番号	
給水装置工事主任技術者免状番号及び交付年月日	第　　　号 （　年　月　日）		
フリガナ 氏名		生年月日	年　月　日生
本籍			
住所	郵便番号　　電話番号　－　－		
再交付申請の理由			

上記により、給水装置工事主任技術者免状の再交付を受けたいので申請します。

年　月　日

氏名

厚生労働大臣　　殿

備考

1　※印の欄には、記入しないこと。

2　「本籍」の欄には、都道府県名を記入すること。ただし、日本の国籍を有しない者にあつては、その者の有する国籍を記入すること。

3　用紙の大きさは、A列４番とする。

給水装置工事主任技術者試験受験願書

フリガナ 氏　　名		生年月日	年　月　日生
住　　所	郵便番号　　　電話番号　　－　　－		
受験希望地			

上記により、給水装置工事主任技術者試験を受けたいので申し込みます。

年　月　日

氏　名

殿

収入印紙はりつけ欄（消印してはならない。）

（注）指定試験機関が試験事務の全部を行う場合には、所定の手続により受験手数料を納付し、収入印紙は、はらないこと。

備考

1　厚生労働大臣が、その指定する者に給水装置工事主任技術者試験に関する事務の全部を行わせる場合には、所定の手続きにより受験手数料を納付し、収入印紙は、はらないこと。

2　用紙の大きさは、A列4番とする。

給水装置工事主任技術者試験一部免除申請書

フ　リ　ガ　ナ 氏　　　　名		生年月日	年　　月　　日生
合格した技術検定名	1　　級 2　　級　管工事施工管理		

上記により、給水装置工事主任技術者試験科目の一部の免除を受けたいので、関係書類を添付して申し込みます。

年　　月　　日

氏　名

殿

備　考

1　「合格した技術検定名」の欄については、該当する不動文字を○で囲むこと。

2　用紙の大きさは、A列4番とする。

様式第十（第三十四条関係）

指定給水装置工事事業者指定事項変更届出書

殿

年　月　日

届出者

水道法第25条の7の規定に基づき、次のとおり変更の届出をします。

<table>
<tr><td>フリガナ
氏名又は名称</td><td colspan="3"></td></tr>
<tr><td>住所</td><td colspan="3"></td></tr>
<tr><td>フリガナ
代表者の氏名</td><td colspan="3"></td></tr>
<tr><td>変更に係る事項</td><td>変更前</td><td>変更後</td><td>変更年月日</td></tr>
<tr><td></td><td></td><td></td><td></td></tr>
</table>

（備考）この用紙の大きさは、A列4番とすること。

指定給水装置工事事業者 廃止／休止／再開 届出書

殿

年　月　日

届出者

水道法第25条の７の規定に基づき、給水装置工事の事業の 廃止／休止／再開 の届出をします。

フリガナ 氏名又は名称	
住所	
フリガナ 代表者の氏名	
（廃止・休止・再開）の年月日	
（廃止・休止・再開）の理由	

（備考）この用紙の大きさは、A列４番とすること。

様式第十二（第五十七条第一項関係）

（表　面）

水　道　法　検　査　証

（裏　面）

第　　号

令和　　年　　月　　日交付
令和　　年　　月　　日まで有効

写真

官職又は職名
氏　　　　名
生 年 月 日

厚生労働大臣印

この証明書を携帯する者は、水道法第二十条の十五（同法第三十四条の四において準用する場合を含む。）の規定により立入検査をする職権を行う者で、その関係条文は次のとおりであります。

水道法（抄）

第二十条の十五　厚生労働大臣は、水質検査の適正な実施を確保するため必要があると認めるときは、登録水質検査機関に対し、業務の状況に関し必要な報告を求め、又は当該職員に、登録水質検査機関の事務所又は事業所に立ち入り、業務の状況若しくは検査施設、帳簿、書類その他の物件を検査させることができる。

2　前項の規定により立入検査を行う職員は、その身分を示す証明書を携帯し、関係者の請求があつたときは、これを提示しなければならない。

3　第一項の規定による権限は、犯罪捜査のために認められたものと解釈してはならない。

第三十四条の四　第二十条の二から第二十条の五までの規定は第三十四条の二第二項の登録について、第二十条の六第二項の規定は簡易専用水道の管理の検査について、第二十条の七から第二十条の十六までの規定は第三十四条の二第二項の登録を受けた者について、それぞれ準用する。この場合において、次の表の上欄に掲げる規定中同表の中欄に掲げる字句は、それぞれ同表の下欄に掲げる字句に読み替えるものとする。

（略）		
第二十条の十五第一項	水質検査の検査施設	簡易専用水道の管理の検査の設備
（略）		

第五十五条の二　次の各号のいずれかに該当する者は、三十万円以下の罰金に処する

一・二（略）

三　第二十条の十五第一項（第三十四条の四において準用する場合を含む。）の規定による報告をせず、若しくは虚偽の報告をし、又は当該職員の検査を拒み、妨げ、若しくは忌避した者

備考　この用紙は、A列6番の厚紙を用いて、中央の点線の所から二つ折にすること。

様式第十二の二（第五十七条第二項関係）

（表　面）

水　道　法　検　査　証

（裏　　面）

第　　号

令和　年　月　日交付
令和　年　月　日まで有効

写真

官職又は職名
氏　　名
生年月日

厚生労働大臣印

この証明書を携帯する者は、水道法第二十五条の二十二の規定により立入検査をする職権を行う者で、その関係条文は次のとおりであります。

水道法（抄）

第二十五条の二十二　厚生労働大臣は、試験事務の適正な実施を確保するため必要があると認めるときは、指定試験機関に対し、試験事務の状況に関し必要な報告を求め、又はその職員に、指定試験機関の事務所に立ち入り、試験事務の状況若しくは設備、帳簿、書類その他の物件を検査させることができる。

2　前項の規定により立入検査を行う職員は、その身分を示す証明書を携帯し、関係者の請求があつたときは、これを提示しなければならない。

3　第一項の規定による権限は、犯罪捜査のために認められたものと解してはならない。

第五十五条の三　次の各号のいずれかに該当するときは、その違反行為をした指定試験機関の役員又は職員は、三十万円以下の罰金に処する。

一　（略）

二　第二十五条の二十二第一項の規定による報告を求められて、報告をせず、若しくは虚偽の報告をし、又は同項の規定による立入り若しくは検査を拒み、妨げ、若しくは忌避したとき。

三　（略）

備考　この用紙は、A列6番の厚紙を用いて、中央の点線の所から二つ折にすること。

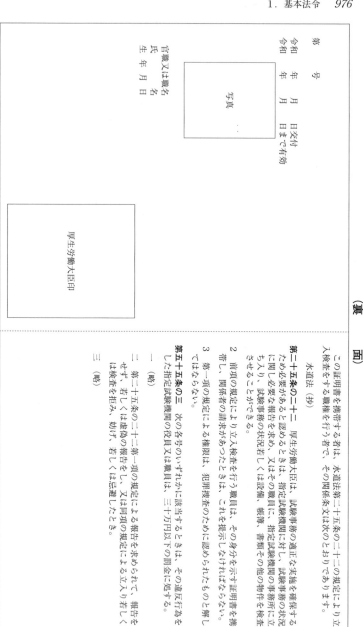

様式第十二の三（第五十七条第三項関係）

保護するために必要であり、かつ、適切であると認めるときは、水道事業者又は水道用水供給事業者に対して、期間、水量及び方法を定めて、水道施設内に取り入れた水を他の水道事業者又は水道用水供給事業者に供給すべきことを命ずることができる。

2　（略）

3　第一項の場合において、都道府県知事が同項に規定する権限に属する事務を行うことができないと厚生労働大臣が認めるときは、同項の規定にかかわらず、当該事務は厚生労働大臣が行う。

4　第一項及び前項の場合において、供給の対価は、当事者間の協議によつて定める。協議が調わないとき、又は協議をすることができないときは、都道府県知事が供給に要した実費の額を基準として裁定する。

5～7　（略）

8　都道府県知事は、第一項及び第四項の事務を行うために必要があると認めるときは、水道事業者若しくは水道用水供給事業者から、事業の実施状況について必要な報告を徴し、又は該当職員をして、事務所若しくは水道施設のある場所に立ち入らせ、水道施設、水質、水圧、水量若しくは必要な帳簿書類を検査させることができる。

9　第三十九条第四項及び第五項の規定は、前項の規定による都道府県知事の行う事務について準用する。この場合において同条第四項中「第三項」とあり、及び同条第五項中「第一項、第二項又は第三項」とあるのは「第四十条第八項」と読み替えるものとする。

第五十五条　次の各号のいずれかに該当する者は、三十万円以下の罰金に処する。

一・二　（略）

三　第三十九条第一項、第二項、第三項又は第四十条第八項（第二十四条の八第一項（第三十一条において準用する場合を含む。）の規定により読み替えて適用する場合を含む。）の規定による報告をせず、若しくは虚偽の報告をし、又は当該職員の検査を拒み、妨げ、若しくは忌避した者

第五十六条　法人の代表者又は法人若しくは人の代理人、使用人その他の従業者が、その法人又は人の業務に関して第五十二条から第五十三条の二まで又は第五十四条から第五十五条の二までの違反行為をしたときは、行為者を罰するほか、その法人又は人に対しても、各本条の罰金刑を科する。

（表　面）

水　道　法　検　査　証

（裏　面）

第　　号

令和　　年　　月　　日交付
令和　　年　　月　　日まで有効

写真

官職又は職名
氏　　　名
生 年 月 日

厚生労働大臣、
都道府県知事、
市長又は区長印

この証明書を携帯する者は、水道法第三十九条及び第四十条の規定により立入検査をする職権を行う者で、その関係条文は次のとおりであります。

水道法（抄）

第三十九条　厚生労働大臣は、水道（水道事業等の用に供するものに限る。以下この項において同じ。）の布設若しくは管理又は水道事業若しくは水道用水供給事業の適正を確保するために必要があると認めるときは、水道事業者若しくは水道用水供給事業者から工事の施行状況若しくは事業の実施状況について必要な報告を徴し、又は当該職員をして水道の工事現場、事務所若しくは水道施設のある場所に立ち入らせ、工事の施行状況、水道施設、水質、水圧、水量若しくは必要な帳簿書類（その作成又は保存に代えて電磁的記録の作成又は保存がされている場合における当該電磁的記録を含む。次項及び第四十条第八項において同じ。）を検査させることができる。

2　都道府県知事は、水道（水道事業等の用に供するものを除く。以下この項において同じ。）の布設又は管理の適正を確保するために必要があると認めるときは、専用水道の設置者から工事の施行状況若しくは専用水道の管理について必要な報告を徴し、又は当該職員をして水道の工事現場、事務所若しくは水道施設のある場所に立ち入らせ、工事の施行状況、水道施設、水質、水圧、水量若しくは必要な帳簿書類を検査させることができる。

3　都道府県知事は、簡易専用水道の管理の適正を確保するために必要があると認めるときは、簡易専用水道の設置者から簡易専用水道の管理について必要な報告を徴し、又は当該職員をして簡易専用水道の用に供する施設の在る場所若しくは設置者の事務所に立ち入らせ、その施設、水質若しくは必要な帳簿書類を検査させることができる。

4　第三項の規定により立入検査を行う場合には、当該職員は、その身分を示す証明書を携帯し、かつ、関係者の請求があつたときは、これを提示しなければならない。

5　第一項、第二項又は第三項の規定による立入検査の権限は、犯罪捜査のために認められたものと解釈してはならない。

第四十条　都道府県知事は、災害その他非常の場合において、緊急に水道用水を補給することが公共の利益を保護するために必要である。

備考　この用紙は、A列６番の厚紙を用いて、中央の点線の所から二つ折にすること。

様式第十三（第十五条の二、第五十二条及び第五十四条関係）

登　録　申　請　書

年　月　日

厚生労働大臣　　　殿

住所

氏名（法人にあつては名称及び代表者の氏名）

水道法第20条第３項（第31条及び第34条において準用する場合を含む。）の登録を受けたいので、同法第20条の２（第31条及び第34条において準用する場合を含む。）の規定により、関係書類を添えて、次のとおり申請します。

1　水質検査を行う区域

2　水質検査を行う事業所名及び所在地

備考

1　用紙の大きさは、Ａ列４番とすること。

2　事業所が複数ある場合には、すべて記載すること。

登録更新申請書

年　　月　　日

厚生労働大臣　　　　殿

住所

氏名（法人にあつては名称及び代表者の氏名）

水道法第20条の５第１項（第31条及び第34条において準用する場合を含む。）の登録の更新を受けたいので、同法第20条の５第２項（第31条及び第34条において準用する場合を含む。）において準用する第20条の２（第31条及び第34条において準用する場合を含む。）の規定により、関係書類を添えて、次のとおり申請します。

１　登録番号

２　登録年月日

３　水質検査を行う区域

４　水質検査を行う事業所名及び所在地

備考

１　用紙の大きさは、Ａ列４番とすること。

２　事業所が複数ある場合には、すべて記載すること。

登録事項変更届出書

年　月　日

厚生労働大臣　　　　殿

登録番号

住所

氏名（法人にあつては名称及び代表者の氏名）

水質検査機関登録簿の記載事項を変更したいので、水道法第20条の７（第31条及び第34条において準用する場合を含む。）の規定により次のとおり届け出ます。

変更事項	変更前	
	変更後	
変更をしようとする年月日		
変更の理由		

備考　用紙の大きさは、Ａ列４番とすること。

様式第十六（第十五条の六第一項及び第二項、第五十二条並びに第五十四条関係）

業務規程届出書

年　　月　　日

厚生労働大臣　　　　　殿

登録番号

住所

氏名（法人にあつては名称及び代表者の氏名）

水道法第20条の８第１項前段（第31条及び第34条において準用する場合を含む。）の規定により、水質検査業務規程及び関係書類を添えて、次のとおり届け出ます。

１．＿＿＿＿＿＿＿＿＿＿＿＿＿＿＿＿＿＿＿＿＿＿＿＿

２．＿＿＿＿＿＿＿＿＿＿＿＿＿＿＿＿＿＿＿＿＿＿＿＿

備考　用紙の大きさは、A列４番とすること。

様式第十六の二(第十五条の六第二項及び第三項、第五十二条並びに第五十四条関係)

業務規程変更届出書

年　月　日

厚生労働大臣　　　殿

登録番号

住所

氏名（法人にあつては名称及び代表者の氏名）

水質検査業務規程を変更したいので、水道法第20条の８第１項後段（第31条及び第34条において準用する場合を含む。）の規定により、関係書類を添えて、次のとおり届け出ます。

変更事項	変　更　前	
	変　更　後	
変更をしようとする年月日		
変更の理由		

備考　用紙の大きさは、A列４番とすること。

業務休止／廃止届出書

年　月　日

厚生労働大臣　　　殿

登録番号

住所

氏名（法人にあつては名称及び代表者の氏名）

登録水質検査機関としての水質検査の業務を休止／廃止したいので、水道法第20条の９（第31条及び第34条において準用する場合を含む。）の規定により次のとおり届け出ます。

1　休止／廃止する検査業務の範囲

2　休止／廃止の理由及び予定期日

3　休止の予定期間（休止の場合）

備考　用紙の大きさは、A列４番とすること。

様式第十七（第五十六条の二関係）

登　録　申　請　書

年　　月　　日

厚生労働大臣　　　　殿

住所
氏名（法人にあつては名称及び代表者の氏名）

水道法第34条の２第２項の登録を受けたいので、同法第34条の４において準用する第20条の２の規定により、関係書類を添えて、次のとおり申請します。

1　簡易専用水道の管理の検査を行う区域

2　簡易専用水道の管理の検査を行う事業所名及び所在地

備考

1　用紙の大きさは、A列４番とすること。

2　事業所が複数ある場合には、すべて記載すること。

様式第十八（第五十六条の三関係）

登 録 更 新 申 請 書

年　　月　　日

厚生労働大臣　　　　殿

住所

氏名（法人にあつては名称及び代表者の氏名）

水道法第34条の４において準用する第20条の５第１項の登録の更新を受けたいので、同法第20条の５第２項において準用する第20条の２の規定により、関係書類を添えて、次のとおり申請します。

1　登録番号

2　登録年月日

3　簡易専用水道の管理の検査を行う区域

4　簡易専用水道の管理の検査を行う事業所名及び所在地

備考

1　用紙の大きさは、A列４番とすること。

2　事業所が複数ある場合には、すべて記載すること。

様式第十九（第五十六条の五関係）

登録事項変更届出書

年　　月　　日

厚生労働大臣　　　　殿

登録番号

住所

氏名（法人にあつては名称及び代表者の氏名）

簡易専用水道検査機関登録簿の記載事項を変更したいので、水道法第34条の4において準用する第20条の７の規定により次のとおり届け出ます。

<table>
<tr><td rowspan="2">変更事項</td><td>変　更　前</td><td></td></tr>
<tr><td>変　更　後</td><td></td></tr>
<tr><td colspan="2">変更をしようとする年月日</td><td></td></tr>
<tr><td colspan="2">変　更　の　理　由</td><td></td></tr>
</table>

備考　用紙の大きさは、Ａ列４番とすること。

様式第二十（第五十六条の六第二項関係）

業務規程届出書

年　　月　　日

厚生労働大臣　　　　　殿

登録番号

住所

氏名（法人にあつては名称及び代表者の氏名）

水道法第34条の４において準用する第20条の８第１項前段の規定により、簡易専用水道検査業務規程及び関係書類を添えて、次のとおり届け出ます。

1．______________________________

2．______________________________

備考　用紙の大きさは、Ａ列４番とすること。

様式第二十の二（第五十六条の六第三項関係）

業務規程変更届出書

年　　月　　日

厚生労働大臣　　　　殿

登録番号

住所

氏名（法人にあつては名称及び代表者の氏名）

簡易専用水道検査業務規程を変更したいので、水道法第34条の４において準用する第20条の８第１項後段の規定により、関係書類を添えて、次のとおり届け出ます。

変更事項	変　更　前	
	変　更　後	
変更をしようとする年月日		
変更の理由		

備考　用紙の大きさは、Ａ列４番とすること。

様式第二十の三（第五十六条の七関係）

業務休止
廃止届出書

年　月　日

厚生労働大臣　　　　殿

登録番号

住所

氏名（法人にあつては名称及び代表者の氏名）

登録簡易専用水道検査機関としての簡易専用水道の管理の検査の業務を休止
廃止したいので、水道法第34条の４において準用する第20条の９の規定により次のとおり届け出ます。

1　休止
廃止する検査業務の範囲

2　休止
廃止の理由及び予定期日

3　休止の予定期間（休止の場合）

備考　用紙の大きさは、A列４番とすること。

㈣　水質基準に関する省令

（平成一五年五月三〇日厚生労働省令第一〇一号）

改正　平成一九・一一・一四厚生労働省令一三五、平成二〇・一二・二二厚生労働省令一七四、平成二二・二・一七厚生労働省令一八、平成二三・一・二八厚生労働省令一一、平成二六・二・二八厚生労働省令一五、平成二七・三・二厚生労働省令二九、令和二・三・二五厚生労働省令三八

水道により供給される水は、次の表の上欄に掲げる事項につき厚生労働大臣が定める方法によって行う検査において、同表の下欄に掲げる基準に適合するものでなければならない。

一	一般細菌	一mlの検水で形成される集落数が一〇〇以下であること。
二	大腸菌	検出されないこと。
三	カドミウム及びその化合物	カドミウムの量に関して、〇・〇〇三mg／l以下であること。
四	水銀及びその化合物	水銀の量に関して、〇・〇〇〇五mg／l以下であること。
五	セレン及びその化合物	セレンの量に関して、〇・〇一mg／l以下であること。
六	鉛及びその化合物	鉛の量に関して、〇・〇一mg／l以下であること。
七	ヒ素及びその化合物	ヒ素の量に関して、〇・〇一mg／l以下であること。
八	六価クロム化合物	六価クロムの量に関して、〇・〇二mg／l以下であること。
九	亜硝酸態窒素	〇・〇四mg／l以下であること。
十	シアン化物イオン及び塩化シアン	シアンの量に関して、〇・〇一mg／l以下であること。
十一	硝酸態窒素及び亜硝酸態窒素	一〇mg／l以下であること。
十二	フッ素及びその化合物	フッ素の量に関して、〇・八mg／l以下であること。
十三	ホウ素及びその化合物	ホウ素の量に関して、一・〇mg／l以下であること。
十四	四塩化炭素	〇・〇〇二mg／l以下であること。
十五	一・四―ジオキサン	〇・〇五mg／l以下であること。
十六	シス―一・二―ジクロロエチレン及びトランス―一・二―ジクロロエチレン	〇・〇四mg／l以下であること。
十七	ジクロロメタン	〇・〇二mg／l以下であること。
十八	テトラクロロエチレン	〇・〇一mg／l以下であること。
十九	トリクロロエチレン	〇・〇一mg／l以下であること。
二十	ベンゼン	〇・〇一mg／l以下であること。
二十一	塩素酸	〇・六mg／l以下であること。
二十二	クロロ酢酸	〇・〇二mg／l以下であること。
二十三	クロロホルム	〇・〇六mg／l以下であること。
二十四	ジクロロ酢酸	〇・〇三mg／l以下であること。
二十五	ジブロモクロロメタン	〇・一mg／l以下であること。
二十六	臭素酸	〇・〇一mg／l以下であること。
二十七	総トリハロメタン（クロロホルム、ジブロモクロロメタン、ブロモジクロロメタン及びブロモホルムのそれぞれの濃度の総和）	〇・一mg／l以下であること。
二十八	トリクロロ酢酸	〇・〇三mg／l以下であること。
二十九	ブロモジクロロメタン	〇・〇三mg／l以下であること。

三十	ブロモホルム	〇・〇九mg／l以下であること。
三十一	ホルムアルデヒド	〇・〇八mg／l以下であること。
三十二	亜鉛及びその化合物	亜鉛の量に関して、一・〇mg／l以下であること。
三十三	アルミニウム及びその化合物	アルミニウムの量に関して、〇・二mg／l以下であること。
三十四	鉄及びその化合物	鉄の量に関して、〇・三mg／l以下であること。
三十五	銅及びその化合物	銅の量に関して、一・〇mg／l以下であること。
三十六	ナトリウム及びその化合物	ナトリウムの量に関して、二〇〇mg／l以下であること。
三十七	マンガン及びその化合物	マンガンの量に関して、〇・〇五mg／l以下であること。
三十八	塩化物イオン	二〇〇mg／l以下であること。
三十九	カルシウム、マグネシウム等（硬度）	三〇〇mg／l以下であること。
四十	蒸発残留物	五〇〇mg／l以下であること。
四十一	陰イオン界面活性剤	〇・二mg／l以下であること。
四十二	（四S・四aS・八aR）―オクタヒドロ―四・八a―ジメチルナフタレン―四a（二H）―オール（別名ジェオスミン）	〇・〇〇〇〇一mg／l以下であること。
四十三	一・二・七・七―テトラメチルビシクロ［二・二・一］ヘプタン―二―オール（別名二―メチルイソボルネオール）	〇・〇〇〇〇一mg／l以下であること。
四十四	非イオン界面活性剤	〇・〇二mg／l以下であること。
四十五	フェノール類	フェノールの量に換算して、〇・〇〇五mg／l以下であること。
四十六	有機物（全有機炭素（TOC）の量）	三mg／l以下であること。
四十七	pH値	五・八以上八・六以下であること。
四十八	味	異常でないこと。
四十九	臭気	異常でないこと。
五十	色度	五度以下であること。
五十一	濁度	二度以下であること。

附 則

（施行期日）

第一条 この省令は、平成十六年四月一日から施行する。

（水質基準に関する省令の廃止）

第二条 水質基準に関する省令（平成四年厚生省令第六十九号）は、廃止する。

（経過措置）

第三条 平成十七年三月三十一日までの間は、表四十五の項中「有機物（全有機炭素（TOC）の量）」とあるのは「有機物等（過マンガン酸カリウム消費量）」と、「五mg／l」とあるのは「一〇mg／l」とする。

2 この省令の施行の際現に布設されている水道により供給される水に係る表四十一の項及び四十二の項に掲げる基準については、平成十九年三月三十一日までの間は、これらの項中「〇・〇〇〇〇一mg／l」とあるのは「〇・〇〇〇〇二mg／l」とする。

附 則

（平成一九年一一月一四日厚生労働省令第一三五号）

この省令は、平成二十年四月一日から施行する。

附 則

（平成二〇年一二月二二日厚生労働省令第一七四号）

この省令は、平成二十一年四月一日から施行する。

附 則（抄）

（平成二二年二月一七日厚生労働省令第一八号）

（施行期日）

第一条 この省令は、平成二十二年四月一日から施行する。

附 則（抄）

（平成二三年一月二八日厚生労働省令第一一号）

（施行期日）

第一条　この省令は、平成二十三年四月一日から施行する。

附　則（抄）
（平成二六年二月二八日厚生労働省令第一五号）

（施行期日）
第一条　この省令は、平成二十六年四月一日から施行する。

附　則
（平成二七年三月二日厚生労働省令第二九号）

この省令は、平成二十七年四月一日から施行する。

附　則（抄）
（令和二年三月二五日厚生労働省令第三八号）

（施行期日）
第一条　この省令は、令和二年四月一日から施行する。

㈤ 給水装置の構造及び材質の基準に関する省令

（平成九年三月一九日
厚生省令第一四号）

改正 平成一二・一〇・二〇厚生省令一二七、平成一四・一〇・二九厚生労働省令一三八、平成一六・一一・二六厚生労働省令六、平成二一・三・六厚生労働省令二七、平成二二・二・一七厚生労働省令一八、平成二三・一・二八厚生労働省令一一、平成二六・二・二八厚生労働省令一五、令和二・三・二五厚生労働省令三八

水道法施行令（昭和三十二年政令第三百三十六号）第四条第二項の規定に基づき、給水装置の構造及び材質の基準に関する省令を次のように定める。

給水装置の構造及び材質の基準に関する省令

（耐圧に関する基準）

第一条 給水装置（最終の止水機構の流出側に設置されている給水用具を除く。以下この条において同じ。）は、次に掲げる耐圧のための性能を有するものでなければならない。

一 給水装置（次号に規定する加圧装置及び当該加圧装置の下流側に設置されている給水用具並びに第三号に規定する熱交換器内における浴槽内の水等の加熱用の水路を除く。）は、厚生労働大臣が定める耐圧に関する試験（以下「耐圧性能試験」という。）により一・七五メガパスカルの静水圧を一分間加えたとき、水漏れ、変形、破損その他の異常を生じないこと。

二 加圧装置及び当該加圧装置の下流側に設置されている給水用具（次に掲げる要件を満たす給水用具に設置されているものに限る。）は、耐圧性能試験により当該加圧装置の最大吐出圧力の静水圧を一分間加えたとき、水漏れ、変形、破損その他の異常を生じないこと。

イ 当該加圧装置を内蔵するものであること。

ロ 減圧弁が設置されているものであること。

ハ ロの減圧弁の下流側に当該加圧装置が設置されているものであること。

ニ 当該加圧装置の下流側に設置されている給水用具についてロの減圧弁を通さない水との接続がない構造のものであること。

三 熱交換器内における浴槽内の水等の加熱用の水路（次に掲げる要件を満たすものに限る。）については、接合箇所（溶接によるものを除く。）を有せず、耐圧性能試験により一・七五メガパスカルの静水圧を一分間加えたとき、水漏れ、変形、破損その他の異常を生じないこと。

イ 当該熱交換器が給湯及び浴槽内の水等の加熱に兼用する構造のものであること。

ロ 当該熱交換器の構造として給湯用の水路と浴槽内の水等の加熱用の水路が接触するものであること。

四 パッキンを水圧で圧縮することにより水密性を確保する構造の給水用具は、第一号に掲げる性能を有するとともに、耐圧性能試験により二〇キロパスカルの静水圧を一分間加えたとき、水漏れ、変形、破損その他の異常を生じないこと。

2 給水装置の接合箇所は、水圧に対する充分な耐力を確保するためにその構造及び材質に応じた適切な接合が行われているものでなければならない。

3 家屋の主配管は、配管の経路について構造物の下の通過を避けること等により漏水時の修理を容易に行うことができるようにしなければならない。

（浸出等に関する基準）

第二条 飲用に供する水を供給する給水装置は、厚生労働大臣が定める浸出に関する試験（以下「浸出性能試験」という。）により供試品（浸出性能試験に供される器具、その部品、又はその材料（金属以外のものに限る。）をいう。）について浸出させたとき、その浸出液は、別表第一の上欄に掲げる事項につき、水栓その他給水装置の末端に設置されている給水用具にあっては同表の中欄に掲げる基準に適合し、それ以外の給水装置にあっては同表の下欄に掲げる基準に適合しなければならない。

2 給水装置は、末端部が行き止まりとなっていること等により水が停滞する構造であってはならない。ただし、当該末端部に排水機構が設置されているものにあっては、この限りでない。

3 給水装置は、シアン、六価クロムその他水を汚染するおそれのある物を貯留し、又は取り扱う施設に近接して設置されていてはなら

ない。

4　鉱油類、有機溶剤その他の油類が浸透するおそれのある場所に設置されている給水装置は、当該油類が浸透するおそれのない材質のもの又はさや管等により適切な防護のための措置が講じられているものでなければならない。

（水撃限界に関する基準）

第三条　水栓その他水撃作用（止水機構を急に閉止した際に管路内に生じる圧力の急激な変動作用をいう。）を生じるおそれのある給水用具は、厚生労働大臣が定める水撃限界に関する試験により当該給水用具内の流速を二メートル毎秒又は当該給水用具内の動水圧を〇・一五メガパスカルとする条件において給水用具の止水機構の急閉止（閉止する動作が自動的に行われる給水用具にあっては、自動閉止）をしたとき、その水撃作用により上昇する圧力が一・五メガパスカル以下である性能を有するものでなければならない。ただし、当該給水用具の上流側に近接してエアチャンバーその他の水撃防止器具を設置すること等により適切な水撃防止のための措置が講じられているものにあっては、この限りでない。

（防食に関する基準）

第四条　酸又はアルカリによって侵食されるおそれのある場所に設置されている給水装置は、酸又はアルカリに対する耐食性を有する材質のもの又は防食材で被覆すること等により適切な侵食の防止のための措置が講じられているものでなければならない。

2　漏えい電流により侵食されるおそれのある場所に設置されている給水装置は、非金属製の材質のもの又は絶縁材で被覆すること等により適切な電気防食のための措置が講じられているものでなければならない。

（逆流防止に関する基準）

第五条　水が逆流するおそれのある場所に設置されている給水装置は、次の各号のいずれかに該当しなければならない。

一　次に掲げる逆流を防止するための性能を有する給水用具が、水の逆流を防止することができる適切な位置（ニに掲げるものにあっては、水受け容器の越流面の上方一五〇ミリメートル以上の位置）に設置されていること。

イ　減圧式逆流防止器は、厚生労働大臣が定める逆流防止に関する試験（以下「逆流防止性能試験」という。）により三キロパスカル及び一・五メガパスカルの静水圧を一分間加えたとき、水漏れ、変形、破損その他の異常を生じないとともに、厚生労働大臣が定める負圧破壊に関する試験（以下「負圧破壊性能試験」という。）により流入側からマイナス五四キロパスカルの圧力を加えたとき、減圧式逆流防止器に接続した透明管内の水位の上昇が三ミリメートルを超えないこと。

ロ　逆止弁（減圧式逆流防止器を除く。）及び逆流防止装置を内部に備えた給水用具（ハにおいて「逆流防止給水用具」という。）は、逆流防止性能試験により三キロパスカル及び一・五メガパスカルの静水圧を一分間加えたとき、水漏れ、変形、破損その他の異常を生じないこと。

ハ　逆流防止給水用具のうち次の表の第一欄に掲げるものに対するロの規定の適用については、同欄に掲げる逆流防止給水用具の区分に応じ、同表の第二欄に掲げる字句は、それぞれ同表の第三欄に掲げる字句とする。

逆流防止給水用具の区分	読み替えられる字句	読み替える字句
(1)　減圧弁	一・五メガパスカル	当該減圧弁の設定圧力
(2)　当該逆流防止装置の流出側に止水機構が設けられておらず、かつ、大気に開口されている逆流防止給水用具（(3)及び(4)に規定するものを除く。）	三キロパスカル及び一・五メガパスカル	三キロパスカル
(3)　浴槽に直結し、かつ、自動給湯する給湯機及び給湯付きふろがま（(4)に規定するものを除く。）	一・五メガパスカル	五〇キロパスカル

(4) 浴槽に直結し、かつ、自動給湯する給湯機及び給湯付きふろがまであって逆流防止装置の流出側に循環ポンプを有するもの	一・五メガパスカル	当該循環ポンプの最大吐出圧力又は五〇キロパスカルのいずれかの高い圧力

ニ　バキュームブレーカは、負圧破壊性能試験により流入側からマイナス五四キロパスカルの圧力を加えたとき、バキュームブレーカに接続した透明管内の水位の上昇が七五ミリメートルを超えないこと。

ホ　負圧破壊装置を内部に備えた給水用具は、負圧破壊性能試験により流入側からマイナス五四キロパスカルの圧力を加えたとき、当該給水用具に接続した透明管内の水位の上昇が、バキュームブレーカを内部に備えた給水用具にあっては逆流防止機能が働く位置から水受け部の水面までの垂直距離の二分の一、バキュームブレーカ以外の負圧破壊装置を内部に備えた給水用具にあっては吸気口に接続している管と流入管の接続部分の最下端又は吸気口の最下端のうちいずれか低い点から水面までの垂直距離の二分の一を超えないこと。

へ　水受け部と吐水口が一体の構造であり、かつ、水受け部の越流面と吐水口の間が分離されていることにより水の逆流を防止する構造の給水用具は、負圧破壊性能試験により流入側からマイナス五四キロパスカルの圧力を加えたとき、吐水口から水を引き込まないこと。

二　吐水口を有する給水装置が、次に掲げる基準に適合すること。

イ　呼び径が二五ミリメートル以下のものにあっては、別表第二の上欄に掲げる呼び径の区分に応じ、同表中欄に掲げる近接壁から吐水口の中心までの水平距離及び同表下欄に掲げる越流面から吐水口の最下端までの垂直距離が確保されていること。

ロ　呼び径が二五ミリメートルを超えるものにあっては、別表第三の上欄に掲げる区分に応じ、同表下欄に掲げる越流面から吐水口の最下端までの垂直距離が確保されていること。

2　事業活動に伴い、水を汚染するおそれのある場所に給水する給水装置は、前項第二号に規定する垂直距離及び水平距離を確保し、当該場所の水管その他の設備と当該給水装置を分離すること等により、適切な逆流の防止のための措置が講じられているものでなければならない。

（耐寒に関する基準）

第六条　屋外で気温が著しく低下しやすい場所その他凍結のおそれのある場所に設置されている給水装置のうち減圧弁、逃し弁、逆止弁、空気弁及び電磁弁（給水用具の内部に備え付けられているものを除く。以下「弁類」という。）にあっては、厚生労働大臣が定める耐久に関する試験（以下「耐久性能試験」という。）により十万回の開閉操作を繰り返し、かつ、厚生労働大臣が定める耐寒に関する試験（以下「耐寒性能試験」という。）により零下二〇度プラスマイナス二度の温度で一時間保持した後通水したとき、それ以外の給水装置にあっては、耐寒性能試験により零下二〇度プラスマイナス二度の温度で一時間保持した後通水したとき、当該給水装置に係る第一条第一項に規定する性能、第三条に規定する性能及び前条第一項第一号に規定する性能を有するものでなければならない。ただし、断熱材で被覆すること等により適切な凍結の防止のための措置が講じられているものにあっては、この限りでない。

（耐久に関する基準）

第七条　弁類（前条本文に規定するものを除く。）は、耐久性能試験により十万回の開閉操作を繰り返した後、当該給水装置に係る第一条第一項に規定する性能、第三条に規定する性能及び第五条第一項第一号に規定する性能を有するものでなければならない。

附　則

この省令は、平成九年十月一日から施行する。

附　則（抄）

（平成一二年一〇月二〇日厚生省令第一二七号）

（施行期日）

1　この省令は、内閣法の一部を改正する法律

（平成十一年法律第八十八号）の施行の日から施行する。

（施行の日＝平成一三年一月六日）

附 則

（平成一四年一〇月二九日厚生労働省令第一三八号）

1 この省令は、平成十五年四月一日から施行する。

2 この省令の施行の際現に設置され、若しくは設置の工事が行われている給水装置又は現に建築の工事が行われている建築物に設置されるものであって、この省令による改正後の給水装置の構造及び材質の基準に関する省令第二条第一項に規定する基準に適合しないものについては、その給水装置の大規模の改造のときまでは、この規定を適用しない。

附 則

（平成一六年一月二六日厚生労働省令第六号）

（施行期日）

第一条 この省令は、平成十六年四月一日から施行する。

（経過措置）

第二条 平成十七年三月三十一日までの間、この省令による改正後の別表第一有機物（全有機炭素（TOC）の量）の項中「有機物（全有機炭素（TOC）の量）」とあるのは「有機物等（過マンガン酸カリウム消費量）」と、同項の中欄中「〇・五mg／l」とあるのは「一・〇mg／l」と、同項の下欄中「五mg／l」とあるのは「一〇mg／l」とする。

第三条 パッキンを除く主要部品の材料としてゴム、ゴム化合物又は合成樹脂を使用している水栓その他給水装置の末端に設置されている給水用具の浸出液に係る基準については、当分の間、この省令による改正後の別表第一フェノール類の項中「〇・〇〇〇五mg／l」とあるのは「〇・〇〇五mg／l」とする。

第四条 この省令の施行の際現に設置され、若しくは設置の工事が行われている給水装置又は現に建築の工事が行われている建築物に設置されるものであって、この省令による改正後の給水装置の構造及び材質の基準に関する省令第二条第一項に規定する基準に適合しないものについては、その給水装置の大規模の改造のときまでは、この規定を適用しない。

附 則

（平成二一年三月六日厚生労働省令第二七号）

（施行期日）

第一条 この省令は、平成二十一年四月一日から施行する。

（経過措置）

第二条 この省令の際現に設置され、若しくは設置の工事が行われている給水装置又は現に建築の工事が行われている建築物に設置されるものであって、この省令による改正後の給水装置の構造及び材質の基準に関する省令第二条第一項に規定する基準に適合しないものについては、その給水装置の大規模の改造のときまでは、この規定を適用しない。

附 則（抄）

（平成二二年二月一七日厚生労働省令第一八号）

（施行期日）

第一条 この省令は、平成二十二年四月一日から施行する。

（経過措置）

第二条 平成二十四年三月三十一日までの間、第二条の規定による改正後の給水装置の構造及び材質の基準に関する省令（次条において「新給水装置省令」という。）別表第一カドミウム及びその化合物の項の適用については、同項中欄中「〇・〇〇三mg／l」とあるのは、「〇・〇一mg／l」とする。

第三条 この省令の施行の際現に設置され、若しくは設置の工事が行われている給水装置又は現に建築の工事が行われている建築物に設置されるものであって、新給水装置省令第二条第一項に規定する基準に適合しないものについては、その給水装置の大規模の改造のときまでは、この規定を適用しない。

附 則（抄）

（平成二三年一月二八日厚生労働省令第一一号）

（施行期日）

第一条 この省令は、平成二十三年四月一日から施行する。

（経過措置）

第二条 この省令の施行の際現に設置され、若しくは設置の工事が行われている給水装置又は現に建築の工事が行われている建築物に設置されるものであって、第二条の規定による改正後の給水装置の構造及び材質の基準に関する省令第二条第一項に規定する基準に適合しないものについては、その給水装置の大規模の改造のときまでは、この規定を適用しない。

附　則

（平成二四年九月六日厚生労働省令第一二三号）

この省令は、公布の日から施行する。ただし、第五条第一項第二号イ及び別表第二の改正規定は、平成二十五年十月一日から施行する。

附　則（抄）

（平成二六年二月二八日厚生労働省令第一五号）

（施行期日）

第一条　この省令は、平成二十六年四月一日から施行する。

（経過措置）

第二条　この省令の施行の際現に設置され、若しくは設置の工事が行われている給水装置又は現に建築の工事が行われている建築物に設置されるものであって、第三条の規定による改正後の給水装置の構造及び材質の基準に関する省令第二条第一項に規定する基準に適合しないものについては、当該給水装置の大規模の改造のときまでは、この規定を適用しない。

附　則（抄）

（令和二年三月二五日厚生労働省令第三八号）

（施行期日）

第一条　この省令は、令和二年四月一日から施行する。

（経過措置）

第二条　令和三年三月三十一日までの間、第二条の規定による改正後の給水装置の構造及び材質の基準に関する省令（次条において「新給水装置省令」という。）別表第一六価クロム化合物の項の適用については、同項中欄中「〇・〇〇二mg／l」とあるのは、「〇・〇〇五mg／l」とする。

第三条　この省令の施行の際現に設置され、若しくは設置の工事が行われている給水装置又は現に建築の工事が行われている建築物に設置されるものであって、新給水装置省令第二条第一項に規定する基準に適合しないものについては、当該給水装置の大規模の改造のときまでは、この規定を適用しない。

別表第一

事項	水栓その他給水装置の末端に設置されている給水用具の浸出液に係る基準	給水装置の末端以外に設置されている給水用具の浸出液、又は給水管の浸出液に係る基準
カドミウム及びその化合物	カドミウムの量に関して、〇・〇〇〇三mg／l以下であること。	カドミウムの量に関して、〇・〇〇三mg／l以下であること。
水銀及びその化合物	水銀の量に関して、〇・〇〇〇〇五mg／l以下であること。	水銀の量に関して、〇・〇〇〇五mg／l以下であること。
セレン及びその化合物	セレンの量に関して、〇・〇〇一mg／l以下であること。	セレンの量に関して、〇・〇一mg／l以下であること。
鉛及びその化合物	鉛の量に関して、〇・〇〇一mg／l以下であること。	鉛の量に関して、〇・〇一mg／l以下であること。
ヒ素及びその化合物	ヒ素の量に関して、〇・〇〇一mg／l以下であること。	ヒ素の量に関して、〇・〇一mg／l以下であること。
六価クロム化合物	六価クロムの量に関して、〇・〇〇二mg／l以下であること。	六価クロムの量に関して、〇・〇二mg／l以下であること。
亜硝酸態窒素	〇・〇〇四mg／l以下であること。	〇・〇四mg／l以下であること。
シアン化物イオン及び塩化シアン	シアンの量に関して、〇・〇〇一mg／l以下であること。	シアンの量に関して、〇・〇一mg／l以下であること。
硝酸態窒素及び亜硝酸態窒素	一・〇mg／l以下であること。	一〇mg／l以下であること。
フッ素及びその化合物	フッ素の量に関して、〇・〇八mg／l以下であること。	フッ素の量に関して、〇・八mg／l以下であること。

ホウ素及びその化合物	ホウ素の量に関して、〇・一mg／l以下であること。	ホウ素の量に関して、一・〇mg／l以下であること。
四塩化炭素	〇・〇〇〇二mg／l以下であること。	〇・〇〇二mg／l以下であること。
一・四―ジオキサン	〇・〇〇五mg／l以下であること。	〇・〇五mg／l以下であること。
シス―一・二―ジクロロエチレン及びトランス―一・二―ジクロロエチレン	〇・〇〇四mg／l以下であること。	〇・〇四mg／l以下であること。
ジクロロメタン	〇・〇〇二mg／l以下であること。	〇・〇二mg／l以下であること。
テトラクロロエチレン	〇・〇〇一mg／l以下であること。	〇・〇一mg／l以下であること。
トリクロロエチレン	〇・〇〇一mg／l以下であること。	〇・〇一mg／l以下であること。
ベンゼン	〇・〇〇一mg／l以下であること。	〇・〇一mg／l以下であること。

ホルムアルデヒド	〇・〇〇八mg／l以下であること。	〇・〇八mg／l以下であること。
亜鉛及びその化合物	亜鉛の量に関して、〇・一mg／l以下であること。	亜鉛の量に関して、一・〇mg／l以下であること。
アルミニウム及びその化合物	アルミニウムの量に関して、〇・〇二mg／l以下であること。	アルミニウムの量に関して、〇・二mg／l以下であること。
鉄及びその化合物	鉄の量に関して、〇・〇三mg／l以下であること。	鉄の量に関して、〇・三mg／l以下であること。
銅及びその化合物	銅の量に関して、〇・一mg／l以下であること。	銅の量に関して、一・〇mg／l以下であること。
ナトリウム及びその化合物	ナトリウムの量に関して、二〇mg／l以下であること。	ナトリウムの量に関して、二〇〇mg／l以下であること。
マンガン及びその化合物	マンガンの量に関して、〇・〇〇五mg／l以下であること。	マンガンの量に関して、〇・〇五mg／l以下であること。
塩化物イオン	二〇mg／l以下であること。	二〇〇mg／l以下であること。

蒸発残留物	五〇mg／l以下であること。	五〇〇mg／l以下であること。
陰イオン界面活性剤	〇・〇二mg／l以下であること。	〇・二mg／l以下であること。
非イオン界面活性剤	〇・〇〇五mg／l以下であること。	〇・〇二mg／l以下であること。
フェノール類	フェノールの量に換算して、〇・〇〇〇五mg／l以下であること。	フェノールの量に換算して、〇・〇〇五mg／l以下であること。
有機物（全有機炭素（TOC）の量）	〇・五mg／l以下であること。	三mg／l以下であること。
味	異常でないこと。	異常でないこと。
臭気	異常でないこと。	異常でないこと。
色度	〇・五度以下であること。	五度以下であること。
濁度	〇・二度以下であること。	二度以下であること。
一・二―ジクロロエタン	〇・〇〇〇四mg／l以下であること。	〇・〇〇四mg／l以下であること。

アミン類	トリエチレンテトラミンとして、〇・〇一mg／l以下であること。	トリエチレンテトラミンとして、〇・〇一mg／l以下であること。
エピクロロヒドリン	〇・〇一mg／l以下であること。	〇・〇一mg／l以下であること。
酢酸ビニル	〇・〇一mg／l以下であること。	〇・〇一mg／l以下であること。
スチレン	〇・〇〇二mg／l以下であること。	〇・〇〇二mg／l以下であること。
二・四―トルエンジアミン	〇・〇〇二mg／l以下であること。	〇・〇〇二mg／l以下であること。
二・六―トルエンジアミン	〇・〇〇一mg／l以下であること。	〇・〇〇一mg／l以下であること。
一・二―ブタジエン	〇・〇〇一mg／l以下であること。	〇・〇〇一mg／l以下であること。
一・三―ブタジエン	〇・〇〇一mg／l以下であること。	〇・〇〇一mg／l以下であること。

備考　主要部品の材料として銅合金を使用している水栓その他給水装置の末端に設置されている給水用具の浸出液に係る基準にあっては、この表鉛及びその化合物の項中「〇・〇〇七mg／l」とあるのは「〇・〇〇一mg／l」と、亜鉛及びその化合物の項中「〇・一mg／l」とあるのは「〇・九七mg／l」と、銅及びその化合物の項中「〇・一mg／l」とあるのは「〇・九八mg／l」とする。

別表第二

呼び径の区分	近接壁から吐水口の中心までの水平距離	越流面から吐水口の最下端までの垂直距離
一三ミリメートル以下のもの	二五ミリメートル以上	二五ミリメートル以上
一三ミリメートルを超え二〇ミリメートル以下のもの	四〇ミリメートル以上	四〇ミリメートル以上
二〇ミリメートルを超え二五ミリメートル以下のもの	五〇ミリメートル以上	五〇ミリメートル以上

備考
1　浴槽に給水する給水装置（水受け部と吐水口が一体の構造であり、かつ、水受け部の越流面と吐水口の間が分離されていることにより水の逆流を防止する構造の給水用具（この表及び次表において「吐水口一体型給水用具」という。）を除く。）にあっては、この表下欄中「二五ミリメートル」とあり、又は「四〇ミリメートル」とあるのは、「五〇ミリメートル」とする。
2　プール等の水面が特に波立ちやすい水槽並びに事業活動に伴い洗剤又は薬品を入れる水槽及び容器に給水する給水装置（吐水口一体型給水用具を除く。）にあっては、この表下欄中「二五ミリメートル」とあり、又は「五〇ミリメートル」とあるのは、「二〇〇ミリメートル」とする。

別表第三

区分			越流面から吐水口の最下端までの垂直距離
近接壁の影響がない場合			(1.7×d＋5)ミリメートル以上
近接壁の影響がある場合	近接壁が一面の場合	壁からの離れが(3×D)ミリメートル以下のもの	(3×d)ミリメートル以上
		壁からの離れが(3×D)ミリメートルを超え(5×D)ミリメートル以下のもの	(2×d＋5)ミリメートル以上
		壁からの離れが(5×D)ミリメートルを超えるもの	(1.7×d＋5)ミリメートル以上
	近接壁が二面の場合	壁からの離れが(4×D)ミリメートル以下のもの	(3.5×d)ミリメートル以上
		壁からの離れが(4×D)ミリメートルを超え(6×D)ミリメートル以下のもの	(3×d)ミリメートル以上
		壁からの離れが(6×D)ミリメートルを超え(7×D)ミリメートル以下のもの	(2×d＋5)ミリメートル以上
		壁からの離れが(7×D)ミリメートルを超えるもの	(1.7×d＋5)ミリメートル以上

備考
1 D：吐水口の内径（単位　ミリメートル）
　d：有効開口の内径（単位　ミリメートル）
2 吐水口の断面が長方形の場合は長辺をDとする。
3 越流面より少しでも高い壁がある場合は近接壁とみなす。
4 浴槽に給水する給水装置（吐水口一体型給水用具を除く。）において、下欄に定める式により算定された越流面から吐水口の最下端までの垂直距離が五〇ミリメートル未満の場合にあっては、当該距離は五〇ミリメートル以上とする。
5 プール等の水面が特に波立ちやすい水槽並びに事業活動に伴い洗剤又は薬品を入れる水槽及び容器に給水する給水装置（吐水口一体型給水用具を除く。）において、下欄に定める式により算定された越流面から吐水口の最下端までの垂直距離が二〇〇ミリメートル未満の場合にあっては、当該距離は二〇〇ミリメートル以上とする。

㈥水道施設の技術的基準を定める省令

（平成一二年二月二三日厚生省令第一五号）

改正　平成一二・一〇・二〇厚生省令一二七、平成一六・一・三〇厚生労働省令五、平成一九・三・三〇厚生労働省令五四、平成一九・一一・一四厚生労働省令一三七、平成二〇・三・二八厚生労働省令六〇、平成二一・三・六厚生労働省令二六、平成二二・二・一七厚生労働省令一八、平成二三・一・二八厚生労働省令一一、平成二六・二・二八厚生労働省令一五、令和元・五・二九厚生労働省令六、令和元・九・三〇厚生労働省令五九、令和二・三・二五厚生労働省令三八

水道法（昭和三十二年法律第百七十七号）第五条第四項の規定に基づき、水道施設の技術的基準を定める省令を次のように定める。

　水道施設の技術的基準を定める省令

（一般事項）

第一条　水道施設は、次に掲げる要件を備えるものでなければならない。

一　水道法（昭和三十二年法律第百七十七号）第四条の規定による水質基準（以下「水質基準」という。）に適合する必要量の浄水を所要の水圧で連続して供給することができること。

二　需要の変動に応じて、浄水を安定的かつ効率的に供給することができること。

三　給水の確実性を向上させるために、必要に応じて、次に掲げる措置が講じられていること。

イ　予備の施設又は設備が設けられていること。

ロ　取水施設、貯水施設、導水施設、浄水施設、送水施設及び配水施設が分散して配置されていること。

ハ　水道施設自体又は当該施設が属する系統としての多重性を有していること。

四　災害その他非常の場合に断水その他の給水への影響ができるだけ少なくなるように配慮されたものであるとともに、速やかに復旧できるように配慮されたものであること。

五　環境の保全に配慮されたものであること。

六　地形、地質その他の自然的条件を勘案して、自重、積載荷重、水圧、土圧、揚圧力、浮力、地震力、積雪荷重、氷圧、温度荷重等の予想される荷重に対して安全な構造であること。

七　施設の重要度に応じて、地震力に対して次に掲げる要件を備えるものであるとともに、地震により生ずる液状化、側方流動等によって生ずる影響に配慮されたものであること。

イ　次に掲げる施設については、レベル一地震動（当該施設の設置地点において発生するものと想定される地震動のうち、当該施設の供用期間中に発生する可能性の高いものをいう。以下同じ。）に対して、当該施設の健全な機能を損なわず、かつ、レベル二地震動（当該施設の設置地点において発生するものと想定される地震動のうち、最大規模の強さを有するものをいう。）に対して、生ずる損傷が軽微であって、当該施設の機能に重大な影響を及ぼさないこと。

(1)　取水施設、貯水施設、導水施設、浄水施設及び送水施設

(2)　配水施設のうち、破損した場合に重大な二次被害を生ずるおそれが高いもの

(3)　配水施設のうち、(2)の施設以外の施設であって、次に掲げるもの

(i)　配水本管（配水管のうち、給水管の分岐のないものをいう。以下同じ。）

(ii)　配水本管に接続するポンプ場

(iii)　配水本管に接続する配水池等（配水池及び配水のために容量を調節する設備をいう。以下同じ。）

(iv)　配水本管を有しない水道における最大容量を有する配水池等

ロ　イに掲げる施設以外の施設は、レベル一地震動に対して、生ずる損傷が軽微であって、当該施設の機能に重大な影響を及ぼさないこと。

八　漏水のおそれがないように必要な水密性を有する構造であること。

九　維持管理を確実かつ容易に行うことができるように配慮された構造であること。

十　水の汚染のおそれがないように、必要に応じて、暗渠とし、又はさくの設置その他の必要な措置が講じられていること。

十一　規模及び特性に応じて、流量、水圧、

水位、水質その他の運転状態を監視し、制御するために必要な設備が設けられていること。

十一の二　施設の運転を管理する電子計算機が水の供給に著しい支障を及ぼすおそれがないように、サイバーセキュリティ（サイバーセキュリティ基本法（平成二十六年法律第百四号）第二条に規定するサイバーセキュリティをいう。）を確保するために必要な措置が講じられていること。

十二　災害その他非常の場合における被害の拡大を防止するために、必要に応じて、遮断弁その他の必要な設備が設けられていること。

十三　海水又はかん水（以下「海水等」という。）を原水とする場合にあっては、ほう素の量が一リットルにつき一・〇ミリグラム以下である浄水を供給することができること。

十四　浄水又は浄水処理過程における水に凝集剤、凝集補助剤、水素イオン濃度調整剤、粉末活性炭その他の薬品又は消毒剤（以下「薬品等」という。）を注入する場合にあっては、当該薬品等の特性に応じて、必要量の薬品等を注入することができる設備（以下「薬品等注入設備」という。）が設けられているとともに、当該設備の材質が、当該薬品等の使用条件に応じた必要な耐食性を有すること。

十五　薬品等注入設備を設ける場合にあっては、予備設備が設けられていること。ただし、薬品等注入設備が停止しても給水に支障がない場合は、この限りでない。

十六　浄水又は浄水処理過程における水に注入される薬品等により水に付加される物質は、別表第一の上欄に掲げる事項につき、同表の下欄に掲げる基準に適合すること。

十七　資材又は設備（以下「資機材等」という。）の材質は、次の要件を備えること。

イ　使用される場所の状況に応じた必要な強度、耐久性、耐摩耗性、耐食性及び水密性を有すること。

ロ　水の汚染のおそれがないこと。

ハ　浄水又は浄水処理過程における水に接する資機材等（ポンプ、消火栓その他の水と接触する面積が著しく小さいものを除く。）の材質は、厚生労働大臣が定める資機材等の材質に関する試験により供試品について浸出させたとき、その浸出液は、別表第二の上欄に掲げる事項につき、同表の下欄に掲げる基準に適合すること。

（取水施設）

第二条　取水施設は、次に掲げる要件を備えるものでなければならない。

一　原水の水質の状況に応じて、できるだけ良質の原水を取り入れることができるように配慮した位置及び種類であること。

二　災害その他非常の場合又は施設の点検を行う場合に取水を停止することができる設備が設けられていること。

三　前二号に掲げるもののほか、できるだけ良質な原水を必要量取り入れることができるものであること。

2　地表水の取水施設にあっては、次に掲げる要件を備えるものでなければならない。

一　洪水、洗掘、流木、流砂等のため、取水が困難となるおそれが少なく、地形及び地質の状況を勘案し、取水に支障を及ぼすおそれがないように配慮した位置及び種類であること。

二　堰、水門等を設ける場合にあっては、当該堰、水門等が、洪水による流水の作用に対して安全な構造であること。

三　必要に応じて、取水部にスクリーンが設けられていること。

四　必要に応じて、原水中の砂を除去するために必要な設備が設けられていること。

3　地下水の取水施設にあっては、次に掲げる要件を備えるものでなければならない。

一　水質の汚染及び塩水化のおそれが少ない位置及び種類であること。

二　集水埋渠は、閉塞のおそれが少ない構造であること。

三　集水埋渠の位置を定めるに当たっては、集水埋渠の周辺に帯水層があることが確認されていること。

四　露出又は流出のおそれがないように河床の表面から集水埋渠までの深さが確保されていること。

五　一日最大取水量を常時取り入れるのに必要な能力を有すること。

4　前項第五号の能力は、揚水量が、集水埋渠によって取水する場合にあっては透水試験の結果を、井戸によって取水する場合にあっては揚水試験の結果を基礎として設定されたものでなければならない。

（貯水施設）

第三条　貯水施設は、次に掲げる要件を備えるものでなければならない。

一　貯水容量並びに設置場所の地形及び地質に応じて、安全性及び経済性に配慮した位置及び種類であること。

二　地震及び強風による波浪に対して安全な構造であること。

三　洪水に対処するために洪水吐きその他の必要な設備が設けられていること。

四　水質の悪化を防止するために、必要に応じて、ばっ気設備の設置その他の必要な措置が講じられていること。

五　漏水を防止するために必要な措置が講じられていること。

六　放流水が貯水施設及びその付近に悪影響を及ぼすおそれがないように配慮されたものであること。

七　前各号に掲げるもののほか、渇水時においても必要量の原水を供給するのに必要な貯水能力を有するものであること。

2　前項第一号の貯水容量は、降水量、河川流量、需要量等を基礎として設定されたものでなければならない。

3　ダムにあっては、次に掲げる要件を備えるものでなければならない。

一　コンクリートダムの堤体は、予想される荷重によって滑動し、又は転倒しない構造であること。

二　フィルダムの堤体は、予想される荷重によって滑り破壊又は浸透破壊が生じない構造であること。

三　ダムの基礎地盤（堤体との接触部を含む。以下同じ。）は、必要な水密性を有し、かつ、予想される荷重によって滑動し、滑り破壊又は転倒破壊が生じないものであること。

4　ダムの堤体及び基礎地盤に作用する荷重としては、ダムの種類及び貯水池の水位に応じて、別表第三に掲げるものを採用するものとする。

（導水施設）

第四条　導水施設は、次に掲げる要件を備えるものでなければならない。

一　導水施設の上下流にある水道施設の標高、導水量、地形、地質等に応じて、安定性及び経済性に配慮した位置及び方法であること。

二　水質の安定した原水を安定的に必要量送ることができるように、必要に応じて、原水調整池が設けられていること。

三　地形及び地勢に応じて、余水吐き、接合井、排水設備、制水弁、制水扉、空気弁又は伸縮継手が設けられていること。

四　ポンプを設ける場合にあっては、必要に応じて、水撃作用の軽減を図るために必要な措置が講じられていること。

五　ポンプは、次に掲げる要件を備えること。

イ　必要量の原水を安定的かつ効率的に送ることができる容量、台数及び形式であること。

ロ　予備設備が設けられていること。ただし、ポンプが停止しても給水に支障がない場合は、この限りでない。

六　前各号に掲げるもののほか、必要量の原水を送るのに必要な設備を有すること。

（浄水施設）

第五条　浄水施設は、次に掲げる要件を備えるものでなければならない。

一　地表水又は地下水を原水とする場合にあっては、水道施設の規模、原水の水質及びその変動の程度等に応じて、消毒処理、緩速濾過、急速濾過、膜濾過、粉末活性炭処理、粒状活性炭処理、オゾン処理、生物処理その他の方法により、所要の水質が得られるものであること。

二　海水等を原水とする場合にあっては、次に掲げる要件を備えること。

イ　海水等を淡水化する場合に生じる濃縮水の放流による環境の保全上の支障が生じないように必要な措置が講じられていること。

ロ　逆浸透法又は電気透析法を用いる場合にあっては、所要の水質を得るための前処理のための設備が設けられていること。

三　各浄水処理の工程がそれぞれの機能を十分発揮させることができ、かつ、布設及び維持管理を効率的に行うことができるように配置されていること。

四　濁度、水素イオン濃度指数その他の水質、水位及び水量の測定のための設備が設けられていること。

五　消毒設備は、次に掲げる要件を備えること。

イ　消毒の効果を得るために必要な時間、水が消毒剤に接触する構造であること。

ロ　消毒剤の供給量を調節するための設備が設けられていること。

ハ　消毒剤の注入設備には、予備設備が設けられていること。

ニ　消毒剤を常時安定して供給するために必要な措置が講じられていること。

ホ　液化塩素を使用する場合にあっては、液化塩素が漏出したときに当該液化塩素を中和するために必要な措置が講じられていること。

六　施設の改造若しくは更新又は点検により給水に支障が生じるおそれがある場合にあっては、必要な予備の施設又は設備が設けられていること。

七　送水量の変動に応じて、浄水を安定的かつ効率的に送ることができるように、必要に応じて、浄水を貯留する設備が設けられていること。

八　原水に耐塩素性病原生物が混入するおそれがある場合にあっては、次に掲げるいずれかの要件が備えられていること。

イ　濾《ろ》過等の設備であって、耐塩素性病原生物を除去することができるものが設けられていること。

ロ　地表水を原水とする場合にあっては、濾《ろ》過等の設備に加え、濾《ろ》過等の設備の後に、原水中の耐塩素性病原生物を不活化することができる紫外線処理設備が設けられていること。ただし、当該紫外線処理設備における紫外線が照射される水の濁度、色度その他の水質が紫外線処理に支障がないものである場合に限る。

ハ　地表水以外を原水とする場合にあっては、原水中の耐塩素性病原生物を不活化することができる紫外線処理設備が設けられていること。ただし、当該紫外線処理設備における紫外線が照射される水の濁度、色度その他の水質が紫外線処理に支障がないものである場合に限る。

九　濾過池又は濾過膜（以下「濾過設備」という。）を設ける場合にあっては、予備設備が設けられていること。ただし、濾過設備が停止しても給水に支障がない場合は、この限りでない。

十　濾過設備の洗浄排水、沈殿池等からの排水その他の浄水処理過程で生じる排水（以下「浄水処理排水」という。）を公共用水域に放流する場合にあっては、その排水による生活環境保全上の支障が生じないように必要な設備が設けられていること。

十一　濾過池を設ける場合にあっては、水の汚染のおそれがないように、必要に応じて、覆いの設置その他の必要な措置が講じられていること。

十二　浄水処理排水を原水として用いる場合にあっては、浄水又は浄水処理の工程に支障が生じないように必要な措置が講じられていること。

十三　浄水処理をした水の水質により、水道施設が著しく腐食することのないように配慮されたものであること。

十四　前各号に掲げるもののほか、水質基準に適合する必要量の浄水を得るのに必要な設備を備えていること。

2　緩速濾過を用いる浄水施設は、次に掲げる要件を備えるものでなければならない。

一　濾過池は、浮遊物質を有効に除去することができる構造であること。

二　濾過砂は、原水中の浮遊物質を有効に除去することができる粒径分布を有すること。

三　原水の水質に応じて、所要の水質の水を得るために必要な時間、水が濾過砂に接触する構造であること。

四　濾過池に加えて、原水の水質に応じて、沈殿池その他の設備が設けられていること。

五　沈殿池を設ける場合にあっては、浮遊物質を有効に沈殿させることができ、かつ、沈殿物を容易に排出することができる構造であること。

3　急速濾過を用いる浄水施設は、次に掲げる要件を備えるものでなければならない。

一　薬品注入設備、凝集池、沈殿池及び濾過池に加えて、原水の水質に応じて、所要の水質の水を得るのに必要な設備が設けられていること。

二　凝集池は、凝集剤を原水に適切に混和させることにより良好なフロックが形成される構造であること。

三　沈殿池は、浮遊物質を有効に沈殿させることができ、かつ、沈殿物を容易に排出することができる構造であること。

四　濾過池は、浮遊物質を有効に除去することができる構造であること。

五　濾材の洗浄により、濾材に付着した浮遊物質を有効に除去することができ、かつ、除去された浮遊物質を排出することができる構造であること。

六　濾材は、原水中の浮遊物質を有効に除去することができる粒径分布を有すること。

七　濾過速度は、凝集及び沈殿処理をした水の水質、使用する濾材及び濾層の厚さに応じて、所要の水質の濾過水が安定して得られるように設定されていること。

4　膜濾過を用いる浄水施設は、次に掲げる要件を備えるものでなければならない。

一　膜濾過設備は、膜の表面全体で安定して濾過を行うことができる構造であること。

二　膜モジュールの洗浄により、膜モジュールに付着した浮遊物質を有効に除去することができ、かつ、洗浄排水を排出することができる構造であること。

三　膜の両面における水圧の差、膜濾過水量及び膜濾過水の濁度を監視し、かつ、これらに異常な事態が生じた場合に関係する浄水施設の運転を速やかに停止することができる設備が設けられていること。

四　膜モジュールは、容易に破損し、又は変形しないものであり、かつ、必要な通水性及び耐圧性を有すること。

五　膜モジュールは、原水中の浮遊物質を有効に除去することができる構造であること。

六　濾過速度は、原水の水質及び最低水温、膜の種類、前処理等の諸条件に応じて、所要の水質の濾過水が安定して得られるように設定されていること。

七　膜濾過設備に加えて、原水の水質に応じて、前処理のための設備その他の必要な設備が設けられていること。

八　前処理のための設備は、膜モジュールの構造、材質及び性能に応じて、所要の水質の水が得られる構造であること。

5　粉末活性炭処理を用いる浄水施設は、次に掲げる要件を備えるものでなければならない。

一　粉末活性炭の注入設備は、適切な効果を得るために必要な時間、水が粉末活性炭に接触する位置に設けられていること。

二　粉末活性炭は、所要の水質の水を得るために必要な性状を有するものであること。

三　粉末活性炭処理の後に、粉末活性炭が浄水に漏出するのを防止するために必要な措置が講じられていること。

6　粒状活性炭処理を用いる浄水施設は、次に掲げる要件を備えるものでなければならない。

一　原水の水質に応じて、所要の水質の水を得るために必要な時間、水が粒状活性炭に接触する構造であること。

二　粒状活性炭の洗浄により、粒状活性炭に付着した浮遊物質を有効に除去することができ、かつ、除去された浮遊物質を排出することができる構造であること。

三　粒状活性炭は、所要の水質の水を得るために必要な性状を有するものであること。

四　粒状活性炭及びその微粉並びに粒状活性炭層内の微生物が浄水に漏出するのを防止するために必要な措置が講じられていること。

五　粒状活性炭層内の微生物により浄水処理を行う場合にあっては、粒状活性炭層内で当該微生物の特性に応じた適切な生息環境を保持するために必要な措置が講じられていること。

7　オゾン処理を用いる浄水施設は、次に掲げる要件を備えるものでなければならない。

一　オゾン接触槽は、オゾンと水とが効率的に混和される構造であること。

二　オゾン接触槽は、所要の水質の水を得るために必要な時間、水がオゾンに接触する構造であること。

三　オゾン処理設備の後に、粒状活性炭処理設備が設けられていること。

四　オゾンの漏えいを検知し、又は防止するために必要な措置が講じられていること。

8　生物処理を用いる浄水施設は、次に掲げる要件を備えるものでなければならない。

一　接触槽は、生物処理が安定して行われるために必要な時間、水が微生物と接触する構造であるとともに、当該微生物の特性に応じた適切な生息環境を保持するために必要な措置が講じられていること。

二　接触槽の後に、接触槽内の微生物が浄水に漏出するのを防止するために必要な措置が講じられていること。

9　紫外線処理を用いる浄水施設は、次に掲げる要件を備えるものでなければならない。

一　紫外線照射槽は、紫外線処理の効果を得るために必要な時間、水が紫外線に照射される構造であること。

二　紫外線照射装置は、紫外線照射槽内の紫外線強度の分布が所要の効果を得るものとなるように紫外線を照射する構造であるとともに、当該紫外線を常時安定して照射するために必要な措置が講じられていること。

三　水に照射される紫外線の強度の監視のための設備が設けられていること。

四　紫外線が照射される水の濁度及び水量の監視のための設備が設けられていること。ただし、地表水以外を原水とする場合にあっては、水の濁度の監視のための設備については、当該水の濁度が紫外線処理に支障を及ぼさないことが明らかである場合は、この限りではない。

五　紫外線照射槽内に紫外線ランプを設ける場合にあっては、紫外線ランプの破損を防止する措置が講じられ、かつ、紫外線ランプの状態の監視のための設備が設けられていること。

（送水施設）

第六条　送水施設は、次に掲げる要件を備えるものでなければならない。

一　送水施設の上下流にある水道施設の標高、送水量、地形、地質等に応じて、安定性及び経済性に配慮した位置及び方法であること。

二　地形及び地勢に応じて、接合井、排水設備、制水弁、空気弁又は伸縮継手が設けられていること。

三　送水管内で負圧が生じないために必要な措置が講じられていること。

四　ポンプを設ける場合にあっては、必要に応じて、水撃作用の軽減を図るために必要な措置が講じられていること。

五　ポンプは、次に掲げる要件を備えること。

イ　必要量の浄水を安定的かつ効率的に送ることができる容量、台数及び形式であること。

ロ　予備設備が設けられていること。ただし、ポンプが停止しても給水に支障がない場合は、この限りでない。

六　前各号に掲げるもののほか、必要量の浄水を送るのに必要な設備を有すること。

（配水施設）

第七条　配水施設は、次に掲げる要件を備えるものでなければならない。

一　配水区域は、地形、地勢その他の自然的条件及び土地利用その他の社会的条件を考慮して、合理的かつ経済的な施設の維持管理ができるように、必要に応じて、適正な区域に分割されていること。

二　配水区域の地形、地勢その他の自然的条件に応じて、効率的に配水施設が設けられていること。

三　配水施設の上流にある水道施設と配水区域の標高、配水量、地形等が考慮された配水方法であること。

四　需要の変動に応じて、常時浄水を供給することができるように、必要に応じて、配水区域ごとに配水池等が設けられ、かつ、適正な管径を有する配水管が布設されていること。

五　地形、地勢及び給水条件に応じて、排水設備、制水弁、減圧弁、空気弁又は伸縮継手が設けられていること。

六　配水施設内の浄水を採水するために必要な措置が講じられていること。

七　災害その他非常の場合に断水その他の給水への影響ができるだけ少なくなるように必要な措置が講じられていること。

八　配水管から給水管に分岐する箇所での配水管の最小動水圧が百五十キロパスカルを下らないこと。ただし、給水に支障がない場合は、この限りでない。

九　消火栓の使用時においては、前号にかかわらず、配水管内が正圧に保たれていること。

十　配水管から給水管に分岐する箇所での配水管の最大静水圧が七百四十キロパスカルを超えないこと。ただし、給水に支障がない場合は、この限りでない。

十一　配水池等は、次に掲げる要件を備えること。

イ　配水池等は、配水区域の近くに設けられ、かつ、地形及び地質に応じた安全性に考慮した位置に設けられていること。

ロ　需要の変動を調整することができる容量を有し、必要に応じて、災害その他非常の場合の給水の安定性等を勘案した容量であること。

十二　配水管は、次に掲げる要件を備えること。

イ　管内で負圧が生じないようにするために必要な措置が講じられていること。

ロ　配水管を埋設する場合にあっては、埋設場所の諸条件に応じて、適切な管の種類及び伸縮継手が使用されていること。

ハ　必要に応じて、腐食の防止のために必要な措置が講じられていること。

十三　ポンプを設ける場合にあっては、必要に応じて、水撃作用の軽減を図るために必要な措置が講じられていること。

十四　ポンプは、次に掲げる要件を備えること。

イ　需要の変動及び使用条件に応じて、必要量の浄水を安定的に供給することができる容量、台数及び形式であること。

ロ　予備設備が設けられていること。ただし、ポンプが停止しても給水に支障がない場合は、この限りでない。

十五　前各号に掲げるもののほか、必要量の浄水を一定以上の圧力で連続して供給するのに必要な設備を有すること。

（位置及び配列）

第八条　水道施設の位置及び配列を定めるに当たっては、維持管理の確実性及び容易性、増設、改造及び更新の容易性並びに所要の水質の原水の確保の安定性を考慮しなければならない。

附　則

1　この省令は、平成十二年四月一日から施行する。

2　この省令の施行の際現に設置されている水道施設であって、第一条第二号から第十二号まで、第十五号及び第十七号ハ、第二条第一項第一号及び第二号、第二項並びに第三項、第三条第一項第一号から第六号まで及び第三項、第四条第一項第一号から第五号まで、第五条第一項第三号、第六号、第七号、第九号及び第十一号、第六条第一号、第二号、第四号及び第五号、第七条第一号から第三号まで、第五号、第七号、第十一号、第十二号ロ及びハ、第十三号並びに第十四号並びに第八条に規定する基準に適合しないものについては、その施設の大規模の改造の時までは、これらの規定を適用しない。

附　則（抄）

（平成一二年一〇月二〇日厚生省令第一二七号）

（施行期日）

1　この省令は、内閣法の一部を改正する法律（平成十一年法律第八十八号）の施行の日（平成十三年一月六日）から施行する。

附　則

（平成一四年一〇月二九日厚生労働省令第一三九号）

1　この省令は、平成十五年四月一日から施行する。ただし、別表第二のアミン類の項の改正規定は、公布の日から施行する。

2　この省令の施行の際現に設置されている水道施設であって、この省令による改正後の水道施設の技術的基準を定める省令第一条第十七号ハに規定する基準に適合しないもの（同令附則第二項の規定の適用を受けるものを除く。）については、その施設の大規模の改造のときまでは、この規定を適用しない。

附　則

（平成一六年一月二六日厚生労働省令第五号）

（施行期日）

第一条　この省令は、平成十六年四月一日から施行する。

（経過措置）

第二条　平成十七年三月三十一日までの間、この省令による改正後の別表第一及び別表第二有機物（全有機炭素（TOC）の量）の項中「有機物（全有機炭素（TOC）の量）」とあるのは「有機物等（過マンガン酸カリウム消費量）」と、同項中「〇・五㎎／l」とあるのは「一・〇㎎／l」とする。

第三条　パッキンを除く部品又は材料としてゴム、ゴム化合物又は合成樹脂を使用している資機材等の浸出液に係る基準については、当分の間、この省令による改正後の別表第二フェノール類の項中「〇・〇〇五㎎／l」とあるのは「〇・〇〇〇五㎎／l」とする。

第四条　この省令の施行の際現に設置されている浄水又は浄水処理過程における水に接する資機材等（ポンプ、消火栓その他の水と接触する面積が著しく小さいものを除く。）であって、この省令による改正後の水道施設の技術的基準を定める省令第一条第十七号ハに規定する基準に適合しないものについては、当該水道施設の大規模の改造のときまでは、この規定を適用しない。

附　則
（平成一九年三月三〇日厚生労働省令第五四号）
この省令は、平成十九年四月一日から施行する。

附　則
（平成一九年一一月一四日厚生労働省令第一三七号）
（施行期日）
第一条　この省令は、平成二十年四月一日から施行する。
（経過措置）
第二条　平成二十三年三月三十一日までの間、この省令による改正後の水道施設の技術的基準を定める省令別表第一塩素酸の項中「〇・四mg／*l*」とあるのは「〇・五mg／*l*」とする。

附　則
（平成二〇年三月二八日厚生労働省令第六〇号）
（施行期日）
第一条　この省令は、平成二十年十月一日から施行する。
（経過措置）
第二条　この省令の施行の際現に設置され、又は設置の工事が行われている水道施設であって、この省令による改正後の水道施設の技術的基準を定める省令第一条第七号イ及びロに規定する基準に適合しないものについては、当該水道施設の大規模の改造のときまでは、この規定を適用しない。

附　則
（平成二一年三月六日厚生労働省令第二六号）
（施行期日）
第一条　この省令は、平成二十一年四月一日から施行する。
（経過措置）
第二条　この省令の施行の際現に設置されている浄水又は浄水処理過程における水に接する資機材等（ポンプ、消火栓その他の水と接触する面積が著しく小さいものを除く。）であって、この省令による改正後の水道施設の技術的基準を定める省令第一条第十七号ハに規定する基準に適合しないものについては、当該水道施設の大規模の改造のときまでは、この規定を適用しない。

附　則（抄）
（平成二二年二月一七日厚生労働省令第一八号）
（施行期日）
第一条　この省令は、平成二十二年四月一日から施行する。
（経過措置）
第四条　この省令の施行の際現に設置されている浄水又は浄水処理過程における水に接する資機材等（ポンプ、消火栓その他の水と接触する面積が著しく小さいものを除く。）であって、第三条の規定による改正後の水道施設の技術的基準を定める省令第一条第十七号ハに規定する基準に適合しないものについては、当該水道施設の大規模の改造のときまでは、この規定を適用しない。

附　則（抄）
（平成二三年一月二八日厚生労働省令第一一号）
（施行期日）
第一条　この省令は、平成二十三年四月一日から施行する。
（経過措置）
第三条　この省令の施行の際現に設置されている浄水又は浄水処理過程における水に接する資機材等（ポンプ、消火栓その他の水と接触する面積が著しく小さいものを除く。）であって、第三条の規定による改正後の水道施設の技術的基準を定める省令第一条第十七号ハに規定する基準に適合しないものについては、当該水道施設の大規模の改造のときまでは、この規定を適用しない。

附　則（抄）
（平成二六年二月二八日厚生労働省令第一五号）
（施行期日）
第一条　この省令は、平成二十六年四月一日から施行する。
（経過措置）
第三条　この省令の施行の際現に設置されている浄水又は浄水処理過程における水に接する資機材等（ポンプ、消火栓その他の水と接触する面積が著しく小さいものを除く。）であって、第四条の規定による改正後の水道施設の技術的基準を定める省令第一条第十七号ハに規定する基準に適合しないものについては、当該資機材等の大規模の改造のときまでは、この規定を適用しない。

附　則
（令和元年五月二九日厚生労働省令第六号）
この省令は、公布の日から施行する。

附　則
（令和元年九月三〇日厚生労働省令第五九号）
この省令は、令和二年四月一日から施行する。

附　則（抄）

（令和二年三月二五日厚生労働省令第三八号）

（施行期日）

第一条　この省令は、令和二年四月一日から施行する。

（経過措置）

第四条　この省令の施行の際現に設置されている浄水又は浄水処理過程における水に接する資機材等（ポンプ、消火栓その他の水と接触する面積が著しく小さいものを除く。）であって、第三条の規定による改正後の水道施設の技術的基準を定める省令第一条第十七号ハに規定する基準に適合しないものについては、当該資機材等の大規模の改造のときまでは、この規定を適用しない。

別表第一（第一条関係）

事項	基準
カドミウム及びその化合物	カドミウムの量に関して、〇・〇〇〇三mg／l以下であること。
水銀及びその化合物	水銀の量に関して、〇・〇〇〇〇五mg／l以下であること。
セレン及びその化合物	セレンの量に関して、〇・〇〇一mg／l以下であること。
鉛及びその化合物	鉛の量に関して、〇・〇〇一mg／l以下であること。
ヒ素及びその化合物	ヒ素の量に関して、〇・〇〇一mg／l以下であること。
六価クロム化合物	六価クロムの量に関して、〇・〇〇二mg／l以下であること。
亜硝酸態窒素	〇・〇〇四mg／l以下であること。
シアン化物イオン及び塩化シアン	シアンの量に関して、〇・〇〇一mg／l以下であること。
硝酸態窒素及び亜硝酸態窒素	一・〇mg／l以下であること。
ホウ素及びその化合物	ホウ素の量に関して、〇・一mg／l以下であること。
四塩化炭素	〇・〇〇〇二mg／l以下であること。
一・四―ジオキサン	〇・〇〇五mg／l以下であること。
シス―一・二―ジクロロエチレン及びトランス―一・二―ジクロロエチレン	〇・〇〇四mg／l以下であること。
ジクロロメタン	〇・〇〇二mg／l以下であること。
テトラクロロエチレン	〇・〇〇一mg／l以下であること。
トリクロロエチレン	〇・〇〇一mg／l以下であること。
ベンゼン	〇・〇〇一mg／l以下であること。
塩素酸	〇・四mg／l以下であること。
臭素酸	〇・〇〇五mg／l以下であること。
亜鉛及びその化合物	亜鉛の量に関して、〇・一mg／l以下であること。
鉄及びその化合物	鉄の量に関して、〇・〇三mg／l以下であること。
銅及びその化合物	銅の量に関して、〇・一mg／l以下であること。
マンガン及びその化合物	マンガンの量に関して、〇・〇〇五mg／l以下であること。
陰イオン界面活性剤	〇・〇二mg／l以下であること。
非イオン界面活性剤	〇・〇〇五mg／l以下であること。
フェノール類	フェノールの量に換算して、〇・〇〇〇五mg／l以下であること。
有機物（全有機炭素（TOC）の量）	〇・三mg／l以下であること。
味	異常でないこと。
臭気	異常でないこと。
色度	〇・五度以下であること。
アンチモン及びその化合物	〇・〇〇二mg／l以下であること。
ウラン及びその化合物	〇・〇〇〇二mg／l以下であること。
ニッケル及びその化合物	〇・〇〇二mg／l以下であること。
一・二―ジクロロエタン	〇・〇〇〇四mg／l以下であること。
亜塩素酸	〇・六mg／l以下であること。

二酸化塩素	〇・六mg／l以下であること。
銀及びその化合物	〇・〇一mg／l以下であること。
バリウム及びその化合物	〇・〇七mg／l以下であること。
モリブデン及びその化合物	〇・〇〇七mg／l以下であること。
アクリルアミド	〇・〇〇〇〇五mg／l以下であること。

別表第二（第一条関係）

事項	基準
カドミウム及びその化合物	カドミウムの量に関して、〇・〇〇〇三mg／l以下であること。
水銀及びその化合物	水銀の量に関して、〇・〇〇〇〇五mg／l以下であること。
セレン及びその化合物	セレンの量に関して、〇・〇〇一mg／l以下であること。
鉛及びその化合物	鉛の量に関して、〇・〇〇一mg／l以下であること。
ヒ素及びその化合物	ヒ素の量に関して、〇・〇〇一mg／l以下であること。
六価クロム化合物	六価クロムの量に関して、〇・〇〇二mg／l以下であること。
亜硝酸態窒素	〇・〇〇四mg／l以下であること。
シアン化物イオン及び塩化シアン	シアンの量に関して、〇・〇〇一mg／l以下であること。
硝酸態窒素及び亜硝酸態窒素	一・〇mg／l以下であること。
フッ素及びその化合物	フッ素の量に関して、〇・〇八mg／l以下であること。
ホウ素及びその化合物	ホウ素の量に関して、〇・一mg／l以下であること。
四塩化炭素	〇・〇〇〇二mg／l以下であること。
一・四―ジオキサン	〇・〇〇五mg／l以下であること。
シス―一・二―ジクロロエチレン及びトランス―一・二―ジクロロエチレン	〇・〇〇四mg／l以下であること。
ジクロロメタン	〇・〇〇二mg／l以下であること。
テトラクロロエチレン	〇・〇〇一mg／l以下であること。
トリクロロエチレン	〇・〇〇一mg／l以下であること。
ベンゼン	〇・〇〇一mg／l以下であること。
ホルムアルデヒド	〇・〇〇八mg／l以下であること。
亜鉛及びその化合物	亜鉛の量に関して、〇・一mg／l以下であること。
アルミニウム及びその化合物	アルミニウムの量に関して、〇・〇二mg／l以下であること。
鉄及びその化合物	鉄の量に関して、〇・〇三mg／l以下であること。
銅及びその化合物	銅の量に関して、〇・一mg／l以下であること。
ナトリウム及びその化合物	ナトリウムの量に関して、二〇mg／l以下であること。
マンガン及びその化合物	マンガンの量に関して、〇・〇〇五mg／l以下であること。
塩化物イオン	二〇mg／l以下であること。
蒸発残留物	五〇mg／l以下であること。
陰イオン界面活性剤	〇・〇二mg／l以下であること。
非イオン界面活性剤	〇・〇〇五mg／l以下であること。
フェノール類	フェノールの量に換算して、〇・〇〇〇五mg／l以下であること。
有機物（全有機炭素（TOC）の量）	〇・五mg／l以下であること。
味	異常でないこと。
臭気	異常でないこと。
色度	〇・五度以下であること。
濁度	〇・二度以下であること。
一・二―ジクロロエタン	〇・〇〇〇四mg／l以下であること。
アミン類	トリエチレンテトラミンとして、〇・〇一mg／l以下であること。

エピクロロヒドリン	〇・〇一mg／l以下であること。
酢酸ビニル	〇・〇一mg／l以下であること。
N・N―ジメチルアニリン	〇・〇一mg／l以下であること。
スチレン	〇・〇〇二mg／l以下であること。
二・四―トルエンジアミン	〇・〇〇二mg／l以下であること。
二・六―トルエンジアミン	〇・〇〇一mg／l以下であること。
一・二―ブタジエン	〇・〇〇一mg／l以下であること。
一・三―ブタジエン	〇・〇〇一mg／l以下であること。

別表第三（第三条関係）

	貯水池の水位＼ダムの種類	重力式コンクリートダム	アーチ式コンクリートダム	フィルダム
一	ダムの非越流部の直上流部における水位が常時満水位以下又はサーチャージ水位以下である場合	W、P、P_e、I、P_d、U	W、P、P_e、I、P_d、U、T	W、P、I、P_p
二	ダムの非越流部の直上流部における水位が設計洪水位である場合	W、P、P_e、U	W、P、P_e、U、T	W、P、P_p

備考

この表において、W、P、P_e、I、P_d、U、P_p及びTは、それぞれ次の荷重を表すものとする。

W　ダムの堤体の自重

P　貯留水による静水圧の力

P_e　貯水池内に堆積する汚土による力

I　地震時におけるダムの堤体の慣性力

P_d　地震時における貯留水による動水圧の力

U　貯留水による揚圧力

P_p　間げき圧（ダムの堤体の内部及びダムの基礎地盤の浸透水による水圧をいう。）の力

T　ダムの堤体の内部の温度の変化によって生ずる力

二、通　知

㈠ 水道法と都道府県条例について（通知）

（昭和三三年二月二一日衛水第一二号　水道課長）

従来水道条例の適用外の水道については、一部都道府県においては条例をもつて規制の措置を講じていたところもあるが、水道法の施行に伴い、これが改廃について次の諸点に関し疑義の向もあるので関係省とも打ち合せのうえ、次のように、これに関する見解を通知する

記

一　水道法第三条第二項および第六項において「一〇〇人以下」の小規模のものを除外し、また、同条第六項ただし書で政令で定める基準以下のものを除外した趣旨は、これらの水道は水道法に規定しているような画一的な規制措置を加えることが不適当であるとして除外したものであつて、地方公共団体が法に規定する規模以下のものにつき、その特殊な地方的実状と必要とに応じて条例で規制することを禁止したものと解するものではない。

従つて都道府県において、これ等の水道に適応する適当な規制措置を条例で定められることは、水道法の制定の趣旨からは差し支えないものであること。

二　水道法第三条第六項において専用水道を「居住」に必要な水を供給するもののみに限定したのは、居住以外に拡げるときは、その範囲が明確を欠くおそれがあり、水道法の強い規制措置及び重い罰則等が規定されている観点から不適当とされたものである。

従つて、都道府県において居住に直接かかわらない水道、例えば停車場、競技場等におけるが如き移動人を対象とした水道に対して別個の観点から条例をもつて適当な規制措置を講ぜられることは、前項同様差し支えないものであること。

㈡ 水道および飲料水供給施設の巡回指導要領について（通達）

（昭和三六年九月四日環発第一三四号　環境衛生局長）

水道施設およびその他の一般飲料水供給施設の運営につき、その維持管理の適正化を強力に推進して、これら施設による事故の発生を防止するため別紙巡回指導要領を作成したので、今後は、この要領により指導されるよう御配慮願いたい。

水道および飲料水供給施設の巡回指導要領

第一　趣旨

水道および飲料水供給施設の維持管理の適正化を強力に推進して、これら施設による事故の発生を防止するための都道府県および保健所の職員による巡回指導を行なうものとする。

第二　実施方法

巡回指導は、定期および臨時に行なうものとし、その実施者および指導回数の基準等は次によるものとする。

1　定期巡回指導

(1)　実施者　主として都道府県の職員、保健所の衛生工学指導員、衛生監視員および防疫職員が行なう。

(2) 指導回数の基準

年間指導回数	施設区分
(1) 必要と認める場合	1A、2A
(2) 1年に1回以上	3A、4A
(3) 〃 3回以上	2B、3B、4B
(4) 〃 4回以上	2C、3C、4C

(3) 指導内容
維持管理状況特に塩素消毒状況、汚染防止状況、施設改善状況、記録の整備、その他

2 臨時巡回指導
(1) 実施者 都道府県等に勤務する技術吏員
(2) 指導回数 必要と認める場合随時
(3) 指導内容 施設整備状況、維持管理状況、その他につき特に必要と認めた事項

3 台帳の作成
指導監督を効率的に行なうために、各施設毎の台帳（カードシステムでもよい。）を作成し、次の事項について記載するものとする。
①施設名②水道事業者名③水道技術管理者名④施設の規模⑤水道の位置および種類⑥浄水方法（滅菌方法含む）⑦原水および給水せんの水質⑧従業員の健康状態⑨指導時における要改善事項改善状況⑩指導時における施設および維持管理の状態による区分⑪その他

第三 水道および飲料水供給施設の分類
1 施設の構造等による分類
(1) 1型施設
水道法施行規則第一四条にいう月例の水質検査を実施するに必要な十分な試験設備を有し、かつ専任の職員により検査業務が適正に行われている施設
(2) 2型施設
水源施設の構造、環境が次表の如き場合で、消毒設備および除鉄のためのろ過施設以外の浄水施設を有しない施設で1型以外の施設

水源	構造	環境
深井戸	第1ストレーナーの深さが地表から20メートル以上であり、かつ不透水層以下の水を取水するもの。	水源付近に汚染源がなくかつ汚染防止の施設が完備しているもの。
湧水	原水の外部からの汚染を完全に防止できる取水施設を有すること。	同上

(3) 3型施設
水源が浅井戸あるいは伏流水等である施設で1型、2型および4型以外の施設
(4) 4型施設
緩速ろ過あるいは急速ろ過施設を有する施設。ただし、1型および除鉄のためのろ過施設を有するものは除く。

2 施設の維持管理の状態による分類
1型を除く各型施設について施設の維持管理の状態により各型を更にA、B、Cに分類し2A、2B、2C、3A、3B、3C、4A、4B、4Cとする。A、B、Cの区分の基準は、次のとおりとする。
(1) A 次のいずれの項目にも適合する場合
①消毒設備が完備し、適正な消毒方法が実施されていること。
②施設の汚染防止措置が完全であること。
③水源の水量が十分に確保され、かつ、給水の制限を行なうことがないこと。
④ろ過能力が過負荷になることがないこと。ただし、この項は4型施設にのみ適用するものとすること。
⑤給水栓水の水質が年度を通じ常に水質基準に合致していること。
⑥その施設に専任の有資格の水道技術管理者がいること。
⑦必要な記録が完備していること。
(2) B Aの①を除く各項目のいずれかに適合しない場合
(3) C 消毒設備がないもの、あるいは、設備があつても消毒法が不適正なもの。

以下 略

(三) 赤痢等の集団発生に対する対策の強化促進について（通達）

（昭和四一年四月七日衛発第二一七号・環書第五〇五五号公衆衛生局長・環境衛生局長）

近年、赤痢等の消化器系伝染病は、そのり患率において減少の傾向をみせているにもかかわらず、集団発生の患者の占める割合はむしろ漸増の傾向にあり、ことに、最近、都市近郊における住宅団地の水道施設の不備に起因するとみられる事例も発生しているので、これらについては、従前の通達によるものに加え、とくに左記の事項に充分留意し、今後、このような事例の発生を防止するとともに、赤痢等の集団発生に対する対策を一層強化されるよう格段の御配慮を願いたい。

記

一　環境衛生対策について

(1)　最近、都会地及びその近郊において住宅団地等が急造され、これに設置される水道のなかには認可、又は確認の手続をおこたり、また、不適当な施設を設けている事例が多いとみうけられるので、水道法に基づく、確認等をおこたつている者の発見に努め、施設の不適当なものは改善の措置を講じさせること。

なお、確認等を受けるべき者の把握については、住宅団地の造成事業等を所管する都道府県、市町村の部局の協力をもとめること。

(2)　水道法に規定する技術管理者を確保させ、また、所定の水質検査、消毒等を励行させること。

(3)　確認等を必要としない、小規模の飲料水供給施設についても、必要な施設の改善、水質検査、消毒等衛生上の措置を講ぜしめるよう指導に努めること。

(4)　今後設置される水道については、前記(1)の都道府県、市町村の当該部局の協力をもとめて、造成事業を行なう者に、あらかじめ都道府県水道所管部局、保健所等に連絡せしめるようにし、必要な指導を行なうこと。

(5)　水道施行業者等に対し、適宜講習会等を行なう等指導に努めること。

(6)　なお、集団給食施設、その他の環境衛生関係施設についても一層の指導監督を励行されたいこと。

二　一般防疫対策について

(1)　赤痢については、臨床症状の軽症化及び菌型の変化に伴ない単なる下痢症状とみなされる場合も少なくないので、医師会等の協力を得て、患者の早期発見、届出の励行を図られたいこと。

(2)　腸チフスについては、患者発生の減少に伴ない医師及び防疫担当者が患者に接する機会も少ないところから、医師会等の協力を得て、研修会、講習会等の開催を通じて、腸チフスに対する知識の向上につとめること。

(3)　近年、抗生物質の普及に伴い、定型的な症状の変化、耐性菌の増加、菌検出の困難性を来しているので、患者及び病原体保有者に対しては、医師により適正な治療をうけるよう指導し、素人療法の絶無を期すること。

(4)　特に腸チフスについては、永続保菌者に留意し、検出した菌については疫学調査に資するためのファージタイプによる同定を実施し、また、患者、保菌者についての管理カード等を作成して、患者、保菌者の管理監視を十分に実施すること。

㈣　水道法施行令の一部改正について（通知）

（昭和六〇年一二月一八日衛水第一九一号　水道環境部長）

水道法施行令（昭和三二年政令第三三六号。以下「施行令」という。）の一部を改正する政令は、昭和六〇年一一月六日政令第二九三号をもつて公布され、昭和六一年一一月一日から施行されることとなつた。

今回の施行令の一部改正は、ビル、マンション等に設置される受水槽その他の給水のための施設であつて簡易専用水道の対象とならない小規模なものに管理の不適切なものが多いことにかんがみ、簡易専用水道の範囲を拡大してこれら小規模な施設の管理の適正を期することを目的としているものであるので、左記事項に留意の上、これが施行に万全を期せられたく、通知する。

記

一　簡易専用水道の範囲の拡大

施行令の一部改正により、水道法（昭和三二年法律第一七七号。以下「法」という。）第三条第七項ただし書に規定する政令で定める基準は、水道事業の用に供する水道から水の供給を受けるために設けられる水槽の有効容量の合計が一〇立方メートルであることとされ、簡易専用水道の範囲が拡大されたこと。

二　検査体制の整備

施行令の一部改正に伴う規制対象施設数の増加に対応し、法第三四条の二第二項に規定する検査を行うための体制を整備すること。この場合、厚生大臣の指定する検査機関の積極的活用について配慮されたいこと。

三　その他

簡易専用水道は、設置者による自主的管理及び管理状況についての指定検査機関等による検査により管理の適正を期するものであることにかんがみ、指定検査機関の協力も得ながら、設置者に対し、制度の周知徹底に努められたいこと。

また、検査機関、市町村及び水道事業者との連携をとりつつ、法の円滑な施行を図られたいこと。

㈤　水道法施行令の一部改正について（通知）

（昭和六〇年一二月一八日衛水第一九二号　水道整備課長）

水道法施行令の一部改正が昭和六〇年一一月六日政令第二九三号をもつて公布され、簡易専用水道の範囲が昭和六一年一一月一日から拡大されることとなり、別添（写）のとおり昭和六〇年一二月一八日付衛水第一九一号により都道府県知事あてに通知したので、了知されたい。

また、同通知の趣旨を踏まえ、検査体制の整備及び設置者に対する制度の周知徹底に関して都道府県の水道行政部局と連携をとり、水道法の円滑な施行への協力につき配慮されたい。

別添（写）〔略〕

(六) 簡易専用水道に係る都道府県知事の権限の保健所設置市の市長への委譲について（通知）

（昭和六一年一二月二七日衛水第二四四号
水道環境部長）

水道法の一部改正を含む「地方公共団体の執行機関が国の機関として行う事務の整理及び合理化に関する法律」は、昭和六一年一二月二六日法律第一〇九号をもつて公布され、水道法の一部改正に係る部分（別添資料参照）は、昭和六二年四月一日から施行されることとなつた。

今回の水道法の一部改正は、簡易専用水道に係る措置命令、給水停止命令並びに報告の徴収及び立入検査の権限を、都道府県知事から保健所設置市の市長に委譲し、地域の実情に応じた行政対応を期することを目的としているものであるので、左記事項に留意の上、施行に万全を期されたく通知する。

記

一　権限委譲の内容
都道府県知事からの保健所設置市の市長に委譲する簡易専用水道に係る権限は次のとおりである。
①水道法第三六条第三項に基づく措置命令
②水道法第三七条に基づく給水停止命令
③水道法第三九条第二項に基づく報告の徴収及び立入検査

二　権限委譲に当たつての留意点
今回の水道法の一部改正は、昭和六二年四月一日から施行されるので、施行日までに保健所設置市において万全の事務執行体制が整備されるよう、当該市と十分調整を図られたい。

三　その他
今回の水道法の一部改正と併せて、地方自治法別表第三及び別表第四が次のとおり改正された。
(一)　都道府県知事が管理し、及び執行しなければならない事務として、別表第三第一号の（二七）に簡易専用水道に係る事務を追加したこと。
(二)　保健所設置市の市長が管理し、及び執行しなければならない事務として簡易専用水道に係る事務を別表第四第一号の（一五の二）として追加したこと。

別添資料〔略〕

(七) 水道法施行令の一部改正について（通知）

（平成二年一二月二七日衛水第二九六号
水道環境部長）

水道法施行令（昭和三二年政令第三三六号、以下「施行令」という。）の一部改正を含む「食品衛生法施行令の一部を改正する政令」は、平成二年一二月二七日政令第三六九号をもつて公布され、平成三年四月一日から施行されることとなった。

今回の施行令の一部改正は、平成元年一二月二〇日付け臨時行政改革推進審議会答申「国と地方の関係等に関する答申」を受けて行われたものであり、改正事項は左記のとおりであるので、これが適正な施行を図られたい。

なお、昭和五三年四月二六日付け環水第四九号水道環境部長通知「水道法の一部改正に伴う簡易専用水道の規制等について」の記第二（三）は削除する。

記

施行令の一部改正により、給水人口が五万人を超える水道事業又は一日最大給水量が二万五千立方メートルを超える水道用水供給事業の水源の種別、取水地点又は浄水方法の変更であって、当該変更に要する工事費の総額が一億円以下であるものに係る水道法第一〇条第一項又は第三〇条第一項の規定による厚生大臣の権限は都道府県知事に委任するものとされたこと。
（施行令第七条第三項）

(八)水道法施行令の一部改正について（通知）

（平成一〇年二月二日生衛発第一一六号　水道環境部長）

水道法施行令の一部を改正する政令は、平成九年一二月二五日政令第三八〇号をもって公布され、平成一〇年四月一日から施行されることとなった。

今回の水道法施行令（昭和三二年政令第三三六号。以下「施行令」という。）の一部改正は、地方分権推進の一環として、計画給水人口が五万人を超える水道事業に係る認可等の権限及び水道事業者又は水道用水供給事業者に対する合理化勧告に関する権限の一部を厚生大臣から都道府県知事へ委譲することを目的とするものであるが、改正内容等は左記のとおりであるので、貴管下の水道事業者及び水道用水供給事業者に対しこれを周知するとともに、その施行に遺漏なきを期されたい。

記

第一　水道事業に係る認可等の権限の委譲

一　施行令第七条第一項の改正により、計画給水人口が五万人を超える特定水源水道事業以外の水道事業に係る認可等の権限について、新たに都道府県知事に委任されることとなったこと。

二　一の「特定水源水道事業」とは、河川法（昭和三九年法律第一六七号）第三条第一項に規定する河川（以下「河川」という。）の流水を水源とする水道事業及び河川の流水を水源とする水道用水供給事業を経営する者から供給を受ける水を水源とする水道事業をいい、河川の流水を水源とする水道事業及び水道用水供給事業には、一級河川、二級河川又はこれらに係る河川管理施設から取水するもののほか、水資源開発公団その他の者の設置した用水路、導水路、貯水池、導水管等の河川管理施設以外の水を利用するための施設を通じて河川から取水するものが含まれること。

第二　その他の改正事項等

一　水道事業者間等における合理化に関する勧告の権限の委譲

施行令第七条第五項の改正により、計画給水人口の合計が五万人を超える二以上の水道事業者（特定水源水道事業を経営する者を除く。）の間（同項第二号）及び計画給水人口が五万人を超える水道事業者（特定水源水道事業を経営する者を除く。）と計画一日最大給水量が二万五千立方メートル以下である水道用水供給事業者（河川の流水を水源とする水道用水供給事業を経営する者を除く。）との間（同項第五号）における合理化に関する勧告の権限について、新たに都道府県知事に委任されることとなったこと。

二　その他所要の規定の整備

施行令第七条第一項の改正により、厚生大臣が引き続き認可等の権限を有する水道事業は給水人口が五万人を超える特定水源水道事業となったことから、これに伴い同条第三項を改正したこと。

また、施行令第七条第一項及び第三項の改正により、改正後の施行令の施行日前後において、認可等の処分その他の行為又は認可等の申請その他の行為に係る行政事務を行うべき者が、厚生大臣から都道府県知事に変更される場合があることから、こうした場合、改正後の施行令の施行日以前に厚生大臣が行った処分等の行為又は厚生大臣に対して行われた申請等の行為は、都道府県知事の行った処分等の行為又は都道府県知事に対して行われた申請等の行為とみなすこととしたこと。

三　認可に係る文書の取扱い

計画給水人口が五万人を超える特定水源水道事業者以外の水道事業者に対して厚生大臣が行った認可に係る文書については、貴職あて回送することとしていること。

㈨　水道法施行規則の一部改正について（通知）

（平成一〇年五月一日生衛発第七七五号　水道環境部長）

水道法施行規則の一部を改正する省令（平成一〇年厚生省令第三四号。以下「改正省令」という。）が、平成一〇年三月二七日公布され、同日より施行された。

今回の水道法施行規則（昭和三二年厚生省令第四五号。以下「規則」という。）の一部改正は、水道事業及び水道用水供給事業の認可及び変更認可の申請手続の簡素化を図るため、これらの認可等の申請に係る添付書類及び工事設計書の記載事項の簡素化を行うことを目的とするものであり、改正内容及び留意事項は左記のとおりであるので、貴管下の水道事業者及び水道用水供給事業者に対しこれを周知するとともに、その施行に遺漏なきを期されたい。

記

第一　認可申請に係る添付書類等の簡素化

一　改正省令による改正前の規則（以下「旧規則」という。）第三条第六号及び第七号の改正により、水道事業の認可申請に係る添付書類について、旧規則第三条第六号の「給水区域が他の水道事業の給水区域と重複しないこと及び給水区域内における専用水道の状況を明らかにする図面」及び同条第七号の「給水区域を明らかにする地図」を、改正省令による改正後の規則（以下「新規則」という。）第三条第六号の地図として一葉に取りまとめること。

二　旧規則第三条第九号及び第四九条第六号の改正により、水道事業及び水道用水供給事業の認可申請に係る添付書類について、旧規則では「水源及び浄水場の周辺の概況を明らかにする地図」を要することとしていたものを、「浄水場の周辺の概況を明らかにする地図」を不要とし、新規則第三条第八号及び第四九条第六号の「水源の周辺の概況を明らかにする地図」に限ること。

三　旧規則第六条第三号（第五二条において準用する場合を含む。）の改正により、水道事業及び水道用水供給事業の認可申請に係る工事設計書の記載事項について、「主要な水道施設の施工方法の概要」を不要とすること。

第二　変更認可申請に係る添付書類等の簡素化

一　旧規則第八条の改正により、水道事業の変更認可申請に係る添付書類及び工事設計書の記載事項について、次のように簡素化することとしたこと。

なお、旧規則において不要とされていた添付書類及び記載事項については、引き続き不要であること。

㈠　給水区域を拡張しようとする場合及び給水人口を増加させようとする場合にあっては、新規則第三条第四号の書類（「取水が確実かどうかの事情を明らかにする書類」）及び同条第八号の地図（「水源の周辺の概況を明らかにする地図」）を新たに不要とすること。

㈡　水源の種別又は取水地点若しくは浄水方法を変更しようとする場合にあっては、新規則第三条第二号の書類（「法人又は組合である場合は、水道布設に関する意志決定を証する書類」）を新たに不要とすること。

㈢　新規則第三条第九号の図面（「主要な水道施設（次号に掲げるものを除く。）の構造を明らかにする平面図、立面図、断面図及び構造図」）及び同条第一〇号の図面（「導水管きょ、送水管及び主要な配水管の配置状況を明らかにする平面図及び縦断面図」）は、新設、増設又は改造される水道施設、導水管きょ等の図面に限ること。

㈣　新規則第六条第一号の記載事項（「主要な水理計算」）及び第二号の記載事項（「主要な構造計算」）は、新設、増設又は改造される水道施設に関する水理計算又は構造計算に限ること。

㈤　第一の一から三までの改正事項について、変更認可申請の場合において準用すること。

二　旧規則第五一条の改正により、水道用水供給事業の変更認可申請に係る添付書類及び工事設計書の記載事項について、次のように簡素化することとしたこと。

なお、旧規則において不要とされていた添付書類及び記載事項については、引き続き不要であること。

㈠　給水対象を増加させようとする場合に

あっては、新規則第四九条第三号の書類（「取水が確実かどうかの事情を明らかにする書類」）及び同条第六号の地図（「水源の周辺の概況を明らかにする地図」）を新たに不要とすること。

㈡　水源の種別又は取水地点若しくは浄水方法を変更しようとする場合にあっては、新規則第四九条第二号の書類（「法人又は組合である場合は、水道布設に関する意志決定を証する書類」）を新たに不要とすること。

㈢　新規則第四九条第七号の図面（「主要な水道施設（次号に掲げるものを除く。）の構造を明らかにする平面図、立面図、断面図及び構造図」）及び同条第八号の図面（「導水管きょ及び送水管の配置状況を明らかにする平面図及び縦断面図」）は、新設、増設又は改造される水道施設、導水管きょ等の図面に限ること。

㈣　新規則第六条第一号の記載事項（「主要な水理計算」）及び同条第二号の記載事項（「主要な構造計算」）は、新設、増設又は改造される水道施設に関する水理計算又は構造計算に限ること。

㈤　第一の二及び三の改正事項について、変更認可申請の場合において準用すること。

第三　その他留意事項

一　新規則第三条第六号及び第七号の地図は、一葉のものとして提出しても差し支えないこと。

二　新規則第四条第四号（給水装置工事費の費用の負担区分を定めた根拠及びその額の算出方法）については、従前どおり、給水区域を拡張し、給水人口若しくは給水量を増加させようとする場合にあっては事業計画書に記載することとしているが、給水装置工事費の費用の負担区分及びその額に変更がないときは、記載を省略しても差し支えないこと。

三　認可申請書の添付書類、事業計画書及び工事設計書については、これらの書類の記録、保存を汎用性の高い方法で汎用性の高い電子媒体により行う場合にあっては、電子媒体の添付に代えることができることとすること。

(一〇) 水道法施行規則の一部改正について（通知）

（平成一〇年五月一日衛水発第三二号　水道整備課長）

平成一〇年三月二七日、厚生省令第三四号をもって公布、施行された水道法施行規則の一部を改正する厚生省令については、別途平成一〇年五月一日付け生衛発第七七五号厚生省生活衛生局水道環境部長通知（以下「部長通知」という。）により改正内容及び施行に当たっての留意事項を示したところであるが、なお、左記事項に十分留意の上、貴管下の水道事業者及び水道用水供給事業者に対する周知方お願いする。

記

一　認可申請及び変更認可申請に係る添付書類及び申請書類の記載事項について

㈠　水道法施行規則（昭和三二年厚生省令第四五号。以下「規則」という。）第三条、第六条、第八条、第四九条及び第五一条の改正並びに部長通知の第三の一及び二並びに本通知の三に示した添付書類並びに工事設計書及び書類の記載事項の簡素化により、改正後の規則で定める認可等申請に係る書類については、水道事業の場合は別表一、水道用水供給事業の場合は別表二に示すとおりとなるのでこれを参考にされたいこと。

㈡　昭和四九年七月二六日付け環水第八一号厚生省環境衛生局水道環境部長通知「水道法の施行について」により、水道事業及び水道用水供給事業の認可申請並びに変更認可申請に当たっては、水道台帳をその都度作成し、申請書類に添付するよう指導方お願いしてきたところであるが、認可及び変更認可の申請手続の簡素化の観点から、添付書類並びに事業計画書及び工事設計書に記載すべき事項のうち水道台帳中に同じ内容の事項が含まれるものについては、当該事項を記載した水道台帳の当該部分をそのまま転載することにより添付書類等への記載とすることができることとすること。なお、添付書類等への水道台帳の転載については、別表三に示すとおりとすることができること。

㈢　貴部（局）において水道法施行令第七条により認可等の事務を行う場合についても、㈡に準じた取扱いをされたいこと。

二　電子媒体の添付による書類の提出について

㈠　部長通知第三の三において、認可申請書の添付書類、事業計画書及び工事設計書の添付については、これらの書類の内容を記録、保存した電子媒体の添付によりこれに代えることができることとしたところであるが、この取扱いについては、当面次のとおりとすること。

①　電子媒体の種類

当面、三・五インチのフレキシブルディスク（以下「ＦＤ」という。）を用いることとする。

なお、ＦＤはＪＩＳＸ六二二三号に適合する構造のもの又はこれと同等の構造を有するものとする。

②　ＦＤの添付により代えることができる書類

認可申請書の添付書類、事業計画書及び工事設計書とする。ただし、これらのもののうち図面及び地図は除く。なお、認可申請書は従前どおり紙による提出に限ることとする。

③　ＦＤへの記録の方式及び記録のため使用するソフトウェア

汎用性の高い方式及びソフトウェアによるものとする。また、添付書類、事業計画書及び工事設計書の書類の区別を明確にし、かつ個々の添付書類、事業計画書及び工事設計書の個々の記載事項の区別を明確にしてＦＤに記録するものとする。

なお、記録されたＦＤが厚生省において受け付けることができるかどうかについて、あらかじめ記録方式及び使用するソフトウェアに関して当課に確認されたい。

④　ＦＤへの記録の書換え及び消去の防止

ＦＤへの記録については、記録の書換え及び消去ができない形で保存するか、又はこれらを防止するための措置を講ずることとする。

⑤　ＦＤの添付による提出の方法

ＦＤの添付による提出は、ＦＤの添付により代えることができる②に掲げる書類をすべてＦＤに記録する場合に限り受け付けることとし、この場合、認可申請書にＦＤ及び図面並びに地図類を添えて提出するものとする。

なお、当該ＦＤには認可申請書と照合できるよう事業名、申請者名、申請年月日及び当該ＦＤに記録されている書類等の種類を記載したラベル等をＦＤごとに貼付することとする。

㈡　水道台帳についても、㈠と同様の取扱いとすることができること。

㈢　貴部（局）においても、認可申請受付業務の実情に応じて、㈠及び㈡に準じた取扱いをされたいこと。

三　その他〔略〕

別表1　水道事業の認可等申請に係る書類（下線部が規則改正等により簡素化がなされたもの）

1　第3条及び第8条で準用する第3条（添付書類）

改正後の第3条	創　設	給水区域拡張	給水人口増加	給水量増加	水源種別変更	取水地点変更	浄水方法変更
1　　号	必　要	必　要	必　要	必　要	必　要	必　要	必　要
2　　号	必　要	必　要	必　要	必　要	不必要	不必要	不必要
3　　号	必　要	必　要	不必要	不必要	不必要	不必要	不必要
4　　号	必　要	不必要	不必要	必　要	必　要	必　要	不必要
5　　号	必　要	必　要	必　要	必　要	不必要	不必要	不必要
6　　号	旧7号と統合				不必要	不必要	不必要
7　　号	必要（6号と統合できる旨通知）				必　要	必　要	必　要
8号（水源周辺概況図と改め浄水場周辺概況図を廃止）	必　要	不必要	不必要	必　要	必　要	必　要	必　要
9　　号	必　要	新設、増設、改造されるもの					
10　　号	必　要	新設、増設、改造されるもの					

2　第4条及び第8条で準用する第4条（事業計画書の記載事項）

改正後の第4条	創　設	給水区域拡張	給水人口増加	給水量増加	水源種別変更	取水地点変更	浄水方法変更
1　　号	必　要	必　要	必　要	必　要	必　要	必　要	必　要
2　　号	必　要	必　要	必　要	必　要	必　要	必　要	必　要
3　　号	必　要	必　要	必　要	必　要	必　要	必　要	必　要
4　　号	必　要	必要（変更がない場合は省略できる旨通知）			不必要	不必要	不必要

3　第6条及び第8条で準用する第6条（工事設計書）

改正後の第6条	創　設	給水区域拡張	給水人口増加	給水量増加	水源種別変更	取水地点変更	浄水方法変更
1　　号	必要（記載事項の簡素化を通知）	新設、増設、改造される施設に関するもの（記載事項の簡素化を通知）					
2　　号							
3　　号（廃止）							

別表２　水道用水供給事業の認可等の申請に係る書類（下線部が規則改正等により簡素化がなされたもの）

１　第49条及び第51条で準用する第49条（添付書類）

改正後の第49条	創　設	給水対象増加	給水量増加	水源種別変更	取水地点変更	浄水方法変更
1　号	必　要	必　要	必　要	必　要	必　要	必　要
2　号	必　要	必　要	必　要	不必要	不必要	不必要
3　号	必　要	不必要	必　要	必　要	必　要	不必要
4　号	必　要	必　要	必　要	不必要	不必要	不必要
5　号	必　要	必　要	必　要	必　要	必　要	必　要
6号（水源周辺概況図と改め浄水場周辺概況図を廃止）	必　要	不必要	必　要	必　要	必　要	必　要
7　号	必　要	新設、増設、改造されるもの				
8　号	必　要	新設、増設、改造されるもの				

２　第50条及び第51条で準用する第50条（事業計画書）

改正後の第50条	創　設	給水対象増加	給水量増加	水源種別変更	取水地点変更	浄水方法変更
工事費の算出根拠	必　要	必　要	必　要	必　要	必　要	必　要
借入金の償還方法	必　要	必　要	必　要	必　要	必　要	必　要

３　第52条及び第51条で準用する第６条（工事設計書）

改正後の第52条	創　設	給水対象増加	給水量増加	水源種別変更	取水地点変更	浄水方法変更
1　号	必要（記載事項の簡素化を通知）	新設、増設、改造される施設に関するもの（記載事項の簡素化を通知）				
2　号						
3　号（廃止）						

別表３　水道台帳の転載によることができる水道事業又は水道用水供給事業の認可等申請に係る書類等

申請に係る書類	水道台帳の転載によることができるもの	該当する水道台帳の票番号等
添付書類	水道事業経営を必要とする理由を記載した書類（変更認可の場合に限る。）	台帳14（変更認可を必要とする理由）
	給水区域を明らかにする地図	台帳に添付される計画給水区域及び主要水道施設が記入された平面図
	水道施設の位置を明らかにする地図	
事業計画書	給水区域、給水人口及び給水量	台帳２（給水区域）、台帳３及び台帳４（給水人口及び給水量）
	水道施設の概要	台帳５（浄水施設フロー図）、台帳７及び台帳８（各施設諸元等）
	工事費の予定総額及びその予定財源	台帳10（事業費及び財源）
工事設計書	一日最大給水量及び一日平均給水量	台帳３（一日最大給水量及び一日平均給水量）
	水源の種別及び取水地点	台帳６（取水地点ごとの水系・河川名又は種別）及び台帳９（水源名）
	水源の水量の概算	台帳６（取水地点ごとの計画取水量及び合計）及び台帳９（取水計画）

㈡ 水道法施行規則等の一部改正について（通知）

（平成一〇年一一月一二日生衛発第一六一八号　水道環境部長）

水道法施行規則等の一部を改正する省令（平成一〇年厚生省令第八七号）は、平成一〇年一一月一二日に公布され、同日から施行された。ついては、貴管下の市町村、水道事業者、浄化槽関係業者等に対し、左記の改正の内容について周知徹底を図られたい。

記

一　改正の趣旨

今回の改正は、申請・届出に伴う行政手続を簡素化し、国民の負担を軽減することを目的に、「押印見直しガイドライン」（平成九年七月三日事務次官等会議申合せ）が示されたことに伴い、水道法施行規則（昭和三二年厚生省令第四五号）、水道法施行規則の一部を改正する省令（平成八年厚生省令第六九号）及び厚生省関係浄化槽法施行規則（昭和五九年厚生省令第一七号）に定める様式について、押印の義務付けの廃止等所要の改正を行うものであること。

二　改正の要旨

㈠　次の書類については、押印の義務付けを廃止し、記名押印に代えて署名によることができるとしたこと。

（水道法施行規則）
・給水装置工事主任技術者免状交付申請書
・給水装置工事主任技術者再交付申請書
・給水装置工事主任技術者試験受験願書
・給水装置工事主任技術者試験一部免除申請書

（水道法施行規則の一部を改正する省令）
・給水装置工事主任技術者試験全部免除申請書

（厚生省関係浄化槽法施行規則）
・浄化槽管理士免状申請書
・浄化槽管理士免状再交付申請書
・浄化槽管理士試験受験申請書

㈡　次の書類について、押印を廃止し、記名のみでよいとしたこと。

（水道法施行規則）
・給水装置工事主任技術者免状書換え交付申請書

（厚生省関係浄化槽法施行規則）
・浄化槽管理士免状書換え申請書

㈢　申請書の電算機処理の円滑化に資するため、氏名のふりがなの記入を平仮名からカタカナに改める等、所要の改正を行ったこと。

㈣　この省令の施行の際現にあるこの省令による改正前の様式については、当分の間、これを取り繕って使用することができるとしたこと。

㈢ 水道法第二〇条第三項に規定する厚生大臣の指定について（通知）

（平成一〇年一一月三〇日生衛発第一六八三号　水道環境部長）

今般、別添のとおり「水道法第二〇条第三項に規定する厚生大臣の指定に関する規程」（厚生省告示第二六三号。以下「規程」という。）が、平成一〇年一一月三〇日に公布され、即日施行されたので、左記事項に御留意の上、必要に応じ水道水質管理計画を見直す等水道水の水質管理業務の円滑な運営に御配慮願いたい。

記

一　水道法（昭和三二年法律第一七七号）第二〇条第三項の規定に基づく水質検査を行う者の厚生大臣の指定については、平成九年三月二八日に閣議決定された規制緩和推進計画において、水道事業者が水質検査を委託する機関に係る厚生大臣の指定基準の在り方について検討することとされたところである。これに基づき、生活環境審議会水道部会において検討した結果、公益法人に限定する基準を撤廃するとともに、現在の技術水準に照らし、検査担当者の人的要件、精度管理等の技術的基準の強化、一定期間ごとの財政的基盤の継続性・安定性の審査を要件として追加する方向で指定基準を見直すべきとされたことから、これを踏まえて規程を定めたものであること。

二　水道法第二〇条第三項の規定に基づく指定を受けようとする者は、申請書を厚生大臣に直接提出することとされていること。

三　この規程の施行の際に、現に水道法第二〇条第三項の規定に基づく指定を受けている者については、平成一一年一一月二九日までは、なお従前の例によることとされていること。

四　規程の制定に伴い、「水道法第二〇条第三項の指定について」（昭和五三年六月二三日付け環水第六七号本職通知）は、平成一〇年一一月三〇日をもって廃止され、「水質基準に関する省令の施行に当たっての留意事項について」（平成五年一二月一日付け衛水第二二七号本職通知）別添の四の㈢の①中「又は厚生大臣の指定する者」は削られるものであること。

別添〔略〕

㈢　地方分権の推進を図るための関係法律の整備等に関する法律等の施行について（通知）

（平成一二年三月三一日生衛発第六一九号　水道環境部長）

地方分権の推進を図るための関係法律の整備等に関する法律（平成一一年法律第八七号。以下「地方分権一括法」という。）が平成一一年七月一六日に、地方分権の推進を図るための関係法律の整備等に関する政令（平成一一年政令第三九三号。以下「整備政令」という。）が平成一一年一二月八日に、「水道法施行規則の一部を改正する省令」（平成一一年厚生省令第一〇〇号。以下「改正規則」という。）が平成一一年一二月二八日に公布されたところであるが、水道法関係の改正の趣旨及び内容は左記のとおりであるので、貴管下の水道事業者等に対しこれを周知するとともに、その施行に遺漏なきを期されたい。

また、昭和四九年七月二六日付け環水第八一号水道環境部長通知「水道法の施行について」の記の第二中「、簡易水道事業については様式第二により」及び記の第三は削除する。

なお、この通知においては、地方分権一括法による改正後の水道法（昭和三二年法律第一七七号）を「法」と、整備政令による改正後の水道法施行令を「施行令」と、改正規則による改正後の水道法施行規則を「規則」とそれぞれ略称する。

記

第一　改正の趣旨

一　地方分権一括法による水道法の改正について

地方分権一括法により、従来都道府県知事に委託されていた事務を都道府県知事の自治事務とするための改正を行うとともに、都道府県から市町村への事務委託に関する規定、水道用水の緊急応援における国の関与についての規定等を整備したものであること。

二　整備政令による水道法施行令の改正について

整備政令は、地方分権一括法による水道法の改正を踏まえ、都道府県知事等が自治事務として行う事務の範囲及びこれに対する緊急時における国の関与の範囲を定めるための改正を行うとともに、管轄都道府県知事についての規定等を整備したものであること。

三　改正規則による水道法施行規則の改正について

改正規則は、地方分権一括法及び整備政令による水道法及び水道法施行令の改正を踏まえ、水道事業の認可基準、供給規程の認可基準及び水道用水供給事業の認可基準の技術的細則についての規定等を整備したものであること。

第二　改正の内容

一　機関委任事務の廃止のための権限委任規定の廃止と所要の規定の整備（法第四六条

及び施行令第七条）

㈠　都道府県知事への事務委任規定を廃止することにより機関委任事務を廃止し、法律上厚生大臣が行うこととされている事務の一部を政令で定めるところにより都道府県知事が行うこととし、自治事務とすることとしたこと。

　これを踏まえ、施行令において都道府県知事が自治事務として行う事務の範囲を、従来都道府県知事に委任されてきた規模の水道事業及び水道用水供給事業に係る認可、変更認可、認可の取消、改善の指示、給水停止命令等としたこと。

　なお、水道の利用者の利益を保護するため緊急の必要がある場合に限り、都道府県知事の認可に係る水道事業者等について厚生大臣も改善の指示、給水停止命令等を行えることとしたこと。その際には、厚生大臣を都道府県知事は相互に密接な連携の下に当該事務を行うものとされていること。

㈡　地方分権一括法による改正後の地方自治法（昭和二二年法律第六七号。以下「新地方自治法」という。）第二五二条の一七の二から第二五二条の一七の四までの規定により条例による事務処理の特例が設けられたことに伴い、改正前の水道法第四六条第二項に基づく市町村長への事務委任規定を廃止し、都道府県知事の権限に属する事務のうち専用水道及び簡易専用水道に関する事務を、市町村長が行うこととすることができる事務の範囲として明らかにしたこと。

二　水道施設の改善命令の廃止と水道施設の改善の指示の創設（法第三六条）

　水道事業者等に対する水道施設の改善命令を国民の健康を守るため緊急に必要があると認めるときに限定した施設の改善の指示とし、簡易専用水道の設置者に対する措置命令を措置の指示としたこと。

三　水道用水の緊急応援に係る厚生大臣の関与に関する規定の整備（法第四〇条）

　都道府県知事の自治事務となった水道用水の緊急応援命令について、国民の生命及び健康に重大な影響を与えるおそれがある場合に限定して、厚生大臣は都道府県知事に当該命令を出すべきことを指示することができるものとしたこと。また、地震、水害等により都道府県知事が事務執行不能と認めるときには、厚生大臣が直接、命令を行うことができるものとしたこと。

四　認可基準の技術的細則（法第八条、第一四条、第二八条、規則第五条、第六条、第七条、第一二条の二、第一二条の三、第一二条の四、第五一条の二及び第五一条の三）

　機関委任事務の自治事務への移行に伴い、水道事業の認可基準、供給規程の認可基準及び水道用水供給事業の認可基準の明確化を図るため、改正規則によりそれぞれの技術的細則を定めたこと。

五　再審査請求の根拠規定の廃止（法第四八条の三）

　機関委任事務の自治事務への移行に伴い、「上級行政庁」がなくなることから、厚生大臣に対して再審査請求を行うことができることとした規定を廃止したこと。

六　その他

㈠　申請書の記載事項の届出（法第七条、第二七条及び第三三条）

　新地方自治法第二条第二項の規定により、地方公共団体は法律又はこれに基づく政令により処理することとされるものを処理するとされたことから、当該規定に基づき、従来水道法施行規則に規定されていた申請書の記載事項及びその変更があった場合の届出を法に規定したこと。

㈡　水道事業等に関する報告徴収及び立入検査（法第三九条、第四〇条第八項及び施行令第七条第六項）

　水道事業等に関する報告徴収及び立入検査について、原則として国及び都道府県の二重の関与を廃止するため、これらの規定を改正し、厚生大臣の認可に係る水道事業及び水道用水供給事業に対する報告徴収及び立入検査は厚生大臣が、都道府県知事の認可に係る水道事業及び水道用水供給事業並びに専用水道に対する報告徴収及び立入検査は都道府県知事が行うこととしたこと。

　都道府県知事による水道用水の緊急応援命令は、厚生大臣の認可に係る水道事業者も対象となることから、当該事務を都道府県知事が行うために必要があると認める場合には、当該事業者に対する立入検査及び報告徴収を行うことができるものとしたこと。

なお、緊急の場合等に限定して設けられた国の関与を行う際に必要な場合に限り、都道府県知事の認可に係る水道事業者等について厚生大臣も立入検査等を行えることとしたこと。

㈢　進達の廃止（法第四七条）

機関委任事務の自治事務への移行に伴い、厚生大臣に対してなすべき認可又は許可の申請及び届出は厚生大臣に直接なされるべきものとなることから、申請及び届出の都道府県の経由に係る規定を廃止したこと。

㈣　管轄都道府県知事（法第四八条及び施行令第八条）

機関委任事務の自治事務への移行に伴い、水道事業にあっては当該事業の給水区域、水道用水供給事業にあっては当該事業から用水の供給を受ける水道事業の給水区域並びに専用水道及び簡易専用水道にあっては当該水道により居住に必要な水の供給が行われる地域が二以上の都道府県の区域にまたがる場合にあっては、管轄都道府県知事は、給水区域等をその区域に含む全ての都道府県知事としたこと。当該都道府県知事は、共同して事務を行うこととなることから、関係都道府県と十分調整を図られたいこと。

㈤　厚生大臣による緊急応援命令に関する罰則（法第五三条）

厚生大臣による水道用水の緊急応援命令に対する罰則を新設し、一年以下の懲役又は一〇〇万円以下の罰金としたこと。

第三　施行期日

地方分権一括法、整備政令及び改正規則の施行期日は、平成一二年四月一日とされた。

第四　既存の通知等の取扱い

既存の通知等については、特段の改正を予定していないが、いずれも、文書の如何に関わらず、以下のとおり、地方分権推進計画（平成一〇年五月二九日閣議決定）等による見直しの趣旨に従うものとして存続するものであり、新地方自治法第二四五条の四の技術的助言等の趣旨となるものであること。

㈠　地方公共団体は国の機関ではないこと。

㈡　国の地方公共団体に対する包括的指揮監督権限の発動の趣旨によるものではないこと。

第五　審査基準等の設定について

一　厚生大臣を処分権者とする申請等に対する処分について

㈠　法に規定する認可申請等に対する処分に係る新地方自治法第二五〇条の二に規定する審査基準は、昭和四九年七月二六日付け厚生省環境衛生局水道環境部長通知「水道法の施行について」、昭和六〇年六月付け厚生省生活衛生局水道環境部水道整備課事務連絡「水道事業の認可の手引」、昭和三七年二月二日付け環水第六号厚生省環境衛生局水道課長通知「水道の布設工事の監督の強化と事業認可の申請について」等の関係文書をもって審査基準とするものであること。

㈡　法第六条、法第一〇条第一項、法第二六条及び法第三〇条第一項の認可に関する申請並びに法第一一条及び法第三一条の許可に関する申請に係る新地方自治法第二五〇条の三の規定による標準処理期間は、四月とする。なお、本措置の対象となるのは平成一二年四月一日以降に厚生大臣が申請を受理したものとする。

㈢　法第二〇条第三項の指定に関する申請に係る行政手続法（平成五年法律第八八号）第六条の規定による標準処理期間は、一月とする。

二　都道府県知事を処分権者とする申請等に対する処分について

㈠　審査基準については、新地方自治法第二五〇条の二の趣旨に鑑み、関係通知等の関係文書を参考に、各都道府県において必要な措置を講じられたい。

㈡　標準処理期間については、新地方自治法第二五〇条の三の趣旨に鑑み、各都道府県において必要な措置を講じられたい。

㈣　地方分権の推進を図るための関係法律の整備等に関する法律等の留意事項について（通知）

（平成一二年三月三一日衛水発第一九号　水道整備課長）

地方分権の推進を図るための関係法律の整備等に関する法律（平成一一年法律第八七号。以下「地方分権一括法」という。）、地方分権の推進を図るための関係法律の整備等に関する政令（平成一一年政令第三九三号。以下「整備政令」という。）、水道法施行規則の一部を改正する省令（平成一一年厚生省令第一〇〇号。以下「改正規則」という。）の施行については、別途、生活衛生局水道環境部長通知（平成一二年三月三一日付け生衛発第六一九号）により指示されたところであるが、なお左記の事項に留意の上、貴管下の水道事業者等に対しこれを周知するとともに、その運用に遺漏なきを期されたい。

なお、平成九年六月三〇日付け衛水第一九八号水道整備課長通知「給水条例（規程）（例）の送付について」は平成一二年四月一日をもって廃止する。

記

第一　改正の内容

一　報告の徴収及び立入検査に関する事項

厚生大臣の認可に係る水道事業及び水道用水供給事業（以下「厚生大臣認可水道事業」という。）に対する、地方分権一括法による改正後の水道法（昭和三二年法律第一七七号。以下「法」という。）に基づく報告徴収及び立入検査を都道府県が行うことができる場合は、法第四〇条第八項に基づく場合に限られるものであること。

二　水道用水の緊急応援に係る厚生大臣の関与に関する事項

㈠　法第四〇条第二項の規定は、同条第一項の規定による「災害その他非常の場合において、緊急に水道用水を補給すること」が必要な場合であって、さらに緊急の度合いが高い場合に厚生大臣の関与を限定するため、「国民の生命及び健康に重大な影響を与えるおそれがある」という条件を加えたものであること。

㈡　法第四〇条第三項に規定する「都道府県知事が同項に規定する権限に属する事務を行うことができないと厚生大臣が認めるとき」とは、地震、水害等により都道府県において事務を行うことができないと厚生大臣が認める場合をいうものであること。

三　管轄都道府県知事に関する事項

認可等の申請は整備政令による改正後の水道法施行令（昭和三二年政令第三三六号）第八条各号に定める区域をその区域に含む全ての都道府県知事に対して行わなければならないこと。なお、関係管轄都道府県が協議を行い、申請の窓口を一本化することは差し支えない。

四　認可基準の技術的細則

㈠　改正規則による改正後の水道法施行規則（昭和三二年厚生省令第四五号。以下「規則」という。）第五条第一号中「当該水道事業に係る区域における不特定多数の者の需要」とは、当該水道に係る計画給水区域内の居住者等一般の需要に応じて給水することとした量をいい、観光客等の当該水道の見込み使用水量に応じて給水することとした水道水の量も含まれるものであること。

㈡　規則第六条第二号は、供給される水の料金が国民経済上妥当なものであり、需要者の欲する程度に合致するものであること等をいうものであること。

㈢　規則第六条第七号については、水道水質管理計画が定められている地域にあっては、当該計画における水質検査の実施主体との整合に留意すること。

㈣　規則第六条第八号については、水の需給に関する長期的な見通しその他の諸条件の著しい変動又は計画の内容について重要な変更を行うべき事由の発生により計画を改訂すべきであると認められる場合には、当該計画の改訂を行い、それを踏まえ認可を行うものとすること。

㈤　規則第六条第一二号及び第五一条の二第八号中「特定多目的ダム法（昭和三二年法律第三五号）第四条第一項に規定する基本計画においてダム使用権の設定予定とされている等」とは、水資源開発促進法（昭和三六年法律第二一七号）第四条第一項に規定する水資源開発基本計画、基本協定等において水道事業者が利水者として位置づけられていることを含むものであること。

第二　その他

一　水道台帳について

昭和四九年七月二六日付け環水第八一号水道環境部長通知「水道法の施行について」の記の第二において、水道台帳の提出をお願いしているところであるが、簡易水道事業に係る水道台帳の送付については廃止するものであること。なお、厚生大臣認可水道事業に係る水道台帳については、認可に当たって、貴職あて送付することとしているものであること。

二　水道事業と下水道事業との調整について

水道事業と下水道事業は、相互に密接に関わりながら流域の水循環を構成する極めて重要な要素となっていることを踏まえ、健全な水循環系の構築が図られるよう、相互の事業計画について、あらかじめ十分調整を図ることが重要であること。都道府県におかれては、水道部局と下水道部局との間において両事業の調整が十分図られるよう対応することをお願いするものであること。そのため、厚生大臣認可水道事業にあっては、当職より貴職に必要な情報を提供するとともに、必要に応じて、厚生大臣認可水道事業者に対して、都道府県における調整に協力するよう要請することとしているものであること。なお、昭和六一年五月一三日付け衛計第六六号厚生省生活衛生局水道環境部計画課長通知「下水道法施行令の一部改正について」の記の三を削る。

三　水道水質管理計画について

水道水質管理計画の策定及び策定に当たっての留意事項については、平成四年一二月二一日付け衛水第二六九号水道環境部長通知及び同日付け衛水第二七〇号水道整備課長通知によりお願いしているところであるが、地方分権一括法施行後においても、引き続き、適切な水道水質管理が行われるよう、水道水質管理計画の適正な運用をお願いするものであること。

㈤　水道法の施行について（通知）

（平成一四年三月二七日健水発第〇三二七〇〇一号水道課長）

水道法の一部を改正する法律（平成一三年法律第一〇〇号）は、平成一三年七月四日に公布され、これに伴う水道法の一部を改正する法律の施行期日を定める政令（平成一三年一二月一九日政令第四一二号）が公布され、同法は平成一四年四月一日より施行される。また、水道法施行令の一部を改正する政令（平成一三年一二月一九日政令第四一三号）及び水道法施行規則の一部を改正する省令（平成一四年三月二七日厚生労働省令第四一号及び第四二号）が公布された。

今回の水道法（昭和三二年法律第一七七号）の改正は、水道の管理を適正なものとし、かつ、水道水の安定供給を図るため、水道事業等の管理業務の委託に関する規定を整備し、専用水道の範囲を拡大し、貯水槽水道に関する責任を明確化する等の措置を講ずるものである。併せて事業認可の特例等が規定されたことから、平成一四年四月一日施行後の水道法（以下「改正水道法」という。）の全般にわたっての留意点を次のとおりとりまとめたので通知する。

記

第一　全般的事項

一　水道法は、法目的にあるとおり、水道の管理の適正、合理化等を図ることにより、清浄で豊富低廉な水の供給を図り、公衆衛生の向上と生活環境の改善に寄与するものとして、必要な措置を規定したものである。

二　この法律において、水道事業は、一般の需要に応じて水を供給するものであり、専用水道は、社宅等の自家用の水道のほか、水道事業の用に供する水道以外の水道をいうものであるが、その区分はおおむね次の基準によることが適当である。

㈠　自家用水道及び自家用水道の集合体と認められる水道、家主が借家人に給水する水道等給水する者と給水を受ける者について特別の関係が存在するものについては、専用水道として取り扱う。

㈡　分譲住宅、分譲地等において分譲者が分譲後もその地域の住民に対し給水する水道等給水する者と給水を受ける者との間に前号のような特別な関係がない水道その他当該給水について原価を充足する程度の金額を、料金として徴収するような水道については、水道事業として取り扱う。

三　水道用水供給事業は水道用水を供給する事業であり、分水については適用除外とする旨規定されているが、これは水道事業者又は専用水道の設置者が当該水の分与をその主たる目的としない場合をいうものであり、水道用水の供給が一時的なものでなく継続する事業として実施される場合については、併せて水道用水供給事業としての認可が必要である。

四　改正水道法においては、専用水道の定義を変更し、従来の給水人口一〇〇人を超える施設との定義に、一日最大給水量が二〇㎥を超える施設を追加して、専用水道に関する規定を適用することとしたことから、適切な指導、監督を行うよう十分配慮されたい。新たな要件に規定される一日最大給水量は、飲用等人の生活の用に供することを目的とする水量に限るもので、これについては、設計上の必要水量に基づき判断するものであるが、必要に応じ、自己水源取水量等の原水量や供給施設の各種設計基準等も参考にしつつ判断されたい。また、人の生活の用に供する水量に限定したことから、施設設計・敷設のあり方により、事業用、営農用等の人の生活の用に供しないその他の用途に供する施設容量が区分できる場合においては、前述の施設容量からこれを除外・減算して適用しても支障ないものである。

専用水道の適用除外の施設に関する基準は、地中又は地表に設置される水道施設が当該基準に該当するか否かで定まるものであって、地表から汚染の影響を受けない高架施設を除外する趣旨により規定されたものである。

専用水道が、併せて一般の需要に応じて水を供給する場合、その部分の給水人口が一〇〇人を超える場合は、水道事業として取り扱う。この部分が一〇〇人以下の場合については、これは水道事業には該当しないことから、これを含めて専用水道として取り扱う。

五　簡易専用水道は、水道事業者から供給を受ける水のみを水源とする、ビル、マンション等に設置される貯水槽その他の給水のための水道であって、一定規模を超えるものである。改正法においては、簡易専用水道を含め、水槽の規模によらない建物内水道の総称として、「貯水槽水道」を新たに定義し、水道水を供給する立場の水道事業者として、貯水槽水道の管理者等との間で貯水槽水道に関する責任関係を供給規程において明確化するよう規定された。さらに、水道事業者の立場から設置者に対する助言等を行う根拠を規定したことから、適切な助言等を行い貯水槽水道の適正管理に向けた取り組みがなされるようお願いしたい。

なお、地域保健法（昭和二二年法律第一〇一号）に基づく保健所の水道に関する衛生管理の業務や建築物における衛生的環境の確保に関する法律（昭和四五年法律第二〇号）の適用については、従来から変更はない。

第二　広域的水道整備計画

計画の策定に当たっては、当該地域の自然的社会的条件に照らし合理的なものとするとともに、条件の変化に合わせ適切に見直すべきものであり、五～一〇年をめどに計画の見直し、修正を行うことが望ましい。

今般、市町村合併が推進されていること、人口や水需要の動向が変化してきていること、水資源の安定性の低下など水循環全体に係る問題が指摘されている状況にあること等を踏まえた適切な計画となるよう特に留意する必要がある。

第三　事業に関する事項

一　水道事業者の給水義務は、水道事業の公共性確保のための中心をなす規定であり、免責理由たる正当な理由は、正常な企業努力にもかかわらず水量が不足する、又はそれが予想される場合、地勢等の関係で給水が技術的に著しく困難な場合等水道事業者の努力にもかかわらずその責に帰すに当たらない場合に限るものである。

二　水道事業、水道用水供給事業の認可は、事業経営主体を一にできる範囲で行うもので水道施設の一体性等を問うものではない。このため、連続しない二つ以上の水道施設を一つの事業とする、いわゆるソフトな統合も可能である。

三　事業の軽微な変更及び他の水道事業又は水道用水供給事業の全部を譲り受けることに伴う変更については、認可を要せず、届出によることとしており、この旨水道事業者及び水道用水供給事業者に周知徹底等を図るとともに、事業の廃止許可手続きの簡素化と併せてこれらの規定を活用し、水道の広域化による管理体制の強化等を図られたい。ここで、軽微な変更と認められるものの要件については、直近の認可内容を基準に判断されるべきものである。

また、市町村合併等により、新たに設置された市町村等が新たに事業の認可申請を行う際に添付書類についての特例措置が設けられている。

四　改正法により、水道事業者、水道用水供給事業者、専用水道の設置者（以下「水道事業者等」という。）は、水道の管理に関する技術上の業務の全部又は一部を他の水道事業者、水道用水供給事業者又は当該業務を実施できるだけの経理的・技術的基礎を有する者に委託することができるものとした。この委託した業務の範囲内においては、委託者である水道事業者等は水道法上の責務について適用除外され、水道管理業務受託者がその責務を負うこととなる。このように水道法に基づく罰則適用がなされる刑事責任についての移管を伴う委託である点が、従来からの、いわゆる手足の業務委託と異なる点である。

しかしながら、水道事業者等については、受託者の要件に照らして適切に受託者を選定し委託を行う義務があり、業務遂行が経済的、技術的に可能な業者選定を行うことが必要である。また、この委託制度の対象は、前記のとおり水道の管理に関する技術上の業務とされており、公共の消防のために水道事業者に求められる消火栓の設置及び管理については対象とならない。

さらに、給水義務等の需要者に対する責任は、水道事業者固有の責任であり、受託者が原因でこれらの責任が果たされない場合であっても水道事業者がその責任を負うこととなる。すなわち、今回導入された委託制度は、水道事業の運営に関する選択肢を拡大する旨の制度であり、このような制度の性格、内容を熟慮した上で活用するか否かを含め検討すべきものである。

本制度は、認可等を受けた水道事業者等と受託者との関係を規定したものであり、受託者からの委託制度を設けておらず、いわゆる丸投げの再委託のための制度は用意されていない。ただし、水道事業者等が手足の業務委託を行っているように、受託者が同様の業務委託を行うことは可能であるが、この場合の水道法上の責務はあくまで委託者たる水道管理業務受託者にあるものである。

また、当該業務の委託については、以下の措置を求められている。

㈠　委託の届出等

水道事業者等は、業務を委託したときは、遅滞なく、厚生労働大臣に届け出なければならない。都道府県知事認可の水道事業等については、都道府県知事への届出となる。

㈡　受託水道業務技術管理者

水道管理業務受託者は、水道の管理について技術上の業務を担当させるため、水道技術管理者の資格要件を満たす受託水道業務技術管理者一人を置かなければならない。

受託水道業務技術管理者は、委託された業務の範囲内において水道技術管理者の行うべき事務に従事し、及びこれらの事務に従事する他の職員を監督しなければならない。

なお、都道府県知事が認可する水道事業、水道用水供給事業の第三者委託について、みなし規定に基づき、水道管理業務受託者の監督、報告徴収・立入検査についても併せて当該都道府県知事が行うものである。

第四　管理に関する事項

一　水道技術管理者は、水道の技術管理の中心責任者となるものであるから、その設置に当たっては、当該水道の規模、構造等に適応する十分な技能を有する者を選定するとともに、その業務を適正に実施可能な業務体制、情報管理体制等を備えることが必要である。

二　水道水質管理に関して、汚染の早期発見を図るため、水源の監視、魚類の飼育等の導入を図る等の体制整備を図り、また、外部からの情報を活用するべく情報受付窓口の設定等も併せて行うことが望ましい。

また、水源の汚染等を発見したときに、直ちに適切な対策が講ぜられるよう平常より関係者の体制整備に努めること。

水道事業者等及び簡易専用水道の設置者は、水質管理を強化するためには、必要な水質検査体制の整備が肝要であり、水質検査能力の充実及び検査施設の整備に努めるべきものである。また、水質検査の実施に当たっては、正確で信頼性の高い検査結果を常に得るため、採水から分析に至る全過程において精度管理に努めるべきであり、水質検査を委託して行う場合についても、その検査結果の活用能力の充実に努めるべきである。

第五　情報提供

改正水道法において、水道事業者、水道用水供給事業者が需要者に対して、水質検査の結果等について情報提供を行うことを義務付けることとしたものである。この規定は、行政処分や罰則適用を伴うものではないものの、水道事業者、水道用水供給事業者が、今後ますます積極的な情報提供を求められる状況の中、その責任を可能な限り明確とする観点から定められたものである。併せて情報提供事項についてまで規定されているが、その方法、形式等については、各事業者の判断に委ねることとしており、事業者として需要者の入手しやすい方法や理解しやすい形式を工夫すべきである。また、水道事業の効率化、水道料金の妥当性などを含め、需要者に対して、規定された情報提供事項以外の情報についても積極的に提供し、水道事業に対する理解を得るよう努力することが望ましい。

第六　その他

一　各種申請様式等について

各種申請様式については、政省令において特に定められた様式以外は特に様式を定めない。しかしながら、これまで通知等で示されていた各種様式を活用することについては差し支えない。

二　水質関連について

水質関連については、水道水質基準の改正を予定しているところである。

(一六) 改正水道法の施行に伴う経過措置等について（通知）

（平成一四年三月二七日健水発第〇三二七〇〇二号水道課長）

水道法の一部を改正する法律（平成一三年法律第一〇〇号）に規定された経過措置について下記のとおり取り扱うこととしたいので御協力願いたい。

記

一　専用水道について

水道法改正法附則第二条第一項の新規専用水道については経過措置が設けられており、その設置者は、平成一四年九月末日までに、都道府県知事に水道施設の概要その他厚生労働省令で定められている事項を届け出なければならないものである。その際、現に当該施設において、水道技術管理者の行うべき事務を行っている者は、平成一七年三月末日までは、水道技術管理者の資格を必要とせず、新規専用水道については、平成一五年三月末日までは、施設基準を適用しない。

二　供給規程について

改正水道法において供給規定の要件を追加したことに伴い従来の供給規程の変更が必要となる場合について、経過措置が設けられており、地方公共団体の供給規程が、新しく追加された要件に適合していないときは、平成一五年三月末日までに当該供給規程の変更を行い、厚生労働大臣に届け出なければならないこと等とされている。

三　経過措置に係る事務区分について

　前記の経過措置に基づく届出受理事務等については、水道法本則に基づき規定される事務区分に従い、原則都道府県等において処理するものであるが、国が設置する専用水道については、極力当方において処理することとしたいので、都道府県等に対して申請があった場合においては、申請者に対して当方を紹介されたい。しかしながら、申請者の意向等により都道府県等において当該業務を行った場合においては、その内容について当方まで情報提供ありたい。

(一七)　改正水道法の施行について（通知）

（平成一四年三月二七日健水発第〇三二七〇〇四号水道課長）

　平成一三年七月四日付けで水道法の一部を改正する法律が公布され、またこれに基づき、平成一三年一二月一九日付けで水道法施行令の一部を改正する政令、平成一四年三月二七日付けで水道法施行規則の一部を改正する省令が公布されたところである。

　これら改正後の関係法令の施行については、平成一四年三月二七日付け健水発第〇三二七〇〇一号本職通知により、各都道府県等水道行政担当部局あて周知を図ったので、貴職に対しても別紙のとおり情報提供するとともに、改正された水道法（以下「法」という。）の運用に当たっての留意点は下記のとおりとするので、御承知おき願いたい。

記

一　水道法施行規則（以下「規則」という。）第八条の二及び第五一条の五について

　規則第八条の二第一号及び第五一条の五第一号に規定する給水人口及び給水量は、事業の変更に当たり事業者が当面の事業計画として新たに設定するものであり、第七条の二第二号及び第四号並びに第五一条の四第一項に規定される認可給水人口及び認可給水量とは異なることに留意されたい。

　また、規則第八条の二第二号及び第五一条の五第二号に規定する厚生労働大臣に届け出る変更後の事業の概要は、以下のとおりとし、その記載要領は変更認可の申請書及びその添付書類等の記載に準じることとする。

　なお、水道用水供給事業の認可の申請に当たり、厚生労働大臣に提出する事業計画書では給水量の算出根拠の記載を求めていないが、認可基準の技術的細目として給水量が合理的に設定されたものであること等が要求されており、届出においてもこの趣旨等を踏まえ、給水量の算出根拠の提出を求めることとした。

(一)　法第一〇条第一項第一号に規定する軽微な変更の場合

・水道施設の概要
・給水開始の予定年月日
・給水人口及び給水量の算出根拠
・料金、給水装置工事の費用の負担区分その他の供給条件
・配水管における最大静水圧及び最小動水圧
・工事の着手及び完了の予定年月日
・給水区域が他の水道事業の給水区域と重複しないこと及び給水区域内における専用水道の状況を明らかにする書類及びこれらを示した給水区域を明らかにする地図
・水道施設の位置を明らかにする地図

(二)　法第一〇条第一項第二号に規定する事業の譲受けの場合

・水道施設の概要
・経常収支の概算
・給水人口及び給水量の算出根拠
・料金、給水装置工事の費用の負担区分そ

の他の供給条件
・給水区域が他の水道事業の給水区域と重複しないこと及び給水区域内における専用水道の状況を明らかにする書類及びこれらを示した給水区域を明らかにする地図
・水道施設の位置を明らかにする地図
㈢　法第三〇条第一項第一号に規定する軽微な変更の場合
・水道施設の概要
・給水開始の予定年月日
・給水量の算出根拠
・工事の着手及び完了の予定年月日
・水道施設の位置を明らかにする地図
㈣　法第三〇条第一項第二号に規定する事業の譲受けの場合
・水道施設の概要
・経常収支の概算
・給水量の算出根拠
・水道施設の位置を明らかにする地図
二　水道台帳の提出について
水道台帳については、認可の申請事項の概要を記載したものとして提出を依頼してきたところであるが、別添を参考に法第一〇条第三項及び第三〇条第三項の規定に基づく届出を行う際にも、新たな事業計画を踏まえて作成された台帳を厚生労働大臣あて二部提出するようお願いする。

別添

整理番号	—

水　　道　　台　　帳

	県		市町村		事業

前回認可（届出）年月日	年　月　日
現　　況	年度末
許可（届出）年月日	年　月　日

作成年月日	年　月　日
記入責任者	

記入要項

(1)

—

認可順に記入する。但し簡易水道から上水道に移行する場合は、その時点をとる。水道用水供給事業にあっては500番台とする。

県の番号を記入する。

(2)　新規に水道事業を行う場合の認可申請にあっては、申請の欄に許可申請内容を記入し、他の欄は記入を要しない。

(3)　既に認可を受けている事業について変更を行う場合は、既認可（前回届出）の欄に、前回認可（前回届出）の内容を記入し、現況の欄は、前年度末における現況を記入する。申請（届出）の欄には、変更を予定する内容を記入する。

(4)　既認可（前回届出）の内容に変更のない項目については、同左と記入して差し支えない。

(5)　記入しきれない項目がある場合は、適当に用紙を追加してもよい。

(6)　本票に記入する代わりに、本様式で印刷したものでもよい。

(7)　図面袋には、計画給水区域及び主要な水道施設が記入された平面図を１葉入れること。なお、添付図面には以下の区域等が適切に明示されていること。

行　政　区　域
既認可給水区域
拡　張　区　域
簡易水道区域
専　用　水　道

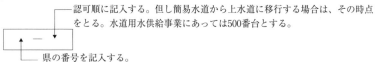

水道台帳 (1)		整理番号	—
事業者名		都道府県名	
給水市町村名			
所在地		行政区域面積	計画給水区域面積
電話	（　　）	旧　　km²	旧　　km²
管理者名		新　　km²	新　　km²
技術管理者名			

	名称	認可（届出）年月日	認可番号	起工年月	竣工年月	給水開始年月	事業費（千円）	目標年度	計画 給水人口	計画 一人一日最大給水量	計画 一日最大給水量
沿革	創設										

変更認可（届出）の主たる内容		担当者
	1　給水区域の拡張（水道台帳(2)のとおり） 2　給水人口の増加（　　→　　人） 3　給水量の増加（　　→　　m³／日） 4　水源の種別の変更（　　） 5　取水地点の変更（　　） 6　浄水方法の変更（　　） 7　事業の軽微な変更（　　） 8　事業の全部の譲受け 9　その他（　　）	

前回認可（届出受理）	申請（届出）	認可審査日		受理	認可
年　月　日 第　　号	年　月　日 第　　号	年　月　日		年　月　日 第　　号	年　月　日 第　　号
		担当課名			

注）1）太線枠内は認可審査担当者が記入すること。

2）給水市町村名の欄は、水道用水供給事業者の場合、給水対象名を記入すること。

<table>
<tr><td colspan="3">水　道　台　帳 (2)</td><td>整　理　番　号</td><td>—</td></tr>
<tr><td>事　業　者　名</td><td colspan="2"></td><td>都道府県名</td><td></td></tr>
<tr><td colspan="5">給　水　区　域</td></tr>
<tr><td colspan="2">既　認　可（前　回　届　出）</td><td colspan="3">申　請（届　出）（変更分に下線）</td></tr>
<tr><td colspan="2"></td><td colspan="3"></td></tr>
</table>

水道台帳(3)　水道事業用	整理番号	—	事業者名	
			都道府県名	

項目＼年度（平成）										目標年度	認可値
行政区域内人口（人）											
計画給水区域内人口（人）											
現在給水人口（人）											
普及率（%）											
給水戸数（戸）											
用途別水量　有効水量　有収水量　生活用　一人一日平均使用水量（1／人／日）											
用途別水量　有効水量　有収水量　生活用　一日平均使用水量（㎥／日）											
用途別水量　有効水量　有収水量　業務・営業用　一日平均使用水量（㎥／日）											
用途別水量　有効水量　有収水量　工場用　一日平均使用水量（㎥／日）											
用途別水量　有効水量　有収水量　（その他）用　一日平均使用水量（㎥／日）											
用途別水量　有効水量　有収水量											
用途別水量　有効水量　無収水量（㎥／日）											
用途別水量　無効水量（㎥／日）											
一日平均給水量（㎥／日）											
一人一日平均給水量（1／人／日）											
一日最大給水量（㎥／日）											
一人一日最大給水量（1／人／日）											
有収率（%）											
有効率（%）											
負荷率（%）											
工事施工期間											

注）1）この様式は水道事業の場合に用いる。
　　2）他の水道事業への分水がある場合は、有収水量欄に新たに分水の欄を追加して明示すること。
　　3）工事施工期間は←→印で明示すること。
　　4）実績欄と計画欄とを太線で仕切ること。
　　5）軽微な変更及び事業の全部の譲受けによる届出の場合は、変更後の計画値について適切な目標年度を定めて記載すること。

水道台帳(3)　水道用水供給事業用	整理番号	—	事業者名	
			都道府県名	

給水対象名	年度（平成）／項目										目標年度	認可値
	給水人口（人）											
	給水量（㎥／日）											
	自己水源充当量（㎥／日）											
	受水量（㎥／日）											
	給水人口（人）											
	給水量（㎥／日）											
	自己水源充当量（㎥／日）											
	受水量（㎥／日）											
	給水人口（人）											
	給水量（㎥／日）											
	自己水源充当量（㎥／日）											
	受水量（㎥／日）											
	給水人口（人）											
	給水量（㎥／日）											
	自己水源充当量（㎥／日）											
	受水量（㎥／日）											
	給水人口（人）											
	給水量（㎥／日）											
	自己水源充当量（㎥／日）											
	受水量（㎥／日）											
合計	給水人口（人）											
	給水量（㎥／日）											
	自己水源充当量（㎥／日）											
	受水量（㎥／日）											

注）1）この様式は水道用水供給事業の場合に用いる。
2）給水量は、平均又は最大のいずれか適当なものを記入する。
3）他の水道事業等から分水を受けている水量は、自己水源充当量の欄に記入すること。
4）軽微な変更及び事業の全部の譲受けによる届出の場合は、変更後の計画値について適切な目標年度を定めて記載すること。

水道台帳(4)	整理番号	—	事業者名	
			都道府県名	

一人一日給水量 1/人/日	水量 千㎥/日	人口 千人	

年度 / 項目										目標年度	認可値
A　行政区域内人口（人）											
B　給水区域内人口（人）											
C　給水人口（人）											
D　公称施設能力（㎥／日）											
E　一日最大給水量（㎥／日）											
F　一日平均使用水量（㎥／日）											
G　一人一日最大給水量（1／人／日）											
H　一人一日平均給水量（1／人／日）											
I　給水原価（円／㎥）											
J　供給単価（円／㎥）											

注）1）グラフ内にはA、C、D、E、G及び工期がそれぞれ明示されていること。
2）給水原価＝（総費用－受託工事費）÷年間総有収水量、供給単価＝給水収益÷年間総有収水量
3）軽微な変更及び事業の全部の譲受けによる届出の場合は、変更後の計画値について適切な目標年度を定めて記載すること。

<table>
<tr><td colspan="2">水　道　台　帳 (5)</td><td>整 理 番 号</td><td>—</td></tr>
<tr><td>事 業 者 名</td><td></td><td>都 道 府 県 名</td><td></td></tr>
<tr><td colspan="4">浄水施設フロー図（浄水場毎に記入し、変更部分は明示すること。）</td></tr>
<tr><td colspan="4"></td></tr>
</table>

水道台帳（6－1）				整理番号	―
事業者名				都道府県名	
水源	既認可（前回届出）	計画取水量（合計）			m^3／日
			水系・河川名又は種別	計画取水量	合計
		表流水		m^3／日	
				〃	
				〃	
				〃	m^3／日
		伏流水		〃	
				〃	
				〃	
				〃	〃
		地下水		〃	
				〃	
				〃	
				〃	〃
		その他		〃	
				〃	
				〃	〃
	現況	計画取水量（合計）			m^3／日
			水系・河川名又は種別	計画取水量	合計
		表流水		m^3／日	
				〃	
				〃	
				〃	m^3／日
		伏流水		〃	
				〃	
				〃	
				〃	〃
		地下水		〃	
				〃	
				〃	
				〃	〃
		その他		〃	
				〃	
				〃	〃
	申請（届出）	計画取水量（合計）			m^3／日
			水系・河川名又は種別	計画取水量	合計
		表流水		m^3／日	
				〃	
				〃	
				〃	m^3／日
		伏流水		〃	
				〃	
				〃	
				〃	〃
		地下水		〃	
				〃	
				〃	
				〃	〃
		その他		〃	
				〃	
				〃	〃

注）取水地点毎又は水利権毎に記入する。水利権許可番号のないものは同意・協定者名を記入する。取水地点の欄には一般平面図の水源の番号と同一の番号を記入する。地下水の種別には深井戸、浅井戸の別を記入する。

水道台帳（6－2）			整理番号	－
事業者名			都道府県名	
既認可（前回届出）		取水（受水）地点	許可年月日・井戸深度等	許可番号・井戸口径
	表流水			
	伏流水			
	地下水			
	その他		水道用水供給事業者等	
現況		取水（受水）地点	許可年月日・井戸深度等	許可番号・井戸口径
	表流水			
	伏流水			
	地下水			
	その他		水道用水供給事業者等	
申請（届出）		取水（受水）地点	許可年月日・井戸深度等	許可番号・井戸口径
	表流水			
	伏流水			
	地下水			
	その他		水道用水供給事業者等	

水道台帳（7－1）					整理番号	—
事業者名					都道府県名	

				既認可（前回届出）		現況
貯水施設			名称			
貯水施設			目的			
貯水施設			総容量（㎥）			
貯水施設			有効容量（㎥）			
貯水施設			水道分の貯水量（㎥）			
貯水施設			水道分のアロケーション比率			
貯水施設			河川名			
貯水施設			工期			
貯水施設			型式			
貯水施設			貯水施設の事業主体			
浄水施設			浄水場名称	浄水場	浄水場	浄水場
浄水施設			水源名			
浄水施設			計画浄水量（㎥／日）			
浄水施設			敷地面積（㎡）			
浄水施設	沈澱池	方式	計画処理量（㎥／日）			
浄水施設	沈澱池	方式	池数			
浄水施設	沈澱池	方式	計画処理量（㎥／日）			
浄水施設	沈澱池	方式	池数			
浄水施設	ろ過池	急速系　方式	計画処理量（㎥／日）			
浄水施設	ろ過池	急速系　方式	ろ過速度（m／日）			
浄水施設	ろ過池	急速系　方式	池数			
浄水施設	ろ過池	急速系　方式	ろ過池洗浄方式			
浄水施設	ろ過池	急速系　方式	凝集剤			
浄水施設	ろ過池	急速系　方式	凝集補助剤			
浄水施設	ろ過池	急速系　方式	アルカリ剤			
浄水施設	ろ過池	緩速系	計画処理量（㎥／日）			
浄水施設	ろ過池	緩速系	ろ過速度（m／日）			
浄水施設	ろ過池	緩速系	池数			
浄水施設	高度浄水施設		目的			
浄水施設	高度浄水施設		計画処理量（㎥／日）			
浄水施設	高度浄水施設		方式			
浄水施設	高度浄水施設		その他			
浄水施設	滅菌装置		方式又は使用薬品			
浄水施設	滅菌装置		台数（台）			
浄水施設	滅菌装置		全容量（kg／時）			
浄水施設	その他		目的			
浄水施設	その他		計画処理量（㎥／日）			
浄水施設	その他		方式等			
浄水施設	その他		その他			

注）貯水施設の目的にはW（水道）、F（治水）、A（かんがい）、P（発電）、I（工業用水）の記号を、また型式にはA（アーチ式コンクリートダム）、B（バットレスダム）、E（アースダム）、G（重力式コンクリートダム）、HG（中空重力式コンクリートダム）、GR（重力ロックフィル混合ダム）、R（ロックフィルダム）、P（その他）の記号を記入する。

水道台帳（7－2）	整理番号	―
事業者名		都道府県名	

				現況	申請（届出）	
貯水施設			名称			
			目的			
			総容量（㎥）			
			有効容量（㎥）			
			水道分の貯水量（㎥）			
			水道分のアロケーション比率			
			河川名			
			工期			
			型式			
			貯水施設の事業主体			
浄水施設			浄水場名称	浄水場	浄水場	浄水場
			水源名			
			計画浄水量（㎥／日）			
			敷地面積（㎥）			
	沈澱池	方式	計画処理量（㎥／日）			
			池数			
		方式	計画処理量（㎥／日）			
			池数			
	ろ過池	急速系 方式	計画処理量（㎥／日）			
			ろ過速度（m／日）			
			池数			
			ろ過池洗浄方式			
			凝集剤			
			凝集補助剤			
			アルカリ剤			
		緩速系	計画処理量（㎥／日）			
			ろ過速度（m／日）			
			池数			
	高度浄水施設		目的			
			計画処理量（㎥／日）			
			方式			
			その他			
	滅菌装置		方式又は使用薬品			
			台数（台）			
			全容量（kg／時）			
	その他		目的			
			計画処理量（㎥／日）			
			方式等			
			その他			

注）1）浄水施設のうち、沈澱地の方式には、普通沈澱地、薬品沈澱地、傾斜板付薬品沈澱地等と記入する。
　　2）急速系のろ過池の方式には、重力式ろ過池、上向流式ろ過池等と記入する。
　　3）ろ過池洗浄方式は、水、水空気併用等と記入する。
　　4）高度浄水施設の方式は、粒状活性炭、オゾン、生物等と記入する。

水　道　台　帳　(8)	整理番号	―
事業者名	都道府県名	

			現況		申請（届出）	
			延長（m）	管種	延長（m）	管種
管路	導水管路	500mm未満				
		500～1000mm未満				
		1000mm以上				
	送水管路	500mm未満				
		500～1000mm未満				
		1000mm以上				
	配水管路	75mm未満				
		75～250mm未満				
		250～500mm未満				
		500～1000mm未満				
		1000mm以上				
	計					

			現況		申請（届出）	
配水池	有効容量（㎥）					
	池数					
	計画一日最大給水量に対する相当時間					
	自然流下水量（㎥／日）					
	加圧水量（㎥／日）					
排水処理施設	方式					
	計画処理量（㎥／日）					
	使用薬品					
	処理水の放流先等					
	発生残土処分方法					
水質検査体制	名称及び所在地					
	構成団体					
			カ所	委託、自己（共同）検査の別	カ所	委託、自己（共同）検査の別
	給水栓平均採水地点数	毎日検査				
		毎月検査				
		毎年検査				
	水質検査委託機関名					

注）排水処理施設の方式は、加圧脱水、天日乾燥等主たる脱水処理の方式を記入する。また、計画処理量は排水処理施設への流入量で記入する。

水道台帳(9)				整理番号	—
事業者名				都道府県名	
	図上番号	名称	水源の別	現在給水人口（人）	一日最大給水量（㎥／日）
給水区域内専用水道施設概況					

	年度	一日最大給水量	一日最大取水量	水源名								
取水計画		㎥／日	㎥／日	㎥／日	㎥／日	㎥／日	㎥／日	㎥／日	㎥／日	㎥／日	㎥／日	㎥／日
	目標											
	認可											

注）軽微な変更及び事業の全部の譲受けに伴う届出の場合には、目標年度までの取水計画を記載すること。

水道台帳(10)				整理番号		—	
事業者名				都道府県名			
工種		事業量	事業費	年度			
施行事業							
同上財源	企業債						
	料金収入充当						
	一般会計繰入						
	その他						
	合計						

注）目標年度までにおける各年の施工計画を記入する。

水　道　台　帳　⑾				整理番号	—	
事業者名				都道府県名		
			現　況	将来（Ⅰ）	将来（Ⅱ）	
計算期間			年　度	年～　年	年～　年	
損益勘定（単位千円）	収入	料金収入				
		その他				
		計				
	支出	人件費				
		事務費				
		作業費　動力費				
		作業費　薬品費				
		作業費　その他				
		作業費　計				
		支払利息				
		減価償却費等				
		その他				
		計				
	損益					
資産勘定（単位千円）	収入	企業債				
		国庫補助				
		料金収入充当				
		一般会計繰入				
		その他				
		計				
	支出	拡張費				
		改良費				
		元金償却費				
		その他				
		計				
	収支不足額					
有収水量1㎥当り	総原価					
	販売価格					

料金の推移	実施年月日	家庭用（10㎥当り）	※	
	平成　年　月　日			
	年　月　日			
	（現行）　年　月　日			
	（予定）　年　月　日			

注）本表は別の型式で作成してもよい。
将来（Ⅰ）：料金計算期間における年間平均（例；平成14年度～19年度）
将来（Ⅱ）：将来（Ⅰ）以降の料金計算期間における年間平均（例；平成19年度～24年度）
※印欄：各事業者において用いている料金、例えば、営業用、浴場等用を記入する。

水道台帳⑿		整理番号	—
事業者名		都道府県名	
水源の名称			

	項目名	単位	最大	平均	最小	項目名	単位	最大	平均	最小
原水水質	一般細菌					亜鉛				
	大腸菌群					鉄				
	カドミウム					銅				
	水銀					ナトリウム				
	セレン					マンガン				
	鉛					塩素イオン				
	ヒ素					カルシウム、マグネシウム等（硬度）				
	六価クロム					蒸発残留物				
	シアン					陰イオン界面活性剤				
	硝酸性窒素及び亜硝酸性窒素					1,1,1-トリクロロエタン				
	フッ素					フェノール類				
	四塩化炭素					有機物等（過マンガン酸カリウム消費量）				
	1,2-ジクロロエタン					pH値				
	1,1-ジクロロエチレン					臭気				
	ジクロロメタン					色度				
	シス-1,2-ジクロロエチレン					濁度				
	テトラクロロエチレン									
	1,1,2-トリクロロエタン					アンモニア性窒素				
	トリクロロエチレン									
	ベンゼン									
	1,3-ジクロロプロペン									
	シマジン									
	チウラム									
	チオベンカルブ									

検査対象期間	年　月～　年　月
検査実施機関	

注）認可申請（届出）前１年間程度の間に検査した結果について記入のこと。

なお、平均欄には検出限界を下回った場合を除いて検出された数値のみの算術平均値を記入し、その後に（検出回数／検査回数）を記入のこと。

水道台帳(13)						整理番号		—		
事業者名						都道府県名				
採水地点の名称										
	項目名	単位	最大	平均	最小	項目名	単位	最大	平均	最小
給水栓原水水質	一般細菌					亜鉛				
	大腸菌群					鉄				
	カドミウム					銅				
	水銀					ナトリウム				
	セレン					マンガン				
	鉛					塩素イオン				
	ヒ素					カルシウム、マグネシウム等（硬度）				
	六価クロム					蒸発残留物				
	シアン					陰イオン界面活性剤				
	硝酸性窒素及び亜硝酸性窒素					1,1,1-トリクロロエタン				
	フッ素					フェノール類				
	四塩化炭素					有機物等（過マンガン酸カリウム消費量）				
	1,2-ジクロロエタン					pH値				
	1,1-ジクロロエチレン					味				
	ジクロロメタン					臭気				
	シス-1,2-ジクロロエチレン					色度				
	テトラクロロエチレン					濁度				
	1,1,2-トリクロロエタン									
	トリクロロエチレン					残留塩素				
	ベンゼン									
	クロロホルム									
	ジブロモクロロメタン									
	ブロモジクロロメタン									
	ブロモホルム									
	総トリハロメタン									
	1,3-ジクロロプロペン									
	シマジン									
	チウラム									
	チオベンカルブ									
検査対象期間	年　月～　年　月									
検査実施機関										

注）認可申請（届出）前1年間程度の間に検査した結果について記入のこと。

なお、平均欄には検出限界を下回った場合を除いて検出された数値のみの算術平均値を記入し、その後に（検出回数／検査回数）を記入のこと。

<table>
<tr><td colspan="2">水　道　台　帳 ⑭</td><td>整理番号</td><td>—</td></tr>
<tr><td>事業者名</td><td></td><td>都道府県名</td><td></td></tr>
<tr><td colspan="4">変更認可（届出）を必要とする理由</td></tr>
<tr><td colspan="4"></td></tr>
<tr><td colspan="4">特記事項（創設以来、水源、水質その他で特別に問題になった事項を記入）</td></tr>
<tr><td colspan="4"></td></tr>
</table>

記事欄

年　　月　　日	記　　　　　　　　　事	記　　入　　者

（八）給水装置の構造及び材質の基準に関する省令の一部を改正する省令の施行について（通知）

（平成一四年一二月三日健水発第一二〇三〇〇三号水道課長）

給水装置の構造及び材質の基準に関する省令の一部を改正する省令（平成一四年厚生労働省令第一三八号）は、平成一四年一〇月二九日に公布され、平成一五年四月一日から施行することとなった。

ついては、下記に留意の上、貴認可水道事業者等関係者に対する周知方、よろしくご配慮願いたい。

記

一　改正の背景

鉛の水道水質基準については、現行基準値である〇・〇五mg／lを定めた平成四年の基準改正時に、概ね一〇年後に〇・〇一mg／l以下とすべきとされたところであり、本年三月二七日に公布された水質基準に関する省令の一部を改正する省令（平成十四年厚生労働省令第四三号）により、鉛の基準値は〇・〇一mg／l以下と改正され、平成一五年四月一日から施行されることとなった。

この改正を受けて、水道法施行令（昭和三二年政令第三三六号）第五条第二項の規定に基づき定められている給水装置に係る鉛の浸出性能基準についても、本省令により所要の改正を行ったものである。

二　改正の概要

給水装置の浸出性能等の構造・材質の基準については、給水装置の構造及び材質の基準に関する省令（平成九年厚生省令第一四号）に定められている。

この省令に定められている浸出性能基準のうち、鉛に関する基準を以下のとおり改正した。

	現行基準	新基準
水栓その他給水装置の末端に設置されている給水用具	〇・〇〇五mg／l以下 ※〇・〇四七mg／l以下	〇・〇〇一mg／l以下 ※〇・〇〇七mg／l以下
給水装置の末端以外に設置されている給水用具又は給水管	〇・〇五mg／l以下	〇・〇一mg／l以下

※主要部品の材料として銅合金を使用している水栓その他給水装置の末端に設置されている給水用具の浸出液に係る判定基準

三　基準値の考え方

末端給水用具については、給水装置からの有害物質の浸出は極力少なくするべきこと、水道の原水、浄水処理用薬剤、水道施設及び給水装置の材料等の他の浸出原からの寄与が大きな割合を占める可能性があることから、アメリカＮＳＦ規格の考え方に準拠し、十分な安全性を考慮して、滞留状態での補正値が水道水質基準値の一〇％を超えないこととし、基準値を定めている。

また、銅合金を主要部品の材料として使用している末端給水用具については、鉛、銅及び亜鉛に係る補正値が水道水質基準値の一〇％を超えるおそれがある。しかしながら、銅合金は、これまで給水装置材料として広く一般的に使用されてきていること及び加工性等の面から現状において代替材料がないことから、特例として、一般的な水道水中の濃度に給水用具からの浸出を加えても水道水質基準値を超えないと考えられる値を基準値とした。

一方、給水管及び末端給水用具以外の給水用具に長時間滞留した水は、水洗トイレや風呂において水が使用されるとすべて流出するため、滞留水が実際に飲用される確率は末端給水用具に比して極めて低いことから、滞留状態での補正値が水道水質基準値を超えないこととし、基準値を定めている。

なお、今回の改正における基準値の考え方は、従来のものと変更はない。

※補正値：給水装置の構造及び材質の基準に係る試験（平成九年厚生省告示第一一一号）第二の四に定める補正値

四　省令の施行日

水質基準に関する省令の一部を改正する省令の施行日に合わせ、平成一五年四月一日としている。

五　経過措置の考え方

改正省令の附則では、「この省令の施行の際現に設置され、若しくは設置の工事が行われている給水装置又は現に建築の工事が行われている建築物に設置されるもの（以下「既存給水装置」という。）」について、「その大規模の改造の工事まで」は改正後の規定の適用を猶予する経過措置を置いている。

これは、給水装置が建築物に付属して設けられるものであるという特徴から、その建築物の工事が始まった時点で既に付随する給水装置についても発注が行われている場合があるという実情を考慮したものであるが、既存給水装置に該当するか否かは当該給水装置に係る工事又は当該建築物に係る建築工事が実際に着工されているか否かのみにより判断されるものであって、当該工事に係る工事申込書、建築確認書及びこれらに類する一切の書類の提出の有無により判断されるものではない。

また、既存給水装置に係る大規模の改造に際しては、当該改造部分以外を含め全体をすべて新基準対応のものに交換する必要がある。

さらに、既存給水装置に係る軽微な改造であっても、当該改造により新規に設置される給水装置については、すべて新基準値を満たす必要がある。

なお、厚生労働省としては、既存給水装置に関してもできるだけ速やかに新基準に適合した製品への転換を進めるべきであるという見解を持っているので、念のため申し添える。

（一九）水道施設の技術的基準を定める省令の一部を改正する省令の施行について（通知）

（平成一四年一二月三日健水発第一二〇三〇〇五号水道課長）

水道施設の技術的基準を定める省令の一部を改正する省令（平成一四年厚生労働省令第一三九号）は、平成一四年一〇月二九日に公布され、平成一五年四月一日から施行されることとなった。ついては、下記に留意の上、貴認可水道事業者等関係者に対する周知方、よろしくご配慮願いたい。

記

一　改正の背景

鉛の水道水質基準については、現行基準値である〇・〇五mg／lを定めた平成四年の基準改正時に、概ね一〇年後に〇・〇一mg／l以下とすべきとされたところであり、本年三月二七日に公布された水質基準に関する省令の一部を改正する省令（平成一四年厚生労働省令第四三号）により、鉛の基準値は〇・〇一mg／l以下と改正され、平成一五年四月一日から施行されることとなった。

この改正を受けて、水道法（昭和三二年法律第一七七号）第五条第四項の規定に基づき定められている浄水又は浄水処理過程における水に注入される薬品等により水に付加される物質の鉛含有基準及び浄水又は浄水処理過程における水に接する資機材等からの鉛浸出基準についても、本省令により所要の改正を行ったものである。

二　改正の概要

浄水又は浄水処理過程における水に注入される薬品等により水に付加される物質の鉛含有基準及び浄水又は浄水処理過程における水に接する資機材等からの鉛浸出基準は、水道施設の技術的基準を定める省令（平成一二年厚生省令第一五号）に定められている。

この省令に定められている当該含有及び浸出基準のうち、鉛に関する基準を以下のとおり改正した。

	現行基準	新基準
薬品等により付加される物質	〇・〇〇五mg／l以下	〇・〇〇一mg／l以下
水道用資機材	〇・〇〇五mg／l以下	〇・〇〇一mg／l以下

三　基準値の考え方

浄水処理過程以後の水に注入される薬品等により水に付加される物質に係る鉛の含有濃度及び浄水処理過程以後の水に接する資機材等からの鉛の浸出濃度は、十分な安全性を考慮して、水道水質基準値の一〇％を超えないこととして基準値を定めている。

四　省令の施行日

水質基準に関する省令の一部を改正する省令の施行日に合わせ、平成一五年四月一日としている。

五　経過措置の考え方

本省令施行の際現に設置されている水道施設については、その施設の大規模の改造の時までは、この規定（改正後の水道施設の技術的基準を定める省令第一条第一七号ハに係る鉛の浸出濃度基準（〇・〇〇一㎎／l以下。以下「新基準」という。））を適用しない旨の経過措置を設けることとした。

なお、平成一二年四月一日時点で既に設置されており、その後、大規模な改造が行われていない施設については、省令制定時の附則第二項が既に適用されているため、経過措置の重複を避ける観点から、本省令の附則第二項において「（同令附則第二項の規定の適用を受けるものを除く。）」と規定しているところであるが、当該施設についても、平成一五年四月一日以降に施設の大規模な改造が行われた際には、新基準が適用されるものである。

さらに、資機材等に係る単純な交換工事であっても、当該工事により新規に設置される資機材等については、新基準を満たす必要がある。

(二〇)　給水装置工事における工業用水道管等との誤接合の防止について（通知）

（平成一四年一二月六日健水発第一二〇六〇〇一号水道課長）

最近、給水装置の設置又は変更の工事において、工業用水道管と誤接合する事故が数件発生している。昭和四四年六月二四日付け環水第九〇五九号厚生省環境衛生局長通知「水道施設の工事監督の強化並びに施設管理及び水質管理の徹底について」により、水道事業者の業務体制の強化充実をお願いしてきたところであるが、一部水道事業者においては、水道施設・水質管理の体制に依然不十分な点も見られる。

このような状況にかんがみ、水道水の安全性を確保するため、貴施設における現状の再点検を実施するとともに、下記事項に留意の上、適切な管理に万全を期されたい。

記

一　図面・記録の整備

水道事業者は、水道施設の完工図その他の記録について、必要な情報が明示されたものを整備し、新設、改良、増設、撤去等の場合には、その都度、速やかに完工図等を修正すること等、常に最新の記録を整備しておくこと。

なお、地下埋設物が錯そうしている地区にあっては、他種地下埋設物の状況が把握できるよう十分に配慮すること。

二　給水装置工事主任技術者との連絡調整

水道法第二五条の四第三項第四号及び同法施行規則第二三条第一号の規定により、給水装置工事主任技術者は、配水管から分岐して給水管を設ける工事を施行しようとする場合、配水管の位置の確認に関して水道事業者と連絡調整を行うこととされており、水道事業者からも情報提供に努めるなど積極的に対応すること。

三　設計図面及び残留塩素の確認

工業用水道管等が布設されている地区における給水装置工事の設計及び施行に当たっては、埋設管の誤認に特に注意を払うとともに、工事完了後給水栓における残留塩素の量を確認するなど、誤接合がないか確認するための適切な措置を講じること。

(二)「水道法の一部を改正する法律」の公布について（通知）

（平成三〇年一二月一二日生食発一二一二第七号生活衛生・食品安全審議官）

「水道法の一部を改正する法律」（平成三〇年法律第九二号。以下「改正法」という。）については、第百九十七回国会（臨時国会）において、平成三〇年一二月六日に可決成立し、本日公布されたところである。

改正法の趣旨及び主な内容は下記のとおりであるので、これらの内容について十分御了知の上、貴管下の水道事業者等に対しこれを周知するとともに、その施行に遺漏なきよう期されたい。

なお、本法律改正に伴う政省令等の整備については、今後、順次行うこととしている。また、施行後の水道法全般にわたっての留意事項を今後通知する予定であるので御了知いただきたい。

記

第一　改正法の趣旨

人口減少に伴う水の需要の減少、水道施設の老朽化等に対応し、水道の基盤の強化を図るため、都道府県による水道の基盤の強化に関する計画（以下「水道基盤強化計画」という。）の策定、水道事業者及び水道用水供給事業者（以下「水道事業者等」という。）による水道施設台帳の作成、地方公共団体である水道事業者等が水道施設運営等事業に係る公共施設等運営権を設定する場合の許可制の導入、指定給水装置工事事業者の指定に係る更新制の導入等の措置を講ずる。

第二　改正法の主な内容

一　法律の目的及び責務の改正

(一)　この法律は、水道の布設及び管理を適正かつ合理的ならしめるとともに、水道の基盤を強化することによって、清浄にして豊富低廉な水の供給を図り、もって公衆衛生の向上と生活環境の改善とに寄与することを目的とすること。（第一条関係）

(二)　国は、水道の基盤の強化に関する基本的かつ総合的な施策を策定し、及びこれを推進するとともに、都道府県及び市町村並びに水道事業者等に対し、必要な技術的及び財政的な援助を行うよう努めなければならないものとすること。（第二条の二第一項関係）

(三)　都道府県は、その区域の自然的社会的諸条件に応じて、その区域内における市町村の区域を超えた広域的な水道事業者等の間の連携等（水道事業者等の間の連携及び二以上の水道事業又は水道用水供給事業の一体的な経営をいう。以下同じ。）の推進その他の水道の基盤の強化に関する施策を策定し、及びこれを実施するよう努めなければならないものとすること。（第二条の二第二項関係）

(四)　市町村は、その区域の自然的社会的諸条件に応じて、その区域内における水道事業者等の間の連携等の推進その他の水道の基盤の強化に関する施策を策定し、及びこれを実施するよう努めなければならないものとすること。（第二条の二第三項関係）

(五)　水道事業者等は、その経営する事業を適正かつ能率的に運営するとともに、その事業の基盤の強化に努めなければならないものとすること。（第二条の二第四項関係）

二　水道の基盤の強化に関する事項

(一)　厚生労働大臣は、水道の基盤を強化するための基本的な方針（以下「基本方針」という。）を定めるものとし、基本方針においては、水道の基盤の強化に関する基本的事項、水道施設の維持管理及び計画的な更新に関する事項その他の事項を定めるものとすること。（第五条の二関係）

(二)　都道府県は、基本方針に基づき、水道基盤強化計画を定めることができるものとし、水道基盤強化計画においては、計画区域を記載するほか、水道の基盤の強化に関する基本的事項、水道基盤強化計画の期間、計画区域における水道の基盤の強化のために都道府県及び市町村が講ずべき施策並びに水道事業者等が講ずべき措置に関する事項その他の事項について定めるものとすること。（第五条の三第一項から第三項まで関係）

(三)　都道府県は、水道基盤強化計画を定めようとするときは、あらかじめ計画区域

内の市町村及び水道事業者等の同意を得なければならないこととすること。（第五条の三第四項関係）

(四) 二以上の市町村は、共同して、都道府県に対し、水道基盤強化計画を定めることを要請することができることとし、都道府県は当該要請があった場合において、水道の基盤の強化のため必要があると認めるときは、水道基盤強化計画を定めるものとすることその他の水道基盤強化計画に関する所要の規定を設けること。（第五条の三第五項から第十項まで関係）

(五) 都道府県は、市町村の区域を超えた広域的な水道事業者等の間の連携等の推進に関し必要な協議を行うため、当該都道府県が定める区域において広域的連携等推進協議会（以下「協議会」という。）を組織することができるものとすること。（第五条の四第一項関係）

(六) 協議会は、都道府県、協議会の区域をその区域に含む市町村、協議会の区域を給水区域に含む水道事業者及び当該水道事業者が水道用水の供給を受ける水道用水供給事業者並びに都道府県が必要と認める者をもって構成するものとすること。（第五条の四第二項関係）

(七) 協議会において協議が調った事項については、協議会の構成員は、その協議の結果を尊重しなければならないものとすること。（第五条の四第三項関係）

三　事業の休止及び廃止に関する事項

地方公共団体以外の水道事業者が、水道事業の全部又は一部の休止又は廃止の許可の申請をしようとするときは、あらかじめ、当該申請に係る給水区域をその区域に含む市町村に協議しなければならないものとすること。（第十一条第二項関係）

四　供給規程に関する事項

供給規程に定められる料金は、能率的な経営の下における適正な原価に照らし、健全な経営を確保することができる公正妥当なものでなければならないものとすること。（第十四条第二項関係）

五　水道施設の適切な管理に関する事項

(一) 水道事業者は、厚生労働省令で定める基準に従い、水道施設を良好な状態に保つため、その維持及び修繕を行わなければならないものとすること。（第二十二条の二関係）

(二) 水道事業者は、水道施設の台帳を作成し、これを保管しなければならないものとすること。（第二十二条の三関係）

(三) 水道事業者は、長期的な観点から、給水区域における一般の水の需要に鑑み、水道施設の計画的な更新に努めるとともに、水道施設の更新に要する費用を含むその事業に係る収支の見通しを作成し、これを公表するよう努めなければならないものとすること。（第二十二条の四関係）

六　水道施設運営権の設定の許可に関する事項

(一) 地方公共団体である水道事業者は、民間資金等の活用による公共施設等の整備等の促進に関する法律第十九条第一項の規定により水道施設運営等事業（水道施設の全部又は一部の運営等であって、当該水道施設の利用に係る料金を当該運営等を行う者が自らの収入として収受する事業をいう。）に係る公共施設等運営権（以下「水道施設運営権」という。）を設定しようとするときは、あらかじめ、厚生労働大臣の許可を受けなければならないものとすること。（第二十四条の四関係）

(二) 水道施設運営権の設定の許可の申請、許可基準及び水道施設運営権の取消し等の要求その他の事項について定めるものとすること。（第二十四条の五から第二十四条の十三まで関係）

七　指定給水装置工事事業者の指定の更新に関する事項

指定給水装置工事事業者の指定は、五年ごとにその更新を受けなければ、その期間の経過によって、その効力を失うものとすること。（第二十五条の三の二関係）

八　災害その他非常の場合における連携及び協力の確保に関する事項

国、都道府県、市町村及び水道事業者等並びにその他の関係者は、災害その他非常の場合における応急の給水及び速やかな水道施設の復旧を図るため、相互に連携を図りながら協力するよう努めなければならないものとすること。（第三十九条の二関係）

九　罰則に関する事項
　罰則について所要の規定を設けるものとすること。（第五三条及び第五五条関係）
十　その他所要の改正を行うこと。
第三　施行期日等
一　施行期日
　この法律は、一部の規定を除き、公布の日から起算して一年を超えない範囲内において政令で定める日から施行するものとすること。（附則第一条関係）
二　経過措置
　その他、この法律の施行に関し、必要な経過措置を定めること。（附則第二条から第五条まで関係）
三　検討規定
　政府は、この法律の施行後五年を目途として、この法律による改正後の規定の実施状況を勘案し、必要があると認めるときは、当該規定について検討を加え、その結果に基づいて所要の措置を講ずるものとすること。（附則第六条関係）

㈢「水道法の一部を改正する法律」の公布について（通知）

（平成三一年四月一七日生食発〇四一七第八号生活衛生・食品安全審議官）


　平成三〇年一二月一二日付けで水道法の一部を改正する法律（平成三〇年法律第九二号。以下「改正法」という。）が公布され、またこれに基づき、水道法の一部を改正する法律の施行期日を定める政令（平成三一年政令第一五三号）及び水道法の一部を改正する法律の施行に伴う関係政令の整備及び経過措置に関する政令（平成三一年政令第一五四号。以下「改正令」という。）が本日別添のとおり公布され、改正法は一部の規定を除き平成三一年一〇月一日より施行されることとなった。

　改正令の内容は下記のとおりであるので、これらの内容について十分御了知の上、貴管下の水道事業者等に対しこれを周知するとともに、その施行に遺漏なきよう期されたい。

　なお、改正法施行に伴う省令等の整備については、今後、順次行うこととしている。

　また、施行後の水道法全般にわたっての留意事項を今後通知する予定であるので御了知いただきたい。

記

第一　水道法施行令（昭和三二年政令第三三六号）の一部改正
一　事業の休止及び廃止に際し、市町村への協議を要する地方公共団体以外の水道事業者の給水人口の基準は、給水人口が五千人であることとすること。（第四条関係）
二　水道法（昭和三二年法律第一七七号。以下「法」という。）第五条の三第一項に規定する水道基盤強化計画において定められた同条第二項第七号に掲げる事項に係る水道施設であって一定の要件に該当する水道事業又は水道用水供給事業の用に供するものの整備に要する費用について、国庫補助の対象とすること。（別表関係）
三　その他所要の改正を行うこと。
第二　沖縄振興特別措置法施行令（平成一四年政令第一〇二号）の一部改正
　沖縄振興計画に基づく事業における第一の二の費用について、国庫補助の対象とすること。（別表関係）
第三　経過措置
一　改正法附則第二条の政令で定める日（水道施設台帳に関する経過措置の期限）は、平成三四年九月三〇日とすること。
二　改正法附則第三条の規定により読み替えられた法第二五条の三の二第一項の政令で定める期間（改正法の施行の際に現に指定を受けている指定給水装置工事事業者の指定の有効期間）は、次に掲げる場合の区分に応じ、それぞれ次に定める期間とすること。
㈠　法第一六条の二第一項の指定を受けた日（以下この二において「指定を受けた日」という。）が平成一〇年四月一日から平成一一年三月三一日までの間である場合一年

(二) 指定を受けた日が平成一一年四月一日から平成一五年三月三一日までの間である場合二年

(三) 指定を受けた日が平成一五年四月一日から平成一九年三月三一日までの間である場合三年

(四) 指定を受けた日が平成一九年四月一日から平成二五年三月三一日までの間である場合四年

(五) 指定を受けた日が平成二五年四月一日から平成二六年九月三〇日までの間である場合五年

第四　施行期日等

一　この政令は、改正法の施行の日（平成三一年一〇月一日）から施行すること。

二　この政令の施行に関し必要な経過措置を定めること。

(三) 水道施設の技術的基準を定める省令の一部を改正する省令について

（令和元年五月二九日生食発〇五二九第二号生活衛生・食品安全審議官）

水道施設の技術的基準を定める省令の一部を改正する省令（令和元年厚生労働省令第六号。以下「改正省令」という。）が、令和元年五月二九日に公布、施行されることとなった。ついては、下記について御留意の上、その施行に遺漏のないようにされたい。

記

第一　改正の趣旨

水道におけるクリプトスポリジウム等の耐塩素性病原生物対策について、最近の厚生労働科学研究及び諸外国における研究の報告等から、地表水（河川水、湖沼水等）を原水とする水道施設の耐塩素性病原生物対策として、濾過設備による濾過を行った上での紫外線処理が有効であるとの科学的知見が得られたことを踏まえ、水道における耐塩素性病原生物対策をさらに推進するため、所要の改正を行う。

第二　改正の概要

一　紫外線処理の適用範囲の拡大（改正省令による改正後の水道施設の技術的基準を定める省令第五条第一項第八号関係）

これまで、地表水を原水とする浄水施設においては、濾過等の設備であって耐塩素性病原生物を除去することができる設備を設けることを必要としていたが、濾過等の設備の後に紫外線処理設備を設ける場合には、地表水を原水とする浄水施設でも紫外線処理を用いることを可能とすること。

二　紫外線処理設備の技術的要件の改正（改正省令による改正後の水道施設の技術的基準を定める省令第五条第九項第四号関係）

紫外線処理を用いる浄水施設の要件である、水の濁度を常時測定するための設備の設置について、地表水を原水とする浄水施設にあっては必ず設置すること。なお、地表水以外を原水とする浄水施設にあっては、水の濁度が紫外線処理に支障を及ぼさないことが明らかな場合は、この限りでないこと。

(四) 民法の一部を改正する法律の施行について（情報提供）

（令和元年八月一九日　事務連絡水道課）

水道行政の推進につきましては、日頃から格別の御協力をいただき御礼申し上げます。

民法の一部を改正する法律（平成二九年法律第四四号。以下「改正法」という。）が令和二年四月一日から施行されます。

改正法による改正後の民法（明治二九年法律第八九号。以下「改正民法」という。）では、消滅時効制度の見直しがされ、職業別の短期消滅時効が廃止されるとともに、債権者が権利を行使することができることを知った時から五年の消滅時効期間が新設されています。また、改正民法では、不特定多数を相手方として行う取引であって、その内容の全部又は一部が画一的であることが双方にとって合理的な取引（定型取引）に用いられる契約条項である「定型約款」に関する規定が新設されています。

つきましては、改正法の施行に当たって、水道事業者が留意すべき事項について、下記のとおり、とりまとめましたので、適切に対応いただくようお願いいたします。なお、本事務連絡は、民法を所管する法務省及び総務省自治財政局公営企業課公営企業経営室と協議の上、作成したものであることを申し添えます。

また、都道府県水道行政担当部（局）におかれましては、都道府県認可の水道事業者への情報提供をお願い申し上げます。

記

第一　消滅時効期間に関する規定について（改正民法第一六六条関係）

一　水道料金請求権の取扱い

改正法の施行後は、水道料金請求権の消滅時効は、改正民法第一六六条に基づき、債権者が権利を行使することができることを知った時から五年間行使しないとき又は権利を行使することができる時から一〇年間行使しないときに完成することとなります。

二　改正法の経過措置

改正法附則第一〇条第四項により、施行日前に債権が生じた場合（施行日以後に債権が生じた場合であって、その原因である法律行為が施行日前にされたときを含む。）におけるその債権の消滅時効の期間については、なお従前の例によるとされています。

そのため、改正法の施行日前（令和二年三月三一日以前）に締結した給水契約に基づいて発生した水道料金請求権は、改正前の民法第一七三条に基づき、二年の消滅時効期間が適用されます。これに対し、改正法の施行後（令和二年四月一日以後）に締結された給水契約に基づいて発生した水道料金請求権の消滅時効は、改正民法第一六六条に基づき、権利を行使することができることを知った時から五年間行使しないとき又は権利を行使することができる時から一〇年間行使しないときに完成することになります。

第二　定型約款に関する規定について（改正民法第五四八条の二から第五四八条の四まで関係）

一　供給規程の取扱い

改正民法第五四八条の二第一項は、「不特定多数の者を相手方とする取引であって内容の全部又は一部が画一的であることが当事者双方にとって合理的なもの」を定型取引とし、この「定型取引において契約の内容とすることを目的としてその特定の者により準備された条項の総体」を定型約款としました。

水道供給契約の条件を定めた供給規程は、この定型約款に当たるものと考えられますので、改正民法の定型約款に関する規定が適用されます。

二　供給規程が契約内容となるための要件

定型約款については、改正民法第五四八条の二第一項に基づき、定型約款を契約内容とする旨の合意がされた場合又は定型約款を準備した者があらかじめその定型約款を契約の内容とする旨を相手方に表示していた場合に限り、定型約款の個別の条項についても合意したものとみなされます。そのため、改正法の施行後は、給水契約の申込み時において、需要者に対して定型約款（供給規程）を契約の内容とする旨を表示すること等が必要となります。電話等による開栓の申込みのみをもって供給を開始し、特段の契約書等を交わさない場合であっても、開栓の申込者に対して定型約款を契約の内容とする旨を表示した書類を郵便受け等に事前に投入しておくこと又は電話等による開栓の申込時に定型約款を契約の内容とする旨を口頭で相手方に伝達することなどの対応が必要となります。

三　供給規程の開示

改正民法第五四八条の三第一項は、「定型取引を行い、又は行おうとする定型約款準備者は、定型取引合意の前又は定型取引合意の後相当の期間内に相手方から請求があった場合には、遅滞なく、相当な方法でその定型約款の内容を示さなければならない」としています。そのため、水道事業者は、給水区域内の需要者から請求があった場合には、供給規程の内容を表示する必要があります。

なお、水道法（昭和三二年法律第一七七号）第一四条第四項において、「水道事業者は、供給規程を、その実施の日までに一般に周知させる措置をとらなければならない」とされていますが、この周知措置がとられていることのみをもって、改正民法第五四八条の三第一項にいう表示がされたものとはいえません。

四　定型約款の変更について

改正民法第五四八条の四第一項は、「定型約款準備者が個別に相手方と合意をすることなく契約の内容を変更することができるのは、「変更が相手方の一般の利益に適合するとき」又は「契約をした目的に反せず、かつ、変更の必要性、変更後の内容の相当性、この条の規定により定型約款の変更をすることがある旨の定めの有無及びその内容その他の変更に係る事情に照らして合理的なものであるとき」であると規定しています。

この点、水道事業者が地方公共団体である場合には、供給規程の内容について、地方自治法（昭和二二年法律第六七号）第二二八条第一項及び同法第二四四条の二第一項等の規定により、条例で定めなければならないとされており、その内容を変更する際には議会の決議が必要となります。また、水道事業者が地方公共団体以外の場合には、水道法第一四条第六項の規定に基づき、供給規程に定められた供給条件を変更しようとするときは、厚生労働大臣の認可を受けなければならないとされています。供給規程の変更がこのような手続を経た上でされるものであることは、定型約款の変更の合理性を基礎づける事情の一つとして考慮されますが、上記のとおり、変更の合理性は、変更の必要性、変更後の内容の相当性等の事情に照らして判断されるものであることに留意する必要があります。

五　改正法の経過措置

改正法附則第三三条第一項において、「新法第五四八条の二から第五四八条の四までの規定は、施行日前に締結された定型取引（新法第五四八条の二第一項に規定する定型取引をいう。）に係る契約についても、適用する。ただし、旧法の規定によって生じた効力を妨げない。」と規定されています。

そのため、定型約款に関する規定については、改正法の施行日前（令和二年三月三一日以前）に締結された給水契約についても、原則として改正民法が適用されることとなります。もっとも、旧法の規定によって生じた効力は妨げられないため、施行日前に有効に締結された給水契約の効力や内容は、施行日後も影響も受けません。

【参考】

○民法の一部を改正する法律（平成二九年法律第四四号）による改正後の民法（抄）

（債権等の消滅時効）

第百六十六条　債権は、次に掲げる場合には、時効によって消滅する。

一　債権者が権利を行使することができることを知った時から五年間行使しないとき。

二　権利を行使することができる時から十年間行使しないとき。

2　債権又は所有権以外の財産権は、権利を行使することができる時から二十年間行使しないときは、時効によって消滅する。

3　前二項の規定は、始期付権利又は停止条件付権利の目的物を占有する第三者のために、その占有の開始の時から取得時効が進行することを妨げない。ただし、権利者は、その時効を更新するため、いつでも占有者の承認を求めることができる。

（定型約款の合意）

第五百四十八条の二　定型取引（ある特定の者が不特定多数の者を相手方として行う取引であって、その内容の全部又は一部が画一的であることがその双方にとって合理的なものをいう。以下同じ。）を行うことの合意（次条において「定型取引合意」という。）をした者は、次に掲げる場合には、定型約款（定型取引において、契約の内容とすることを目的としてその特定の者により準備された条項の総体をいう。以下同じ。）の個別の条項についても合意をしたものとみなす。

一　定型約款を契約の内容とする旨の合意をしたとき。

二　定型約款を準備した者（以下「定型約款準備者」という。）があらかじめその定型約款を契約の内容とする旨を相手方に表示していたとき。

2　前項の規定にかかわらず、同項の条項のうち、相手方の権利を制限し、又は相手方の義務を加重する条項であって、その定型取引の態様及びその実情並びに取引上の社会通念に照らして第一条第二項に規定する基本原則に反して相手方の利益を一方的に害すると認められるものについては、合意をしなかったものとみなす。

（定型約款の内容の表示）

第五百四十八条の三　定型取引を行い、又は行おうとする定型約款準備者は、定型取引合意の前又は定型取引合意の後相当の期間内に相手方から請求があった場合には、遅滞なく、相当な方法でその定型約款の内容を示さなければならない。ただし、定型約款準備者が既に相手方に対して定型約款を記載した書面を交付し、又はこれを記録した電磁的記録を提供していたときは、この限りでない。

2　定型約款準備者が定型取引合意の前において前項の請求を拒んだときは、前条の規定は、適用しない。ただし、一時的な通信障害が発生した場合その他正当な事由がある場合は、この限りでない。

（定型約款の変更）

第五百四十八条の四　定型約款準備者は、次に掲げる場合には、定型約款の変更をすることにより、変更後の定型約款の条項について合意があったものとみなし、個別に相手方と合意をすることなく契約の内容を変更することができる。

一　定型約款の変更が、相手方の一般の利益に適合するとき。

二　定型約款の変更が、契約をした目的に反せず、かつ、変更の必要性、変更後の内容の相当性、この条の規定により定型約款の変更をすることがある旨の定めの有無及びその内容その他の変更に係る事情に照らして合理的なものであるとき。

2　定型約款準備者は、前項の規定による定型約款の変更をするときは、その効力発生時期を定め、かつ、定型約款を変更する旨及び変更後の定型約款の内容並びにその効力発生時期をインターネットの利用その他の適切な方法により周知しなければならない。

3　第一項第二号の規定による定型約款の変更は、前項の効力発生時期が到来するまでに同項の規定による周知をしなければ、その効力を生じない。

4　第五百四十八条の二第二項の規定は、第一項の規定による定型約款の変更については、適用しない。

附　則

（時効に関する経過措置）

第十条　施行日前に債権が生じた場合（施行日以後に債権が生じた場合であって、その原因である法律行為が施行日前にされたときを含む。以下同じ。）におけるその債権の消滅時効の援用については、新法第百四十五条の規定にかかわらず、なお従前の例による。

2　施行日前に旧法第百四十七条に規定する時効の中断の事由又は旧法第百五十八条から第百六十一条までに規定する時効の停止の事由が生じた場合におけるこれらの事由の効力については、なお従前の例による。

3　新法第百五十一条の規定は、施行日前に権利についての協議を行う旨の合意が書面でされた場合（その合意の内容を記録した電磁的記録（新法第百五十一条第四項に規定する電磁的記録をいう。附則第三十三条第二項において同じ。）によってされた場合を含む。）におけるその合意については、適用しない。

4　施行日前に債権が生じた場合におけるその債権の消滅時効の期間については、なお従前の例による。

（定型約款に関する経過措置）

第三十三条　新法第五百四十八条の二から第五

百四十八条の四までの規定は、施行日前に締結された定型取引（新法第五百四十八条の二第一項に規定する定型取引をいう。）に係る契約についても、適用する。ただし、旧法の規定によって生じた効力を妨げない。

2　前項の規定は、同項に規定する契約の当事者の一方（契約又は法律の規定により解除権を現に行使することができる者を除く。）により反対の意思の表示が書面でされた場合（その内容を記録した電磁的記録によってされた場合を含む。）には、適用しない。

3　前項に規定する反対の意思の表示は、施行日前にしなければならない。

㈡㈤　成年被後見人等の権利の制限に係る措置の適正化等を図るための関係法律の整備に関する法律の施行について（事務連絡）

（令和元年九月一三日薬生水発〇九一三第一号水道課長）

令和元年六月一四日に成立した成年被後見人等の権利の制限に係る措置の適正化等を図るための関係法律の整備に関する法律（令和元年法律第三七号。以下「成年被後見人改正法」という。）において、成年被後見人等を資格・職種・業務等から一律に排除する規定（欠格条項）が、心身の故障等の状況を個別的、実質的に審査し、各制度ごとに必要な能力の有無を判断する規定（以下「個別審査規定」という。）に改正されることとなった。

成年被後見人改正法の施行に伴い、同法により改正された法律において規定された個別審査規定において、厚生労働省令で定めることとされた「心身の故障により業務を適正に行うことができない者」を定める等、個別的、実質的な審査を行うよう所要の規定の整備を行うため、今般、成年被後見人等の権利の制限に係る措置の適正化等を図るための関係法律の整備に関する法律の施行に伴う厚生労働省関係省令の整備等に関する省令が令和元年九月一三日に公布され、同年九月一四日に施行されることとなった。

ついては、下記について御了知の上、都道府県におかれては都道府県知事認可の水道事業者に対しこれを周知するとともに、その施行に遺漏なきよう期されたい。

なお、本通知は、地方自治法（昭和二二年法律第六七号）第二四五条の四第一項の規定に基づく技術的な助言であることを申し添える。

記

第一　改正の趣旨

成年被後見人改正法の施行に伴い、水道法（昭和三二年法律第一七七号）第二五条の三に定める指定給水装置工事事業者の指定基準に関して、精神の機能の障害により給水装置工事の事業を適正に行うに当たり、必要な認知、判断及び意思疎通の有無を個別的、実質的な審査を行うよう所要の規定の整備を行うもの。

第二　改正の概要

成年被後見人改正法による改正後の水道法第二五条の三第一項第三号イの厚生労働省令で定める者として、水道法施行規則（昭和三二年厚生省令第四五号）第二〇条の二において「精神の機能の障害により給水装置工事の事業を適正に行うに当たって必要な認知、判断及び意思疎通を適切に行うことができない者」と新たに規定したこと。

第三　留意事項

指定給水装置工事事業者については申請時において欠格事由に該当しないことを宣誓するとともに、五年ごとの更新の都度、定期的に事業の実施状況を確認するため、届出時において、精神の機能障害に関する判断について医師の診断書を求める必要性はない。

(二六) 改正水道法等の施行について（通知）

（令和元年九月三〇日薬生水発〇九三〇第一号水道課長）

水道法の一部を改正する法律（平成三〇年法律第九二号。以下「改正法」という。）は、平成三〇年一二月一二日に公布され、これに伴う水道法の一部を改正する法律の施行期日を定める政令（平成三一年政令第一五三号）が公布され、同法は令和元年一〇月一日より施行される。また、水道法の一部を改正する法律の施行に伴う関係政令の整備及び経過措置に関する政令（平成三一年政令第一五四号。以下「改正令」という。）及び水道法施行規則の一部を改正する省令（令和元年厚生労働省令第五七号。以下「改正規則」という。）が公布された。

改正法の趣旨等については、『「水道法の一部を改正する法律」の公布について』（平成三〇年一二月一二日付け生食発一二一二第七大臣官房生活衛生・食品安全審議官通知）により通知されたところであるが、改正法による改正後の水道法（昭和三二年法律第一七七号。以下「法」という。）等の施行に関して、全般にわたる改正の趣旨、内容及び留意点について、下記のとおり、とりまとめたので通知する。

ただし、水道施設台帳の整備（法第二二条の三関係）については、別途通知する。

また、各都道府県におかれては、貴管下の市及び特別区並びに都道府県知事認可の水道事業者及び水道用水供給事業者へ周知されたい。

なお、本通知は、地方自治法（昭和二二年法律第六七号）第二四五条の四第一項の規定に基づく技術的助言である旨申し添える。

記

第一　法の目的規定（法第一条関係）

一　改正の趣旨

我が国の水道は、平成二十九年度末において九十八％という普及率に達し、水道は、国民生活や社会経済活動の基盤として必要不可欠なものとなっている。

一方で、高度経済成長期に整備された水道施設の老朽化が進行しているとともに、耐震性の不足等から大規模な災害の発生時に断水が長期化するリスクに直面している。また、我が国が本格的な人口減少社会を迎えることから、水需要の減少に伴う水道事業及び水道用水供給事業（以下「水道事業等」という。）の経営環境の悪化が避けられないと予測されている。さらに、水道事業等を担う人材の減少や高齢化が進むなど、水道事業等は深刻な課題に直面している。

こうした状況は、水道事業が主に市町村単位で経営されている中にあって、特に小規模な水道事業者において深刻なものとなっている。

今回の法改正においては、こうした状況を踏まえ、水道施設の維持管理及び計画的な更新、水道事業等の健全な経営の確保、水道事業等の運営に必要な人材の確保及び育成等を図ることにより、水道の基盤の強化が求められることを法律上明記した。

二　改正内容

・　法第一条の目的規定について「水道を計画的に整備し」などとしていたのを「水道の基盤を強化する」に改めることとした。

・　「水道の基盤を強化する」とは、水道施設の維持管理及び計画的な更新、水道事業等の健全な経営の確保、水道事業等の運営に必要な人材の確保及び育成等を図ることにより、水道事業等に係る人的・物的・財政的基盤を強化し、平成二五年三月に策定された新水道ビジョンの理念である「安全な水の供給」、「強靱な水道の実現」及び「水道の持続性の確保」を目指すものである。

なお、改正前の目的規定に定められた「計画的に整備」することや「水道事業を保護育成する」ことは「水道の基盤を強化」することに含まれるものである。

第二　関係者の責務の明確化（法第二条の二関係）

一　改正の趣旨

水道の基盤の強化に向けて、国、都道府県、市町村及び水道事業者及び水道用水供給事業者（以下「水道事業者等」という。）に対して、それぞれの果たすべき責務を規定することとした。

二　改正内容

・　国は、水道の基盤の強化に関する基本的かつ総合的な施策を策定し、及びこれを推進するとともに、都道府県及び市町村並びに水道事業者等に対し、必要な技術的及び財政的な援助を行うよう努めなければならないこととした。

・都道府県は、その区域の自然的社会的諸条件に応じて、その区域内における市町村の区域を超えた広域的な水道事業者等の間の連携等（水道事業者等の間の連携及び二以上の水道事業又は水道用水供給事業の一体的な経営をいう。以下同じ。）の推進その他の水道の基盤の強化に関する施策を策定し、及びこれを実施するよう努めなければならないこととした。

なお、「水道事業者等の間の連携等」とは、二以上の水道事業者等がその事業に係る業務を共同して実施すること又は水道事業者等が他の水道事業者等にその事業に係る業務を委託することをいうものである。

・具体的な「水道事業者等の間の連携等」の形態としては、事業統合、経営の一体化（同一の経営主体が複数の水道事業等を経営）、管理の一体化（水質管理、施設の維持管理又は事務の共同実施や共同委託、会計システムの共同化等）、施設の共同化（浄水場、配水池、水質検査施設の共有又は共同設置）、地方自治法（昭和二二年法律第六七号）第二五二条の一六の二に定める事務の代替執行、技術的支援、人事交流等が考えられる。

・市町村は、その区域の自然的社会的諸条件に応じて、その区域内における水道事業者等の間の連携等の推進その他の水道の基盤の強化に関する施策を策定し、及びこれを実施するよう努めなければならないこととした。

なお、市町村の区域内における水道事業者等の連携等については市町村に係る責務とし、市町村の区域を超えた広域的な水道事業者等の連携等については都道府県に係る責務としたものである。

・水道事業者等は、その経営する事業を適正かつ能率的に運営するとともに、その事業の基盤の強化に努めなければならないこととした。

第三　水道の基盤を強化するための基本的な方針（法第五条の二関係）

一　改正の趣旨

水道の基盤強化に向けて、国、都道府県、市町村、水道事業者等が一体となって取り組む観点から、法第二条の二第一項に定める国の責務である水道の基盤の強化に関する基本的かつ総合的な施策の策定の一環として、厚生労働大臣は、水道の基盤を強化するための基本的な方針（以下「基本方針」という。）を定めることにより、その政策的な方向性を明らかにすることとしたものである。

これは、水道の基盤の強化については、人口減少に伴う水需要の減少や水道施設の老朽化等、様々な課題を総合的に解決することが求められており、広域連携や水道の維持管理及び計画的な更新、水道事業等の健全な経営の確保等についての考え方等について、厚生労働大臣が一定の方向性を定め、これに基づき、各都道府県が計画区域内の水道事業者等に対して講ずべき施策等を水道基盤強化計画に規定することが効果的であると考えられたためである。

二　改正内容等

・厚生労働大臣は、基本方針を定めるものとし、基本方針においては、水道の基盤の強化に関する基本的事項、水道施設の維持管理及び計画的な更新に関する事項その他の事項を定めることとした（法第五条の二第一項及び第二項関係）。

・厚生労働大臣は、基本方針を定め、又はこれを変更したときは、遅滞なく、これを公表しなければならないこととした（法第五条の二第三項関係）。

・基本方針は今後の水道事業等の目指すべき方向性を示すものであり、都道府県は、基本方針に基づいて、水道基盤強化計画を定めるものとした。

・基本方針については、厚生科学審議会生活環境水道部会水道事業の維持・向上に関する専門委員会における審議を踏まえ、令和元年九月三〇日に厚生労働大臣告示として公布された。

第四　水道基盤強化計画（法第五条の三関係）

一　改正の趣旨

市町村経営を原則として整備されてきた

我が国の水道事業は、小規模で経営基盤が脆弱なものが多い。人口減少社会の到来により水道事業等を取り巻く経営環境の悪化が予測される中で、将来にわたり水道サービスを持続可能なものとするためには、運営に必要な人材の確保や施設の効率的運用、経営面でのスケールメリットの創出等を可能とする広域連携の推進が重要である。

広域連携の実現に当たっては、連携の対象となる水道事業者等の間の利害関係の調整に困難を伴うが、広域連携には、第二の二で記載したとおり、様々な形態があることを踏まえ、地域の実情に応じ、最適な形態が選択されるよう調整を進めることが重要である。

そうした中にあって、都道府県においては、法第二条の二第二項に定める責務にあるように、市町村を超えた広域的な見地から広域連携の推進役として積極的な関与が期待されるものである。

そのため、水道の基盤の強化に向けて、国、都道府県、市町村、水道事業者等が一体となって取り組み、かつ、広域連携の推進役としての都道府県の機能を強化するため、都道府県に対して、広域連携をはじめとした水道の基盤の強化に関する計画を主体的に策定することができる権限を与えたものである。

二　改正内容

・　都道府県は、基本方針に基づき、水道基盤強化計画を定めることができるものとし、水道基盤強化計画においては、計画区域を記載するほか、おおむね、水道の基盤の強化に関する基本的事項、水道基盤強化計画の期間、計画区域における水道の基盤の強化のために都道府県及び市町村が講ずべき施策並びに水道事業者等が講ずべき措置に関する事項その他の事項について定めることとした（法第五条の三第一項から第三項まで関係）。

・　都道府県は、水道基盤強化計画を定めようとするときは、あらかじめ計画区域内の市町村及び水道事業者等の同意を得なければならないこととした（法第五条の三第四項関係）。

なお、「計画区域内の市町村及び水道事業者等の同意」については、関係市町村等の議会の同意まで求めるものではなく、当該計画区域内の市町村及び水道事業者等が水道基盤強化計画を策定する会議の構成員となっている場合であれば、当該会議における合意を上記同意として解しても差し支えない。

・　二以上の市町村は、共同して、都道府県に対し、厚生労働省令で定めるところにより、水道基盤強化計画を定めることを要請することができることとし、都道府県は当該要請があった場合において、水道の基盤の強化のため必要があると認めるときは、水道基盤強化計画を定めるものとすることとした（法第五条の三第五項及び第六項関係）。

・　要請に当たっては、基本方針に基づいて、当該要請に係る水道基盤強化計画の素案を作成して、提示しなければならないこととした（改正規則による改正後の水道法施行規則（昭和三二年厚生省令第四五号。以下「規則」という。）第一条の二関係）。

・　都道府県は、水道基盤強化計画を定めようとするときは、計画区域に広域的連携等推進協議会の区域の全部又は一部が含まれる場合には、あらかじめ当該協議会の意見を聴かなければならないこと、その他の水道基盤強化計画に関する所要の規定を設けることとした（法第五条の三第七項から第一〇項まで関係）。

三　留意事項等

ア　全般的事項

・　都道府県においては、水道基盤強化計画の策定に当たり、区域の水道事業者等から事業遂行上の人的・物的・財政的課題やその対応策を聞き取った上で、将来の見通し等のシミュレーション等の実施も含め、水道の基盤の強化を図る上での各種取組の方向性を検討し、関係者からの意見聴取や必要な利害調整を行って、水道の基盤の強化に向けたイメージを具体化させることが重要である。

・　水道事業者等においては、都道府県による水道基盤強化計画の策定の検討に当たって、必要となる情報（水道施設の更新を含む事業計画、財務状況、既に実施している広域連携や官民連携の事例の詳細等）の提供など、必要な協力をされたい。

・都道府県の区域全体の水道の基盤の強化を図る観点からは、経営に関する専門知識や高い技術力等を有する区域内の水道事業者等が中核となって、他の水道事業者等に対する技術的な援助や人材の確保及び育成等の支援を行うことが重要である。そのため、都道府県は、当該中核となる水道事業者等の協力を得つつ、単独で事業の基盤強化を図ることが困難な経営条件が厳しい水道事業者等も含めて、その区域内の水道の基盤を強化する取組を推進されたい。

イ　計画区域の設定

・都道府県は、都道府県の区域全体の水道の基盤の強化を図る観点から、区域内の水道事業者等の協力を得つつ、自然的社会的諸条件の一体性等に配慮して設定した計画区域において、その計画区域全体における水道事業等の全体最適化の構想を描く観点から水道基盤強化計画を策定されたい。なお、都道府県による広域連携の推進は、市町村間のみの協議による広域連携を排除するものではなく、また、都道府県境をまたぐ広域連携を排除するものではない。

・水道基盤強化計画の策定に当たっては、各都道府県の実情を踏まえ、計画区域を各都道府県で一つと定め、計画区域内に各圏域を定めることも、各都道府県内で計画区域を複数に分けて、それぞれの計画区域ごとに水道基盤強化計画を策定することも可能である。

ウ　水道基盤強化計画の期間に関する事項

水道基盤強化計画の期間は、概ね一〇年から一五年程度とすることが望ましい。なお、維持管理に関する事項に関しては、アセットマネジメントを勘案して、別途その期間を定めても差し支えない。

エ　二以上の市町村による都道府県に対する計画策定の要請に関する手続き要請の際に提示しなければならない水道基盤強化計画の「素案」とは、想定する計画区域、同区域における水道の現況及び水需要の見通し等を示した上で、想定する連携等推進対象区域（法第五条の三第二項第五号に定める都道府県及び市町村による水道事業者等の間の連携等の推進の対象となる区域をいう。）及び同区域における連携内容に関しても、可能な限り、その概要を明らかにしたものをいうものである。

オ　水道基盤強化計画の策定後における手続き

・都道府県は、水道基盤強化計画を策定又は変更したときは、関係書類を添えて遅滞なく厚生労働省に報告するとともに、計画区域内の市町村並びに計画区域を給水区域に含む水道事業者及び当該水道事業者が水道用水の供給を受ける水道用水供給事業者に通知されたい。

・水道事業等を取り巻く諸条件の著しい変動又は水道基盤強化計画の内容について重要な変更を行うべき事由の発生により当該計画を改定すべきであると認められる場合には、都道府県は、当該計画を速やかに改定するよう措置する必要がある。この場合において、改定の手続き等については、水道基盤強化計画の策定の手続き等に準じて行われたい。

第五　広域的連携等推進協議会（法第五条の四関係）

一　改正の趣旨

各都道府県の区域において市町村の区域を超えた広域連携の推進を行うため、都道府県は、水道基盤強化計画の策定を目的とする場合に限らず、当該区域内の水道事業者等をはじめとした関係者を構成員として、必要な協議を行うための場を設けることができることとした。

二　改正内容等

・都道府県は、市町村の区域を超えた広域的な水道事業者等の間の連携等の推進に関し必要な協議を行うため、当該都道府県が定める区域において広域的連携等推進協議会を組織することができるものとした（法第五条の四第一項関係）。なお、同協議会については、都道府県が定める区域毎に当該都道府県内で複数設置することは差し支えない。

・　広域的連携等推進協議会は、都道府県、広域的連携等推進協議会の区域をその区域に含む市町村、協議会の区域を給水区域に含む水道事業者及び当該水道事業者が水道用水の供給を受ける水道用水供給事業者並びに都道府県が必要と認める者をもって構成するものとした（法第五条の四第二項関係）。

　なお、市町村と水道事業者等が同一の場合には、一人の者の出席で足りるものである。

・　広域的連携等推進協議会において協議が調った事項については、広域的連携等推進協議会の構成員は、その協議の結果を尊重しなければならないものとした（法第五条の四第三項関係）。

第六　事業の休廃止に関する事項（法第一一条関係）

一　改正の趣旨

　今回の法改正においては、これまで、法令上詳細に規定されていなかった水道事業等の全部又は一部の休止及び廃止（以下「事業の休廃止」という。）に係る手続き及び許可基準を規則において定めることとしたとともに、地方公共団体以外の水道事業者（その給水人口が政令で定める基準を超えるものに限る。）は、事業の休廃止の許可の申請に際して、当該水道事業の給水区域をその区域に含む市町村に協議しなければならないこととした。

二　改正内容

㈠　事業の休止及び廃止の申請手続き（規則第八条の三関係）

　法第一一条第一項に規定する許可を申請する水道事業者等は、申請書に、休廃止計画書及び以下の書類を添えて厚生労働大臣に提出することとした。

ア　事業の休廃止により公共の利益が阻害されるおそれがないことを証する書類

イ　休廃止する給水区域を明らかにする地図

ウ　給水人口が五千人を超える水道事業を経営する地方公共団体以外の水道事業者にあっては、当該水道事業の給水区域をその区域に含む市町村に協議したことを証する書類

　このうち、「ア　事業の休廃止により公共の利益が阻害されるおそれがないことを証する書類」の内容については、休廃止する区域内において給水契約がないことを示す書類や他の手段による水の確保が確認できる書類をいうものである。

　なお、水道事業等の一部の廃止の許可があったときの法第六条の規定に基づく認可の範囲については、規則第八条の三第三項第五号の規定に基づいて廃止計画書に記載された廃止後の給水区域、給水人口（水道用水供給事業にあっては給水対象）及び給水量の内容に修正されたものになる。

㈡　事業の休止及び廃止の許可基準（規則第八条の四関係）

　事業の休廃止により公共の利益が阻害されるおそれがないと認められるときでなければ、法第十一条第一項に規定する許可をしてはならないこととした。

　「公共の利益が阻害されるおそれがない」ことは、許可の申請の内容に基づいて具体的に判断されるべきものであるが、水道事業にあっては、休廃止しようとする給水区域において給水契約がないこと又は休廃止しようとする区域において給水契約があるときは他の手段による水の確保が可能であることが考えられる。

　なお、「他の手段による水の確保が可能であること」については、他の水道事業による給水が行われる又は、新たな水の確保の方法、衛生対策並びに負担するべき事項及びその額等を提示した上で、休廃止しようとする区域における給水契約の相手方全員に対して同意を得る必要がある。水道用水供給事業にあっては、休廃止しようとする給水対象の水道事業者の合意が得られている必要がある。

㈢　地方公共団体以外の水道事業者による市町村への協議（法第一一条第二項及び改正令による改正後の水道法施行令（昭和三二年政令第三三六号。以下「令」という。）第四条関係）

　法第一一条第二項及び令第四条において、給水人口が五千人を超える水道事業を経営する地方公共団体以外の水道事業者については、その事業の休廃止に関する許可の申請に当たり、あらかじめ、当該申請に係る給水区域をその区域に含む市町村に協議しなければならないこととしている。

　これは、市町村以外の者が水道事業を経営しようとする場合、認可申請の際に、水道事業を経営することについて、水道事業者が水道事業の休廃止の権限を有することも含めて、給水しようとする区域をその区域に含む市町村の同意を得ているものであるが、一定規模以上の水道事業の休廃止は水道事業の経営に関する市町村の判断に対して大きな影響を与えることが考えられるためである。

　一方、給水人口が五千人以下の水道事業を経営する地方公共団体以外の水道事業者においても、水道事業の休廃止は市町村の判断に対して一定の影響を与えるものであることから、事業の休廃止の申請に当たっては、あらかじめ給水区域をその区域に含む市町村と十分に相談されたい。

第七　供給規程に関する事項（法第一四条関係）

一　改正の趣旨

　水道施設の老朽化、人口減少に伴う料金収入の減少等の課題に対し、水道事業等を将来にわたって安定的かつ持続的に運営するためには、事業の健全な経営を確保できるよう、財政的基盤の強化が必要である。

　一方で、独立採算が原則である水道事業にあって、現状においても、水道料金に係る原価に将来の更新費用が適切に見積もられていないため水道施設の維持管理及び計画的な更新に必要な財源が十分に確保できていない場合がある。

　こうした中で、今回の法改正においては、水道事業等を安定的かつ持続的に運営する観点から、水道施設の維持管理及び計画的な更新等に必要な財源を原則として水道料金により確保できるよう、料金が健全な経営を確保することができる公正妥当なものであることを法律上明示的に規定するとともに、規則において料金の算定方法等を明確化することとした。

　また、水道料金の算定方法に関して、地方公共団体が水道事業を経営することを前提とした料金の算定方法に加え、新たに地方公共団体以外の者が水道事業を経営することを前提とした料金原価の算定方法を明確化することとした。

二　改正内容等

㈠　供給規程における料金の位置付けの明確化（法第一四条第二項関係）

　供給規程に定められる料金は、能率的な経営の下における適正な原価に照らし、健全な経営を確保することができる公正妥当なものでなければならないものとした。

　なお、「健全な経営を確保」とは、適切な資産管理に基づき、水道施設の維持管理や計画的な更新などを行うとともに、水道事業の運営に必要な人材を確保し、継続的なサービスの提供が可能となるよう、水道事業を経営する状態をいうものである。

㈡　水道料金の算定方法

ア　水道事業者が地方公共団体である場合（規則第一二条関係）

・　法第二二条の四第二項の規定により水道事業者が事業に係る収支の見通しを作成するよう努めることとされたことを踏まえ、料金原価の算定方法について、新たに以下の技術的細目を規定することとした。

(ア)　事業に係る収支の見通しを作成するに当たり、三〇年以上の期間を定めて、その事業に係る長期的な収支の試算を行った場合にあっては、規則第一二条第一項第一号イからハに掲げる額が、当該試算に基づき、算定時からおおむね三年後から五年後までの期間について算定されたものであること。

（イ）料金は（ア）の期間ごとの適切な時期に見直しを行うものであること。

（ウ）（ア）以外の場合には、料金がおおむね三年を通じ財政の均衡を保つことができるよう設定されたものであること。

・規則第一七条の四第一項の規定に基づく収支の試算を行っていない水道事業者は、試算を行うまでの間、（ウ）に基づき料金の算定を行うことになるが、法の趣旨を踏まえ、速やかに収支の試算を行った上で上記（ア）に基づく料金の算定手法に移行すること。

イ　水道事業者が地方公共団体以外である場合（規則第一二条の二関係）

水道事業者が地方公共団体以外である場合の料金原価の算定方法について、新たに、アと同様の技術的細目を規定することとした。

その際、地方公共団体による水道事業の経営を前提とした現行の規定の「支払利息と資産維持費との合算額」の代わりに、電気事業やガス事業で用いられている「事業報酬の額」を用いることとした。事業報酬の額には、支払利息や配当金等が含まれる。

㈢　その他

適切な資産管理に基づき、水道施設の計画的な更新等を行うためには、原価に含まれない将来の建設改良費等については、その費用を利潤から内部留保する必要があり、公正妥当な料金として資産維持費を原価に含めることとされているが、これまで資産維持費の具体的内容が法令上明示されていなかったことから「水道施設の計画的な更新等の原資として内部留保すべき額」と明確化することとした。

第八　水道施設の適切な管理に関する事項（法第二二条の二及び法第二二条の四関係）

一　水道施設の維持及び修繕（法第二二条の二関係）

㈠　改正の趣旨

高度経済成長期に整備された水道施設の老朽化が進行している今日、水道施設の状況を的確に把握し、漏水事故等の発生防止や長寿命化による設備投資の抑制等を図ることが重要である。

そこで、水道事業者等が行うべき水道施設の維持及び修繕に関する規定を設けるとともに、規則にその基準を規定することとした。

㈡　改正内容等

ア　水道施設の維持及び修繕に関する義務（法第二二条の二関係）

・水道事業者等は、水道施設を良好な状態に保つため、規則で定める基準に従い、その維持及び修繕を行わなければならないこととした。

なお、「維持」とは、水道施設の運転、保守、巡視、点検、清掃等の水道の機能を保持するための事実行為であって工事を伴わないものをいい、「修繕」とは、老朽化した施設又は故障若しくは損傷した施設を対象として機能が発揮できる原状程度に復旧することをいうものである。

・法第二四条の三第一項の規定により業務の委託を受けた水道管理業務受託者及び法第二四条の四第三項に定める水道施設運営権者（民間資金等の活用による公共施設等の整備等の促進に関する法律（平成一一年法律第一一七号。以下「PFI法」という。）第一九条第一項の規定により水道施設運営等事業（水道施設の全部又は一部の運営等（PFI法第二条第六項に規定する運営等をいう。）であって、当該水道施設の利用に係る料金を当該運営等を行う者が自らの収入として収受する事業をいう。）に係る公共施設等運営権（以下「水道施設運営権」という。）を有する者をいう。）については、その業務の範囲内において水道施設の維持及び修繕に関する義務を負うことになる。

イ　水道施設の維持及び修繕に関する基準（規則第一七条の二関係）

水道事業者等が行う水道施設の維持及び修繕に関する基準として、次に掲げる事項を規定することとした。

（ア）水道施設の構造、位置、維持又は修繕の状況等を勘案し、水道施設の運転状態を監視し、適切な時期に巡視を行う。その上で、水道施設を維持するために、清掃等の措置を講ずる。

（イ）水道施設の状況を勘案して、適切な時期に、目視等の適切な方法により点検する。

（ウ）水道施設の運転に影響を与えない範囲において目視が可能で、水密性を有するコンクリート構造物については、おおむね五年に一回以上の適切な頻度で点検を行う。

（エ）点検等により、水道施設の損傷、腐食、劣化等の異状を把握したときは、水道施設を良好な状態に保つために修繕等の措置を講ずる。

・水道事業者等は、上記のコンクリート構造物について点検を行った場合は、点検の年月日、点検を実施した者の氏名及び点検の結果を記録し、これを次に点検を行うまでの期間保存しなければならないこととする。

・水道事業者等は、上記のコンクリート構造物について、損傷、腐食、劣化等の異状を把握し、修繕を行った場合は、その内容を記録し、当該コンクリート構造物を利用している期間保存しなければならないこととする。

・また、道路法（昭和二七年法律第一八〇号）第三二条に基づき道路の占用の許可を受けている水道事業者等については、同法第三九条の八の規定に基づき、占用物件の維持管理義務を課されており、道路法施行規則（昭和二七年建設省令第二五号）第四条の五の五の規定に基づき、道路の構造若しくは交通に支障を及ぼし、又は及ぼすこととなるおそれがないように、適切な時期に、占用物件の巡視、点検、修繕その他の当該占用物件の適切な維持管理を行うこととされている。

この維持管理に関する取扱いについては、法第二二条の二及び規則第一七条の二に基づき維持管理が適切になされていれば、一定程度の占用物件の構造の安全性が担保されると考えられることから、道路の構造又は交通に支障を及ぼしていない限り、道路法施行規則第四条の五の五の基準に従った維持管理がなされているものと認められることとされている。

二　水道施設の計画的な更新（法第二二条の四関係）

㈠　改正の趣旨

水道事業者等は、将来にわたって安定的に水道事業等を経営するため、長期的な視野に立った計画的な資産管理（アセットマネジメント）を行い、更新の需要を的確に把握した上で、必要な財源を確保し、水道施設の更新を計画的に行う必要がある。

そのため、水道施設の計画的な更新に努めなければならない旨の規定を法律に整備するとともに、規則に具体的な実施方法を規定することとした。

㈡　改正内容等

ア　水道事業者等は、長期的な観点から、その給水区域における一般の水の需要に鑑み、水道施設の計画的な更新に努めるとともに、更新に要する費用を含むその事業に係る収支の見通しを作成し、公表するよう努めなければならないこととした（法第二二条の四関係）。

なお、水道施設の「計画的な更新」とは、水需要や水道施設の更新需要等の長期的な見通しを踏まえ、地域の実情に応じ、水の供給体制を適切な規模に見直すことも含め、水道施設の全部又は一部を取り替えることにより、必要な水道施設の機能を維持・向上させることをいう。

イ　水道事業者等は、事業経営の将来的見通しを把握するため、事業に係る収支の見通しは、次のとおり作成することとした（規則第一七条の四関係）。

・三〇年以上の合理的な算定期間を定めて当該事業に係る長期的な収支を試算する。

・算定期間における給水収益を適切に予測するとともに、水道施設の損傷、腐食その他の劣化の状況を適切に把握又は予測した上で、水道施設の更新需要を算出する。

・更新需要の算出に当たっては、水道施設の規模及び配置の適正化、費用の平準化並びに災害その他非常の場合における給水能力を考慮する。

ウ　水道事業者等は、イの試算に基づき、一〇年以上を基準とした合理的な期間について収支の見通しを作成し、これを公表するよう努めなければならないこととした。

エ　水道事業者等は、収支の見通しを作成したときは、おおむね三年から五年ごとに見直すよう努めなければならないこととした。

オ　事業に係る収支の試算にあたっては、収益的収支及び資本的収支それぞれの変動要素を適切に考慮することが必要になる。

その際、例えば、以下のような条件を設定した上で、収支を試算することが考えられるので、参考にされたい。

（ア）収益的収支

科目		条件の設定例
収益的収入	給水収益	将来の人口変動や一人当たりの使用水量の変動を踏まえ、有収水量の変動を見込み、推計
	その他（受託工事収益、受取利息等）	一定（直近の事業年度の実績額が将来にわたって発生）と仮定
収益的支出	減価償却費	既存施設：固定資産台帳に基づき、償却 将来取得施設：法定耐用年数で償却
	維持管理費、動力費、薬品費	過去（五～二十年間）の実績から給水量当たりの単価を算定した上で、将来の給水量（有収水量を有収率で割り戻したもの）を乗じて推計
	支払利息	発行済みの企業債等：既定の利率で利息を算定 新規発行の企業債等：過去（五～二十年間）の実績から企業債等利率を算定した上で、当該利率と企業債残高を乗じて算定
	その他（人件費、受水費等）	一定（直近の事業年度の実績額が将来にわたって発生）と仮定

（イ）資本的収支

科目		条件の設定例
資本的収入	企業債収入	各水道事業者等が設定している資金余力を下回った場合に新規発行
	その他（国庫補助金等）	一定（直近の事業年度の実績額が将来にわたって発生）と仮定
資本的支出	建設改良費	更新需要を反映 管路の新設等、確定している事業があれば、更新需要に別途加算
	企業債償還金	発行済みのもの：残存期間で均等償還 新規発行のもの：一定の償還期間（例二十年間）で償還
	その他（他会計への支出金等）	一定（直近の事業年度の実績額が将来にわたって発生）と仮定
資本的収支不足額の補てん財源	利益剰余金	未処分利益剰余金と当期純損益を加算
	損益勘定留保資金	減価償却費等から長期前受金戻入を控除

第九　水道施設運営権の設定の許可に関する事項（法第二四条の四から第二四条の一三まで関係）

一　改正の趣旨

PFIの一類型である公共施設等運営事業については、利用料金の徴収を行う公共施設について、施設の所有権を公的主体が有したまま、施設の運営権を民間事業者に設定する方式であり、平成二三年のPFI法の一部改正により創設された。

水道事業等においても、平成二三年のPFI法改正による創設時より、水道事業等を経営する地方公共団体は、水道事業等の廃止の許可を受けた上で、公共施設等運営権者が法に基づく水道事業等の認可を取得し、水道施設の全部の運営等を担う形であれば、同方式の導入が可能となった。

今回の法改正においては、不測のリスク発生時等に地方公共団体が水道水の供給に責任を負える制度を求める要望も踏まえ、水道事業等の確実かつ安定的な運営のため公の関与を強化する観点から、地方公共団体が水道事業者等としての位置づけを維持しつつ、厚生労働大臣の許可を受けて、水道施設運営権を民間事業者に設定できる仕組みを新たに導入したものである。

ただし、水道施設運営等事業については、あくまで官民連携の選択肢の一つであり、住民サービスの向上や業務効率化を図る上でメリットがあると判断される場合に、地方公共団体の議会の議決を経て、導入されるものである。

二　改正内容等

(一)　全般的な事項

・　地方公共団体である水道事業者等は水道施設運営権を設定しようとするときは、あらかじめ、厚生労働大臣の許可を受けなければならないものとした（法第二四条の四関係）。

・　水道施設運営権の設定の許可の申請、許可基準及び水道施設運営権の取消し等の要求その他の事項について定めるものとした（法第二四条の五から第二四条の一三まで関係）。

・　水道施設運営等事業を実施する場合においては、水道事業者等は、法第一五条に規定する給水義務を果たす観点から、あらかじめ水道施設運営権者との責任分担を明確化した上で、水道施設運営権者に対する適切な監視・監督に必要な体制を整備するとともに、災害時等も想定しつつ、訓練の実施やマニュアルの整備等、具体的かつ確実な対応方策を検討した上で実施されたい。

・　消防法（昭和二三年法律第一八六号）第二〇条第二項において、「消防に必要な水利施設は、当該市町村がこれを設置し、維持し及び管理するものとする。但し、水道については、当該水道の管理者が、これを設置し、維持し及び管理するものとする。」と規定されている。この「水道の管理者」は水道法上の水道事業者（水道施設運営権を設定する場合にあっては、地方公共団体）であるが、水道施設運営権を設定する場合であっても、従来どおり「水道の管理者」は水道事業者になるものである。また、法第二四条第一項の消火栓の設置義務については、水道施設運営権を設定する場合にも、従来と同じく水道事業者にあるものである。

(二)　許可申請の手続き

ア　全般的な事項

・　水道施設運営等事業に関しては、厚生労働大臣認可の水道事業者等であるか都道府県知事認可の水道事業者等であるかを問わず、厚生労働大臣に対して申請を行い、水道施設運営権の設定の許可を受けるものである。

そのため、水道施設運営等事業を実施する都道府県知事認可の水道事業者等においては、申請に当たり、事前に水道事業等の認可権を有する都道府県と必要な情報共有を実施されたい。

・　この場合、水道施設運営等事業を実施する地方公共団体は、PFI法第五条及び第一七条の規定により、実施方針を策定する必要がある。

同方針の策定に当たっては、水道施設運営等事業の設定の許可に係る事務を行う厚生労働省と当該実施方針の内容について事前に十分協議されたい。

また、都道府県知事認可の水道事業者等が水道施設運営等事業を実施する場合においては、厚生労働省は、都道府県とも十分に連携を図りながら、水道施設運営権の設定の許可を行う予定であるので、都道府県におかれては、許可に必要な書類の提供等について協力をお願いしたい。

・このほか、水道施設運営等事業を実施するためにPFI法上必要な手続きについては、内閣府民間資金等活用事業推進室と事前に十分に協議されたい。その際、厚生労働省とも必要な情報共有を実施されたい。

イ 許可申請書に添付する書類及び図面

水道施設運営等事業を実施する地方公共団体は、水道施設運営権の設定の許可の申請をする際に、許可申請書に水道施設運営等事業実施計画書その他規則で定める書類及び図面を添えて、厚生労働大臣に提出しなければならないこととした（法第二四条の五第一項関係）。

規則で定める許可申請書に添付する書類及び図面については、以下のとおりとした（規則第一七条の九関係）。

（ア）申請者が水道施設運営権を設定しようとするPFI法第二条第五項に規定する選定事業者（以下「選定事業者」という。）の定款又は規約

（イ）水道施設運営等事業の対象となる水道施設の位置を明らかにする地図

ウ 水道施設運営等事業実施計画書

水道施設運営等事業実施計画書に記載する事項については、法第二四条の五第三項に掲げる事項のほか、厚生労働省令で定める事項として次に掲げるものとした（規則第一七条の一〇関係）。

（ア）選定事業者が水道施設運営等事業を適正に遂行するに足りる専門的能力及び経理的基礎を有するものであることを証する書類

（イ）水道施設運営等事業の対象となる水道施設の維持管理及び計画的な更新に要する費用の予定総額及びその算出根拠並びにその調達方法並びに借入金の償還方法

（ウ）水道施設運営等事業の対象となる水道施設の利用料金の算出根拠

（エ）水道施設運営等事業の実施による水道の基盤の強化の効果

（オ）契約終了時の措置

(三) 水道施設運営権の設定の許可基準

ア 法に定める許可基準

厚生労働大臣は、法第二四条の六の規定に基づき、法第二四条の四第一項前段の許可は、その申請が次の各号のいずれにも適合していると認められるときでなければ、与えてはならないとした（法第二四条の六関係）。

（ア）当該水道施設運営等事業の計画が確実かつ合理的であること。

（イ）当該水道施設運営等事業の対象となる水道施設の利用料金が、選定事業者を水道施設運営権者とみなして法第二四条の八第一項の規定により読み替えられた法第一四条第二項の規定を適用するとしたならば同項に掲げる要件に適合すること。

（ウ）当該水道施設運営等事業の実施により水道の基盤の強化が見込まれること。

また、上記（ア）から（ウ）を適用する際の必要な技術的細目については規則で定めることとした。

イ 許可基準の技術的細目

・法第二四条の六第一項第一号を適用するについて必要な技術的細目については、次に掲げる事項を規定することとした（規則第一七条の一一第一項関係）。

（ア）水道施設運営等事業の対象となる水道施設及び当該水道施設に係る業務の範囲が、技術上の観点から合理的に設定され、かつ、選定

事業者を水道施設運営権者とみなした場合の当該選定事業者と水道事業者等との責任分担が明確にされていること。

（イ）水道施設運営権の存続期間が水道により供給される水の需要、水道施設の維持管理及び更新に関する長期的な見通しを踏まえたものであり、かつ、経常収支が適切に設定できるよう当該期間が設定されたものであること。

（ウ）水道施設運営等事業の適正を期するために、水道事業者等が選定事業者を水道施設運営権者とみなした場合の当該選定事業者の業務及び経理の状況に関し確認する適切な体制が確保され、かつ、当該確認すべき事項及び頻度が具体的に定められていること。

（エ）災害その他非常の場合における水道事業者等及び選定事業者による水道事業等を継続するための措置が、水道事業等の適正かつ確実な実施のために適切なものであること。

（オ）水道施設運営等事業の継続が困難となった場合における水道事業者等が行う措置が、水道事業等の適正かつ確実な実施のために適切なものであること。

（カ）選定事業者の工事費の調達、借入金の償還、給水収益及び水道施設の運営に要する費用等に関する収支の見通しが、水道施設運営等事業の適正かつ確実な実施のために適切なものであること。

（キ）水道施設運営等事業に関する契約終了時の措置が、水道事業等の適正かつ確実な実施のために適切なものであること。

（ク）選定事業者が水道施設運営等事業を適正に遂行するに足りる専門的能力及び経理的基礎を有するものであること。

・　法第二四条の六第一項第二号を適用するについて必要な技術的細目については、選定事業者を水道施設運営権者とみなした場合の規則第一二条の二及び第一二条の四の要件に適合することとした（規則第一七条の一一第二項関係）。

・　法第二四条の六第一項第三号を適用するについて必要な技術的細目については、水道施設運営等事業の実施により、当該水道事業等における水道施設の維持管理及び計画的な更新、健全な経営の確保並びに運営に必要な人材の確保が図られることを規定することとした（規則第一七条の一一第三項関係）。

㈣　水道施設運営権者に対するモニタリング

・　水道施設運営等事業による水道施設の適切な運転管理や健全な経営を確保する観点から、水道事業者等は、水道施設運営権者にセルフモニタリングを実施させるとともに、ＰＦＩ法等に基づき、自ら水道施設運営権者に対して適切なモニタリングを継続的に実施することが必要である。

・　今回の法改正では、この水道事業者等によるモニタリングに加え、厚生労働大臣が直接水道施設運営権者に対して報告徴収及び立入検査を行うこととした（法第二四条の八の規定に基づき読み替えられた法第三九条関係）。

・　都道府県知事認可の水道事業者等が水道施設運営等事業を実施する場合、水道事業者等の監督、報告徴収・立入検査は当該都道府県知事、水道施設運営権者の監督、報告徴収・立入検査は厚生労働大臣が行うものであることから、都道府県及び当該水道事業者等の協力が不可欠であるので、これら監督等に当たって確認が必要となる資料の提供や立入検査の立ち会い等、必要な協力をお願いしたい。

ただし、この場合においても、当該水道事業等の認可を受けた水道事業者等が地方公共団体であることは変わらないため、都道府県知事は、水道事業者等が法第一五条の規定に基づく給水義務等の法的義務を適切に果たせるよう、必要に応じ、法第三九条の規定に基づき、水道施設運営等事業に係る業務の実施状況も含む水道事業者等全体の実施状況に関して、水道事業者等に対する報告徴収等の指導監督権限を行使することが必要である。

第十　専用水道への準用

今回の法改正に関して、法第三四条第一項の規定に基づき、法第二二条の二（水道施設の維持及び修繕）の規定については、専用水道の設置者に準用されること。また、専用水道に置かれた水道技術管理者が従事する事務として、法第一九条第二項第一号のとおり、法第二二条の二第二項に規定する点検を含むこととされたこと。

(二七) 水道法の一部改正に伴う水道施設台帳の整備について（通知）

（令和元年九月三〇日薬生水発〇九三〇第二号水道課長）

水道法の一部を改正する法律（平成三〇年法律第九二号）等の施行については、別途「改正水道法等の施行について」（令和元年九月三〇日付け薬生水発〇九三〇第一号厚生労働省医薬・生活衛生局水道課長通知）により通知したところであるが、このうち、水道施設台帳（以下「台帳」という。）の整備についての留意点等は下記のとおりであるので、これらの趣旨を踏まえつつ、遺憾なきよう適切な対応を願いたい。

また、都道府県におかれては、貴管下の都道府県知事認可の水道事業者及び水道用水供給事業者へ周知されたい。

なお、本通知は、地方自治法（昭和二二年法律第六七号）第二四五条の四第一項の規定に基づく技術的助言である旨申し添える。

記

第一　全般的事項

一　台帳は、水道施設の維持管理及び計画的な更新のみならず、災害対応、広域連携及び官民連携の推進等の各種取組の基礎となるものであり、適切に作成及び保存すること。水道事業者及び水道用水供給事業者（以下「水道事業者等」という。）は、令和四年九月三〇日までに整備を完了する必要があること。

二　台帳の記載事項に変更があったときは、速やかに訂正するなど、その適切な整理を継続して実施する必要があること。

第二　台帳の記載内容

一　台帳については、水道施設そのものに関する基礎情報に加え、適切な管理を行う上で必要となる周辺情報について適切に記載するものであること。そうした観点から、施設付近の道路、河川及び鉄道等の位置や、漏水が発生している給水管の止水等に必要となる止水栓の位置情報についても把握を求めているものであること。

二　台帳に記載する情報としては、水道法施行規則の一部を改正する省令（令和元年厚生労働省令第五七号）による改正後の水道法施行規則（昭和三二年厚生省令第四五号）第一七条の三で定める事項に加え、水道事業者等の業務状況等を十分に踏まえた上で、事業の円滑な実施に有効となる情報も含めた形で整備することが望ましいこと。

具体的には、以下の情報の追加が想定されるものであること。

・給水管に関する情報（口径・材質など）
・点検、修繕記録
・工事図面
・施設の写真
・制水弁の開閉状況等

第三　台帳の整備方法

一　台帳は、必要な情報が容易に把握できる状況が確保されていれば、紙媒体及び電子媒体のいずれであっても差し支えないが、長期的な資産管理を効率的に行う観点から、台帳の電子化に努めること。

二　台帳の作成にあたり、情報の一部が欠損している場合は、以下の方法等による情報の補完について検討すること。

・　過去の工事記録の整理

・　認可（変更）申請書に添付する図面及び工事設計書等の整理

・　現地調査

・　他の社会資本（下水道、道路、電気及びガス等）の整備状況や同種管路の普及時期等から、当該施設の設置年度等を推測

・　過去に在籍した職員への聞き取り調査

三　災害時でも台帳が活用できるよう、分散保管やバックアップ、停電対策等の危機管理対策を行うこと。

四　水道施設台帳の情報を固定資産台帳の情報に整合させることにより、中長期的な更新需要の算定の精度を向上させることについて検討すること。

第四　その他

台帳の整備に当たっては、別紙の作成例を参考とされたいこと。

以上

(二八)　水道法施行規則の一部改正について（簡易専用水道関係）（通知）

（令和元年九月三〇日薬生水発〇九三〇第六号水道課長）

今般、水道法施行規則の一部を改正する省令（令和元年厚生労働省令第五七号。以下「改正規則」という。）が令和元年九月三〇日に公布され、同年一〇月一日より施行されることとなったが、改正規則による改正後の水道法施行規則（昭和三二年厚生省令第四五号。以下「規則」という。）第五五条の簡易専用水道の管理基準及び第五六条の簡易専用水道の検査に係る改正の趣旨及び内容は下記のとおりであるので、遺憾なきよう適切な対応を願いたい。

また、都道府県におかれては、貴管下の市、特別区及び都道府県知事認可の水道事業者へ周知願いたい。

なお、本通知は、地方自治法（昭和二二年法律第六七号）第二四五条の四第一項に基づく技術的助言である旨申し添える。

記

第一　簡易専用水道の管理基準（規則第五五条第一号関係）

一　改正の趣旨

簡易専用水道の設置者は、水道法（昭和三二年法律第一七七号。以下「法」という。）第三四条の二第一項の規定に基づき、厚生労働省令で定める基準に従い、その水道を管理することとされており、規則第五五条に管理基準が定められている。

管理基準のうち、水槽の掃除は「一年以内ごとに一回」行うこととされているが、施設運営上、掃除の実施日に制約がある場合などを考慮し、掃除の頻度に係る記載を改める。

二　改正内容

別紙のとおり、水槽の掃除の頻度を「一年以内ごとに一回」から「毎年一回以上」に改める。

三　留意事項

改正規則の施行後における水槽の掃除の実施については、掃除の実施日と実施日の間の期間が厳密に一年を超えないことが求められるものではなく、定期の期間を定めて行えばよい。具体的な運用としては、例えば、一年の中で水槽の掃除を行う月を特定し、毎年、当該月に掃除を行う方法が考えられる。

また、毎年、複数回掃除を実施することを妨げるものではない。

第二　簡易専用水道の検査（規則第五六条第一項関係）

一　改正の趣旨

簡易専用水道の設置者は、法第三四条の二第二項の規定に基づき、当該簡易専用水道の管理について、厚生労働省令の定めるところにより、定期に検査を受けなければならないとされており、規則第五六条に検査の頻度等が定められている。

このうち、検査は「一年以内ごとに一回」

とされているが、施設運営上、検査の実施日に制約がある場合などを考慮し、検査の頻度に係る記載を改める。

二　改正の内容

別紙のとおり、検査の頻度を「一年以内ごとに一回」から「毎年一回以上定期に行うもの」に改める。

三　留意事項

改正規則の施行後における検査の実施については、検査の実施日と実施日の間の期間が厳密に一年を超えないことが求められるものではなく、定期の期間を定めて行えばよい。具体的な運用としては、例えば、一年の中で検査を受ける月を特定し、毎年、当該月に検査を受けることが考えられる。

また、毎年、複数回検査を受けることを妨げるものではない。

別紙

水道法施行規則新旧対照表

改正後	改正前
（管理基準） 第五十五条　法第三十四条の二第一項に規定する厚生労働省令で定める基準は、次の各号に掲げるものとする。 一　水槽の掃除を毎年一回以上定期に行うこと。 二～四　（略） （検査） 第五十六条　法第三十四条の二第二項の規定による検査は、毎年一回以上定期に行うものとする。 2　（略）	（管理基準） 第五十五条　法第三十四条の二第一項に規定する厚生労働省令で定める基準は、次の各号に掲げるものとする。 一　水槽の掃除を一年以内ごとに一回、定期に、行うこと。 二～四　（略） （検査） 第五十六条　法第三十四条の二第二項の規定による検査は、一年以内ごとに一回とする。 2　（略）

（二九）水質基準に関する省令の一部改正等について（施行通知）

（令和二年三月三〇日生食発〇三三〇第二号生活衛生・食品安全審議官）

今般、「水質基準に関する省令等の一部を改正する省令」（令和二年厚生労働省令第三八号）、「水質基準に関する省令の規定に基づき厚生労働大臣が定める方法等の一部を改正する告示」（令和二年厚生労働省告示第九五号）及び「水道法施行規則第一七条第二項の規定に基づき厚生労働大臣が定める遊離残留塩素及び結合残留塩素の検査方法の一部を改正する件」（令和二年厚生労働省告示第九六号）が公布され、いずれも令和二年四月一日から施行されることとなった。

また、「水質基準に関する省令の制定及び水道法施行規則の一部改正等について」（平成一五年一〇月一〇日付け健発第一〇一〇〇〇四号厚生労働省健康局長通知。以下「局長通知」という。）の一部を改正し、令和二年四月一日から施行することとした。

貴職においては、下記に御留意の上、遺漏なきよう御対応をお願いする。

なお、本通知は、地方自治法（昭和二二年法律第六七号）第二四五条の四第一項の規定に基づく技術的な助言であることを申し添える。

記

第一　改正の趣旨

令和元年八月六日付けで内閣府食品安全委員会より通知された、水道により供給される水の水質基準改正に係る食品健康影響評価（六価クロム化合物）に基づき、「水質基準に関する省令」（平成一五年厚生労働省令第一〇一号）の一部を改正するとともに、以下の省令及び告示について、所要の改正を行うものであること。

・給水装置の構造及び材質の基準に関する省令（平成九年厚生省令第一四号）
・水道施設の技術的基準を定める省令（平成一二年厚生省令第一五号）
・水質基準に関する省令の規定に基づき厚生労働大臣が定める方法（平成一五年厚生労働省告示第二六一号）
・給水装置の構造及び材質の基準に係る試験（平成九年厚生省告示第一一一号）
・資機材等の材質に関する試験（平成一二年厚生省告示第四五号）
・水道法施行規則第一七条第二項の規定に基づき厚生労働大臣が定める遊離残留塩素及び結合残留塩素の検査方法（平成一五年厚生労働省告示第三一八号）

また、局長通知別添一に定めた水質管理目標設定項目及び別添二に定めた農薬類（水質管理目標設定項目一五）の対象農薬リストについて、内閣府食品安全委員会の健康影響評価を含む最新の科学的知見等に基づき、所要の改正を行うものであること。

第二　水質基準に関する省令の一部改正について

同省令の表について、六価クロム化合物の基準を「〇・〇五㎎／ℓ以下であること」から「〇・〇二㎎／ℓ以下であること」に改めるものであること。

第三　給水装置の構造及び材質の基準に関する省令の一部改正について

同省令別表第一に定める給水装置に用いられる器具、その部品又はその材料（金属以外のものに限る。）の浸出液に関する基準について、六価クロム化合物の基準を、水栓その他給水装置の末端に設置されている給水用具の浸出液に係る基準については「〇・〇〇五㎎／ℓ以下であること」から「〇・〇〇二㎎／ℓ以下であること」に、給水装置の末端以外に設置されている給水用具の浸出液又は給水管の浸出液に係る基準については「〇・〇五㎎／ℓ以下であること」から「〇・〇二㎎／ℓ以下であること」に改めるものであること。

第四　水道施設の技術的基準を定める省令の一部改正について

同省令別表第一に定める薬品等により水に付加される物質の基準及び別表第二に定める資機材等の材質の浸出液の基準について、それぞれ、六価クロム化合物の基準を「〇・〇〇五㎎／ℓ以下であること」から「〇・〇〇二㎎／ℓ以下であること」に改めるものであること。

第五　水質基準に関する省令の規定に基づき厚生労働大臣が定める方法の一部改正について

㈠　開封後保存した場合でも使用できる標準液の追加（総則的事項関係）

別表第一三に規定されている陰イオン混合標準液について、開封後保存したものであっても一定条件を満たす場合には使用することができるようにするものであること。

㈡　六価クロム化合物の基準値の改正に伴う検査方法の削除（別表第四関係）

別表第四に規定されているフレーム―原子吸光光度計による一斉分析法では、改正後の基準値の一〇分の一（〇・〇〇二㎎／ℓ）の定量下限値の精度が確保できなくなるため、測定対象とする項目から六価クロム化合物を削除するものであること。

㈢　シアン化物イオン及び塩化シアンの混合標準液の追加（別表第一二関係）

別表第一二に規定されている標準液の調製及び検量線の作成について、シアン化物イオン及び塩化シアンを混合した混合標準液による方法を可能とするものであること。

㈣　陰イオン類の分析方法の整理・統合（別表第一三及び別表第一六の二関係）

別表第一三及び別表第一六の二については、対象とする項目を同時に測定可能であることから、別表第一六の二を削除し別表第一三に統合するものであること。

また、混合標準液の保存性、試料採水時の塩素除去剤の適用拡大及び試料の保存期間を統一することが確認できたため、併せて改正するものであること。

(五)　液体クロマトグラフ―質量分析法の対象項目への塩素酸の追加（別表第一八の二関係）

別表第一八の二において、臭素酸と塩素酸との同時測定が可能であることが確認できたため、測定対象項目に塩素酸を追加するものであること。

(六)　標準液に係る規定の改正（別表第一八及び別表第一八の二関係）

別表第一八における臭素酸標準液及び別表第一八の二における陰イオン混合標準液について、標準原液から精製水で希釈する際の濃度を所定の倍率としているところを一定の範囲内で任意とすることに変更するものであること。

(七)　その他

別表第五に規定されている検量線の作成のために調製する溶液を金属類標準原液からも調製可能にする等所要の改正を行うものであること。

第六　給水装置の構造及び材質の基準に係る試験の一部改正について

同告示第二の「三　分析方法」について、六価クロム化合物に係る分析方法としてのフレーム―原子吸光光度法に「注二」として、水栓その他給水装置の末端に設置されている給水用具について、給水装置の構造及び材質の基準に関する省令第二条第一項の別表第一の中欄に掲げる基準に適合しているかどうかを同告示第二の「五　評価」において確認する際は、「四　分析値の補正」における補正値が同表の中欄に規定する基準に適合する場合に限るものとすることを追加し、以降の注の番号を一つずつ繰り下げる改正を行うものであること。

第七　資機材等の材質に関する試験の一部改正について

同告示「三　分析方法」について、六価クロム化合物に係る分析方法から、フレーム―原子吸光光度法を削除するものであること。

第八　水道法施行規則第一七条第二項の規定に基づき厚生労働大臣が定める遊離残留塩素及び結合残留塩素の検査方法の一部改正について昨今の分析技術の進歩により見直しが必要とされたため、所要の改正を行うものであること。

第九　水質管理目標設定項目の一部改正について

局長通知別添一及び別添二を、別紙新旧対照表のとおり改正するものであること。

第十　適用日

令和二年四月一日から適用すること。ただし、以下の経過措置を設けることとする。

(一)　第三について、水栓その他給水装置の末端に設置されている給水用具の浸出液に係る基準については、令和三年三月三一日までの間は、従前の基準値を適用することとしたこと。

また、適用日時点で既に設置され、若しくは設置工事が行われている給水装置又は建築工事が行われている建築物に設置されるものについては、これらの大規模の改造の時までは、改正後の基準の適用を猶予すること。

(二)　第四について、適用日時点で現に設置されている資機材等については、これらの大規模の改造の時までは、改正後の基準の適用を猶予すること。

(三)　第六について、令和三年四月一日から適用する。

三、資　料

(一)　飲料水注意法

（明治一一年五月　内達乙第一八号）

不潔ノ水ヲ飲料ニ用フル時ハ人身ノ健全ヲ害スルハ勿論ニ候処従来都下ノ風習ニテ粗造ノ井戸側ヲ用ヒ或ハ甲板下水ノ設ケナク或ハ下水ノ設ケアルモ頗ル接近スルヲ以テ、溜滞ノ汚水自然井中ニ滲入シ為メニ水ノ素質ハ変換スルノ患害不尠就中伝染病ノ流行ノ際ニ於テ、最モ忽ガセニス可カラザル儀ニ候条、自今共同私有ノ別ナク別紙飲料水注意法ニ照シ新調又ハ補理候様無遺漏各自ヘ懇篤可論達此旨相達候事。但時々警視官吏巡回実地検査ニ可及候事。

一、井側ノ破壊シテ汚水ノ滲透スルノ患アルモノハ速カニ新調スベシ

一、井戸流シノ大破スルモノハ新調シ、其小損スルモノハ板及亜土等相応ノモノヲ以テ精密ニ壅塞スベシ

一、凡ソ井戸ニ下水ナキモノハ新ニ作ルベシ、但下水ハ能ク水ノ流通スル様注意スベシ

一、従来地形ノ不便ニ依リ他ノ所有地ヲ経ザレバ井戸水ヲ開設シ難キ場所ハ雙方地主協議ノ上取設クベシ、若シ又道路等官有地ニ交渉スルモノハ府県ノ検査ヲ乞ヒ指図ヲ受クベシ、但井戸ヲ新設セントスル時、本項ノ場合アルニ於テハ前以テ協議ヲ尽シ着手スベシ

一、前項ノ場合ニ於テ、事情不得已者ハ当分汚水溜ノ設ケアルモ妨ゲズト雖モ井戸ヲ距ルコト二間以上タルベシ、但地所狭隘ニシテ二間以内接近セザルヲ得ザル場所ハ、坂又ハ亜土等ヲ以テ汚水ノ漏レザル様ニスベシ

一、井戸ヨリ三間以内ヘ厠房ヲ新ニ作ルベカラズ、但現在設置ノ分ト雖モ修繕等アル毎ニ本文ニ準ズベシ

一、井戸近傍ニ於テ、襁褓虎子等汚穢ノ物品ヲ洗滌シ及魚鳥ノ骨腸等ヲ棄ツベカラズ

一、呼ビ井戸ノ井管破損スルト認ムル時ハ速カニ之ヲ補理スベシ

一、上水井ニ於テハ汚濁且塵埃等アルカ、又ハ臭気ヲ含ムモノアラバ速カニ府庁又ハ該区務所ヘ調査ノ義申出ヅベシ

一、毎年少クトモ一度ヅツ井戸浚ヲ為スベシ

(二)　水道条例

（明治二三年二月一二日　法律第九号）

第一条　水道トハ市町村ノ住民ノ需要ニ応シ給水ノ目的ヲ以テ布設スル水道ヲ云ヒ水道用地トハ水源地、貯水地、濾水場、喞水場及水道線路ニ要スル地ヲ云フ

第二条　水道ハ市町村其公費ヲ以テスルニ非サレハ之ヲ布設スルコトヲ得ス

第三条　市町村ニ於テ水道ヲ布設セントスルトキハ其目論見書ニ左ノ事項ヲ詳記シ地方長官ヲ経テ内務大臣ノ認可ヲ受クヘシ

第一　水道事務所ノ所在地

第二　水源ノ位置（河川池湖又ハ堀井ノ別其周囲ノ概況）及其水量ノ概算但図面及水質ノ分析表ヲ添フヘシ

第三　水道線路及水道線路ニ沿フタル地名、貯水地、濾水場、喞水場ノ位置但図面ヲ添フヘシ

第四　給水ノ区域其人口及其一人一日ニ対スル平均給水量

第五　人口増殖及多量ノ水ヲ用フル製造場等ニ対スル給水量増加ノ見込

第六　水圧ノ概算

第七　工事方法

第八　起工並竣工期限

第九　工費ノ総額其収入支出ノ方法及其予算

第十　水料ノ等級、価格、水料徴収ノ方法及
　経常収支ノ概算

第四条　内務大臣ハ前条ノ図面書類ヲ審査シ不都合ナシト認ムルトキハ水道布設ノ認可状ヲ与フヘシ

第五条　水道用地ハ国税地方税ヲ免除ス

第六条　官有ノ土地ニシテ水道用地ニ必要ナルモノハ之ヲ払下ケ又ハ貸付スヘシ

第七条　水管ヲ官有地又ハ公道ノ地下ニ布設セントスルトキハ当該官庁ノ許可ヲ受クヘシ

第八条　地方長官ハ随時当該官吏又ハ技術官ヲ派遣シテ水道工事及水質水量ヲ検査セシメ其改築修理ヲ要シ又ハ水質不良水量不足ナリト認ムルトキハ地方衛生会ノ議定ヲ経相当ノ猶予期日ヲ定メテ之カ改良ヲ市町村ニ命スヘシ

第九条　市町村ハ工事落成又ハ改築修理ヲ了リタルトキハ地方官庁ニ届出監査ヲ受クヘシ

第十条　水道ノ給水ヲ受クル者ハ水質水量ノ検査ヲ市町村長ニ請求スルコトヲ得

第十一条　家屋内ノ給水用具及本支水管ヨリ之ニ接続スル細管ハ市町村ノ所定ニ従ヒ之ヲ設置シ其費用ハ水道ノ給水ヲ受クル家主ノ負担トス

第十二条　市町村ノ水道掛ハ午前八時ヨリ午後五時迄ノ内ニ於テ家屋内ノ給水用具ヲ検査スルコトヲ得但水道掛ハ其証票ヲ携帯スヘシ

第十三条　市町村長ハ水道掛ノ報告ニ依リ家屋内ノ給水用具不完全ナリト認ムルトキハ相当ノ猶予期日ヲ定メテ之カ修繕ヲ為サシムヘシ家主若シ其修繕ヲ怠ルトキハ市町村ニ於テ之ヲ修繕シ其費用ヲ徴収スルコトヲ得

第十四条　家主ハ家屋内給水用具ノ設置又ハ其修繕ヲ了リタルトキハ市町村ノ水道掛ニ届出ツヘシ水道掛ハ速ニ之ヲ検査スヘシ

第十五条　市町村ハ一家専用ノ給水用具ヲ設クル能ハサルモノノ為メニ共用給水器ヲ設クヘシ

第十六条　市町村ハ消防用ノ為メニ消火栓ヲ設置スヘシ消防用ニ消費シタル水ハ水料ヲ徴収スヘカラス

1　第一次改正

（明治四四年三月二八日法律第四三号）

水道条例中左ノ通改正ス

第二条ニ左ノ但書ヲ加フ

　但土地開発ノ為メ町村内ニ水道ヲ布設スル必要アル場合ニ限リ当該町村其資力ニ堪ヘサルトキハ元資償却ヲ目的トスル市町村以外ノ企業者ニ之ヲ許可スルコトアルヘシ

　前項ノ元資トハ布設費及其利子ヲ云フ但利子ハ年五分以内トス

第三条ニ左ノ一項ヲ加フ

　市町村ニ非サル企業者ニ在リテハ前掲各号ノ外企業ノ組織、資本ノ総額、元資償却ノ方法及許可年限ヲ記載スヘシ

第四条中「認可状」ノ下ニ「又ハ許可書」ヲ加ヘ左ノ一項ヲ加フ

　市町村ニ非サル企業者ノ出願ニ対シテハ内務大臣ハ必要ト認ムル事項ヲ許可書ニ附シテ命令スルコトヲ得

第五条中「地方税」ヲ「其他ノ公課」ニ改ム

第十七条　市町村ニ非サル企業者ノ布設シタル水道ニシテ許可年限満了シタルトキ又ハ許可年限内ニ元資ノ償却ヲ了リタルトキハ其水道及水道経営ニ必要ナル一切ノ土地物件ハ無償ニテ関係市町村有ニ帰ス

第十八条　市町村ニ非サル企業者ノ布設シタル水道ニシテ関係市町村ニ於テ必要ト認ムルトキハ元資未償却金額又ハ水道布設費ヲ許可年限ニテ除シ之ニ残余ノ年限ヲ乗シタル金額ヲ以テ之ヲ買収スルコトヲ得

附　則

第八条乃至第十六条ニ於テ市町村及市町村長トアルハ市町村以外ノ企業ニ係ル場合ニハ其ノ企業者ニ之ヲ準用ス

　本法ハ公布ノ日ヨリ之ヲ施行ス

2　第二次改正

（大正二年四月八日法律第一五号）

水道条例中左ノ通改正ス

第二条第一項但書ヲ左ノ如ク改ム

　但当該市町村ニ於テ其資力ニ堪ヘサルトキハ市町村以外ノ企業者ニ水道ノ布設ヲ許可スルコトアルヘシ

　同条第二項ヲ削ル

第三条第二項中「元資償却ノ方法」ヲ削ル

第十七条　市町村ニ非サル企業者ノ布設シタル水道ニシテ許可年限ノ満了シタル後ハ関係市町村ハ水道布設ニ要シタル費用ヲ支払ヒ其水道及水道経営ニ必要ナル土地物件ヲ買収スルコトヲ得但水道及水道経営ニ必要ナル土地物件ニシテ布設当時ニ比シ価格ヲ減損シタルモノアルトキハ水道布設ニ要シタル費用ヨリ之ヲ控除ス

前項費用ノ範囲及金額ニ関シ当該市町村ト企業者トノ間ニ争アルトキハ地方長官之ヲ決定ス其ノ決定ニ不服アル者ハ内務大臣ニ訴願スルコトヲ得

第十八条　市町村ニ非サル企業者ノ布設シタル水道ニシテ関係市町村ニ於テ必要ト認ムルトキハ許可年限ノ満了前ト雖モ之ヲ買収スルコトヲ得

前項ノ買収価格ハ協議ニ依リ之ヲ定ム協議調ハサルトキハ鑑定人ノ意見ヲ徴シ地方長官之ヲ決定ス其決定ニ不服アル者ハ内務大臣ニ訴願スルコトヲ得

第十九条　本法又ハ本法ニ基キテ発スル命令ニ依リ市町村又ハ市町村ニ非サル企業者ニ於テ履行スヘキ事項ヲ履行セス又ハ之ヲ履行スルモ充分ナラスト認ムルトキ又ハ必要ノ時限内ニ履行シ得スト認ムルトキハ地方長官ハ府県費ヲ以テ之ヲ施行シ其費用ハ市町村又ハ市町村ニ非サル企業者ヨリ之ヲ追徴スルコトヲ得

前項ノ処分ハ予メ履行期間ヲ指定シテ戒告スルニ非サレハ之ヲ為スコトヲ得ス但第八条ノ場合ハ此ノ限ニ在ラス

第二十条　市町村ニ非サル企業者ニシテ前条ノ費用ヲ指定ノ期限内ニ納付セサルトキハ国税徴収ニ関スル規定ニ依リ之ヲ徴収ス

第二十一条　内務大臣ハ必要ト認ムルトキハ水道ノ布設ヲ市町村ニ命スルコトヲ得

第二十二条　本法中市又ハ市長トアルハ北海道及沖縄県ニ在リテハ区又ハ区長トシ府県費トアルハ北海道ニ在リテハ北海道地方費トス

3　第三次改正

（大正一〇年四月八日法律第五六号）

水道条例中左ノ通改正ス

第三条中「水道ヲ布設セントスルトキハ」ノ下ニ「命令ノ定ムル所ニ依リ」ヲ加ヘ「分析表」ヲ「試験表」ニ改ム

第七条中「官庁」ヲ「行政庁」ニ改ム

第八条中「地方衛生会ノ議定ヲ経」ヲ削ル

第十一条ニ左ノ但書ヲ加フ

但市町村ハ命令ノ定ムル所ニ依リ之ヲ設置シ其費用ヲ負担スルコトヲ得

第二十一条ノ二　内務大臣ノ職権ノ一部ハ勅令ノ定ムル所ニ依リ地方長官ニ之ヲ委任スルコトヲ得

第二十二条中「北海道及沖縄県」ヲ「北海道区制又ハ沖縄県区制ニ依ル区」ニ改ム

4　第四次改正

（昭和二二年一二月二六日法律第二三九号）

内務省官制等廃止に伴う法令の整理に関する法律（抄）（二三・一・一施行）

第一条　左に掲げる法令中「内務大臣」を「主務大臣」に改める。

水道条例

下水道法

5　第五次改正

（昭和二八年八月一五日法律第二一三号）

地方自治法の一部を改正する法律の施行に伴う関係法令の整理に関する法律（抄）（二八・九・一施行）

第八条　水道条例（明治二十三年法律第九号）の一部を次のように改正する。

第二十一条中「必要ト認ムルトキハ」の下に「政令ノ定ムル所ニ依リ」を加える。

6　水道条例第二十一条ノ二の規定に依る職権委任に関する件

（大正一〇年勅令第三三一号）

水道条例第三条及第四条ノ規定ニ依ル厚生大臣及建設大臣ノ職権中左ニ掲クル事項ニ関スルモノハ地方長官ニ之ヲ委任ス

一　基本計画ニ於ケル給水人口一万ヲ超エサル水道ノ布設

二　前号ノ水道以外ノ水道ノ工費三万円ヲ超エサル改築又ハ増築但シ基本計画ニ変更ナキモノニ限ル

附　則

本令ハ大正十年八月一日ヨリ之ヲ施行ス

7　水道条例第三条及第十一条但書の規定に依る命令に関する件

（大正一〇年内務省令第二二号）

第一条　水道条例第三条ニ規定スル目論見書ニ添付スヘキ水質ノ試験表ニハ左ノ事項ニ関スル試験ノ結果ヲ記載スヘシ

一　色及清濁

二　臭味

三　沈滓

四　反応

五　亜硝酸

六　アンモニア
七　過マンガン酸カリウム消費量
八　クロール
九　硝酸
十　硬度
十一　蒸発残渣
十二　細菌聚落数
2　前項各号ニ掲クルモノノ外異常成分混在ノ疑アルトキハ特ニ其ノ試験ノ結果ヲ記載スヘシ

第二条　水道条例第三条ニ規定スル目論見書ニハ工事方法ニ関スル左ノ図面及書類ヲ添付スヘシ
一　実測平面図　縮尺六千分ノ一以上
二　実測縦断面図　縮尺長六千分ノ一以上、高二百分ノ一以上、但シ配水支管ニ限リ本図ヲ省略スルコトヲ得
三　取水口、取水管又ハ取水渠、隧道、沈砂池、貯水池、堰堤、余水路、排泥管又ハ排泥渠、送水管又ハ送水渠、沈澱池、濾水池、殺菌装置、配水池、配水塔、喞水場、量水室、配水管又ハ配水渠、橋梁、伏越等水道設備ノ構造ニ関スル図面其ノ他必要ナル細分図　縮尺百分ノ一以上
四　取水量決定ノ理由書
五　一位代価表
六　工費計算書
七　計画説明書

第三条　実測平面図ニハ郡市区町村ノ名称及境界、道路、河川視形線其他地形ヲ表スニ必要ナルモノ、取水口、取水管又ハ取水渠、隧道、沈砂池、堰堤、余水路、排泥管又ハ排泥渠、送水管又ハ送水渠、沈澱池、濾水池、殺菌装置、配水池、配水塔、喞水場、量水室、配水管又ハ配水渠、橋梁、伏越、排気弁、消火栓、制水弁、配水区劃等ヲ記載スヘシ、但シ管又ハ渠ニ付其ノ径又ハ幅員ノ異ナルモノハ適宜ノ符号ヲ以テコレヲ区別スヘシ

第四条　実測縦断面図ニハ地盤高、計画線ノ高低、取水管、送水管及配水本管ノ大サ、勾配、動水勾配線、水平距離、水源貯水池、沈澱池、濾水池、喞水場、配水池、配水塔、量水室等ノ標高並其ノ水位、排気弁、排泥管又ハ排泥渠、橋梁及伏越ノ位置等ヲ記載スヘシ

第五条　第二条第三号ニ規定スル水道設備ノ構造ニ関スル図面ニハ地盤線及断面其ノ他構造ヲ表スニ必要ナル事項ヲ記載スヘシ

第六条　取水量決定ノ理由書ニハ水源ノ状態、渇水量、既設水利事業又ハ灌漑ニ必要ナル分水量及消火用其ノ他給水量（各設備ノ設計ノ基礎トナルヘキ水量）決定ノ理由ヲ記載スヘシ
2　貯水池又調整池ヲ設クルモノニ在リテハ其ノ容量、流域ノ面積及状況、雨量観測表等ノ基礎トナルヘキ事項ヲ記載スヘシ

第七条　計画説明書ニハ施工箇所ノ地形及地質、給水区域、現住人口及将来増殖スヘキ予定人口、基本計画給水人口、予定給水人口、給水量、清浄方法、配水方法、配水本管線選定ノ理由、管渠ノ断面及水圧ノ計算方法、各種構造物設計ノ根拠其ノ他水道計画ニ関スル必要ナル事項ヲ記載スヘシ

第八条　地方長官ニ於テ大正十年七月勅令第三百三十一条各号ニ掲クル事項ノ認可又ハ許可ヲ為ス場合ニハ水道条例第三条第一項第三、第五及第六並本令第二条第二号乃至第七号ニ規定スル事項ヲ省略セシムルコトヲ得

第九条　市町村ハ左ノ各号ノ施設ヲ為シ其ノ費用ヲ負担スルコトヲ得
一　本支水管ヨリ家屋内ノ給水用具ニ接続スル細管ニシテ公道ノ地下ニ属スル部分
二　衛生上特ニ必要アリト認メ設置スル家屋内ノ給水用具及本支水管ヨリ之ニ接続スル細管
2　前項ノ規定ハ市町村ニ非サル企業者ニ之ヲ準用ス

附　則

本令ハ大正十年八月一日ヨリ之ヲ施行ス

㈢　水道法改正経緯

1　日本国とアメリカ合衆国との間の相互協力及び安全保障条約等の締結に伴う関係法令の整理に関する法律（抄）

（昭和三五年六月二三日法律第一〇二号）

第二十五条　水道法（昭和三十二年法律第百七十七号）の一部を次のように改正する。

附則第十条中「日本国とアメリカ合衆国との間の安全保障条約第三条に基く行政協定」を「日本国とアメリカ合衆国との間の相互協力及び安全保障条約第六条に基づく施設及び区域並びに日本国における合衆国軍隊の地位に関する協定」に改める。

2　行政不服審査法の施行に伴う関係法律の整理等に関する法律（抄）

（昭和三七年九月一五日法律第一六一号）

（水道法の一部改正）

第九十二条　水道法（昭和三十二年法律第百七十七号）の一部を次のように改正する。

第四十二条に次の一項を加える。

7　第三項の規定による裁定についての異議申立てにおいては、買収価額についての不服をその裁定についての不服の理由とすることができない。

第四十三条を次のように改める。

第四十三条　削除

第五十条第一項中「第四十三条及び」を削る。

3　水道法の一部を改正する法律

（昭和五二年六月二三日法律第七三号）

水道法（昭和三十二年法律第百七十七号）の一部を次のように改正する。

目次中「第一章　総則（第一条―第五条）」を「第一章　総則（第一条―第五条）　第一章の二　広域的水道整備計画（第五条の二）」に、「第四章　専用水道（第三十二条―第三十四条）」を「第四章　専用水道（第三十二条―第三十四条）　第四章の二　簡易専用水道（第三十四条の二）」に、「第五十条」を「第五十条の二」に改める。

第一条「とともに、」の下に「水道を計画的に整備し、及び」を加える。

第二条を次のように改める。

（責務）

第二条　国及び地方公共団体は、水道が国民の日常生活に直結し、その健康を守るために欠くことのできないものであり、かつ、水が貴重な資源であることにかんがみ、水源及び水道施設並びにこれらの周辺の清潔保持並びに水の適正かつ合理的な使用に関し必要な施策を講じなければならない。

2　国民は、前項の国及び地方公共団体の施策に協力するとともに、自らも、水源及び水道施設並びにこれらの周辺の清潔保持並びに水の適正かつ合理的な使用に努めなければならない。

第二条の二　地方公共団体は、当該地域の自然的社会的諸条件に応じて、水道の計画的整備に関する施策を策定し、及びこれを実施するとともに、水道事業及び水道用水供給事業を経営するに当たつては、その適正かつ能率的な運営に努めなければならない。

2　国は、水源の開発その他の水道の整備に関する基本的かつ総合的な施策を策定し、及びこれを推進するとともに、地方公共団体並びに水道事業者及び水道用水供給事業者に対し、必要な技術的及び財政的援助を行うよう努めなければならない。

第三条中第十項を第十一項とし、第七項から第九項までを一項ずつ繰り下げ、第六項の次に次の一項を加える。

7　この法律において「簡易専用水道」とは、水道事業の用に供する水道及び専用水道以外の水道であつて、水道事業の用に供する水道から供給を受ける水のみを水源とするものをいう。ただし、その用に供する施設の規模が政令で定める基準以下のものを除く。

第一章の次に次の一章を加える。

第一章の二　広域的水道整備計画

第五条の二　地方公共団体は、この法律の目的を達成するため水道の広域的な整備を図る必要があると認めるときは、関係地方公共団体と共同して、水道の広域的な整備に関する基本計画（以下「広域的水道整備計画」という。）を定めるべきことを都道府県知事に要請することができる。

2　都道府県知事は、前項の規定による要請があつた場合において、この法律の目的を達成するため必要があると認めるときは、関係地方公共団体と協議し、かつ、当該都道府県の議会の同意を得て、広域的水道整備計画を定めるものとする。

3　広域的水道整備計画においては、次の各号に掲げる事項を定めなければならない。

一　水道の広域的な整備に関する基本方針

二　広域的水道整備計画の区域に関する事項

三　前号の区域に係る根幹的水道施設の配置その他水道の広域的な整備に関する基本的事項

4　広域的水道整備計画は、当該地域における水系、地形その他の自然的条件及び人口、土地利用その他の社会的条件、水道により供給される水の需要に関する長期的な見通し並びに当該地域における水道の整備の状況を勘案して定めなければならない。

5　都道府県知事は、広域的水道整備計画を定めたときは、遅滞なく、これを厚生大臣に報告するとともに、関係地方公共団体に通知しなければならない。

6　厚生大臣は、都道府県知事に対し、広域的水道整備計画に関し必要な助言又は勧告をすることができる。

第六条の見出しを「(事業の認可及び経営主体)」に改め、同条第二項を次のように改める。

2　水道事業は、原則として市町村が経営するものとし、市町村以外の者は、給水しようとする区域をその区域に含む市町村の同意を得た場合に限り、水道事業を経営することができるものとする。

第十条第一項に後段として次のように加える。

この場合において、給水区域の拡張により新たに他の市町村の区域が給水区域に含まれることとなるときは、当該他の市町村の同意を得なければ、当該認可を受けることができない。

第十条第二項中「第六条第二項及び」及びただし書を削る。

第二十条に次の一項を加える。

3　水道事業者は、第一項の規定による水質検査を行うため、必要な検査施設を設けなければならない。ただし、当該水質検査を地方公共団体の機関又は厚生大臣の指定する者に委託して行うときは、この限りでない。

第四章の次に次の一章を加える。

第四章の二　簡易専用水道

第三十四条の二　簡易専用水道の設置者は、厚生省令で定める基準に従い、その水道を管理しなければならない。

2　簡易専用水道の設置者は、当該簡易専用水道の管理について、厚生省令の定めるところにより、定期に、地方公共団体の機関又は厚生大臣の指定する者の検査を受けなければならない。

第三十六条に次の一項を加える。

3　都道府県知事は、簡易専用水道の管理が第三十四条の二第一項の厚生省令で定める基準に適合していないと認めるときは、当該簡易専用水道の設置者に対して、期間を定めて、当該簡易専用水道の管理に関し、清掃その他の必要な措置を採るべき旨を命ずることができる。

第三十七条中「専用水道」の下に「又は簡易専用水道」を、「前条第一項」の下に「又は第三項」を加え、「前条第二項」を「同条第二項」に改める。

第三十九条第三項中「第一項」の下に「又は第二項」を加え、同項を同条第四項とし、同条第二項中「前項」を「前二項」に改め、同項を同条第三項とし、同条第一項の次に次の一項を加える。

2　都道府県知事は、簡易専用水道の管理の適正を確保するために必要があると認めるときは、簡易専用水道の設置者から簡易専用水道の管理について必要な報告を徴し、又は当該職員をして簡易専用水道の用に供する施設の在る場所若しくは設置者の事務所に立ち入らせ、その施設、水質若しくは必要な帳簿書類を検査させることができる。

第四十三条を次のように改める。

(水源の汚濁防止のための要請等)

第四十三条　水道事業者又は水道用水供給事業者は、水源の水質を保全するため必要があると認めるときは、関係行政機関の長又は関係地方公共団体の長に対して、水源の水質の汚濁の防止に関し、意見を述べ、又は適当な措置を講ずべきことを要請することができる。

第四十四条中「簡易水道事業を経営しようとする市町村に対し」を「水道事業又は水道用水供給事業を経営する地方公共団体に対し、その事業に要する費用のうち政令で定めるものについて」に改め、「水道の新設に要する費用の」を削る。

第四十五条の次に次の一条を加える。

（研究等の推進）

第四十五条の二　国は、水道に係る施設及び技術の研究、水質の試験及び研究、日常生活の用に供する水の適正かつ合理的な供給及び利用に関する調査及び研究その他水道に関する研究及び試験並びに調査の推進に努めるものとする。

第四十六条に次の一項を加える。

2　この法律の規定により都道府県知事に属する権限は、その一部を市町村長に委任することができる。

第四十八条中「水道施設」の下に「又は簡易専用水道の用に供する施設」を加え、「又は専用水道」を「、専用水道又は簡易専用水道」に改める。

第六章中第五十条の次に次の一条を加える。

（国の設置する簡易専用水道に関する特例）

第五十条の二　この法律中簡易専用水道に関する規定は、第五十三条から第五十六条までの規定を除き、国の設置する簡易専用水道についても適用されるものとする。

2　国の設置する簡易専用水道については、第三十六条第三項、第三十七条及び第三十九条第二項に定める都道府県知事の権限は、厚生大臣が行う。

第五十三条第一号中「第十条第一項」の下に「前段」を加える。

第五十四条に次の一号を加える。

八　第三十四条の二第二項の規定に違反した者

第五十五条第二号中「第三十九条第一項」の下に「又は第二項」を加える。

附　則（抄）

（施行期日）

1　この法律は、公布の日から施行する。ただし、目次の改正規定「第四章　専用水道（第三十二条―第三十四条）」を「第四章　専用水道（第三十二条―第三十四条）第四章の二　簡易専用水道（第三十四条の二）」に改める部分及び「第五十条」を「第五十条の二」に改める部分に限る。）、第三条及び第二十条の改正規定、第四章の次に一章を加える改正規定、第三十六条、第三十七条、第三十九条、第四十六条及び第四十八条の改正規定、第五十条の次に一条を加える改正規定並びに第五十四条及び第五十五条の改正規定は、この法律の公布の日から起算して一年を経過した日から施行する。

（罰則に関する経過措置）

2　この法律の施行前にした行為に対する罰則の適用については、なお従前の例による。

4　水道の整備促進に関する件

（昭和五二年六月七日水道法の一部を改正する法律に関する衆議院社会労働委員会の決議）

一、広域的水道整備計画の策定にあたつては、市町村の自主性を尊重するとともに、計画の内容は、水源の共同開発、用水供給事業を原則とし、市町村の行う水道事業の円滑な運営に資するよう慎重に配慮すること。

二、広域的水道整備計画の策定にあたつては、都道府県の議会の同意のみならず関係市町村の議会の同意を得るよう指導すること。

三、国は、ダム建設等水道水源の確保にあたつては、自治体の財政負担を緩和するため必要な財政上の措置を講ずること。

四、国は、この法律の改正の趣旨にかんがみ、水道の整備に関する財政援助の充実に努めるとともに、補助金の交付にあたつては、自治体の自主性を尊重し、住民の福祉向上に寄与するよう配慮すること。

5　地方公共団体の執行機関が国の機関として行う事務の整理及び合理化に関する法律（抄）

（昭和六一年一二月二六日法律第一〇九号）

（水道法の一部改正）

第十一条　水道法（昭和三十二年法律第百七十七号）の一部を次のように改正する。

第四十八条の次に次の二条を加える。

（保健所を設置する市に関する読替え等）

第四十八条の二　保健所を設置する市の区域においては、第三十六条第三項、第三十七条（簡易専用水道に関する部分に限る。）及び第三十九条第二項中「都道府県知事」とあるのは、「市長」と読み替えるものとする。

2　前項の規定により読み替えられた場合における前条の規定の適用については、保健所を設置する市の市長を都道府県知事と、保健所を設置する市を都道府県とみなす。

（再審査請求）

第四十八条の三　前条第一項の規定により保健所を設置する市の市長が行う処分についての審査請求の裁決に不服がある者は、厚生大臣に対して再審査請求をすることができる。

第五十条の二第二項中「都道府県知事」の下に「（第四十八条の二第一項の規定により読み替えられる場合にあつては、保健所を設置する市の市長）」を加える。

6　日本電信電話株式会社の株式の売払収入の活用による社会資本の整備の促進に関する特別措置法の実施のための関係法律の整備に関する法律（抄）

（昭和六二年九月四日法律第八七号）

（水道法の一部改正）

第十三条　水道法（昭和三十二年法律第百七十七号）の一部を次のように改正する。

附則第十一条を次のように改める。

（国の無利子貸付け等）

第十一条　国は、当分の間、地方公共団体に対し、第四十四条の規定により国がその費用について補助することができる水道事業又は水道用水供給事業の用に供する施設の新設又は増設で日本電信電話株式会社の株式の売払収入の活用による社会資本の整備の促進に関する特別措置法（昭和六十二年法律第八十六号。以下「社会資本整備特別措置法」という。）第二条第一項第二号に該当するものに要する費用に充てる資金について、予算の範囲内において、第四十四条の規定（この規定による国の補助の割合について、この規定と異なる定めをした法令の規定がある場合には、当該異なる定めをした法令の規定を含む。以下同じ。）により国が補助することができる金額に相当する金額を無利子で貸し付けることができる。

2　国は、当分の間、地方公共団体に対し、前項の規定による場合のほか、水道の整備で社会資本整備特別措置法第二条第一項第二号に該当するものに要する費用に充てる資金の一部を、予算の範囲内において、無利子で貸し付けることができる。

3　前二項の国の貸付金の償還期間は、二十年（五年以内の据置期間を含む。）以内で政令で定める期間とする。

4　前項に定めるもののほか、第一項及び第二項の規定による貸付金の償還方法、償還期限の繰上げその他償還に関し必要な事項は、政令で定める。

5　国は、第一項の規定により、地方公共団体に貸付けを行つた場合には、当該貸付けの対象である事業について、第四十四条の規定による当該貸付金に相当する金額の補助を行うものとし、当該補助については、当該貸付金の償還時において、当該貸付金の償還金に相当する金額を交付することにより行うものとする。

6　国は、第二項の規定により、地方公共団体に対し貸付けを行つた場合には、当該貸付けの対象である事業について、当該貸付金に相当する金額の補助を行うものとし、当該補助については、当該貸付金の償還時において、当該貸付金の償還金に相当する金額を交付することにより行うものとする。

7　地方公共団体が、第一項又は第二項の規定による貸付けを受けた無利子貸付金について、第三項及び第四項の規定に基づき定められる償還期限を繰り上げて償還を行つた場合（政令で定める場合を除く。）における前二項の規定の適用については、当該償還は、当該償還期限の到来時に行われたものとみなす。

7　行政事務に関する国と地方の関係等の整理及び合理化に関する法律（抄）

（平成三年五月二一日法律第七九号）

（水道法の一部改正）

第三条　水道法（昭和三十二年法律第百七十七号）の一部を次のように改正する。

第四十八条の二第一項中「第三十六条第三項、第三十七条（簡易専用水道に関する部分に限る。）及び第三十九条第二項」を「第三十二条、第三十三条第一項及び第三項、第三十四条第一項の規定により読み替えて準用される第十三条第一項、第三十六条、第三十七条並びに第三十九条第一項（専用水道に関する部分に限る。）及び第二項」に改める。

第五十条第四項中「第三十四条第一項」の下に「の規定により読み替えて準用される第

十三条第一項」を、「都道府県知事」の下に「(第四十八条の二第一項の規定により読み替えられる場合にあつては、保健所を設置する市の市長)」を加える。

附　則（抄）

（施行期日）

第一条　この法律は、公布の日から施行する。ただし、次の各号に掲げる規定は、それぞれ当該各号に定める日から施行する。

一　第三条の規定　平成三年十月一日

（その他の処分、申請等に係る経過措置）

第六条　この法律（附則第一条各号に掲げる規定については、当該各規定。以下この条及び次条において同じ。）の施行前に改正前のそれぞれの法律の規定によりされた許可等の処分その他の行為（以下この条において「処分等の行為」という。）又はこの法律の施行の際現に改正前のそれぞれの法律の規定によりされている許可等の申請その他の行為（以下この条において「申請等の行為」という。）でこの法律の施行の日においてこれらの行為に係る行政事務を行うべき者が異なることとなるものは、附則第二条から前条までの規定又は改正後のそれぞれの法律（これに基づく命令を含む。）の経過措置に関する規定に定めるものを除き、この法律の施行の日以後における改正後のそれぞれの法律の適用については、改正後のそれぞれの法律の相当規定によりされた処分等の行為又は申請等の行為とみなす。

（罰則に関する経過措置）

第七条　この法律の施行前にした行為及び附則第二条第一項の規定により従前の例によることとされる場合における第四条の規定の施行後にした行為に対する罰則の適用については、なお従前の例による。

8　行政手続法の施行に伴う関係法律の整備に関する法律（抄）

（平成五年一一月一二日法律第八九号）

（水道法の一部改正）

第百二十条　水道法（昭和三十二年法律第百七十七号）の一部を次のように改正する。

第三十五条の見出し中「取消」を「取消し」に改め、同条第三項中「厚生大臣は、」の下に「地方公共団体たる水道事業者又は水道用水供給事業者に対して」を加える。

9　地域保健対策強化のための関係法律の整備に関する法律（抄）

（平成六年七月一日法律第八四号）

（水道法の一部改正）

第三十六条　水道法（昭和三十二年法律第百七十七号）の一部を次のように改正する。

第四十八条の二の見出し中「市」の下に「又は特別区」を加え、同条第一項中「設置する市」の下に「又は特別区」を、「「市長」」の下に「又は「区長」」を加え、同条第二項中「市長」の下に「又は特別区の区長」を加え、「市を」を「市又は特別区を」に改める。

第四十八条の三、第五十条第四項及び第五十条の二第二項中「市長」の下に「又は特別区の区長」を加える。

10　民間活動に係る規制の改善及び行政事務の合理化のための厚生省関係法律の一部を改正する法律（抄）

（平成八年六月二六日法律第一〇七号）

（水道法の一部改正）

第六条　水道法（昭和三十二年法律第百七十七号）の一部を次のように改正する。

目次中「第二章　水道事業（第六条―第二十五条）」を

「第二章　水道事業
第一節　事業の認可等（第六条―第十三条）
第二節　業務（第十四条―第二十五条）
第三節　指定給水装置工事事業者（第二十五条の二―第二十五条の十一）
第四節　指定試験機関（第二十五条の十二―第二十五条の二十七）」

に、「第五十六条」を「第五十七条」に改める。

第三条中第十一項を第十二項とし、第十項の次に次の一項を加える。

11　この法律において「給水装置工事」とは、給水装置の設置又は変更の工事をいう。

第二章中第六条の前に次の節名を付する。

第一節　事業の認可等

第十三条の次に次の節名を付する。

第二節　業務

第十六条の次に次の一条を加える。

（給水装置工事）

第十六条の二　水道事業者は、当該水道によつて水の供給を受ける者の給水装置の構造及び材質が前条の規定に基づく政令で定める基準に適合することを確保するため、当該水道事業者の給水区域において給水装置工事を適正に施行することができると認められる者の指定をすることができる。

2　水道事業者は、前項の指定をしたときは、供給規程の定めるところにより、当該水道によつて水の供給を受ける者の給水装置が当該水道事業者又は当該指定を受けた者（以下「指定給水装置工事事業者」という。）の施行した給水装置工事に係るものであることを供給条件とすることができる。

3　前項の場合において、水道事業者は、当該水道によつて水の供給を受ける者の給水装置が当該水道事業者又は指定給水装置工事事業者の施行した給水装置工事に係るものでないときは、供給規程の定めるところにより、その者の給水契約の申込みを拒み、又はその者に対する給水を停止することができる。ただし、厚生省令で定める給水装置の軽微な変更であるとき、又は当該給水装置の構造及び材質が前条の規定に基づく政令で定める基準に適合していることが確認されたときは、この限りでない。

第二章中第二十五条の次に次の二節を加える。

第三節　指定給水装置工事事業者

（指定の申請）

第二十五条の二　第十六条の二第一項の指定は、給水装置工事の事業を行う者の申請により行う。

2　第十六条の二第一項の指定を受けようとする者は、厚生省令で定めるところにより、次に掲げる事項を記載した申請書を水道事業者に提出しなければならない。

一　氏名又は名称及び住所並びに法人にあつては、その代表者の氏名

二　当該水道事業者の給水区域について給水装置工事の事業を行う事業所（以下この節において単に「事業所」という。）の名称及び所在地並びに第二十五条の四第一項の規定によりそれぞれの事業所において選任されることとなる給水装置工事主任技術者の氏名

三　給水装置工事を行うための機械器具の名称、性能及び数

四　その他厚生省令で定める事項

（指定の基準）

第二十五条の三　水道事業者は、第十六条の二第一項の指定の申請をした者が次の各号のいずれにも適合していると認めるときは、同項の指定をしなければならない。

一　事業所ごとに、次条第一項の規定により給水装置工事主任技術者として選任されることとなる者を置く者であること。

二　厚生省令で定める機械器具を有する者であること。

三　次のいずれにも該当しない者であること。

イ　禁治産者若しくは準禁治産者又は破産者で復権を得ないもの

ロ　この法律に違反して、刑に処せられ、その執行を終わり、又は執行を受けることがなくなつた日から二年を経過しない者

ハ　第二十五条の十一第一項の規定により指定を取り消され、その取消しの日から二年を経過しない者

ニ　その業務に関し不正又は不誠実な行為をするおそれがあると認めるに足りる相当の理由がある者

ホ　法人であつて、その役員のうちにイからニまでのいずれかに該当する者があるもの

2　水道事業者は、第十六条の二第一項の指定をしたときは、遅滞なく、その旨を一般に周知させる措置をとらなければならない。

（給水装置工事主任技術者）

第二十五条の四　指定給水装置工事事業者は、事業所ごとに、第三項各号に掲げる職務をさせるため、厚生省令で定めるところにより、給水装置工事主任技術者免状の交付を受けている者のうちから、給水装置工事主任技術者を選任しなければならない。

2　指定給水装置工事事業者は、給水装置工事主任技術者を選任したときは、遅滞なく、その旨を水道事業者に届け出なければならない。これを解任したときも、同様とする。

3　給水装置工事主任技術者は、次に掲げる職務を誠実に行わなければならない。

一　給水装置工事に関する技術上の管理

二　給水装置工事に従事する者の技術上の指導監督

三　給水装置工事に係る給水装置の構造及び材質が第十六条の規定に基づく政令で定める基準に適合していることの確認

四　その他厚生省令で定める職務

4　給水装置工事に従事する者は、給水装置工事主任技術者がその職務として行う指導に従わなければならない。

（給水装置工事主任技術者免状）

第二十五条の五　給水装置工事主任技術者免状は、給水装置工事主任技術者試験に合格した者に対し、厚生大臣が交付する。

2　厚生大臣は、次の各号のいずれかに該当する者に対しては、給水装置工事主任技術者免状の交付を行わないことができる。

一　次項の規定により給水装置工事主任技術者免状の返納を命ぜられ、その日から一年を経過しない者

二　この法律に違反して、刑に処せられ、その執行を終わり、又は執行を受けることがなくなつた日から二年を経過しない者

3　厚生大臣は、給水装置工事主任技術者免状の交付を受けている者がこの法律に違反したときは、その給水装置工事主任技術者免状の返納を命ずることができる。

4　前三項に規定するもののほか、給水装置工事主任技術者免状の交付、書換え交付、再交付及び返納に関し必要な事項は、厚生省令で定める。

（給水装置工事主任技術者試験）

第二十五条の六　給水装置工事主任技術者試験は、給水装置工事主任技術者として必要な知識及び技能について、厚生大臣が行う。

2　給水装置工事主任技術者試験は、給水装置工事に関して三年以上の実務の経験を有する者でなければ、受けることができない。

3　給水装置工事主任技術者試験の試験科目、受験手続その他給水装置工事主任技術者試験の実施細目は、厚生省令で定める。

（変更の届出等）

第二十五条の七　指定給水装置工事事業者は、事業所の名称及び所在地その他厚生省令で定める事項に変更があつたとき、又は給水装置工事の事業を廃止し、休止し、若しくは再開したときは、厚生省令で定めるところにより、その旨を水道事業者に届け出なければならない。

（事業の基準）

第二十五条の八　指定給水装置工事事業者は、厚生省令で定める給水装置工事の事業の運営に関する基準に従い、適正な給水装置工事の事業の運営に努めなければならない。

（給水装置工事主任技術者の立会い）

第二十五条の九　水道事業者は、第十七条第一項の規定による給水装置の検査を行うときは、当該給水装置に係る給水装置工事を施行した指定給水装置工事事業者に対し、当該給水装置工事を施行した事業所に係る給水装置工事主任技術者を検査に立ち会わせることを求めることができる。

（報告又は資料の提出）

第二十五条の十　水道事業者は、指定給水装置工事事業者に対し、当該指定給水装置工事事業者が給水区域において施行した給水装置工事に関し必要な報告又は資料の提出を求めることができる。

（指定の取消し）

第二十五条の十一　水道事業者は、指定給水装置工事事業者が次の各号のいずれかに該当するときは、第十六条の二第一項の指定を取り消すことができる。

一　第二十五条の三第一項各号に適合しなくなつたとき。

二　第二十五条の四第一項又は第二項の規定に違反したとき。

三　第二十五条の七の規定による届出をせず、又は虚偽の届出をしたとき。

四　第二十五条の八に規定する給水装置工事の事業の運営に関する基準に従つた適正な給水装置工事の事業の運営をすることができないと認められるとき。

五　第二十五条の九の規定による水道事業者の求めに対し、正当な理由なくこれに応じないとき。

六　前条の規定による水道事業者の求めに対し、正当な理由なくこれに応じず、又は虚偽の報告若しくは資料の提出をしたとき。

七　その施行する給水装置工事が水道施設の機能に障害を与え、又は与えるおそれが大であるとき。

八　不正の手段により第十六条の二第一項の指定を受けたとき。

2　第二十五条の三第二項の規定は、前項の場合に準用する。

第四節　指定試験機関

（指定試験機関の指定）
第二十五条の十二　厚生大臣は、その指定する者（以下「指定試験機関」という。）に、給水装置工事主任技術者試験の実施に関する事務（以下「試験事務」という。）を行わせることができる。
2　指定試験機関の指定は、試験事務を行おうとする者の申請により行う。
（指定の基準）
第二十五条の十三　厚生大臣は、他に指定を受けた者がなく、かつ、前条第二項の規定による申請が次の要件を満たしていると認めるときでなければ、指定試験機関の指定をしてはならない。
一　職員、設備、試験事務の実施の方法その他の事項についての試験事務の実施に関する計画が試験事務の適正かつ確実な実施のために適切なものであること。
二　前号の試験事務の実施に関する計画の適正かつ確実な実施に必要な経理的及び技術的な基礎を有するものであること。
三　申請者が、試験事務以外の業務を行つている場合には、その業務を行うことによつて試験事務が不公正になるおそれがないこと。
2　厚生大臣は、前条第二項の規定による申請をした者が、次の各号のいずれかに該当するときは、指定試験機関の指定をしてはならない。
一　民法（明治二十九年法律第八十九号）第三十四条の規定により設立された法人以外の者であること。
二　第二十五条の二十四第一項又は第二項の規定により指定を取り消され、その取消しの日から起算して二年を経過しない者であること。
三　その役員のうちに、次のいずれかに該当する者があること。
イ　この法律に違反して、刑に処せられ、その執行を終わり、又は執行を受けることがなくなつた日から起算して二年を経過しない者
ロ　第二十五条の十五第二項の規定による命令により解任され、その解任の日から起算して二年を経過しない者
（指定の公示等）
第二十五条の十四　厚生大臣は、第二十五条の十二第一項の規定による指定をしたときは、指定試験機関の名称及び主たる事務所の所在地並びに当該指定をした日を公示しなければならない。
2　指定試験機関は、その名称又は主たる事務所の所在地を変更しようとするときは、変更しようとする日の二週間前までに、その旨を厚生大臣に届け出なければならない。
3　厚生大臣は、前項の規定による届出があつたときは、その旨を公示しなければならない。
（役員の選任及び解任）
第二十五条の十五　指定試験機関の役員の選任及び解任は、厚生大臣の認可を受けなければ、その効力を生じない。
2　厚生大臣は、指定試験機関の役員が、この法律（これに基づく命令又は処分を含む。）若しくは第二十五条の十八第一項に規定する試験事務規程に違反する行為をしたとき、又は試験事務に関し著しく不適当な行為をしたときは、指定試験機関に対し、当該役員を解任すべきことを命ずることができる。
（試験委員）
第二十五条の十六　指定試験機関は、試験事務のうち、給水装置工事主任技術者として必要な知識及び技能を有するかどうかの判定に関する事務を行う場合には、試験委員にその事務を行わせなければならない。
2　指定試験機関は、試験委員を選任しようとするときは、厚生省令で定める要件を備える者のうちから選任しなければならない。
3　指定試験機関は、試験委員を選任したときは、厚生省令で定めるところにより、遅滞なく、その旨を厚生大臣に届け出なければならない。試験委員に変更があつたときも、同様とする。
4　前条第二項の規定は、試験委員の解任について準用する。
（秘密保持義務等）
第二十五条の十七　指定試験機関の役員若しくは職員（試験委員を含む。次項において同じ。）又はこれらの職にあつた者は、試験事務に関して知り得た秘密を漏らしてはならない。
2　試験事務に従事する指定試験機関の役員又は職員は、刑法（明治四十年法律第四十五号）その他の罰則の適用については、法令により公務に従事する職員とみなす。
（試験事務規程）
第二十五条の十八　指定試験機関は、試験事務

の開始前に、試験事務の実施に関する規程（以下「試験事務規程」という。）を定め、厚生大臣の認可を受けなければならない。これを変更しようとするときも、同様とする。

2　試験事務規程で定めるべき事項は、厚生省令で定める。

3　厚生大臣は、第一項の規定により認可をした試験事務規程が試験事務の適正かつ確実な実施上不適当となつたと認めるときは、指定試験機関に対し、これを変更すべきことを命ずることができる。

（事業計画の認可等）

第二十五条の十九　指定試験機関は、毎事業年度、事業計画及び収支予算を作成し、当該事業年度の開始前に（第二十五条の十二第一項の規定による指定を受けた日の属する事業年度にあつては、その指定を受けた後遅滞なく）、厚生大臣の認可を受けなければならない。これを変更しようとするときも、同様とする。

2　指定試験機関は、毎事業年度、事業報告書及び収支決算書を作成し、当該事業年度の終了後三月以内に、厚生大臣に提出しなければならない。

（帳簿の備付け）

第二十五条の二十　指定試験機関は、厚生省令で定めるところにより、試験事務に関する事項で厚生省令で定めるものを記載した帳簿を備え、これを保存しなければならない。

（監督命令）

第二十五条の二十一　厚生大臣は、試験事務の適正な実施を確保するため必要があると認めるときは、指定試験機関に対し、試験事務に関し監督上必要な命令をすることができる。

（報告、検査等）

第二十五条の二十二　厚生大臣は、試験事務の適正な実施を確保するため必要があると認めるときは、指定試験機関に対し、試験事務の状況に関し必要な報告を求め、又はその職員に、指定試験機関の事務所に立ち入り、試験事務の状況若しくは設備、帳簿、書類その他の物件を検査させることができる。

2　前項の規定により立入検査を行う職員は、その身分を示す証明書を携帯し、関係者の請求があつたときは、これを提示しなければならない。

3　第一項の規定による権限は、犯罪捜査のために認められたものと解してはならない。

（試験事務の休廃止）

第二十五条の二十三　指定試験機関は、厚生大臣の認可を受けなければ、試験事務の全部又は一部を休止し、又は廃止してはならない。

2　厚生大臣は、指定試験機関の試験事務の全部又は一部の休止又は廃止により試験事務の適正かつ確実な実施が損なわれるおそれがないと認めるときでなければ、前項の規定による許可をしてはならない。

3　厚生大臣は、第一項の規定による許可をしたときは、その旨を公示しなければならない。

（指定の取消し等）

第二十五条の二十四　厚生大臣は、指定試験機関が第二十五条の十三第二項第一号又は第三号に該当するに至つたときは、その指定を取り消さなければならない。

2　厚生大臣は、指定試験機関が次の各号のいずれかに該当するときは、その指定を取り消し、又は期間を定めて試験事務の全部若しくは一部の停止を命ずることができる。

一　第二十五条の十三第一項各号の要件を満たさなくなつたと認められるとき。

二　第二十五条の十五第二項（第二十五条の十六第四項において準用する場合を含む。）、第二十五条の十八第三項又は第二十五条の二十一の規定による命令に違反したとき。

三　第二十五条の十六第一項、第二十五条の十九、第二十五条の二十又は前条第一項の規定に違反したとき。

四　第二十五条の十八第一項の規定により認可を受けた試験事務規程によらないで試験事務を行つたとき。

五　不正な手段により指定試験機関の指定を受けたとき。

3　厚生大臣は、前二項の規定により指定を取り消し、又は前項の規定により試験事務の全部若しくは一部の停止を命じたときは、その旨を公示しなければならない。

（指定等の条件）

第二十五条の二十五　第二十五条の十二第一項、第二十五条の十五第一項、第二十五条の十八第一項、第二十五条の十九第一項又は第二十五条の二十三第一項の規定による指定、認可又は許可には、条件を付し、及びこれを変更することができる。

2　前項の条件は、当該指定、認可又は許可に係る事項の確実な実施を図るため必要な最小限度のものに限り、かつ、当該指定、認可又は許可を受ける者に不当な義務を課すこととなるものであつてはならない。

（厚生大臣による試験事務の実施）

第二十五条の二十六　厚生大臣は、指定試験機関の指定をしたときは、試験事務を行わないものとする。

2　厚生大臣は、指定試験機関が第二十五条の二十三第一項の規定による認可を受けて試験事務の全部若しくは一部を休止したとき、第二十五条の二十四第二項の規定により指定試験機関に対し試験事務の全部若しくは一部の停止を命じたとき、又は指定試験機関が天災その他の事由により試験事務の全部若しくは一部を実施することが困難となつた場合において必要があると認めるときは、当該試験事務の全部又は一部を自ら行うものとする。

3　厚生大臣は、前項の規定により試験事務の全部若しくは一部を自ら行うこととするとき、又は自ら行つていた試験事務の全部若しくは一部を行わないこととするときは、その旨を公示しなければならない。

（厚生省令の委任）

第二十五条の二十七　この法律に規定するもののほか、指定試験機関及びその行う試験事務並びに試験事務の引継ぎに関し必要な事項は、厚生省令で定める。

第四十五条の二の次に次の一条を加える。

（手数料）

第四十五条の三　給水装置工事主任技術者免状の交付、書換え交付又は再交付を受けようとする者は、国に、実費を勘案して政令で定める額の手数料を納付しなければならない。

2　給水装置工事主任技術者試験を受けようとする者は、国（指定試験機関が試験事務を行う場合にあつては、指定試験機関）に、実費を勘案して政令で定める額の受験手数料を納付しなければならない。

3　前項の規定により指定試験機関に納められた受験手数料は、指定試験機関の収入とする。

第四十八条の三の見出しを「（不服申立て）」に改め、同条を同条第二項とし、同条に第一項として次の一項を加える。

指定試験機関が行う試験事務に係る処分（試験の結果についての処分を除く。）又は不作為については、厚生大臣に対し、行政不服審査法（昭和三十七年法律第百六十号）による審査請求をすることができる。

第五十条第一項中「から第五十六条まで」を「、第五十三条、第五十四条、第五十五条及び第五十六条」に改める。

第五十条の二第一項中「から第五十六条まで」を「、第五十四条、第五十五条及び第五十六条」に改める。

第五十一条第一項中「十万円」を「百万円」に改め、同条第二項中「五万円」を「五十万円」に改め、同条第三項中「（明治四十年法律第四十五号）」を削る。

第五十二条中「三十万円」を「三百万円」に改める。

第五十三条中「十万円」を「百万円」に改め、同条の次に次の二条を加える。

第五十三条の二　第二十五条の十七第一項の規定に違反した者は、一年以下の懲役又は百万円以下の罰金に処する。

第五十三条の三　第二十五条の二十四第二項の規定による試験事務の停止の命令に違反したときは、その違反行為をした指定試験機関の役員又は職員は、一年以下の懲役又は百万円以下の罰金に処する。

第五十四条中「十万円」を「百万円」に改める。

第五十五条中「三万円」を「三十万円」に改め、同条の次に次の一条を加える。

第五十五条の二　次の各号の一に該当するときは、その違反行為をした指定試験機関の役員又は職員は、三十万円以下の罰金に処する。

一　第二十五条の二十の規定に違反して帳簿を備えず、帳簿に記載せず、若しくは帳簿に虚偽の記載をし、又は帳簿を保存しなかつたとき。

二　第二十五条の二十二第一項の規定による報告を求められて、報告をせず、若しくは虚偽の報告をし、又は同項の規定による立入り若しくは検査を拒み、妨げ、若しくは忌避したとき。

三　第二十五条の二十三第一項の規定による許可を受けないで、試験事務の全部を廃止したとき。

第五十六条中「から前条まで」を「、第五十三条、第五十四条又は第五十五条」に改め、同条の次に次の一条を加える。

第五十七条　正当な理由がないのに第二十五条の五第三項の規定による命令に違反して給水装置工事主任技術者免状を返納しなかつた者は、十万円以下の過料に処する。

11　地方分権の推進を図るための関係法律の整備等に関する法律（抄）

（平成一一年七月一六日法律第八七号）

第一章　共通関係

（地方自治法の一部改正）

第一条　地方自治法（昭和二十二年法律第六十七号）の一部を次のように改正する。

地方自治法目次中「第十一章　国と普通地方公共団体との関係及び普通地方公共団体相互間の関係」を

「第十一章　国と普通地方公共団体との関係及び普通地方公共団体相互間の関係
第一節　普通地方公共団体に対する国又は都道府県の関与等
第一款　普通地方公共団体に対する国又は都道府県の関与等
第二款　普通地方公共団体に対する国又は都道府県の関与等の手続
第二節　国と普通地方公共団体との間並びに普通地方公共団体相互間及び普通地方公共団体の機関相互間の紛争処理
第一款　国地方係争処理委員会
第二款　国地方係争処理委員会による審査の手続
第三款　自治紛争処理委員
第四款　自治紛争処理委員による調停及び審査の手続
第五款　普通地方公共団体に対する国又は都道府県の関与に関する訴え
第三節　普通地方公共団体相互間の協力
第一款　協議会
第二款　機関等の共同設置
第三款　事務の委託
第四款　職員の派遣
第四節　条例による事務処理の特例
第五節　雑則　　」

団体の機関相互間の紛争処理に、「第十二章　大都市及び中核市に関する特例」を「第十二章　大都市等に関する特例」に、「第二節　中核市に関する特例」を「第二節　中核市に関する特例
第三節　特例市に関する特例」に、「第四節　雑則
附則」を

「第四節　雑則
第四編　補則
附則　」に改める。

第一条の二を第一条の三とし、第一条の次に次の一条を加える。

第一条の二　地方公共団体は、住民の福祉の増進を図ることを基本として、地域における行政を自主的かつ総合的に実施する役割を広く担うものとする。

国は、前項の規定の趣旨を達成するため、国においては国際社会における国家としての存立にかかわる事務、全国的に統一して定めることが望ましい国民の諸活動若しくは地方自治に関する基本的な準則に関する事務又は全国的な規模で若しくは全国的な視点に立つて行わなければならない施策及び事業の実施その他の国が本来果たすべき役割を重点的に担い、住民に身近な行政はできる限り地方公共団体にゆだねることを基本として、地方公共団体との間で適切に役割を分担するとともに、地方公共団体に関する制度の策定及び施策の実施に当たつて、地方公共団体の自主性及び自立性が十分に発揮されるようにしなければならない。

第二条第二項を次のように改める。

普通地方公共団体は、地域における事務及びその他の事務で法律又はこれに基づく政令により処理することとされるものを処理する。

第二条第四項中「第六項において」を「第五項において」に、「前項に例示されているような第二項の事務」を「前項の事務」に改め、同項ただし書中「但し、第六項第四号に掲げる事務」を「ただし、第五項に規定する事務のうち、その規模又は性質において一般の市町村が処理することが適当でないと認められるもの」に、「その規模及び能力」を「当該市町村の規模及び能力」に改め、同条第六項中「第三項に例示されているような」及び「、統一的な処理を必要とするもの」を削り、「一般の市町村が処理することが不適当であると認められる程度の規模のもの」を「その規模又は性質において一般の市町村が処理することが適当で

ないと認められるもの」に改め、同項各号を削り、同条第十二項中「基いて」を「基づいて、かつ、国と地方公共団体との適切な役割分担を踏まえて」に、「なお」を「この場合において」に改め、同項の次に次の一項を加える。

法律又はこれに基づく政令により地方公共団体が処理することとされる事務が自治事務である場合においては、国は、地方公共団体が地域の特性に応じて当該事務を処理することができるよう特に配慮しなければならない。

第二条第十一項の次に次の四項を加える。

この法律において「自治事務」とは、地方公共団体が処理する事務のうち、法定受託事務以外のものをいう。

この法律において「法定受託事務」とは、次に掲げる事務をいう。

一 法律又はこれに基づく政令により都道府県、市町村又は特別区が処理することとされる事務のうち、国が本来果たすべき役割に係るものであつて、国においてその適正な処理を特に確保する必要があるものとして法律又はこれに基づく政令に特に定めるもの（以下「第一号法定受託事務」という。）

二 法律又はこれに基づく政令により市町村又は特別区が処理することとされる事務のうち、都道府県が本来果たすべき役割に係るものであつて、都道府県においてその適正な処理を特に確保する必要があるものとして法律又はこれに基づく政令に特に定めるもの（以下「第二号法定受託事務」という。）

この法律又はこれに基づく政令に規定するもののほか、法律に定める法定受託事務は第一号法定受託事務にあつては別表第一の上欄に掲げる法律についてそれぞれ同表の下欄に、第二号法定受託事務にあつては別表第二の上欄に掲げる法律についてそれぞれ同表の下欄に掲げるとおりであり、政令に定める法定受託事務はこの法律に基づく政令に示すとおりである。

地方公共団体に関する法令の規定は、地方自治の本旨に基づき、かつ、国と地方公共団体との適切な役割分担を踏まえたものでなければならない。

第二条第三項及び第八項から第十項までを削る。

第三条第三項中「特別の定」を「特別の定め」に、「除く外、条例でこれを定め、都道府県知事の許可を得なければならない」を「除くほか、条例でこれを定める」に改め、同条第四項中「により許可をした」を「による報告があつた」に、「報告」を「通知」に改め、同条第五項中「報告があつた」を「通知を受けた」に改め、同条第三項の次に次の二項を加える。

地方公共団体の長は、前項の規定により当該地方公共団体の名称を変更しようとするときは、あらかじめ都道府県知事に協議しなければならない。

地方公共団体は、第三項の規定により条例を制定し又は改廃したときは、直ちに都道府県知事に当該地方公共団体の変更後の名称及び名称を変更する日を報告しなければならない。

第七条第二項中「予め」を「あらかじめ」に改め、「協議し」の下に「、その同意を得」を加える。

第八条の二第一項中「第二条第十四項」を「第二条第十五項」に改める。

第九条第一項中「基き」を「基づき」に、「第二百五十一条」を「第二百五十一条の二」に改める。

第九条の三第三項中「第二百五十一条」を「第二百五十一条の二」に改める。

第十四条第二項を次のように改める。

普通地方公共団体は、義務を課し、又は権利を制限するには、法令に特別の定めがある場合を除くほか、条例によらなければならない。

第十四条第五項中「又は」を「若しくは」に改め、「没収の刑」の下に「又は五万円以下の過料」を加え、同条第三項、第四項及び第六項を削る。

第七十七条中「且つ」を「かつ」に、「都道府県知事及び自治大臣」を「都道府県知事に」に、「市町村長及び都道府県知事」を「市町村長」に改める。

第八十二条第一項中「且つ」を「かつ」に、「都道府県知事及び自治大臣」を「都道府県知事に」に、「市町村長及び都道府県知事」を「市町村長」に改め、同条第二項中「且つ」を「かつ」に改め、「するとともに、都道府県及び市にあつては自治大臣、町村にあつては都道府県知事に報告」を削る。

第百五十三条第二項中「都道府県知事」を

「普通地方公共団体の長」に改め、「又は市町村長」を削り、同条第三項を削る。

第二百二十八条第二項及び第三項を次のように改める。

2　分担金、使用料、加入金及び手数料の徴収に関しては、次項に定めるものを除くほか、条例で五万円以下の過料を科する規定を設けることができる。

3　詐欺その他不正の行為により、分担金、使用料、加入金又は手数料の徴収を免れた者については、条例でその徴収を免れた金額の五倍に相当する金額（当該五倍に相当する金額が五万円を超えないときは、五万円とする。）以下の過料を科する規定を設けることができる。

第三節　普通地方公共団体相互間の協力

第一款　協議会

第二百五十二条の二に見出しとして「（協議会の設置）」を付し、同条第一項中「若しくは普通地方公共団体の長、委員会若しくは委員の権限に属する国、他の地方公共団体その他公共団体の事務の一部」を削り、「普通地方公共団体若しくは普通地方公共団体の長その他の執行機関の権限に属する事務」を「普通地方公共団体の事務」に改め、同条第二項に項番号を付し、同条第三項ただし書中「普通地方公共団体又は普通地方公共団体の長その他の執行機関の権限に属する事務」を「普通地方公共団体の事務」に改め、同項及び同条第四項に項番号を付し、同条第五項中「又は関係普通地方公共団体の長その他の執行機関」及び「し、又はその権限に属する事務を管理し及び執行」を削り、同項及び同条第六項に項番号を付する。

第二百五十二条の三に見出しとして「（協議会の組織）」を付し、同条第一項中「以て」を「もつて」に改め、同条第二項中「中」を「うち」に改め、同項及び同条第三項に項番号を付する。

第二百五十二条の四に見出しとして「（協議会の規約）」を付し、同条第一項中「左に」を「次に」に改め、同項第三号中「関係普通地方公共団体若しくは関係普通地方公共団体の長、委員会若しくは委員の権限に属する事務」を「関係普通地方公共団体の事務」に改め、同条第二項中「又は普通地方公共団体の長、委員会若しくは委員の権限に属する国、他の地方公共団体その他公共団体の事務の一部」を削り、「左に」を「次に」に改め、同項第一号中「関係普通地方公共団体又は関係普通地方公共団体の長、委員会若しくは委員の権限に属する事務」を「関係普通地方公共団体の事務」に改め、同項に項番号を付する。

第二百五十二条の五に見出しとして「（協議会の事務の管理及び執行の効力）」を付する。

第二百五十二条の六に見出しとして「（協議会の組織の変更及び廃止）」を付し、同条の次に次の款名を付する。

第二款　機関等の共同設置

第二百五十二条の七に見出しとして「（機関等の共同設置）」を付し、同条第一項中「但し」を「ただし」に改め、同条第二項及び第三項に項番号を付する。

第二百五十二条の八に見出しとして「（機関の共同設置に関する規約）」を付し、同条中「左に」を「次に」に改め、同条第四号中「取扱」を「取扱い」に改め、同条第五号中「除く外」を「除くほか」に改める。

第二百五十二条の九に見出しとして「（共同設置する機関の委員等の選任及び身分取扱い）」を付し、同条第一項中「左の」を「次の」に改め、同条第二項中「左の」を「次の」に改め、同項に項番号を付し、同条第三項中「左の」を「次の」に改め、同項に項番号を付し、同条第四項中「身分取扱」を「身分取扱い」に改め、同項に項番号を付し、同条第五項中「身分取扱」を「身分取扱い」に改め、同項に項番号を付する。

第二百五十二条の十に見出しとして「（共同設置する機関の委員等の解職請求）」を付し、同条中「基き」を「基づき」に改める。

第二百五十二条の十一に見出しとして「（共同設置する機関の補助職員等）」を付し、同条第一項中「以て」を「もつて」に改め、同条第二項から第四項までに項番号を付する。

第二百五十二条の十二に見出しとして「（共同設置する機関に対する法令の適用）」を付し、同条中「特別の定」を「特別の定め」に改め、「除く外」を「除くほか」に改める。

第二百五十二条の十三に見出しとして「（吏員等の共同設置に関する準用規定）」を付し、同条の次に次の款名を付する。

第三款　事務の委託

第二百五十二条の十四に見出しとして「（事務の委託）」を付し、同条第一項中「又は普通地方公共団体の長、委員会若しくは委員の権限に属する国、他の地方公共団体その他公共団体の事務の一部」及び「これを」を削り、同条第二項に項番号を付し、同条第三項中「又はその執行機関の権限に属する事務」を削り、同項に項番号を付する。

第二百五十二条の十五に見出しとして「（事務の委託の規約）」を付し、同条中「又はその執行機関の権限に属する事務」を削り、「左に」を「次に」に改め、同条第四号中「ものの外」を「もののほか」に改める。

第二百五十二条の十六に見出しとして「（事務の委託の効果）」を付し、同条中「又は普通地方公共団体の長、委員会若しくは委員の権限に属する事務」を削り、「、普通地方公共団体の長」を「、当該普通地方公共団体の長」に改め、「これを」を削り、「これらの事務の管理」を「当該事務の管理」に、「定を」を「定めを」に、「除く外」を「除くほか」に、「これらの事務の委託」を「事務の委託」に、「当該事務」を「当該委託された事務」に改め、同条の次に次の款名を付する。

第四款　職員の派遣

第二百五十二条の十七に見出しとして「（職員の派遣）」を付し、同条第一項中「特別の定」を「特別の定め」に、「除く外」を「除くほか」に改め、「又は当該普通地方公共団体の長、委員会若しくは委員若しくはこれらの管理に属する機関の権限に属する事務の管理及び執行」を削り、同条第二項中「その求」を「その求め」に、「予め」を「あらかじめ」に改め、同項に項番号を付し、同条第三項中「求」を「求め」に改め、同項に項番号を付し、同条第四項中「ものの外」を「もののほか」に、「基き」を「基づき」に、「身分取扱」を「身分取扱い」に改め、同項ただし書中「但し」を「ただし」に、「特別の定」を「特別の定め」に改め、同項に項番号を付し、同条の次に次の一節、節名及び七条を加える。

第四節　条例による事務処理の特例

（条例による事務処理の特例）

第二百五十二条の十七の二　都道府県は、都道府県知事の権限に属する事務の一部を、条例の定めるところにより、市町村が処理することとすることができる。この場合においては、当該市町村が処理することとされた事務は、当該市町村の長が管理し及び執行するものとする。

2　前項の条例（同項の規定により都道府県の規則に基づく事務を市町村が処理することとする場合で、同項の条例の定めるところにより、規則に委任して当該事務の範囲を定めるときは、当該規則を含む。以下本節において同じ。）を制定し又は改廃する場合においては、都道府県知事は、あらかじめ、その権限に属する事務の一部を処理し又は処理することとなる市町村の長に協議しなければならない。

（条例による事務処理の特例の効果）

第二百五十二条の十七の三　前条第一項の条例の定めるところにより、都道府県知事の権限に属する事務の一部を市町村が処理する場合においては、当該条例の定めるところにより市町村が処理することとされた事務について規定する法令、条例又は規則中都道府県に関する規定は、当該事務の範囲内において、当該市町村に関する規定として当該市町村に適用があるものとする。

2　前項の規定により市町村に適用があるものとされる法令の規定により国の行政機関が市町村に対して行うものとなる助言等、資料の提出の要求等又は是正の要求等は、都道府県知事を通じて行うことができるものとする。

3　第一項の規定により市町村に適用があるものとされる法令の規定により市町村が国の行政機関と行うものとなる協議は、都道府県知事を通じて行うものとし、当該法令の規定により国の行政機関が市町村に対して行うものとなる許認可等に係る申請等は、都道府県知事を経由して行うものとする。

（是正の要求等の特則）

第二百五十二条の十七の四　都道府県知事は、第二百五十二条の十七の二第一項の条例の定めるところにより市町村が処理することとされた事務のうち自治事務の処理が法令の規定に違反していると認めるとき、又は著しく適正を欠き、かつ、明らかに公益を害していると認めるときは、当該市町村に対し、第二百四十五条の五第二項に規定する各大臣の指示がない場合であつても、同条第三項の規定により、当該自治事務の処理について違反の是正又は改善のため必要な措置を講ずべきことを求めることができる。

2　第二百五十二条の十七の二第一項の条例の定めるところにより市町村が処理することとされた事務のうち法定受託事務に対する第二百四十五条の八第十二項において準用する同条第一項から第十一項までの規定の適用については、同条第十二項において読み替えて準用する同条第二項から第四項まで、第六項、第八項及び第十一項中「都道府県知事」とあるのは、「各大臣」とする。この場合においては、同条第十三項の規定は適用しない。

3　第二百五十二条の十七の二第一項の条例の定めるところにより市町村が処理することとされた事務のうち法定受託事務に係る市町村長の処分についての第二百五十五条の二の規定による審査請求の裁決に不服がある者は、当該処分に係る事務を規定する法律又はこれに基づく政令を所管する各大臣に対して再審査請求をすることができる。

以下省略

12　民法の一部を改正する法律の施行に伴う関係法律の整備等に関する法律（抄）

（平成一一年一二月八日　法律第一五一号）

（弁理士法等の一部改正）

第八条　次に掲げる法律の規定中「禁治産者」を「成年被後見人」に、「準禁治産者」を「被保佐人」に改める。

一から九　略

十　水道法（昭和三十二年法律第百七十七号）第二十五条の三第一項第三号イ

以下省略

13　中央省庁等改革関係法施行法（抄）

（平成一一年一二月二二日　法律第一六〇号）

（水道法の一部改正）

第六百五十三条　水道法（昭和三十二年法律第百七十七号）の一部を次のように改正する。

本則中「厚生省令」を「厚生労働省令」に、「厚生大臣」を「厚生労働大臣」に改める。

第四十二条第一項中「改善命令」を「改善の指示」に、「附随する」を「付随する」に改める。

14　水道法の一部を改正する法律

（平成一三年七月四日　法律第一〇〇号）

水道法（昭和三十二年法律第百七十七号）の一部を次のように改正する。

第三条第六項中「百人をこえる者にその居住に必要な水を供給するもの」を「次の各号のいずれかに該当するもの」に改め、同項に次の各号を加える。

一　百人を超える者にその居住に必要な水を供給するもの

二　その水道施設の一日最大給水量（一日に給水することができる最大の水量をいう。以下同じ。）が政令で定める基準を超えるもの

第八条第一項第五号中「第十四条第四項各号に規定する」を「第十四条第二項各号に掲げる」に改める。

第十条第一項中「変更しようとするとき」の下に（次の各号のいずれかに該当するときを除く。）」を加え、同項に次の各号を加える。

一　その変更が厚生労働省令で定める軽微なものであるとき。

二　その変更が他の水道事業の全部を譲り受けることに伴うものであるとき。

第十条に次の一項を加える。

3　水道事業者は、第一項各号のいずれかに該当する変更を行うときは、あらかじめ、厚生労働省令で定めるところにより、その旨を厚生労働大臣に届け出なければならない。

第十一条中「事業」を「水道事業」に改め、同条に次のただし書を加える。

ただし、その水道事業の全部を他の水道事業を行う水道事業者に譲り渡すことにより、その水道事業の全部を廃止することとなるときは、この限りでない。

第十一条に次の一項を加える。

2　前項ただし書の場合においては、水道事業者は、あらかじめ、その旨を厚生労働大臣に届け出なければならない。

第十四条第二項及び第三項を削り、同条第四項各号列記以外の部分を次のように改める。

前項の供給規程は、次の各号に掲げる要件に適合するものでなければならない。

第十四条第四項第四号中「差別的取扱」を「差別的取扱い」に改め、同項に次の一号を加

える。

五　貯水槽水道（水道事業の用に供する水道及び専用水道以外の水道であつて、水道事業の用に供する水道から供給を受ける水のみを水源とするものをいう。以下この号において同じ。）が設置される場合においては、貯水槽水道に関し、水道事業者及び当該貯水槽水道の設置者の責任に関する事項が、適正かつ明確に定められていること。

第十四条中第四項を第二項とし、第五項を第三項とし、第六項を第四項とし、同条に次の三項を加える。

5　水道事業者が地方公共団体である場合にあつては、供給規程に定められた事項のうち料金を変更したときは、厚生労働省令で定めるところにより、その旨を厚生労働大臣に届け出なければならない。

6　水道事業者が地方公共団体以外の者である場合にあつては、供給規程に定められた供給条件を変更しようとするときは、厚生労働大臣の認可を受けなければならない。

7　厚生労働大臣は、前項の認可の申請が第二項各号に掲げる要件に適合していると認めるときは、その認可を与えなければならない。

第十五条第一項中「需用者」を「需要者」に、「申込」を「申込み」に改める。

第二十条第三項ただし書中「当該水質検査を」の下に「、厚生労働省令の定めるところにより、」を加える。

第二十四条の見出し並びに同条第一項及び第二項中「消火せん」を「消火栓」に改め、同条の次に次の二条を加える。

（情報提供）

第二十四条の二　水道事業者は、水道の需要者に対し、厚生労働省令で定めるところにより、第二十条第一項の規定による水質検査の結果その他水道事業に関する情報を提供しなければならない。

（業務の委託）

第二十四条の三　水道事業者は、政令で定めるところにより、水道の管理に関する技術上の業務の全部又は一部を他の水道事業者若しくは水道用水供給事業者又は当該業務を適正かつ確実に実施することができる者として政令で定める要件に該当するものに委託することができる。

2　水道事業者は、前項の規定により業務を委託したときは、遅滞なく、厚生労働省令で定める事項を厚生労働大臣に届け出なければならない。委託に係る契約が効力を失つたときも、同様とする。

3　第一項の規定により業務の委託を受ける者（以下「水道管理業務受託者」という。）は、水道の管理について技術上の業務を担当させるため、受託水道業務技術管理者一人を置かなければならない。

4　受託水道業務技術管理者は、第一項の規定により委託された業務の範囲内において第十九条第二項各号に掲げる事項に関する事務に従事し、及びこれらの事務に従事する他の職員を監督しなければならない。

5　受託水道業務技術管理者は、政令で定める資格を有する者でなければならない。

6　第一項の規定により水道の管理に関する技術上の業務を委託する場合においては、当該委託された業務の範囲内において、水道管理業務受託者を水道事業者と、受託水道業務技術管理者を水道技術管理者とみなして、第十三条第一項（水質検査及び施設検査の実施に係る部分に限る。）及び第二項、第十七条、第二十条から第二十二条まで、第二十三条第一項、第三十六条第二項並びに第三十九条の規定（これらの規定に係る罰則を含む。）を適用する。この場合において、当該委託された業務の範囲内において、水道事業者及び水道技術管理者については、これらの規定は、適用しない。

7　第一項の規定により水道の管理に関する技術上の業務を委託する場合においては、当該委託された業務の範囲内において、水道技術管理者については第十九条第二項の規定は適用せず、受託水道業務技術管理者が同項各号に掲げる事項に関するすべての事務に従事し、及びこれらの事務に従事する他の職員を監督する場合においては、同条第一項の規定は、適用しない。

第二十五条第二項中「前条第一項」を「第二十四条第一項」に、「消火せん」を「消火栓」に改める。

第三十条第一項中「変更しようとするとき」の下に「（次の各号のいずれかに該当するときを除く。）」を加え、同項に次の各号を加える。

一　その変更が厚生労働省令で定める軽微な

ものであるとき。

二　その変更が他の水道用水供給事業の全部を譲り受けることに伴うものであるとき。

第三十条に次の一項を加える。

3　水道用水供給事業者は、第一項各号のいずれかに該当する変更を行うときは、あらかじめ、厚生労働省令で定めるところにより、その旨を厚生労働大臣に届け出なければならない。

第三十一条を次のように改める。

（準用）

第三十一条　第十一条から第十三条まで、第十五条第二項、第十九条から第二十三条まで、第二十四条の二及び第二十四条の三の規定は、水道用水供給事業者について準用する。この場合において、第十一条第一項中「水道事業」とあるのは「水道用水供給事業」と、「水道事業者」とあるのは「水道用水供給事業者」と、第十五条第二項中「常時」とあるのは「給水契約の定めるところにより」と、「関係者に周知させる」とあるのは「水道用水の供給を受ける水道事業者に通知する」と、第二十三条第一項中「関係者に周知させる」とあるのは「水道用水の供給を受ける水道事業者に通知する」と、第二十四条の二中「水道の需要者」とあるのは「水道用水の供給を受ける水道の需要者」と、「第二十条第一項」とあるのは「第三十一条において準用する第二十条第一項」と、「水道事業」とあるのは「水道用水供給事業」と、第二十四条の三第四項中「第十九条第二項各号」とあるのは「第三十一条において準用する第十九条第二項各号」と、同条第六項中「第十三条第一項」とあるのは「第三十一条において準用する第十三条第一項」と、「第十七条、第二十条から第二十二条まで、第二十三条第一項、第三十六条第二項並びに第三十九条」とあるのは「第二十条から第二十二条まで並びに第二十三条第一項並びに第三十六条第二項及び第三十九条」と、同条第七項中「第十九条第二項」とあるのは「第三十一条において準用する第十九条第二項」と、「同条第一項」とあるのは「第三十一条において準用する第十九条第一項」と読み替えるほか、これらの規定に関し必要な技術的読替えは、政令で定める。

第三十四条の見出しを「（準用）」に改め、同条第一項を次のように改める。

第十三条、第十九条から第二十三条まで及び第二十四条の三の規定は、専用水道の設置者について準用する。この場合において、第十三条第一項及び第二十四条の三第二項中「厚生労働大臣」とあるのは「都道府県知事」と、同条第四項中「第十九条第二項各号」とあるのは「第三十四条第一項において準用する第十九条第二項各号」と同条第六項中「第十三条第一項」とあるのは「第三十四条第一項において準用する第十三条第一項」と、「第十七条、第二十条から第二十二条まで、第二十三条第一項、第三十六条第二項並びに第三十九条」とあるのは「第二十条から第二十二条まで並びに第二十三条第一項並びに第三十九条」と、同条第七項中「第十九条第二項」とあるのは「第三十四条第一項において準用する第十九条第二項」と、「同条第一項」とあるのは「第三十四条第一項において準用する第十九条第一項」と読み替えるほか、これらの規定に関し必要な技術的読替えは政令で定める。

第三十五条第三項中「地方公共団体たる」を「地方公共団体である」に改める。

第四十六条第二項及び第四十八条の二第一項中「第十三条第一項」の下に「及び第二十四条の三第二項」を加える。

第五十条第四項中「第十三条第一項及び」の下に「第二十四条の三第二項並びに」を加える。

第五十二条中「一に」を「いずれかに」に改める。

第五十三条中「一に」を「いずれかに」に改め、同条第二号中「第十一条」を「第十一条第一項」に改め、同条中第八号を第十号とし、第七号を第九号とし、第六号を第八号とし、第五号の次に次の二号を加える。

六　第二十四条の三第一項（第三十一条及び第三十四条第一項において準用する場合を含む。）の規定に違反して、業務を委託した者

七　第二十四条の三第三項（第三十一条及び第三十四条第一項において準用する場合を含む。）の規定に違反した者

第五十四条中「一に」を「いずれかに」に改める。

第五十五条中「一に」を「いずれかに」に改め、同条第一号中「第十四条第三項」を「第

十四条第六項」に改め、同条中第二号を第三号とし、第一号の次に次の一号を加える。

二　第十条第三項、第十一条第二項（第三十一条において準用する場合を含む。）、第二十四条の三第二項（第三十一条及び第三十四条第一項において準用する場合を含む。）又は第三十条第三項の規定による届出をせず、又は虚偽の届出をした者

第五十五条の二中「一に」を「いずれかに」に改める。

附　則

（施行期日）

第一条　この法律は、公布の日から起算して一年を超えない範囲内において政令で定める日から施行する。

（専用水道に関する経過措置）

第二条　この法律の施行の際現にこの法律による改正後の水道法（以下「新法」という。）第三条第六項の規定により新たに専用水道となるもの（以下この条において「新規専用水道」という。）を設置している者は、この法律の施行後六月以内に、都道府県知事に、水道施設の概要その他厚生労働省令で定める事項を届け出なければならない。

2　前項の規定に違反して、同項に規定する事項を届け出ず、又は虚偽の届出をした者は、三十万円以下の罰金に処する。

3　法人の代表者又は法人若しくは人の代理人、使用人その他の従業者が、その法人又は人の業務に関して前項の違反行為をしたときは、行為者を罰するほか、その法人又は人に対しても、同項の刑を科する。

4　第一項の届出をした者は、当該届出に係る事項について、新法第三十二条の確認を受けたものとみなす。

5　この法律の施行の際現に新規専用水道において新法第十九条第二項各号に掲げる事項に関する事務に従事し、又はその事務に従事する他の職員を監督している者については、この法律の施行後三年間は、当該新規専用水道について、新法第三十四条第一項において準用する新法第十九条第三項の規定は、適用しない。

6　新規専用水道については、この法律の施行後一年間は、新法第五条の規定は、適用しない。

（供給規程に関する経過措置）

第三条　この法律の施行の際現に水道事業を経営している地方公共団体の新法第十四条第一項に規定する供給規程が、この法律の施行の日において同条第二項第五号に掲げる要件に適合していないときは、当該地方公共団体は、この法律の施行後一年以内に当該供給規程の変更を行い、厚生労働大臣に届け出なければならない。

2　この法律の施行の際現に水道事業を経営している地方公共団体以外の者の新法第十四条第一項に規定する供給規程が、この法律の施行の日において同条第二項第五号に掲げる要件に適合していないときは、その者は、この法律の施行後一年以内に当該供給規程の変更を行い、厚生労働大臣の認可を受けなければならない。

（罰則に関する経過措置）

第四条　この法律の施行前にした行為に対する罰則の適用については、なお従前の例による。

15　日本電信電話株式会社の株式の売払収入の活用による社会資本の整備の促進に関する特別措置法等の一部を改正する法律（抄）

（平成一四年二月八日法律第一号）

（水道法の一部改正）

第四十条　水道法（昭和三十二年法律第百七十七号）の一部を次のように改正する。

附則第十一条第三項中「二十年（五年）」を「五年（二年）」に改める。

附　則

（施行期日）

第一条　この法律は、公布の日から施行する。

16　公益法人に係る改革を推進するための厚生労働省関係法律の整備に関する法律（抄）

（平成一五年七月二日法律第一〇二号）

第二条　水道法（昭和三十二年法律第百七十七号）の一部を次のように改正する。

目次中「（第三十四条の二）」を「（第三十四条の二―第三十四条の四）」に、「第五十条の二」を「第五十条の三」に改める。

第二十条第三項ただし書中「指定する」を「登録を受けた」に改め、同条の次に次の十五

条を加える。

（登録）

第二十条の二　前条第三項の登録は、厚生労働省令で定めるところにより、水質検査を行おうとする者の申請により行う。

（欠格条項）

第二十条の三　次の各号のいずれかに該当する者は、第二十条第三項の登録を受けることができない。

一　この法律又はこの法律に基づく命令に違反し、罰金以上の刑に処せられ、その執行を終わり、又は執行を受けることがなくなつた日から二年を経過しない者

二　第二十条の十三の規定により登録を取り消され、その取消しの日から二年を経過しない者

三　法人であつて、その業務を行う役員のうちに前二号のいずれかに該当する者があるもの

（登録基準）

第二十条の四　厚生労働大臣は、第二十条の二の規定により登録を申請した者が次に掲げる要件のすべてに適合しているときは、その登録をしなければならない。

一　第二十条第一項に規定する水質検査を行うために必要な検査施設を有し、これを用いて水質検査を行うものであること。

二　別表第一に掲げるいずれかの条件に適合する知識経験を有する者が水質検査を実施し、その人数が五名以上であること。

三　次に掲げる水質検査の信頼性の確保のための措置がとられていること。

イ　水質検査を行う部門に専任の管理者が置かれていること。

ロ　水質検査の業務の管理及び精度の確保に関する文書が作成されていること。

ハ　ロに掲げる文書に記載されたところに従い、専ら水質検査の業務の管理及び精度の確保を行う部門が置かれていること。

2　登録は、水質検査機関登録簿に次に掲げる事項を記載してするものとする。

一　登録年月日及び登録番号

二　登録を受けた者の氏名又は名称及び住所並びに法人にあつては、その代表者の氏名

三　登録を受けた者が水質検査を行う区域及び登録を受けた者が水質検査を行う事業所の所在地

（登録の更新）

第二十条の五　第二十条第三項の登録は、三年を下らない政令で定める期間ごとにその更新を受けなければ、その期間の経過によつて、その効力を失う。

2　前三条の規定は、前項の登録の更新について準用する。

（受託義務等）

第二十条の六　第二十条第三項の登録を受けた者（以下「登録水質検査機関」という。）は、同項の水質検査の委託の申込みがあつたときは、正当な理由がある場合を除き、その受託を拒んではならない。

2　登録水質検査機関は、公正に、かつ、厚生労働省令で定める方法により水質検査を行わなければならない。

（変更の届出）

第二十条の七　登録水質検査機関は、氏名若しくは名称、住所、水質検査を行う区域又は水質検査を行う事業所の所在地を変更しようとするときは、変更しようとする日の二週間前までに、その旨を厚生労働大臣に届け出なければならない。

（業務規程）

第二十条の八　登録水質検査機関は、水質検査の業務に関する規程（以下「水質検査業務規程」という。）を定め、水質検査の業務の開始前に、厚生労働大臣に届け出なければならない。これを変更しようとするときも、同様とする。

2　水質検査業務規程には、水質検査の実施方法、水質検査に関する料金その他の厚生労働省令で定める事項を定めておかなければならない。

（業務の休廃止）

第二十条の九　登録水質検査機関は、水質検査の業務の全部又は一部を休止し、又は廃止しようとするときは、休止又は廃止しようとする日の二週間前までに、その旨を厚生労働大臣に届け出なければならない。

（財務諸表等の備付け及び閲覧等）

第二十条の十　登録水質検査機関は、毎事業年度経過後三月以内に、その事業年度の財産目録、貸借対照表及び損益計算書又は収支計算書並びに営業報告書又は事業報告書（その作成に代えて電磁的記録（電子的方式、磁気的

方式その他の人の知覚によつては認識することができない方式で作られる記録であつて、電子計算機による情報処理の用に供されるものをいう。以下この条において同じ。）の作成がされている場合における当該電磁的記録を含む。次項において「財務諸表等」という。）を作成し、五年間事業所に備えて置かなければならない。

２　水道事業者その他の利害関係人は、登録水質検査機関の業務時間内は、いつでも、次に掲げる請求をすることができる。ただし、第二号又は第四号の請求をするには、登録水質検査機関の定めた費用を支払わなければならない。

一　財務諸表等が書面をもつて作成されているときは、当該書面の閲覧又は謄写の請求

二　前号の書面の謄本又は抄本の請求

三　財務諸表等が電磁的記録をもつて作成されているときは、当該電磁的記録に記録された事項を厚生労働省令で定める方法により表示したものの閲覧又は謄写の請求

四　前号の電磁的記録に記録された事項を電磁的方法であつて厚生労働省令で定めるものにより提供することの請求又は当該事項を記載した書面の交付の請求

（適合命令）

第二十条の十一　厚生労働大臣は、登録水質検査機関が第二十条の四第一項各号のいずれかに適合しなくなつたと認めるときは、その登録水質検査機関に対し、これらの規定に適合するため必要な措置をとるべきことを命ずることができる。

（改善命令）

第二十条の十二　厚生労働大臣は、登録水質検査機関が第二十条の六第一項又は第二項の規定に違反していると認めるときは、その登録水質検査機関に対し、水質検査を受託すべきこと又は水質検査の方法その他の業務の方法の改善に関し必要な措置をとるべきことを命ずることができる。

（登録の取消し等）

第二十条の十三　厚生労働大臣は、登録水質検査機関が次の各号のいずれかに該当するときは、その登録を取り消し、又は期間を定めて水質検査の業務の全部若しくは一部の停止を命ずることができる。

一　第二十条の三第一号又は第三号に該当するに至つたとき。

二　第二十条の七から第二十条の九まで、第二十条の十第一項又は次条の規定に違反したとき。

三　正当な理由がないのに第二十条の十第二項各号の規定による請求を拒んだとき。

四　第二十条の十一又は前条の規定による命令に違反したとき。

五　不正の手段により第二十条第三項の登録を受けたとき。

（帳簿の備付け）

第二十条の十四　登録水質検査機関は、厚生労働省令で定めるところにより、水質検査に関する事項で厚生労働省令で定めるものを記載した帳簿を備え、これを保存しなければならない。

（報告の徴収及び立入検査）

第二十条の十五　厚生労働大臣は、水質検査の適正な実施を確保するため必要があると認めるときは、登録水質検査機関に対し、業務の状況に関し必要な報告を求め、又は当該職員に、登録水質検査機関の事務所又は事業所に立ち入り、業務の状況若しくは検査施設、帳簿、書類その他の物件を検査させることができる。

２　前項の規定により立入検査を行う職員は、その身分を示す証明書を携帯し、関係者の請求があつたときは、これを提示しなければならない。

３　第一項の規定による権限は、犯罪捜査のために認められたものと解釈してはならない。

（公示）

第二十条の十六　厚生労働大臣は、次の場合には、その旨を公示しなければならない。

一　第二十条第三項の登録をしたとき。

二　第二十条の七の規定による届出があつたとき。

三　第二十条の九の規定による届出があつたとき。

四　第二十条の十三の規定により第二十条第三項の登録を取り消し、又は水質検査の業務の停止を命じたとき。

第三十一条第一項中「、「関係者に周知させる」とあるのは「水道用水の供給を受ける水道事業者に通知する」と」の下に「、第二十条の十第二項中「水道事業者その他の利害関係人」

とあるのは「水道用水供給事業者その他の利害関係人」と」を加える。

第三十四条第一項中「同条第四項」を「第二十条の十第二項中「水道事業者その他の利害関係人」とあるのは「専用水道の設置者その他の利害関係人」と、第二十四条の三第四項」に改める。

第三十四条の二第二項中「指定する」を「登録を受けた」に改め、第四章の二中同条の次に次の二条を加える。

（検査の義務）

第三十四条の三　前条第二項の登録を受けた者は、簡易専用水道の管理の検査を行うことを求められたときは、正当な理由がある場合を除き、遅滞なく、簡易専用水道の管理の検査を行わなければならない。

（準用）

第三十四条の四　第二十条の二から第二十条の五までの規定は第三十四条の二第二項の登録について、第二十条の六第二項の規定は簡易専用水道の管理の検査について、第二十条の七から第二十条の十六までの規定は第三十四条の二第二項の登録を受けた者について準用する。この場合において、第二十条の二中「前条第三項」とあるのは「第三十四条の二第二項」と、同条、第二十条の四第一項各号及び第二項第三号、第二十条の六第二項、第二十条の七から第二十条の九まで、第二十条の十二から第二十条の十四まで、第二十条の十五第一項並びに第二十条の十六第四号中「水質検査」とあるのは「簡易専用水道の管理の検査」と、第二十条の三、第二十条の五第一項、第二十条の十三第五号並びに第二十条の十六第一号及び第四号中「第二十条第三項」とあるのは「第三十四条の二第二項」と、第二十条の三第二号及び第二十条の十六第四号中「第二十条の十三」とあるのは「第三十四条の四において準用する第二十条の十三」と、第二十条の三第三号中「前二号」とあるのは「第三十四条の四において準用する前二号」と、第二十条の四第一項中「第二十条の二」とあるのは「第三十四条の四において準用する第二十条の二」と、同項第一号中「第二十条第一項」とあるのは「第三十四条の二第二項」と、同号及び第二十条の十五第一項中「検査施設」とあるのは「検査設備」と、第二十条の四第一項第二号中「別表第一」とあるのは「別表第二」と、「五名」とあるのは「三名」と、同項第三号ハ中「ロ」とあるのは「第三十四条の四において準用するロ」と、同条第二項中「水質検査機関登録簿」とあるのは「簡易専用水道検査機関登録簿」と、第二十条の五第二項中「前三条」とあるのは「第三十四条の四において準用する前三条」と、同項及び第二十条の十五第二項中「前項」とあるのは「第三十四条の四において準用する前項」と、第二十条の六第二項、第二十条の七、第二十条の八第一項、第二十条の九から第二十条の十四まで及び第二十条の十五第一項中「登録水質検査機関」とあるのは「第三十四条の二第二項の登録を受けた者」と、第二十条の八中「水質検査業務規程」とあるのは「簡易専用水道検査業務規程」と、第二十条の十第一項中「次項」とあるのは「第三十四条の四において準用する次項」と、同条第二項中「水道事業者」とあるのは「簡易専用水道の設置者」と、第二十条の十一中「第二十条の四第一項各号」とあるのは「第三十四条の四において準用する第二十条の四第一項各号」と、第二十条の十二中「第二十条の六第一項又は第二項」とあるのは「第三十四条の三又は第三十四条の四において準用する第二十条の六第二項」と、「受託す」とあるのは「行う」と、第二十条の十三第一号中「第二十条の三第一号又は第三号」とあるのは「第三十四条の四において準用する第二十条の三第一号又は第三号」と、同条第二号及び第二十条の十六第二号中「第二十条の七」とあるのは「第三十四条の四において準用する第二十条の七」と、第二十条の十三第二号及び第二十条の十六第三号中「第二十条の九」とあるのは「第三十四条の四において準用する第二十条の九」と、第二十条の十三第二号中「第二十条の十第一項」とあるのは「第三十四条の四において準用する第二十条の十第一項」と、「次条」とあるのは「第三十四条の四において準用する次条」と、同条第三号中「第二十条の十第二項各号」とあるのは「第三十四条の四において準用する第二十条の十第二項各号」と、同条第四号中「第二十条の十一」とあるのは「第三十四条の四において準用する第二十条の十一」と、「前条」とあるのは「第三十四条の四において準用する前条」と、第二十条の十五第三項中「第一項」とあるのは「第三十四条の四において準用する第一項」と読み替えるものとする。

第六章中第五十条の二の次に次の一条を加える。

（経過措置）

第五十条の三　この法律の規定に基づき命令を制定し、又は改廃する場合においては、その命令で、その制定又は改廃に伴い合理的に必要と判断される範囲内において、所要の経過措置（罰則に関する経過措置を含む。）を定めることができる。

第五十三条の三を第五十三条の四とし、第五十三条の二を第五十三条の三とし、第五十三条の次に次の一条を加える。

第五十三条の二　第二十条の十三（第三十四条の四において準用する場合を含む。）の規定による業務の停止の命令に違反した者は、一年以下の懲役又は百万円以下の罰金に処する。

第五十五条の二を第五十五条の三とし、第五十五条の次に次の一条を加える。

第五十五条の二　次の各号のいずれかに該当する者は、三十万円以下の罰金に処する。

一　第二十条の九（第三十四条の四において準用する場合を含む。）の規定による届出をせず、又は虚偽の届出をした者

二　第二十条の十四（第三十四条の四において準用する場合を含む。）の規定に違反して帳簿を備えず、帳簿に記載せず、若しくは帳簿に虚偽の記載をし、又は帳簿を保存しなかつた者

三　第二十条の十五第一項（第三十四条の四において準用する場合を含む。）の規定による報告をせず、若しくは虚偽の報告をし、又は当該職員の検査を拒み、妨げ、若しくは忌避した者

第五十六条中「第五十二条、第五十三条、第五十四条又は第五十五条」を「第五十二条から第五十三条の二まで又は第五十四条から第五十五条の二まで」に改める。

附則の次に別表として次の二表を加える。

別表第一（第二十条の四関係）

一　学校教育法（昭和二十二年法律第二十六号）に基づく大学（短期大学を除く。）、旧大学令（大正七年勅令第三百八十八号）に基づく大学又は旧専門学校令（明治三十六年勅令第六十一号）に基づく専門学校において、理学、医学、歯学、薬学、保健学、衛生学、工学、農学若しくは獣医学の課程又はこれらに相当する課程を修めて卒業した後、一年以上水質検査の実務に従事した経験を有する者であること。

二　学校教育法に基づく短期大学又は高等専門学校において、生物学若しくは工業化学の課程又はこれらに相当する課程を修めて卒業した後、二年以上水質検査の実務に従事した経験を有する者であること。

三　臨床検査技師、衛生検査技師等に関する法律（昭和三十三年法律第七十六号）第三条第一項の規定による臨床検査技師の免許を有する者又は同条第二項の規定による衛生検査技師の免許を有する者であつて、一年以上水質検査の実務に従事した経験を有するものであること。

四　前三号に掲げる者と同等以上の知識経験を有する者であること。

別表第二（第三十四条の四関係）

一　第十九条（第三十一条及び第三十四条第一項において準用する場合を含む。）の規定による水道技術管理者たる資格を有する者であること。

二　建築物における衛生的環境の確保に関する法律（昭和四十五年法律第二十号）第七条の規定による建築物環境衛生管理技術者の免状を有する者であること。

三　第三十四条の二第二項に規定する簡易専用水道の管理の検査の補助に一年以上従事した経験を有する者であること。

四　前三号に掲げる者と同等以上の知識経験を有する者であること。

附　則　（平成一五年七月二日 法律第一〇二号）　抄

（施行期日）

第一条　この法律は、平成十六年三月三十一日までの間において政令で定める日から施行する。ただし、第六条の規定は平成十六年四月一日から、附則第二条第一項、第三条第一項、第四条第一項、第五条第一項及び第六条第一項の規定は公布の日から施行する。

（水道法の一部改正に伴う経過措置）

第三条　この法律による改正後の水道法（以下「新水道法」という。）第二十条第三項又は第三十四条の二第二項の登録を受けようとす

る者は、この法律の施行前においても、その申請を行うことができる。新水道法第二十条の八の規定による水質検査業務規程の届出及び新水道法第三十四条の四において準用する新水道法第二十条の八の規定による簡易専用水道検査業務規程の届出についても、同様とする。

2　この法律の施行の際現にこの法律による改正前の水道法第二十条第三項及び第三十四条の二第二項の指定を受けている者は、それぞれ、この法律の施行の日に新水道法第二十条第三項及び第三十四条の二第二項の登録を受けた者とみなす。

（罰則の適用に関する経過措置）

第七条　この法律の施行前にした行為及びこの附則の規定によりなお従前の例によることとされる場合におけるこの法律の施行後にした行為に対する罰則の適用については、なお従前の例による。

（その他の経過措置の政令への委任）

第八条　附則第二条から前条までに定めるもののほか、この法律の施行に関し必要となる経過措置（罰則に関する経過措置を含む。）は、政令で定める。

（検討）

第九条　政府は、この法律の施行後五年を経過した場合において、この法律の施行の状況を勘案し、必要があると認めるときは、この法律の規定について検討を加え、その結果に基づいて必要な措置を講ずるものとする。

17　行政事件訴訟法の一部を改正する法律（抄）

（平成一六年六月九日法律第八四号）

附　則（抄）

（水道法の一部改正）

第三十三条　水道法（昭和三十二年法律第百七十七号）の一部を次のように改正する。

第四十条第六項及び第四十二条第五項中「起算して」を削り、「訴」を「訴え」に改める。

18　民間事業者等が行う書面の保存等における情報通信の技術の利用に関する法律の施行に伴う関係法律の整備等に関する法律（抄）

（平成一六年一二月一日法律第一五〇号）

（水道法の一部改正）

第十七条　水道法（昭和三十二年法律第百七十七号）の一部を次のように改正する。

第二十条の十第一項中「この条において」を削る。

第三十九条第一項中「帳簿書類」の下に「（その作成又は保存に代えて電磁的記録の作成又は保存がされている場合における当該電磁的記録を含む。次項及び次条第八項において同じ。）」を加える。

19　臨床検査技師、衛生検査技師等に関する法律の一部を改正する法律（抄）

（平成一七年五月二日法律第三九号）

附　則（抄）

（水道法の一部改正）

第十条　水道法（昭和三十二年法律第百七十七号）の一部を次のように改正する。

別表第一第三号中「臨床検査技師、衛生検査技師等に関する法律（昭和三十三年法律第七十六号）第三条第一項の規定による臨床検査技師の免許を有する者又は同条第二項の規定による衛生検査技師」を「臨床検査技師等に関する法律（昭和三十三年法律第七十六号）第三条の規定による臨床検査技師」に改める。

（水道法の一部改正に伴う経過措置）

第十一条　附則第三条第一項に規定する者については、前条の規定による改正前の水道法別表第一第三号の規定は、なおその効力を有する。この場合において、同号中「同条第二項の規定による衛生検査技師の免許を有する者」とあるのは、「臨床検査技師、衛生検査技師等に関する法律の一部を改正する法律（平成十六年法律第三十九号）附則第三条第一項に規定する者」とする。

20　会社法の施行に伴う関係法律の整備等に関する法律（抄）

（平成一七年七月二六日 法律第八七号）

（精神保健及び精神障害者福祉に関する法律等の一部改正）

第三百十五条　次に掲げる法律の規定中「営業報告書又は」を削る。

一　精神保健及び精神障害者福祉に関する法律（昭和二十五年法律第百二十三号）第十九条の六の十第一項

二　水道法（昭和三十二年法律第百七十七号）第二十条の十第一項

三　作業環境測定法（昭和五十年法律第二十八号）第三十四条第一項

21　一般社団法人及び一般財団法人に関する法律及び公益社団法人及び公益財団法人の認定等に関する法律の施行に伴う関係法律の整備等に関する法律（抄）

（平成一八年六月二日 法律第五〇号）

（あん摩マツサージ指圧師、はり師、きゆう師等に関する法律等の一部改正）

第二百八十条　次に掲げる法律の規定中「民法（明治二十九年法律第八十九号）第三十四条の規定により設立された法人」を「一般社団法人又は一般財団法人」に改める。

一　あん摩マツサージ指圧師、はり師、きゆう師等に関する法律（昭和二十二年法律第二百十七号）第三条の四第四項第一号

二　理容師法（昭和二十二年法律第二百三十四号）第四条の三第二項第一号

三　歯科衛生士法（昭和二十三年法律第二百四号）第八条の二第四項第一号

四　クリーニング業法（昭和二十五年法律第二百七号）第七条の三第二項第一号

五　美容師法（昭和三十二年法律第百六十三号）第四条の三第二項第一号

六　水道法（昭和三十二年法律第百七十七号）第二十五条の十三第二項第一号

七　製菓衛生師法（昭和四十一年法律第百十五号）第四条第二項

八　柔道整復師法（昭和四十五年法律第十九号）第八条の二第四項第一号

九　社会福祉士及び介護福祉士法（昭和六十二年法律第三十号）第十条第四項第一号

十　臨床工学技士法（昭和六十二年法律第六十号）第十七条第四項第一号

十一　義肢装具士法（昭和六十二年法律第六十一号）第十七条第四項第一号

十二　食鳥処理の事業の規制及び食鳥検査に関する法律（平成二年法律第七十号）第二十二条第二項第一号

十三　救急救命士法（平成三年法律第三十六号）第十二条第四項第一号

十四　精神保健福祉士法（平成九年法律第百三十一号）第十条第四項第一号

十五　言語聴覚士法（平成九年法律第百三十二号）第十二条第四項第一号

22　情報処理の高度化等に対処するための刑法等の一部を改正する法律（抄）

（平成二三年六月二四日 法律第七四号）

附　則（抄）

（一般社団・財団法人法等整備法の一部改正）

第三十五条　一般社団・財団法人法等整備法の一部を次のように改正する。

附則第二項及び第三項を削り、附則第一項の見出し及び項番号を削る。

23　地域の自主性及び自立性を高めるための改革の推進を図るための関係法律の整備に関する法律（抄）

（平成二三年八月三〇日 法律第一〇五号）

（水道法の一部改正）

第三十八条　水道法（昭和三十二年法律第百七十七号）の一部を次のように改正する。

第十二条第一項中「布設工事」の下に「（当該水道事業者が地方公共団体である場合にあつては、当該地方公共団体 の条例で定める水道の布設工事に限る。）」を加え、同条第二項中「資格」の下に「（当該水道事業者が地方公共団体である場合にあつては、当該資格を参酌して当該地方公共団体の条例で定める資格）」を加える。

第十九条第三項中「資格」の下に「（当該水道事業者が地方公共団体である場合にあつては、当該資格を参酌して当該地方公共団体の条

例で定める資格）」を加える。

第四十六条第二項中「市町村長」を「町村長」に改める。

第四十八条の二の見出し及び同条第一項中「保健所を設置する」を削り、同条第二項中「保健所を設置する市の」を削り、「保健所を設置する市又は」を「市又は」に改める。

第五十条第四項及び第五十条の二第二項中「保健所を設置する市の」を削る。

24 行政不服審査法の施行に伴う関係法律の整備等に関する法律（抄）

（平成二六年六月一三日法律第六九号）

（水道法の一部改正）

第百四十二条 水道法（昭和三十二年法律第百七十七号）の一部を次のように改正する。

第四十二条第七項中「異議申立て」を「審査請求」に改める。

第四十八条の三の見出しを「（審査請求）」に改め、同条中「（試験の結果についての処分を除く。）」を削り、「又は」の下に「その」を加え、「行政不服審査法（昭和三十七年法律第百六十号）による」を削り、同条に後段として次のように加える。

この場合において、厚生労働大臣は、行政不服審査法（平成二十六年法律第六十八号）第二十五条第二項及び第三項、第四十六条第一項及び第二項、第四十七条並びに第四十九条第三項の規定の適用については、指定試験機関の上級行政庁とみなす。

25 学校教育法の一部を改正する法律（抄）

（平成二九年五月三一日法律第四一号）

（水道法の一部改正）

第二十六条 水道法（昭和三十二年法律第百七十七号）の一部を次のように改正する。

別表第一第二号中「短期大学」の下に「（同法に基づく専門職大学の前期課程を含む。）」を、「卒業した後」の下に「（同法に基づく専門職大学の前期課程にあつては、修了した後）」を加える。

26 水道法の一部を改正する法律

（平成三〇年一二月一二日法律第九二号）

水道法（昭和三十二年法律第百七十七号）の一部を次のように改正する。

目次中「第一章の二 広域的水道整備計画（第五条の二）」を「第二章 水道の基盤の強化（第五条の二―第五条の四）」に、「第二章」を「第三章」に、「第三章」を「第四章」に、「第四章 専用水道」を「第五章 専用水道」に、「第四章の二」を「第六章」に、「第五章」を「第七章」に、「第六章」を「第八章」に、「第四十条」を「第三十九条の二」に、「第七章」を「第九章」に改める。

第一条中「を計画的に整備し、及び水道事業を保護育成する」を「の基盤を強化する」に改める。

第二条の二を次のように改める。

第二条の二 国は、水道の基盤の強化に関する基本的かつ総合的な施策を策定し、及びこれを推進するとともに、都道府県及び市町村並びに水道事業者及び水道用水供給事業者（以下「水道事業者等」という。）に対し、必要な技術的及び財政的な援助を行うよう努めなければならない。

2 都道府県は、その区域の自然的社会的諸条件に応じて、その区域内における市町村の区域を超えた広域的な水道事業者等の間の連携等（水道事業者等の間の連携及び二以上の水道事業又は水道用水供給事業の一体的な経営をいう。以下同じ。）の推進その他の水道の基盤の強化に関する施策を策定し、及びこれを実施するよう努めなければならない。

3 市町村は、その区域の自然的社会的諸条件に応じて、その区域内における水道事業者等の間の連携等の推進その他の水道の基盤の強化に関する施策を策定し、及びこれを実施するよう努めなければならない。

4 水道事業者等は、その経営する事業を適正かつ能率的に運営するとともに、その事業の基盤の強化に努めなければならない。

第五十三条第四号中「第十五条第二項」の下に「（第二十四条の八第一項（第三十一条において準用する場合を含む。）の規定により読み替えて適用する場合を含む。）」を加え、同条第十号中「第四十条第一項」の下に「（第二十四条の八第一項（第三十一条において準用する場合を含む。）の規定により読み替えて適用する場合を含む。）」を加え、同号を同条第十一号とし、同条中第九号を第十号とし、第八号を第九号とし、第七号の次に次の一号を加える。

八　第二十四条の七第一項（第三十一条において準用する場合を含む。）の規定に違反した者

第五十五条第二号中「第十一条第二項」を「第十一条第三項」に改め、同条第三号中「第四十条第八項」の下に「（第二十四条の八第一項（第三十一条において準用する場合を含む。）の規定により読み替えて適用する場合を含む。）」を加える。

第七章を第九章とする。

第六章中第四十条の前に次の一条を加える。

（災害その他非常の場合における連携及び協力の確保）

第三十九条の二　国、都道府県、市町村及び水道事業者等並びにその他の関係者は、災害その他非常の場合における応急の給水及び速やかな水道施設の復旧を図るため、相互に連携を図りながら協力するよう努めなければならない。

第四十条第九項中「前条第四項」を「第三十九条第四項」に、「あるのは「次条第八項」と、」を「あり、及び」に、「「次条第八項」と読み替える」を「、「第四十条第八項」と読み替える」に改める。

第四十六条第二項中「読み替えて準用される」を「準用する」に改める。

第四十八条の二第一項中「の規定により読み替えて準用される」を「において準用する」に改める。

第五十条第四項中「の規定により読み替えて準用される」を「において準用する」に、「第五章」を「前章」に改める。

第六章を第八章とする。

第三十九条第一項中「水道事業及び水道用水供給事業」を「水道事業等」に、「次条第八項」を「第四十条第八項」に改め、同条第二項中「水道事業及び水道用水供給事業」を「水道事業等」に改める。

第五章を第七章とする。

第三十四条の四を次のように改める。

（準用）

第三十四条の四　第二十条の二から第二十条の五までの規定は第三十四条の二第二項の登録について、第二十条の六第二項の規定は簡易専用水道の管理の検査について、第二十条の七から第二十条の十六までの規定は第三十四条の二第二項の登録を受けた者について、それぞれ準用する。この場合において、次の表の上欄に掲げる規定中同表の中欄に掲げる字句は、それぞれ同表の下欄に掲げる字句に読み替えるものとする。

第二十条の二	水質検査	簡易専用水道の管理の検査
第二十条の四第一項第一号	第二十条第一項に規定する水質検査	簡易専用水道の管理の検査
	検査施設	検査設備
	用いて水質検査	用いて簡易専用水道の管理の検査
第二十条の四第一項第二号	別表第一	別表第二
	水質検査	簡易専用水道の管理の検査
	五名	三名
第二十条の四第一項第三号	水質検査	簡易専用水道の管理の検査
第二十条の四第二項	水質検査機関登録簿	簡易専用水道検査機関登録簿

第二十条の四第二項第三号	水質検査	簡易専用水道の管理の検査
第二十条の六第二項	登録水質検査機関	第三十四条の二第二項の登録を受けた者
第二十条の七	水質検査を	簡易専用水道の管理の検査を
第二十条の八第一項	水質検査の	簡易専用水道の管理の検査の
	水質検査業務規程	簡易専用水道検査業務規程
第二十条の八第二項	水質検査業務規程	簡易専用水道検査業務規程
	水質検査の	簡易専用水道の管理の検査の
	水質検査に	簡易専用水道の管理の検査に
第二十条の九	水質検査の	簡易専用水道の管理の検査の
第二十条の十第二項	水道事業者	簡易専用水道の設置者
第二十条の十二	第二十条の六第一項又は第二項	第二十条の六第二項又は第三十四条の三
	水質検査を受託すべき	簡易専用水道の管理の検査を行うべき
	水質検査の	簡易専用水道の管理の検査の
第二十条の十三	水質検査の	簡易専用水道の管理の検査の
第二十条の十三第五号	第二十条第三項	第三十四条の二第二項
第二十条の十四	水質検査に	簡易専用水道の管理の検査に
第二十条の十五第一項	水質検査の	簡易専用水道の管理の検査の
	検査施設	検査設備
第二十条の十六第一号	第二十条第三項	第三十四条の二第二項
第二十条の十六第四号	第二十条第三項	第三十四条の二第二項
	水質検査	簡易専用水道の管理の検査

第四章の二を第六章とする。

第三十四条第一項を次のように改める。

第十三条、第十九条（第二項第三号及び第七号を除く。）、第二十条から第二十二条の二まで、第二十三条及び第二十四条の三（第七項を除く。）の規定は、専用水道の設置者について準用する。この場合において、次の表の上欄に掲げる規定中同表の中欄に掲げる字句は、それぞれ同表の下欄に掲げる字句に読み替えるものとする。

第十三条第一項	厚生労働大臣	都道府県知事
第十九条第二項	事項	事項（第三号及び第七号に掲げる事項を除く。）
第二十四条の三第二項	厚生労働大臣	都道府県知事
第二十四条の三第四項	第十九条第二項各号	第十九条第二項各号（第三号及び第七号を除く。）
第二十四条の三第六項	第十七条、第二十条から第二十二条の三	第二十条から第二十二条の二
	第二十五条の九、第三十六条第二項並びに第三十九条（第二項	第三十六条第二項並びに第三十九条（第一項
第二十四条の三第八項	同項各号	同項各号（第三号及び第七号を除く。）

第四章を第五章とする。

第二十八条第一項中「各号に」を「各号のいずれにも」に改める。

第三十一条を次のように改める。

（準用）

第三十一条　第十一条第一項及び第三項、第十二条、第十三条、第十五条第二項、第十九条（第二項第三号を除く。）、第二十条から第二十三条まで、第二十四条の二、第二十四条の三（第七項を除く。）、第二十四条の四、第二十四条の五、第二十四条の六（第一項第二号を除く。）、第二十四条の七、第二十四条の八（第三項を除く。）、第二十四条の九から第二十四条の十三までの規定は、水道用水供給事業者について準用する。この場合において、次の表の上欄に掲げる規定中同表の中欄に掲げる字句は、それぞれ同表の下欄に掲げる字句に読み替えるものとする。

第十一条第一項	水道事業の全部又は	水道用水供給事業の全部又は
第十一条第一項ただし書	水道事業の	水道用水供給事業の
	水道事業を	水道用水供給事業を
第十五条第二項	給水を受ける者に対し、常時水	水道用水の供給を受ける水道事業者に対し、給水契約の定めるところにより水道用水
第十五条第二項ただし書	給水区域	給水対象
	区域及び	対象及び
	関係者に周知させる	水道用水供給事業者が水道用水を供給する水道事業者に通知する
第十九条第二項	事項	事項（第三号に掲げる事項を除く。）
第二十二条の四第一項	給水区域	水道用水供給事業者が水道用水を供給する水道事業者の給水区域
第二十三条第一項	関係者に周知させる	水道用水供給事業者が水道用水を供給する水道事業者に通知する
第二十四条の二	水道の	水道用水供給事業者が水道用水を供給する水道事業者の水道の
	水道事業に	水道用水供給事業に
第二十四条の三第四項	第十九条第二項各号	第十九条第二項各号（第三号を除く。）
第二十四条の三第六項	第十七条、第二十条	第二十条
	第二十五条の九、第三十六条第二項	第三十六条第二項
第二十四条の三第八項	同項各号	同項各号（第三号を除く。）
第二十四条の四第一項	水道事業の	水道用水供給事業の
第二十四条の四第三項	第六条第一項	第二十六条
	水道事業経営	水道用水供給事業経営
第二十四条の五第三項第六号	水道事業	水道用水供給事業

第二十四条の七第二項	第十九条第二項各号	第十九条第二項各号（第三号を除く。）
第二十四条の八第一項	第十四条第一項、第二項及び第五項、第十五条第二項及び第三項	第十五条第二項
	、第二十四条第三項並びに	並びに
	第十四条第一項中「料金」とあるのは「料金（第二十四条の四第三項に規定する水道施設運営権者（次項、次条第二項及び第二十三条第二項において「水道施設運営権者」という。）が自らの収入として収受する水道施設の利用に係る料金（次項において「水道施設運営権者に係る利用料金」という。）を含む。次項第一号及び第二号、第五項、次条第三項並びに第二十四条第三項において同じ。）」と、同条第二項中「次に」とあるのは「水道施設運営権者に係る利用料金について、水道施設運営権者は水道の需要者に対して直接にその支払を請求する権利を有する旨が明確に定められていることのほか、次に」と、第十五条第二項ただし書	第十五条第二項ただし書
	（水道施設運営権者が	（第二十四条の四第三項に規定する水道施設運営権者（第二十三条第二項において「水道施設運営権者」という。）が
	水道事業者（水道施設運営権者を含む。以下この項及び次条第三項	水道用水供給事業者（水道施設運営権者を含む。以下この項
	とする。この場合において、水道施設運営権者は、当然に給水契約の利益（水道施設運営等事業の対象となる水道施設の利用料金の支払を請求する権利に係る部分に限る。）を享受する	とする
第二十四条の八第二項	第十七条、第二十条	第二十条
	第二十三条第一項、第二十五条の九	第二十三条第一項

第三章を第四章とする。

第八条第一項中「次の各号に」を「次の各号のいずれにも」に改める。

第十一条第一項中「においては」の下に「、厚生労働省令で定めるところにより」を加え、同条第二項中「前項ただし書」を「第一項ただし書」に改め、同項を同条第三項とし、同条第一項の次に次の一項を加える。

2　地方公共団体以外の水道事業者（給水人口が政令で定める基準を超えるものに限る。）が、前項の許可の申請をしようとするときは、あらかじめ、当該水道事業の給水区域をその区域に含む市町村に協議しなければならない。

第十四条第二項中「の各号」を削り、同項第一号中「照らし」の下に「、健全な経営を確保することができる」を加える。

第十五条第二項ただし書中「受けたため、」を「受けた場合」に改める。

第十九条第二項第一号中「検査」の下に「（第二十二条の二第二項に規定する点検を含む。）」を加え、同項第三号中「規定に基く」を削り、同項中第八号を第九号とし、第七号を第八号とし、第六号の次に次の一号を加える。

七　第二十二条の三第一項の台帳の作成

第二十二条の次に次の三条を加える。

（水道施設の維持及び修繕）

第二十二条の二　水道事業者は、厚生労働省令で定める基準に従い、水道施設を良好な状態に保つため、その維持及び修繕を行わなければならない。

2　前項の基準は、水道施設の修繕を能率的に行うための点検に関する基準を含むものとする。

（水道施設台帳）

第二十二条の三　水道事業者は、水道施設の台帳を作成し、これを保管しなければならない。

2　前項の台帳の記載事項その他その作成及び保管に関し必要な事項は、厚生労働省令で定める。

（水道施設の計画的な更新等）

第二十二条の四　水道事業者は、長期的な観点から、給水区域における一般の水の需要に鑑み、水道施設の計画的な更新に努めなければならない。

2　水道事業者は、厚生労働省令で定めるところにより、水道施設の更新に要する費用を含むその事業に係る収支の見通しを作成し、これを公表するよう努めなければならない。

第二十四条の三第六項中「第二十二条」を「第二十二条の三」に改め、「第二十三条第一項」の下に「、第二十五条の九」を、「第三十九条」の下に「（第二項及び第三項を除く。）」を加え、同条第七項中「すべて」を「全て」に改め、同項を同条第八項とし、同条第六項の次に次の一項を加える。

7　前項の規定により水道管理業務受託者を水道事業者とみなして第二十五条の九の規定を適用する場合における第二十五条の十一第一項の規定の適用については、同項第五号中「水道事業者」とあるのは、「水道管理業務受託者」とする。

第二十四条の三の次に次の十条を加える。

（水道施設運営権の設定の許可）

第二十四条の四　地方公共団体である水道事業者は、民間資金等の活用による公共施設等の整備等の促進に関する法律（平成十一年法律第百十七号。以下「民間資金法」という。）第十九条第一項の規定により水道施設運営等事業（水道施設の全部又は一部の運営等（民間資金法第二条第六項に規定する運営等をいう。）であつて、当該水道施設の利用に係る料金（以下「利用料金」という。）を当該運営等を行う者が自らの収入として収受する事業をいう。以下同じ。）に係る民間資金法第二条第七項に規定する公共施設等運営権（以下「水道施設運営権」という。）を設定しようとするときは、あらかじめ、厚生労働大臣の許可を受けなければならない。この場合において、当該水道事業者は、第十一条第一項の規定にかかわらず、同項の許可（水道事業の休止に係るものに限る。）を受けることを要しない。

2　水道施設運営等事業は、地方公共団体である水道事業者が、民間資金法第十九条第一項の規定により水道施設運営権を設定した場合に限り、実施することができるものとする。

3　水道施設運営権を有する者（以下「水道施設運営権者」という。）が水道施設運営等事業を実施する場合には、第六条第一項の規定にかかわらず、水道事業経営の認可を受けることを要しない。

（許可の申請）

第二十四条の五　前条第一項前段の許可の申請をするには、申請書に、水道施設運営等事業実施計画書その他厚生労働省令で定める書類（図面を含む。）を添えて、これを厚生労働大臣に提出しなければならない。

2　前項の申請書には、次に掲げる事項を記載しなければならない。

一　申請者の主たる事務所の所在地及び名称並びに代表者の氏名

二　申請者が水道施設運営権を設定しようとする民間資金法第二条第五項に規定する選定事業者（以下この条及び次条第一項において単に「選定事業者」という。）の主たる事務所の所在地及び名称並びに代表者の氏名

三　選定事業者の水道事務所の所在地

3　第一項の水道施設運営等事業実施計画書には、次に掲げる事項を記載しなければならない。

一　水道施設運営等事業の対象となる水道施設の名称及び立地

二　水道施設運営等事業の内容

三　水道施設運営権の存続期間

四　水道施設運営等事業の開始の予定年月日

五　水道事業者が、選定事業者が実施することとなる水道施設運営等事業の適正を期するために講ずる措置

六　災害その他非常の場合における水道事業の継続のための措置

七　水道施設運営等事業の継続が困難となつた場合における措置

八　選定事業者の経常収支の概算

九　選定事業者が自らの収入として収受しようとする水道施設運営等事業の対象となる水道施設の利用料金

十　その他厚生労働省令で定める事項

（許可基準）

第二十四条の六　第二十四条の四第一項前段の許可は、その申請が次の各号のいずれにも適合していると認められるときでなければ、与えてはならない。

一　当該水道施設運営等事業の計画が確実かつ合理的であること。

二　当該水道施設運営等事業の対象となる水道施設の利用料金が、選定事業者を水道施設運営権者とみなして第二十四条の八第一項の規定により読み替えられた第十四条第二項（第一号、第二号及び第四号に係る部分に限る。以下この号において同じ。）の規定を適用するとしたならば同項に掲げる要件に適合すること。

三　当該水道施設運営等事業の実施により水道の基盤の強化が見込まれること。

2　前項各号に規定する基準を適用するについて必要な技術的細目は、厚生労働省令で定める。

（水道施設運営等事業技術管理者）

第二十四条の七　水道施設運営権者は、水道施設運営等事業について技術上の業務を担当させるため、水道施設運営等事業技術管理者一人を置かなければならない。

2　水道施設運営等事業技術管理者は、水道施設運営等事業に係る業務の範囲内において、第十九条第二項各号に掲げる事項に関する事務に従事し、及びこれらの事務に従事する他の職員を監督しなければならない。

3　水道施設運営等事業技術管理者は、第二十四条の三第五項の政令で定める資格を有する者でなければならない。

（水道施設運営等事業に関する特例）

第二十四条の八　水道施設運営権者が水道施設運営等事業を実施する場合における第十四条第一項、第二項及び第五項、第十五条第二項及び第三項、第二十三条第二項、第二十四条第三項並びに第四十条第一項、第五項及び第八項の規定の適用については、第十四条第一項中「料金」とあるのは「料金（第二十四条の四第三項に規定する水道施設運営権者（次項、次条第二項及び第二十三条第二項において「水道施設運営権者」という。）が自らの収入として収受する水道施設の利用に係る料金（次項において「水道施設運営権者に係る利用料金」という。）を含む。次項第一号及び第二号、第五項、次条第三項並びに第二十四条第三項において同じ。）」と、同条第二項中「次に」とあるのは「水道施設運営権者に係る利用料金について、水道施設運営権者は水道の需要者に対して直接にその支払を請求する権利を有する旨が明確に定められていることのほか、次に」と、第十五条第二項ただし書中「受けた場合」とあるのは「受けた場合（水道施設運営権者が当該供給命令を受け

た場合を含む。）」と、第二十三条第二項中「水道事業者の」とあるのは「水道事業者（水道施設運営権者を含む。以下この項及び次条第三項において同じ。）の」と、第四十条第一項及び第五項中「又は水道用水供給事業者」とあるのは「若しくは水道用水供給事業者又は水道施設運営権者」と、同条第八項中「水道用水供給事業者」とあるのは「水道用水供給事業者若しくは水道施設運営権者」とする。この場合において、水道施設運営権者は、当然に給水契約の利益（水道施設運営等事業の対象となる水道施設の利用料金の支払を請求する権利に係る部分に限る。）を享受する。

2　水道施設運営権者が水道施設運営等事業を実施する場合においては、当該水道施設運営等事業に係る業務の範囲内において、水道施設運営権者を水道事業者と、水道施設運営等事業技術管理者を水道技術管理者とみなして、第十二条、第十三条第一項（水質検査及び施設検査の実施に係る部分に限る。）及び第二十二条の四まで、第二十条から第二十二条の四まで、第二十三条第一項、第二十五条の九、第三十六条第一項及び第二項、第三十七条並びに第三十九条（第二項及び第三項を除く。）の規定（これらの規定に係る罰則を含む。）を適用する。この場合において、当該水道施設運営等事業に係る業務の範囲内において、水道事業者及び水道技術管理者については、これらの規定は適用せず、第二十二条の四第一項中「更新」とあるのは、「更新（民間資金等の活用による公共施設等の整備等の促進に関する法律（平成十一年法律第百十七号）第二条第六項に規定する運営等として行うものに限る。次項において同じ。）」とする。

3　前項の規定により水道施設運営権者を水道事業者とみなして第二十五条の九の規定を適用する場合における第二十五条の十一第一項の規定の適用については、同項第五号中「水道事業者」とあるのは、「水道施設運営権者」とする。

4　水道施設運営権者が水道施設運営等事業を実施する場合においては、当該水道施設運営等事業に係る業務の範囲内において、水道技術管理者については第十九条第二項の規定は適用せず、水道施設運営等事業技術管理者が同項各号に掲げる事項に関する全ての事務に従事し、及びこれらの事務に従事する他の職員を監督する場合においては、水道事業者については、同条第一項の規定は、適用しない。

（水道施設運営等事業の開始の通知）

第二十四条の九　地方公共団体である水道事業者は、水道施設運営権者から水道施設運営等事業の開始に係る民間資金法第二十一条第三項の規定による届出を受けたときは、遅滞なく、その旨を厚生労働大臣に通知するものとする。

（水道施設運営権者に係る変更の届出）

第二十四条の十　水道施設運営権者は、次に掲げる事項に変更を生じたときは、遅滞なく、その旨を水道施設運営権を設定した地方公共団体である水道事業者及び厚生労働大臣に届け出なければならない。

一　水道施設運営権者の主たる事務所の所在地及び名称並びに代表者の氏名

二　水道施設運営権者の水道事務所の所在地

（水道施設運営権の移転の協議）

第二十四条の十一　地方公共団体である水道事業者は、水道施設運営等事業に係る民間資金法第二十六条第二項の許可をしようとするときは、あらかじめ、厚生労働大臣に協議しなければならない。

（水道施設運営権の取消し等の要求）

第二十四条の十二　厚生労働大臣は、水道施設運営権者がこの法律又はこの法律に基づく命令の規定に違反した場合には、民間資金法第二十九条第一項第一号（トに係る部分に限る。）に掲げる場合に該当するとして、水道施設運営権を設定した地方公共団体である水道事業者に対して、同項の規定による処分をなすべきことを求めることができる。

（水道施設運営権の取消し等の通知）

第二十四条の十三　地方公共団体である水道事業者は、次に掲げる場合には、遅滞なく、その旨を厚生労働大臣に通知するものとする。

一　民間資金法第二十九条第一項の規定により水道施設運営権を取り消し、若しくはその行使の停止を命じたとき、又はその停止を解除したとき。

二　水道施設運営権の存続期間の満了に伴い、民間資金法第二十九条第四項の規定により、又は水道施設運営権者が水道施設運営権を放棄したことにより、水道施設運営権が消滅したとき。

第二十五条の三第一項第一号中「次条第一項」を「第二十五条の四第一項」に改め、同条の次に次の一条を加える。

（指定の更新）

第二十五条の三の二　第十六条の二第一項の指定は、五年ごとにその更新を受けなければ、その期間の経過によつて、その効力を失う。

2　前項の更新の申請があつた場合において、同項の期間（以下この項及び次項において「指定の有効期間」という。）の満了の日までにその申請に対する決定がされないときは、従前の指定は、指定の有効期間の満了後もその決定がされるまでの間は、なおその効力を有する。

3　前項の場合において、指定の更新がされたときは、その指定の有効期間は、従前の指定の有効期間の満了の日の翌日から起算するものとする。

4　前二条の規定は、第一項の指定の更新について準用する。

第二十五条の十一第一項第一号中「第二十五条の三第一項各号」の下に「のいずれか」を加える。

第二章を第三章とする。

第一章の二の章名中「広域的水道整備計画」を「水道の基盤の強化」に改める。

第五条の二を次のように改める。

（基本方針）

第五条の二　厚生労働大臣は、水道の基盤を強化するための基本的な方針（以下「基本方針」という。）を定めるものとする。

2　基本方針においては、次に掲げる事項を定めるものとする。

一　水道の基盤の強化に関する基本的事項

二　水道施設の維持管理及び計画的な更新に関する事項

三　水道事業及び水道用水供給事業（以下「水道事業等」という。）の健全な経営の確保に関する事項

四　水道事業等の運営に必要な人材の確保及び育成に関する事項

五　水道事業者等の間の連携等の推進に関する事項

六　その他水道の基盤の強化に関する重要事項

3　厚生労働大臣は、基本方針を定め、又はこれを変更したときは、遅滞なく、これを公表しなければならない。

第一章の二に次の二条を加える。

（水道基盤強化計画）

第五条の三　都道府県は、水道の基盤の強化のため必要があると認めるときは、水道の基盤の強化に関する計画（以下この条において「水道基盤強化計画」という。）を定めることができる。

2　水道基盤強化計画においては、その区域（以下この条において「計画区域」という。）を定めるほか、おおむね次に掲げる事項を定めるものとする。

一　水道の基盤の強化に関する基本的事項

二　水道基盤強化計画の期間

三　計画区域における水道の現況及び基盤の強化の目標

四　計画区域における水道の基盤の強化のために都道府県及び市町村が講ずべき施策並びに水道事業者等が講ずべき措置に関する事項

五　都道府県及び市町村による水道事業者等の間の連携等の推進の対象となる区域（市町村の区域を超えた広域的なものに限る。次号及び第七号において「連携等推進対象区域」という。）

六　連携等推進対象区域における水道事業者等の間の連携等に関する事項

七　連携等推進対象区域において水道事業者等の間の連携等を行うに当たり必要な施設整備に関する事項

3　水道基盤強化計画は、基本方針に基づいて定めるものとする。

4　都道府県は、水道基盤強化計画を定めようとするときは、あらかじめ計画区域内の市町村並びに計画区域を給水区域に含む水道事業者及び当該水道事業者が水道用水の供給を受ける水道用水供給事業者の同意を得なければならない。

5　市町村の区域を超えた広域的な水道事業者等の間の連携等を推進しようとする二以上の市町村は、あらかじめその区域を給水区域に含む水道事業者及び当該水道事業者が水道用水の供給を受ける水道用水供給事業者の同意を得て、共同して、都道府県に対し、厚生労働省令で定めるところにより、水道基盤強化

計画を定めることを要請することができる。

6　都道府県は、前項の規定による要請があつた場合において、水道の基盤の強化のため必要があると認めるときは、水道基盤強化計画を定めるものとする。

7　都道府県は、水道基盤強化計画を定めようとするときは、計画区域に次条第一項に規定する協議会の区域の全部又は一部が含まれる場合には、あらかじめ当該協議会の意見を聴かなければならない。

8　都道府県は、水道基盤強化計画を定めたときは、遅滞なく、厚生労働大臣に報告するとともに、計画区域内の市町村並びに計画区域を給水区域に含む水道事業者及び当該水道事業者が水道用水の供給を受ける水道用水供給事業者に通知しなければならない。

9　都道府県は、水道基盤強化計画を定めたときは、これを公表するよう努めなければならない。

10　第四項から前項までの規定は、水道基盤強化計画の変更について準用する。

（広域的連携等推進協議会）

第五条の四　都道府県は、市町村の区域を超えた広域的な水道事業者等の間の連携等の推進に関し必要な協議を行うため、当該都道府県が定める区域において広域的連携等推進協議会（以下この条において「協議会」という。）を組織することができる。

2　協議会は、次に掲げる構成員をもつて構成する。

一　前項の都道府県

二　協議会の区域をその区域に含む市町村

三　協議会の区域を給水区域に含む水道事業者及び当該水道事業者が水道用水の供給を受ける水道用水供給事業者

四　学識経験を有する者その他の都道府県が必要と認める者

3　協議会において協議が調つた事項については、協議会の構成員は、その協議の結果を尊重しなければならない。

4　前三項に定めるもののほか、協議会の運営に関し必要な事項は、協議会が定める。

第一章の二を第二章とする。

附　則

（施行期日）

第一条　この法律は、公布の日から起算して一年を超えない範囲内において政令で定める日から施行する。ただし、附則第五条の規定は、公布の日から施行する。

（水道施設台帳に関する経過措置）

第二条　この法律による改正後の水道法（以下「新法」という。）第十九条第二項（第七号に係る部分に限り、新法第三十一条において準用する場合を含む。）及び第二十二条の三（新法第三十一条において準用する場合を含む。）の規定は、この法律の施行の日（以下「施行日」という。）から起算して三年を超えない範囲内において政令で定める日までは、適用しない。

（指定給水装置工事事業者の指定の更新に関する経過措置）

第三条　この法律の施行の際現に水道法第十六条の二第一項の指定を受けている同条第二項に規定する指定給水装置工事事業者の施行日後の最初の新法第二十五条の三の二第一項の更新については、同項中「五年ごと」とあるのは、「水道法の一部を改正する法律（平成三十年法律第九二号）の施行の日（以下この項において「改正法施行日」という。）の前日から起算して五年（当該指定を受けた日が改正法施行日の前日の五年前の日以前である場合にあつては、五年を超えない範囲内において政令で定める期間）を経過する日まで」とする。

（罰則に関する経過措置）

第四条　施行日前にした行為に対する罰則の適用については、なお従前の例による。

（政令への委任）

第五条　前三条に規定するもののほか、この法律の施行に関し必要な経過措置（罰則に関する経過措置を含む。）は、政令で定める。

（検討）

第六条　政府は、この法律の施行後五年を目途として、この法律による改正後の規定の実施状況を勘案し、必要があると認めるときは、当該規定について検討を加え、その結果に基づいて所要の措置を講ずるものとする。

（厚生労働・内閣総理大臣署名）

27　成年被後見人等の権利の制限に係る措置の適正化等を図るための関係法律の整備に関する法律（抄）

（令和元年六月一四日　法律第三七号）

（水道法の一部改正）

第八十六条　水道法（昭和三十二年法律第百七十七号）の一部を次のように改正する。

第二十五条の三第一項第三号イを次のように改める。

イ　心身の故障により給水装置工事の事業を適正に行うことができない者として厚生労働省令で定めるもの

第二十五条の三第一項第三号ホ中「ニ」を「ホ」に改め、同号ホを同号ヘとし、同号中ニをホとし、ハをニとし、ロをハとし、イの次に次のように加える。

ロ　破産手続開始の決定を受けて復権を得ない者

〔参　考〕答　申　等

一、東京ニ衛生工事ヲ興ス建議書

（明治二〇年六月二〇日中央衛生会会長芳川顕正から総理大臣伊藤博文、内務大臣山県有朋あて）

虎列剌病ハ惨害ヲ逞フスルヤ、明治十年以降已ニ五回ニ及ビ、衛生局ノ調査ニ拠レバ死亡ノ人員三十万ニ近ク、直接ノ費用、国費、地方費、町村費ヲ併算スレバ五百八拾九万有余円、其ノ他各営業者ノ損害ニ至テハ未ダ覈査ヲ得ズト雖モ流行ノ勢、焔熾ンナルニアリテハ、其他ノ各業沈滞シテ殆ド休業ノ状況ヲ呈スルヲ以テ之ヲ観レバ其ノ莫大ナル推想ノ外ニ出ルモノアルヲ知ルベシ。実ニ虎列剌病ノ流行ハ、特ニ衛生上ノミナラズ経済上ニ於テモ一大災厄タリ。是ヲ以テ之ガ予防ノ方略ニ於テ其ノ根幹ヲ定メ、此大災厄ヲ防遏スルノ計画ヲ講ズルハ本会、今日ノ最大急務ト謂ハザルベカラズ。惟ルニ衛生ノ事タル疾病ヲ未発ニ防制シ、人民ノ健康ヲ保護スルヲ以テ本然ノ目的トナスモノナレバ、虎列剌病流行ノ時ニ及ビテ遽ニ検疫、消毒ノ二法ヲ議シテ、其ノ急ニ応ジ曾テ根治ノ方法ヲ講ゼザルハ、実ニ当会ノ本分ヲ悉シタリト謂フベカラズ。亦会員ノ屑シトセザル所ナリ。蓋シ虎列剌病ノ予防タル衛生工事、即チ上水ノ供給、下水排除ヲ以テ骨子トナシ、病毒ヲシテ其他ニ蕃殖セシメズ、其水ニ流伝セシメザルヲ万金ノ長策トナルハ、輓近欧州諸学理実験ノ一致スル所ニシテ、之ヲ措テ他ニ由ルベキモノナキナリ。彼検疫消毒ノ二法ノ如キハ、既応ニ応ズルノ方法ニシテ一時ノ姑息法ニ過ギズ、予防ノ基本確定シタルノ後、時ニ臨ミテ応用スベキノミ。衛生工事ノ虎列剌病予防ニ緊切ナル斯ノ如シト雖モ各地ヲシテ同時ニ之ヲ挙ゲシムルコト能ハザルノ障碍アリ。乃チ費額浩繁ニシテ、其出所ニ苦ムコト是レナリ。依テ最モ人口稠密ニシテ衛生ノ緊要ナル都会ノ地ニ就キ、排水給水ノ二者其ノ緩急ヲ分チ、之ヲ施行スルハ亦、時宜ノ止ムベカラザルモノタリ。而シテ人口稠密衛生ノ緊要ナルノ地ハ東京ニ如クモノナシ。東京ニ於ケル上水、下水ノ構造ヲ観ルニ、上水ニアリテハ数里間、暴露セル導溝ヨリ来ルヲ以テ自ラ汚泥ノ水ヲ混入シ、市街ノ本管ニ入リテハ朽腐物質ヲ含ムト、地水ノ滲透トヲ免レズ。下水ニ在リテハ大小本末統系ナク所在、高低アリテ排除ノ実功ヲ欠キ漏洩ヲ免レザル等、不完全ヲ極メ倶ニ起工ノ必要ニ迫ルモノト雖モ、一時ニ之ヲ挙行スル能ハザルノ事情アリトセバ、寧ロ上水供給ヲ以テ先着トセザルヲ得ズ、如何トナレバ、上水ハ直チニ人ノ口腹ニ入ルヲ以テ、其ノ利害ノ急切ナルコト、費金収入ノ途アルコト及ビ工事ノ下水ヨリ容易ニシテ長ク年所ヲ要セザルヲ以テナリ。而シテ其ノ方法ニ至テハ、都府ハ高地ニ濾池ヲ設ケ圧力ヲ以テ全府ニ在敷シ、不断ノ供給ヲ以テ毎家ノ用ニ供スルハ方今、文明都府ニ於テ慣用スル最上法ナレバ、東京ノ上水ヲ改良スル早晩、此ニ由ラザルベカラザルモノトス。然リト雖モ、費金ヲ要スルコト随テ巨額ナルヲ以テ、未ダ遽ニ之ヲ起スコト能ハズトセバ、四ツ谷大木戸ヨリ鉄管ヲ以テ下町四区ニ通ジ、戸口ノ多寡ニ応ジテ上水井ヲ設ケ、飲料水ハ必ズ之ニ資ラシムルコトトナスベシ。此方法ハ上水改良ノ最下策ニ居ルモノナレドモ、徒ニ高尚ノ方法ヲ講ジテ費途ニ製肘セラレ因循、今日ノ悪水ヲ服スルガ如キ衛生上、決シテ許スベカラズ。此ノ最下策ヲ実際施行シテ目下予防ノ急ニ応ズルモ亦、時宜ノ止ムベカラザル所ナリ。且一時此下策ヲ執ルモ、他日最上法ヲ行フニ際シ、啻ニ無益ノ施設ニ帰セザルノミナラズ、予ジメ其ノ一部分ノ成功ニ入ルベキモノトス。而シテ其ノ経費ニ至テハ欧州諸国ノ例ノ如ク事業ヲ挙ゲテ会社ニ委ネ、官ニ於イテハ之ガ管理監督ニ任ズル歟、地方公債ヲ募リ、地方税ヲ以テ年賦支消スルヲ許ス歟、暫ク国庫ノ支辨ヲ以テ之ヲ挙行シ、国民ヲシテ其大利益ノアル所ヲ暁知セシムルノ模範ヲ示ス歟、三者、其一ニ居ラザルベカラズ。但、三者、利害ノ存スルモノアリト雖モ、此等ノ撰択ハ一ニ当局者ニ任シ、敢テ茲ニ贅セザルナリ。

下水改良ノ緊切ナルコト、敢テ上水ニ劣ラザルノミナラズ、其及ボス所ノ利益ハ却テ焉ヨリ大ナルモノアリト雖モ、上水ニ比スレバ、予備ノ調査ヲ要スルノ事項複雑ニシテ工事モ亦稍至難ニ属セリ。且、此ノ工事ヨリ直接ニ収ムベキノ益ナク必ズ地方公債、若クハ国庫ノ支辯ニ出デザルヲ得ズ。今、上水ノ改良ヲ以テ先着トナシタルハ之ガ為ナリ。然リト雖モ下水ノ改良ハ歳月ヲ要スルコト頗ル長キヲ以テ、其ノ予備ノ計画ニ於テハ決シテ怠ルベカラザルモノトス。即、地下水ノ高低ヲ調査スルコト卑地ノ地上ゲノ如キハ、予備トシテ着手スベキ事項トス。地下水高低ノ調査ハ、下水工事、予備ニシテ多少ノ年月ヲ要スルガ故ニ成ベク速ニ着手セザルベカラズ。而シテ巨額ノ経費ヲ要セズシテ挙行スルノ便法アルベシ。又卑地ノ地上ゲハ、火災其他新築改造等ニ際シ、予メ其標準ヲ定メテ之ヲ行ハシメザルトキハ、他日、下水溝布設ノ時ニ臨ミ急ニ其地ヲ上グルハ非常ノ金額ヲ要シ、又無益ニ家屋ヲ毀タザルベカラザルノ困難アリ。況ンヤ仮令、下水工事ノ竣功ヲ観ルニ至ラザルモ、今日、一寸一尺ノ地ヲ上グルハ、即チ一寸一尺ノ健康ヲ増スモノナルニ於イテオヤ。速ニ各地ノ高位ニ応ジ標準ヲ定メ、地上ゲノ令ヲ発スルコト横浜市街ノ如クスベシ。抑々、虎列刺病ノ流行ハ二年、若クハ三年ニ一回、其ノ侵襲ニ遇フハ殆ンド定数タリ。故ニ今日ニ於テ之ガ防遏ノ根茎ヲ定メ、之ニ向テ緩急計画スル所アルハ至緊至要ノ事務タリ、政府ノ之ヲ知ラズンバ即チ止ン。今、此良全ノ策アルヲ知リ、而シテ之ヲ実行セズ、一二年中復タ其襲来スル所トナリ、単ニ姑息予防法ノミヲ踏襲シテ、莫大ノ人命ト財産トヲ損ズルコト、上述ノ如クナルトキハ、豈痛惜ニ任ユベケンヤ。之ヲ救医スルノ計画ヲ定ムルハ実ニ今日ニアリ、時機失フベカラズ。況ンヤ此工事ニシテ完了セバ、其功益ハ特ニ虎列刺病ノ予防ニ止マラズ、凡百ノ伝染病、風土病ヲ防制シ、健康ヲ増進シ、生存年齢ヲ延長スルハ、亦欧州諸国ノ実験スル所ナルニ於テオヤ。而シテ旁ラ都府ハ美観ヲ装ヒ、生活ノ快楽ヲ増シ、防火ノ効用ヲ挙グル等附帯スル所ノ利益、又大ナリトス。速ニ閣議ヲ尽サレ当局者ニ向テ、断然施行ノ命令ヲ発セラレンコト、本会ノ熱望シテ措カザル所ナリ。

二、水道の広域化方策と水道の経営特に経営方式に関する答申

（昭和四一年八月三〇日公害審議会会長和達清夫から厚生大臣鈴木善幸あて）

水道の広域化方策と水道の経営特に経営方式に関する答申について

昭和四〇年九月二七日厚生省環第六五九号をもつて諮問のあつた「水道の広域化方策について」及び「水道の経営特に経営方式について」に関し、別紙のとおり答申します。

「別紙」

まえがき

水道は、健康で文化的な生活を支えるばかりでなく、各種の産業活動や都市機能を維持するうえでも必要不可欠の施設である。我国の水道は、約八〇年の歴史を有するが、総人口に対する普及率が三〇パーセントをこえたのは、昭和三〇年度中においてであつた。しかしながら、その後の一〇年間における進展はめざましく、今日、その普及率は七〇パーセントに達するにいたつた。今や水道はひとしく国民のものとしての地位を確立しようとしている。しかしながら一〇年間で一挙に利用人口二・四倍、給水量二倍となつた過程において、水道は、いくたの問題を内包するにいたつた。また、水道をとりまく社会においても都市化の進展にみられるように、水道に対して種々の問題をなげかけつつある。

これら水道の内部や外部からの新しい問題に対処し、新しい時代に即応してゆくためには、諸種の角度から水道について再検討すべきことが迫られているといえよう。

当審議会は、昨年九月二七日厚生省環第六五九号をもつて厚生大臣から「水道の広域化方策について」及び「水道の経営

特に経営方式について」諮問をうけた。以来、この問題について上記のような事情を認識しながら慎重に審議してきたが、ここにその結論をえたので答申する。

第一　水道の現状

我国の水道は、近年、急速に普及し、総人口に対する普及率は、現在では七〇パーセントに達するにいたつた。しかしながら、なお、かなりの未普及地区が残されており、普及率にも著しい地域差がある。水道は近代的な生活の基盤をなすものであり、また、各種の社会的経済的な活動を支える不可欠の施設であるので、今後とも等しく国民が水道を利用する機会に恵まれるよう施策をすすめる必要がある。

この普及の促進も大きな課題の一つではあるが、それにもまして今日の水道は、数々の複雑困難な問題に直面している。それらは、いずれも水道をとりまく社会情勢の急激な変化によつて、あるいは、水道の急速な普及それ自体によつてもたらされた問題である。

これらの問題のうち、もつとも注目されるものを示せば次のとおりである。

一　大都市およびその近郊における水道の需要水量の増大

我国では、生活水準の高度化や諸産業の進展により、水道の一人当り需要水量は、逐年増大する傾向にある。とくに都市およびその近郊においてこの傾向が顕著であるが、これらの地区では予想を上廻つた人口集中がこれに拍車をかけ、水道に対する需要が大幅に、しかも急激にたかまつてきている。

このため、これらの地区の水道の多くは、既存の施設能力を上廻つた給水実績を示しており、ほとんど年間を通じてオーバー・ロードを強いられている。また急増する需要に対して、必要な水道用水を確保しえないため、慢性的な水不足に悩む水道が多く、しばしば社会問題とさえなつている。

二　水道の建設費の増大と水道料金の上昇

水道の建設費は年々増大し、現在、その年間総額は、一、五〇〇億円前後にのぼつているが、建設単価についてもおしなべて上昇の傾向にあり、これを反映して給水原価も、逐年、上昇している。とくに都市およびその近郊の水道にみられるように、原水の確保を遠隔地のダムに依存せざるをえず、また、大規模な拡張改良工事を余儀なくされている場合にあつては、給水原価は、急上昇をきたしている。

給水原価の上昇は、必然、水道料金の改訂を余儀なくする。とくに大都市においては、最近までは建設年次の古い施設が比較的大きな比重を占めていたため料金が低く保持されていたが、給水原価の上昇にみあつた水道料金に改訂しようとすれば、上昇率が非常に目立つことになる。したがつてその改訂はややもすれば社会的なあるいは政治的な問題となりがちであり、容易にこれを行ないえないために経営が圧迫され、未給水地区への拡充はおろか、老朽設備の更新すらもおくれがちな水道が多い。

三　水道水源の汚濁

最近、河川の水質汚濁が目立つてきているが、これは、都市下水や工場排水等が適切に処理されないまま河川に流入することのほか、農薬、洗剤等分解され難いものが混入することによるものである。このため、とくに大都市近郊の水道にあつては、浄化能力の限界に達しているものがある。この問題を解決するためには公共用水の水質の保全強化がはかられなければならないが、水道の側においても汚濁処理対策の充実強化が必要となつてきている。

四　小規模水道の濫立

水道の普及につれて、水道の数も増加し、現在、全国で一八、〇〇〇をこえている。しかしその九〇パーセント以上が簡易水道および専用水道である。とくに都市およびその近郊では前述のごとく、水道用水の不足や施設整備の立ち遅れのために、新規の給水の要望に対処しえず、これが原因となつてとかく問題の多い小規模水道の濫立を余儀なくされている。

水道法の対象となる給水人口一〇〇人をこえる水道には、すべて技術管理者をおき、適正に維持管理すべきこととなつている。しかしこれらの小規模の水道では、主として技術管理者の不足からこれが必ずしも励行されないきらいがあり、このため、維持管理上の問題を生ずる事例もままみられる。

現在の水道には、以上に記したように数々の問題がある。そして、これらの問題は、いずれも比較的最近になつて顕在化してきたものであり、ときには大きな社会問題とさえなつたこともあるが、その多くは現在の水道の経営のあり方、ないしは、その経営方式にかかる問題でもある。

今後、我国においては、ますます都市化が進展するであろう。とくに太平洋沿岸にベルト状に都市が形成され、人口の半分以上がそこに集中すると予想されている。そのような人口集中の甚だしい地区においては、大量の水道用水を確保するため、さらに大きなダムの建設のほか河口湖や海水の淡水化等についても現実の問題となり、水のコストはいよいよ上昇するであろう。このように、社会情勢の進展等にともなつて、以上に記したような問題は、今後、一層深刻化してゆくものと考えざるをえない。

第二　水道の経営のあり方とその経営方式

これまでの水道は、普及の促進を最大の課題としてきたし、その成果にはみるべきものがある。しかし、以上のような数々の問題に直面するにいたつて、今や水道は新たな段階に入ることを余儀なくされている。このような新しい局面に対処するためには、ここで水道の経営のあり方とその経営方式について改めて検討しなければならない。

一　水道の経営のあり方

水道は、公共性を確保しつつ、独立採算制によつて経営すべきことが要求されている。今後の水道の経営のあり方もこの考え方を基本とすべきである。

(一)　独立採算性の維持

独立採算制の見地からすれば、水道料金は、必要な経営費用と事業報酬を見込んだ給水原価にてらして公正妥当なものでなければならない。最近、その料金の改訂については社会的関心を呼び、また、とかく政治的な問題となりがちであるが、この公正妥当な料金を確保しなければ適正なサービスの確保はおろか、その存立さえ問題とされるべきはずのものである。

従来、とくに大都市の水道では建設年次の古い施設が多いために料金水準を低く保持することができた。しかし、なかには施設のくいつぶしで問題を将来に残したまま運営しているものもあり、最近の給水原価の急上昇とあいまつて、もはやこのまま続けることは困難になつてきた。必要とあれば原価主義に基づく料金の改訂はいたずらにためらうべきものではないと考える。

なお、現在の水道には、本来、一般会計で負担してしかるべきものを水道会計で負担している例がかなり見受けられるが、その負担区分は当然明確化されるべきである。

㈡　公共性の確保

水道は、住民の生活にとつて日常不可欠の給水サービス、しかも、清浄、豊富、低廉な水を提供するものである。水道は、この公共性の確保の要求にこたえて、積極的に前進してゆかねばならない。そのため、ときとして独立採算制を維持することができない場合があるが、このような例としては次のようなものがある。

㈠　水道は本来一定の先行性を有すべきものであり、また、その拡張は段階式に行なわざるをえないものである。従前の拡張は、人口の自然増、普及率の上昇、一人当り使用水量の漸増に対処する程度で足り、既存の供給能力の五〇パーセント以内にとどまるのが通例であつたが、最近の水道ではこれをこえた拡張を余儀なくされるものが生じている。このような先行投資は地域開発にそなえるため、あるいは、爾後の水源を他にもとめがたいという特別の事情により、需要不確定のまま行なわざるをえないものである。このような費用については、今日の利用者にその全部を負わせるべきものではない。

㈡　最近、都市の急激、過度の膨張にともない、大規模な整備拡張を余儀なくされている水道がある。とくに当該地域の本来の水事情をこえて人口集中がもたらされた場合には、通常の水道計画をこえて水道用水を取得せざるをえなくなる。また、これらの水道では、相次ぐ施設の改良拡張、配水管の移転、布設替えを余儀なくされることが多く、その原水単価や給水原価は、急激に上昇している。都市への人口集中は、近代社会として一般的な傾向ではあるが、それが急激過度にもたらされ、随所にソーシャル・アンバランスを激化させているについては、国ないし地方公共団体の政策と関係なしとはしない。

㈢　水道は生活必需の施設であり、また諸産業の基盤をなすものであるから、その料金は、公正妥当なものでありながら、同時に、できるだけ低廉に維持してゆく必要がある。水道の建設費は、大部分が起債によつてまかなわれているので、水道料金は起債条件によつて大幅に左右される。これまでも起債条件について改善がみられたが、なお、さらに、大幅に推し進められるべきである。

要するに水道の経営のあり方は、独立採算制と公共性の確保との二つの原則の調和のうえに求められなければならない。独立採算制の見地からすれば、経営に必要な費用は料金収入をもつてまかなうたてまえである。しかしこの場合といえども経営を極力合理化する配慮が必要であることはいうまでもないところであり、この点からすれば、現在の経営規模はあまりにも小さすぎるものが多い。これを大規模化することによつてより有機的能率的に経営を行なうことが可能となる。また、たとえば先行投資や大規模の工事も効率的に行なってゆけるし、公共性の要求にもはるかに容易にこたえうるはずである。

公共性の確保の見地からすれば、前記のように先行投資、急激過度の都市膨張にともなう整備等についてこれをすべて水道の負担として求めるべきものではなく、国又は地方公共団体においてもその建設費の一部を負担すべきである。また、水道に対する起債条件については、利子率を引き下げ、償還期限を延長する等の改善をすべきである。

二　水道の経営方式

我国の水道は、明治時代以来、市町村が中心となつて建設され、経営され、その普及が促進されてきた。その間の市町村営による成果もまことに大きい。しかしながら、とくに都会地およびその近郊にみられるように市町村の行政区域内ないしはその近隣において水源をもとめることができず、また、給水区域が市町村の中心部から漸次拡大し、各給水区域が相い接するようになつた今日においては、むしろ市町村営の経営方式が問題となる場合が生ずるにいたつた。これらの問題点をまとめれば次のとおりである。

(一)　水道用水の確保の問題

新規に大量の水道用水を求める場合、遠隔地でダムを造成し、導水せざるをえないが、現状では個々にこれを計画するためそれぞれ相当大きな余裕を見込む必要があり、また、地域全体からみれば重複投資となる場合が多く建設費にむだを生ずる。

なお、個々の市町村では水利権の確保や費用割振りの折衝にあたつて弱体であり、不利な事情におちいりやすい。

さらに、各水道ごとにその保有する水道用水や、水の使用状況が異なるが、これらを相互に融通しえないため、水不足をきたしている水道がある反面、かなりの余裕を有する水道もある。

(二)　水道施設の整備配置の問題

現在では、各水道の給水区域がほとんど相い接しているが、それぞれの市町村で水道を計画するため、小規模な浄水場等が多数設置されており、配水系統も別々に整備されている。また、行政区域と地形等が必ずしも一致していない。このため、地域全体としてみれば施設の合理性、経済性に欠け、重複投資ともなつている場合がある。

さらに、行政区域の境界では管末となり給水不良となりやすい。また、水道管の連絡がないため、災害等の場合に対処するための緊急応援給水の機能に欠けている。

㈢　経営管理および料金差の問題

個々の市町村で水道を経営する場合には、以上のように建設費に無駄を生ずる場合があり、これらは結局給水原価の上昇をもたらし、水道料金に影響を及ぼすことになる。

また、人員の配置や活用、施設の管理や諸資材の購入、経費の節約等の点で欠けるところがあり、能率的な経営を行ないがたい。

このように、各水道ごとに施設整備の緩急の度合、給水区域の地形、経営規模等が相異し、このため経営上非常に大きく影響を受けるものがあるので、必然、水道料金に差を生ずることになるが、近隣の市町村間において著しい差があることは問題であり、今後、水道の普及がすすむにつれていよいよこれが注目されるようになるだろう。

以上が、とくに都市およびその近郊において現行の経営方式に認められる欠点のおもなものである。「第一水道の現状」において指摘した数々の問題の多くはこれらに起因している。また、前記の経営のあり方において、大規模の経営が有利であることを記した。このように種々の点から、水道は、市町村営の小規模な枠内では行き詰まりをきたしている場合が多い。

行政区域をはなれて水道を経営する方式のもとにおいては、たとえば、相当の範囲にわたつて各河川の性格の相異を利用しながら水道用水を相互に融通することにより相当量の水量を有効に利用することができる。もちろん、将来にわたつて水源確保の事業も比較的容易に、かつ、無駄なく行ないうるであろう。また、水道施設の合理的配置や再編成によつて大規模な投資を省きつつ大きな需要にこたえうるし、給水不良や相互連絡の問題も解決されるであろう。経営管理の能率化、適正化や、料金の問題に関しても大きな利点をみいだすことができる。このような事情のもとにおいては、現行の経営規模をあらためて水道を広域化し、それに対応した経営方式をもとめてゆくことは必然的ではなかろうか。

第三　水道の広域化方策

水道の広域化の傾向は、おおむね他の国々においても同様であり、とくにイギリスにおいては、現にこれが活発に行なわれている。また、我国においても各地でその試みがなされつつある。水道の広域化の必要性は、さしあたり人口集中の著しい地域においてとくに強く要請されているが、その必要性は程度の差はあれ全国共通の課題である。

そこで、次に水道の広域化方策について記することとする。

一　水道の広域化の方式

㈠　地理的範囲

水道を広域化し、水道に与えられた課題に抜本的に対処してゆこうとするには、できるだけ大きな範囲において組織され運営されるのがよいと思われる。とくに、将来、太平洋沿岸にベルト状に都市建設が想定されているので、上記のことはなおさらといつてよい。しかしながら水は地域的に限定されがちなものであることはいうまでもなく、そこにはおのずから一定の経済的合理的な範囲が考えられるべきである。

この範囲については、具体的要請を考慮すれば、京浜京葉地区を中心とした関東ブロック、名古屋を中心とした中部ブロック、京阪神地区を中心とした近畿ブロック等と例示することができる。このような範囲は、おおむね主要水系とも合致しており、また、ブロックの中心都市を核とした有機的な都市圏が構想されているので地理的範囲としても妥当であろう。

この場合においてもこれを一挙に実現することは容易にできることではない。また、都道府県が広域的な行政を手がけている現在の制度を念頭におくべきである。したがつてとくに必要なところについては積極的にこの考えにしたがうにしても、さしあたり既存の水道を都道府県ごとに、ないしはその中の二、三のブロックごとに統合を重ね、漸次広範囲のものとしてゆく考慮も必要とするのではなかろうか。

㈡　事業の範囲

事業の範囲については、今までに指摘してきた要請にこたえるためには末端給水までについて実施するのがのぞましい。原水の相互運用はもとより、浄水場の一体的管理、送水管の効率的布設、配水管の配置にいたるまでを考慮して広域化をはかるのが本来のあり方であろう。

ただし、末端給水については、永年にわたつて市町村において行なわれてきた事実を尊重する必要がある。現に、一部の地域においては、県営など市町村以外の者が末端給水を行なつて支障のない事例もあるが、大部分の上水道は、末端給水は市町村が受持つている。

この点については、実現可能な地区については末端給水までを受持ち、他の地区についてはそれ以前のいずれかの範囲までをあわせて行なうことを認めるのが現実的ではなかろうか。

㈢ 経営主体

広域事業の経営主体については、地理的範囲の問題と関連してくるが、最終的には、都道府県をこえた特別の主体を考慮する必要がある。水道には、公共性の確保と独立採算制が要求されているので、この特別の主体はこれを同時に充足させうるものにもとめなければならない。この要求にもつとも合致しうる広域水道の経営主体としては公社、公団等の方式が適当ではなかろうか。ただ、この主体についても、経営の責任をもたせ、十分に能率を発揮させるようにし、他から必要以上の干渉を行なうべきでない。それと同時に住民の意志が経営に反映するような仕組みを考慮する必要がある。

なお、広域水道の経営主体を民間法人にし、政府出資のほか、民間の資金も導入する方法も考えられるが、公共性の確保に欠けることになりはしないか等の点からしてただちに首肯しがたい。

なお、地理的範囲が都道府県内の場合には、さしあたり、当該市町村で構成する一部事務組合と市町村以外のものによる主体が考えられる。一部事務組合については意志決定の円滑化や事業の能率化に配慮すべきであり、他の市町村に対して閉鎖的になりやすい点に留意すべきである。この場合都道府県が加入することによつてこれらの欠陥を是正することも可能になる場合もある。

市町村以外のものによる主体としては都道府県直営とこれに代る特別の主体が考えられるが、現に都道府県直営で円滑に運営されている事例があり、この主体を採用することにさしあたり支障はなかろう。なおこの場合の特別の主体については、都道府県をこえる場合に準じて考えてよい。

二　水道広域化の推進の方策

(一)　広域化計画の確立

水道の広域化は一定の計画にそつて推進しなければならない。とくに、南関東地域、近畿地域、中京地域、北九州地域その他現に問題を生じ、または近い将来問題を生ずることが予想される地域については、広域的な水道計画を策定しておく必要がある。もちろん、この計画は各種の地域計画や将来の人口分布を十分考慮し、それと調和のとれたものでなければならない。このような計画を策定するためには経営的技術的な調査を行なう必要があり、同時に、その調査、計画の体制を充実する必要がある。

(二)　法制上の措置

法制上の措置については、まず、水道事業の広域化を促進するための法制が考えられる。これに関しては現行水道法第四一条の合理化の勧告その他によつてまかない得るものではなく、この際、水道法を改正する等により広域化に関する調査、勧告、調整、財政的援助措置等について明確に規定することが望ましい。

また、広域化の主体に関する法制については、特別の主体を設ける場合はその設立や組織、業務を定めるために当然法制上の整備が必要となつてくる。

(三)　財政上の措置

広域化を実現するためには、現存の施設の再編成や新たな整備を必要とするのであろう。このような広域化の事業は、個々の水道計画をこえたものであるから、これに要する経費については個々の水道の負担にもとめるべきではなく、当然、国は積極的に財政的配慮をすべきである。

以上、水道の広域化方策と水道の経営特に経営方式に関する答申をしたが、この問題は具体的実施の面において、いろいろむずかしい問題を生ずることが予想される。したがつて具体化にあたつては、地元の関係者をまじえて十分研究協議を重ね、慎重にすすめてゆく配慮が望ましい。当審議会としても引き続きその経過をみまもり、必要に応じてその具体的方策について検討する用意があることを附記しておく。

三、水道の未来像とそのアプローチ方策に関する答申

（昭和四八年一〇月三〇日生活環境審議会会長進藤武左ヱ門から厚生大臣斎藤邦吉あて）

水道の未来像とそのアプローチ方策に関する答申について

昭和四六年一〇月五日環第七六三号をもつて諮問のあつた標記について、別紙のとおり答申をいたします。

「別紙」

まえがき

わが国の水道は、社会、経済発展にともなう要請を受け入れながら、昭和三〇年代以降飛躍的に整備が進められてきたが、その間、水道に対する評価も大きく前進し、生活関連公共施設として不可欠のものとしての地位を確立しつつある。

このような状況を背景に、本審議会は昭和四六年一一月三〇日「水道の未来像とそのアプローチ方策に関する中間答申」を行ない、これからの水道の進むべき基本的方向を示唆した。特に、「広域水道圏の実現化方策」ならびに「水道料金のあり方」については、それぞれ専門委員会を設置して慎重に検討したが、その結果をとりまとめた報告書をもとに、さらに水道制度についての課題を加え、最近の状況をふまえ中間答申で示したナショナルミニマムとしての水道理念を達成するための諸施策を考察してきた。

この結果として、長期的視点に立脚し、量、質両面にわたる水道の供給体制の確立を目標に、水道事業の基盤整備としての広域化推進の具体的方策および財政のあり方を明らかにするとともに、それに必要な行政システム、法制、財政制度等の整備の方向を示唆することとした。

現在および将来に向つて水道が直面する課題は、中間答申でとりまとめたように次の四つに集約できる。

㈠　増大する水道用水の需要に対し水源開発が立ち遅れている地域が目立ち、需給の不均衡は年々その規模と範囲を拡大して全国的な問題となつている。

㈡　水質汚濁の進行によつて水資源の質的価値が低下し水道水質の安全性確保の面で深刻な問題を生じている。

㈢　水道の建設コストはダム建設や長距離導送水などのため著しく上昇し給水原価ひいては料金の高騰等水道経営上大きな問題となつている。また、水道事業間の料金差も拡大の傾向にあり水道行政上の課題となつている。

㈣　水道施設数は全国で約二万を数えるが、規模の小さなものがそのほとんどである。小規模水道では技術的、財政的基盤がぜい弱で複雑多様化する課題に対応しえなくなり始めている。

こうした課題を解決するためには、従来からの個々の事業を中心とした水道の考え方から一歩進め、全国民を対象とした新しい水道政策を展開するという方向を確立する必要がある。

一　水道の理念と未来像

一―一　ナショナルミニマムとしての水道理念の確立

水道は、明治中期以降今日まで、生活環境施設として清浄な水を供給することを目的としてきた。以来、水道の基本理念は、清浄な水を豊富かつ低廉に供給することにおかれていた。市町村は住民の生活用水確保のため格段の努力を払い、水道普及の原動力となつてきたが、現在までのところ、採算性の点からの制約もあり水源難や家屋が散在する地区の水道布設は遅れがちの面があつた。また、一つの市町村がいくつかの水道事業をそれぞれ独立的に経営しているケースも相当数存在し、小規模水道の乱立と料金をはじめとする給水サービスに関し、水道間の格差に拍車をかけてきたことも否定できない。したがつて、水道は、水道事業者と受益者との間の給付および反対給付という関係でとらえられる傾向が強く、水道はナショナルミニマムとして国民の日常生活にとつて必要不可欠なものという考え方、あるいは生活関連公共施設としてその施設の整備については全国的な視野から計画的に進めるべきであるという考え方が乏しかつたということができる。

水道の普及率は地域により大きな格差はあるが、全国平均が八〇パーセントをこえた現在、水道は国民生活上不可欠の施設であるという認識のもとに、国および地方公共団体は、国民に等しく、均衡のとれた負担で、同質のサービスを受けられる状態を目標に、その生活に必要な水道水を確保供給するという方向を定め、これをナショナルミニマムとして確立すべきである。

一―二　水道の未来像

今後、わが国の国民生活は一層近代化が進み、豊かな快適な生活を希求する意識はさらに強まると考えられる。このような将来の国民生活と国民の期待に応えうる水道像とは、ナショナルミニマムとしての理念のもとに、快適な国民生活を支えうる水道である。

水道が直面している水源の確保難、水質汚濁の進行、水道料金の高騰と料金格差の拡大等の課題に対処し、水道の全国的な普及を促進するためには、国および地方公共団体は自からの責務として、水道の新理念と未来像を受けとめ、水道に関する諸施策を進めるべきである。

一―三　水道用水の確保

水道の給水量は、年々増大を続け、供給力との不均衡は拡大する傾向にある。このため、水源開発と需要に対する長期的な洞察のもとに需給計画を策定し、これを実施することが必要となつている。

水源問題については、水資源開発の積極的な進展をはかることが第一義的に必要であり、国民生活に必要な水は必ず確保するという基本的姿勢を確立し、水道水源確保のための万全の施策を樹立することが最重要な課題である。

将来の水需給の予測をした場合に大幅な水不足の生じる地域が大都市圏を中心に予想されるので、このような地域における今後の水道にあつては、水資源の開発を積極的に推進するのが基本ではあるが、一方で、水利用の合理化を進めるとともに、他地域からの導水等水道用水の広域的利用にも限界がある場合には、その地域の利用可能水量をもとに逆に社会、経済規模を規制するための総合的な施策を講ずることを検討すべきであると思われる。

二　新しい理念に即応した広域水道圏の設定

従来の水道は、比較的狭い地域の住民に対し、その地域内で取得される良質の水源をもととして供給する形式をとつてきた。しかし、水道水の需給は各地において均衡を失し、適隔地に水源を求めざるを得なくなつてきた。このため、都道府県を中心とする水道用水供給事業が全国的に実施され、水源の確保という課題には、ある程度まで応えている。しかし、現在、水道事業が当面している種々の課題を解決し、さらに急激に変ぼうを続けている社会環境に対応しながら、新しい水道理念を達成するためには、さらに一歩を進めて、市町村単位の水道事業を大規模化の方向で再編成し、十分な技術的および財政的基盤を有する経営体としていくことが必要であり、かつ、問題解決をはかる有力な手段であるといえる。

二―一　水道広域化の方向

水道の未来像としては全国を数ブロックにした単位での大規模水道事業の実現を念頭において施策を進めていくのが理想であろうが、当面の目標として、事業の経営規模、地形、水系、社会的、経済的一体性等を考慮して定めた「広域水道圏」を設定し、一定の計画に従つて、現在の各事業の計画を調整、誘導しながら、順次、水道事業の調査、計画、建設、経営、管理を一体的に行ない、最終的には広域水道圏自体が一つの事業体となるよう新しい広域化方策を樹立することを提言したい。

二―二　広域水道圏の設定基準

(一)　広域水道圏の目標

広域水道圏の目標は次のように要約される。

1　地域的にバランスのとれた水源開発を可能ならしめる。

2　地域全体を対象に計画的に施設整備を行なつていくことにより、合理的な施設整備をはかる。

3　経営規模を、十全な管理体制を組みうるレベルにすることにより、管理の徹底と能率的経営をはかる。

4　地理的、経済的に一体をなす地域での水道料金をはじめとする給水サービスの格差の解消をはかり、かつ、水道の全国的な普及実現のための推進体として十分な財政基盤を持たせる。

5　広域的に水道の基幹施設を整備することにより、その地域の安定した給水を保障し、生活基盤の充実をはかる。

このように広域水道圏は水道をとりまく環境の今後に予想される変化に対応して安全で安定した給水体制を持続しうる大きさを有する水道事業体の実現を目標とする。

なお、このような広域水道圏の目標の実現にあたつては、地方自治に対する十分な配慮が必要である。

(二)　広域水道圏の具備すべき要件

広域水道圏の設定にあたつては、将来の理想的な水道を指向しつつ積極的な構想のもとに可能な限り広い地域を対象とすべきである。

さしあたつて、広域水道圏の具備すべき要件は次のとおりである。

1　適切な維持管理水準を保持するために必要な専門職員の確保、配置が可能であり、あわせて管理に必要な設備、機器を備えることができる財政規模であること。

2　安定した水源または複数水源からの取水が可能であり、水源の相互運用等により取水の安定性をはかれること。
3　地理、地勢等の自然条件に適応した合理的な施設の建設が行なえるとともに水道の未普及地区の解消、適切な先行投資や増補改良工事が実施できる地理的範囲および経営基盤を備えていること。
4　社会的、経済的条件あるいは住民の生活圏として一体をなす地域は一つの広域水道圏に含まれること。水道の機能を十分に発揮させるために広域水道圏の範囲は料金格差是正等の見地からはできるだけ広範囲が望ましいが、当面、一道府県数ブロックを目標に設定する地域があつても止むをえないと考える。ただし、水源、地形、社会的、経済的な一体性等から都道府県の行政区域をまたがる圏域については、都道府県の行政区域をこえて考慮すべきである。
大都市水道についても周辺都市まで含めた圏域においては、施設の合理性、隣接都市間の料金格差等に多くの問題点を残しているので、積極的な広域化を達成しうるよう十分検討すべきである。

(三)　経営形態と経営主体

水道の性格、なかんづく、水量、水質管理上からは、水源から給水せんまで一貫して管理することが理想である。その点において、水道用水供給事業は、料金格差の解消や給水機能上の合理性からみて十分でない面がある。しかしながら、緊急かつ広域的に水供給を行なう態勢を整えるために、当面、水道用水供給事業という形態も積極的に評価し、大規模な施設整備をはかつていくのが適当であろう。

広域水道圏における経営主体としては、市町村の範囲をこえた経営主体が望ましい。

都道府県は広域行政を行なううえでは諸条件にめぐまれているので、より積極的に水道事業、少なくとも水道用水供給事業に取りくむべきであろう。企業団を結成する場合でも道府県はその構成員として参画する等十分に調整の役を果せるような体制を組むべきであろう。

二―三　広域水道圏の実現化方策

広域水道圏に関する基本的事項、水道計画の基本的方針等について、計画策定の主体と義務を明確にし、広域化の推進をはかつていくことが必要である。

広域化を進めるにあたつては、職員の待遇、料金差の問題等、解決すべき課題があるが、これらについては、地方自治体、住民の意思を十分に反映しつつ必要に応じて適切な措置を講じながら円滑に推進する必要がある。

水道広域化の準備段階として、市町村は、公営以外の水道を公営水道に統合することに努め、管理上の徹底を期すべきである。

三　水道財政のあり方

従来、水道事業は、経営上必要とする資金は受益者からの料金によつて事業ごとにまかなうべきであると考えられてきた。

水道水の需要の増大に対処するために行なわれてきた水道水源の開発は規模も大きく、建設費も高くなるので、昭和四一年本審議会の前身である公害審議会は、先行投資となるあるいは高コストとなるダム等の水道水源開発および広域水道の建設に公費を導入するよう答申し、昭和四二年度から実現した。

わが国の経済構造はその後一層変化し、国民の大半が都市生活者または都市生活者に近い生活様式をとるようになり、水道が生活にとつて不可欠なものとの考えが次第に定着してきたことに伴い、水道事業は特定人に対するサービス給付の思想から国民生活において最重要な基幹施設のひとつとして評価されるようになつてきた。

このような観点から、水道財政についても根本的な検討が必要となつている。

三—一　建設費の負担のあり方

国民に等しく、均衡のとれた負担で、同質のサービスを受けられる状態を目標に、その生活に必要な水道水を確保供給するために建設財源、未給水地区の解消、料金差の是正等高次の視野に立つて対処していかねばならない課題が生じている。

水道用水に対する需要の著しい増大により遠隔地に水源を求めざるを得なくなつたため、必然的に拡張事業費が急激に割高となつており、新施設の生産原価は旧施設の数倍にも達している。

しかし、現行制度のもとでは、大部分を借入金によつてまかなうほかなく、その元利償還のため料金を急激に上昇させざるをえない。

水道料金の急激な上昇は水道が生活に不可欠の施設である点からみて避けるべきであり、わが国の健全な社会発展、国民生活の安定のため水道の建設財源について特段の配慮が払われるべきである。

わが国ではまだ二千万人に及ぶ未給水人口が存在し水道の恩恵に浴していない。そこで、今後、布設条件に恵まれない地区での水道布設を積極的に行ない、昭和六〇年度までにはおおむね国民のすべてが水道を利用できることを目途に整備をはかるべきである。未給水地域解消のための新設や拡張工事は、地理的条件が悪くなり遠隔地に配水管を布設する等建設単価は割高となるので、適切な施策なくしてはこれが実現は期しがたいと思われる。

現在の水道事業は、事業ごとに独立採算制を原則として経営されているため地理的条件、需要構造等の事情を反映して、水道料金には水準の面においてかなりの格差を生じ料金体系にも差異が認められる。

このような大幅な料金差は、水道が国民生活にとつて欠くことのできないものとなつている今日好ましいことではないので、生活用水の一定量までの料金を一定幅に収める施策が必要である。

三―二　財政面の助成

水道の全国的普及を目指し安全で安定した水道水の供給を可能ならしめるという水道事業に対する要請が強くなつてきたことにかんがみ、水道事業に対し適切な財政措置を講ずべきであり、特に次の事項については特別の配慮をはらう必要がある。

㈠　ダム等水源開発事業は、国民生活の基盤を整備する事業の一環として促進していくこと。

㈡　広域水道圏に関し計画を策定し、大規模な建設工事と既存水道の統合を促進していくこと。

㈢　水道の全国的普及を実現するため、布設条件に恵まれない地域においても水道の施設整備を促進していくこと。

三―三　水道料金のあり方

水道が国民福祉に寄与するという側面を重視し、生活用水の一定量までの料金については十分に意を用い、可能な範囲でできる限り低廉となるよう、かつ、全国的観点から大幅な差の生じることを避けるよう、国および地方公共団体は水道施設の建設の段階から適切な配慮を行なうべきである。あわせて、水道料金は、給水サービスの対価として、事業の効率的経営を前提とした給水原価をまかなうため適切な時期に適正な水準に設定されなければならない。

原価には、水道施設の運営、管理が十分なレベルで確保できるための費用を見込むことが必要であり、料金の算定にあたつては、需要者の公平な負担を原則とし、あわせて地域住民の福祉に寄与するよう配慮されなければならない。

料金は、需要種別ごとの個別費用に基づいて、総括原価を配賦し、基本料金と従量料金に区分して設定する。需要種別は、給水管の口径別に分類することがより合理的である。

この際、国および地方公共団体からの導入資金がある場合は、これを考慮して生活用水分の料金を定めてもよい。また、拡張事業ごとに費用が著しく上昇している水道や、地域の水の需給の状況に即して需要抑制を考慮せざるを得ない水道では、限界費用を考慮して従量料金をかなりな逓増とする料金体系を指向してもよいと思われる。これらの際、料金体系のバランスと合理性への配慮を行なう必要がある。

なお、政策的配慮のもとに料金収入額が総括原価を下まわる水準で料金が設定された場合は、一般会計からその差額を補てんする等の措置が必要である。

四　水道制度の整備

新しい水道理念を達成するためには、財政上の措置にあわせ、法制上においても新しい水道制度を確立すべきである。現在の水道法は昭和三二年に制定され、すでに一六年が経過しているがその間水道をとりまく環境も大きく変化し、現在の規定のみでは不十分な面も多くなつているので、広域水道圏の設定等、新しい要請にも応えうるよう法制上の整備をはかるべきである。

四—一　法制上の整備

法制上整備を要すると思われる主な内容は次のように考えられる。

㈠　広域水道圏の設定に関する法制上の整備を行なう。

㈡　長期的な水道用水の需要供給の見通しに基づいて目標設定を行ない、計画的に事業の推進をはかる。

㈢　水質汚濁防止に関連して、水道水源に直接影響が及ぶ範囲、たとえば水源の直上流あるいは水道用貯水池の流域の一定地域を水源保護地域として水質汚染を防止する方策を検討する。

㈣　水道水の安全性確保のため、水質基準のあり方、管理水準確保のための基準、水道用品の検定、技術者等の資格制度等について検討し必要な措置を講ずる。

㈤　必要な地域にあつては、水道用水の合理化および需要の抑制をはかり、必要に応じ雑用水供給等の措置を講じることを検討すべきである。雑用水供給は、その性格上、水道のサブ・システムとして位置づけ、両者を総括的に扱うことが適当であろう。

㈥　中高層住宅やビル等の受水タンク以下の給水設備について、料金や管理上のトラブルが多いので、これら設備の規制強化をはかり、飲用水等の安全をはかる。

四―二　行政機構の整備

新しい水道理念を達成するためには、行政レベルでの企画、計画、教育訓練および検査部門を強化して、その能力を高め、十分な指導、調整機能をもたせることが不可欠の要件である。また、水資源開発、水質問題、料金問題についても、行政主導的に対処すべき問題が増加している。

このような情勢の変化に対応するため、国および関係地方公共団体における水道行政機構等を整備すべきである。

四、高普及時代を迎えた水道行政の今後の方策について（答申）

（昭和五九年三月二六日生活環境審議会会長鈴木武夫から厚生大臣渡部恒三あて）

昭和五七年一〇月五日厚生省環第五〇七号をもつて諮問のあつた「高普及時代を迎えた水道行政の今後の方策について」については、別添のとおり答申する。

〔別添〕

高普及時代を迎えた水道行政の今後の方策について（答申）

はじめに

我が国において近代水道が布設されてから、まもなく一〇〇年になろうとしている。その間、水道の整備は着実に進み、今日ではその普及率もゆうに九〇％を超えて、ほぼ全ての国民が水道を利用している状況にある。

しかし、近年、水道の水源及び水質をめぐる問題は多様化・複雑化するとともに、水道施設の老朽化、国及び地方公共団体における財政事情の悪化等水道を取り巻く自然的、社会経済的環境はますます厳しさを増しつつある。一方、水道が高普及となり、国民生活等が水道に依存する度合が大きなものとなつてきたことに伴い、水道に対する国民の期待と要求は一層高度かつ多様なものとなつている。

このような状況を背景として、当審議会は、昭和五七年一〇月五日、厚生大臣から「高普及時代を迎えた水道行政の今後の方策」について諮問を受けた。当審議会としては、諮問が重要かつ広範な内容を含んでいることにかんがみ、水道部会に、従来から設けられていた水質専門委員会のほか新たに施設専門委員会及び経営・管理専門委員会を設け、それぞれの分野における専門的事項について調査・審議を行い、更に、部会において総合的な審議を行つた。今般、その結果を以下のとおり取りまとめたので答申する。

第一　水道の現状と課題

一　変容する水道の使命

我が国の近代水道は、当初、主要都市における伝染病予防という公共的使命の達成を目的として整備され、その結果、飲料水に起因する伝染病の発生は著しく低下し、我が国の公衆衛生の向上に大きな貢献を果たしてきた。その後、大正から昭和の初期にかけて、衛生的な水の確保に加えてその利便性が評価されるにつれ、水道は次第に地方の中小都市に普及し、また、農村地域においても簡易水道の整備が進められるようになつた。

しかし、全国的な規模で水道の整備が進んだのは戦後のことである。これは、戦後の復興期において人口の都市集中が進む過程で、都市整備のための基盤施設としての水道の機能が認識され、その整備に多大の努力が傾注されてきたからにほかならない。水道は、家庭においては家事労働の軽減、生活環境の改善等を達成するとともに、都市の諸活動や産業の基盤として我が国経済の高度成長を支えてきた。

このように、当初、衛生施設として整備されてきた水道は、その後、利便施設として発展を遂げてきたが、高普及が達成されつつある今日、水道は、国民の生活や都市の諸活動に密着した基盤施設として社会に定着し、国民生活全般にわたつて多様な機能を果たすに至つており、今後、更に国民の多様なニーズに応えて、水道の機能の一層の充実が期待される。

二　水道整備の抱える問題

昭和三〇年代から四〇年代における高度経済成長時代において、水道は著しい発展をみたが、反面、水道はその量及び質について重大な問題に直面した。すなわち、人口の都市集中と生活水準の向上に伴う水道用水需要の増大に対し、水資源開発の遅れ等から大都市を中心として慢性的な水不足に陥つたほか、都市化の進行、生産活動の増大等に伴い、水道水源である河川等公共用水域の水質汚濁が進行し、水道水の安全性等を確保する上で大きな問題となつた。

この間、水道事業者等は、こうした状況に対応すべく水源の確保、施設の拡張、改良等施設整備に関して積極的な努力を払つてきた。しかし、水道事業者には経営規模の小さなものが圧倒的に多く、必ずしも十分な対応ができない場合も見受けられた。

そのため、当審議会においては、昭和四八年一〇月の「水道の未来像とそのアプローチ方策」に関する答申において、これら諸問題の解決のために、水道広域化の方策に関する提言を行つた。その後、この提言に沿つたいわゆる広域水道の整備が着実に推進されているが、水需要動向や経営状況の異なる市町村間において事業の統合等についてのコンセンサスを得ることが困難な事情から、広域化は、主として水道用水供給事業という形態で実施されており、末端給水を行う水道事業の経営基盤の強化、維持管理水準の向上、料金の平準化等に結びつくには至つていない面もある。

三　安定供給に関する新しい課題

水道用水の需要は、昭和三〇年代以降、著しい増大を示してきたが、二度にわたる石油危機を経た経済基調の変化や省資源・省エネルギー対策の推進の中で、近年、需要者の節水志向が定着し、特に、大口需要者において水使用の合理化が進められるなど水需要の増加率に鈍化傾向が現われてきた。また、水道の有効率も年々向上して水資源の有効利用が図られており、そのことが給水量の増加率を抑制する効果を生じさせている。

一方、近年、ダムの建設等水資源開発が積極的に進められ、広域的水道整備を通じた水資源の確保やその広域的運用が図られてきた結果、大都市や一部の地方中核都市を除いて、昭和四〇年代にみられたような暫定取水に大幅に依存する不安定な水需給状況は徐々に改善されつつある。

しかし、最近では、水道用水の安定供給に関して、水道は新たな対応を求められている。昭和五三年の福岡渇水による長期の給水制限の実施は、水の供給不足に対する現代都市の脆弱性を浮彫りにしたほか、同年六月の宮城県沖地震、昭和五七年七月豪雨等による水道施設の被災による市民生活への広範な影響は、生活用水が水道に依存する度合の大きさを改めて認識させるものであつた。今日では、たとえ渇水時においても一定の給水を維持し、また、地震等災害時においても給水機能への影響をできるだけ少なくすることが需要者の求めるところとなつている。

四　水質問題の複雑化

昭和三〇年代以降、都市化の進展、生産活動の増大等を背景として、全国的に水道水源である河川等公共用水域の水質汚濁が進行し、水資源確保の大きな障害になるとともに、水道としても、水質管理の強化、取水制限等の対応を余儀なくされている。近年では、水質汚濁防止対策の強化が図られ、河川等の水質汚濁は一般的には徐々に改善の方向に向つているものの、湖沼等の富栄養化や地下水の汚染が進行しつつある。湖沼等の富栄養化は、水道水源が湖沼及び貯水池への依存度が高まつていることと相まつて、これらを水源とする一部の水道において異臭味水の原因となつている。

また、近年の分析技術の著しい進歩により、水道水からも種々の化学物質の検出例が報告されるようになつてきた。特に、トリハロメタン等微量化学物質による汚染の問題は、水道水の安全性確保の在り方を改めて問いかける契機となるなど水道の水質問題は複雑かつ多様な様相を呈してきている。

五　水道料金の格差

水道料金は独立採算制に基づき原価主義を基礎としてそれぞれの水道事業ごとに設定されるが、個々の水道ごとの布設年次、水源構成、水需要構造等の差異を反映して、水道事業間で著しい格差を生じている。昭和五六年度における家庭用料金は、最高と最低とで約一七倍、最高と平均とでも約四倍の開きがある。

水道の広域的整備が水道料金の事業間格差の解消にも資するものとして推進され、また、高料金化の抑制のための諸施策が講じられているにもかかわらず、水道料金の事業間格差は近年むしろ拡大の傾向をみせており、特に、中小規模の水道事業間において著しい傾向にある。また、近年、ダムの建設に当たり、水源地域問題への対応が困難となつているが、下流の需要地域に比べて水源地域の水道料金が高水準であることが、水源地域住民に不公平感を与えている面もある。

第二　高普及時代を迎えた水道の在り方

水道行政は、今日まで、普及の拡大に重点を置きつつ、水需要の増大に対する水源の確保、公共用水域の汚濁に対する水の安全性の確保、家庭用水道料金の高騰の抑制等を具体的課題として進められてきた。特に、水道の健全な運営を確保しつつ需要者サービスの向上を図るためには、今後とも、適切な水道施設の整備が不可欠であり、簡易水道の整備等による未普及人口の早期解消に留意しつつ、広域的観点に立つて、地域の諸条件に即した合理的な水道施設の整備を推進しなければならない。

同時に、水道の高普及時代という今日の時代状況に即した新しい水道の目標を明らかにして、その方向に沿つた施策を展開していく必要がある。その際、次のような状況の変化を考慮する必要がある。

第一は、水道が高普及となるに伴い水道が大部分の国民にとつて生活用水確保のための唯一の手段となり、国民の生活、都市の諸活動が水道に依存する度合が従来にも増してますます大きなものとなつてきたことである。

第二は、国民の生活様式、価値観が多様化し、水道に対する国民の要求も多様化してきているということである。

第三は、水資源の開発が次第に困難かつ経費のかかるものとなりつつあり、また、水源の汚濁が複雑化してきていることである。

このような状況の変化を踏まえ、水道の生活基盤施設としての役割を再認識しつつ、新たな観点からきめ細かな水道行政を展開していく必要があると考えられる。

高普及時代を迎えたこれからの水道の目標は、次のように要約されよう。

㈠　ライフラインの確保

水道が生活用水確保のための唯一の手段となり、また、水洗便所、洗濯機、湯沸かし器の使用等いわゆる水使用の装置化が進んできたことに伴い、今日、水道の給水制限、停止が国民生活や都市経済に与える影響は極めて重大なものとなつている。このため、水需要の増加に対応した安定供給の確保に加えて、渇水時、地震時等においても、生活基盤としてのライフライン機能の確保を図る必要がある。

㈡　安心して飲める水の供給

水道により供給される水の安全性の確保は、水道にとつて最も根幹的な課題の一つである。このため、河川等の公共用水域、地下水等に対する汚濁、汚染の防止を図るとともに、水道においても、施設整備面及び維持管理面から適切な対策を講じ、国民が安心して飲用できる水の供給を確保する必要がある。

㈢　おいしい水の供給

近年、快適に飲用できるおいしい水の供給についての需要者からの要請が強くなつており、また、異臭味水等いわゆる〝まずい〟水道水の供給が、その水の飲用に際して利用者に不安感を与え、場合によつては、水道に対する信頼感を損うこととなるおそれもある。このため、水道によりおいしい水の供給を達成できるよう努める必要がある。

㈣　料金格差の是正

ほぼ全ての国民が水道の給水を受けている今日、同じ給水サービスの対価である水道料金について、少なくとも家庭用料金が、その居住する区域によらずほぼ同一の水準であることは、等しく国民の望むところである。このため、それぞれの水道事業における高料金化を抑制しつつ、事業間格差の是正を図り、需要者の不公平感の解消に努める必要がある。

なお、今日の国際社会における我が国の立場を考慮すると、今後、開発途上国に対する技術協力等を進めることは我が国の責務と考えられる。水道の分野における技術協力の推進に当たり、水道事業者等の協力を得て、また、民間活力の導入を図りつつ、国が主導的な役割を果たす必要がある。

第三　水道行政の基本方策

一　関係者の役割

水道事業は、原則として、地方公共団体が実施する事業であり、基本的には、それぞれの水道事業等の抱える問題について、各水道事業者等が、水道利用者の理解と協力を得て、それぞれにふさわしい対策を講じていくべきものと考えられる。すなわち、水道事業者等は、地域の諸条件に即した適切な水道施設の計画的整備を進めるとともに、合理的な経営及び適切な維持管理の確保に努めなければならない。

しかし、今日、水道の当面する課題は一層の複雑さを増しており、水道事業者等の努力によるだけでは解決の困難なものも多い。特に、これからの水道が達成目標とする事項の推進に当たつては、国が積極的に関与し、又は、対応すべきであると考えられる。

まず、水道の整備に関する施策を推進することは国の責務であり、従来から、種々の方策を講じてきたが、今後とも、水道整備の方向を明らかにして、施設整備に対する財政的援助に努めるとともに、長期的な水需給見通しの策定、水資源開発計画の調整・広域的水道整備に対する適切な助言、施設評価等のためのガイドラインの設定等によつて水道施設の整備を誘導していくことが求められる。

また、水質管理等に関しては、汚染の可能性のある化学物質の分析方法、健康影響等に関する科学的知見の集積に努め、水質基準を定期的に見直すとともに、水源の汚濁防止に関する施策の調整等を行う必要がある。さらに、水質検査等の水質管理は水道事業者等の義務であるが、水質汚染の複雑化等の状況にかんがみ、国の主導により、水質汚染の広域的監視体制を整備する必要がある。

一方、地域の実状に即した行政を行う上で、都道府県の役割は極めて重要であり、都道府県が、調整機能を十分発揮するとともに、広域的水道整備計画の策定、実施等を通じて水道事業者等に対する適切な指導を行う必要がある。

他方、水道利用者である国民も、自ら水源の清潔保持に努めるとともに、節水等水の適正かつ合理的な使用に努めなければならないが、国等としても、水道に対する国民の理解を高めるような啓発活動を進める必要がある。

二　経営基盤の強化と維持管理体制の充実

(一)　経営基盤の強化

水道は、今日、高普及時代に即した給水サービスの質的向上を図るため、適切な施設整備と十分な維持管理を行うことが求められている。しかし、現状において、水道事業の中には、経営規模が小さく、必要な施設整備のための投資を行い、十分な維持管理のための設備や技術者を確保することが困難なところも多く見受けられ、これらの水道事業については、まず、その経営基盤の強化が必要な状況にある。

そのため、今後、広域的水道整備計画の策定等を通じ、末端まで一元化された広域水道の整備について市町村間のコンセンサスが得られるよう、十分な調整を行う必要がある。また、水道の広域的整備を進める過程においては、地域の諸条件に即した合理的な規模、形態の事業とすることに留意する必要がある。特に、同一市町村内の簡易水道事業については、上水道への統合、簡易水道相互の統合等により経営の一元化を図るなど経営基盤及び維持管理体制の確立に留意する必要がある。

(二)　維持管理体制の充実

今後、予想される水質汚染の多様化・複雑化に対応して十分な水質管理を行い、また、安定供給のための高度な配水管理等を行つていくためには、水道における維持管理体制の一層の充実・強化を図る必要がある。この場合、中小規模の水道においては、水質管理、施設の維持管理に関する事務のうち、水質検査、点検業務等を共同して実施することも有効と考えられる。

また、水道の維持管理技術者に対しては、より高度な知識と経験が要求されるようになつており、今後、その技術レベルの向上を図るため所要の措置を講じる必要がある。一方、特に、中小規模水道においては現実に技術者の充足が困難な事情にあり、その結果、これらの水道における管理の不徹底が指摘されているので、これら水道における技術者確保のための対策を併せて検討する必要がある。

三　ライフラインの確保対策

(一)　水資源の開発と効率的利用

水道における安定供給対策の基本は、水需要に対応した水資源の確保であり、そのためには、それぞれの水道事業者等が、以下の事項に留意して、水資源の確保に努める必要がある。

1　水需要の将来見通しを踏まえ、適正な先行性を確保しうるように水資源の確保を図ること。この場合、地域の状況によつては、農業用水等からの転用、地下水水源の有効利用等についても配慮すること。

2　離島等水資源の確保の困難な地域においては、海水淡水化等多様な手段により、季節的需要への対応、渇水補給等を行い、必要量の水源を確保すること。

また、水資源の利用に当たつては、広域的な水道事業等の実施を通じた広域的な水の運用や漏水防止対策の強化等水の効率的使用を進める必要がある。

なお、近年、河川利用の高度化、水源地域問題に対する対応の難しさなどから水資源開発が困難化・長期化し、また、開発コストが上昇傾向にあることにかんがみ、水需給のひつ迫している大都市等においては、水資源の開発と併せて、水使用の適切な抑制、水の再利用等の措置を講じることについて検討する必要がある。

㈡　渇水時、災害時等における給水の確保

安全でおいしい水の安定供給の確保という国民のニーズに応え、水道のサービス水準を向上させていくためには、水道の広域的整備と相まつて、水道施設の機能をより高度なものとしていく必要がある。そのため、水道事業者等は、特に、以下の事項に留意して、渇水対策、災害対策、老朽化施設対策等安定供給を確保するための施設整備の推進に努めなければならない。

1　渇水時においても国民の生活に著しい支障を及ぼすことのない程度の給水を確保することを目標として、水資源の確保を図るとともに、浄水場、配水系統間の連絡管の布設、送水調整池の設置等により、渇水時における均等給水の確保と水の効率的運用を図ること。

2　地震・豪雨等の災害に対する十分な耐久性を確保し、被災しても給水への影響をなるべく小規模な範囲にとどめ、かつ、速やかに平常給水への復旧が図られるよう、基幹施設の耐震化、拠点給水施設の整備、系統の複合化等によるバックアップ機能の強化等の措置を講じること。

3　老朽管路の更新等老朽化施設の改良、更新等を計画的に進めること。

これらの施設整備については、水道ごとに必要性の程度が異なり、また、その投資が直接的には収益を伴わないため、水道事業者等の自発的努力によるのみではその推進が図りにくい事情にある。そのため、国においては、これらの施設整備の必要性を客観的に判断しうるようなガイドラインを設定し、必要な施設の整備が確実に行われるよう指導するとともに、それぞれの対策の実施のための技術指針の整備を行う必要がある。

四　安全でおいしい水の供給対策

㈠　水質基準の充実等

水道により供給される水については、国民が常に安心して飲用できるよう水質基準が定められ、また、水道事業者等による定期的な水質検査が実施されている。

水質基準については、今後とも、水質汚染の進行状況、健康影響等に関する知見の集積、分析技術の進歩等の状況を踏まえて定期的にその見直しを行い、一層の充実を期す必要がある。その場合、特に、以下の事項について考慮する必要がある。

1　物理化学的特性が共通している物質群に関する水質監視のための総合的代替指標の開発・適用について検討すること。

2　厚生省令で定める水質基準とは別に、これを補完するような暫定的な水質基準や行政指導上の指針を設け、指針に基づく水質検査の頻度等については、水質汚染の態様に応じて弾力的な運用を行うこと。

また、水質の安全性を確保する上では、水道水源の水質監視とそれを受けた的確な対応が不可欠であり、水道事業者等においては、検査体制の整備、水質汚染事故等の監視のための同一水系の水道事業者等の間の連絡通報体制の整備を進める必要がある。

さらに、近年、様々な化学物質による水道水源の微量汚染が進んできているので、これら水質基準等に定められていない化学物質についても、水質汚染の状況を定期的に監視して的確な行政対応を行う必要があり、国においても、都道府県、水道事業者等の協力を得て、汚染等の生じるおそれのある水域等において、化学物質による微量汚染の状況を広域的に監視する体制の整備を図る必要がある。

㈡　水質保全と浄水管理

安全性を確保しつつおいしい水の供給を達成するためには、まず、水道水源の水質保全がなされることが不可欠である。すなわち、今日の水源水質の状況をみると、水源の水質汚濁が改善されない限り、水道事業者等の努力によるだけでは、常に安心して飲用できるおいしい水道水の供給を確保することが次第に困難な状況になりつつある。特に、湖沼や貯水池の富栄養化や地下水汚染等複雑化、多様化する水質汚染に対しては、今後、有効な対策が講じられる必要があり、水道行政と環境行政との連携を一層強化して、所要の水質保全措置が早期に講じられるよう努力する必要がある。

一方、水道事業者等においても、ダム等の建設に当たつては、貯水に伴う水質、生態系等地域環境への影響等について事前に十分な調査を行うとともに、地方公共団体の条例、要綱等による水道用貯水池の富栄養化防止対策、循環曝気等による水質改善等の実施を検討する必要がある。また、水道におけるおいしい水づくりのため、浄水操作の適正化に努めるとともに、原水水質の動向によつては微量成分の除去に対応できるオゾン処理、活性炭処理等の導入について検討する必要がある。

(三)　簡易専用水道の管理の徹底等

給水栓水に至るまで安全でおいしい水の供給を確保するためには、簡易専用水道等受水槽以下の水道においても適切な管理が行われなければならない。しかしながら、現状では、簡易専用水道は管理の不適切なものが多く、また、指定検査機関等による検査の実施状況や施設等の改善状況も十分ではない。

今後、簡易専用水道の適切な管理を確保するため、受検率の向上、検査時の指摘事項の早期改善の徹底等を進める必要があり、そのため、地方公共団体においては、水道事業者の協力を得て、また、建築物環境衛生行政担当部局等との連携を図りつつ、簡易専用水道の設置者の理解を高めるとともに、指定検査機関等に対する指導を強化する必要がある。なお、これらによつても受検率が向上しない等の場合には、規制強化の措置についても検討する必要がある。

また、受水槽以下の水道における水質上のトラブルが受水槽の容量の小さなものでも生じていることにかんがみ、今後、簡易専用水道の範囲を段階的により小規模なものにまで拡げることを検討する必要がある。

なお、近年、ガス湯沸かし器、浄水器の普及等により水使用の装置化が進むとともに、これら給水用器具の形態も多様化しているが、これら器具の中にはその使用により水質上の問題を発生させる場合もあるので、今後、その普及状況にも配慮しつつ、これら給水用器具に関する制度上の取扱いについて検討していく必要がある。

五　料金格差の是正措置

(一)　事業の適切な運営

水道事業者は、今後とも、安全でおいしい水の安定供給を確保するために必要な施設整備のための投資を行つていかなければならない。独立採算を基本として運営される水道事業においては、このような投資に要した資金は、最終的に水道利用者から料金として徴収されるので、水道事業者は、水道料金の設定に当たり、その公共性にかんがみ、料金体系、原価の配賦方法等を慎重に検討し、かつ、需要種別間における公平さにも配慮して、適切な水道料金の設定に努めなければならない。

一方、水道事業者には、高料金化の抑制が求められており、水需要に見合う適切な施設能力の維持等施設の計画及び事業の執行の適正化に努めるとともに、合理的な経営の確保に向けて努力を重ねる必要がある。さらに、水資源の先行開発に当たつては、経営面に与える影響に十分配慮して、確度の高い需要予測に基づき、その開発時期、開発水量等を慎重に決定する必要がある。

なお、水資源の先行開発が経営基盤の脆弱な水道事業者等にとつて経営上の負担となつている事例のあることにかんがみ、今後、国において、水資源の先行開発の在り方について、費用負担に係る制度も含めて検討する必要がある。

㈡　家庭用料金の格差是正

水道料金負担に対する需要者間の不公平感を解消していくためには、水道事業者間における現行料金格差の早期是正が必要である。しかしながら、水道料金の格差は、水道事業の経営条件の差異を反映したものであり、水道事業者の努力によつてもその是正を図ることは極めて困難である。

水道の経営原則である独立採算制は、今日まで水道の能率的経営と健全な発展を支え、また、水道事業の経営方式として定着しているが、この制度が一面において、水道料金の事業間格差を生じさせているという実態にも配慮して、行政上の観点から、水道事業間における料金格差の是正を図ることが必要である。その際、水道事業等のように給水原価に占める資本費の比率の大きな事業に対しては、施設整備費に対する財政援助は、給水原価の低減策としても有効な措置と考えられる。

したがつて、国においては、広域的水道整備の推進を図りつつ、特に、生活に密着した家庭用水道料金の格差の是正を図るため、今後、事業の適切な運営を前提として、地方財政上の措置との連携を図り、次の点に十分配慮した補助制度の運用を行う必要がある。

1　水道の家庭用料金については他の公共料金並みにおおむね全国平均の一・五倍以内であることが望ましいと考えられるが、当面、二倍程度以内に納めることに配慮しつつ、高料金水道に対する効率的な補助を行うこと。この場合、特に、小規模水道事業間において料金格差が大きいことにかんがみ、この規模の水道事業に対して重点的な補助を行うよう配慮すること。

2　投資が収益の増大と結びつかないような施設の高度化等の事業について、補助対象に含める方向で検討を行うこと。

また、国においては、高料金対策に係る補助を行つた水道事業等については、その後の料金設定等に関して十分な指導を行うことが必要である。

一方、水道用水供給事業から供給を受ける水道事業者間において、受水状況の不均衡から実質的な用水料金に大きな格差を生じさせている例があるので、今後、水道用水供給事業における用水料金の算定方法、料金体系の在り方について検討する必要がある。

六　開発途上国に対する技術協力等

国連では、一九八一年から一九九〇年までの一〇年間を「国際飲料水供給と衛生の一〇か年」として、開発途上国における水道と衛生処理施設の整備を推進すべく各国に働きかけている。我が国でも、研修生の受入れ、専門家の派遣、開発調査の実施等開発途上国の水道整備に対する技術協力等に取組んでいるが、近年は、水道部門の技術協力に関する我が国への要請が特に増加してきている。

今日、国際社会は様々な分野において相互に緊密な関係を有しており、我が国としても、国際的地位に応じて、国際協力・国際交流を拡大していく必要がある。特に、開発途上国における衛生的な飲料水の確保に当たつて、我が国の水道技術や関係制度が貢献できるところも大きい。そのため、国際社会において我が国の果すべき役割等を十分認識し、政府開発援助の推進に関する政府目標に沿つて、従来にも増して水道分野における国際協力の推進に努めなければならない。

その際、特に、以下の事項について配慮する必要がある。

1　海外派遣専門家としてふさわしい知識、経験及び国際的視野を持つた人材の養成・確保を図ること。

2　水道事業者等及び企業の協力を得て、水道分野の技術協力等を推進するための体制を整備すること。

なお、専門家の海外派遣に当たつては、専門家の研修及び派遣に伴う処遇等の問題があり、技術協力に対する派遣元の地方公共団体、企業等の理解と協力が必要と考えられる。

七　調査・研究の推進

水道の運営は、広範な技術分野によつて支えられているが、今後、安全でおいしい水の安定供給等の課題に適切に対処していくためには、新たな科学的知見や技術情報が必要とされる。そのため、今後、新たな施策の展開に当たり、技術開発・研究等の分野における諸外国との国際交流を図るとともに、国において、特に、以下の事項について効率的かつ重点的な調査・研究を実施し、必要な情報の集積と評価に努めなければならない。

1　水道水に含まれる可能性のある化学物質について、その健康影響、分析方法、除去方法等に関する調査・研究

2　水道水源である地下水の汚染機構、汚染防止方法等並びにダム等貯水池の水質保全及び水質改善の方法に関する調査・研究

3　高度処理等水質改善技術、老朽管路の更新技術等に関する調査及び評価

4　衛生を確保しつつおいしい水の供給を行うための消毒の在り方に関する調査・研究

5　安定供給確保のための水源計画に関する調査・研究

6　開発途上国への技術移転にふさわしい水道技術の開発・適用に関する調査

なお、これら調査・研究の実施のため、水道事業者等の協力を得て、また、大学、民間研究機関との連携を図り、総合的な調査・研究体制の確立を図る必要がある。

おわりに

以上、高普及時代を迎えた水道行政の達成すべき目標を、ライフラインの確保、安心して飲める水の供給、おいしい水の供給、及び料金格差の是正とし、それぞれの目標を達成するための水道行政上の基本的方策を示した。当審議会としては、我が国水道の一層の充実・発展を図るため、今後、本答申の提言に沿った水道行政の展開を期待するものであるが、以下の事項につき特段の配慮を求めることとしたい。

1　国、地方公共団体とも厳しい財政状況下ではあるが、水道の重要性にかんがみ、制度の改善等を含めて適切な措置を講じること。

2　本答申において指摘した諸問題については、今後、更に深い検討を加え、問題解決の具体的方途を明らかにしていくこと。

3　水道行政が他の行政分野と密接な関係を有していることにかんがみ、関係機関との一層の連携を図り、施策の総合性及び実効性を高めること。

4　新しい施策を機動的かつ効率的に執行するため、国、都道府県とも施策の方向にふさわしい行政機構の充実を図ること。

五、今後の水道の質的向上のための方策について（答申）

（平成二年一一月一九日生活環境審議会会長鈴木武夫から厚生大臣津島雄二あて）

平成二年九月一三日厚生省生衛第六二五号をもつて諮問のあつた「今後の水道の質的向上のための方策について」については、別添のとおり答申する。

〔別添〕

今後の水道の質的向上のための方策について（答申）

はじめに

二一世紀の到来を間近にひかえ、国民が豊かさを実感できる社会をつくつていくことが求められている。水道についても現状よりもう一段高い水準を目指して、質的な面での向上を図ることが必要となつている。

当審議会としては、今後の水道の質的向上のための方策の具体的展開には、視点をより明確にして取り組むことが必要であるとの観点に立ち、施設整備の面に絞つて審議を行つた。今般、その結果を以下のとおり取りまとめたので答申する。

なお、諮問された課題のうち、水質基準に係るものについては、後日別途に答申することとする。

一、現状と課題

我が国の近代水道は一〇〇年の歴史を経て整備が進み、現在ではほとんどの国民が水道を利用できるようになつている。しかしながら、最近の水道とそれを取り巻く諸情勢をみると、施設の老朽化による事故、地震や台風による水道施設の被害、首都圏等にみられる大規模な渇水、水源水質の悪化等多くの問題が発生しており、水道施設の脆弱性が目立ちつつある。欧米先進都市の水道と比べても、施設の規模や能力に十分な余裕がないこと、三階以上の建物には直結給水がされていないことなど質的に立ち遅れている部分がある。一方、国民の生活の質の向上に伴い、給水サービスに対する要求水準が一層高まりつつあり、これに応えていくことが必要となつている。

全国の平均普及率は九四％と高いが、都市部以外の農山漁村部での普及率は六〇～七〇％台と低い町村が少なくない。

水道が普及していない地域では主として井戸が使用されているが、病原菌や化学物質による地下水汚染の問題が懸念されているとともに、生活水準の向上に伴う水使用量の増加により生活用水が不足し、早急な水道の普及が求められている。しかし、これらの地域では水源が得にくいことや人口密度が小さいために布設が効率的でないこと等の問題を抱えている。

また、水道による給水が可能な地域において、水道を利用せず、病原菌に汚染された地下水を飲用に利用したことが原因と考えられる集団下痢事件が起きたことは記憶に新しい。

最近の水道水の使用量は、なお増加傾向を示している。一方、水源開発の状況は十分でなく、また、全国の水道の取水量のうち不安定取水（河川水が豊富にあるときだけ取水できる暫定水利権による取水）がかなり存在し、渇水の影響を受けやすい状況となつている。現実に、近年、首都圏を始めかなりの地域で大規模な渇水が生じている。我が国の水道は、昭和三〇年代から四〇年代にかけての高度経済成長時代において急速な普及が図られたこと等により、現在では、建設後長期間を経て老朽化している施設が多く、また、施設の規模例えば配水池容量についても十分なゆとりがなく、地震等の災害の影響を受けやすい状況となつている。さらに、管路の老朽化等により漏水が全給水量の一割強にもなつている。

水源の水質は依然として好ましい状況ではない。特に、湖沼における富栄養化の進行等の原因により、これらを水源とする水道において、最近では毎年、全国で約一千万人以上の人々が異臭味水の影響を受けている。産業活動の活発化等に伴つて各種の微量化学物質が水道水源から検出されるようになつていることに加え、シアン等の有害物質や油の河川への流出事故による水道水源の汚染が毎年かなりの頻度で発生しており、水道水の安全性、信頼性を確保することが容易でない状況となりつつある。また、受水槽を介する給水方式の建物においては、一部で維持管理が不十分なため、衛生確保上の問題が生じている。

二、今後の水道整備の基本的考え方

国民の生活や都市の諸活動に密着した基盤施設として水道の重要性が高まるにつれて、その普及を一層進めるとともに、今日の我が国の水道を現状の水準からより高い水準のものにしていくことが必要となつている。すなわち、国民は水道に対し、水量・水質・水圧ともに満足できる水準を求めており、しかもその水準は社会の発展、生活水準の向上とともに高まつている。

また、水道利用者の要求を的確に把握し、これに十分配慮して給水サービス水準の向上を図ることが求められている。

このため、今後の水道整備の基本的考え方として、いつでもどこでも安全でおいしい水を供給できるよう①すべての国民が利用可能な水道、②安定性の高い水道、③安全な水道、という三つの面から施策の具体化を図ることが必要である。

①　すべての国民が利用可能な水道

全国どこでも水道が利用できるよう、水道普及率の低い農山漁村部や地下水汚染地域を中心に水道の普及促進を図る。

②　安定性の高い水道

必要な水道水源の確保により適切な水需給バランスを図るとともに、渇水や地震等の災害に強い水道施設の整備を図る。

③　安全な水道

国民がいつでも不安を抱くことなく、安心して水道を利用できるよう水道の水質確保のための施策を進める。

なお、施策の推進に当たつては、各水道事業者は、自らの置かれている自然的、社会的条件を正しく把握し、これらの状況に即応することを基本とすべきである。また、地域の状況によつて水道利用者の要求にも違いがあり、目標を達成する施策も異なると考えられることから、画一的でなく個性のある対応が望まれる。

このような施策を着実に実施することにより、二一世紀に向けた「高水準の水道」を構築すべきである。

三、水道施設整備の具体的方策

前述した我が国の水道の抱える課題を解決するには応急的な対応では困難であり、長期的視点から十分な計画性をもつて水道施設の整備に取り組むことが必要である。このため、国がその方向を明確にし、地方公共団体や水道事業者はこの方向に沿つて、更に地域の実情を加味して具体化するという進め方が必要である。

このようなことから、まず、国としての今後の水道整備の長期的な目標を明らかにすべきであり、その内容となる方策を以下に示すこととする。また、その実効性を確保するため、水道が国民生活に密接に関連した重要な分野であることを踏まえて、重点的に事業費を確保する必要がある。

㈠　すべての国民が利用可能な水道

一日も早くすべての国民が等しく水道による衛生的で快適な生活を過ごせるよう更に水道の普及を進めるべきである。

水道未普及地域が多く残されている農山漁村を中心に、従前に引き続き簡易水道施設の整備を図るとともに水道未普及地域解消事業を推進していく必要がある。

水道未普及地域の解消は、市町村が計画的に取り組むべきであり、国や都道府県も重点的に援助を行うべきである。さらに、維持管理の共同化、遠方監視・制御の導入による効率化についても検討を行うことが必要である。

一方、水道による給水が可能な地域においても井戸を利用している例がみられるが、病原菌や化学物質による汚染問題に対処するためにも、水道への切り換えを強く指導する必要がある。

㈡　安定性の高い水道

水道水の安定供給のためには、水需要に対応した適切な水道水源の確保が重要であるが、特に水需給が逼迫している大都市等においては、水需要の増加を極力抑制するため、節水型機器の普及等の節水対策を更に強化すること、また、水の循環利用等による雑用水道の整備を図ることが必要である。

水源の確保については、生活水準の向上、都市活動の活発化等により今後なお増加する水需要に対応するとともに、不安定取水を解消する必要がある。このため、引き続きダム建設による水源の確保を図るとともに、地域の状況によっては、余剰が生じている農業用水や工業用水を水道用に転用することや相当規模の海水淡水化の検討を進めるべきである。また、水源の有効活用の観点から、広域的な水道整備を促進するとともに、原水調整池や相互融通施設の整備も必要に応じて進めるべきである。

以上のほか、今後、特に次の施策を積極的に推進する必要がある。

①　災害に強い水道の構築

地震等の災害時における給水停止は、生活や都市の諸活動に多大の支障を与えることになる。このため、基幹施設の耐震化を一層促進するとともに主要な施設の多系統化、配水管路のブロック化を進め、水道システム全体としての安定性を高める必要がある。基幹施設の耐震化については、特に首都圏、近畿圏等の人口密集地域において、主要な施設をつなぐ大口径管等を大深度地下に布設することも有効な方法の一つである。

地震、停電等による浄水場の機能停止や水源汚染事故による取水停止時に円滑な対応を可能とするため、配水池の容量を増加させ、給水量の時間変動調整機能に加えて緊急時における給水拠点としての機能を付加することが必要である。また、配水池と併せて震災対策用の貯留槽を給水区域内に適切に配置することが必要である。さらに、複数の浄水場間及び水道事業間の連絡施設の整備及び復旧用資機材の備蓄についても配慮することが必要である。

② 施設の更新と機能向上

浄水施設や管路等の水道施設について、その機能を的確に把握し、計画的な更新を行うとともに必要に応じてその機能を向上させていくことが必要である。

特に、老朽管については、大部分が直接目に触れないので、より一層計画的な対応が重要である。品質の向上も含めた老朽管の更新は地震に対する安定性向上、漏水防止の促進とともに赤水発生の防止の効果も高く極めて有効な施策であり、積極的かつ緊急に推進していくべきである。

このように施設の更新と機能向上を図っていくため、現状の施設の機能を的確に把握することが前提となるので、そのための手法を開発していくことが必要である。

㈢ 安全な水道

安全な水道水を確保するためには水道水源の水質保全、適切な浄水処理及び給配水過程での汚染防止が重要な要素である。また、水質基準の充実、水質検査体制の整備について検討していくことが必要である。

水源の水質保全については、下水道や合併処理浄化槽等の整備による生活排水対策等の推進を促がし、また、水源の上流に立地する汚染源に対しても十分な対策を講ずる必要がある。

また、浄水処理技術、給配水システムに関しては次の施策を重点的に推進すべきである。

① 浄水処理技術の高度化

異臭味水の原因物質や微量化学物質のような従来の浄水処理技術では除去しきれない物質が水道原水に混入してくるおそれが高まっていること及び水質基準の充実に対応した浄水管理の充実のために、適切な施設整備を実施することが必要である。このため、微量成分の除去に対応できる活性炭処理施設、オゾン処理施設、生物処理施設等の高度浄水施設の整備や膜法等の新しい浄水処理技術の開発に努め、国民が安心して飲める水の供給を確保すべきである。

②　直結給水システムの導入推進
現在、三階建以上の建築物については、受水槽を介して給水されており、受水槽の管理が不十分な場合、衛生問題の生じる要因となつている。特に小規模な施設においては管理が不十分となりがちである。そのため、直結給水システムの導入を長期的視点に立つて促進していくことが必要である。なお、直結給水は受水槽の設置費用の軽減、管理の煩わしさの解消等給水サービス水準の向上という観点からも利点がある。
直結給水システムの導入に際しては、都市部を中心として、五階建までの直結給水を目標に検討することが適当と考えられる。なお、地域によつては、現状施設の一部改良程度で三階建までの直結給水が可能となるので、段階的な導入についても検討すべきである。

㈣　併せて講ずべき事項
前述の施策と併せて次の事項を実施することが重要である。

①　水道利用者とのコミュニケーションの充実
水道利用者に対して、水の需給状況、水質、経営状況等水道に関する情報についても積極的に伝える努力を行うとともに利用者の要求の把握に努めることが必要である。

②　人材の確保
水道事業の基本方針及び施設整備計画の策定、工事施工並びに維持管理など様々な段階に携わる必要な人材を養成、確保するとともに、技術力の維持向上を図ることが重要であり、そのために必要な措置を検討することが必要である。

③　調査研究体制の充実
水道水源の水質悪化、エネルギー事情の悪化を始めとする水道を巡る諸情勢の変化に的確に対応できるよう浄水技術、水質分析技術など必要な調査研究を効果的に推進することが必要である。このため、国、地方公共団体、水道事業者の調査研究体制の充実を図るとともに大学及び民間企業を含めた相互の連携の強化に努めることが必要である。

④　井戸水等の供給施設における衛生確保
衛生問題の発生を防止するため、井戸水等の供給施設について指導を強化するとともに必要な規制の在り方につい

ても検討することが必要である。

⑤　国際的な交流の推進

水道の質的向上に資するため、国際的情報交流を推進し、最新の技術情報や水質に係る情報の収集、蓄積に努めるとともに技術移転等の国際協力とこれに必要な人材の育成に努めることが必要である。

おわりに

以上、水道の質的向上を図るための方向として、すべての国民が利用可能な水道、安定性の高い水道及び安全な水道の実現の観点から、今後の我が国の水道の施設整備のための目標を明らかにすること及びその内容となる方策を提言した。

水道は、国民生活に最も密着した施設の一つであり、本答申の提言に沿った施策の確実な実施により、その水準を高め、国民の期待と要求に応えることが是非とも必要である。

質的向上のための方策として示した事項を着実に実施するため、必要となる事業費の確保について、国、地方公共団体とも特段の配慮がなされることを望むものである。

六、「二一世紀に向けた水道整備の長期目標」について（通知）

（平成三年六月一日衛水発第一六五号水道環境部長）

日頃より水道行政の推進については格段の御高配を頂いているところである。

さて、平成二年一一月一九日、生活環境審議会より厚生大臣に対し、「今後の水道の質的向上のための方策について」について答申が行われたところであるが、同答申においては、国としての今後の水道整備の長期的目標を明らかにすべきであるとの指摘がなされている。

このため、厚生省においては今後の水道整備の長期的な目標策定のための検討を行い、今般、その結果を別添「二一世紀に向けた水道整備の長期目標」として取りまとめたところであり、これを別紙の趣旨から通称「ふれっしゅ水道計画」と呼び、その推進を図ることとしている。

ついては、本長期目標の趣旨を踏まえ、二一世紀に向けた「高水準の水道」が構築されるよう貴管下の水道事業体等に対し、その内容の周知を図るとともに、広域的水道整備計画及び水道の事業計画の策定に際し十分な指導方図られたい。

（別　紙）

〔ふれっしゅ水道〕

本長期目標の内容を次の五つの言葉で要約し、各頭文字をとって「ふれっしゅ水道」としてわかりやすく、親しみやすく表現することにより、計画の着実な推進に資することとした。

ふ……普及率向上で国民皆水道達成

れ……レベルアップで高いサービスの水道

つ……強くて地震・渇水に負けない水道

し……信頼できる安全でおいしい水道

ゆ……ゆとりのある安定した水道

（別　添）

二一世紀に向けた水道整備の長期目標

（平成三年六月一日厚生省）

水道施設整備の面から国民生活の質の向上を図り、豊かさを実感できる社会を実現するため、「二一世紀に向けた水道整備の長期目標」を次のとおり定め、今後この目標を目指して必要な施設整備を強力に進めることとする。

二一世紀に向けた水道整備の長期目標

一、基本方針

いつでもどこでも安全でおいしい水を供給できるよう次の三つの側面から施策の具体化を図り、二一世紀に向けた「高水準の水道」を構築する。

①　すべての国民が利用可能な水道

全国どこでも水道が利用できるよう、水道普及率の低い農山漁村部や地下水汚染地域を中心に水道の普及促進を図る。

②　安定性の高い水道

必要な水道水源の確保により適切な水需給バランスを図るとともに、渇水や地震等の災害に強い水道施設の整備を図る。

③　安全な水道

国民がいつでも不安を抱くことなく、安心して水道を利用できるよう水道の水質確保のための施策を進める。

二、水道整備の目標

水道整備の目標を次のとおりとし、これらの整備の推進に当たっては広域的な配慮のもとに地域全体として調和ある水道の実現を目指すものとする。

(一)　水道水源の開発

給水人口の増加、生活水準の向上、都市活動の活発化等により今後なお増加する水需要に適切に対応するとともに、現状の不安定取水を解消するために必要な水道水源の開発を行う。これにより、渇水による水道への影響の大幅な緩和を図る。

(二)　上水道施設の整備

広域的な水道整備を重点的に推進するとともに給水区域の拡張、水需要の増加に伴う施設の増設を図り、水道の普及をさらに推進する。

(三)　簡易水道施設等の整備

簡易水道施設及び飲料水供給施設について、水道普及率の比較的低い農山漁村部における新設又は給水区域の拡張に重点をおいて整備し、上水道施設の整備と併せて全国の水道普及率九九％を達成する。

(四)　老朽施設の更新及び基幹施設の耐震化

老朽化した管路・浄水施設等の水道施設の更新を必要に応じてその機能の向上を図りながら、計画的に推進する。特に石綿セメント管については、他の管種に替えることとして、全ての更新を完了する。また、浄水場、配水池、主要な管路等の基幹施設の耐震化等を行い、水道システム全体としての安定性を高める。これらにより、漏水防止対策及び震災対策の推進に資する。

(五)　緊急時給水拠点の確保

配水池容量として計画一日最大給水量の一二時間分を確保するよう配水池を増設するとともに配水施設の一部となる緊急用貯水槽の設置を推進し、大規模な災害発生時などの緊急時における給水拠点の機能を確保する。

㈥　高度浄水施設の整備

水質汚濁が進行している水源の利用を余儀なくされている浄水場に、活性炭処理、オゾン処理、生物処理等の高度浄水施設の整備を図り、全国すべての地域で、安全で異臭味のないおいしい水の供給を実現する。

㈦　直結給水対象の拡大

三階建ての建築物ないし五階建ての建築物までへの直結給水を長期的視点から推進することとし、このために必要な施設整備を行う。これにより、給水サービスの向上を図るとともに小規模受水槽等による衛生問題の解消を図る。

七、「二一世紀における水道及び水道行政のあり方」

（平成一一年六月水道基本問題検討会）

はじめに

本検討会は、水道を取り巻く様々な環境の変化を踏まえて、二一世紀における水道に関する制度の展開についてグランドデザインを行うべく、国・都道府県・市町村、民間、需要者等の役割分担を検討し、今後の水道に関する制度の在り方を構想するとともに、その実現方法について、自由に議論し、論点を整理することを目的に、平成一〇年六月から検討を行ってきた。

検討会には、学識経験者を含めて、広く水道関係者の参加を得て、これまでに一〇回に及ぶ広範な審議を重ね、今般、本報告の取りまとめに至ったものである。

歴史上前例のない「情報化社会」の到来という新しい時代背景を踏まえ、ここで取り扱っているような国民生活に深く関わりのある水道の基本課題については、供給者の事情を優先するのではなく、需要者である国民の立場に立って、時間をかけて納得を得ながらまとめていくことが重要である。本報告の取りまとめに当たっては、約一年間という限られた期間ではあるが、できる限りこのような基本認識をベースに置いた。

また、量的に氾濫する未整理の情報の中で、将来の予見が困難な実情を考慮すれば、不動の正論を求めるのではなく、いくつかの試案に対する国民の反応を見ながら、迅速かつ柔軟に方向性を定着させていくのが、今日的な方針決定の手法と言え、その意味で、本検討会では、将来の水道のあるべき姿を示すというよりも、二一世紀に向けての議論の方向性を整理することに最大の力点を置いて検討を行ったものである。

約一年間に及ぶ検討の間には、各方面から様々な御意見をいただくことができた。特に、検討の中間段階で、インターネットを通じた公募の形で広く一般の御意見をいただいたことは、本報告を作成する上で大いに刺激となり、参考となった。謹んで謝意を表したい。

一、水道の現状と課題

(一) 水道を取り巻く環境の変化

わが国では、明治以来、消化器系感染症の蔓延を背景に、衛生対策の強化を目的として水道が整備されてきたが、その後、社会の発展に伴い、人が生活していく上で水道が不可欠の施設であるとの認識が定着し、近代社会の発展が水道の普及を加速してきた。その結果、わが国の水道は、他の公共事業と比較しても、早い時期に世界に誇りうる見事なシステムを備えるに至っている。

近年、水道を取り巻く環境にも様々な変化が生じている。少子・高齢化といった人口構成の変化は、水道水の使用量や使用形態に変化をもたらし、化学製品の多用といった生活様式の変化も、様々な水質問題を引き起こしている。また、建物の高層化や都市構造の変化は、渇水時や地震等の災害時を含めた都市への水供給のあり方に影響を及ぼしている。さらに、近年の少雨化傾向は、水資源の利用を制約する要因となっており、水資源をますます希少なものとしている。

(二) 水道の使命の変化

水道行政は、これまで需要者である国民の公衆衛生の向上と生活環境の改善に資することを目的として進められてきた。そして、これまでは、その目的の達成のため、水道の普及促進と水道水供給の量的確保に主眼を置き、主として、供給側である水道事業者の体制を整備、向上させるための施策が講じられてきた。

その結果、わが国の水道は、昭和三〇～四〇年代の高度経済成長期の目覚しい拡大、発展を経て、今ではほとんどの国民が水道を利用でき、国民生活とは切り離すことができない存在となった。この間、水道は、住民に最も身近な行政主体である市町村が経営することを原則として整備され、これらの施策の実効性の確保に大きな貢献を果たしてきた。

しかし、水道が普及するにつれ、今日では公衆衛生の向上と生活環境の改善という観点のみならず、国民生活や事業活動、都市機能を維持するための社会基盤施設として、社会経済全般にわたって多様かつ高度な機能が求められるようになってきている。

㈢　水道の抱える様々な課題

水道の面的整備はほぼ終わりつつあるとはいえ、未だに約四%、五〇〇万人の未普及人口を残しており、これを早急に解消することは、言うまでもなく緊急の課題である。加えて、普及の進んだ今日の水道についても、その使命を果たす上で、次のような様々な課題が残されている。

水道の普及に伴い、今後は、既に整備された施設の維持管理の重要性が増すことになる。特に、水道水の安全性は国民の最大の関心事であるが、生活排水による河川の汚濁や化学物質による河川・地下水の汚染、湖沼の富栄養化など、水道水源の水質悪化が問題となっている。そのため、水道事業者における水質管理体制の強化に加えて、水道水源の水質保全が極めて重要な課題となっており、「水道原水水質保全事業の実施の促進に関する法律」等に基づき、一部地域で対策が進められているが、全国的には必ずしも十分な改善がみられず、環境行政、河川行政、下水道行政等との連携による対策の一層の強化が求められている。

一方、水源の確保についてみると、地域によって差はあるものの、これまでの水資源開発の努力により、水道用水需給の状況は大きく改善されてきている。しかし、水資源賦存の地域性や水系ごとの利水安全度の違いなどから、水源開発に要する費用や水源の安定性には大きな差があり、水道事業間の格差の構造的な要因となっている。また、近年、ダム適地の減少に伴う開発効率の低下と遠距離化、さらに水源地域対策や環境保護の観点などから新たな水源開発はますます困難となってきており、今後は、むしろ既存施設の活用等により、いかに限りある水資源を有効に利用していくかがより大きな課題となっている。

また、水道事業の多くが市町村単位の小さな規模で実施されてきた結果、地形的な要因に加え、水道ごとの成り立ちや水源、需要構造等の違いを背景として、災害時の対応や供給する水の水質等のサービス内容、料金などの面で格差が生じている。特に、小規模水道において財政面、技術面での立ち遅れが見られ、こうした小規模な水道における適切な経営・維持管理も今後の大きな課題と言える。

なお、都市のマンション等の共同住宅の住民の中には、受水槽を介した水道水の供給に対して水質面での不安を抱く人が多く、また、水槽の清掃や検査の費用を余分に負担することに対する不満もある。受水槽を介した水道については、一定規模以上のものが簡易専用水道として規制されているが、規制導入から二五年が経った今日でもその目的が十分達成されているとは言えない。また、水道法により規制を受けない学校・幼稚園の水道が水系感染症の原因となる事例もみられており、未規制水道における衛生確保も今後の課題の一つと言える。

二、今後の水道行政の基本的視点

㈠　成熟した市民社会への対応（需要者の視点）

わが国の社会は、経済の面では拡大成長から安定した成熟期を迎えつつあり、また、市民意識の面でもその高まりと広がりによって成熟期を迎えつつある。こうした中で、水道をはじめ、電気、ガス、通信等の公共サービスに対し、サービスの内容や質に対する需要者の関心が高まっており、需要者への説明や需要者の意見の反映が従来にも増して求められている。そのため、今後の水道、水道行政の在り方を検討するに当たっては、これまで以上に「需要者の視点」に立つことが必要となる。

これからの水道は、最低限の給水サービスの水準を確保するだけでなく、需要者の多様なニーズに対応できるサービスのあり方を模索することが重要であろう。しかし、現実の水道は供給独占であり、需要者は供給者を選ぶことができない。水道事業者は、このことを謙虚に受け止め、サービスの内容や質の検討に当たっては、需要者のニーズを十分考慮すると同時に、需要者間の公平性の確保に十分留意する必要がある。また、サービスの内容や質の決定に際して、需要者の参加を促進することが重要である。さらに、水道は、需用者である国民の生活や事業者の事業活動を直接支えていることに加え、生活圏、経済圏としての都市の機能そのものを維持するために不可欠な社会基盤施設となっており、災害時等においても最低限、都市機能を維持するための用水を確保するというような考え方を導入する必要があろう。

サービスの質や内容の決定に際し、需要者の参加を促進するための前提条件として、需要者側もこれを自らの問題と受け止める意識を持つことが重要であり、そのためには、水道事業者側からの適切な情報公開が不可欠である。特に、サービスの水準は、その対価である料金と密接に関係することから、コスト主義の原則に基づいた意思決定を行えるよう、コストに関する情報公開を進めることが重要と言える。また、最近では、水道メーターやダクタイル鉄管業界における独占禁止法違反が問題となるなど、水道事業者が有すべきコスト意識が問われている状況があり、水道事業者及び需要者の双方のコスト意識を一層高めることが不可欠と言える。

(二)　自由な経済活動を基調とする経済社会への対応（自己責任原則）

世界の経済は急速にグローバル化、ボーダレス化が進んでおり、わが国の経済社会もそれに対応した様々な改革に取り組んでいる。特に、国際的に開かれ、自己責任原則と市場原理に立つ自由で公正な経済社会を実現することは、わが国経済社会全体の喫緊の課題である。

このため、行政の様々な分野における規制の撤廃・緩和が進められており、水道の分野においても、これまでに、給水装置の構造及び材質の基準、指定給水装置工事店制度、指定水質検査機関、認可申請書類等に関する規制の緩和が図られている。国民の健康に重要な関わりを持ち、また、事業として地域独占的に行われ、様々な公的関与の規定が設けられている水道事業の特性を十分踏まえる必要があるが、成熟した経済社会に即して、今後、可能な限り自己責任原則と市場原理の活用を図る方向で検討していくことが望まれる。なお、ここに言う市場原理とは、単に競争原理に基づく利潤の追求を意味するものではなく、適切な環境面の費用など広く社会的なコストまで含めて、最適な効率と内部化の努力を求める概念であることに留意する必要がある。

規制緩和と同時に、それぞれの行政における地方分権が進められており、水道行政における国と都道府県との役割分担についても、認可権限、監督権限等について見直しのための制度改正が行われている。さらに、官と民の役割分担の見直しも課題となっており、水道についても、その公益性を踏まえ、国、地方公共団体、民間及び需要者である国民を含めた適切な役割分担のあり方を検討していく必要がある。

一方、経済のグローバル化に対応して、水道事業の資機材等についても、国際調和を推進し、わが国の市場を国際的に開放していくことが必要となっている。また、水道事業の運営や、水道施設の維持管理に関する業務についても、市場原理の導入が多くの国で進められてきており、こうした動向も注視していかなければならない。

㈢　健全な水循環への対応

水道事業は、循環資源である水を利用する事業であり、水の循環系が健全に機能していることに依存して成立している。したがって、できるだけ自然の水循環が保全されていることが、水道にとっての必要要件と言える。

また、水道は、水循環系の一構成要素であると同時に、水道のための取水は、水循環系を人為的にかく乱し、さらに水道水を利用した後の下水は水循環の量と質に影響を及ぼす要素でもある。したがって、より安定した良好な原水を得るためには、水循環系における水道の位置づけを明確にするとともに、水循環に係る多くの制度、関係者との間で協調と連携を図り、計画的、体系的に水源保全を図ることが必要である。

さらに、マクロな水循環系に大きな影響を及ぼすおそれのある地球温暖化などの地球環境問題は、全ての人類に関わる共通の問題であり、水道の運営に当たっても、省エネルギー等適切な配慮が求められる。

三、今後の水道のあり方

㈠　清浄、豊富、低廉の今日的意味（「ナショナル・ミニマム」から「シビル・ミニマム」へ）

水道法に掲げられた「清浄にして豊富、低廉」という理念は、今日まで、水道のあり方を律する基本となってきた。この理念は、水道のサービスの基本要素である水質、水量及び料金の面について、需要者に対するサービスのあり方を規定したものでもあり、需要者の望む水道を検討する上で、まず、この理念について今日的意義付けを行っていくことが必要であろう。

生活に不可欠な水を手に入れることにおいて、すべての国民が等しく公平であるべきことは言うまでもないが、同じ水質の水を、同じ量だけ、同じ料金で享受できる環境にないことは、国民誰もが実感しているところであろう。したがって、何を公平にすべきかは国民的合意を得つつ、国民が決定していくべき問題と考えることが、需要者である国民の立場に立つ水道の原点と言える。

従来、水道のサービスについては、全国どこの水道でも達成しなければならない水準として議論されてきた面が強い。しかし、成熟した市民社会の中で、今後は需要者である国民の意向を水道のサービスに反映させていくことが求められている。そのため、サービスの基本要素である水質、水量及び料金についても、全国どこの水道でも達成しなければならない水準（ナショナル・ミニマム）と、それぞれの地域の実態に即して地域住民自らが決定していく水準（シビル・ミニマム）とに区分して考えることが適切と思われる。

この場合、二一世紀の水道を考える上で、全国いかなる地域においても、現状のサービス水準を決して低下させないということを基本とすべきである。水道の「ナショナル・ミニマム」を「安全に飲用できる水を、通常時に安定して使用できること」と定義すれば、全国的にほぼ達成しつつあるといえるが、今後の水道は、その水準を維持しつつそれぞれの水道ごとに、ローカル・スタンダードである「シビル・ミニマム」を達成することが基本的な目標と考えることができる。

さらに、わが国をはじめとする先進国は、水やエネルギーを大量に使用しているが、地球環境問題まで視野に入れると、今後はなるべくこれらの消費を抑制していく方向が、地球人としての立場から求められている。そうした意味では、量的な目標としては、むしろ一人一日の限度として、いわば「ナショナル・マキシマム」の水準をも検討していくべき時代になってきていると言えよう。

㈡　関係者の役割分担

需要者の視点や自己責任原則ということを踏まえれば、従来のように行政が主導し牽引していく時代から、今や需要者である国民との対話を通じ、また、民間の創意と工夫を活用しつつ、水道事業者が自らの意思と努力で方向を決めていく時代に大きく転換しつつあると言えよう。その際、国、地方公共団体、水道事業者、民間、国民それぞれが以下のように適切な役割分担をしていくことが必要になるものと考えられる。

国は、ナショナル・ミニマムを支えるために必要な、水質基準、施設基準等の設定を行うとともに、水道事業の規模等に応じて都道府県と分担して水道事業者に対する必要な規制、監督を行う。また、都道府県域を越えるような大きな圏域として取り組むべき水道水源の水質保全、水資源の確保、渇水対策、地震等の災害対策、健全な水循環の構築等について、必要な施策を講じる。さらに、これらの施策の基礎となる調査研究を実施し、水道事業者に対して積極的な情報提供等の技術支援を行うとともに、政策的な財政支援を行う。都道府県は、現在進められている地方分権の制度改正後（平成一二年度施行予定）は、固有の事務（自治事務）として、国と分担して水道事業者に対する必要な規制、監督を行うことになる。また、広域的水道整備計画の策定等を通じて、あるいは、必要に応じ、広域水道の事業者として、水道の広域化に関して主導的な役割を果たす。同時に、流域として取り組むべき水道水源の水質保全、水資源の確保、渇水対策、震災等の災害対策、健全な水循環の構築等について、国と協力して必要な施策を講じる。

市町村を主とする水道事業者は、需要者との対話を通じて、需要者の立場に立った水道を実現する。具体的には、需要者の求める情報公開、広報活動を積極的に進め、緊密なパートナーシップを形成するとともに、適切なシビル・ミニマムを設定し、それに応える水準のサービスを提供する。また、サービス水準を維持できる適切な施設の更新計画を確立し、シビル・ミニマムに必要な財政基盤・技術基盤を確保できるよう、最適な経営形態を選択するとともに、コスト意識を徹底し、需要者に節水を誘導していくような取り組みを行う。

民間の事業者は、指定水質検査機関や指定給水装置工事事業者、水道事業者からの業務の受託者、あるいは、性能・品質の良い資材や装置の提供者等、特定分野の専門家として今後一層幅広く水道事業を支えることが期待される。また、多様な需要者のニーズに応えることのできる創意と工夫に富んだ水道技術やシステムを水道事業者に提案するとともに、将来的には、水道運営の受託者として重要な役割を果たすことが期待される。

需要者である国民は、水道事業者が提供する給水サービスの価値に常に関心を払い、受益者負担の原則に最大限協力することを前提に、自らの積極的な参加によりシビル・ミニマムを決定していく。また、水の大切さを理解し、地球人としての意識をもって、節水型社会を実現していくとともに、健全な水循環の構築に積極的に貢献する。

㈢　水質管理対策

水道は、安全に飲用できる水準の水を供給する施設として普及してきたが、ボトル・ウォーターや清涼飲料水が普及した結果、特に大都市部においては、水道水を直接飲用する市民の割合が低下していると言われる。しかし、直接飲用することはもちろん、水道水は調理用、風呂用など飲用に準じた、衛生性を求められる用途にも広く使われており、飲用できることを前提とした水道水の供給は、国民の権利である安全で安心できる生活を享受するために必要不可欠である。

したがって、引き続き「安全に飲用できる水」の供給を使命として、全ての水道で同一の水準が達成できることをナショナル・ミニマムとして維持すべきである。そのために、水道事業者は、水道水質基準を遵守することはもちろん、クリプトスポリジウムや有害化学物質等による汚染などの水質問題に対し、的確な対応ができる水質管理体制を整備することが求められる。また、未規制の有害化学物質については、国が水質管理の方針を示し、それに基づき水道事業者が必要に応じて水質監視を行うとともに、測定データや関連する情報を関係者で共有し、一般に公開していくなど相互に連携をとりながら、迅速に影響の発生を未然に防止できるよう対応していくことが必要である。

また、飲用水として国民が口にする水のうち、小規模の受水槽以下の施設や飲用井戸等については、現行の水道法では規制が適用されていないが、水質基準を満足している水道水と同程度の安全性が確保されるべきであり、「飲用水の水質基準」の設定を含めて、そのために必要な措置が望まれる。

一方、「おいしく飲用できる水」に対する国民のニーズは高く、それが水道水離れの原因となっているとの指摘もある。そのため、水道における高度浄水処理施設の導入が進められているが、需要者からも評価されているところでもあり、今後とも、可能な限り「おいしく飲用できる水」という水準を目指すことが望ましい。しかし、高度浄水処理の導入は、料金の値上げを余儀なくするものであり、安全性以上の付加価値については、基本的に対価との関係で需要者の選択によってシビル・ミニマムとして決定されるべきものと言える。

安全でおいしい水道水の確保のためには、水道水源の保全が不可欠であり、健全な水循環系の構築という流域管理の視点から、国や都道府県が中心となって枠組みを整備し、流域の市町村や住民の参加のもと、関係者が協力して取り組む必要がある。その際、水質の目標としては、原則として高度処理をせずに通常の処理で水道水の水質基準を満足できるような原水の確保を目指すべきである。一方、水道事業者自身は、水道水源の保全に直接的な対応措置を持ち合わせていないことが問題とされているが、水の専門家として汚濁発生源となっている他の分野の事業者に対して働きかけるなど、健全な水循環系を維持する観点から積極的な役割を果たしていくことが必要である。

㈣　安定供給対策

水道水の安定供給を考える前提として、水資源が限りあるものであることを踏まえ、これを節度を持って利用するとともに、雨水等の身近な水の有効利用や雑用水の再利用に努めていくことが、二一世紀の国民として、また、地球人としての基本的な責務と言えよう。こうした節水型社会の実現を目指しつつ、水道に求められている常時給水義務を達成できるよう、異常な渇水時や災害時を除き、国民が必要量の水を安定して使用できるような水道水の供給を、ナショナル・ミニマムとして確保する必要がある。

しかし、都市の諸活動や都市機能そのものが水道に大きく依存している今日、渇水時や地震等の災害時にも普段どおりの給水を求める声が少なくない。そのため、多くの水道事業者において、渇水対策、災害対策のための水源確保や水道施設の増強が行われており、近年では、徐々に渇水や災害に強い水道が整備されつつある。しかし、あらゆる渇水や地震にも耐えられる水源の確保、水道施設の整備は、費用面からも現実的ではなく、一方では水源開発に伴う環境問題の発生も懸念される。そのため、その整備水準は、地域の特性を踏まえつつ、需要者の求める水準と費用負担との関係を考慮した上で、シビル・ミニマムとしての整備目標を定め、渇水や災害に強い水道の整備に計画的に取り組む必要がある。その際には、ロスアンジェルス地震において、都市全体を制御するコンピュータの冷却不能により、都市混乱を生じさせたという事例にも象徴されるように、水道は、都市そのものを支える社会基盤施設となっており、個々の住民に対する給水の確保のみならず、国家的見地から、非常時において一定の都市機能を維持するための、最低限の給水の確保にも留意すべきである。

渇水や災害対策としては、多額の経費を必要としないソフト面の対策も重要かつ効果的であり、近隣の水道事業との相互支援体制を確立しておくことが望ましい。また、流域内の利水関係者相互の水運用や、地域によってはこれまでの広域水道圏や流域を越えた相互水運用が重要となっており、そのための様々な施策が検討されるべきである。さらに、渇水や災害が生じた場合の国レベル、都道府県レベル、地域レベルの危機管理対策についても併せて確立しておくべきである。

阪神・淡路大震災の際に、飲料水は何とか確保できたものの、生活用水の不足により多くの都市流出者を出したことが教訓として挙げられ、建物の高層化や生活形態の多様化の進んだ都市においては、飲料水以外にも生活に必要な水を確保することが必須と言える。そのため、雨水、下水処理水、河川・水路の水など水道水以外の水を消火用水や水洗便所用水等として活用することについても日常的に検討しておくことが必要であり、具体的な活用方策について、関係者を交えて明確にしておくことが望ましい。

一方、渇水に関しては、これまでも渇水調整を通じて、利水関係者間での相互の水融通が行われてきたが、特に、水道の減断水を生じるような異常渇水時には、国民の生活にできるだけ障害を生じさせることのないよう、生活用水としての水道用水を優先して確保すべきである。そのため、他の利水者からの水融通がより円滑に行われるよう、例えば水利権を一時的に借り上げるといった弾力的な仕組みも検討する必要がある。一方で、災害時と同様に、用途によっては、水道水以外の多様な水源の活用を検討することも重要と言える。

なお、災害時を含めた安定供給対策が、一方で過大な施設の設置に結びつくことのないよう、事業計画の策定に当たり慎重な検討が必要であり、適宜、事業計画の見直しを図ることが必要である。また、現在、少子・高齢化が進行しているが、このことは水道水の需要構造を変化させるものであるとともに、断水等の影響を強く受けやすい人々が増加するという意味を有していることについても十分な配慮がなされるべきである。

㈤　料金問題

水道料金については、生活必需品である生活用水の対価であるということから、全国的に同一水準とすることが望ましいという考え方と、水は地域に属する貴重な天然資源であり、その資源を使用することの対価である水道料金は地域ごとに差があるのは当然であるとする考え方がある。従来は、そのバランスを取る方向で、国の補助や地方自治体の一般会計からの繰り入れ等の措置が行われてきており、その結果、そのままでは著しく高料金となる水道の料金が抑えられているが、それでも現状では、最高と最低で水道事業者間で約一〇倍の格差がある。

いずれにしても、水道事業はサービスを供給する事業であり、資源消費に伴う費用を賄うという観点からも、受益者負担の原則は維持すべきであろう。その結果、地域ごとにある程度の料金格差が生じることは基本的に容認せざるを得ない。むしろ、水道水の供給のためのコストを需要者に知らせる上では、コスト全体を料金に転嫁することが望ましいと言える。ただし、それによって同じ水準のサービスに対して、大幅な料金格差が生じたり、逆に高料金を抑制するために、必要な設備投資が行われず、供給機能の低下を招くことになれば、それは水道の意義からみても問題であり、政策的な配慮が必要と言える。

例えば、過疎地や辺地の簡易水道では、受益者負担の原則の適用が困難な場合もあり、そのような地域における水道施設の建設費や、水源開発や水資源の広域的融通など莫大な先行投資を要する事業にかかる費用は、その全てを受益者の負担とするには無理があり、一定の公費負担が必要と考えられる。しかし、水道事業への公費負担は、資源の適正配分、所得の再分配、事業者の経営努力等の観点からの問題も指摘されているところであり、国の補助や一般会計の負担は、一律ではなく、政策措置として限定的に行うことが適当と考えられる。

なお、健全な水循環系を構築する上でも、国民のコスト意識を高め、水の価値について十分な認識を得ることが重要である。その際、水道を通じて利用された水は、下水として排出され適正に処理される必要があり、水利用のコストとは、これらを一体のものとして捉え、下水の処理費用まで含めたものとして認識することが重要である。

水道料金は、水量抑制の観点もあって、従来、逓増型の料金体系が取られてきたが、その結果、大口需要者の節水が進んだ反面、もともと低く設定された家庭用料金については、需要者のコスト意識が十分働いていないという指摘もある。また、基本水量制についても、単身者等の節水意識を阻害しているという面もあり、その意味を見直す必要があろう。節水型社会の実現に向けて、節水を誘導するという観点から、水道料金体系についても、季節料金、渇水料金といった弾力的な運用ができる新たな工夫が必要と言える。

四、対応する行政施策の方向

㈠　水道経営と財政支援

①　経営形態の多様化

自己責任原則の下で、需要者との対話を通じて、その要求に基づく多様な水道を実現するためには、水道事業者は、自立した水道を運営できる経営基盤を備えていることが不可欠であるが、現在、規模の小さな水道の多くは、財政的にも、技術的にも、水道の抱える課題に適切に対処できる十分な能力を備えているとは言いがたい。

今後、維持管理を中心とする時代になるにつれ、水道ごとにみれば、施設の改築・改良等の大規模な投資が必要になっても、そのための財政基盤や技術者の確保がますます困難な状況となることが予想される。その意味で、経営基盤の強化のための様々な施策を総合的に講じていく必要があるが、財政基盤や技術基盤の共有化という観点から、地域の実情に応じて、広域水道、共同取水、共同経営、共同維持管理など多様な形態による水道の広域化を進めることも重要と言える。

水道の広域的整備は、近年では、主として水道用水供給事業という形態で行われてきており、この形態による水道の広域的整備は、経営基盤の強化を図りつつ、安定した水源の確保や水の広域的な融通に大きな役割を果たしてきている。今後も引き続き、水道の広域的整備を図る必要があるが、経営基盤の一層の強化を図る観点からは、地域の実情を踏まえ、できるだけ末端給水までの水道事業の形態で広域的整備を推進することが適切と考えられる。なお、広域的整備に際しては、自己水源の放棄や遊休施設を発生させることなく、コストの縮減や技術者の確保などを通じて、実際に経営基盤の強化や事業の効率化につながるような計画とすべきである。また、広域的水道整備の目標に照らして、適正な規模となるよう配慮されるべきである。

一方、同一市町村の簡易水道施設など、施設の一体化がコスト等の面から必ずしも合理的でない場合には、まず、経営のみの一体化を進めることが望ましい。また、例えば、同一水系から取水する水道事業者が組合を設置して共同で取水を行うなど、事業の一部を共同化することも有効と考えられる。さらに、緩やかな広域化として、例えば、災害等の非常時の対応を目的とした相互応援協定による体制の整備や、単独で実施するとコストのかさむ水質検査等の共同実施体制の整備など、特定の目的、あるいは特定の業務に関して広域的な体制を整備することも望ましい。

また、水道の適正な運営という観点からは、単独では十分な運営管理が困難な水道事業者が、経営基盤の強固な第三者に対して水道運営を委託する方式も有効と考えられる。受託者としては、他の水道事業者のほか、一定の資格を有する民間の受託会社が考えられるが、委託事業の適正を期すため、委託に際しての明確な基準の設定が必要となる。こうした方式が定着すれば、委託先の技術力等の活用が期待できるなど、経営基盤強化のための選択肢が増えることになるため、国としても、適切な委託のための制度的枠組みについて検討する必要がある。

なお、水道の民営化については、わが国の水道が市町村公営原則で実施されてきた経緯を踏まえ、それぞれの地域において、需要者を含めた十分な議論を経て検討されるべきものと考えられる。今後、経営基盤の強化を前提として、水道事業に求められる公益性を維持・増進する形での適切な民営化のあり方について、更に検討を深める必要があると考えられる。

② 財政支援

水道経営は、経済原則に則るべきものであるが、水道水は国民が等しく必要とする代替性のないものであることから、国民にとって大きすぎる負担にならないようにするという考え方に立ち、水道の国庫補助のあり方についても適宜検討を加える必要がある。

個々の市町村では負担が困難な多大の投資を要する水源開発や広域的な事業を中心に行っている現在の国庫補助の考え方は、高料金化の防止と国家的見地の施設整備という二つの目的を併せて配慮した補助制度となっている。さらに政策的要素を強めていく必要はあるが、基本的にこの考え方を踏襲することが適当と言える。ただし、公費投入を行う以上、そのことによる便益を、費用対効果の評価等により明らかにしていくことが求められる。

その際、過疎地の簡易水道等では、独立採算による経営が困難な場合がみられるが、そのような事業者に対しては、必要な国庫補助を行うことを検討すべきである。また、施設の老朽化に対応した施設の改築・改良に対する財政支援についても検討する必要がある。水道施設の改築・改良は今後ますますその必要性が高まるが、そのための投資は必ずしも直ちに収益の増加にはつながらず、水道料金の値上げに直結するものであることから、適切な時期に必要な投資がなされないおそれがある。そのため、水道事業者として、施設の更新計画を確立し、これを適切に考慮した長期的な財政計画に基づく事業運営に努めることが不可欠であるが、国としても、安全な水道水を安定的に供給する能力の確保と同時に、施設の改築・改良に伴う高料金化を抑制するためにも、この分野における国庫補助の導入を検討する必要がある。

なお、当面発生しない需要を見込んだ先行投資が、高料金の一因となっている面があることを踏まえ、施設計画の適正化を強力に進めていくと同時に、相当将来の需要を見込んだ水源開発などの長期的な先行投資については、後世代のために現世代の負担を求めることとなるため、利水水道事業者を特定せずに、公的に負担する方策を検討すべきである。

㈡ 水道事業規制のあり方

① 衛生規制

水道には様々な規制が設けられているが、このうち人の健康の保護に係る衛生規制については、全国一律の水準として、国において明確な基準を定め、それを水道事業者に遵守させるなど、国として必要な規制を引き続き確実に行っていく必要がある。一方で、水道水の水質基準は、今後とも対象項目が追加されるなど規制強化の方向にあり、これに適切に対応するための水道事業者の負担も非常に大きくなってきている。そのため、衛生的な安全性を確保しつつ、特に小規模の水道事業者の負担を軽減するような合理的な水質管理のあり方について積極的な検討も必要である。

また、水道法による現行の規制が適用されていない施設であっても、事実上不特定多数の人々の飲料水を提供することとなっているものについては、衛生規制を適用する必要がある。

さらに、簡易専用水道については、利用者の不安感を払拭するために、その供給者である水道事業者が簡易専用水道の管理が適切に行われているか否かの検査をする方向で検討を行うことが適当である。その場合、現在その業務を担当している指定検査機関に委託してその検査を行えるような方式も検討すべきである。

② 事業規制

自己責任原則に基づき、事業者の創意工夫を生かした自由な事業活動を確保させるために、水道事業の運営等に関する国の規制はできるだけ縮小する方向とすべきである。事業認可の制度については、国と都道府県とが水道事業の規模等に応じて分担することが既に決まっているが、その運用に当たっては、事前審査重視から事後チェック重視に比重を移すことを念頭に置き、できるだけ事業者の自己責任に委ねるよう配慮すべきである。

一方で、国及び都道府県においては、事業の運営に関して十分な監視が行えるような行政体制の整備を図る必要がある。特に、民営水道については、給水区域の市町村による十分な監視を行うとともに、情報の開示や、公的機関または適切な資格を有する第三者機関による定期監査を義務付けるなど、業務の公正かつ適切な運営を確保するための制度を整備する必要がある。

㈢ 需要者とのパートナーシップ

水道が需要者の料金によって運営されるものである以上、水道事業の運営に需要者の意思を反映できるよう、水道事業者と需要者とのパートナーシップを進めていく必要があり、双方向の情報伝達を図るべきである。

そのためには、水道事業の運営やサービスに関し需要者自らが判断することが可能となるような情報の公開が不可欠である。特に、水道事業者及び需要者双方のコスト意識を高める観点から、料金関係の情報や水資源開発まで含めた水のコストに関する情報を積極的に公開すべきである。さらに、水道事業者による工事発注関係の情報公開も、公正で開かれた市場の形成に資するものであり、より適切な工事発注を実現していく契機ともなろう。

また、需要者に対する積極的な情報提供として、様々な広報が行われているが、さらに、水質の安全性に関する情報など需要者の求める情報を十分含めた広報を行う必要がある。米国などでは需要者への年次報告を義務づけている例もあり、一般行政情報の公開に関するルールとは別に、水道事業者に対して、必要な情報を需要者に知らせる義務を課すことも検討する必要があろう。また、健全な水循環系の構築に向けて住民の参加を促すために、国民一人一人が水循環に果たすべき役割についても、広報を通じて啓発していくことが必要である。

さらに、水道事業者として、需要者の要望を正確かつ迅速に把握し、求められている情報を速やかに開示していくことが重要であることから、これを専門とする部署や窓口の設置を含めて、適切な対応のできる体制の整備が急がれる。

㈣　関係者とのパートナーシップ

水道事業は、今や様々な制度や枠組みの中に組み込まれており、水道と関係機関との密接な連携なしには適切な事業運営が困難となっている。また、水道は、下水道とともに、水循環系の主要な構成要素となっており、水源の水質管理の強化、水源涵養を含む水資源の安定的確保、特に渇水時における水資源の相互融通を含む総合的な利用・調整を推進していくためには、他の利水、河川管理、環境管理など関係制度間の連携を強化することが必要である。

このため、流域の市町村や住民の積極的な参加のもと、水道事業者を含めた水循環の関係者が、流域単位で水質監視や取水調整のためのネットワークを整備するとともに、取排水体系の見直し、用途間の転用等の具体的な対策を検討し、推進できるような体制の整備が必要であり、国もこれを積極的に支援すべきである。

㈤　その他

①　技術開発、試験研究の推進

施設の老朽化、水源水質の悪化等の課題に対応し、渇水時、災害時、水質汚染事故時等の非常時においても安定的な供給を確保できるよう、水道施設の質的な改善・改良が求められている。そのため、高度浄水処理に関する一層の技術開発を進めるとともに、より安全で良質の水道水を適切なコストで供給できる処理技術の開発に取り組む必要がある。さらに、クリプトスポリジウム、サイクロスポーラなど新たに対応を迫られている感染症や寄生虫疾患などについての、水道におけるリスク管理技術についてや、内分泌攪乱化学物質等の微量化学物質についても研究が必要である。また、効率的な老朽化施設の改良方法、都道府県域や流域を越える水道原水の相互水運用などに関する調査、技術開発が必要である。

技術開発、試験研究の体制として、国、水道事業者、大学等研究機関、水道関係業界等水道関係者の連携が重要である。特に、新たな技術開発には、民間の自由な創意・工夫を最大限に引き出すような体制が重要であり、国は、開発された先導的・モデル的な技術を実用化し、普及させていくような支援を行っていくことが必要である。

② 人材育成、技術の継承

人材育成には、水道分野の活性化が不可欠であり、大学における研究・講座の充実、人事交流を含めた水道事業者間での交流の強化などにより、積極的に活性化を図っていく必要がある。また、今後、水道分野における技術の継承が大きな課題となるものと予想されるが、産・学・官の水道関係者が連携して、水道関係技術の調査研究を進め、水道関係者全体で技術を承継していくような体制を強化すべきである。

③ 国際協力の推進

わが国は、これまでも水道を重点分野の一つとして技術協力、経済協力を進めてきているが、世界には未だに衛生的な飲料水の確保に事欠き、水系感染症の脅威に曝されている人々が少なくない。開発途上国の水道整備に対する技術的、財政的支援を行なうことは、世界有数の経済力と優れた技術力を持つわが国の責務であり、今後、一層、開発途上国の水道整備を支援していく必要がある。その場合、それぞれの国の実情を十分踏まえ、相手国の立場に立ったきめ細かな協力が必要であり、また、技術移転に関しては、効率的で維持管理が容易であることに加え、節水型社会を指向した水道システム、技術を移転するよう配慮することが望ましい。さらに、このような国際協力を支える人材育成及び支援システムを充実していくことが重要である。例えば、人材をプールして、開発途上国の要望に応じて随時派遣できるようなシステム作りが望まれる。

一方、ＷＨＯ等の国際機関を通じた国際協力も重要であり、飲料水水質ガイドラインの見直しをはじめ、水道に関わる基準や指針の策定に際して、わが国としても積極的に参加、貢献していくことが必要である。

④　規格面等での国際調和

ＷＴＯ体制の下で技術の国際標準化が進められており、工業製品については、原則として国際規格に準拠することが必要であることから、水道用資材、給水装置、水道用薬品等について、規格の国際調和を図っていく必要がある。

八、水道に関して当面講ずるべき施策について（中間とりまとめ）

（平成一一年七月生活環境審議会水道部会）

一、水道に関する課題

○　九六％を超える高い普及率に達し、国民の生活及び社会の諸活動全体の基盤として不可欠な存在となっている水道については、引き続き、安全に飲める水の安定的な供給という基本的な水準を確保しつつ、それぞれの地域の利用者が求める、より高い水準での供給を目指す必要がある。

○　水道は、循環資源である水を利用するものであり、より良好な原水を安定して得るためには、水の循環系が健全に機能していることが重要である。しかし、水源の水質汚濁や流域での様々な化学物質の流入、近年の少雨化傾向による水資源の安定性の低下など、水循環全体に係る問題が生じており、水道にとっての課題となっている。

○　水道水の安全に関しては、クリプトスポリジウム等の病原性微生物による新たな健康被害が生じており、また、水道として監視が必要な化学物質等が増加するなど、水質管理が高度化・複雑化しており、その取り組みの強化が課題となっている。また、水道法の規制対象となっていない水道において、感染症の発生など衛生上の問題が生じており、これらの管理の徹底を図ることも重要である。

○　水道水の安定供給に関しては、渇水や震災時にも、一定のサービス水準を確保するため、水源の安定性の向上、施設の耐震化、配水池容量の増強、緊急時の給水拠点の整備等による施設水準の向上が課題となっている。

○　加えて、水道施設の老朽化が全国的に進んでおり、それに伴う施設の事故による断水等の被害がしばしば発生するなど、施設の計画的な更新が緊急の課題となっている。

二、施策の基本的な方向

○　利用者である国民の立場から、より安心して利用できる水道を実現するためには、広く健全な水循環の視点から、関係者と連携した取り組みを強化するとともに、水道固有の取り組みについて、政策的な財政支援の充実や関係する法制度の充実を図るなど、総合的な施策を推進する必要がある。

○　健全な水循環の観点からは、水源の水質管理の強化、水資源の効率的な利用・調整の推進、取排水体系の見直し等の施策につき、関係者との連携を強化し、総合的な取り組みを推進する必要がある。また、これらの取り組みを通じて、上下水道によって形成される人為的な水循環も含めた流域の総合的な水管理について、水道の立場からも積極的に検討する必要がある。

○　水道事業に対する財政支援は、受益者負担の原則から、一律ではなく、政策措置として限定的に行われており、従来は、ダム等の水資源開発施設の整備や、これを軸とした広域水道の整備に重点を置いて行われてきたが、水質管理の強化、渇水や震災に備えた施設水準の向上、老朽化施設の更新等がより重要な課題となっており、これらに対する政策的な支援を強化する方向で見直す必要がある。

○　また、上記の課題に的確に対応するためには、水道事業はもとより、一般に利用される水道全体について、管理体制の充実・強化を図る必要があり、その観点から、水道事業における経営基盤の強化を通じた管理体制の充実、水道法上の未規制水道における管理体制の強化等について、制度的な手当を検討する必要がある。

○　以下では、より安心して利用できる水道を実現する上で、緊急に取り組むべき水道固有の施策について、主として制度的な面から検討を行い、当面講ずるべきものを整理することとする。

三、水道事業の経営基盤の強化を通じた管理体制の充実

○　水道事業は、市町村経営を原則として、高い普及率と安心して飲める水道を全国で実現してきたが、現在約一万一千

の事業があり、その大半は経営基盤の脆弱なものであるため、先に述べた課題に対応する上で、多くの事業が技術上、財政上の困難に直面している。

○　技術面では、水質管理の高度化・複雑化に伴い、常時安全な水を供給するために必要な職員の確保、設備の充実等の体制の充実が必要となっているが、十分な取り組みがなされない場合、安全な水道水の供給に支障が生じることが懸念される。

○　また、財政面では、全般に水需要が頭打ちとなり、料金収入の伸びが期待できない中で、水質管理の強化、渇水や震災に備えた施設水準の向上、老朽化施設の更新など、いずれも収益の増加につながらない投資を着実に行っていく必要があるが、適切な時期に十分な投資が行えない場合、老朽化に伴う施設の事故等による断水や水質基準違反の発生が懸念される。

○　水道事業者の自己責任が強く求められる中、自立した水道として、その責任を果たすための取り組みを着実に実施するには、技術及び財政の両面について安定した基盤を有することが不可欠であり、水道事業者にとって経営基盤の強化が急務と言える。

○　経営基盤を強化するための水道事業の運営形態には、

①　事業の広域化、管理の一体化等により、技術基盤や財政基盤を共有する手法

②　第三者の技術力、財政力を活用する手法

があり、単独で安定した基盤を持たない水道事業者にあっては、自らの責任で適切な手法を選択し、基盤の強化を図っていく必要がある。

○　水道事業者が、それぞれの事情に応じて、最適な運営形態を選択できるよう、その制度上の選択肢を充実させる観点から、以下の方向で、検討を進める必要がある。

・　上記①の手法については、従来の施設としての一体化を進める広域化に加えて、今後は、水道事業の経営（ソフト）面の一体化を進める方向での広域化を推進することとし、従来別々の事業として認可されていた複数の事業を、一体的に経営する場合には、一つの水道事業として認可できるようにする。

・上記②の手法については、現行の制度では、委託に関する規定がないため、水道事業の経営は、市町村自らが全体の責任を負って行うか、市町村が同意して他の法人に事業の経営全体を委ねるかのいずれかの選択となり、第三者の技術力、財政力を活用する選択肢が限定されている。しかし、市町村の経営責任の下で、例えば、技術力の弱い水道事業者にとって困難となりつつある、浄水場の運転管理や水質管理等の技術的な業務を、技術力の安定した第三者に委託するといった選択肢は、安全な水道水の供給を確保する上で有効と考えられるので、委託に際しての責任分担を明確にしつつ、このような技術的業務を第三者に委託することが可能となるような制度的枠組みを整備する。

○さらに、水道事業者における経営基盤強化の取り組みを推進する観点から、ガイドラインの策定等による技術的な支援や、国庫補助等の財政的な支援の充実を検討する必要がある。

四、水道法上の未規制水道における管理体制の強化

㈠利用者の多い未規制水道における管理体制の強化

○水道法による規制は、罰則を伴う強い規制措置を内容とするものであり、個人の用途に近い小規模な水道は対象としておらず、一定以上の多数の者に対して飲用に適する水を供給する事業又は施設に限定して適用されている。

○水道事業以外の自家用等の水道（専用水道）については、居住者に着目して、一〇〇人を超える居住者に給水する施設のみを規制対象としているが、居住者を持たない水道の中には、学校やレジャー施設の水道など、給水能力が大きく、利用者の多い施設があり、管理の不徹底から感染症の集団発生を引き起こしている事例もみられることから、その管理体制の強化を図る必要がある。

○そのため、専用水道として現在規制されている施設と、同等以上の給水能力を持つ水道については、居住者の有無に関わらず、専用水道としての規制を適用し、管理の徹底が図られる方向で検討する必要がある。

㈡受水槽水道における管理体制の強化

○水道事業者から水の供給を受けている、ビル等の建物内の水道（受水槽水道）は、マンション等における給水のための一般的な施設として、全国で九〇万件近く設置されている。このうち、簡易専用水道（受水槽の有効容量一〇㎥超）としての規制を受ける約一八万件の施設では、設置者に対して管理基準の遵守と管理状況の検査の受検が義務づけられ

ているが、受検率は約八五％にとどまっており、管理に問題のある施設も一部にみられる。また、規制を受けていない約七一万件の小規模施設（一〇㎥以下）においては、管理の不徹底による衛生上の問題がみられることが多く、利用者の多くが水質面での不安を感じている。

○　給水栓（蛇口）まで水道事業者が責任を持って関与している一般家屋の給水装置と異なり、ビル等の受水槽水道については、水道事業者は制度上関与しない整理となっているが、どちらも水道事業者から供給された水を実際に利用するための設備であり、同じ役割を持つものであることから、水道利用者の立場を考えれば、受水槽水道であっても、安心して水が利用できる仕組みを検討する必要がある。

○　比較的規模の小さな受水槽水道についての有効な対策として、受水槽を介さずに給水栓まで連続して給水を行う直結給水の導入が、都市の水道事業者を中心に推進されており、直結給水にすれば水道事業者が給水栓まで責任を持って関与することになり、水質面の不安が解消されることから、その普及を積極的に支援していくことが重要である。しかし、一方で、現に多くの者が利用している受水槽水道の設置数は、なお漸増している現状にあり、受水槽水道の管理体制の強化も併せて推進する必要がある。

○　そのためには、特に現在規制の行われていない小規模の受水槽水道について、設置者による管理の徹底を促すような、実効ある仕組みを検討する必要がある。その際、水道事業者が、給水設備に関する専門的な知識を有していること、水の供給者であること、設備として同じ役割を持つ給水装置に必要な関与を行っていること等を考慮すれば、水道事業者が適切に関与することにより、実効ある仕組みが可能になると考えられる。

○　その方向としては、水道事業者の関与により、受水槽水道の規模によらず管理状況の検査が実施され、管理の徹底が促されることが望ましいが、具体的な関与の程度、そのために必要な権限等については、給水装置に対する水道事業者の関与の現状と、簡易専用水道に対する現行の指定検査機関の検査体制及び衛生行政の関与の現状を踏まえて、関係者と十分調整する必要がある。

五、その他

○　水道事業者が、料金収入を基礎に必要な投資を行っていく上で、水道利用者の理解は不可欠であり、そのためには、利用者に対して事業に関するコスト等の客観的な情報を、分かりやすい形で提供することが極めて重要である。また、水道の水質に関する情報など、水道利用者が知りたい情報についても、積極的な提供が求められている。そのため、水道事業者の責務として、水道利用者に対する情報提供を制度上位置づけ、積極的に行っていくことを検討する必要がある。

○　水道事業における水質管理の重要性が増すとともに、業務の負担も大きくなっており、水質管理をより効率的・合理的に実施することが必要となっている。そのため、水道事業者が、水道利用者の理解を得ながら、毎年度、水道水質管理のための計画を策定し、これに基づく水質管理を行い、その結果を公表していくことを検討する必要がある。

九、水道法の一部改正について

（平成一二年一二月四日　生環審発第三号厚生大臣あて生活環境審議会答申）

平成一二年一二月一日厚生省発生衛第三三一号をもって諮問のあった標記については、これを了承する。

諮　問　書

（平成一二年一二月一日厚生省発生衛第三三一号生活環境審議会あて厚生大臣）

水道法の一部を改正する必要があるので、別添について貴会の意見を求めます。

（別　添）

水道法の一部改正について

第一　改正の趣旨

管理体制が十分でない水道事業、未規制の水道等における衛生上の問題等の発生に対応し、安全な水道水の安定供給を確保する観点から、水道における管理体制の強化を図るため、水道事業者等による第三者に対する業務委託の制度化、専用水道の範囲の拡大、受水槽水道に係る管理の充実等の措置を講ずること。

第二　改正の内容

一　第三者に対する業務委託

㈠　水道事業者は、一定の基準に従い、水道の管理に関する技術上の業務を、地方公共団体その他一定の能力を有する法人に委託できるものとすること。

㈡　水道事業者は、一の委託を行ったとき及び当該委託に係る契約が効力を失ったときは、遅滞なく、一定の事項を厚生労働大臣に届け出なければならないものとすること。

㈢　㈠の委託を受ける法人は、委託業務に従事し、及び受託業務に従事する他の職員を監督する者として、一定の資格を有する受託業務技術管理者一人を置かなければならないものとすること。

㈣　厚生労働大臣又は都道府県知事は、受託業務技術管理者が職務を怠ったときに、受託者に対して当該受託業務技術管理者を変更すべきことを勧告できるものとすること。

㈤　厚生労働大臣等は、必要があると認めるときは、受託者から必要な報告を徴し、又は受託者に対して立入検査を行うことができるものとすること。

㈥　業務委託に関する規定に違反した者に対する罰則を設けること。

㈦　業務委託に関しては、水道用水供給事業及び専用水道についても同様とすること。

二　事業統合等の手続きの簡素化

㈠　地方公共団体である水道事業者が、他の水道事業者が行う水道事業を統合して給水区域を拡張するときは、水道事業の変更に係る厚生労働大臣の認可を要しないものとし、あらかじめ、その旨を厚生労働大臣に届け出なければならないものとすること。

また、この場合において、統合される水道事業の廃止に係る厚生労働大臣の許可を要しないものとし、あらかじめ、その旨を厚生労働大臣に届け出ることでもって足りるものとすること。

㈡　水道事業者が水道事業に係る一定の軽微な変更を行うときは、水道事業の変更に係る厚生労働大臣の認可を要しないものとし、あらかじめ、その旨を厚生労働大臣に届け出なければならないものとすること。

また、水道用水供給事業についても同様とすること。

㈢　事業統合等に係る届出義務に違反した者に対する罰則を新たに設けること。

三　専用水道の定義の変更

水道事業の用に供する水道以外の水道であって一日最大給水量が一定量を超える施設を専用水道の定義に追加すること。

四　受水槽水道の管理の充実

供給規程の認可基準に、受水槽水道の設置者の責任に関する事項が適正かつ明確に定められていることを要件として加えること。

五　情報提供の充実

水道事業者は、水道の需要者に対し、水道事業に関して一定の事項を定期的に公表するよう努めなければならないものとすること。

六　その他

簡易専用水道に係る検査の実施者に、都道府県知事の指定する者を追加すること。

一〇、水質基準の見直し等について（答申）

（平成一五年四月二八日　厚生科学審議会）

はじめに―背景と審議経過―

一　背景（内容省略）

二　審議経過

㈠　審議の進め方（内容省略）

㈡　委員会の開催状況（内容省略）

㈢　審議経過（一部内容省略）

Ⅰ．基本的考え方

1　水質基準のあり方・性格

水道法における水質管理は、法律の目的の一つである「清浄な水の供給」を達成するため、第四条（水質基準）において「清浄な水」の要件を示し、その上で、この要件を満たすため、「施設の適正確保」及び「管理の適正確保」のために講ずべき措置を規定している。

このうち、施設の適正確保については、施設基準の遵守義務（第五条）、技術者による水道の布設工事の監督（第一二条）、給水開始前の施設及び水質の検査（第一三条）、適正な給水装置の使用（第一六条ほか）などが規定されている。

一方、管理の適正確保については、水道技術管理者の選任（第一九条）、定期及び臨時の水質検査（第二〇条）、職員の健康診断（第二一条）、消毒その他衛生上必要な措置（第二二条）、人の健康を害するおそれのある場合における給水の緊急停止（第二三条）などが規定されている。

このような水道水質管理の基本となる水質基準について、水道法第四条の規定からは次のような性格が認められる。

・水質基準は、水道により供給される水（基本的に給水栓を出る水）について適用されるものであり、原水について適用されるものではないこと。

・人の健康に対する悪影響（急性及び慢性）を生じさせないという観点から設定されるべきものであること。

・異常な臭味や洗濯物の着色など生活利用上の障害をきたさないという観点からも設定されるべきものであること。

このようなことから、現行基準を定めるに当たり、生活環境審議会（当時）はその答申（平成四年一二月）において、次のとおりその考え方を示している。

・水道水に求められる基本的用件の第一は、安全性・信頼性の確保である。この要件から人の健康に影響を及ぼすおそれのある項目をまとめ、「健康に関連する項目」として設定すべきである。

・水道水に求められる第二の用件は、水道としての基礎的・機能的条件の確保である。この要件は、色、濁り、においなど生活利用上の要請あるいは腐食性など施設管理上の要請を満たすためのものであり、これに関連する項目をまとめ、「水道水が有すべき性状に関連する項目」として設定すべきである。

本専門委員会においても、基本的には上記の考え方を継承するものであり、今回の水質基準の見直しに当たっては、①人の健康の確保及び②生活利用上の要請の両面から基準の設定につき検討を行うべきであると考える。

2　地域性・効率性を踏まえた水質基準の柔軟な運用

水道により供給される水の質は、地域、原水の種類・質、浄水方法などにより大きく変動する。

（地域による差異の例）

例一）北海道の一部水源における自然起因の砒素問題など、全国的な問題ではないが、地域的に見れば、安全な飲料水の確保の観点からは看過し得ない問題がある。

例二）農薬については、基本的に水源部で使用されている農薬に注意すればよく、それが当該地方で使用されていない場合にはほとんど問題とならない。

（原水の種類による差異の例）

例三）トリクロロエチレンなどの揮発性有機化学物質や硝酸性窒素などについては、多くの場合、地下水を水源とする水道において問題が生じている。

例四）ジェオスミンなどの臭い物質については、ダムや湖沼水など停滞水を水源とする場合には問題を生ずるが、地下水を水源とする水道においてはほとんど問題とならない。

（浄水方法による差異の例）

例五）臭素酸が比較的高い濃度で検出されるのは、多くの場合、オゾン—活性炭処理を行う水道又は消毒剤として次亜塩素酸を用いる水道に限られる。

例六）水に不溶の化学物質（例えばダイオキシン類など）については、水中では基本的に粒子状物質に吸着された形で存在していることから、適切にろ過操作が行われている浄水場においては、基本的に問題とならない。

ところが、これまでは「水質基準は、（水質検査とセットで）すべての水道に一律に適用する」との考え方のもとに設定されてきたことから、このような変動要素に対応するため、行政通知により「快適水質項目」、「監視項目」及び「ゴルフ場使用農薬に係る水道水の暫定水質目標」の三種のカテゴリーが設定されてきた。

なお、ミネラル・ウォーターなどペット・ボトル入り飲料水の消費量の増大に象徴されるように、快適性に関する消費者の嗜好は年々変化していくものであり、平成四年当時は、より高品質なものとされた項目についても、現時点においては、最低限の要求となっているものもあると考えられる。特に、他の商品を選べないという特質を有する水道においては、快適性についても十分な考慮が払われるべきであり、現行では快適水質項目とされるジェオスミンや二―メチルイソボルネオールについては異臭味被害が生じているという事実にも着目すべきである。

このような現行のシステム（水質基準―快適水質項目―監視項目―ゴルフ場使用農薬に係る暫定水質目標）については、多くの水道事業者等の理解を得、水道水質管理上一定の機能を果たしてきたと考えられるが、①監視項目等については通知に基づく行政指導であり、強制力がないことから、上に例示したような地域的な問題を見落としがちであること、②一方、水質基準項目については、全国一律適用との考え方から、ほとんど問題がない地域にある又は浄水方法を採用している水道事業体においても毎月検査が義務付けられること、といった不都合が生じている。

このような状況に鑑み、本専門委員会としては、水質基準の見直しに当たり、次のような新たなシステムを採用すべきであると考える。

(1)　全国的にみれば検出率は低い物質（項目）であっても、地域、原水の種類又は浄水方法により、人の健康の保護又は生活上の支障を生ずるおそれのあるものについては、すべて水道法第四条の水質基準項目として設定する。

(2)　一方で、すべての水道事業者等に水質検査を義務付ける項目は基本的なものに限り、その他の項目については、各水道事業者等の状況に応じて省略することができることとする。

この場合において、水質検査の省略につき、水道事業者等が適切に判断できるよう、省略の可否に関する指針が明示されるべきである。また、水質検査の適正化と透明性を確保するため、水道事業者等に対し、水質検査項目（省略する場合にはその理由）を明示した水質検査計画を作成させ、これを事前に公表させることとすべきである。

なお、水質基準として設定しない物質（項目）であっても、一般環境中で検出されている物質、使用量が多く今後水道水中でも検出される可能性がある物質など、水道水質管理上留意すべき物質（項目）については、水質目標とともに関連情報を付して公表し（水質管理目標設定項目）、関係者の注意を喚起すべきである。

ところで、これらの項目については、リアルタイム・モニタリング（常時監視）が可能なものは限られており、水質管理に万全を期するためには、地域性や原水の質、浄水方法などに応じ、水質基準への不適合の可能性を事前に把握し、その上でそれに対応した管理を行っていく必要がある。食品衛生分野における危害分析・重要管理点（Hazard Analysis and Critical Control Point, HACCP）やＷＨＯにおける水安全計画（Water Safety Plan）などもこのような考え方に立ったものであり、我が国の水道水質管理においても、このような考え方を取り入れていくことが必要である。

3　逐次改正方式

水質基準については、最新の科学的知見に従い常に見直しが行われるべきであり、世界保健機関（ＷＨＯ）においても、飲料水水質ガイドラインの三訂版では、今後は〝Rolling Revision〟（逐次改正方式）によることとし、従来のような一定期間を経た上で改正作業に着手するという方式を改めるとしている。

我が国の水質基準においても、理念上は逐次改正方式によることとされているが、これを実効あらしめるためには、例えば、関連分野の専門家からなる水質基準の見直しのための常設の専門家会議を設置することが有益である。

また、逐次改正方式の実効性を高めるとともに、水道水質管理の一層の充実を図るため、水道事業者等による水質検査に加え、国及び地方公共団体において水道水質管理行政を担当している部局による水質監視が重要である。

国及び地方公共団体による水質監視については、これまで都道府県が策定する「水道水質管理計画」に基づき実施されているが、同計画においては、第一に水道事業者等における水質検査体制の整備充実が上げられている。しかしながら、一〇年が経過し、水道事業者等における水質検査体制の整備が進んできたと考えられる現在、国及び地方公共団体による水質監視は、次の点を主たる目的として実施すべきである。

(1)　国による水質監視

・全国的な水道水質状況の把握

・水質基準設定の要否の検討

(2)　地方公共団体による水質監視

・水質基準設定の要否の検討

・水道水源の状況の監視及びその結果に基づく水道事業者の指導

・水質基準の遵守状況の確認

当然のことながら、これらの水質監視の実施に当たっては、環境基準監視やPRTR制度などの他制度にも留意しつつ、環境担当部局、河川担当部局、農林水産担当部局等関係部局との連携が必要であり、また、水道事業者等に協力を求めることが不可欠である。

Ⅱ．病原微生物に係る水質基準　（内容省略）

Ⅲ．化学物質に係る水質基準　（内容省略）

Ⅳ．水質検査方法　（内容省略）

Ⅴ．クリプトスポリジウム等の耐塩素性病原微生物対策　（内容省略）

Ⅵ．水質検査における精度と信頼性保証　（内容省略）

Ⅶ．水質検査のためのサンプリング・評価　（内容省略）

Ⅷ．水質検査計画　（内容省略）

Ⅸ．簡易専用水道の管理及び三四条機関のあり方　（内容省略）

Ⅹ．水質管理目標設定項目等の取扱い　（内容省略）

Ⅺ．今後の課題（内容省略）

一一、国民生活を支える水道事業の基盤強化等に向けて講ずべき施策について

（平成二八年一一月　厚生科学審議会生活環境水道部会水道事業の維持・向上に関する専門委員会）

一、水道事業をめぐる現状と課題

○　現在、我が国の水道は 九七・八％の普及率に達し、水道は、国民の生活の基盤として必要不可欠なものとなっている一方、以下に掲げる喫緊に解決しなければならない課題を抱えている。

○　人口減少社会が到来し、今から約四〇年後、日本の人口は八六〇〇万人程度となると推計されている。それに伴い、水需要も約四割減少すると推計されている。給水量の減少は直接料金収入の減少につながり、特に小規模な水道事業者

（注：簡易水道事業者を含む。以下同じ。）において、経営状況の急激な悪化が懸念される。

○　また、高度経済成長期に整備された水道は、その施設の老朽化が進行し、これまでの施設投資額の約六割を占める水道管路の経年化率は年々上昇しているにもかかわらず、管路の更新が進んでいない。仮に、現状の更新率のまま推移するとした場合、全ての管路の更新に約一三〇年かかる計算となっている。

○　耐震化についても、配水池及び浄水施設の耐震化率、基幹管路の耐震適合率は依然として低い。水道施設の更新・耐震化が適切に実施されていなければ、安全な水を安定的に供給できないだけでなく、先の東日本大震災や平成二八年熊本地震における状況に照らしてみても、大規模災害時等において、断水が長期化し、市民生活に甚大な影響を及ぼすおそれがある。

○　こうしたハード面の課題に加え、水道事業者の組織人員削減、団塊世代の退職により、水道事業に携わる職員数は約三〇年前に比べ、三割程度減少している。さらに、職員の高齢化も進み、技術の維持、継承が課題となっている。特に小規模の水道事業者ほど職員数が少なく、地震・豪雨等の災害や事故発生時等に自力で対処することが極めて厳しい状況も見受けられる。

○　また、約五割の上水道事業者において、給水原価が供給単価を上回っている一方、水道料金の値上げを行った水道事業者は、平成二二年～平成二六年の年平均で全体の約四％にとどまっている。十分な更新費用等を水道料金原価に見積もっていない場合が多いと考えられ、このままでは、老朽化・耐震化費用の増大と水需要の減少とが相まって、将来、急激な水道料金の引上げを招くおそれがある。

○　このほか、平成八年に創設された指定給水装置工事事業者制度により、全国一律の指定基準が導入されたことに伴い、指定工事事業者数が大幅に増え、水道事業者は、指定工事事業者の運営実態の把握や技術指導等が困難となっている。また、指定工事事業者の違反行為や苦情等、住民との間にトラブルが生じている。

○　水道事業をめぐるこうした課題及び新水道ビジョン（平成二五年三月厚生労働省策定）に掲げられた安全・強靭・持続の理念を踏まえ、当専門委員会では、平成二八年三月以来、これまで計九回の議論を重ね、これらの課題への対応策について検討を行った。その検討結果を踏まえ、以下のとおり提言する。

二、今後の水道行政において講ずべき施策の基本的な方向性

○　水道の計画的な整備を中心とする時代から、人口減少社会や頻発する災害に対応できるよう施設の維持管理や修繕、計画的な更新を行うことにより、将来にわたり持続可能な水道とすることが求められる時代へと大きく変化した。

○　このような時代において、今や国民生活や産業活動に欠かせないライフラインとなった水道事業について、今後もその持続性を確保するため、国及び地方公共団体はそれぞれの立場から水道事業の基盤強化（適切な管理による健全な施設の保持、財政基盤の確保、及び経営ノウハウや技術力等を有する人材の育成・確保等）を図ることが不可欠である。

○　単独で事業の基盤強化を図ることが困難な中小規模の水道事業者及び水道用水供給事業者においては、地域の実情を踏まえつつ、職員確保や経営面でのスケールメリットの創出につながり、災害対応能力の確保にも有効な広域連携を図ることが必要である。

○　また、民間企業の技術、経営ノウハウ及び人材の活用を図る官民連携も、水道施設等の維持・管理、運営等の向上を図り、水道事業の基盤を強化していく上で有効な方策の一つである。

○　水道事業全体の底上げにつながる水道にかかわる人材育成についての一層の推進も求められている。

○　上記の観点を踏まえ、水道法（昭和三二年法律第一七七号）の目的や国・地方公共団体の水道に関する施策の策定・実施の責務を時代に対応したものに改めるとともに、中長期にわたって事業の持続性を確保する観点から、水道事業の基盤強化に向けて、以下のような関係者それぞれの責務を水道法の中で明確化すべきである。

・　水道事業者（注：簡易水道事業者を含む。以下同じ。）及び水道用水供給事業者においては、自らの事業基盤の強化に取り組むよう努めなければならないこと

・　都道府県は、広域連携の推進役として、水道事業者間、水道用水供給事業者間、水道事業者と水道用水供給事業者との間の調整を行うとともに、水道事業者及び水道用水供給事業者が行う事業基盤の強化に関し、情報の提供及び技術的な援助を行うよう努めなければならないこと

※持続可能な水道事業の実現に向けた水道施設に関する台帳整備・維持修繕（点検）・更新需要等の試算・試算結果や給水需要を踏まえた計画的更新等の適切な資産管理や水道料金等についての情報提供、相談及び技術的助言、並

びに住民等に対する事業基盤強化の必要性に関する普及啓発等が考えられる。

・国は、水道事業の基盤強化に関し、基本的かつ総合的な施策を策定し、これを推進するとともに、地方公共団体並びに水道事業者及び水道用水供給事業者に対する必要な技術的及び財政的援助を行うよう努めなければならないこと

・国、地方公共団体、水道事業者、水道用水供給事業者及びその他の関係者は、災害時において、相互に連携を図り、協力するよう努めなければならないこと

○なお、災害対応については、頻発する豪雨災害への対応も含め、関係省庁は互いに連携を図ることが重要である。

○また、一、で述べたような水道事業をめぐる諸課題に対応し、以下に述べるような具体的な対応について、水道法の改正をはじめ、通知等運用レベルの取組も含め、対応することが急務である。

三、課題に対する具体的な対応（案）

㈠　適切な資産管理の推進

（台帳整備）

○水道施設の位置、構造、設置時期等の施設管理上の基礎的事項を記載した台帳は、水道施設の適切な管理のほか、計画的な施設の更新、災害対応、広域連携や官民連携等のすべての基礎となる有用な情報であり極めて重要である。しかしながら、現行水道法では台帳整備の規定がなく、台帳の整備率は六割程度にとどまり、災害時において水道施設データの整備が不十分であったために迅速な復旧作業に支障を生じた例も見受けられた。

○このため、下水道や河川等の管理者と同様に、台帳の整備を行うことを水道事業者及び水道用水供給事業者に義務付けるべきである。

○また、台帳に記載すべき事項について、国は、具体的に示すべきである。

○台帳に記載すべき情報が散逸している場合は、現地調査、職員ＯＢへの聞き取り、合理的な推定等により、可能な範囲で記載することとするのが適当である。

（点検を含む維持・修繕）

○老朽化等に起因する事故の防止や水道水の安定供給のため、また、施設の長寿命化を図り、設備費用を抑制するとと

もに、長期的な更新需要の把握に必要な施設の健全性を確認する観点から、水道施設の点検を含む維持・修繕は極めて重要である。

○　しかしながら、施設の点検の実施状況については、機械・電気・計装設備では約九割の事業者で日常点検が、約八割で定期点検がそれぞれ実施されているものの、埋設され比較的点検を行うことが困難な管路ではそれぞれ約四割、約三割と実施率が低くなっている。コンクリート構造物については、約七割の事業者で日常点検が行われているものの、定期点検の実施率は約一割にとどまっている。

○　このため、下水道や河川等の管理者と同様に、水道事業者及び水道用水供給事業者は、水道施設を良好な状態に保つように維持・修繕することを義務付けるべきである。

○　施設機能を維持するための施設の管理方法については、予防保全（状態監視保全、時間計画保全）とすべきである。管路等の埋設構造物など点検による状態把握が困難なものについては、埋設環境を考慮しつつ、時間計画保全を基本とすることが考えられる。

○　点検の頻度・項目等については、個々の施設の構造等を勘案して、適切な時期に、目視その他適切な方法により点検を行うことが必要であるが、特に、損傷した場合に給水への支障が甚大となる可能性があり、かつ、点検による健全性の評価が更新需要の平準化に有効である鉄筋コンクリート構造物については、一定の頻度（例えば、五年に一回）で近接目視等により劣化状況の確認を行うこととする基準を設けることが考えられる。

○　国においては、水道事業者及び水道用水供給事業者が点検を含む維持・修繕の内容を定めるに当たって基本とすべき考え方を示すべきである。その上で、水道事業者及び水道用水供給事業者は、自ら保有する施設の種類・状況等を勘案して、日本水道協会が策定している水道維持管理指針や全国簡易水道協議会が策定している簡易水道維持管理マニュアルを参考に、それぞれの点検等の内容を定めることが考えられる。

（更新需要及び財政収支の見通しの試算並びに計画的な更新）

○　高度経済成長期に整備された水道施設の更新時期が到来しているにもかかわらず、管路の更新が進んでおらず、老朽化が進行し、各地で漏水事故なども相次いでいる。こうした中、水の将来にわたる安定供給を図るためには、長期的視野に立った計画的な施設の更新・耐震化が必要であるが、中長期的な水道施設の更新需要及び財政収支の見通しを試算した上で、実際の施設更新の計画や財政計画に反映しているのは、上水道事業者全体の約一六％にとどまっている。

○　水道事業者及び水道用水供給事業者は、上記の台帳や点検を含む維持・修繕の結果を活用して、中長期的な水道施設の更新需要及び財政収支の見通しを試算し、施設の重要度や健全度を考慮して具体的な更新施設や更新時期をあらかじめ定める、いわゆるアセットマネジメント（長期的視野に立った計画的な資産管理）により、計画的に施設を更新するよう努めなければならない旨を法律上位置付けるべきである。

○　将来にわたり水道を持続するため、施設更新及びそのための財源の確保が必要であることについて、住民等の理解を醸成していくために、更新需要と財政収支の見通しの試算を行った場合には、わかりやすい形で公表するよう努めなければならない旨を法律上位置付けるべきである。

（給水需要に見合った施設規模への見直し）

○　水需要が減少している中で更新需要が増大していることを踏まえ、水道事業者及び水道用水供給事業者は、災害対応能力の確保の観点に留意しつつ、給水体制を適切な規模に見直すことにより、更新需要及び将来の施設維持に要する費用を縮減することが重要である。

○　認可を受けたが、一度も給水していない区域を縮小することや、現実の給水人口及び給水量と認可された給水人口及び給水量との乖離への対応について、制度運用の改善などの具体的な措置を検討すべきである。

㈡　持続可能なサービスに見合う水道料金の設定

○　老朽化・耐震化費用の増大と人口減少に伴う水需要の減少とが相まって、将来水道事業の急速な経営状況の悪化が懸念されており、将来にわたり水道事業を持続可能なものとするためには、長期的な見通しに基づいて水道料金を設定することが求められる。

○　水道料金は総括原価主義を採用しており、水道事業の持続性確保のための取組も含めて提供されるサービスの内容を見込んだ総括原価に基づき料金が設定されることが必要である。

○　水道法の目的に「清浄にして豊富低廉な水の供給」がうたわれている。水道が国民生活に欠くことのできないライフラインであることにかんがみ、「清浄にして豊富低廉」という文言は維持しつつ、将来にわたり、健全な経営の下で、安定的な水の供給が確保されるべきことを水道法の体系において明確にすべきである。また、持続可能な水道を保つための料金原価とするため、将来の施設更新に必要な財源として資産維持費が計上されるべきことについて、併せて周知徹底を図るべきである。

○ 将来の更新需要等を考慮した水道料金の設定について、水道事業者には主体的に定期的（三～五年）な検証及び必要に応じた見直しを行うことが求められる。また、認可権者は水道事業者に対し、水道料金の定期的な検証を促すべきである。

○ 水道料金について、水道事業者たる市町村等が説明責任を果たすためにも、上記㈠に記載したとおり、中長期的な更新需要と財政収支の見通しの試算を行った場合は、住民等に対してわかりやすい形で公表するよう努めなければならないことを法律上位置付けるべきである。

○ 日本水道協会が策定している水道料金算定要領等について、国からも水道事業者及び都道府県に対し周知を図るべきである。

㈢ 広域連携の推進

○ 一三八八の上水道事業のうち、給水人口五万人未満の中小規模の事業者が九五二と多数存在しているが、人的体制や財政基礎が脆弱な中小規模の水道事業者においては、単独で事業の基盤強化を図り、将来にわたり持続可能な水道事業を運営することが困難となりつつある。

○ そうした中小規模の水道事業者及び水道用水供給事業者においては、職員確保や経営面でのスケールメリットの創出につながる広域連携の手法を活用することが有効であることから、厚生労働省では、水道ビジョン（平成一六年）や新水道ビジョン（平成二五年）の策定、予算措置等により、広域化（事業統合）を中心とする広域連携の推進を図ってきたが、広域化のみならず様々な広域連携をより一層推進することが求められている。

○ 広域連携には、事業統合、経営の一体化、管理の一体化や施設の共同化のほか、事務代行や技術支援といった様々な形態が考えられる。

また、管理の一体化を図る上で、ＩＴ（情報技術）の活用は有効な手段の一つである。

○簡易水道事業と上水道事業の統合も広域連携の一つであり、地域の実情に応じ、さらに市町村の区域を越えた広域連携が実現されれば、一層の基盤強化が図られるものと考えられる。また、地域の実情に応じて、水道用水供給事業を活用して広域連携を図ることも考えられる。

○都道府県は、広域連携の推進役を担うべきである。このため、都道府県が主体となり、水道事業者及び水道用水供給事業者を構成員として、事業運営を適切かつ効率的に実施するための広域連携を推進する協議の場を設けることができることを法律上明確にすべきである。また、この協議の場には、学識経験者や地域住民も、必要に応じて参画できるようにすることが適当である。

○さらに都道府県の積極的な関与による広域連携の推進のため、水道法の体系に以下の枠組みを追加すべきである。

・厚生労働大臣は、水道事業の基盤強化を図るための基本方針を定め、これを公表するものとすること

※基本方針の内容としては、例えば、水道事業の基盤強化（適切な管理による健全な施設の保持、財政基盤の確保及び人材の確保）に関する基本的事項、広域連携の推進に関する基本的事項等を記載することが考えられる。

・都道府県は、基本方針に基づき、関係市町村の同意を得て、水道事業基盤強化計画を策定できるものとし、同計画を策定した場合には公表するよう努めなければならないものとすること

※水道事業基盤強化計画の内容としては、例えば、水道事業の基盤強化に関する事項、広域連携の推進に関する事項、広域連携を行う水道事業者及び水道用水供給事業者を記載することが考えられる。

・広域連携を行おうとする水道事業者及び水道用水供給事業者は、具体的な広域連携の実施方針等を定めた広域連携実施計画を策定することができるものとし、同計画を策定した場合には公表するよう努めなければならないものとすること

○なお、都道府県の策定する水道事業基盤強化計画については、同様に都道府県が策定主体となっている水道法第五条の二第一項の規定に基づく広域的水道整備計画との関係を整理すべきである。

○都道府県が広域連携等の水道事業の基盤強化を推進するに当たり、国は上記枠組みの運用の考え方を示すとともに先

進的取組事例の情報提供を行う等、積極的に連携・協力すべきである。

○　都道府県や水道事業者及び水道用水供給事業者が、水道事業基盤強化計画や広域連携実施計画に基づき実施する取組・事業について、中核となる地方公共団体の果たす役割の重要性にも配慮しつつ、国は必要な技術的及び財政的援助を行うべきである。

○　また、台帳整備から更新需要と財政収支の見通しの試算に至る水道施設に関する情報の整理は広域連携の前提としても重要であることから、小規模な水道事業者を中心に、こうした情報の整理を自力で実施することが困難である場合には、国は必要な技術的及び財政的援助を行うべきである。

(四)　官民連携の推進

○　政府全体の取組として、水道についても、利用人口の本格的な減少の中で、安定的な経営を確保し、効率的な整備・管理を実施するため、地域の実情に応じて、事業の広域化を行うとともに、多様な官民連携の活用を検討することが求められている。

○　官民連携は、水道施設等の維持・管理、運営等の向上はもとより、水道事業を支える人材の確保や官民双方の技術水準の向上に資するものである。こうした観点から、官民連携を単に経費節減の手段としてではなく、水道事業の持続性、公共サービスの質の向上に資するものとしても捉えるべきである。

○　水道事業及び水道用水供給事業を担う地方公共団体においては、それぞれの置かれた状況に応じ、長期的な視点に立って、優れた技術、経営ノウハウを有する民間企業や、地域の状況に精通した民間企業との連携を一層図っていくことが、広域連携と並び事業の基盤強化に有効な方策の一つとして考えられる。これにより、事業の運営能力を有する民間企業をはじめ、水道に関わる民間企業を育成することとなり、地域の雇用の創出や技術継承につながるとともに、長期的に水道事業及び水道用水供給事業を担うことができる潜在力を高めることにつながることが期待される。

○　水道事業及び水道用水供給事業における官民連携には、個別の業務を委託する形のほか、複数の業務を一括して委託する包括業務委託や、技術上の業務を委ねる場合に水道法上の責任が受託者に移行する第三者委託、ＤＢ、ＰＦＩの活用など様々な連携形態がある。国は、各水道事業者が、こうした多様な選択肢の中から、各々の事業のあり方を踏まえた上で、適切なものを選択できるよう、その検討等に当たって必要となる情報や留意点を、先進的なモデル事例や官民連携推進協議会での議論等を踏まえながら、詳細に提供していくべきである。

○　官民連携のうち、コンセッション方式については、具体的に導入を検討している地方公共団体もあることから、水道事業及び水道用水供給事業において現実的な選択肢となり得るよう、災害等の不測の事態も想定した官民の権利・義務関係の明確化、適切なモニタリング体制や水質の安全性の確保を含め、事業の安定性、安全性、持続性を確保する観点から、水道法の趣旨・性格、関係法令間の法的整合性に十分留意するとともに、海外の先行事例の教訓も踏まえながら、法制的に必要な対応を行うべきである。

○　また、コンセッション方式を活用した場合、民間企業が事業期間の後期に向けて更新投資費用の計上額が逓増することが想定されることを踏まえ、その平準化のための対応策として、民間資金等の活用による公共施設等の整備等の促進に関する法律（平成一一年法律第一一七号）第二〇条に基づき運営権設定前に地方公共団体が負担した建設費等について、民間企業が地方公共団体から負担金の支払いを求められた場合における当該負担金の費用計上時期の考え方に関して、周知を図るべきである。

○　さらに、民間企業が水道事業の運営に関わることを前提にした料金原価の算定方法については、公営企業の場合と同様に総括原価主義とするとともに、総括原価に法人税や配当金などを含めることができることを明確にすべきである。

㈤　指定給水装置工事事業者制度の改善

○　従来は、各水道事業者が独自の指定基準で給水装置工事を施行する者を指定していたが、規制緩和の要請を受け、平成八年に全国一律の指定基準による現行制度が創設された。これにより、広く門戸が開かれ、指定給水装置工事事業者（以下「指定工事事業者」という。）が大幅に増加した。

○　現行制度では、指定工事事業者の指定についてのみ定められているが、指定の有効期間が無く、指定工事事業者の廃止・休止等の状況も反映されにくいため、指定工事事業者の実体を把握することが困難である。また、指定工事事業者の違反行為や利用者からの苦情が発生している。

○　こうした状況に対応するため、指定工事事業者を巡るトラブルの防止や指定後の実態を把握し、指定工事事業者の資質が継続して保持されるよう、指定に有効期間を設ける更新制を導入すべきである。なお、更新制の導入にあたっては、水道事業者や優良な指定工事事業者にとって、過度な負担とならないよう留意すべきである。

○　指定の有効期間は、実体との乖離の防止や指定工事事業者及び水道事業者への負担の程度を考慮し、五年間とすることが適当である。

○　水道事業者は、指定更新の申請時に、指定工事事業者の講習会の参加実績や主任技術者等への研修機会の確保の状況、配管技能者の配置状況、指定工事事業者の業務内容といった情報を確認し、指定工事事業者を指導するべきであり、確認した情報については、利用者が指定工事事業者を選択する際に有用な情報となるようなわかりやすい情報発信の一つとして活用することが有効である。なお、複数の水道事業者へ申請を行う指定工事事業者に過度な負担とならないよう、指定更新申請時に合わせて行う確認事項については統一的なものとすることが望ましい。また、配管技能者として配置されるべき者の考え方について、国は改めて周知の徹底を図るべきである。

○　技術力を含めた指定工事事業者の資質の向上は重要な課題であり、水道事業者の連携による広域的な指定工事事業者講習会の開催促進、主任技術者研修へのeラーニング等の一層の活用等、実効性のある講習会のあり方についても検討するとともに、指定工事事業者においては、講習会等の機会を積極的に活用するべきである。

○　水道事業者における指定の取消等の基準の整備を進めるための周知を国から行うことに加え、関係団体の協力を得て指定の取消に関する解説について情報提供することが考えられる。また、指定工事事業者の指定の取消等の情報の共有化についても、検討すべきである。

○　指定給水装置工事事業者制度に係る諸課題への対応としては、まずは上記の取組を推進することが重要であるが、さらなる方策として、客観的で公正な判断基準と研修機会の確保等の環境整備を前提とした適正な事業運営を実施している優良な指定工事事業者に対する表彰の普及拡大等も考えられる。

○　なお、上記㈢により水道事業の事業統合を行った場合、直ちには統合前の水道事業者毎の給水装置工事の施工方法等が統一されないことについて留意する必要がある。

四、おわりに

○　以上、水道事業の基盤強化及び指定給水装置工事事業者制度の改善について今後の水道行政において講ずべき基本的な方向性及び具体的な施策を提言した。これらに加え、水道の国際展開の推進も、水道業界全体の育成につながることで国内の基盤強化にも寄与することが期待され、重要な課題である。

○　水道は、国民生活にとって最重要な社会基盤と言っても過言でないにも関わらず、現在、施設の老朽化や財政状況、人材不足は深刻な状況に陥りつつあり、このまま放置すれば、将来にわたる安全な水の安定供給を維持できなくなる可能性が高い。国、地方公共団体、水道事業者、水道用水供給事業者、指定給水装置工事事業者等の関係者は、その真摯な取組により、常に国民の期待に応えることが求められる。また、水道の利用者にも、水道が現在多くの課題に直面していること、多くの施設・設備と関係者の尽力によって支えられる水道事業が多大な投資の上で成り立っていること、そして水の大切さを正しく理解していただくことが必要である。

本報告書の提言を踏まえ、法整備その他の必要な対応に早急に取り組まれたい。

〔参　考〕水道法と関連する法令

1	調査計画（国土等の利用と水道計画）
2	水源（地下水、表流水に係る法制）
3	水源開発（水源開発に係る法制）
4	水源保護（水道水源の保護、公共用水域の保護に係る法制）
5	設計・施工・維持管理（水道施設等の設計等に係る法制）
6	給水
7	災害対策（災害時の飲料水の確保等に係る法制）
8	環境対策（環境対策に係る法制）
9	経営（地方公共団体による水道事業、水道用水供給事業の経営）
10	財政（資金調達）
11	労働関係（水道事業等に従事する職員に係る法制）
12	監督・指導

1　調査計画

(1)　国土計画
- 全国計画
  - 国土形成計画法（国土形成計画）
- 地域計画
  - 各地域圏整備法（首都圏整備法等）
  - 各地方開発促進法（北海道開発法等）

(2)　都市計画
- 都市計画法、土地区画整理法等
- 公有地の拡大の推進に関する法律
- 土地区画整理法
- 新住宅市街地開発法
- 新都市基盤整備法

2　水源

(1)　水循環
- 水循環基本法

(2)　河川水
- 河川法、河川法施行法（水利権等）
- 治山緊急措置法

(3)　地下水
- 民法（所有権）
- 工業用水法（地下水の汲み上げ規制）
- 建築物用地下水の採取の規制に関する法律（同上）

3　水資源開発

⑴　水資源開発──┬─水資源開発促進法─独立行政法人水資源機構法
　　　　　　　　└─特定多目的ダム法

⑵　水源地域対策特別措置───水源地域対策特別措置法

4　水源保護

⑴　水道水源の保護──┬─水道原水水質保全事業の実施の促進に関する法律
　　　　　　　　　　└─特定水道利水障害の防止のための水道水源水域の水質の保全に関する特別措置法

⑵　水質環境基準─────────環境基本法

⑶　公共用水域の水質保全──┬─水質汚濁防止法
　　　　　　　　　　　　├─河川法
　　　　　　　　　　　　├─湖沼水質保全特別措置法
　　　　　　　　　　　　└─海洋汚染及び海上災害の防止に関する法律

⑷　鉱山等の廃水等の規制──┬─鉱山保安法
　　　　　　　　　　　　└─砂利採取法（水洗炭業に関する法律）

⑸　下水道、清掃施設等の放流水の規制
　├─下水道法、日本下水道事業団法
　├─廃棄物の処理及び清掃に関する法律
　├─浄化槽法（化製場等に関する法律、と蓄場法）
　├─ダイオキシン類対策特別措置法
　└─特定化学物質の環境への排出量の把握等及び管理の改善の促進に関する法律

⑹　毒物及び劇物等の取締り──┬─毒物及び劇物取締法
　　　　　　　　　　　　　└─農薬取締法

⑺　化学物質の製造又は輸入の規制───化学物質の審査及び製造等の規制に関する法律

⑻　水源林の涵養───森林法

⑼　水源の汚染の取締り──┬─刑法
　　　　　　　　　　　└─人の健康に係る公害犯罪の処罰に関する法律

5　設計・施工・維持管理

(1)　河川工作物――河川法

(2)　建築基準――建築基準法

(3)　消防水利・危険物―消防法

(4)　電気工作物――電気事業法

(5)　塩素ガス――高圧ガス保安法

(6)　道路占用等
- 道路法
- 道路交通法
- 共同溝の整備等に関する特別措置法
- 大深度地下の公共的使用に関する特別措置法

(7)　土地収用
- 土地収用法
- 公共用地の取得に関する特別措置法

(8)　施工
- 建設業法
- 公共工事の前払金保証事業に関する法律
- 民間資金等の活用による公共施設等の整備等の促進に関する法律（PFI 法）
- 公共工事の入札及び契約の適正化の促進に関する法律
- 政府契約の支払遅延防止等に関する法律（支払遅延防止法）

(9)　貯水槽等給水設備
- 建築基準法
- 建築物における衛生的環境の確保に関する法律

6　給水

(1)　計量――計量法

(2)　水道使用者保護―消費者契約法

7　災害対策

(1)　国土強靭化――強くしなやかな国民生活の実現を図るための防災・減災等に資する国土強靭化基本法（国土強靭化基本法）

(2)　災害防止計画――災害対策基本法

(3)　大規模地震対策
- 大規模地震対策特別措置法
- 大規模災害からの復興に関する法律
- 南海トラフ地震に係る地震防災対策の推進に関する特別措置法
- 首都直下地震対策特別措置法
- 日本海溝・千島海溝周辺海溝型地震に係る地震防災対策の推進に関する特別措置法

(4)　災害救助――――――災害救助法

(5)　復旧工事――――――公共土木施設災害復旧事業費国庫負担法

8　環境対策

(1)　環境影響――――――環境影響評価法

(2)　温暖化対策――――地球温暖化対策の推進に関する法律

(3)　省エネルギー対策―エネルギーの使用の合理化等に関する法律

9　経営

(1)　地方自治の基本――――――――地方自治法

(2)　地方公営企業等の経営の基本―地方公営企業法―地方独立行政法人法

(3)　損害賠償責任―――――――――民法（債務不履行、不法行為）
　―――――国家賠償法
　―――――製造物責任法

10　財政

(1)　地方財政――――――地方財政法

(2)　負担区分――――――地方交付税法

(3)　起債――――――――財政融資資金法
　――――――地方公共団体金融機構法

(4)　国庫補助――――――補助金等に係る予算の執行の適正化に関する法律

(5)　無利子貸付――――日本電信電話株式会社の株式の売払収入の活用による社会資本の整備の促進に関する特別措置法

(6)　特別の助成――――離島振興法
　――――奄美群島振興開発特別措置法
　――――小笠原諸島振興開発特別措置法
　――――沖縄振興特別措置法
　――――過疎地域の持続的発展の支援に関する特別措置法
　――――辺地に係る公共的施設の総合整備のための財政上の特別措置等に関する法律
　――――明日香村における歴史的風土の保存及び生活環境の整備等に関する特別措置法

(7)　消費税――――――消費税法

11　労働関係

(1)　職員の身分――地方公務員法
　　　　　　　　　地方公営企業等の労働関係に関する法律
　　　　　　　　　労働組合法
　　　　　　　　　労働関係調整法

(2)　労働基準――労働基準法
　　　　　　　　労働安全衛生法

(3)　労働者派遣――労働者派遣事業の適正な運営の確保及び派遣労働者の保護等に関する法律（労働者派遣法）

12　監督・指導

(1)　厚生労働省――厚生労働省設置法

(2)　総務省――総務省設置法

第五版

水道法逐条解説

水道法制研究会

定価　9,075円（税抜価格　8,250円）

昭和58年9月29日　初版
平成4年3月16日　改訂
平成15年10月26日　新訂
平成27年8月31日　四版
令和3年11月18日　五版

発行所　公益社団法人　日本水道協会
〒102-0074 東京都千代田区九段南4丁目8番9号
電話　(03) 3264-2281（代表）

ISBN 978-4-909897-20-6　C 3032　￥8250 E

印刷所　ヨシダ印刷株式会社
東京都墨田区亀沢3丁目20番14号